Historia esencial
de la literatura española
e hispanoamericana

EDAF  ENSAYO

FELIPE B. PEDRAZA JIMÉNEZ
MILAGROS RODRÍGUEZ CÁCERES

Historia esencial
de la literatura española
e hispanoamericana

(Edición revisada y actualizada)

EDAF

MADRID - MÉXICO - BUENOS AIRES - SAN JUAN - SANTIAGO - MIAMI

2008

© Felipe B. Pedraza Jiménez y Milagros Rodríguez C
© 2000. De esta edición, Editorial EDAF, S.L.

Diseño de cubierta: Gerardo Domínguez

Editorial EDAF, S. L.
Jorge Juan, 30. 28001 Madrid
http://www.edaf.net
edaf@edaf.net

Ediciones-Distribuciones Antonio Fossati, S.A. de C.V.
Sócrates, 141, 5º piso - Colonia Polanco -
C.P. 11540 México D.F.
edafmex@edaf.net

Edaf del Plata, S. A.
Chile, 2222
1227 - Buenos Aires, Argentina
edafdelplata@edaf.net

Edaf Antillas, Inc
Av. J. T. Piñero, 1594 - Caparra Terrace (00921-1413)
San Juan, Puerto Rico
edafantillas@edaf.net

Edaf Antillas
247 S.E. First Street
Miami, FL 33131
edafantillas@edaf.net

Edaf Chile, S.A.
Exequiel Fernández, 2765, Macul
Santiago - Chile
edafchile@edaf.net

3.ª edición, revisada y actualizada, marzo 2008

Depósito legal: M-15.135-2008
ISBN: 978-84-414-0789-4

PRINTED IN SPAIN   IMPRESO EN ESPAÑA
Gráficas Rógar, S.A. - Pol. Ind. Alparrache - Navalcarnero (Madrid)

Índice

Declaración de intenciones

CIRCUNSTANCIAS HISTÓRICAS, sociales y económicas muy complejas han condenado a los hispanohablantes a actitudes extremas e intermitentes. De la exaltación irracional de lo propio a la postración y el desánimo, a la vergüenza colectiva, a la invención de un pasado para la autoflagelación.

Tuvieron que venir los románticos alemanes para descubrir a los ilustrados epigonales de España y América que Calderón era un dramaturgo de alcance universal. El entusiasmo por Borges o Cortázar, por García Márquez o Carpentier nunca hubiera alcanzado el nivel justo y adecuado, de no haber tenido el refrendo de los lectores centroeuropeos.

Es necesario que desarrollemos la capacidad crítica para valorar en la medida justa el inmenso esfuerzo creativo que se ha hecho a un lado y otro del Atlántico. Sin chovinismos, sin complejos.

Este volumen es una historia esencial de la literatura en lengua española. Con ella nos gustaría dibujar las líneas maestras para que el lector culto pueda seguir los setecientos años —quizá mil, desde los primeros vestigios— de incesante quehacer poético, de asimilación de influjos, de exportación de formas y modelos, de interrelación entre el Nuevo y el Viejo Mundo…

Los autores hemos dedicado muchas horas, en la medida de nuestras fuerzas, a la creación literaria española e hispanoamericana. Son varios los libros y proyectos en los que

15

venimos participando: *Manual de literatura española* (Cénlit Ediciones, Berriozar, Navarra, 1981–2005, 16 vols.), *Manual de literatura hispanoamericana* (Cénlit Ediciones, 1991–en curso de publicación, 7 vols. previstos), *Las épocas de la literatura española* (Ariel, Barcelona, 1997) y *La literatura española: historia y textos* (Octaedro, Barcelona, 1999–en curso de publicación, 6 vols. previstos). Cada uno tiene objetivos y públicos distintos, aunque estén ligados por una misma concepción del fenómeno que se analiza.

Esta *Historia esencial de la literatura española e hispanoamericana*, que ahora publica Edaf, quiere ser un instrumento de estudio, de ágil consulta, de incitación a la lectura. Propone una sinopsis, un panorama de conjunto en el que el lector pueda encontrar el dato preciso, el comentario sencillo de los rasgos estructurales y estilísticos de las obras maestras, el apunte sobre su valor y sentido.

Frente a otros trabajos de dimensiones más amplias, esta *Historia esencial...* se presenta como un *vademecum* para el estudioso, el estudiante y el aficionado. Su diseño responde a esa función. Hemos procurado que los datos, los análisis y las opiniones sean fácilmente localizables, que su exposición resulte clara y accesible para cualquier persona culta y que nuestras informaciones y comentarios sirvan para dirigir la atención hacia el texto.

La más ardua tarea ha sido jerarquizar la creación literaria, repensar el canon en una perspectiva que abarca las dos orillas de nuestra lengua. No es fácil alcanzar el deseado equilibrio. Solo diremos que lo hemos intentado con la mejor voluntad y que no hemos rehusado esfuerzos para conseguirlo.

Una historia literaria debe comentar los textos y acercarlos al posible lector. Así hemos procurado hacerlo con los autores de mayor relieve. Pero también cumple una función como registro y catálogo de creadores y obras, aun cuando sea imposible su descripción o análisis, a fin de guiar a los apasionados de la literatura y a los estudiantes en la selección de sus lecturas y la formación de sus bibliotecas. Cuando no ha sido posible el desarrollo crítico, hemos señalado nombres y títulos para ayudar al lector a elegir e interpretar por su cuenta.

La historia exige cierta perspectiva. Por eso hemos querido detener nuestro estudio en los autores que ya habían configurado su personalidad hace veinte o veinticinco años. Es la distancia mínima para que la masa boscosa no nos impida ver los árboles.

1

Edad Media

1.1. CONTEXTO HISTÓRICO Y CULTURAL

DEL IMPERIO AL REINO VISIGODO. Hispania, la más occidental de las penínsulas mediterráneas, fue un territorio romanizado durante los siglos II y I a. de C. Vivió más de medio milenio dentro del imperio, hasta que en el siglo V de nuestra era la llegada de los pueblos germánicos determinó el debilitamiento del poder de Roma y la fragmentación del territorio en unidades menores más o menos controladas por una etnia. En una amplia zona, que comprendía la actual España, Portugal y el sur de Francia, se asentaron los visigodos, un pueblo cristianizado (seguidor del monofisita Arrio) e incorporado a los usos y costumbres del mundo romano. El nuevo reino tuvo su primer centro en Toulouse. Más tarde, bajo la presión de los francos, se desplazó hacia el centro peninsular y se situó en Toledo.

La ocupación visigótica fue relativamente pacífica y su asimilación rápida. Pronto olvidaron su lengua germánica, de la que han quedado en nuestra lengua escasos términos. Más lento y conflictivo fue el abandono de su religión arriana. Tras algunas sangrientas confrontaciones, el rey Recaredo en 587 se convirtió con su corte al catolicismo. El latín hispánico medieval vivió una fugaz época de esplendor, cuya figura central fue san Isidoro de Sevilla. Las *Etimologías*, obra de este obispo escritor, serían un instrumento de enseñanza en todo Occidente a lo largo de la Edad Media. El libro viene a ser una síntesis del saber antiguo del mundo griego y romano.

En el siglo VI de nuestra era el mundo hispánico tiene como señas de identidad la organización territorial y jurídica heredada del imperio, la lengua latina, salvo en algunas zonas aisladas, y la religión cristiana católica y romana, a las que se han superpuesto ciertos usos y prácticas germánicos.

AL-ÁNDALUS: SU REALIDAD CULTURAL, LINGÜÍSTICA Y RELIGIOSA. En el 711 d. de C., una guerra civil por la sucesión en el trono toledano determinó la llegada de los musulmanes, que previamente se habían extendido por el norte de África. Aunque todo indica que pasaron a la península en número muy reducido, se apoderaron sin grandes problemas ni resistencias de los restos de la monarquía visigoda. Apoyaron a los hijos del rey Witiza en su sublevación contra don Rodrigo y alcanzaron la victoria en la histórica y mítica batalla de Guadalete.

El acceso al poder de los musulmanes fue relativamente fácil. Varias razones explican la falta de resistencia general. Los caudillos árabes y sus tropas, mayoritariamente berberiscas, venían a ocupar el vacío generado por las luchas intestinas. La imposición de esa minoría era puramente política y fiscal: la mayoría autóctona siguió con su religión católica. Las élites del poder tenían escaso interés en extender su credo ya que la conversión al islam suponía la exención impositiva. Les convenía tener amplias masas de cristianos para sostener la hacienda pública. Este régimen de discriminación, más o menos pacífica y aceptada (hay ocasionales rebeliones cristianas), fue la base de la construcción de la España musulmana, a la que conocemos con el nombre de Al-Ándalus.

En ella convivían tres culturas, tres religiones y tres lenguas sagradas: el mundo cristiano, que usaba el latín; el musulmán, que empleaba el árabe; y el judío, asentado en la península desde siglos atrás, que tenía como lengua el hebreo.

La composición social, cultural, lingüística y religiosa de Al-Ándalus explica algunos fenómenos literarios del mayor interés. Parece claro que durante un tiempo pervivieron unos dialectos derivados del latín a los que damos el nombre genérico de *mozárabe*, denominación que también se aplica a los cristianos que vivían en Al-Ándalus bajo la dominación musulmana.

Estas nuevas hablas románicas no llegaron a constituir nunca una lengua de cultura (el latín, el árabe y el hebreo desempeñaban ese papel); pero sí fueron instrumento para la creación artística popular a través de breves cancioncillas de trasmisión oral. De estos poemas no hubiera quedado vestigio alguno si las minorías cultas que escribían en árabe o en hebreo no se hubieran prendado de ellos. En Al-Ándalus y en otros puntos del mundo musulmán surgió una corriente de entusiasmo por la expresión lírica popular. Sin duda les hacía gracia la sencillez, el carácter primitivo e inmediato, frente al refinamiento amanerado de su poesía culta.

El género de la *moaxaja*, escrito por lo común en árabe clásico o en hebreo, incluye como remate una *jarcha* o canción de sabor popular, formada, en algunos casos, por unos versillos mozárabes (véase 1.2.1). Estos humildes restos constituyen el primer vestigio de una literatura románica y también la muestra más antigua de la *aljamía*, es decir, la escritura con caracteres árabes o hebreos de textos creados en una lengua neolatina.

De la resistencia a la reconquista. La aceptación general del dominio musulmán tuvo excepciones. Tras la derrota de Guadalete, grupos de nobles y guerreros partidarios de don Rodrigo se refugiaron en las montañas del norte peninsular. Fue ese un territorio que, dado su escaso interés económico (son zonas boscosas, sin posibilidades de una adecuada explotación agrícola) y su intrincada orografía, los musulmanes renunciaron a dominar.

En toda esa larga cadena montañosa, desde Asturias al Pirineo catalán, surgieron focos de resistencia cristianos que alimentaron durante siglos la idea de su legítimo derecho a reconquistar las tierras de la antigua monarquía visigoda y a

21

expulsar de ellas al invasor, incluso cuando el imaginado invasor llevaba cerca de ocho siglos en la península.

La imposibilidad de la comunicación entre la resistencia cristiana determinó el surgimiento de varias monarquías independientes. De oeste a este, tenemos el reino asturleonés —del que se desgajaron los condados de Portugal y Castilla, más tarde convertidos en reinos—, el de Navarra, el de Aragón y el de Cataluña.

El avance de los reinos cristianos hacia el sur, la llamada reconquista, fue muy irregular. En fecha temprana (siglo VIII), asturianos, leoneses y castellanos ocuparon la margen derecha del río Duero: sus tierras frías presentaban poco interés para los dominadores musulmanes. Sin embargo, les costó varios siglos pasar la cordillera central y ocupar el valle del Tajo. Toledo no cayó en manos castellanas hasta el año 1085. Los valles fértiles y bien comunicados permanecieron en poder de los musulmanes hasta fechas muy tardías. Zaragoza les fue arrebatada por los cristianos aragoneses en 1118.

La lentitud con que se producen estos avances revela que no estamos ante una guerra continua, sino ante esporádicos conflictos, combinados con paces y alianzas que no distinguen de religiones. Constantemente encontramos pactos entre señores cristianos y moros que se coaligan contra rivales que son indistintamente moros o cristianos. Lo que parece que persiste a lo largo del tiempo es la reivindicación cristiana sobre todo el territorio peninsular, como supuestos herederos de la monarquía visigótica. Es una pretensión con escaso fundamento legal: probablemente deberíamos considerar que el emirato y, más tarde, el califato musulmán son los legítimos continuadores en los que, *de facto*, y sin más contradicción que la de una minoría rebelde, se depositó el poder del estado visigodo.

Esta situación de ocasionales guerras y de una latente confrontación determinó que en España, y sobre todo en Castilla, no existiera durante siglos un régimen feudal en estado puro. Los campesinos sometidos a servidumbre eran necesarios para la repoblación y defensa de las nuevas tierras conquistadas. Las guerras propiciaban cierta inestabilidad política y con ella una considerable movilidad social. Individuos de la baja nobleza e incluso plebeyos podían llegar a ser grandes señores gracias a su esfuerzo. El *Cantar de mio Cid* es el reflejo mitificado de uno de esos ascensos.

¿LA REALIDAD HISTÓRICA DE ESPAÑA? Esa confrontación, mantenida en las condiciones que se han señalado, entre dos comunidades identificadas por su religión es una manifestación más del choque entre el islam y el cristianismo, que en Oriente tomará el nombre de *cruzadas*. Con la diferencia de que en el caso español la batalla no se libra en tierras lejanas sino sobre el propio lugar en que se vive.

En este enfrentamiento y en la difícil coexistencia entre religiones y culturas ha querido ver Américo Castro la raíz del ser español, tal y como explicó en su libro *España en su historia* (1948), más tarde reelaborado con el título de *La realidad histórica de España: cristianos, moros y judíos* (1954). Una religiosidad excluyente y fanática, que atribuye al influjo semítico, sería la marca de una sociedad en permanente conflicto en la que la casta triunfante, los cristianos, impusieron una forma de vida volcada hacia las armas y el espíritu de conquista y refractaria al trabajo, el comercio y la cultura.

Claudio Sánchez-Albornoz en *España, un enigma histórico* (1957), réplica al libro de Américo Castro, mantuvo conclusiones similares: el carácter intrínsecamente belicoso y poco sociable del español; pero apuntó causas radicalmente distintas. Para él, un medio geográfico hostil (escasas lluvias, climas extremados, orografía que limita o impide las comunicaciones) determina una forma de vida tensa que se vierte «por cauces épicos y pasionales, de espaldas a las tareas de la paz y por ende al margen de las puras actividades del espíritu».

Estas hipótesis, que han iluminado muchos aspectos de nuestro pasado, parecen en exceso radicales y nacen de unas circunstancias que poco tienen que ver con el mundo medieval y la fragua del ser español, suponiendo que tal ente de razón exista. Las reflexiones de Américo Castro y Claudio Sánchez-Albornoz, que venían a decir lo mismo a pesar de su apariencia contradictoria, trataban de buscar razones remotas para un terrible enfrentamiento de la historia española próxima: la guerra civil de 1936.

De la misma manera que la guerra del 36 no fue sino un anticipo de lo que de inmediato se convertiría en guerra mundial, los conflictos del mundo medieval hispánico no fueron más que ecos o adelantos de los que se desarrollaron en el Occidente europeo. Eso sí, en un medio geográfico concreto —el descrito por Sánchez-Albornoz— y en un medio social peculiar con individuos de tres religiones, frente a la homogeneidad de Inglaterra o Francia, que no tuvieron musulmanes en su territorio y expulsaron a la minoría judía.

EL VUELCO DE LA BALANZA. Mientras se produce la paulatina afirmación de los reinos cristianos, Al-Ándalus sufre trasformaciones violentísimas. Lo que en el siglo X se había consolidado como un califato de extraordinaria fuerza militar, económica y cultural, se desmembra poco después en numerosos estados menores e inestables llamados *reinos de taifas*, y padece invasiones procedentes del norte de África. Tanto los almorávides como los almohades, que dominaron Al-Ándalus en 1090-1145 y 1170-1231, respectivamente, son grupos musulmanes radicales que llegan para oponerse a los cristianos del norte; se alzan con el poder durante un tiempo e imponen a sangre y fuego sus doctrinas de regeneración y pureza espiritual. En algunos casos fuerzan la conversión de los cristianos y cambian la composición racial, cultural y religiosa de determinadas zonas.

A pesar de estas oleadas, a principios del siglo XIII los reinos cristianos rehacen sus fuerzas y, tras la batalla de las Navas de Tolosa (1212), inician un casi definitivo avance hacia el sur. Fernando III de Castilla conquista Córdoba (1236), Murcia (1243) y Sevilla (1248), mientras Jaime I de Aragón toma Valencia (1238).

Incluso en este periodo de predominio militar cristiano puede observarse que el avance no es constante: doce años separan las tomas de Córdoba y Sevilla. En cada caso, la conquista está precedida de complicadas maniobras diplomáticas y militares.

El poder político musulmán queda circunscrito a los reinos de Niebla, que caería poco después en tiempos de Alfonso XI, y Granada, donde se concentra una población mayoritariamente musulmana y de lengua árabe.

EL SIGLO XIV. En esa centuria se produce el último intento de invasión africana. Alfonso XI de Castilla lo frena al derrotar a los benimerines en la batalla del Salado (1340); pero tras la toma de Algeciras (1350), en cuyo cerco muere el rey, la reconquista se estanca.

La segunda mitad del siglo estará dominada por sucesivas oleadas de peste negra, que diezman la población y propician un sentimiento agónico del existir que tiene manifestaciones artísticas como las danzas de la muerte.

Castilla y Aragón, los dos reinos que se unirán para formar lo que hoy llamamos España, viven un desarrollo desigual. Aragón, con Valencia, Cataluña y el reino de Mallorca, se volcará hacia el Mediterráneo, mientras Castilla vivirá una sangrienta guerra civil entre Pedro I (1350-1369), el Cruel, según sus detractores, o el Justiciero, según sus partidarios, y su hermanastro Enrique de Trastámara (1369-1379). Esta contienda castellana constituye un episodio de la guerra de los Cien Años entre Francia e Inglaterra, que participan en ella con tropas expedicionarias.

El triunfo de Enrique II determina la instauración de una nueva dinastía y un importante fortalecimiento de la nobleza.

LOS REINOS CRISTIANOS: SU REALIDAD CULTURAL, LINGÜÍSTICA Y RELIGIOSA. Cada uno de los reinos cristianos fue modelando una forma peculiar de hablar el latín. Así nacieron los dialectos romances del norte de la península: gallego-portugués, leonés, castellano, navarroaragonés y catalán, diferentes entre sí y respecto a los dialectos mozárabes andalusíes, pero también próximos como nacidos de un mismo tronco común.

Los primeros vestigios del castellano son las *glosas*, una serie de notas explicativas al margen de los textos latinos. Los que aprendían a leer y escribir en esa lengua necesitaban de apoyos en el dialecto local para poder entender determinadas palabras y frases. Las más antiguas son las *Glosas emilianenses*, que se encuentran en un códice del convento riojano de San Millán de la Cogolla, y las *Glosas silenses*, del convento burgalés de Santo Domingo de Silos. Ramón Menéndez Pidal propone como fecha de estos documentos el siglo X, aunque otros estudiosos (por ejemplo, Manuel Díaz y Díaz) creen que datan del siglo siguiente.

En el territorio de los cuatro reinos cristianos que quedan a partir del siglo XIII (Portugal, Castilla y León, Navarra y Aragón) convive una población heterogénea formada por gentes de las tres religiones. Mayoritariamente, en su vida cotidiana emplean los dialectos derivados del latín. Los distintos dialectos mozárabes que se hablaban bajo la dominación musulmana quedan absorbidos y asimilados por las lenguas de los conquistadores.

En este contexto, las hablas autóctonas van consolidándose como lenguas de cultura. Frente al latín eclesiástico, que no podía ser sentido como propio por judíos y musulmanes, el castellano o el portugués, el aragonés o el catalán son elementos de cohesión de la colectividad. Este proceso adquiere un temprano vigor en Castilla. Alfonso X el Sabio (1252-1284) convierte el romance castellano en lengua oficial del reino, en la que se redactarán en lo sucesivo las leyes y edictos. Enriquece su vocabulario con la incorporación de numerosos latinismos, regulariza su sintaxis, establece una norma culta (sobre el modelo del habla toledana), fija una ortografía razonablemente fonológica y emprende la creación de grandes obras historiográficas, jurídicas y científicas. Pone la prosa castellana, recién salida de sus primeros balbuceos, en condiciones de expresar la realidad vital y cultural de su tiempo.

UNA SOCIEDAD SEMIFEUDAL. La España cristiana, con los matices que hemos apuntado, se organiza en un régimen próximo a los esquemas feudales. Son monarquías con una fuerte aristocracia. Los nobles dominan territorios sobre los que ejercen un poder soberano. Parte de la historia medieval española, como la del resto de Europa, es una continua pugna entre la tendencia centralizadora de los reyes y el esfuerzo para mantener los pactos feudales por parte de los señores.

Como es sabido, el mundo cristiano medieval concibe la sociedad dividida en estamentos cerrados, de origen divino. Cada individuo está adscrito desde su nacimiento a uno de ellos y trasmite esta condición a sus hijos. Ya se ha señalado que esta inmovilidad teórica de la organización social se quebró algo en España durante las épocas de amplia actividad bélica. La conquista de nuevos territorios y la necesidad de repoblarlos ofrecían la posibilidad de que los siervos accedieran a la condición de hombres libres. Al estancarse la reconquista a mediados del siglo XIII, la alta nobleza volvió por sus fueros e impuso condiciones más duras a sus vasallos. En el siglo XIV se extendió a toda la península el *ius male tractandi*, que reconocía a los señores el derecho a maltratar a sus súbditos.

La división estamental estaba reforzada por la división funcional o de tareas sociales. En el Medievo se distinguía entre oradores (eclesiásticos y hombres de letras), defensores (nobles) y labradores (pueblo llano, trabajadores). A la iglesia se le reconocía un estatuto especial, como portadora e intérprete de la verdad revelada, que no excluía la función aristocrática como señora de territorios, rentas y vasallos. Los obispos medievales y otras dignidades eclesiásticas eran señores feudales y participaban como un noble más en la política y las guerras.

Peculiar del contexto español es la fuerza que adquirieron las órdenes militares, instituciones creadas para la defensa del territorio frente a la amenaza musulmana. Sus miembros eran monjes que hacían voto de pelear contra los infieles. Las de mayor relieve en nuestra historia fueron las de Avis, en Portugal; Santiago, Calatrava y Alcántara, en Castilla, y Montesa, en Aragón. Constituían los únicos ejércitos permanentes y profesionales. El carácter religioso y los votos de pobreza y castidad se fueron disolviendo con el tiempo. Quedó en pie una formidable maquinaria bélica de carácter feudal, dominadora de grandes territorios y detentadora de pingües rentas. Su influencia en muchos episodios de la historia política fue decisiva.

La iglesia tuvo un destacado papel en la trasmisión de la cultura. Los monasterios fueron, durante los siglos medios, lugares de estudio y creación intelectual. En España, los de Ripoll, San Millán de la Cogolla, Silos... alcanzaron un singular relieve como puente entre la Europa traspirenaica y el mundo árabe, que se había convertido en depositario del saber griego. La recuperación de Aristóteles, base de la filosofía medieval, se produjo por esta vía.

La iglesia es un elemento de cohesión del mundo occidental. En esta tarea juegan un papel capital algunas órdenes e instituciones religiosas francesas. Los monjes cluniacenses (cuya abadía matriz, en la región de Cluny, se funda en 910) y los cistercienses (que se crean en 1098) imponen en toda Europa la autoridad papal, difunden y unifican las formas de expresión artística y arrinconan los usos y costumbres locales. En el caso español, esta influencia determina que se abandone el rito mozárabe autóctono y se sustituya por el romano, ya imperante en el resto de la cristiandad. En esa labor de unificación jugó un papel trascendental la expansión a partir del siglo XIII de las órdenes mendicantes: dominicos y franciscanos.

A la iglesia se debe también la creación de la universidad, nacida de las escuelas catedralicias. A principios del XIII, probablemente en 1212, Alfonso VIII funda el estudio general de Palencia, la primera de nuestras universidades.

Como hemos señalado, el mundo feudal y de economía agraria del Medievo solo reconocía los tres estamentos ya citados. Sin embargo, el resurgir de las ciudades en los siglos XIII y XIV determinó la aparición de otra fuerza social: los ruanos, mercadores o burgueses, dedicados a la industria y el comercio. Este nuevo grupo será el más revolucionario e innovador. Su creciente importancia acabará trastocando el orden medieval y dará origen a la Edad Moderna.

1.2. LA LÍRICA Y LA ÉPICA PRIMITIVAS

1.2.1. LAS JARCHAS

DESCUBRIMIENTO, DATACIÓN Y NATURALEZA. La manifestación más temprana de la primitiva lírica europea son las jarchas, compuestas en el romance hablado por los mozárabes, algo distinto del que utilizaban los cristianos del norte peninsular. El hebraísta alemán Stern las descubrió en 1948; más tarde se ha ido ampliando la colección hasta llegar a unas sesenta, gracias a la labor de estudiosos como Emilio García Gómez, José María Sola-Solé...

Son poemillas que en Al-Ándalus cantaba la gente de la calle y, por su belleza, llamaron la atención de los poetas árabes y hebreos, que los insertaron al final de sus *moaxajas* o poemas cultos escritos en sus lenguas respectivas. Nada impide admitir, sin embargo, que ellos compusieran nuevas jarchas originales imitando las que oían del pueblo.

La jarcha viene a ser lo más importante del conjunto; es previa a la composición de la moaxaja, y pertenece al dominio público. No desarrollan necesariamente el mismo tema; la conexión entre ambas es a veces muy débil. El poema árabe o hebreo recoge las palabras del autor, que contienen el panegírico de algún personaje de alcurnia o un canto amoroso. Bruscamente, y a manera de remate, inserta la cancioncilla mozárabe, que no está puesta en boca del poeta, sino en la de una muchacha que lamenta sus desdichas amorosas.

Desde el punto de vista métrico, anuncian ritmos y combinaciones que serán típicos de las cancioncillas tradicionales castellanas. Más de la mitad son cuartetas, que en su mayor parte riman solo en los pares, con lo que se aproximan considerablemente a la copla popular (8- 8a 8- 8a) y a la seguidilla (7- 5a 7- 5a). También hay pareados, trísticos y otros esquemas menos frecuentes. La rima suele ser consonante, pero presenta imperfecciones que la aproximan a la asonancia.

Si se tardó tanto tiempo en descubrir las jarchas, fue porque estaban trascritas en caracteres árabes o hebreos. Por otra parte, los códices en que se conservan son tardíos y pertenecen a copistas alejados lingüística y geográficamente del entorno en que nacieron estos poemas. Por este motivo, la interpretación que nos ofrecen los eruditos es siempre conjetural.

Todo indica que la lírica mozárabe precede en varios siglos a las demás producciones neolatinas. La moaxaja más antigua que ha llegado a nosotros, obra de Yosef al-Katib, «el escriba», alude a un hermano suyo que murió en el año 1042; es, por tanto, anterior a esa fecha. Aun suponiendo que la jarcha se compusiera al mismo tiempo, sigue siendo el más antiguo testimonio literario hallado en el área románica.

ASPECTOS TEMÁTICOS Y ESTILÍSTICOS. En las jarchas oímos la voz de una mujer que casi siempre canta el mal de amores provocado por la ausencia o la enfermedad del amado. Estos desgarrados lamentos, que expresan la angustia de la soledad y el abandono, van dirigidos al amigo, o a la madre, hermanas o compañeras con quienes la joven desahoga su pena. Es motivo frecuente la detestable presencia de espías o vigilantes que obstaculizan la felicidad de los enamorados. Otras veces la doncella se queja de la impetuosidad de su amado. Parece que responden a una concepción erótica semítica, menos recatada que la del mundo occidental, aunque no hay que olvidar que los hablantes mozárabes son racialmente hispanorromanos y, con frecuencia, de religión cristiana.

Frente al lenguaje elaborado del poema al que sirven de remate, estas cancioncillas, de frases cortas, se caracterizan por su sencilla y ardiente expresividad, por su lirismo directo. Recurren constantemente al empleo de vocativos y exclamaciones e interrogaciones que concentran la emotividad y recogen la inmediatez de los sentimientos:

> Báy-se méw qorazón de mib.
> ¡Ya Rabb, si se me tornarad!
> ¡Tan mal me dóled li-l-habib!
> Enfermo yed: ¿kuándo sanarad?

> (Mi corazón se va de mí.
> ¡Ay Señor, no sé si me volverá!
> ¡Me duele tanto por el amigo!
> Está enfermo, ¿cuándo sanará?)

Buena parte del léxico pertenece al campo semántico de lo afectivo: *habib* (vocablo árabe que significa 'amado, amigo'), *wolio* (quiero), *béigame* (bésame), *amare*, *qorazón*... y abundan los diminutivos cariñosos: *filiolo*, *yermanellas*, *bokella*...

Está claro que fue la frescura y desnudez de estas composiciones lo que atrajo poderosamente a los autores cultos, por el vivo contraste que formaban con su universo poético.

1.2.2. LA PRIMITIVA ÉPICA CASTELLANA

CARACTERÍSTICAS DEL CANTAR DE GESTA. TEORÍAS SOBRE SU COMPOSICIÓN. La épica medieval tiene un carácter eminentemente popular. Los cantares de gesta son relatos en verso, de composición oral, en los que se exaltan las hazañas de héroes estrechamente vinculados a la colectividad a la que se destina el poema. A través del juglar, desempeñan un importante papel social, pues además de servir de diversión, sustituyen en cierta medida a unos medios de comunicación que entonces no existen. Pertenecen a un periodo de cultura incipiente en que el pueblo siente la necesidad de conservar su historia y, como no domina la escritura, lo hace por medio del canto. No se puede perder de vista, sin embargo, que los sucesos reales aparecen más o menos deformados en aras de la creación artística: los datos objetivos se reinterpretan poéticamente.

El lenguaje presenta una notable tendencia arcaizante. Se mantienen, aunque ya hayan sido desechados, los usos propios de la época en que se compusieron los textos primitivos. Se pretende así ambientar mejor un relato que se sitúa en tiempos cada vez más lejanos.

No ha habido unanimidad a la hora de establecer la forma en que se compusieron los cantares. Existen diversas teorías al respecto. La primera la formularon los románticos alemanes (Herder, Grimm, Wolf, Uhland). A su juicio, son resultado de la aglutinación de poemas breves de carácter épico-lírico en los que se manifiesta el sentir del pueblo.

Contra esta consideración de la épica como obra colectiva se alza la teoría individualista que defienden Joseph Bédier y sus seguidores. Afirman que los cantares de gesta se componen mucho después de los hechos que narran y son obra de poetas cultos, perfectamente individualizados y conscientes de su labor creativa. Están ligados a los monasterios, donde el autor puede disponer de abundante documentación sobre el tema de que trata.

En las antípodas de estas formulaciones está la teoría tradicionalista defendida por la escuela de Ramón Menéndez Pidal. El cantar de gesta nace a raíz de los hechos históricos que narra o muy poco después. La versión que llega a nosotros es el resultado de las sucesivas reelaboraciones a que se ha visto sometido a lo largo del tiempo. Cada juglar lo rehace de acuerdo con las exigencias del público. Es fácil suponer que alargaría aquellos episodios que despertaran mayor interés e inventaría nuevos lances para atraer la atención de su auditorio. En un principio no tiene más de quinientos o seiscientos versos; su número va aumentando por un procedimiento de ampliación de la materia inicial, no de aglutinación de diversas piezas, como pretendían los románticos. Se trata, pues, de una forma más de poesía tradicional (lo mismo que la lírica) que se trasmite por vía oral.

Debido a la extensión y complejidad de estas creaciones, el juglar tiene que ayudarse con una serie de recursos, entre los que destacan la reiteración de motivos y el emdel

del lenguaje formular, es decir, de grupos de palabras que repiten una misma idea. A ello obedecen expresiones como «¡Ya Campeador, *en buen ora çinxiestes espada*!», «Martín Antolínez, *el burgalés complido*», «mio Çid, *el de la luenga barba*»... Son técnicas típicas de la composición oral. Pero, mientras que unos (Edmund de Chasca) las consideran básicas, otros (Menéndez Pidal) les atribuyen un papel meramente auxiliar; lo esencial sería la memoria del recitante, que refunde la historia manteniendo su estructura general.

Señala Menéndez Pidal que los orígenes de la épica románica hay que adelantarlos a finales del siglo X o principios del XI. Los cantares originarios son muy anteriores a las versiones que conservamos y hay que pensar en una larga tradición de textos perdidos. No parece verosímil que obras tan redondas como *La chanson de Roland* (siglo XII) o el *Cantar de mio Cid* (finales del siglo XII-principios del XIII), tal como han llegado a nosotros, sean muestras primerizas.

RASGOS GENERALES DE LA ÉPICA CASTELLANA. En vivo contraste con la regularidad del verso épico francés, el castellano tiene una medida fluctuante. Oscila entre las 10 y las 20 sílabas, con predominio de los que van de 14 a 16. Una fuerte pausa lo divide en dos hemistiquios:

Apriessa cantan los gallos // e quieren quebrar albores...

Se agrupan en tiradas, de extensión muy variable, que tienen la misma rima asonante y constituyen una unidad temática.

Dentro de los rasgos arcaizantes que hemos subrayado en el lenguaje épico, las gestas castellanas presentan la peculiaridad de la llamada «e paragógica» o añadida (*voluntade, servire*). Cuando, a partir del siglo XII, el habla común ha eliminado ya esa vocal final que en tiempos remotos obedecía a motivos etimológicos, la épica la conserva como licencia métrica que facilita la asonancia y, además, contribuye a dar un tono noble y arcaico al poema. Así, podemos leer en el cantar de *Roncesvalles*:

> Estonz alzó los ojos, cató cabo adelante,
> vido a don Roldán acostado a un pilare,
> como se acostó a la hora de finare.

Suele subrayarse como característica distintiva de nuestros cantares el realismo y verosimilitud de la acción y los caracteres, que contrastan con las fantasías de las *chansons* francesas. Por supuesto, no se trata de una verdad histórica sino artística.

LOS CANTARES PERDIDOS. A diferencia también de la épica francesa, de la que se conservan en torno a un millón de versos, la castellana no nos ha dejado más que unos cinco mil. Contamos únicamente con dos poemas incompletos: el *Cantar de mio Cid*, del que ya hablaremos, y el de las *Mocedades de Rodrigo* (s. XIV), descubierto por Eugenio de Ochoa en la Biblioteca Real de París, y con un centenar de versos del *Roncesvalles*, en torno a la célebre batalla en que muere Roldán, que fueron descubiertos en 1916 en un registro de vecinos de Navarra de 1366 que se hallaba en el archivo provincial de Pamplona.

Así pues, a la hora de hablar de nuestra primitiva épica, nos movemos en el terreno de las conjeturas. Muy probablemente existieron los poemas cuyas huellas se han rastreado, pero no se conservan.

Menéndez Pidal ha seguido su pista e incluso los ha reconstruido en parte con los materiales contenidos en las crónicas medievales, que recurren a la épica como fuente histórica. Así hemos conocido el argumento de muchos poemas. Incluyen, además, extensos fragmentos prosificados y hasta versos enteros. Las crónicas castellanas que ofrecen más datos al respecto son la *Crónica general* de Alfonso X, la *de Castilla*, llamada también *del Campeador*, la *de Veinte reyes* y la *de 1344*.

El caso más llamativo es el del *Cantar de los siete infantes de Lara*, uno de los más antiguos, del que nuestro erudito ha llegado a reconstruir quinientos cincuenta y nueve versos de una segunda versión fechada en torno a 1320 (la primera se sitúa hacia el año 1000), a partir del texto en prosa de la *Crónica de 1344* y de la *Interpolación de la Tercera crónica general*, que recoge muchos versos intactos.

También ha ayudado en la tarea de reconstrucción el testimonio de los romances, que derivan en parte de los antiguos cantares.

Tres son los ciclos épicos sobre los que hay una mayor cantidad de datos que permiten suponer la existencia de viejos cantares: el de los condes de Castilla (*Cantar de los siete infantes de Lara, Cantar de Fernán González, La condesa traidora, Romanz del Infant García*), el del Cid (*Cantar del rey don Fernando, Cantar de Sancho II, Cantar de mio Cid, Mocedades de Rodrigo*) y el carolingio (*Roncesvalles, Mainete, Bernardo del Carpio*).

1.2.3. EL *CANTAR DE MIO CID*

MANUSCRITO, FECHA Y AUTORÍA. Los muchos interrogantes que aún siguen abiertos en torno al célebre poema empiezan por los que afectan al manuscrito. Fue descubierto en 1775 en el convento de monjas de Santa Clara de Vivar. Cuatro años más tarde, Tomás Antonio Sánchez lo editó en el primer tomo de su *Colección de poesías castellanas anteriores al siglo XV* (1779). El códice pasó por varias manos hasta que en 1960 lo adquirió la Fundación March para donarlo a la Biblioteca Nacional de España, donde hoy se conserva. Está firmado por un tal Per Abbat (Pedro Abad), del que poco o nada sabemos. En general, se supone que se limitó a copiar el poema, pero algunos piensan que podría ser el autor de esa versión. La fecha, traducida al cómputo cristiano, resulta ser la de 1207.

Se desconoce cuándo se compuso el *Cantar*. Menéndez Pidal, en su edición de 1908, lo situaba en torno a 1140, basándose en datos internos y externos. Luego rectificó para hablar de una doble redacción, a cargo de dos autores distintos: la primera, muy próxima a la muerte del héroe, se dataría entre 1105 y 1110; unos cuarenta años más tarde, sería refundida y ampliada. Los estudiosos modernos tienden a retrasar la fecha del poema y lo consideran de finales del siglo XII o principios del XIII.

Respecto al autor, se ha venido aceptando la mencionada teoría de Menéndez Pidal sobre la intervención de dos juglares. Al primero, el de 1105-1110, lo llama de San Esteban de Gormaz, porque la lengua y algunos rasgos localistas lo vinculan a esa zona soriana; él habría proporcionado la estructura básica del texto. Luego el supuesto juglar de Medinaceli lo refundió y amplió. Pero esta hipótesis está siendo refutada en los últimos tiempos. Se han vislumbrado también otras posibilidades, como la de que alguien uniera cantos breves anteriores hasta darles una estructura coherente, o la de que la versión que conocemos no se deba a un juglar laico sino a un autor culto (quizá el propio Per Abbat). Pero hay que tener muy presente que, en todo caso, quien dio al cantar la forma que hoy tiene no es más que un refundidor, que parte de una tradición previa. Estamos ante el resultado de sucesivas intervenciones (véase 1.2.2).

Estructura y contenido. Al preparar su edición, Menéndez Pidal agrupó los 3730 versos de que consta el poema en tres cantares, que no están marcados en el manuscrito de Per Abbat. Se han mantenido en las ediciones posteriores.

Cantar del destierro. Por orden de Alfonso VI, el Cid sale de Vivar con los suyos, camino del destierro. Llega a Burgos, donde el rey ha prohibido que se le brinde hospitalidad. Se dirige luego al monasterio de San Pedro de Cardeña a despedirse de su mujer y sus hijas, que quedan al cuidado de los frailes. Una vez en tierras aragonesas, obtiene brillantes victorias contra los moros. Culmina con el triunfo sobre el conde de Barcelona, Berenguer Ramón, que ayuda a los moros de Lérida.

CANTAR DE LAS BODAS. Tras una nueva sucesión de victorias, el Cid conquista Valencia. El rey, a quien ha enviado presentes después de cada batalla, accede a que Jimena y sus hijas se reúnan con él. Los condes de Carrión, guiados por la codicia, piden a Alfonso VI la mano de doña Elvira y doña Sol. El monarca perdona a su vasallo y lo convence para que acceda al matrimonio. El Cid acata la voluntad real en contra de su gusto.

CANTAR DE LA AFRENTA DE CORPES. Tras la boda, los condes dan visibles muestras de cobardía y son objeto de burla. Ofendidos y avergonzados, piden licencia al Cid para llevarse sus esposas a su tierra. En el robledal de Corpes las azotan hasta dejarlas medio muertas. El Campeador pide justicia al rey y se convocan cortes en Toledo. Desafía a sus yernos, que son vencidos por sus paladines. El poema acaba con el anuncio del nuevo matrimonio de doña Elvira y doña Sol con los príncipes de Navarra y Aragón.

La crítica está de acuerdo en que el tema de la honra actúa como factor estructurante de todo el texto. Desde la aciaga situación inicial del héroe, asistimos a un típico proceso de ascenso. Cuando llega a un momento cumbre, tras el perdón del rey y la boda de sus hijas con los de Carrión, sobreviene una nueva caída con la afrenta de Corpes, pero este retroceso dará pie a que el protagonista alcance el punto más alto de su honra al vencer a los condes y emparentar con la realeza.

Indisolublemente ligadas a este tema central están las relaciones entre el Cid y Alfonso VI, que constituyen el punto de arranque de la trama. Los regalos que el protagonista ofrece al rey después de cada victoria (de treinta, cien y doscientos caballos) marcan el progresivo avance hacia el perdón. Algunos episodios responden a otro tipo de tensiones: las que se dan entre la baja nobleza ascendente (el Cid) y la alta nobleza (los «mestureros» o intrigantes), que ve amenazado su poder por esa movilidad social.

En lo que respecta a la historicidad del cantar, puede decirse que en líneas generales es fiel a los hechos, pero se observan numerosas desviaciones (como, por ejemplo, la reducción de los varios destierros que sufrió el Cid a uno solo, en busca de la economía narrativa) y, lo que es más importante, la figura del personaje no se ajusta exactamente a lo que en verdad fue Rodrigo Díaz. Es obvio que no hay que confundir realismo literario y verdad histórica.

TÉCNICA Y ESTILO. Se ha subrayado una y otra vez la sobriedad del *Cantar de mio Cid*. Frente al carácter sobrenatural de héroes como Roland, nuestra obra nos presenta un protagonista puramente humano, sujeto a todas las contingencias propias de la especie. Aparece caracterizado con sorprendente mesura. Como es natural, sus virtudes se destacan en alto grado, pero nunca sobrepasan los límites de lo posible. Es un ser íntegro, que se enfrenta valerosamente a la adversidad y lucha para salir adelante. Su faceta heroica se complementa con la ternura y el cariño que muestra hacia su familia. Es asimismo un hombre piadoso, que nunca se olvida de agradecer a la divinidad los favores recibidos. También los demás personajes están trazados con los rasgos más precisos.

Junto a la verosimilitud de los caracteres y la acción, nos encontramos con una técnica típicamente realista, que da cabida a los detalles más insignificantes. Por ejemplo, cuando Félez Muñoz encuentra a sus primas desmayadas en el robledal de Corpes, pese a lo patético del momento, el poeta se detiene a señalar cómo es el sombrero con que coge el agua («nuevo era e fresco, que de Valençial'sacó», v. 2800) y pone en boca del personaje los apelativos y reiteraciones propios del lenguaje coloquial, que dan a la escena una extrema naturalidad: «¡Primas, primas, don Elvira e doña Sol! / ¡Despertedes, primas, por amor del Criador!» (vv. 2786-2787).

Llaman la atención las abundantes precisiones cuantitativas que encontramos en el relato, la minuciosidad con que se da cuenta del reparto del botín que sigue a cada victoria, con el que el Cid atiende a las necesidades materiales de los suyos:

> Tanto traen las grandes ganançias,
> muchos gañados de oveias e de vacas,
> e de ropas e de otras riquizas largas...
> (vv. 480-481b)

Además, se dejan traslucir los usos y costumbres, los personajes y el entorno social de la Castilla contemporánea. Las descripciones geográficas son detalladas y acordes con la realidad.

En el estilo domina la concisión, la frase breve y el trazo impresionista. Se da una auténtica economía de medios expresivos. Se ha agilizado al máximo la acción, suprimiendo todo lo que pueda restarle vivacidad. Así, se evita repetir constantemente el verbo *dicendi*:

> En buelta con él entraron al palaçio,
> e ivan posar con él en unos preçiosos escaños.
> «Ya, mugier doña Ximena, ¿nom' lo aviedes rogado?»
> (vv. 1761-1763)

La lengua presenta los arcaísmos propios de la épica y los habituales procedimientos formulares. Se advierte una notable parquedad en el uso de adjetivos. Los nexos de unión son escasos; es el hilo del relato el que establece la conexión sintáctica entre las sucesivas oraciones yuxtapuestas.

No faltan rasgos de humor en episodios sabiamente intercalados, como el del engaño que sufren los judíos Raquel y Vidas (vv. 1010-1084) o el del león (vv. 2278-2310). Su función es relajar las tensiones que genera el conflicto central.

1.3. LA LITERATURA DEL SIGLO XIII

1.3.1. EL MESTER DE CLERECÍA

CARACTERÍSTICAS GENERALES. Como superación del mester de juglaría, surge en el siglo XIII una poética culta que recibe el nombre de *mester de clerecía*, es decir, «oficio de clérigos» o letrados.

Los rasgos distintivos de la escuela se esbozan en el exordio del *Libro de Alexandre*:

> Mester traigo fermoso, non es de joglaría,
> mester es sin pecado, ca es de clerezía;
> fablar curso rimado por la cuaderna vía,
> a sílabas contadas, ca es grant maestría.

La principal novedad es, por tanto, la regularidad métrica, de la que tan orgulloso se muestra el autor. Utilizan la cuaderna vía, llamada también tetrástrofo monorrimo, estrofa formada por cuatro versos alejandrinos (catorce sílabas) con una rima consonante común.

Las composiciones del mester de clerecía tienen sus fuentes en textos escritos que se citan constantemente. A menudo el poeta afirma no atreverse a poner nada de su cosecha. Este fenómeno se debe al enorme prestigio de la lengua escrita en una época en que pocos saben leer.

A diferencia del juglar, el clérigo desarrolla temas cultos y prefiere los asuntos del mundo antiguo a los actuales. Abundan sobre todo los poemas religiosos, fundamentalmente marianos y hagiográficos (Berceo), y los histórico-legendarios. A esta última serie pertenecen tres obras anónimas que debieron de componerse a mediados de siglo. El *Libro de Apolonio* contiene una serie de aventuras fantásticas del rey de Tiro. Aparece el tópico motivo de los personajes que se separan a raíz de un naufragio y que al final vuelven a encontrarse. El *Libro de Alexandre*, extenso poema de más de diez mil versos, narra la vida de Alejandro Magno, prototipo de vicios y virtudes, que ejerce un dominio absoluto sobre el mundo pero que es incapaz de dominarse a sí mismo. Contiene, además, interesantes datos sobre la vida medieval. En cuanto al tema, es excepcional el *Poema de Fernán González*, reelaboración culta de un cantar de gesta perdido que cuenta las hazañas del conde castellano.

El estilo es más cuidado que el de los juglares, pero no artificioso. Los clérigos, a pesar de su aire erudito, desean expresarse con sencillez. Este lenguaje coloquial alcanza su máxima expresividad en Gonzalo de Berceo, la figura más representativa del mester de clerecía en el siglo XIII.

GONZALO DE BERCEO. Es el primer poeta español cuyo nombre conocemos. Hay pocos datos sobre su biografía. Debió de nacer a finales del siglo XII (h. 1195) en el pueblo riojano de Berceo, como él mismo nos dice. Se crio en el monasterio de San Millán de la Cogolla, al que estuvo ligado toda su vida, aunque no sepamos exactamente qué papel desempeñaba en él ni si llegó a profesar. También mantuvo estrecho contacto con el de Santo Domingo de Silos. Murió, ya viejo, a mediados del XIII.

Frente a la imagen tradicionalmente admitida del clérigo ingenuo, simpático y bonachón sin demasiados conocimientos, se viene abriendo paso la del poeta interesado y calculador que compone sus obras con afán propagandístico, en beneficio de su monasterio.

Berceo puede ser considerado como un juglar a lo divino, que aplica recursos propios de los cantares de gesta para captar la atención del receptor. Las figuras de los santos que exalta son equiparables a las de los héroes épicos. Utiliza un lenguaje coloquial que le permite hacerse entender por las gentes iletradas. Se atiene siempre a la regularidad de la cuaderna vía, con escasas imperfecciones.

Es autor de varias obras religiosas (algunas perdidas), entre las que se cuentan cuatro hagiografías: *Vida de san Millán de la Cogolla, Vida de santo Domingo de Silos, Martirio de san Lorenzo* y *Vida de santa Oria*. Todos ellos tuvieron algu-

41

na relación con su monasterio. En algunos pasajes se recuerda la obligación de pagar los tributos anuales que se le deben.

Otro grupo de obras se sitúan bajo la advocación mariana: *Loores de Nuestra Señora, Duelo que fizo la Virgen María el día de la Pasión de su fijo.* Particular aprecio merece *Milagros de Nuestra Señora,* colección de veinticinco cuentecillos que vienen a ser (salvo uno de ellos) versiones de los que figuran en un manuscrito latino que Richard Becker encontró en 1910 en la Biblioteca Real de Copenhague. Para engarzar el conjunto, Berceo elaboró una introducción alegórica que no aparece en dicha fuente.

La estructura de estos «milagros» es casi siempre la misma. Se nos presenta a un personaje devoto de la Virgen. Le sobreviene un gran daño, que puede ser incluso la condenación eterna, y entonces María acude en su auxilio. El final feliz es obligado. Son pocos los que no se ajustan a este esquema básico. El mecanismo devoción-recompensa funciona de forma directa.

Su extensión es variable. Oscila entre las 10 y las 163 estrofas. Los hay muy simples; otros tienen mayor desarrollo. Lo más sabroso son los rasgos del estilo, sencillo y expresivo: la capacidad del autor para acercarse a la vida cotidiana del oyente, la habilidad narrativa, el lenguaje popular, la inmediatez de las imágenes... Encontramos frases tan coloquiales como estas:

De los catorce años aún los dos le menguavan,
en la barva los pelos estonçe l'assomavan... (copla 625)

Prescinde de toda abstracción teológica para emitir un mensaje claro en el que domina la emoción lírica. Se muestra comprensivo con los pecadores.

La idea que se tiene de Berceo como poeta primitivo no debe hacernos pensar que carece de recursos estilísticos. Antes bien al contrario, domina los resortes de la retórica medieval, aunque sin caer en el artificio. Destaca entre otros (símiles, metáforas, anáforas, antítesis...) el uso del diminutivo, que imprime a sus versos tonalidades afectivas. Así, nos dice de la abadesa encinta:

> Fol creciendo el vientre en contra las terniellas,
> fuéronseli faciendo peccas ennas masiellas.
> Las unas eran grandes, las otras más poquiellas,
> ca ennas primerizas caen estas cosiellas. (copla 508)

Llama mucho la atención la forma en que se caracteriza a la Virgen, con detalles totalmente ajenos a su condición celestial. Presenta las debilidades propias de los humanos. No se trata de ofrecer un modelo sino de exhortar al creyente a la devoción.

La obra rebosa realismo y sentido del humor. Dentro de su simplicidad, todos los relatos presentan detalles de interés.

1.3.2. ALFONSO X Y LA PROSA CASTELLANA

Las primeras muestras de prosa castellana aparecen con notable retraso respecto a la poesía. A finales del siglo XII hallamos algunos textos históricos y jurídicos sin valor estético alguno. No alcanzará categoría literaria hasta la era de Alfonso X el Sabio. Este rey, hijo de Fernando III el Santo, nace en Toledo en 1221. Sube al trono en 1252. En los primeros tiempos reconquista Cádiz, Cartagena y Niebla, pero pronto tiene que hacer frente a numerosos conflictos políticos y militares internos y fracasa en la mayor parte de sus empresas. Una de las más ambiciosas es la de ser coronado emperador de Alemania. Sus últimos años están marcados por la guerra civil en que se dirime la sucesión al trono, con la sublevación de su hijo don Sancho. Muere en Sevilla en 1284.

Su tarea más relevante es la de elevar el castellano a la categoría de lengua de cultura, equiparable al latín, creando una norma que funde rasgos del habla de Burgos, Toledo y León. Se convierte en vehículo de todo tipo de contenidos. Elimina el apócope y enriquece el vocabulario con la incor-

43

poración de tecnicismos latinos necesarios para las ciencias que estudia. Gracias a su impulso, el castellano pasa a ser la lengua de los españoles de las tres comunidades: musulmana, judía y cristiana.

Con su equipo de sabios cristianos, árabes y hebreos el monarca vierte al castellano, y no al latín como se había hecho con anterioridad, los textos orientales. Aunque él no redacta todas las obras que se le atribuyen, dirige a sus colaboradores y se preocupa personalmente de perfeccionar la prosa.

Además de las traducciones, nos ha dejado obras de recopilación y reelaboración de muy diversos materiales. Destacan dos ambiciosos proyectos inconclusos. La *Estoria de España* (1270-1274) había de extenderse desde Moisés al presente. No se limita a Castilla, sino que incluye a los demás reinos peninsulares. Supera a todos los intentos precedentes, por su mayor amplitud y complejidad y por el gran acopio de materiales. Solo se elaboraron definitivamente 616 capítulos. La abandonó para dedicarse a otra obra de más envergadura en la que quedaba incluida: la *General estoria* (1274-1283?), que pretendía ser una auténtica enciclopedia que diera cabida a todos los pueblos conocidos. Quedó truncada al llegar a los padres de la Virgen.

Menéndez Pidal publica la primera de estas obras en 1906 y, de nuevo, en 1955, con el título de *Primera crónica general de España*. Parte de dos códices regios conservados en El Escorial.

Tanto la *Estoria de España* como la *General estoria* aportan una interesante innovación literaria. Frente a la extrema sequedad y la prosa escueta de las crónicas anteriores, estas obedecen a un criterio estético. En medio de su sencillez, el lenguaje tiene una poderosa eficacia expresiva.

Otra obra de enjundia es *Las siete partidas o Libro de las leyes* (1256-1265), en la que asume una labor unificadora del derecho. Se extiende a todos los estados y a los más diversos aspectos de la existencia humana, individual y social. En ella encontramos a la vez un códice legal y una serie de normas de vida, con sabrosos comentarios. Su estilo ha sido muy apreciado. Tiene la sencillez y precisión que exige el contenido, sin dejar de atender al cuidado de la prosa.

A estas magnas producciones se añaden otras de índole jurídica (*Fuero real, Espéculo*), científica (*Libro del saber de astronomía*) y de otros asuntos (*Libro de ajedrez, dados e tablas*). También nos dejó una obra de inspiración personal en loor de la Virgen: *Cantigas de Santa María*. Para expresar su emoción lírica recurre a la lengua gallega.

1.3.3. LA LITERATURA GNÓMICA Y LOS *EXEMPLA*

En el siglo XIII se difunden por toda Europa los libros sapienciales de origen oriental. El núcleo lo constituyen las sentencias, que encierran una enseñanza moral. Los elementos narrativos son muy escasos. Interesa sobre todo el género del *speculum principis* (espejo del príncipe), en el que se dan consejos para la formación de un gobernante perfecto. Buena muestra de ello es *Castigos e documentos para bien vivir ordenados por el rey don Sancho IV*.

Mayor interés tienen las colecciones de cuentos traducidos de las lenguas orientales. De ellas se nutrirán los grandes prosistas del Medievo. La primera que se vierte al castellano es *Calila e Dimna*, de origen indio. Parte de los materiales proceden del *Panchatantra*. La opinión general es que se tradujo por orden de Alfonso X en 1251, cuando aún era infante; pero algunos no aceptan esta hipótesis. La primera edición moderna se debe a Pascual de Gayangos (1860).

El título del libro se toma del relato más largo del conjunto, protagonizado por dos lobos hermanos. Dimna intriga ante el rey León, por medio de engaños y calumnias, en contra de su privado, el buey Senceba. Esta conducta merece los reproches de Calila. Cuando se descubren sus maquinaciones, es condenado a morir de hambre. El argumento y la moraleja no pueden ser más simples. Todos los personajes, salvo el rey, actúan como narradores de otras historias.

El *Sendebar o Libro de los engaños y asayamientos de las mujeres* es también de origen indio. Solo conservamos un manuscrito de la versión castellana de 1253, realizada por mandato del infante don Fadrique, hermano de Alfonso X. Lo forman veintitrés cuentos unidos por una trama argumental. Un príncipe es calumniado por una de las concubinas de su padre, que lo acusa de haber intentado violarla. Se le condena a muerte. No puede defenderse porque un horóscopo le anuncia terribles males si habla en el plazo de siete días. Siete sabios de la corte desean salvarlo y relatan al monarca una serie de historias para convencerlo de que perdone a su hijo y ganar tiempo hasta que este pueda manifestarse. La madrastra trata, con el mismo procedimiento, de acelerar su muerte. Trascurrido el tiempo previsto, el príncipe expone su versión de los hechos y se proclama su inocencia. Este libro tiene un marcado carácter misógino, siguiendo una de las corrientes propias de la literatura medieval.

1.3.4. EL TEATRO PRIMITIVO CASTELLANO: *AUTO DE LOS REYES MAGOS*

Frente a los abundantes textos que conservamos de la actividad dramática desarrollada en Francia, Inglaterra, Alemania e Italia, así como en Cataluña, Valencia y Mallorca, apenas tenemos nada de Castilla. Eso ha llevado a algunos eruditos a afirmar que careció de teatro en la Edad Media. Otros no lo creen posible y prefieren creer que hubo allí una actividad semejante a la del resto de Europa, cuyas huellas documentales se han perdido.

A pesar de esa carencia, parece razonable pensar que debió de existir algún tipo de representación, tanto de carácter litúrgico, en torno a los ciclos de Navidad y la Pasión, como farsas o mascaradas carnavalescas.

Las poquísimas piezas halladas son de una simplicidad extrema. El único texto de interés es el *Auto de los Reyes Ma-*

gos, de finales del siglo XII o principios del XIII, encontrado en Toledo. Resulta ser una de las muestras más antiguas de toda Europa. Desarrolla el conocido episodio bíblico de forma muy sencilla, pero con cierta habilidad dramática. Solo se conservan 147 versos polimétricos que forman cinco breves escenas. Falta el final. El primero en editarlo fue José Amador de los Ríos (1863), que subrayó su relieve. Siguieron luego otras ediciones, hasta llegar a la de Menéndez Pidal (1900), que fue quien le puso el nombre con que hoy lo conocemos y lo fechó.

Dentro de su indudable carácter primitivo, se han señalado rasgos de madurez. Lo más relevante es la caracterización de los personajes, presentados con naturalidad, sin actitudes hieráticas. Las situaciones están bien resueltas y el planteamiento de los conflictos es adecuado.

Quienes utilizaron esta piececita para defender la existencia de un teatro autóctono castellano se vieron silenciados, pues el análisis del lenguaje permite deducir que se trata de una obra de importación, fruto de un poeta gascón o catalán.

No hay continuidad entre los balbuceos iniciales y la primera gran obra maestra de nuestra dramaturgia: *La Celestina*, que aparece en 1499, en los albores del Renacimiento.

1.4. EL ARCIPRESTE DE HITA Y LA POESÍA DEL SIGLO XIV

1.4.1. PANORAMA GENERAL

Algunos autores engloban dentro del mester de clerecía a las composiciones en tetrástrofos monorrimos del siglo XIV, mientras que otros consideran que no forman unidad con las del XIII. Evidentemente, el tono y los temas son distintos. Estos se amplían para dar cabida a la sátira, la parodia burlesca, las fábulas y los apólogos…, sin que por ello desaparezcan los motivos religiosos y del mundo antiguo dominantes en la etapa anterior. Pasa a primer término la preocupación moral.

Se mantiene la forma métrica de la cuaderna vía, pero presenta irregularidades y alterna con otras combinaciones, principalmente el octosílabo, que se van imponiendo.

En esta segunda etapa del mester de clerecía destaca la figura de Juan Ruiz, arcipreste de Hita, con su espléndido *Libro de buen amor*. Otros poemas, anónimos, de esta escuela son la *Vida de san Ildefonso*, en torno a la figura del obispo toledano del siglo VII, los *Proverbios en rimo del sabio Salomón, rey de Israel*, texto aforístico, y el *Libro de miseria de omne*, una sombría reflexión sobre la condición humana, tema tópico en la tradición religiosa medieval.

Contamos también con dos textos aljamiados (escritos en romance pero en caracteres arábigos o hebreos). El *Poema de Yúçuf* es probablemente obra de un morisco aragonés, tal como sostuvo Menéndez Pidal (autor de dos ediciones en 1902 y 1952), a raíz del análisis de los rasgos dialectales. En más de 1200 versos cuenta, ateniéndose a la tradición del *Corán* y de otros textos orientales más que a la de la *Biblia*, las peripecias de José desde que es vendido por sus hermanos hasta que estos regresan a Egipto. Dada la extrema irregularidad que presenta la cuaderna vía, debe de ser de la segunda mitad del XIV. Las *Coplas de Yoçef*, en caracteres hebraicos, proceden de la descomposición de ese esquema métrico. Narran la historia de José desde el momento en que Jacob va a Egipto para ver al hijo que creía muerto. Tiene un valor meramente documental.

Otra importante manifestación poética de esta época son los *Proverbios morales* de SEM TOB DE CARRIÓN, rabino judío que vivió en tiempos de Alfonso XI y Pedro I, a quien dedica su obra. Es una amplia colección de más de 3000 versos en los que, siguiendo la tradición del *Talmud*, se dan toda clase de consejos, tanto espirituales y metafísicos como de carácter eminentemente práctico.

La forma métrica elegida, muy irregular, es el pareado alejandrino con rima interna o, si se prefiere, la cuarteta heptasílaba (ABAB). El estilo, conciso, «preñado de pensamientos y avaro de palabras», al decir de Marcelino Menéndez Pelayo.

Se completa el panorama con el *Poema de Alfonso XI*, descubierto por Diego Hurtado de Mendoza en el siglo XVI y luego olvidado. Florencio Janer hizo una edición no muy cuidada (1864). Algunos consideran que este poema es una de las últimas manifestaciones de la épica, aunque difiere de los cantares tanto en la forma de composición como en la métrica (cuartetas octosilábicas de rima no muy perfecta). Trata en tono heroico del reinado de su protagonista hasta la toma de Algeciras en 1344, momento en que se trunca el relato. Guarda estrecha relación con la *Gran crónica de Alfonso XI*; a juicio de Diego Catalán, el poema es versificación del texto en prosa, y no a la inversa, como antes se creía. Podría ser obra del poeta cortesano RODRIGO YÁÑEZ, a quien el rey habría encargado que rimara la crónica con la máxima fidelidad. Aporta muchos datos de interés sobre la vida cotidiana y la personalidad del monarca. A pesar de la castellanización a que lo ha sometido el copista, está escrito en un dialecto occidental: leonés o gallego.

1.4.2. EL *LIBRO DE BUEN AMOR*

LOS MANUSCRITOS. La obra del arcipreste de Hita nos ha llegado a través de tres manuscritos a los que se designa con las iniciales *S* (Salamanca), *T* (Toledo, actualmente en la Biblioteca Nacional) y *G* (Gayoso, actualmente en la biblioteca de la Real Academia Española). Los tres difieren mucho entre sí. A ellos hay que añadir varios fragmentos que se han conservado por azar.

Estos códices dan las fechas de 1330 y 1343, lo que ha llevado a Menéndez Pidal a afirmar que hubo dos redacciones del texto. La primera, más breve, la recogen *T* y *G*. La segunda, más compleja y extensa, aparece en *S*.

La obra se perdió después de la Edad Media, de forma que no se conoció a lo largo del Siglo de Oro. La primera edición, incompleta, se debe a Tomás Antonio Sánchez, que la incluyó en el cuarto tomo de su *Colección de poesías castellanas anteriores al siglo XV* (1790). Los códices carecen de título. En sus primeras ediciones modernas se le llamó *Poesías* y *Libro de cantares*. En 1898 Menéndez Pidal propuso que se titulara *Libro de buen amor*. Para ello fijó su atención en el verso 933b, donde leemos: «buen amor dixe al libro».

EL AUTOR. Muy poco se sabe del autor. Hasta hoy los únicos datos de que disponemos son los que nos brinda el propio libro. En unos versos dice que se llama Juan Ruiz y que es de Alcalá. Los estudiosos han tratado de identificarlo con distintos personajes de la época, como Juan Ruiz o Rodríguez de Cisneros, nacido en Al-Ándalus hacia 1295 y muerto en 1351 ó 1352, o Juan Rodríguez, maestro de canto en el monasterio de las Huelgas. Nada cierto puede concluirse de las tenues pruebas que aportan.

Por otra parte, el nombre de Juan Ruiz era tan corriente en la Castilla medieval que hay quien piensa que puede tratarse de un seudónimo que aluda precisamente a ese carácter de hombre vulgar.

En un determinado momento el poeta pide a Dios que lo saque de la prisión en que lo ha sumido su desdicha. Esa idea se refuerza con lo que se lee en el colofón del códice *S*: «Este es el libro del arçipreste de Hita, el qual compuso seyendo preso por mandado del cardenal don Gil, arçobispo de Toledo». En cualquier caso, no hay que perder de vista que se trata de una ficción autobiográfica, que no tiene por qué responder necesariamente a las circunstancias reales del autor.

Sí podemos deducir de su libro que es hombre bienhumorado que se ríe de sí mismo y da un tono irónico a sus palabras, pero que no deja de preocuparse por asuntos graves y trascendentes. Su supuesta moralidad se nos muestra ambigua y escurridiza.

ESTRUCTURA Y CONTENIDO. El *Libro de buen amor* aglutina en su estructura materiales muy variados. El hilo conductor, que se quiebra en más de una ocasión, es el relato autobiográfico de un tal Juan Ruiz, arcipreste de Hita, que pretende con diversa fortuna el amor de varias mujeres. Reducidos a esquema, estos materiales son los siguientes:

PRELIMINARES (c. 1-70)
— Invoca a Dios y a la Virgen para escribir el libro. Explica en un prólogo en prosa y en un apólogo en verso (el de los griegos y los romanos) cómo debe interpretarse su obra. En medio hay unos gozos de Santa María.

PRIMERAS AVENTURAS DE JUAN RUIZ (c. 71-652)
— Intenta, con escasa fortuna, seducir a la panadera Cruz.
— Consideraciones sobre los siete pecados capitales.
— Recibe consejos de don Amor y doña Venus por medio de una serie de fábulas. Entre todos estos elementos figura el «Enxiemplo de la propiedat qu'el dinero ha».

LOS AMORES DE DON MELÓN Y DOÑA ENDRINA (c. 653-891)
— El arcipreste se trasforma en don Melón de la Huerta, que con la ayuda de la alcahueta Trotaconventos logra seducir y casarse con doña Endrina. Esta extraña y transitoria trasformación quizá pueda explicarse por la inverosimilitud que supondría atribuir la aventura a un clérigo.

EL VIAJE A LA SIERRA (c. 892-1066)
— El arcipreste da consejos a las mujeres y habla de los alcahuetes.
— Emprende un viaje por la sierra de Guadarrama, que le da ocasión para escribir cuatro grotescas serranillas en las que cuenta cómo es asaltado por unas feroces pastoras.
— Canciones a Santa María y a la Pasión de Cristo.

PELEA QUE OVO DON CARNAL CON LA CUARESMA (c. 1067-1314)
— Descripción alegórica de la batalla de don Carnal y sus huestes (la Cecina, don Tocino, perdices, etc.) contra doña Cuaresma con su ejército de peces y verduras. El miércoles de ceniza cae derrotado don Carnal, pero el domingo de Pascua vuelve en triunfo acompañado de don Amor.

— En medio de este relato se incluye un excurso sobre la confesión y se describe la tienda de don Amor con una alegoría de las cuatro estaciones y los doce meses del año.

NUEVAS AVENTURAS DEL ARCIPRESTE (c. 1315-1625)

— Auxiliado por Trotaconventos, intenta infructuosamente conquistar a una señora.

— Seduce a una monja, doña Garoça, que muere antes de acceder a los deseos de Juan Ruiz.

— Pretende a una mora, pero fracasa.

— Muerte de Trotaconventos, seguida de un planto conmovedor.

— El arcipreste hace un elogio irónico de las «dueñas chicas» (mujeres pequeñas).

— Nos presenta a don Furón, su nuevo y pícaro criado.

VERSOS FINALES (c. 1626-1728)

— Nuevas advertencias sobre la recta interpretación de la obra.

— Gozos de Santa María.

— Canciones de ciegos y estudiantes.

— Cantiga de los clérigos de Talavera, que están indignados porque su obispo les ordena que abandonen a sus barraganas.

La enumeración de todos estos materiales nos muestra que es una obra sin progresión argumental, formada por retazos diversos, que mezcla lo lírico y lo narrativo. Hay una clara alternancia, no rígida, de elementos graves y burlescos, sagrados y profanos, moralizantes y desvergonzados.

FORMA MÉTRICA. El libro está escrito en su mayor parte en cuaderna vía. Sin embargo, un diez por ciento aproximadamente de los versos son de arte menor. Constituyen fragmentos independientes de la trama narrativa. Las estrofas son variadas. Encontramos sobre todo zéjeles y otras combinaciones menos frecuentes, algunas de ellas solo usadas por nuestro arcipreste.

La cuaderna vía de Juan Ruiz presenta una notable peculiaridad: cuando quiere subrayar un momento del poema,

emplea versos de dieciséis sílabas, en vez de los alejandrinos
habituales.

LOS PERSONAJES. Los personajes que aparecen en el *Libro
de buen amor* (Juan Ruiz, don Melón, doña Endrina, Trotaconventos...) son figuras que representan un tipo humano. No tienen evolución psicológica. El protagonista es igual al empezar
la obra que al acabarla. Sus fracasos amorosos no hacen mella
en su ánimo. Vuelve una y otra vez, como si nada hubiera ocurrido, a emprender la conquista de las desdeñosas «dueñas».
Esta característica se debe probablemente a que cada aventura
es un cuentecillo completo y cerrado en sí mismo.

Destacan dentro del conjunto los enamorados don Melón
y doña Endrina. Es particularmente célebre la descripción de
la dama:

> ¡Ay, Dios! ¡Quán fermosa viene doña Endrina por la
plaça!
> ¡Qué talle, qué donaire, qué alto cuello de garça!
> ¡Qué cabellos, qué boquilla, qué color, qué buenandança!
> Con saetas de amor fiere quando los sus ojos alça. (c. 653)

Trotaconventos, la vieja alcahueta, ha llamado la atención como antecedente de Celestina. Sin embargo, nuestro
personaje no pasa de ser un tipo, sin que afloren en ella rasgos individualizadores como en la criatura de Fernando de
Rojas. A veces parece incluso que el nombre es un sustantivo común: «busqué trotaconventos, qual me mandó el
Amor» (c. 697a).

Los personajes secundarios aparecen caricaturizados.
Véanse, por ejemplo, las cuatro serranas que asaltan al protagonista o los hombres y animales que aparecen en las muchas fábulas que encontramos en el *Libro*. El propio autor
se nos presenta bajo esa perspectiva degradadora y burlesca
(c. 1485-1489).

EL HUMOR Y LA PARODIA. El humor es esencial en la obra
de Juan Ruiz. Incluso cuando parece que habla completa-

53

mente en serio, es frecuente que nos sorprenda al final con una pirueta que contradice lo que hasta ese momento parecía defender. Es justamente célebre el discurso «De las propiedades que las dueñas chicas han». El poema contiene un encendido elogio a las mujeres bajitas, pero, al rematar el panegírico, el tono cambia bruscamente: «Siempre quis muger chica más que grande nin mayor: / non es desaguisado del grand mal ser foidor, / del mal tomar lo menos, dízelo el sabidor...» (c. 1617). Este jugueteo conceptual es frecuente en toda la obra y le da un particular encanto.

En la multitud de fabulillas que narran los personajes y en la historia del protagonista aparecen parodiados usos de la sociedad contemporánea. Por ejemplo, el pleito entre el lobo y la raposa (c. 321-371) ridiculiza los juicios medievales. También los ritos y vida de los eclesiásticos son remedados grotescamente en la parodia de las horas canónicas.

La literatura de su época tampoco se libra de la imitación humorística y degradadora. Sirvan de ejemplo la batalla de don Carnal y doña Cuaresma, que se burla de la épica heroica, o las serranillas, contrapunto de un género cortesano de origen provenzal que cantaba el encuentro de un caballero con una linda pastorcilla.

EL REFLEJO DE LA SOCIEDAD DE SU TIEMPO. El *Libro de buen amor* es un reflejo del siglo XIV, época en que el viejo mundo feudal y agrario empieza a ceder el paso a una nueva sociedad urbana y burguesa. El escenario de los episodios centrales es la ciudad, con sus callejas, sus plazas, sus tabernas, sus clérigos y sus trotaconventos. Juan Ruiz acoge todo este abigarrado universo en su poema.

El dinero tiene un papel destacado en la sociedad del arcipreste. Por eso escribe un «Enxiemplo de la propiedat qu'el dinero ha» (c. 490-514). En ese canto hay, sin duda, ironía; pero, al mismo tiempo, es el reconocimiento de que se ha entrado en una nueva fase económica que ya no se basa exclusivamente en las propiedades agrarias.

54

ESTILO E INTENCIÓN. Uno de los máximos valores del libro está en la expresividad del lenguaje, de léxico exuberante y riquísima veta popular. De ahí la abundancia de refranes y dichos coloquiales, que le dan una singular gracia. Lo real e inmediato se hace presente con una sencilla familiaridad. Los tópicos quedan vivificados. No podía faltar el diminutivo con su carga de gracia y afectividad. Aunque el autor no abusa de él, las situaciones en que lo emplea son particularmente significativas. Son recursos fundamentales el paralelismo y la antítesis.

Cabe destacar el estilo impresionista y elíptico, que tiende a yuxtaponer conceptos evitando en lo posible las transiciones y los nexos gramaticales superfluos. Los diálogos se aproximan a lo dramático por cuanto las réplicas se suceden con muy escasos elementos narrativos, reducidos al verbo *dicendi* y su sujeto: «Ella diz: 'Mon señer, andés en ora bona...'». Las imágenes y los calificativos se yuxtaponen en series enumerativas que dan una visión múltiple de la realidad. Buen ejemplo de ello es el retrato de doña Endrina que vimos anteriormente.

También son rápidas las transiciones entre las distintas partes de la obra y la forma en que se enhebran las fábulas en el discurso de un personaje. Todo responde a un principio de economía expresiva.

Mucho se ha discutido sobre la intención de Juan Ruiz y el sentido de su *Libro*. La crítica no ha llegado a ponerse de acuerdo. Mientras unos ven en él un fondo moralizante, otros consideran que eso no es más que un cínico disfraz para crear un poema extraordinariamente vital, dominado por la sensualidad y la ironía. En el prólogo en prosa, el arcipreste nos dice que escribe para corregir los vicios humanos, en especial el «loco amor» que pierde a hombres y mujeres; pero, acto seguido, afirma: «Empero, porque es umanal cosa el pecar, si algunos, lo que non los consejo, quisieren usar del loco amor, aquí fallarán algunas maneras para ello». O sea, que la obra es al mismo tiempo una advertencia contra el pecado y un manual que instruye sobre algunas maneras de pecar. Esta ambigüedad alcanza también al concepto de «buen amor», que unas veces significa amor a Dios y, otras, artes de seducir o habilidad sexual.

Juan Ruiz se ríe de sus propios consejos y deja entrever una intención más regocijante y menos severa. Ese zigzagueo bienhumorado resulta particularmente atractivo. No se puede dar una interpretación unívoca al libro.

1.5. DON JUAN MANUEL Y LA PROSA DEL SIGLO XIV

La producción literaria se desarrolla de forma considerable en el siglo XIV. El número de obras conservadas es muy superior a las del periodo precedente. La anonimia dominante hasta la fecha da paso a la poderosa individualidad de figuras como don Juan Manuel o Pero López de Ayala, cultivadores de la prosa didáctica e histórica, respectivamente.

1.5.1. DON JUAN MANUEL

VIDA Y PERSONALIDAD. Don Juan Manuel, máximo representante de la prosa del siglo XIV, nace en Escalona (Toledo) en 1282. Es nieto de Fernando III el Santo y sobrino de Alfonso X el Sabio. Recibe una educación esmerada. Su trayectoria política es agitadísima, ya que interviene en todos los conflictos de su tiempo. Retirado ya de la vida activa, muere en 1348.

Es uno de los nobles más poderosos e influyentes. En sus escritos encontramos a menudo manifestaciones de su orgullo aristocrático.

Don Juan Manuel es el primer autor español que tiene decidido empeño en la conservación de su obra. Le obsesiona la idea de evitar los errores de los copistas, que pueden impedir la correcta trasmisión. Por eso él mismo corrige cuidadosamente sus manuscritos y los deposita en el monasterio dominico de Peñafiel. Desgraciadamente, serán destruidos en un incendio y se perderá una parte de su producción.

Es también el primero en mostrar una clarísima voluntad de estilo, en busca de un lenguaje claro y conciso. Es consciente de que su dedicación a las letras merece la crítica de

56

la alta clase social a la que pertenece, pero no abandona por ello su propósito. Continúa con la máxima eficacia la labor de depuración de la prosa castellana que inició su tío, el rey Sabio.

Su obra es eminentemente didáctica; él mismo dice en *El conde Lucanor* que escribe una literatura de diversión para que el lector pueda asimilar mejor las enseñanzas.

OBRAS. Tenemos noticia de la producción total de don Juan Manuel gracias a dos listas que nos dejó: una en el prólogo de *El conde Lucanor* y otra en el que puso al frente del conjunto de su obra. Aunque presentan notables discrepancias, nos permiten conocer algunos títulos perdidos: *Crónica complida, Libro de los sabios, Libro de los cantares...* No ha sido posible fijar la cronología de todos los textos.

Entre los que han llegado a nosotros, son dignos de aprecio el *Libro del caballero y del escudero*, un manual del perfecto caballero inspirado en el *Llibre del ordre de cavalleria* de Ramón Llull, y el *Libro de los estados*, que tiene un leve hilo argumental tomado de la leyenda de Barlaam y Josafat, pero cuyo interés radica principalmente en la gran cantidad de datos que facilita para el estudio de la organización social de su tiempo.

Sin lugar a dudas, su obra más importante es el *Libro de Patronio o El conde Lucanor*, al que debe el puesto que ocupa en nuestras letras.

EL TEXTO DE *EL CONDE LUCANOR*. *El conde Lucanor o Libro de los enxiemplos del conde Lucanor et de Patronio* se terminó de escribir, según consta al final, el lunes 12 de junio de 1335. Parece que se compuso a partir de 1328. Se conservan cinco manuscritos. Vio la luz en Sevilla en 1575, de la mano de Gonzalo Argote de Molina.

ESTRUCTURA Y CONTENIDO. El libro viene precedido por dos prólogos. En el primero se encuentra la mencionada lista

57

y el autor expresa sus inquietudes por la trasmisión de su obra. El segundo desarrolla el viejo tópico del «enseñar deleitando», valiéndose del símil de la medicina azucarada.

El texto propiamente dicho se divide en cinco partes. La primera es la más extensa y la más interesante, con mucho, ya que en ella están los cincuenta y un apólogos o *exemplos*. En las tres siguientes incluye aforismos o sentencias cada vez más oscuros. En la última, completamente distinta, ofrece un breve tratado de lo que debe hacer el hombre para ganar la gloria. Naturalmente, la atención de los lectores se ha concentrado en la primera.

La estructura de los *exemplos* es siempre muy parecida. El conde Lucanor, hombre ya maduro y envuelto en complejas relaciones políticas, plantea a su ayo Patronio un conflicto que le afecta a él mismo o a alguien próximo. La respuesta es un cuentecillo que se ajusta perfectamente al caso. Una vez concluido y vistas sus aplicaciones, sigue una fórmula con muy pocas variantes: «El conde tovo por buen consejo lo que Patronio le consejava. Él fízolo assí, et fallóse ende bien». Se remata con unos versos que sintetizan, con escasa fortuna poética, la moraleja del cuento.

El libro tiene una evidente intencionalidad didáctica; predica una moral pragmática. Su autor pone gran empeño en que la lectura resulte grata y provechosa a un tiempo. Hay consejos para todas las situaciones imaginables. Bebe en muy diversas fuentes (orientales como el *Calila e Dimna*, clásicas, medievales), pese a lo cual no se puede poner en duda su originalidad ya que somete todos esos materiales a una personalísima recreación. Lo que importa es la forma de contar.

TÉCNICA Y ESTILO. Los apólogos son variadísimos y presentan diversos grados de elaboración. Incluyen personajes de todas las épocas, lugares y condiciones sociales: reyes, privados, ermitaños, nigromantes, mercaderes, moros, italianos... Don Juan Manuel hace gala de una extrema habilidad a la hora de poner en pie esa inmensa galería de tipos humanos y evocar los diversos ambientes sin caer en farragosas descripciones. Son seres vivos, creados con rápidos y bien seleccionados trazos, muy distantes del esquematismo propio del género doctrinal. Pensemos, por ejemplo, en aquella doña Truhana que levanta castillos en el aire mientras va a vender una olla de miel (VII). Los animales que protagonizan las fábulas están dotados de la misma vitalidad.

El autor intenta dar siempre una impresión de verosimilitud y encajar bien al personaje en su circunstancia. La acción está muy condensada. Combina con maestría elementos reales y ficticios. A veces ubica la ficción en un marco histórico perfectamente plasmado, y otras atribuye a un personaje real una anécdota de procedencia literaria. El humor es un ingrediente importante. Algunos cuentos son muy divertidos. El estilo es en todo momento sencillo y elegante, absolutamente personal tanto en la sintaxis como en el rico vocabulario. Se basa en el principio de selección y aspira a alcanzar un equilibrio, perfectamente logrado, entre concisión y claridad.

Encontramos en este libro auténticas obras maestras: *De lo que contesçió a un deán de Sanctiago con don Yllán, el grand maestro de Toledo* (XI), *De lo que contesçió a un mançebo que casó con una mujer muy fuerte et muy brava* (XXXV), *De lo que contesçió a un omne bueno con su fijo* (II)... Uno de los grandes méritos de don Juan Manuel consiste en haber sabido dar una proyección universal a sus enseñanzas. Se elevan por encima del tiempo y el espacio concretos a que aparecen ligadas. La mayoría de los planteamientos resultan perfectamente aplicables a los lectores modernos, no han perdido un ápice de actualidad.

1.5.2. NOVELAS DE CABALLERÍAS Y OTROS LIBROS DE AVENTURAS

Al margen de toda intencionalidad moral, florece en este siglo un universo literario puramente ficticio, de desbordante fantasía: el de las novelas de caballerías. Su razón de ser es la exaltación de los ideales caballerescos a través de héroes a los que mueve la defensa de la justicia y el servicio de su dama. La mezcla de aventuras y lirismo dio a este género una extraordinaria popularidad, que se vio propiciada por el considerable aumento del público lector. Tiene su origen en el *roman courtois* francés (novela cortesana).

Son particularmente apreciados los temas procedentes del ciclo bretón, que canta las hazañas del rey Arturo y los caballeros de la Mesa Redonda, la búsqueda del Santo Grial, los amores de Tristán e Isolda... Las primeras traducciones se producen a finales del siglo XIII y principios del XIV. Entre los títulos representativos se cuentan *Estoria del sabio Merlín, El baladro del sabio Merlín, Demanda del Santo Grial...*

De comienzos de siglo data también nuestra primera novela caballeresca autóctona: *Libro del caballero Zifar*, que viene atribuyéndose al arcediano de Madrid FERRAND MARTÍNEZ. De las mismas fechas o quizá algo anterior es *La gran conquista de Ultramar*, en torno a las cruzadas que se emprendieron en el siglo XII para reconquistar los santos lugares.

Mainete es un relato legendario en torno a la infancia y juventud de Carlomagno que procede de un cantar de gesta francés del siglo XII del mismo título.

Particular importancia reviste la creación del *Amadís de Gaula*, del que deriva un frondoso ciclo que alcanzará su fase de esplendor en el siglo XVI. Antonio Rodríguez-Moñino descubrió un manuscrito de hacia 1420 que contenía cuatro fragmentos del libro III redactados en la variante dialectal del Occidente de España. Se piensa que puede ser modernización de un texto más antiguo.

1.5.3. LA PROSA HISTÓRICA: EL CANCILLER PERO LÓPEZ DE AYALA

El siglo XIV nos ha dejado importantes crónicas históricas. Tienen particular relieve las prolongaciones de la historia alfonsí: *Crónica particular de san Fernando, Crónica de Castilla o del Campeador, Crónica de veinte reyes, Segunda crónica general o Crónica de 1344* (versión en castellano de la portuguesa de PEDRO DE BARCELOS)... A ello hay que añadir la *Gran crónica de Alfonso XI,* de cuyas relaciones con el *Poema de Alfonso XI* ya hemos hablado (véase 1.4.1).

Pasa a primer término la vigorosa personalidad del canciller Pero López de Ayala (Álava, 1332-Calahorra, 1407). Su producción literaria es testimonio de su agitada vida política y de la experiencia que adquirió en esos avatares. De natural reflexivo, su certera visión de la realidad descansa en la observación directa y en las lecturas propias de un hombre culto. Se advierten en sus escritos las inquietudes del moralista. Su pertenencia a un periodo en que entran en crisis las viejas estructuras sociales explica el pesimismo que rezuma su obra.

Lo más apreciable de su prosa son las crónicas completas de los reinados de Pedro I, Enrique II y Juan I y de los seis primeros años del de Enrique III (quedó interrumpida por la muerte del autor). Abarcan un extenso periodo comprendido entre 1350 y 1396. Las escribió, al parecer, a edad avanzada sirviéndose de notas anteriores. Hay dos redacciones. La más antigua, no anterior a 1383, se conoce como «abreviada». La definitiva, probablemente posterior a 1393, es más extensa y mejor cuidada. Suprime algunas referencias que ya no considera pertinentes. La primera de esas crónicas se publicó en 1495; las otras tres, en 1526. Fueron editadas por Cayetano Rosell (1875-1878).

Distan mucho de la aridez de las crónicas históricas precedentes. Ayala anima el relato valiéndose de artificios literarios. Introduce diálogos, descripciones, epístolas, arengas... Interesan tanto el retrato físico de sus personajes como los sutiles análisis psicológicos. Manifiesta mucho interés por los aspectos sociales y administrativos. Su estilo sobrio y preciso es de gran eficacia narrativa. El tono, realista. Con él la maduración de la prosa castellana avanza de forma considerable.

61

La más interesante es la *Crónica de Pedro I*, debido en buena medida a la peculiar naturaleza del personaje. No está escrita de forma desinteresada, sino para justificar el hecho de que el canciller y su padre cambiaran de bando en la guerra civil que enfrentó al monarca con su hermanastro Enrique de Trastámara. Con ese fin, se subraya la crueldad del rey, sin omitir ninguno de sus desafueros. El autor aprovecha el patetismo de esta historia de muertes y venganzas. No se ahorran episodios cruentos, como el espeluznante relato del asesinato del infante don Fadrique. En vivo contraste, don Enrique aparece como instrumento de la divinidad y se quita importancia al fratricidio con que se salda el enfrentamiento. Sin embargo, no se puede acusar a López de Ayala de tergiversar la realidad histórica; se limita a poner énfasis en lo que más le conviene.

Las otras tres crónicas, de rasgos similares, resultan menos atractivas por la menor fuerza dramática de sus protagonistas. En compensación, los datos que ofrecen son más fidedignos; el punto de vista está menos sesgado. Entre ellas destaca la *Crónica de Juan I*, estilísticamente comparable a la de Pedro I. El punto culminante es la batalla de Aljubarrota, que se describe con todo tipo de detalles.

La obra del canciller se completa con el *Libro rimado del palacio*, largo poema de más de 8200 versos. La organización definitiva del texto data de 1403-1407, pero parece que estaba escrito desde hacía tiempo, probablemente entre 1378 y el final del siglo. Se conservan dos manuscritos del xv, ambos incompletos. No se imprimió hasta 1864.

Se inscribe este texto en el ya agotado mester de clerecía. Alterna la cuaderna vía con otras estrofas: zéjeles, pareados, sextinas en alejandrinos...

Suelen distinguirse dos partes absolutamente independientes: una con todo lo relativo a palacio y la sátira de costumbres (hasta la estrofa 728) y otra que incluye composiciones líricas y una versión del *Libro de Job* y las *Morales* de san Gregorio.

Se combinan lo didáctico y lo poético. La expresión de la emoción religiosa alterna con la crítica implacable, que en el apartado que se titula «Fechos de palacio» (c. 423-435) se dirige contra la vida de la corte, y con las reflexiones sobre el gobierno de la república. Hay también lecciones de ética individual. Es obra de un escritor austero, en la que no lucen precisamente las galas del estilo, sino que prevalece la intención doctrinal.

2
Prerrenacimiento

2.1. CONTEXTO HISTÓRICO Y CULTURAL

Para los historiadores en general, la Edad Media se extiende desde la desmembración del imperio romano de Occidente, a principios del siglo V, hasta la caída del imperio romano de Oriente con la toma de Constantinopla en 1453, o la invención de la imprenta de tipos móviles en 1455, o el descubrimiento de América en 1492.

[nota manuscrita: cuándo fue la Edad Media?]

Desde el punto de vista de la cultura, parece conveniente subrayar las peculiaridades que se dan en toda Europa y en España durante el siglo XV y los primeros años del XVI.

Es un periodo de transición —como todos, se nos podría decir con ironía— en el que se produce la definitiva maduración de las formas tardomedievales y la asimilación de las nuevas ideas y modelos que creó el Humanismo italiano, inspirándose en la Antigüedad grecorromana.

INESTABILIDAD POLÍTICA E IMPULSO CULTURAL. Al empezar el siglo XV existen en la península tres reinos: Portugal, Castilla y Aragón. Desde 1412, en que sube al trono aragonés el castellano Fernando de Antequera, los dos últimos están gobernados por la misma dinastía: los Trastámara. Los miembros de la familia real aragonesa son, a la vez, nobles castellanos y, como tales, intervienen en las luchas intestinas de Castilla, a menudo en contra del poder del monarca.

65

Con Alfonso V el Magnánimo (1416-1458) la corona aragonesa consolida su expansión por el Mediterráneo. Conquista el reino de Nápoles y establece una corte en la que confluyen representantes del Humanismo italiano con la nobleza culta de Aragón y Castilla. Allí se forma como poeta el futuro marqués de Santillana. Allí se escriben versos y prosas en castellano, catalán, italiano y latín y se recoge el llamado *Cancionero de Estúñiga*, con las composiciones, mayoritariamente castellanas, de los poetas que rodeaban al rey de Aragón.

Contemporáneo de Alfonso V es el castellano Juan II (1406-1454), cuyo reinado se vio sacudido por la tensión entre la voluntad centralizadora del monarca y su valido don Álvaro de Luna, y la resistencia de la nobleza, que dio origen a numerosos episodios más propios de un reino en guerra civil que de un estado consolidado.

También en este caso el desarrollo de las letras fue notable. El propio rey era poeta ocasional y protegió a humanistas como Juan de Mena, que fue su secretario de cartas latinas y autor de un poema de claro sentido político titulado *Laberinto de Fortuna* (véase. 2.2.2).

La crisis política del reinado de Juan II se prolonga y acentúa en el de su hijo y sucesor Enrique IV de Castilla (1454-1474) y en el de su homónimo Juan II de Aragón (1458-1479). La rebeldía nobiliaria persiste. En los dos reinos encuentra el apoyo de personas de la familia real. Así, los nobles sublevados contra Enrique IV ponen a la cabeza al hermano del rey, Alfonso, que es un niño, mientras que en Aragón el príncipe de Viana, heredero de Juan II, entra en guerra abierta con su padre.

LOS REYES CATÓLICOS. En medio de esas refriegas, contrajeron matrimonio la infanta castellana Isabel y el infante aragonés Fernando. A la muerte de Enrique IV, ocuparon el trono de Castilla, despojando de él a su sobrina, la princesa Juana, a la que la propaganda oficial hacía hija del valido del rey, don Beltrán de la Cueva. Para mantenerse en el trono, sostuvieron una larga guerra civil (1475-1480), en la que intervino el rey Alfonso V de Portugal, casado con Juana.

El resultado fue favorable a los que se llamarían Reyes Católicos, que en 1479 habían heredado también la corona aragonesa, a la muerte de Juan II.

Isabel y Fernando tuvieron que hacer frente a alguno de los últimos brotes de revueltas populares: la guerra de los «payeses de remença» en Cataluña (1486). Reprimieron con severidad el bandidaje, fruto de la época de guerras civiles e inestabilidad política. Con este fin crearon la Santa Hermandad, un duro cuerpo policiaco que logró pacificar con métodos expeditivos las zonas despobladas y montañosas.

Redujeron de forma definitiva a la nobleza levantisca. Para ello no dudaron en castigar a los rebeldes y quemar sus castillos. Consiguieron que las órdenes militares perdieran su poder e independencia: en lo sucesivo, el rey sería maestre de todas ellas. A cambio, dejaron intactos todos los privilegios económicos y políticos de la aristocracia que no chocaban con la nueva monarquía autoritaria. Conseguido ese punto de equilibrio, la nobleza se convirtió en aliada y colaboradora de la corona, y trocó sus viejas y estériles rebeliones en capacidad de influjo en la corte real.

Los Reyes Católicos se apoyaron desde el primer momento en las ciudades, que representaban un punto de resistencia a las pretensiones políticas de la vieja nobleza. Tanto en Castilla como en Aragón, se había desarrollado la burguesía al ritmo que se expandía el comercio con el Mediterráneo y con Centroeuropa. Faltó en Castilla una burguesía industrial, ya que la economía se basó sobre todo en la exportación de materias primas, especialmente lana, que era elaborada en los Países Bajos. A pesar del apoyo de la burguesía a la política regia, la solución final la excluyó de los centros de poder.

El matrimonio y el acceso al trono de Isabel y Fernando consumaron el proceso de acercamiento entre las coronas de Castilla y Aragón. De haber triunfado sus rivales en la guerra civil, la unión se hubiera dado entre Castilla y Portugal. Una voluntad unitaria estaba, sin duda, en el ambiente de la época. Sin embargo, cada reino mantuvo sus estructuras políticas en una solución que se podría calificar de federal, si no temiéramos caer en el anacronismo.

En la política de los Reyes Católicos pesó mucho el deseo de alcanzar la unidad peninsular. Aprovechando los conflictos intestinos, emprendieron la conquista del reino musulmán de Granada, que culminaron en 1492. En 1512 las tropas mandadas por el castellano García Álvarez de Toledo, segundo duque de Alba, tomaron el reino de Navarra, reivindicado por Fernando de Aragón, como heredero de Juan II.

Para conseguir la unidad con Portugal, siguieron una política matrimonial, casando a princesas españolas con los reyes Manuel I y Juan III. Este proyecto no dio resultados hasta que en 1580 la corona portuguesa fue a parar a las sienes de su biznieto Felipe II.

A la muerte de Isabel I (1504), le sucedió como regente su esposo. Sin embargo, las demandas de su yerno, Felipe el Hermoso, casado con Juana la Loca, acabarían echándolo de Castilla en 1505. A raíz de estos acontecimientos, Fernando el Católico se retiró a Aragón y contrajo segundas nupcias con Germana de Foix. Pero, muerto Felipe I en 1506, volvió a la regencia, que no dejaría hasta su muerte en 1516. En ese año, las dos coronas volvieron a unirse en la persona de su nieto Carlos I.

LAS MINORÍAS ETNICORRELIGIOSAS. Junto a la unidad territorial, los Reyes Católicos persiguieron la unidad religiosa. Desde fines del siglo XIV se intensificaron los conflictos entre la mayoría cristiana y los grupos judíos que, dedicados al comercio, la industria y la banca, vivían en las ciudades españolas. Constituían una clase media acomodada que, en general, mantuvo excelentes relaciones con la aristocracia y la realeza, pero que era sentida por el pueblo llano como un elemento parasitario y abusivo. Si a estos hechos añadimos lo fácil que resultaba desviar los descontentos populares contra una minoría aislada, hermética y, en buena medida, despectiva con sus conciudadanos, nos explicaremos lo ocurrido.

En 1391 se produjeron en toda la península violentas manifestaciones antijudaicas que acabaron en matanzas y saqueos. La protección real no logró restaurar la confianza y fueron muchísimos los judíos que emigraron o se convirtieron al cristianismo. Como el problema no era exclusivamente religioso, la conversión no sirvió para arreglarlo. El odio popular se dirigió entonces hacia los conversos, que seguían constituyendo una minoría rica, poderosa y culta. Muchos de los escritores de la época son de ascendencia judía.

En 1478 los Reyes Católicos crearon la Inquisición, encargada de perseguir y castigar a los conversos que secretamente siguieran fieles al judaísmo. Pronto este tribunal se convirtió en una temible arma política al servicio de la corona y de los intereses de algunas órdenes religiosas.

En 1492 se decretó la expulsión de los judíos o su inmediata conversión. Muchos abandonaron España, camino de Portugal, del norte de África, de Italia y del Mediterráneo oriental. Las leyes ofrecían su protección a los que decidieran exiliarse, pero no autorizaban sacar oro ni plata, de modo que en realidad la expulsión fue al mismo tiempo un expolio. Las comunidades judías españolas (los sefardíes) han mantenido hasta hoy en sus lugares de destierro el castellano del tiempo de la expulsión.

La otra minoría etnicorreligiosa no corrió mejor suerte. Al conquistar Granada, las capitulaciones establecían el derecho de los nuevos súbditos a mantener sus usos y costumbres, su organización social y religiosa. Hubo un primer periodo en que se intentó atraer a los musulmanes hacia la fe católica, por medio de la persuasión y las prédicas. El primer obispo de Granada, fray Hernando de Talavera, fue el encargado de esa política de aproximación pacífica. Era ingenuo esperar que la sociedad granadina, absolutamente islamizada, atendiera esas invitaciones bienintencionadas.

A los pocos años, la impaciente prepotencia de los conquistadores imprimió un sesgo mucho más violento a su presión religiosa. Fray Francisco Jiménez de Cisneros, futuro cardenal y regente de Castilla, sucedió a fray Hernando de

Talavera y organizó una quema de alcoranes en la plaza de Bibarrambla con evidentes fines intimidatorios. Estas medidas resultaron inútiles porque la comunidad musulmana no era asimilable. Vivían en grandes bolsas de población homogénea. Eran necesarios a los nobles cristianos por su conocimiento de las técnicas agrícolas y su capacidad de trabajo. Durante más de un siglo siguieron en España en un peculiar género de autonomía con sus propias leyes, sus jueces, su lengua y la práctica más o menos velada de sus ritos y su religión.

LA EXPANSIÓN TERRITORIAL: LOS DESCUBRIMIENTOS. Si una de las claves de la política de los Reyes Católicos fue la unidad, la otra fue la expansión. En el Mediterráneo, la corona de Aragón afirmaba sus posiciones en Italia. Las campañas de Gonzalo Fernández de Córdoba, llamado el Gran Capitán, que revolucionó el arte militar de su tiempo, acabaron con las pretensiones francesas sobre esos territorios.

La corona de Castilla se volcó hacia el Atlántico. En 1402, Juan de Bethencourt había ocupado algunas zonas de las islas Canarias, cuya conquista se consumó en 1480. En 1492 se emprendió una insensata aventura que daría lugar al descubrimiento de América. Colón presentó sus proyectos a la Reina Católica, que los sometió al análisis de los profesores de la universidad de Salamanca. En este cónclave se rechazaron las hipótesis del navegante porque sus cálculos eran erróneos. La circunferencia terrestre era mucho mayor de lo que él creía y, por lo tanto, resultaba imposible rodearla para llegar a las costas asiáticas con los medios de que entonces se disponía. En efecto, los sabios salmantinos tenían razón. Colón nunca llegó a las tierras orientales a las que dirigía su quimérico viaje.

Ignoramos qué pudo convencer a la reina para apoyar una empresa imposible y desconocemos las razones que mantuvieron viva la fe de Colón. Quizá disponía de datos que nunca expuso públicamente.

Sea como fuere, la corona de Castilla y el futuro almirante de la Mar Océana firmaron las capitulaciones de Santa Fe para poner en marcha una de las empresas más notables de la historia de la humanidad.

El 2 de agosto de 1492 partieron de Palos de la Frontera (Huelva) las tres naves que vieron las costas americanas el 12 de octubre. Con ello se abría una nueva época; pero todo indica que los primeros pasos de la conquista americana fueron decepcionantes. No se había llegado, como se pretendía, a las costas de Cipango (Japón) ni China. No existían poblaciones con las que comerciar. No se encontraron en las primeras décadas metales preciosos. Colón, tras complicados pleitos con la corona española, murió en 1506 con la íntima sensación de haber fracasado.

A pesar de estos pesares, la corona de Castilla siguió apoyando la colonización, firmó con Portugal el tratado de Tordesillas (1494) para repartirse el mundo conocido y por conocer, y creó la Casa de Contratación en 1503 para controlar desde Sevilla el comercio con América. Los frutos de esta política se verían unos años más tarde, cuando se descubrieron y conquistaron los grandes imperios prehispánicos.

Peor fortuna tuvieron los intentos de extenderse por el norte de África. Se fraguó incluso la idea propagandística de la Hispania Transfretana (la España del otro lado del estrecho). Los esfuerzos militares desarrollados por Cisneros dieron como resultado la ocupación, siempre inestable y costosísima, de Orán y de otras ciudades norteafricanas (1511).

LA CREACIÓN DEL ESPAÑOL. El hecho lingüístico más notable del siglo XV es la aproximación de los dialectos romances de la península. La llegada a la corte aragonesa de los Trastámara facilitó esta labor. La unión dinástica que se produjo con el matrimonio de Isabel y Fernando reforzó y aceleró el proceso. El rey se castellanizó y, con él, toda la nobleza aragonesa. Curiosamente, esta expansión del castellano coincidió con el auge de la literatura en lengua catalana, por obra de grandes poetas como el valenciano Ausias March.

Al acabar el siglo, la lengua está ya en un proceso de fijación y expansión. En 1492 Antonio de Nebrija imprime en

71

Salamanca la primera *Gramática de la lengua castellana* (véase 2.5.3).

Antes de llegar a los tiempos de Nebrija y de la Reina Católica, en que predomina el sentido del equilibrio y el buen gusto, la lengua literaria vivió etapas de latinismo desmesurado. Se usaron multitud de cultismos desconocidos hasta entonces. Algunos, como *ductriz* ('conductora'), *venadriz* ('cazadora'), *benívolos* ('benevolentes'), no se han incorporado a la lengua. También la sintaxis imitaba al latín en el hipérbaton. Un ejemplo típico de este lenguaje, lleno de neologismos y alusiones a la Antigüedad, lo encontramos en el poema más famoso de la época: *Laberinto de Fortuna* de Juan de Mena.

En el siglo XV se introdujeron en la lengua literaria muchas palabras de origen francés (*reyalme*, 'reino', *corcel*, *gala*...) e italiano (*soneto*, *bonanza*...). Estas aportaciones enriquecieron notablemente el castellano.

No se piense que toda la literatura participaba de la tendencia cultista. En la corte de los Reyes Católicos se pusieron de moda las cancioncillas tradicionales. Los poetas cortesanos imitaban su lenguaje rústico y sencillo. Pero, sin duda, donde mejor se refleja el habla cotidiana del pueblo es en *La Celestina* y en *El Corbacho* del Arcipreste de Talavera.

LOS ALBORES DEL HUMANISMO. El siglo XV trae a España algunos conceptos y actitudes que estaban triunfando en Italia desde el siglo anterior. La clave del Humanismo consiste, como es bien sabido, en el descubrimiento del mundo clásico. Ese descubrimiento no implica identificación ni asimilación. Durante toda la Edad Media, la intelectualidad había vivido de la cultura clásica, que recreaba y adaptaba a la mentalidad de su tiempo. El Humanismo encarna una paradójica actitud de acercamiento y distancia respecto al mundo antiguo. Al estudiar a los clásicos, se les reconoce como distintos, se percibe su íntima coherencia, se les admira en sí mismos sin que precisen adaptaciones o cambios. Los humanistas no pretenden que Cicerón hable como un personaje tardomedieval, ni ellos aspiran a remedar la prosa ciceroniana. Su objetivo es crear de nuevo como Cicerón lo hizo en su tiempo.

Esta actitud de fervor y distancia es quizá la más genuina marca de la nueva intelectualidad. La emoción ante la belleza de las grandes creaciones de la Antigüedad contribuye a cambios que van más allá de lo puramente literario o erudito. Como dijo Johan Huizinga, el conocimiento de las letras humanas provoca un giro sustancial en la mentalidad de las gentes: «Es el gozo que produce la sabiduría antigua, hallada de nuevo, el que arranca por primera vez a los espíritus exclamaciones de júbilo ante el presente».

Ese entusiasmo estético permite ver la realidad en positivo e inicia el camino desde un teocentrismo que miraba el mundo terreno con la perspectiva de ultratumba, hacia un antropocentrismo que quiere ver y admirar las perfecciones de la vida terrena. El placer vuelve a merecer la consideración social, en detrimento del espíritu ascético del Medievo.

El Humanismo, que tuvo a Francesco Petrarca (1304-1374) y a Giovanni Boccaccio (1313-1375) como figuras clave en el siglo XIV, critica la filosofía escolástica, ridiculiza el latín medieval y pone de moda el más puro clasicismo expresivo, inspirado en la prosa, clara y cultivada, de Cicerón. Relega a un segundo plano a Aristóteles para exaltar el mundo ideal y poético de Platón. Consigue que crezca el prestigio de la cultura. La educación se convierte en un elemento de singular relieve para la aristocracia y la burguesía adinerada. La *humanitas* es una formación compleja que abarca el conocimiento intelectual de los fenómenos de la naturaleza, la reflexión moral a la manera estoica y el dominio de las relaciones sociales.

El mecenazgo es práctica común en la época. Los poderosos, seglares y eclesiásticos, mantienen a su servicio a estos intelectuales buenos conocedores del latín y de la literatura antigua, estudiosos, retóricos, gramáticos y ocasionales poetas. Los humanistas desplazan a clérigos y juristas en el papel de consejeros áulicos y algunos alcanzan altos cargos civiles y eclesiásticos, como Eneas Silvio Piccolomini (1405-1464), que llegará a ser papa con el nombre de Pío II.

El temprano triunfo del Humanismo en Italia influirá en todos los países de su entorno y de manera muy notable en España. La corona de Aragón, por sus relaciones políticas y comerciales, será la primera en recibir ese influjo. Hacia 1384 el aragonés Juan Fernández de Heredia acaba su traducción de las *Vidas paralelas* de Plutarco, texto que interesó a Coluccio Salutati, uno de los eminentes y poderosos humanistas florentinos. La corte napolitana de Alfonso V el Magnánimo, donde vive y se forma una parte de la intelectualidad castellana de la época, cuenta con figuras como el gramático y teólogo Lorenzo Valla (1407-1457) y el jurista y poeta Giovanni Giovanno Pontano (1426-1503).

Acostumbra a señalarse que en esta etapa el conocimiento del latín en España es poco extendido y menos profundo, lo que invalidaría cualquier pretensión de identificar estos movimientos intelectuales con el Humanismo. Es cierto; pero precisamente esta falta de familiaridad y la preferencia por la lengua autóctona como vehículo expresivo fomentan la actividad traductora. El marqués de Villena traduce la *Retórica a Herenio* de Cicerón y la *Comedia* de Dante, Alfonso de Cartagena vierte al castellano *Sobre la invención* de Cicerón...

Tardíamente, pero con resultados apreciables, se desarrollan los estudios latinos y griegos en las universidades. Antonio de Nebrija impulsa el renovado aprendizaje del latín, frente a la barbarie escolástica, con sus *Introductiones latinæ* (1481), y al final del periodo que aquí consideramos, sale a la luz, patrocinada por el regente de Castilla fray Francisco Jiménez de Cisneros, la *Biblia políglota complutense* (1514-1517), uno de los más altos monumentos del Humanismo español.

LA BIBLIOFILIA Y LA IMPRENTA. La moda de la cultura fomentó en toda Europa el coleccionismo artístico y bibliográfico. Italia, como en otros campos, llevó la delantera en este terreno. La ciudad de Florencia, con su burguesía enriquecida y sensible, y la Roma papal fueron los centros de mayor actividad. Para atender la demanda de libros, se crearon numerosos talleres de copia. El crecimiento de compradores fue tal que pronto hubo que pensar en medios mecánicos de reproducción. A lo largo de la Edad Media se habían usado planchas grabadas en madera (xilografías) para la impresión de dibujos y leyendas de consumo popular; pero componer libros completos por este procedimiento era excesivamente costoso. En 1455 el orfebre alemán Johannes Gutenberg ideó la imprenta de tipos móviles. Letras sueltas troqueladas en metal formaban las palabras y frases, y podían ser reutilizadas en nuevos textos. Los primeros impresores adoptaron los tipos o letras góticos; pero pronto triunfó la letra redonda romana, creada por los humanistas, mucho más clara y armónica, que predomina hasta hoy, con las lógicas variaciones.

A pesar de los esfuerzos para mantener en secreto esta técnica, la imprenta se difundió rápidamente por Europa. A España llegó en los primeros años de la década de 1470, traída por impresores alemanes: Juan Prix de Heidelberga (Segovia, 1472?), Enrique de Sajonia (Barcelona, 1473?), Vitzlant (Valencia, 1473)… Pronto las grandes obras de la literatura encontraron en el libro impreso el cauce ideal para su difusión.

2.2. LA POESÍA DE CANCIONERO

2.2.1. RASGOS GENERALES

Después de una etapa en que la lengua propia de la lírica trovadoresca hispana de origen provenzal es el gallegoportugués, se desarrolla la escrita en castellano. El proceso se inicia a finales del XIV y aparece consumado en tiempos de Juan II (1406-1454), que alienta extraordinariamente estas manifestaciones. Otro de los focos importantes es la corte napolitana de Alfonso V el Magnánimo, rey de Aragón.

Es una poesía culta, destinada al ámbito cortesano, que formalmente se caracteriza por su artificiosidad y virtuosismo. El lenguaje resulta muy alambicado. Dentro del amplísimo repertorio de recursos retóricos, dominan los juegos de contra-

rios petrarquescos, que revelan lo irracional de la pasión amorosa, y la reiteración verbal obsesiva («pues que vivo sin la vida / porque muero sin la muerte»). La sintaxis es latinizante, con abundantes hipérbatos. Se trata de un elegante divertimento en el que la principal baza es el ingenio.

El influjo de la lírica gallegoportuguesa y provenzal va cediendo terreno al italiano, sobre todo de Dante. Siguiendo sus huellas, la alegoría pasa a ser un recurso fundamental. Se introducen la concepción platónica del amor que propugna el *dolce stil nuovo* y la pasión humanística por los clásicos grecolatinos. En la segunda mitad del siglo disminuye el uso del poema extenso alegórico, en beneficio de la canción amorosa y el octosílabo.

El concepto del amor cortés que inspira esta poesía nace en el sudoeste de Francia en el siglo XII y se extiende luego por toda Europa. A Castilla llega tardíamente. Se concibe como culto a la mujer, que aparece divinizada; es objeto de adoración y centro único de la vida del poeta, que se reduce a la condición de vasallo. Canta en sus versos el dolor por la ausencia o el desdén de su señora. Ese padecimiento se compara muy a menudo con la muerte.

Es una moda literaria, que prescinde de la expresión íntima del sentimiento para acogerse a unos esquemas dados.

Dentro de esta corriente se distinguen varios géneros. El tema amoroso se vierte fundamentalmente en la *cantiga* y la *canción trovadoresca*, que se prestan a ser cantadas. La cantiga tiene una estructura variada con un estribillo inicial que se repite al final de cada estrofa; se compone de versos de arte menor. Con el tiempo, será desplazada por la canción, que reduce la diversidad de formas y fija un esquema métrico en el que la primera estrofa es la cabeza y la tercera repite sus rimas y algunos de sus versos.

Menos cultivada es la *serranilla*, en la que un caballero requiere de amores a una pastora, con diversa fortuna.

El *dezir*, de tono más grave, se dedica a los temas morales, religiosos, filosóficos, políticos o didácticos. Puede ser lírico o narrativo. Por su mayor extensión, no se destina al can-

couplet

to sino a la lectura. El esquema métrico más habitual es una serie indefinida de coplas octosílabas. A veces se usan también los versos de arte mayor. El marqués de Santillana dio forma al *dezir* amoroso, de carácter alegórico.

La *esparza* es una sola estrofa en la que se concentra un pensamiento ingenioso. Es el precedente del madrigal y el epigrama.

Encontramos también poemas escritos en forma dialogada, en los que se plantean preguntas y se entablan debates.

A finales de siglo, en la corte de los Reyes Católicos, se introduce la novedad de glosar poemas populares o cultos. Las diversas estrofas comentan y amplían el contenido de un poemilla inicial (del mismo o de distinto autor) y repiten como remate uno o más de sus versos. Asimismo se pone de moda componer romances y villancicos a imitación de los populares, pero sin renunciar a la afectación en que se basa el sistema poético culto.

Todas estas composiciones aparecen recogidas en diversos cancioneros o antologías. Destacan entre ellos el *Cancionero de Baena*, que reúne poemas de autores pertenecientes a los reinados de Enrique II, Juan I, Enrique III y Juan II de Castilla; el *Cancionero de Estúñiga*, de la corte napolitana de Alfonso V el Magnánimo; el *Cancionero de palacio*, con textos de las cortes de Juan II y Alfonso V, más algunos posteriores; el *Cancionero de Herberay des Essarts*, recopilado en la corte de Navarra en torno a 1465, y el *Cancionero general* (1511), editado por HERNANDO DEL CASTILLO, que da cabida fundamentalmente a las obras de los poetas menores del tiempo de los Reyes Católicos.

espacio

Son muchos los autores de la más diversa condición que participan en el desarrollo de esta tendencia: JUAN ALFONSO DE BAENA, ALFONSO ÁLVAREZ DE VILLASANDINO, FRANCISCO IMPERIAL, CARVAJAL, LOPE DE ESTÚÑIGA, JUAN DE TAPIA, JUAN DE DUEÑAS, JUAN ÁLVAREZ GATO, RODRIGO DE COTA, PERO GUILLÉN DE SEGOVIA, FERRÁN SÁNCHEZ DE TALAVERA O CALAVERA, PERO FERRUZ... Entre todos ellos detacan las figuras punteras del marqués de Santillana, Juan de Mena y Jorge Manrique.

2.2.2. EL MARQUÉS DE SANTILLANA. JUAN DE MENA

ÍÑIGO LÓPEZ DE MENDOZA, marqués de Santillana, nace en Carrión de los Condes (Palencia) en 1398. Pertenece a una rica e ilustre familia. Participa intensamente en los conflictos nobiliarios del reinado de Juan II. Mantiene su situación de poder en tiempos de Enrique IV hasta que, aquejado por desgracias familiares, se retira de la vida pública. Muere en su palacio de Guadalajara en 1458.

Es un hombre culto, impulsor del Humanismo, que reúne una de las bibliotecas más notables de su época. Aunque no domina el latín, conoce muy bien a los clásicos.

En el *Prohemio e carta* que en torno a 1448 dirige al condestable don Pedro de Portugal al frente de sus poemas de juventud, se encierra una auténtica declaración de principios estéticos.

Es un poeta variado. En un primer momento cultiva la lírica trovadoresca: canciones, *dezires*... Lo más valioso del conjunto son las diez serranillas, compuestas entre 1423 y 1440. Hay en estos diálogos entre un caballero y una pastora una mezcla de artificio y espontaneidad. Son breves viñetas en las que el desenlace a veces queda solo sugerido.

Se acoge luego a la inspiración italiana. Sustituye las composiciones breves por extensos *dezires* alegóricos de carácter narrativo que se caracterizan por su estilo amanerado y latinizante. A esta serie pertenecen *Infierno de los enamorados*, de clara inspiración dantesca, y *Comedieta de Ponza*, más lograda y ambiciosa, en torno a la derrota naval que sufrió Alfonso V en 1435, que se presenta como algo que atañe a todos los españoles, no solo al reino de Aragón. Adquiere gran desarrollo el tema de la Fortuna; de ahí que se haya puesto en relación con *Laberinto de Fortuna* de Juan de Mena.

En su etapa de madurez se vuelca en la poesía moral, política y religiosa; deja de lado el fárrago retórico para dar a sus reflexiones íntimas una mayor sobriedad expresiva. Buena prueba de ello son *Bías contra Fortuna* y *Doctrinal de privados*.

Durante sus últimos años intenta recrear en castellano el esquema métrico más característico de la lírica italiana en los cuarenta y dos *Sonetos fechos al itálico modo*. Suponen un esfuerzo valioso pero poco conseguido. Tienen muchos defectos. Intuye el valor estético de esas formas, pero no logra aprehender su íntima estructura.

JUAN DE MENA nace en Córdoba en 1411. Se ha discutido su presunta condición de converso. Al regresar de un viaje a Italia, fundamental para su formación humanística, es nombrado secretario de cartas latinas por Juan II y, más tarde, quizá en 1444, cronista oficial. Es veinticuatro de la ciudad de Córdoba. El resto de su vida goza de gran favor en los círculos cortesanos. Al fallecer el monarca, se retira de la corte. Muere en Torrelaguna en 1456.

Insigne latinista y lector insaciable, es el prototipo del intelectual puro, que se vuelca en sus estudios, al margen de las luchas políticas. En ese sentido, es la antítesis del marqués de Santillana, al que le une estrecha amistad.

Parte de su producción poética se acoge a la escuela trovadoresca. Además de las canciones amorosas, tiene versos políticos, satíricos, de circunstancias… Destaca la *Coronación al marqués de Santillana* (1438), un extenso *dezir* narrativo.

Pone el máximo empeño en la creación de *Laberinto de Fortuna o Las trescientas*, el más célebre poema alegórico de su tiempo. Está compuesto en coplas de arte mayor (ocho dodecasílabos con rima ABBAACCA). Debió de finalizarse poco antes del 22 de febrero de 1444, fecha en que fue entregado al rey en Tordesillas. Marcel Bataillon descubrió que la edición *princeps* es la de Salamanca (1481-1482).

La estructura es similar a la de la *Divina comedia* dantesca, pero dista mucho de sus calidades literarias. Vemos cómo el poeta es llevado al palacio de la diosa Fortuna, donde la providencia le muestra tres ruedas: la del pasado, la del presente y la del futuro. En ellas encuentra personajes que simbolizan vicios y virtudes. De la rueda del futuro solo llega a ver las glorias de Juan II, a quien dedica la obra. Trata de re-

79

flejar la situación política española, en busca de remedio frente a la anarquía nobiliaria. Apoya el intento de Álvaro de Luna de conseguir una fuerte monarquía absoluta.

El estilo es oscuro, pletórico de erudición, latinizante, como corresponde a la moda de su tiempo. Quiere renovar la lengua poética castellana para situarla a la altura de la latina. Se acumulan los cultismos y neologismos (*túrbido, inmotas, criminosos, nefando...*). Puede llegarse a extremos tan vituperables como este: «si amor es ficto, vaníloco, pigro...» (c. 113). El poeta luce sus habilidades en una serie de recursos que dificultan la comprensión del texto.

2.2.3. JORGE MANRIQUE

VIDA, PERSONALIDAD Y CAUDAL LITERARIO. No sabemos ni la fecha exacta ni el lugar de nacimiento de Jorge Manrique. Lo más probable es que fuera en Paredes de Nava (Palencia) en 1440. Como su padre, el maestre don Rodrigo, se incorporó desde muy joven a la vida militar. Fue Caballero de la orden de Santiago. Durante la guerra civil que siguió a la muerte de Enrique IV, los Manrique apoyaron la causa de la infanta Isabel. Murió luchando en su defensa frente al castillo de Garci-Muñoz, en Cuenca, el 24 de abril de 1479.

Conocemos muy poco de su auténtica personalidad. Se ha dicho que era introvertido y melancólico; pero esa impresión deriva únicamente de la lectura de su obra más célebre: las *Coplas*.

La vida de Jorge Manrique discurre a la sombra de su padre. La fuerte personalidad humana y política del maestre debió de eclipsar la de su hijo. Su matrimonio con doña Guiomar de Castañeda, hermana de su madrastra, no fue, al parecer, muy feliz. Alguno de sus poemas nos da noticia de las desavenencias familiares.

El cancionero que se conserva es muy breve. Apenas han llegado a nosotros cincuenta poemas, alguno de ellos de dudosa autoría. Cuarenta y cinco de estas composiciones son de carácter amoroso. Siguen la tradición del amor cortés, cuyos tópicos reitera: servidumbre amorosa, adoración sacrílega del dios amor, profesión en la orden del amor, invocación a la muerte... Los textos satíricos y burlescos son solo tres; tienen escaso interés. Los de carácter moral se reducen a la célebre elegía a la muerte de su padre, a la que se añaden dos coplas más que, según se dice, se encontraron entre su ropa el día en que murió.

DATACIÓN Y DIFUSIÓN DE LAS *COPLAS*. Parece lógico que se escribieran poco después de 1476, fecha en que murió don Rodrigo. Cabe pensar, sin embargo, que su composición comenzara antes. Así se explicaría que el héroe no aparezca hasta la estrofa XXV. Según este supuesto, Manrique habría aprovechado un poema moral anterior, al que luego añadió los versos elegíacos.

Las *Coplas* tuvieron un éxito inmediato. Existen varios manuscritos y ediciones del propio siglo XV. Merecieron muy pronto una *Glosa famosísima* del licenciado Alonso de Cervantes (1501), a la que siguieron otras en el siglo XVI. Por su reducido tamaño, se imprimieron muchas veces junto a otras obras y en antologías.

ESTRUCTURA Y CONTENIDO. Las *Coplas por la muerte de su padre* se componen de 480 versos, repartidos en 40 estrofas de pie quebrado. Cada una de estas «coplas manriqueñas» consta de doce versos repartidos en dos sextillas: 8a 8b 4c 8a 8b 4c.

Como ha dicho Pedro Salinas, presentan una «constelación de temas». Generalmente se acepta que el poema aparece dividido en tres partes:

— c. I-XIII: consideraciones sobre la fugacidad de la vida.
— c. XIV-XXIV: ejemplificación, mediante figuras históricas, del tema del *ubi sunt?* ('¿dónde están?').
— c. XXV-XL: exaltación del maestre don Rodrigo.

Se han citado un sinfín de posibles fuentes: la *Biblia* (en especial el *Eclesiastés* y los libros de *Isaías*, *Baruch* y *Job*), los santos padres, la *Consolación de la filosofía* de Boecio... Lo más razonable es pensar que el poeta se remonta a una tradición difusa, complejísima, en la que hay recuerdos de lecturas y otros de segunda o tercera mano. El mérito está en la capacidad para insuflar su acento personal en unos temas heredados.

La sencillez retórica. El éxito de las *Coplas* se debe, sin duda, a su sencillez expresiva. En ellas no encontramos cultismos extravagantes ni locuciones ininteligibles. Parece que las palabras del poeta van desgranando su pensamiento de la manera más llana y directa.

Eso no quiere decir que falten recursos estilísticos o figuras retóricas. Lo que ocurre es que los artificios que usa pertenecen al habla común y no causan extrañeza al lector. Hay expresiones exhortativas que invitan a la reflexión o la acción («Recuerde el alma dormida...», c. I); plurales generalizadores que nos obligan a participar de lo expuesto («partimos cuando nascemos...», c. V); enumeraciones evocativas que acumulan objetos y personajes para preguntarse después dónde han ido a parar; antítesis que subrayan el paso avasallador de la muerte; metáforas tópicas pero expresivas...

El poeta emplea constantemente imágenes que ya habían sido usadas anteriormente, pero lo hace en el momento justo y preciso, con la máxima naturalidad: «Nuestras vidas son los ríos / que van a dar en la mar, / que es el morir...» (c. III). No son brillantes ni novedosas, pero sí muy bellas e inmediatas, como esas «verduras de las eras» o los «rucíos de los prados», a los que compara los bienes terrenales.

La temporalidad y su expresión. En sus *Coplas* Manrique plantea el tema de la existencia humana y el paso del tiempo. Uno de los motivos centrales de toda la elegía es el *ubi sunt?* El poeta se pregunta por personas y cosas que tuvieron una existencia esplendorosa, pero que la muerte y el tiempo han destruido. Para expresar ese discurrir vertiginoso, recurre a la antítesis, presentando estados contrapuestos del existir humano:

> Las mañas e ligereza
> e la fuerza corporal
> de juventud,
> todo se torna graveza
> cuando llega el arrabal
> de senectud. (c. VIII)

También refuerza esa idea el uso predominante de verbos y sustantivos y la carencia de adjetivos.

El poeta se limita a evocar realidades que han desaparecido y no se empeña en perorar, en sermonear. Además, alude a personas y cosas muy próximas, que tanto él como sus primeros lectores conocieron de forma directa. De ese modo la admonición cala más hondo.

VALOR Y SENTIDO. Las *Coplas* son mucho más que un canto funerario a don Rodrigo Manrique. No solo se exalta su figura, sus valores heroicos y su templanza ante la muerte, sino que a través de ello se reflexiona sobre el sentido de la vida humana. Precisamente los versos que se dedican a ese fin son los más valorados del conjunto.

Se contraponen en este poema dos percepciones de la realidad. El autor constata que todo lo bello y noble muere; de ahí el tono melancólico de muchos de sus versos. Pero, al mismo tiempo, confía en una doble vida futura: la del cielo y la de la fama. Al esperar la salvación eterna, no hace más que seguir la corriente teocéntrica medieval que sitúa el destino del hombre en la vida de ultratumba. La aspiración a sobrevivir en la fama es típicamente renacentista y antropocéntrica. Se trata, pues, de una obra que mira hacia el futuro, sin haber perdido aún su vinculación con el pasado.

A lo largo de las sextillas se ofrece una contraposición entre los bienes mundanos, que la muerte y el tiempo destruyen, y los valores morales, que perviven. El poema, superficialmente considerado, expresa el desprecio de los primeros y la exaltación de los segundos; pero no yerran aquellos críticos (Menéndez Pelayo, Antonio Machado, Rafael Sánchez Ferlosio) que subrayan la nostalgia dolorida que hay en la evocación de las fiestas, los torneos, los vestidos de las damas...

La fama de las *Coplas* fue y es enorme. Como Lope de Vega, pensamos que merecen estar escritas en letras de oro.

2.2.4. OTRAS MANIFESTACIONES POÉTICAS

En este periodo tuvo gran esplendor la poesía religiosa, representada por FRAY ÍÑIGO DE MENDOZA, autor de unas *Coplas de vita Christi* (1482) que, a pesar de sus 4000 versos, solo llegan hasta la muerte de los santos inocentes, y FRAY AMBROSIO DE MONTESINO, cuyos poemas, sin pretensiones pero de exquisita sensibilidad, se recogen en su *Cancionero* (1508).

La sátira política y social cuenta con manifestaciones de primer orden como la *Danza de la muerte*, cuya versión castellana más antigua, una de las muchas que circularon por Europa, se ha encontrado en un códice de la biblioteca de El Escorial. Consta de setenta y nueve octavas de arte mayor. Frente al carácter popular de otras versiones, esta es de origen culto. La idea que prevalece es la de la muerte como igualadora del género humano. La vemos dialogar con una serie de personajes, ordenados de acuerdo con la más estricta jerarquización, en sentido descendente; incluye tipos propios de la sociedad española como el rabí, el alfaquí o el santero. Constituye un espléndido retablo de un periodo histórico de crisis.

Las *Coplas de la panadera* pertenecen al reinado de Juan II; se compusieron en torno a 1445. En ellas se lanza una dura invectiva contra los nobles que intervinieron en la batalla de Olmedo; alcanza tanto a los partidarios del condestable don Álvaro de Luna como a sus contrarios. El tono es irónico y regocijante; llega a veces a lo obsceno y escatológico. Son coplas de arte menor (abba acca).

Las *Coplas de Mingo Revulgo* (1485) reflejan la difícil situación del reinado de Enrique IV. Probablemente datan de 1464. Adoptan la forma de un diálogo, con componentes alegóricos, entre el profeta Gil Arribato y Mingo Revulgo, que representa al pueblo. Este expone el motivo de su desgracia: la negligencia del pastor Candaulo (Enrique IV), y denuncia el abuso de los poderosos (los lobos).

Las *Coplas del provincial,* también de tiempos de Enrique IV, quizá sean obra de varios autores. Debieron de componerse en torno a 1465, en medio de la guerra civil que provocó la sublevación del príncipe don Alfonso, hermano del monarca. La corte es representada alegóricamente por un convento de frailes y monjas que recibe la visita del provincial para inspeccionar. Se suceden los brutales ataques contra la corrompida nobleza castellana, a la que no se ahorran los insultos más procaces. Adquirieron gran popularidad, a pesar de haber sido prohibidas por la Inquisición.

2.3. LA LÍRICA TRADICIONAL CASTELLANA

TARDÍA FIJACIÓN POR ESCRITO. Paralelamente a las jarchas (véase 1.2.1) y a otras manifestaciones similares, se desarrolla la primitiva lírica castellana, que no se fija por escrito hasta los siglos XV-XVI, en el momento en que atrae la atención de los poetas cultos de la corte de los Reyes Católicos. Ya encontramos muestras en cancioneros como el de *Herberay des Essarts* (h. 1465) o el *de la Colombina*, reunido por Fernando Colón y conservado en la biblioteca sevillana de este nombre; pero la pieza clave para la reconstrucción del corpus es el *Cancionero musical de palacio*, de finales del XV. En los siglos siguientes habrá otras muchas recopilaciones.

Ya en 1919 Menéndez Pidal expuso, en una conferencia titulada *La primitiva poesía lírica española*, la teoría del estado latente, es decir, que los vestigios poéticos de carácter popular que de esa época conservamos están precedidos de una larga serie de producciones anteriores en las que se va forjando el género.

Es una poesía que se trasmite por vía oral de padres a hijos y que «vive en variantes», de acuerdo con la personal inspiración de cada cantor; de ahí que se conserven versiones distintas de un mismo poema. Además de las que han llegado a nosotros, debieron de existir otras muchas. Ninguna es más valida que las otras; solo pueden preferirse por criterios estéticos. Es, por tanto, obra de creación colectiva, reflejo del sentir popular, a la que sumarán su aportación los poetas cultos (Gil Vicente, Juan del Encina...), que la recogen por escrito e incluso la imitan en composiciones propias de características similares.

FORMA MÉTRICA. Estos poemas presentan tres esquemas fundamentales: el zéjel, el villancico y la canción paralelística o cosaute.

El zéjel es una composición popular, de origen árabe, que consta de cabeza (cantarcillo inicial), mudanza (trístico monorrimo), verso de vuelta (que rima con el estribillo) y estribillo (formado por parte o la totalidad de la cabeza):

Lindos ojos habéis, señora, de los que se usaban agora.	Cabeza
Vos tenéis los ojos bellos, y tenéis lindos cabellos, que matáis, en solo vellos,	Mudanza (trístico monorrimo)
a quien de vos se enamora.	Verso de vuelta
Lindos ojos habéis, señora, de los que se usaban agora.	Estribillo

El villancico deriva del zéjel. Se compone de cabeza, mudanza (acostumbra a ser una redondilla), verso de enlace (que rima con la mudanza), verso de vuelta y estribillo:

Halcón que se atreve
con garza guerrera,   } Cabeza
peligros espera.

La caza de amor
es de altanería: } Mudanza
trabajos de día,
de noche dolor.

Halcón cazador   } Verso de enlace
con garza tan fiera,   } Verso de vuelta
peligros espera.   } Estribillo

(Gil Vicente)

La canción paralelística o cosaute se compone de varios dísticos que se emparejan de dos en dos de igual contenido y con versos que repiten todas las palabras excepto las rimadas:

Al alba venid, buen amigo,   } Cabeza
al alba venid.

Amigo el que yo más quería,   A1 } 1.er dístico
venid al alba del día.   A2

Amigo el que yo más amaba,   B1 } 2.º dístico
venid a la luz del alba.   B2

Venid a la luz del día,   A2 } 3.er dístico
non trayáis compañía.   A3

Venid a la luz del alba,   B2 } 4.º dístico
non traigáis gran compaña.   B3

Aunque en este texto no se recoge por razones de pura economía, después de cada dístico se repite el estribillo.

Por lo que respecta a la forma métrica del cantarcillo inicial, la más habitual es el dístico. Hay también trísticos y otros de cuatro versos, a modo de coplas. Los más extensos son menos corrientes.

ASPECTOS TEMÁTICOS. La lírica tradicional castellana presenta variedad de temas, que comparte con otras manifestaciones poéticas de naturaleza similar. Proceden de un poso folclórico rico en matices, que llega desde la Edad Media a nuestros días.

Por descontado, el amor es fuente habitual de inspiración. Cuando el poema está puesto en boca de un hombre, suele exaltar las prendas de la amada; la belleza femenina es asunto predilecto. Abundan las alusiones a los ojos, con su efecto mortífero, y al cabello. En cambio, si habla la mujer, tiende a cantar, en un tono más intimista, los placeres y pesares del amor. El tormento amoroso es uno de los tópicos más extendidos. Los desgarrados lamentos, que se acompañan del llanto, y las súplicas angustiosas recurren a metáforas que reflejan la conflictividad de las relaciones eróticas (heridas, muerte, cautiverio…): «No te tardes, que me muero, / carcelero, / no te tardes, que me muero».

Las citas dan pie muchas veces a lamentar la ausencia del amado, que no acude. La desesperación del que espera (o mejor, de la que espera) es tema harto frecuente. El mal de amores acostumbra a ir acompañado del insomnio («No pueden dormir mis ojos, / no pueden dormir»). No faltan, sin embargo, poemas en que el encuentro llega a feliz término y otros que cantan los deleites del amor («Besóme el colmeneruelo / y a la miel me supo el beso»).

El alba, motivo recurrente, asume papeles contrapuestos. Unas veces es ocasión para la cita («Al alba venid, buen amigo, / al alba venid»); otras, obliga a los amantes a una despedida apresurada. El canto del gallo puede poner fin al largo insomnio.

También gusta mucho la lírica tradicional de la imagen de la niña enamorada, que planta cara a todos los que obstaculizan su empeño: «Madre, la mi madre, / guardas me ponéis; / que si yo no me guardo, / no me guardaréis», y, en las antípodas, la de la bella malmaridada.

Otro tema obsesivo es el de la mujer morena, que se afana en justificar el color de su piel (porque le ha dado el sol) y en buscar consuelo para esa adversidad.

Hay, por supuesto, otros muchos asuntos: canciones de trabajo y de caza, a menudo relacionadas con la caza cetrera de amor y, por tanto, de claro simbolismo erótico, de nostalgia de la tierra natal...

No es infrecuente que estas cancioncillas populares se vuelvan a lo divino, trocando los elementos profanos en religiosos para mover a piedad.

RASGOS DE ESTILO. El secreto expresivo de las cancioncillas tradicionales es la contención, la sobriedad, la sencillez, que corren parejas con su frescura y viveza. Frente al alambicamiento metafórico de la lírica culta, la popular recurre a imágenes desnudas e inmediatas.

Pero ese carácter sobrio no implica sequedad. Hay matices estilísticos que les confieren un tono afectivo. Es muy frecuente el empleo de diminutivos, similar al que veíamos en las jarchas (*namoradica, ojuelos, pastorcilla...*). Se prodigan las exclamaciones («¡Ay, corazón, y cómo te quemas!»). La sintaxis es ágil, suelta, alejada del discurso trabado y lógico. Predomina la yuxtaposición.

En vivo contraste con esta economía expresiva, la repetición de ideas y palabras (empezando por el propio estribillo) es ingrediente fundamental. Hay sobre todo paralelismos y aliteraciones, recursos que vienen propiciados por la naturaleza musical de estos poemas.

2.4. EL ROMANCERO TRADICIONAL

¿QUÉ ES UN ROMANCE? La palabra *romance* se utilizó en un principio para designar a la lengua vulgar frente al latín. En los siglos XIII y XIV se aplicó a composiciones literarias de diversa índole. En el sentido que aquí vamos a emplear, un romance es un breve poema épico-lírico, compuesto por una serie indefinida de versos octosílabos con rima asonante en los pares. El texto más antiguo que alude a ellos es el *Prohemio e carta* (h. 1448) del marqués de Santillana, donde se dice: «Ínfimos son aquellos que sin ningún orden, regla nin cuento fazen romances e cantares de que las gentes de baxa e servil condición se alegran».

Estas composiciones forman parte del acervo popular. Como la lírica tradicional, se trasmiten de boca en boca introduciendo continuas variantes, de las que ha llegado a nosotros un rico repertorio. No son anónimas porque ignoremos el nombre del autor, sino porque no pertenecen a nadie en particular; cada recitante las trasforma a su gusto. Aun en el caso de que se acepte la teoría individualista, que enseguida expondremos, es evidente que la evolución del género ha seguido los derroteros de la recreación colectiva.

El romance es un híbrido, que participa de las características de la lírica, de la narrativa e incluso, dada la importancia del diálogo, del género dramático.

TEORÍAS SOBRE SUS ORÍGENES. No ha habido unanimidad a la hora de determinar cuál es la procedencia del romancero. Los románticos alemanes, con Herder a la cabeza, lo consideran obra colectiva de un poeta-pueblo en la que se manifiesta el espíritu nacional. Estos breves poemas se juntarían después para formar los cantares de gestas, que resultarían de la suma de varios de ellos en torno a un mismo tema.

Muy al contrario, la teoría tradicionalista, sustentada por Milá y Fontanals, Menéndez Pelayo y Menéndez Pidal, proclama que los romances proceden de los antiguos cantares. Desde la segunda mitad del siglo XIV, momento en que entran en decadencia, los largos relatos épicos empiezan a fragmentarse, de forma que la memoria popular mantiene vivos los episodios que más interesan y desecha los restantes. Esas escenas adquieren autonomía y siguen su propia evolución: se van añadiendo detalles para que el relato tenga sentido por sí mismo y se acentúan los componentes subjetivos y sentimentales. Así podría explicarse uno de sus rasgos característicos: la súbita irrupción en las situaciones prescindiendo de los antecedentes.

También la forma métrica parece reforzar esta hipótesis. Pese a su fluctuación, en el siglo XIV el verso épico tiende a las dieciséis sílabas, divididas en dos hemistiquios, de modo que coincidiría con el esquema de los romances.

Cabe puntualizar que esta teoría podría servir para explicar los orígenes del género, pero no su evolución. Solo sería aplicable a los romances de tema épico, no a los restantes, que abordan asuntos no tratados en los cantares, y que, en todo caso, se crearían a imitación de aquellos, a partir de crónicas, sucesos contemporáneos, motivos folclóricos... Quizá la épica proporcionó al romancero un sistema de versificación y algunos temas, pero no parece imprescindible aceptar una vinculación tan directa.

Otros (Foulché-Delbosc, Bédier, Spitzer...) defienden la teoría individualista, según la cual, el romance es, como cualquier otra composición, obra de un autor concreto que lo crea en un determinado momento sin una dependencia directa de los cantares. Frente a la autoría colectiva, proclaman el impulso de un artista individual.

DATACIÓN Y DIFUSIÓN. En general, la crítica ha aceptado la idea defendida por Menéndez Pidal de que la mayoría de los romances datan del siglo XV. Solo unos pocos se remontan al XIV. Sin embargo, la mayor parte de las versiones que conservamos son del XVI. Sabemos que en muchos casos hubo otras anteriores, que fueron modificándose con el tiempo. No se fijaron por escrito hasta que despertaron el interés de los poetas cultos, que, además de copiar estas composiciones populares, se dedicaron a glosarlas. Ese fenómeno alcanza su apogeo en la corte de los Reyes Católicos. Algunos fueron compuestos tardíamente en el XVI, a imitación de los viejos modelos.

No resulta fácil fechar cada poema, salvo los llamados *noticieros*, que aluden a sucesos históricos concretos. El más antiguo que se puede datar sin lugar a dudas es el referente a la muerte de Fernando IV el Emplazado, acaecida en 1312 («Válasme, Nuestra Señora...»). Hay otros igualmente vinculados a sucesos de ese siglo. En los demás casos, el único dato de que disponemos es el de su fijación por escrito.

La copia más antigua que se conoce la encontramos en 1421 en un cuaderno de apuntes de Jaume de Olesa, un mallorquín que estudiaba derecho en Bolonia. El manuscrito se conserva en la Biblioteca Nacional de Florencia. Recoge una versión del romance *De una gentil dama y un rústico pastor*. Este hecho demuestra que el romancero se extendió tempranamente por la cuenca del Mediterráneo.

La imprenta empezó a difundir los romances a finales del siglo XV y principios del XVI, una vez que contaban con el aprecio de la clase culta. Primero se publicaron en forma de pliegos sueltos, de 8, 16 ó 32 páginas, sin encuadernar, que se vendían a bajo precio a un público poco exigente. La mayor parte se han perdido, debido a la mala calidad de los materiales. El más antiguo que se conserva, procedente de la imprenta del alemán Jorge Coci en Zaragoza, data aproximadamente de 1506. Tuvieron también un papel descollante las de Jacobo Cronberger en Sevilla, Fadrique Alemán en Burgos, Carles Amorós en Barcelona... Hacia 1530 era práctica habitual en todas las ciudades españolas.

A partir del siglo XVI, estos poemas se incluyen en los cancioneros. Así, el *Cancionero general* (1511) de HERNANDO DEL CASTILLO recoge unos cincuenta. Aparecen, además, colecciones específicas. La más antigua es un *Libro en el cual se contienen 50 romances con sus villancicos y desechas*, que puede fecharse entre 1525 y 1530; fue descubierto y publicado en 1962 por Antonio Rodríguez-Moñino. La primera verdaderamente importante es el *Cancionero de romances* de MARTÍN NUCIO, publicado en Amberes sin fecha, que se supone de 1547-1548. Tuvo tanto éxito que se multiplicaron las reediciones. Son también dignos de aprecio la *Primera parte de la Silva de varios romances* (1550) de ESTEBAN DE NÁJERA, el *Cancionero de romances sacados de historias antiguas de la crónica de España* de LORENZO SEPÚLVEDA, que debió de publicarse en Sevilla antes de 1550... Estos editores participan en la labor de recreación ya que sustituyen los arcaísmos por expresiones más comprensibles para su público y añaden versiones romancescas de viejas crónicas.

También se han conservado romances en los libros de música. Ya aparecen algunos adaptados para el canto en el *Cancionero musical de palacio* de finales del XV. En el siglo XVI pasa a ser una práctica generalizada, como lo prueban las versiones recogidas en *El maestro* (Valencia, 1535) y *El cortesano* (1561) de LUIS MILÁN, *Seis libros del Delfín de música* (1538) de LUIS DE NARVÁEZ, *Tres libros de música en cifra para vihuela* (1546) de ALONSO MUDARRA...

Esta tarea se prolongará en siglos posteriores. En la etapa romántica encontramos colecciones tan importantes como la *Primavera y flor de romances* (1856) de Fernando José Wolf y Conrado Hoffman. Llega hasta nuestros días, con una célebre muestra: *Flor nueva de romances viejos* (1928) de Ramón Menéndez Pidal, entre otras.

Aparte de esta trasmisión escrita, el viejo romancero se ha mantenido vivo en boca del pueblo, confiado a la tradición oral, sobre todo en las comunidades más aisladas. Se ha ido adaptando a los nuevos tiempos, actualizando los materiales heredados para conectar mejor con la gente; pero, aun así, subsisten los ingredientes primitivos, vertidos en nuevas variantes.

CLASIFICACIÓN. Cabe distinguir, en primer término, entre romances viejos, de carácter tradicional y autor colectivo, que se suponen creados en la Edad Media y sometidos a un largo proceso de variantes hasta que se fijan por escrito a finales del XV y principios del XVI, y romances nuevos, compuestos ya en la Edad Moderna por un poeta individual, a imitación de los antiguos. A veces pueden mezclarse los de una y otra procedencia y difuminarse la barrera que los separa. Es la generación de 1580, con Lope de Vega y Góngora en primer término, la que consolida el romancero nuevo y lo dota de temas y estilo propios.

Dentro del romancero viejo, que es el que ahora nos ocupa, suelen distinguirse varios tipos:

ROMANCES DE TEMA ÉPICO. Tratan de temas y personajes que ya habían sido cantados por la épica: los dedicados al úl-

93

timo rey visigodo, don Rodrigo («Las huestes del rey don Rodrigo...», «Después que el rey don Rodrigo...»); al legendario Bernardo del Carpio, que se enfrenta a Alfonso II el Casto de León cuando este quiere rendir vasallaje a Carlomagno («Las cartas y mensajeros...»); al conde Fernán González, fundador de Castilla («Preso está Fernand González...»); a los infantes de Lara y su trágica matanza («Pártese el moro Alicante...», «A cazar va don Rodrigo...»), y sobre todo al Cid, el héroe épico por antonomasia («Rey don Sancho, rey don Sacho...», «Afuera, afuera, Rodrigo...», «En Santa Gadea de Burgos...»).

Otros proceden de la épica francesa, como los romances carolingios que tratan de la batalla de Roncesvalles, en la que fue derrotado y muerto el mítico Roldán: «En París está doña Alda...», «Mala la hubisteis, franceses...».

ROMANCES HISTÓRICOS. Surgen a raíz de los sucesos que narran. Tienen un carácter esencialmente informativo; de ahí que se les denomine *noticieros*. Así, por ejemplo, la figura de Pedro I el Cruel de Castilla dio lugar a numerosos poemas, en buena parte dedicados a la guerra civil que mantuvo con su hermanastro Enrique de Trastámara. Se perdieron muchos, sobre todo los que defendían el partido del monarca derrotado.

Dentro de este grupo destacan los llamados *romances fronterizos* («Moricos, los mis moricos...», «Cercada tiene a Baeza...»), que tratan de las luchas entre moros y cristianos, en un ambiente caballeresco y con una actitud generosa y compasiva con el enemigo, en la línea de maurofilia que caracteriza a parte de nuestra literatura. El más famoso, sin duda, y uno de los más bellos es «Abenámar, Abenámar...», en su doble versión extensa y reducida.

ROMANCES NOVELESCOS. Cuentan historias procedentes de muy diversas fuentes: la mitología clásica, el folclore universal... Son ingredientes esenciales las aventuras y el misterio: «A cazar va el caballero...», «Conde Niño por amor...»

ROMANCES LÍRICOS. No narran hechos sino que expresan emociones: («Fontefrida, Fontefrida...», «Que por mayo era, por mayo...»). Concentran en breve espacio un universo afectivo de gran intensidad. Tienen muchos puntos de contacto, en temas y tratamiento, con la poesía tradicional.

RASGOS TÉCNICOS Y ESTILÍSTICOS. El romance se caracteriza por su brevedad e intensidad. Tanto la acción como la expresión de los sentimientos están sumamente concentradas. Rasgo fundamental es su fragmentarismo: solo se presentan situaciones climáticas, que se abordan de forma directa, sin transiciones inútiles que puedan diluir la atención del oyente. A veces ni siquiera llegan a tener un desenlace. Está claro que al recitante (y a su público) no le interesa ni lo que pasó antes ni lo que pasará después: solo quiere aislar una situación particularmente intensa.

Como cabe esperar en este tipo de escenas breves, prevalece la acción sobre la descripción. Domina el principio de economía expresiva, que recurre a la técnica impresionista, a base de rápidos trazos. Las acciones quedan sugeridas, sin detenerse en todos los detalles; únicamente en los más relevantes.

El diálogo es elemento capital en la técnica narrativa del romance. La preferencia por el estilo directo le da mayor vivacidad. Para agilizar el relato, se prescinde a menudo del verbo *dicendi*; pero, contradictoriamente con este principio, encontramos fórmulas retardatarias de valor enfático. No es raro que el parlamento de un personaje vaya precedido de expresiones como esta: «Allí habló el rey don Juan, / bien oiréis lo que decía».

Como en la la lírica tradicional, hay una marcada tendencia a la reiteración de palabras, frases y contenidos. Se prodigan las reduplicaciones («Helo, helo, por dó viene...») y los paralelismos, casi siempre reforzados con la anáfora.

Encontramos epítetos ponderativos (que contrastan con la parquedad de adjetivos), frases formulares, giros pleonásticos («llorando de los sus ojos»), imprecaciones («¡déle Dios mal galardón!») e incluso expresiones de capricho como «moro de la morería». Todo ello, con el fin de reforzar la expresividad.

Para ambientar mejor las escenas en un tiempo remoto, la lengua del romancero es arcaizante; hereda muchos elemen-

95

tos de la tradición épica. Mantiene incluso la e paragógica de que ya hemos hablado (*señore, amare*). Además de la selección del vocabulario, revelan esta tendencia la conservación de la f- inicial (*ferido*), del artículo delante del posesivo (*la mi señora*), de desinencias verbales en desuso, del empleo de *vos* como forma pronominal átona (*morir vos queredes*)...

La sintaxis es simple, con periodos cortos y pocos nexos de unión, que se suplen con la ordenación de las frases. Muy característico es el empleo del *que* con valor causal («Vete de ahí, enemigo, / malo, falso, engañador, / que ni poso en ramo verde / ni en prado que tenga flor...») o copulativo («Casada soy, rey don Juan, / casada soy, que no viuda...»).

Llama mucho la atención el uso un tanto anárquico de los tiempos verbales, que pueden aparecer mezclados («unas van y otras venían»). Sin duda, el ejemplo más sorprendente son los célebres versos de «Abenámar, Abenámar...»:

> —¿Qué castillos son aquellos?
> ¡Altos son y relucían!
> —El Alhambra era, señor...

Se trata, en todo caso, de animar el relato, de romper la monotonía, variando el punto de vista para ofrecer distintas perspectivas.

2.5. LA PROSA Y LOS GÉNEROS NARRATIVOS

En esta etapa surgen nuevos géneros prosísticos y se desarrollan otros ya conocidos. Disponemos de multitud de escritos, tanto latinos como castellanos, de tema histórico, político, religioso..., en su mayoría anónimos. Los contactos con Italia favorecen el desarrollo del Humanismo, que da sus primeros pasos entre nosotros en torno a la década de 1430. El estilo de los prosistas del Cuatrocientos se caracteriza, en general, por la afectación cultista. La huella del latín es patente en el léxico y la sintaxis. Se cultivan también géneros ficticios, como el libro de caballerías o la novela sentimental.

2.5.1. LA PROSA HISTÓRICA

Los libros de historia adquieren un auge extraordinario. El conocimiento y la imitación de los clásicos latinos, gracias al impulso humanista, enriquecen la prosa histórica del XV. Novedad esencial es la visión individualizada del ser humano, frente al concepto genérico que prevalecía hasta entonces. Este interés derivará en la creación de un nuevo género: la biografía. Las raíces del fenómeno son, sin duda, la agitación política de la época y el ascenso del individualismo, que centra la atención sobre los protagonistas de las mil contiendas que se suscitan.

FERNÁN PÉREZ DE GUZMÁN (nacido entre 1376 y 1379) es autor de *Generaciones y semblanzas* (1512), una colección de treinta y cuatro biografías de destacadas figuras de las cortes de Enrique III y Juan II a las que le unieron lazos de afecto o enemistad. Es un atento observador, grave y pesimista, que se esfuerza en mostrarse objetivo y que huye de los planteamientos maniqueos. Presenta a sus personajes como un entramado de vicios y virtudes. Fiel a los modelos retóricos, se acoge al esquema de presentación y estado, linaje, retrato físico, perfil psicológico, rasgos relevantes de su actuación y muerte. Son esbozos muy breves; en su mayoría apenas ocupan una página. Lo que más interesa es la vehemencia que da a sus palabras y el estilo espontáneo y conciso.

Su discípulo HERNANDO DEL PULGAR (Toledo?, 1425?-1492?) escribe *Claros varones de Castilla* (1486). Son veinticuatro retratos de personajes de las cortes de Juan II y Enrique IV, más extensos que los de Pérez de Guzmán. Hace gala de una mayor erudición, con abundantes citas clásicas y digresiones, y su estilo es más elaborado. Aventaja a su predecesor en penetración psicológica. Le interesan más las ideas que los actos en sí. La calidad literaria de los retratos no es muy pareja.

La tradición alfonsí se prolonga en la *Crónica de 1404 o Tercera crónica general*, que se remonta a la creación del mundo; es obra de un anónimo portugués que compuso los ocho primeros capítulos en castellano y el resto en su lengua. De hacia 1460 data la *Cuarta crónica general*. Hay también testimonios de los sucesivos reinados: *Crónica del serenísimo rey don Juan II*, *Crónica del halconero de Juan II* de PEDRO CARRILLO DE ALBORNOZ, *Historia del cuarto rey don Enrique* de DIEGO ENRÍQUEZ DEL CASTILLO, las llamadas *Décadas* de ALFONSO DE PALENCIA, *Crónica abreviada de España o Valeriana* de DIEGO DE VALERA, *Historia de los Reyes Católicos don Fernando y doña Isabel* de ANDRÉS BERNÁLDEZ... No faltan tampoco las de carácter particular, como la *Crónica de don Álvaro de Luna*, atribuida a GONZALO CHACÓN, o la *Crónica del condestable Miguel Lucas de Iranzo*, atribuida a PEDRO DE ESCAVIAS.

Curiosamente, encontramos obras de ficción, concebidas como si de historia se tratara. Es el caso de la *Crónica sarracina* (h. 1430) de PEDRO DEL CORRAL. Y, a la inversa, hay sucesos históricos que adoptan la apariencia de relatos ficticios: *Libro del paso honroso de Suero de Quiñones* de PERO RODRÍGUEZ DE LENA.

Próximos a la ficción están los libros de viajes, en los que puede rastrearse un fondo de realidad, pero que dan cabida a buen número de invenciones. Sirvan de ejemplo *Embajada a Tamorlán* (impreso en 1582), atribuido a RUY GONZÁLEZ DE CLAVIJO, que tomó parte en los hechos narrados, o *Andanças e viajes de Pero Tafur...*, cuyo autor, un rico hidalgo de la corte de Juan II, narra el largo periplo que, por propia voluntad, emprendió en 1436-1439 por Marruecos, Francia, Italia, Tierra Santa, Egipto...

2.5.2.   LA HISTORIA DE LAS INDIAS: CRISTÓBAL COLÓN

La obra del almirante inaugura una vertiente literaria que tendrá fértil prolongación en el siglo XVI, en la que se nos ofrecen testimonios directos y fidedignos de la conquista y colonización acometida al otro lado del Océano. Estamos en las antípodas de las crónicas oficiales, del estilo frío e impersonal de muchos textos históricos. Laten aquí el entusiasmo y la sorpresa que despierta el Nuevo Mundo, perfectamente compatibles con el propósito de ofrecer información rigurosa.

Cristóbal Colón (Génova?, h. 1451-Valladolid, 1506), tras una dilatada carrera de navegante, emprende su primer viaje a las Indias en 1492, ayudado por la corona de Castilla. Hasta el final de su vida llegó a realizar un total de cuatro travesías: 3 de agosto de 1492-15 de marzo de 1493, septiembre de 1493-junio de 1496, mayo de 1498-noviembre de 1500 y mayo de 1502-noviembre de 1504. De todos ellas dejó testimonios autógrafos.

Por una parte, están las *Cartas* que enviaba a los Reyes Católicos, repartidas hoy entre varias instituciones: Archivo General de Indias, Academia de la Historia, Archivo Histórico Nacional, Archivo General de Simancas y Archivo de la Casa de Alba.

Redactó también un *Diario* cuyo original se ha perdido, pero que fue trascrito en parte por el padre Bartolomé de Las Casas, que copió lo relativo al primer y tercer viaje. De los otros dos nos da noticia, además de las citadas cartas, algún documento como el *Memorial* que Colón envió a los reyes en 1494, a raíz del segundo viaje. Su hijo Fernando, que lo acompañó en el cuarto, a la hora de redactar su *Historia del almirante*, debió de disponer de la parte del diario que trataba sobre este periplo, del que ofrece abundante información.

Todo ello se completa con alguna carta más, como la que Colón dirigió a don Luis de Santángel el 14 de febrero de 1493 para hablarle de su primer viaje, o la llamada *Lettera rarissima*, escrita desde Jamaica durante el último, de la que solo se conserva una copia tardía. Parece que proyectaba escribir unos *Anales*.

Como ocurre con todos los cronistas general de las Indias, resulta apasionante tener noticias de primera mano del impacto que tamaña aventura produjo en quien la vivió en propia carne. El almirante, que no reprime su exaltación y su insaciable curiosidad, proporciona muchos datos sobre los indígenas y sobre cuanto va descubriendo en aquellas tierras.

El estilo, muy cuidado y preciso, es absolutamente personal y alcanza momentos de considerable belleza. La reacción ante lo que ve se traduce a veces en rápidas observaciones, casi telegráficas, en frases entrecortadas o elípticas, que nos hacen llegar la emoción que siente.

Ya Las Casas en su *Historia general de las Indias* apuntaba que en estos escritos se pone de manifiesto que Colón no era español, ya que no acaba de dominar la que no era su lengua materna. Menéndez Pidal en su artículo básico, *La lengua de Cristóbal Colón*, incide en el mismo punto. Es el suyo un castellano aportuguesado, pero sus imperfecciones no le restan agilidad y expresividad, ni tampoco riqueza léxica. La escasa pericia en las construcciones sintácticas posibilita a veces algún interesante efecto estilístico.

2.5.3. LA PROSA DIDÁCTICA

Todavía sigue viva la tradición cuentística que arranca del siglo XIII, alimentada de fuentes orientales, clásicas y latinomedievales. Hay colecciones de apólogos de carácter didáctico y moralizante, como *Libro de los exemplos por a.b.c.* (1400-1421) de CLEMENTE SÁNCHEZ VERCIAL (1370?-1434?), cuya finalidad es proporcionar a los predicadores historias que puedan utilizar en sus sermones, y *El libro de los gatos* (hacia 1410), de clara intención satírica.

También forma parte de esa rica tradición ALFONSO MARTÍNEZ DE TOLEDO (Toledo?, 1398-d. 1466), autor de una obra que titula *Arcipreste de Talavera*, pero que desde antiguo se conoce como *Corbacho*, por el recuerdo del libro antifeminista de Boccaccio, y con el subtítulo de *Reprobación del amor mundano*. El único manuscrito de que disponemos fue copiado por Alfonso de Contreras en 1466. Se conserva en la biblioteca de El Escorial. Se ha hablado de una primera edición en Sevilla en 1495, pero no es seguro. Sí la hubo en 1498, seguida de otra en 1499 y de cinco más en el siglo XVI. Se divide en cuatro partes. La primera está dedicada a la reprobación del «loco amor». Pasa revista a los males físicos y espirituales que derivan de la lujuria, para concluir que el hombre solo debe apetecer el amor divino.

La segunda parte es, con mucho, la más interesante. A lo largo de trece capítulos, trata de «los vicios, tachas e malas condiciones de las malas e viciosas mugeres». Con técnica realista y, a un tiempo, caricaturesca, traza el retrato de diversos tipos femeninos: avariciosas, murmuradoras, codiciosas, envidiosas, inconstantes, falsas, desobedientes, soberbias, fatuas, perjuras, borrachas, criticonas y lujuriosas. Estas páginas son un vivo reflejo de la vida cotidiana. Están llenas de anécdotas, cuentecillos, dichos populares, refranes... El mayor mérito reside en su lenguaje exuberante, en vivo contraste con la prosa artificiosa que domina en la época, y en la gracia de la sátira y de los animados tipos humanos.

La tercera parte se ocupa de los varones, de cuyos desvíos responsabiliza a las féminas, y la cuarta contiene una disquisición teológica a favor del libre albedrío.

No faltan obras dedicadas a la mujer, para mostrarle sus deberes, para censurar su conducta o para defenderla de los ataques que se le dispensan. A este grupo pertenecen el *Libro de las virtuosas e claras mujeres* (1446) del condestable don ÁLVARO DE LUNA, *Defensa de las virtuosas mujeres* de DIEGO DE VALERA y *Jardín de nobles doncellas* (1500) de FRAY MARTÍN DE CÓRDOBA.

ENRIQUE DE VILLENA (1384-1434), uno de los personajes más curiosos de su tiempo, caracterizado por su avidez de saber y su afición a las ciencias ocultas, nos ha dejado obras como *Tractado del arte de cortar del cuchillo* o *Arte cisoria*, manual de etiqueta cortesana en el que se dan recetas de cocina y muchas noticias sobre las costumbres en el comer y el beber, o *Libro de aojamiento o fascinología* (1422-1425), un estudio sobre el «mal de ojo» y los medios para combatirlo.

101

ANTONIO DE NEBRIJA (Lebrija, Sevilla, 1441-1552) publica en 1492 su *Gramática de la lengua castellana*, una de las primeras en lengua vulgar. En sus cinco partes aborda cuestiones relativas a ortografía, prosodia, acentuación y métrica, etimología, dicción, morfología y sintaxis. Responde a la valoración que en esta etapa prerrenacentista se hace de las lenguas romances. Establece una estrecha conexión entre la conciencia política de un pueblo y el instrumento lingüístico de que se sirve: «que siempre la lengua fue compañera del imperio». Ve con clarividencia la urgente necesidad de fijar una lengua que se encuentra en un momento cumbre. Por encargo del cardenal Cisneros, interviene en la elaboración de los textos latino y griego de la *Biblia políglota complutense*.

2.5.4. LA NOVELA DE CABALLERÍAS

En los primeros años del siglo XVI aparece un libro que tendrá un influjo decisivo en el esplendor que alcanzará el género caballeresco a lo largo de la centuria. Se trata de la refundición del primitivo *Amadís de Gaula* (véase 1.5.2), que entre 1492 y 1506 lleva a cabo GARCI RODRÍGUEZ DE MONTALVO, militar y regidor de Medina del Campo. Se publica en Zaragoza en 1508. Antes de acabar el siglo habrá hasta treinta ediciones, lo que da idea del éxito que tuvo.

Además de aventuras fantásticas sin cuento, que tienen como marco una geografía irreal que abarca casi toda Europa, encontramos en el *Amadís* la exaltación del amor y de los ideales caballerescos que caracteriza al género, dentro de unos esquemas regidos por el más absoluto maniqueísmo.

El protagonista, prototipo de caballeros y enamorados, espejo de valor y cortesía, hace frente a toda clase de obstáculos en nombre de su amada Oriana, hija del rey Lisuarte de Gran Bretaña. Entre otras muchas hazañas, supera la prueba del Arco de los leales amadores y hace penitencia en la Peña Pobre para alcanzar el favor de su dama. En el reino de Gran Bretaña, enfrentado a Lisuarte, obtiene innumerables victorias. A la postre, la historia termina en matrimonio, al parecer, por designio de Rodríguez de Montalvo, que no quiso que Esplandián, al que Oriana dio a luz en secreto, tuviese unos orígenes deshonrosos.

Se admite comúnmente que esta es la mejor novela de caballerías. Aunque no carece de cierta afectación, su estilo es elegante. Rodríguez de Montalvo tiene capacidad de fabulación y apreciables dotes descriptivas. Sabe alternar el ritmo lento o rápido, según convenga a sus propósitos, y mantener viva la atención del lector.

En el periodo que ahora nos ocupa, las aventuras de Amadís se prolongaron en otros dos libros: *Florisando* (1510), protagonizado por un sobrino del héroe, de un tal PÁEZ DE RIBERA, y *Lisuarte de Grecia* (1514), que se atribuye a FELICIANO DE SILVA. Asimismo se inaugura un nuevo ciclo caballeresco, el de los Palmerines, menos extenso: *Palmerín de Oliva* (1511), *Primaleón*, ambos de autor desconocido, *Palmerín de Inglaterra* del portugués FRANCISCO DE MORALES...

2.5.5. LA NOVELA SENTIMENTAL

A mediados del siglo XV nace un nuevo género que se conoce como novela sentimental desde que Menéndez Pelayo se encargó de definirlo en sus *Orígenes de la novela*. Aunque adopta temas y motivos caballerescos, conlleva la superación de este género ya que la peripecia externa cede terreno al sentimiento y se vuelca en el análisis íntimo de la psicología erótica, dentro de la tradición del amor cortés. El tono es lírico e introspectivo. Preludia fórmulas modernas, pero su estilo es sumamente artificioso y su prosa latinizante recurre a toda clase de procedimientos retóricos, parejos a los de la lírica cortesana.

Aunque la acción se desarrolla en lugares exóticos y remotos, prescinden estas narraciones de los lances fabulosos. Se tiende a la fórmula autobiográfica. Es habitual el empleo de la técnica del debate, de la alegoría y de la forma epistolar, que sirve a la expresión de los estados afectivos, al igual que los largos monólogos que con frecuencia sustituyen al diálogo. Son obras breves, de ritmo lento.

Se inaugura con *Siervo libre de amor* (1439) de JUAN RODRÍGUEZ DEL PADRÓN O DE LA CÁMARA, que presenta ya lo que serán ingredientes característicos del género. El periodo de esplendor llega hasta finales de siglo, sobre todo con DIEGO DE SAN PEDRO, uno de los primeros que, anticipándose en cierta medida a la estética renacentista, sigue un camino de depuración estilística, lo que no supone, claro está, el total abandono de unos recursos retóricos que aún pesan demasiado. Su *Cárcel de amor* (1492) es la más importante de las novelas sentimentales y la que gozó de mayor éxito. Leriano aparece en ella como prototipo del amante perfecto, que se deja morir de hambre y melancolía cuando su amada le retira sus favores. La técnica epistolar es elemento clave para el análisis del sentimiento amoroso. A través del protagonista, San Pedro expone su idea de que la mujer eleva al enamorado más cerca de Dios y le infunde las virtudes teologales y cardinales. Se trata de una pasión hermanada con la religiosidad.

2.6. EL TEATRO EN TIEMPOS DE LOS REYES CATÓLICOS

2.6.1. PANORAMA GENERAL

Dejando a un lado la extraordinaria singularidad de *La Celestina*, pertenece a esta etapa el primer teatro castellano que conservamos, a excepción del *Auto de los Reyes Magos*. Tenemos testimonios de que desde mediados del siglo XV hubo representaciones relacionadas con la celebración del Corpus, con carros y gran aparato escénico. Se conserva un *Auto de la Pasión* de ALONSO DEL CAMPO.

Por otra parte, la *Crónica del condestable Miguel Lucas de Iranzo* habla de las representaciones navideñas que se celebraban en su palacio de Jaén. Se tiene noticia de la existencia de manifestaciones parateatrales, llamadas *momos*, a base de pantomimas, y también de breves escenas interpretadas por damas y caballeros con gran lujo de vestuario y tramoya.

Los textos, extremadamente simples, se inspiran en las lecturas dialogadas que se producían con ocasión de los grandes ciclos religiosos de Navidad y Semana Santa, en la poesía dialogada cancioneril y en las églogas de Virgilio, que dan lugar a estampas rústicas que tienen su propio lenguaje: el sayagués, con abundantes lusismos y leonesismos.

Este teatro incipiente se irá desarrollando gracias a la intervención de cuatro dramaturgos procedentes de la franja occidental de la península, con una vinculación más o menos directa con el mundo salmantino y su universidad: Juan del Encina, Lucas Fernández, Gil Vicente y Bartolomé de Torres Naharro.

2.6.2. DRAMATURGOS PRIMITIVOS

JUAN DEL ENCINA (Salamanca, 1468-1529) presenta la doble faceta de lírico y dramaturgo. La primera tiene como marco la afición que la poesía popular despierta en la corte de los Reyes Católicos. Sus glosas de cancioncillas y romances tradicionales, a los que pone música, son auténticas maravillas: «¡Ay, triste, que vengo…!», «¡Más quiero morir por veros…!», «¡Tan buen ganadico…!»… Menos interés tiene su poesía trovadoresca, aunque no deja de ser un hábil versificador.

Como preámbulo de su actividad teatral, recrea libremente las *Bucólicas* de Virgilio. Las piezas de la primera época se incluyen en el *Cancionero* (1496), en que da a conocer sus obras líricas y dramáticas. Son ocho églogas breves sobre temas religiosos y profanos, muy sencillas, apenas esbozos dramáticos, con mínimos diálogos carentes de acción. Su paso por Italia le proporciona unos conocimientos que cristalizan en tres piezas más extensas, ricas y elaboradas: *Égloga de*

Cristino y Febea, *Égloga de Fileno*, *Zambardo y Cardonio* y *Égloga de Plácida y Vitoriano*, la más compleja de las tres. La compuso en Roma hacia 1513. Desarrolla una delicada fábula de amores que, tras desencadenarse el conflicto, desemboca en un final feliz. A nuestro autor le cabe el mérito de haber sabido crear, partiendo de la tradición del *officium pastorum*, un mundo dramático propio, rudimentario, sin una estructura sólida, pero jugoso.

LUCAS FERNÁNDEZ (Salamanca, 1474-1541) presenta un universo dramático más limitado que el de Encina; le falta el influjo italiano que impulse su evolución. Se mantiene apegado a los temas y motivos medievales. Tiene en su haber seis piezas y un diálogo para cantar que se publicaron en Salamanca en 1514. Los tres dramas profanos son muy elementales, sin más valor que algún pequeño detalle cómico o realista. Su teatro religioso se compone de dos autos navideños y otro mucho más maduro y perfecto: *Auto de la Pasión*, el último que escribió. Cabe subrayar el realismo y la fuerza dramática de este episodio puesto en boca de testigos presenciales con la intención de hacernos ver y sentir la tragedia en toda su intensidad. Más que un avance, se da aquí una afortunada profundización en una práctica habitual en las iglesias.

GIL VICENTE (Lisboa?, entre 1465 y 1470-a. 1542) es, en un momento de auge y expansión del castellano, un poeta bilingüe; su habla, con rasgos salmantinos y extremeños, está plagada de lusismos. Sus obras no tienen cohesión dramática ni desarrollan un conflicto psicológico consistente, pero estas carencias se suplen con el lirismo y la fuerza satírica.

Crea una galería de tipos representativos de la sociedad y critica con humor al clero; de ahí que se planteara su presunta filiación erasmista. Lo mismo exalta unos ideales (los del amor cortés, por ejemplo) que los caricaturiza.

Su obra se publicó en Lisboa en 1562. Las piezas castellanas son once. Entre las de tema devoto destacan el *Auto pastoril castellano*, tan solo un monólogo, escrito para la Navidad de 1502, y sobre todo el *Auto de la Sibila Casandra*, para la de 1513, con bellas cancioncillas de sabor popular («Dicen que me case yo...») y una gracia ingenua que nos hace olvidar ciertas insuficiencias técnicas. Compuso tres piezas inspiradas en la tradición de las danzas de la muerte medievales: *Auto da barca do inferno* (que pasa por ser la mejor), *Auto da barca do purgatório* y *Auto de la barca de la Gloria*, en las que presenta una serie de personaje pertenecientes a las altas jerarquías profanas y religiosas.

Las farsas y comedias emplean predominantemente el portugués, quizá porque el autor no conocía bien la vida española. Recurre al castellano en el *Auto de las gitanas* y en la *Comedia del viudo*.

Las tragicomedias se inspiran en fuentes españolas y caballerescas. *Don Duardos* (1522), de más de dos mil versos, gira en torno al tema del amor, que presenta diferentes caras: el sentimiento idealizado de los protagonistas, el sosegado y tranquilo de los viejos jardineros, de los que finge ser hijo don Duardos para conquistar a su amada por sí mismo, y el de la pareja grotesca que forman Camilote y Maimonda. Se trata de subrayar la universalidad de la pasión amorosa, elemento igualador por excelencia.

Esta pieza, aunque inorgánica y poco trabada, supone un esfuerzo de construcción considerable en un momento en que el teatro apenas ofrece sus primeros balbuceos. En ella se economizan elementos de enlace y se pasa directamente a las situaciones climáticas. Pero, independientemente de eso, la valoración del lector-espectador se debe centrar en la expresión de los estados afectivos, en la feliz síntesis de lirismo y acción dramática. Tiene todos los encantos del arte *naïf*.

Muy inferior resulta la *Tragicomedia de Amadís de Gaula*, parodia de la célebre novela.

Bartolomé de Torres Naharro (Torre de Miguel Sexmero, Badajoz, 1485-a. 1531, quizá 1520) publica en Nápoles en 1517 la mayor parte de sus obras, bajo el título de *Propalladia* («Primeros dones a Palas»). En el *Prohemio* expone su teoría dramática. Además de dar recomendaciones (cinco actos, entre seis y doce personajes, guardar el decoro), distingue dos tipos de comedia: *a noticia*, que trata de cosa «vista en realidad de verdad», y *a fantasía*, de cosa «fantástica o fingida, que tenga color de verdad, aunque no lo sea».

Las comedias *a noticia* no tienen una acción cerrada y coherente, y tampoco lo pretende el autor. Están representadas por *Tinellaria* y *Soldadesca*, que acumulan situaciones, personajes e incluso lenguas distintas para ofrecer una visión múltiple de la realidad. La primera se ocupa de los usos y abusos en las cocinas de los grandes cardenales romanos. La segunda, más trabada, de la vida en el ejército pontificio. En ambas hay un importante componente satírico. Quieren captar un mundo abigarrado y variopinto.

Las comedias *a fantasía*, en torno a una fábula de amores, señalan ya, aunque a distancia, el camino que conducirá hacia la *comedia nueva* de Lope de Vega. Domina la intriga, que tiende al final feliz. Forman parte de este grupo *Serafina, Jacinta, Calamita*... Se considera unánimemente que la mejor es *Himenea*, cuyo grado de intensidad y economía dramática supera todo lo visto hasta la fecha, si se exceptúa a *La Celestina*. Anuncia el tema del honor familiar e incluso el papel de los criados como motor de la acción. Técnicamente, supone un paso gigantesco respecto a las elementales tramas de Encina y Lucas Fernández.

Además de estas figuras relevantes, nos encontramos con otros dos dramaturgos que recuerdan la presencia de la corona de Aragón en los orígenes de nuestro teatro: PEDRO MANUEL XIMÉNEZ DE URREA (1468?-1530?), que incluye cinco églogas en la segunda edición de su *Cancionero* (1516), y JUAN FERNÁNDEZ DE HEREDIA († 1549), entre cuyas obras destaca *Coloquio de las damas valencianas*.

2.6.3. *LA CELESTINA*

PRIMERAS EDICIONES. Son muchas las dudas que aún se ciernen sobre las primeras ediciones de esta obra. De la primera versión en dieciséis actos, titulada *Comedia de Calisto y Melibea*, se conserva un único ejemplar de tres ediciones: Burgos, 1499; Toledo, 1500, y Sevilla, 1501. Quizá hubo otras, alguna de ellas anterior incluso a la burgalesa, pero no han llegado a nosotros. A la de 1499 le falta la hoja inicial, por lo que no se indica ni el título ni el nombre del autor. En las otras dos sí reza el título en la portada y presentan, además, un «incipit», el argumento general de la obra, una carta de «El autor a un su amigo», unas coplas de «El autor excusándose», que contienen los versos acrósticos que revelan su nombre, y, al final, unas coplas del corrector, Alonso de Proaza.

Hay una segunda versión, titulada *Tragicomedia de Calisto y Melibea*, que intercala cinco actos nuevos entre el XIV y el XV (*Tractado de Centurio*); añade, además, un prólogo y tres octavas finales que explican la intención moral de la obra. Se ha venido diciendo que contábamos con varias ediciones impresas en 1502 (tres de Sevilla, una de Salamanca y otra de Toledo), como indican sus respectivos colofones; pero F. J. Norton ha descubierto que deben datarse más tardíamente, a partir de 1510.

Se da así la circunstancia de que la edición más antigua que conservamos de la *Tragicomedia* es una temprana traducción al italiano hecha por Alfonso Ordóñez (Roma, 1506), que presupone necesariamente la existencia de una edición castellana anterior. Aunque no se conservan, se da por seguro que hubo una primera en Salamanca en 1500 ó 1502 y otra en Toledo en 1504, de la que parte Ordóñez. El primer texto castellano de que disponemos es el impreso en Zaragoza en 1507, no muy cuidado, al que le faltan las cuatro hojas iniciales. La primera edición verdaderamente autorizada de la *Tragicomedia* es la que se lleva a cabo en Valencia en 1514, bajo la supervisión del humanista Alonso de Proaza.

No terminan aquí las modificaciones. En 1526 una impresión realizada en Toledo incorpora el llamado *Auto de Traso* entre el XVIII y el XIX. Solo aparecerá en otras dos: Toledo, 1538, y Medina del Campo, 1541.

Con el tiempo, se impondría definitivamente el título de *La Celestina*, que supone el reconocimiento del extraordinario valor de su personaje central.

PROBLEMAS DE AUTORÍA. Ya hemos señalado que el nombre del autor no se conoce hasta que, a partir de la edición de 1500, se da noticia indirecta de él en las coplas acrósticas que la preceden: «EL BACHILLER FERNANDO DE ROJAS ACABÓ LA COMEDIA DE CALISTO Y MELIBEA Y FVE NASCIDO EN LA PVEBLA DE MONTALVÁN».

Nació en fecha desconocida (hacia 1475). Era de familia hidalga y posiblemente de origen converso. Estudió leyes en Salamanca. Se asentó en Talavera, donde llegó a ser regidor. Murió en 1541. Se ha especulado con que su condición de cristiano nuevo influyera en su vida y determinara la relativa anonimia e incluso el tono y sentido de su obra.

En la carta a «un su amigo» cuenta que encontró el primer acto ya escrito en Salamanca y que se decidió a terminarlo en quince días de vacaciones. Durante el Siglo de Oro nadie puso en tela de juicio esta afirmación. Luego los especialistas han discutido si hubo un único autor o dos, como afirma Rojas; su testimonio resulta poco consistente porque puede tratarse de un juego literario. Tras minuciosos análisis, prevalece la idea de que hay notables diferencias de estilo y concepción entre el primer acto y el resto, pero también pudiera ser que un único autor lo hubiera escrito en distintos momentos de su vida. Se plantea, además, el problema de si los actos añadidos son o no de Rojas. El *Auto de Traso*, de calidad muy inferior, se da por apócrifo.

DISCUSIÓN SOBRE EL GÉNERO. También están divididas las opiniones en lo tocante al género. Unos consideran que es obra narrativa, dada su considerable extensión y la forma detallada en que se presentan los hechos. La mayoría la adscriben al género dramático. El argumento de más peso no es que esté escrita en forma de diálogo (hay novelas dialogadas), sino que tanto la estructura como el tiempo y el espacio están concebidos con técnica dramática, de acuerdo con el principio de economía. No hay elementos ajenos al desarrollo de la trama. No se oyen más voces que las de los personajes, sin la menor intervención por parte del autor. El espacio escénico se va creando a través de las réplicas, que nos señalan si entran, si salen, si suben o bajan, y se supedita por completo a la acción.

Presenta una doble temporalidad. Hay un tiempo corto e intenso, un *tempo forte*, que concentra los acontecimientos en cuatro días. Junto a ese tiempo explícito, existe otro implícito, al que se alude en el diálogo, que media entre una situación y otra; así se ensanchan los límites de la acción, se hace más verosímil la evolución de los caracteres y la vida se nos presenta en toda su enorme complejidad.

La extensión del texto no invalida en absoluto su carácter dramático, ya que se acoge a la tradición de la comedia humanística, escrita para ser leída en voz alta en los círculos académicos, no para representarse en un escenario.

ESTRUCTURA Y CONTENIDO. En la *Tragicomedia de Calisto y Melibea*, es decir, en la versión en veintiún actos, cabe distinguir dos partes que responden a la siguiente estructura:

Primera parte

PLANTEAMIENTO: ACTOS I-II. Calisto se declara a Melibea y es desdeñado. Por consejo de Sempronio, recurre a Celestina para que le ayude a seducir a la joven.

NUDO: ACTOS III-XI. La alcahueta acude a casa de Melibea y consigue que esta le dé una prenda íntima (un cordón) que necesita para sus conjuros. Va a casa de Calisto a comunicarle la buena nueva. Melibea la manda llamar y concierta el primer encuentro con su enamorado.

DESENLACE: ACTOS XII-XIV. Calisto y Melibea hablan a través de la puerta. Pármeno y Sempronio matan a Celestina porque no quiere compartir con ellos las ganancias; son detenidos y ajusticiados. Tristán y Sosia cuentan a Calisto las tristes nuevas. Los amantes vuelven a encontrarse en el jardín de Melibea.

Segunda parte

PLANTEAMIENTO: ACTO XV. Elicia y Areusa deciden vengar la muerte de Celestina y los criados.

NUDO: ACTOS XVI-XVIII. Los padres de Melibea piensan en casarla. Elicia y Areusa sonsacan a Sosia los informes necesarios para llevar a cabo su venganza. Le piden al fanfarrón Centurio que dé un escarmiento a Calisto.

DESENLACE: ACTOS XIX-XXI. Los amantes se reúnen de nuevo. Calisto se mata cuando, al oír ruido, intenta ayudar a sus servidores y se cae de la escala. Melibea se suicida arrojándose desde una torre. Pleberio llora la muerte de su hija.

Hay dos momentos climáticos. La acción trágica de la primera parte se cierra con la muerte de Celestina, Pármeno y Sempronio, y con la primera noche de amor de Calisto y Melibea. En la *Comedia* esta situación enlazaba con la muerte de los amantes. La *Tragicomedia* presenta un nuevo motor dramático: la venganza de Elicia y Areusa, que desemboca en el accidente mortal de Calisto y en el suicidio de Melibea. Es una doble acción que da más riqueza y profundidad a la obra. Ambas partes están íntimamente trabadas y constituyen una unidad dramática.

EL MUNDO PROSTIBULARIO Y DE LOS CRIADOS. A través de los personajes de *La Celestina*, Fernando de Rojas presenta el entramado de la sociedad de su tiempo, rígidamente dividida en siervos y señores. Entre una y otra clase se han roto los vínculos casi familiares que existieron durante la Edad Media. La obra retrata perfectamente el enfrentamiento entre los dos grupos. El principio del egoísmo rige las acciones de los personajes. La búsqueda del provecho propio arrastra a muchos de ellos a la muerte.

La clave de la obra es la vieja alcahueta. Aunque muere en el acto XII, su figura está siempre presente. No se trata de una criatura de una pieza, sino que tiene los rasgos contradictorios y al mismo tiempo coherentes de todo ser humano. Lo primero que destaca en ella, a pesar de los años, es su vitalidad, su hedonismo. Busca el placer a través del vino y de la lujuria, como intermediaria cuando ya no puede practicarla por sí misma. Ejerce un evidente dominio psicológico sobre sus interlocutores. Para conseguirlo, sin ayuda externa, se vale de una firme voluntad y una elocuencia que cautiva y engaña a cuantos la rodean. En cada ocasión sabe usar el registro lingüístico que más beneficios ha de reportarle. En su habla son muy frecuentes los diminutivos afectivos (*asnillo, loquillos, partecilla, Parmenico...*), que ocultan un espíritu dominante. El talón de Aquiles de Celestina es la codicia. Maneja a todos para obtener de ellos el máximo provecho, pero esa misma avaricia le va a costar la vida.

El «mundo inferior» de la *Tragicomedia*, presidido por Celestina, presenta dos facetas. De una parte, están los criados; de otra, las pupilas de la alcahueta, que se dedican a la prostitución, y el chulo cobarde y fanfarrón que es Centurio.

Pármeno y Sempronio constituyen un interesante caso de paralelismo y contraste. Este último es un sujeto realista y corrupto al que solo interesan los problemas de su señor en la medida en que puedan beneficiarle o perjudicarle. Pármeno, por el contrario, intenta ascender socialmente adoptando una rígida moral que haga olvidar su origen (es hijo de una compañera de Celestina). Esa actitud moralizante solo le trae sinsabores. Acaba pasándose al otro bando, donde se le prometen mayores recompensas.

Tristán y Sosia son los criados jóvenes de Calisto. Aunque presentan muy escaso desarrollo, están perfectamente individualizados. Sosia es de una simplicidad rayana en la bobería. Tristán, más joven, es un sujeto avispado e inteligente. Su figura resulta quizá la más simpática de la *Tragicomedia*.

Areúsa y Elicia forman también una pareja con elementos comunes y contrastes. La primera lleva una vida independiente, se rebela ante las injusticias sociales y es más decidida y enérgica. Elicia, aunque desenvuelta con sus amantes, mantiene una relación de dependencia. Primero es Celestina

113

quien la cobija en su casa, la domina y la maneja. Más tarde, al preparar la venganza contra Calisto y Melibea, se somete a los dictámenes de Areusa.

Lucrecia, criada de Melibea y prima de Elicia, elige el camino de la servidumbre para evitar el de la prostitución. Encubridora y confidente de su señora, mantiene una actitud fría y distante respecto a ella.

Centurio es un figurón, un personaje caracterizado de una manera simple para provocar la risa del lector-espectador. Es un cobarde fanfarrón, tipo que cuenta con una larga tradición literaria.

EL MUNDO DE LOS SEÑORES. La clase pudiente está representada por cuatro personajes, que ofrecen también muy diversos matices. Calisto es un individuo egoísta, abúlico, inmaduro, dominado por una pasión malsana. Estas características lo convierten en un juguete en manos de sus criados y de la vieja. Rojas no muestra la menor simpatía por esta criatura suya.

El proceso psicológico de la protagonista es mucho más interesante. Melibea reacciona bruscamente ante la primera declaración del enamorado y lo mismo hace cuando Celestina le habla de él. Entonces lo ve como un «loco, saltaparedes, fantasma de noche, luengo como cigüeña, figura de paramento mal pintada» (acto IV). Sin embargo, tras esa reacción violenta, fruto de la represión, cae en las redes que le tiende la alcahueta. Desde ese momento se lanza decididamente a vivir su amor. Es ella la que cita a Calisto, la que dispone lo necesario para los encuentros nocturnos. Nunca se convierte en un pelele de sus criados o de las circunstancias, a pesar de haberse entregado a una pasión ciega que la llevará al suicidio.

En sus padres, Pleberio y Alisa, encontramos un estudiado contraste entre la sensatez del uno y la simpleza de la otra. El lastimero planto de Pleberio es una elocuente declaración de principios de la burguesía.

VALOR Y SENTIDO. Sobre el sentido e intencionalidad de *La Celestina* se ha discutido muchísimo. Para unos, es una obra esencialmente moralizante: los personajes pecan y su propia falta genera el castigo. Todos los que intervienen de forma activa en el drama mueren violentamente. La obra sería, pues, una advertencia a los locos enamorados para que eviten los males que se derivan de sus pasiones.

Pero claro está que la *Tragicomedia* no es solo un sermón moral. El autor nos presenta los entresijos de la sociedad de finales del Medievo. Sus personajes sienten una desmedida ansia de vivir que trastorna el orden tradicional. Rojas se limita a mostrarnos cómo actúa en ellos el principio del placer. Calisto busca la satisfacción de su apetitos por encima de las conveniencias y convenciones sociales. Por eso ha de aliarse con Celestina y sus compinches. Melibea, que descubre el amor y el sexo gracias a ellos, también busca la felicidad a través de lo instintivo y vital. El genio del dramaturgo nos permite ver en todos sus detalles cómo las criaturas corren hacia su destrucción cuando creen alcanzar la dicha. Estamos ante un universo trágico, donde acecha el destino cuando menos se espera. Los personajes tratan de sobrevivir en un mundo caótico, pero yerran en sus pronósticos. Sus comportamientos se vuelven en su contra.

Se ha atribuido esta actitud desesperanzada de la obra al probable origen converso de Rojas. Lo cierto es que *La Celestina* presenta un mundo en conflicto, inmisericorde. El prólogo se dedica también a comentar una frase de Heráclito, según la cual todas las cosas mantienen una guerra perpetua.

La divina providencia no existe en *La Celestina*. Observemos que la muerte de Calisto es un castigo ejemplar que se produce en el mismo momento y lugar en que ha pecado, pero le sobreviene precisamente a causa de uno de sus pocos impulsos generosos: cuando acude en ayuda de Tristán y Sosia.

Rojas parece predicar una moral de renuncia epicúrea. Menéndez Pelayo ha dicho que no es un libro «de alegre frivolidad, sino de profunda y triste filosofía…».

Pero, aun siendo verdad todo esto, también lo es que, independientemente del desenlace, a lo largo de la obra asistimos a una exaltación de la vitalidad, del impulso que lleva a la consecución del placer. Es, en este sentido, una obra que mira hacia el futuro renacentista, pero que todavía no se ha desprendido por completo de la impronta antivital de la Edad Media. Quizá porque al autor, dada su precaria condición, no le resultaba fácil dar el salto definitivo.

En resumen, los valores de la obra de Rojas hay que buscarlos en la complejidad de estos planteamientos, distantes de una tesis monolítica, en la certera pintura del entorno social, en las calidades expresivas de la prosa y en la sutilísima caracterización de unos personajes que se alzan ante nosotros como criaturas vivas, complejas y contradictorias.

3

Renacimiento

3.1. CONTEXTO HISTÓRICO Y CULTURAL

LA HEGEMONÍA ESPAÑOLA. El reinado de los Reyes Católicos, con el añadido de la regencia castellana de Fernando, puso las bases del predominio español en el orbe occidental. La política matrimonial se dirigió a crear lazos de unión con otros estados europeos: Portugal, Inglaterra, los Países Bajos... La política de expansión había dado como fruto el descubrimiento de América, cuya conquista y colonización se consolidarán en los reinados centrales del siglo XVI.

Esta presencia universal de la monarquía hispánica se vincula a un ciclo expansivo en lo demográfico y en lo económico, lo que permitirá consolidar un imperio que durará más de tres siglos y crear una comunidad cultural y lingüística que parece llamada a pervivir a lo largo del tiempo y que ha dado en el campo que nos ocupa, la literatura, frutos de extraordinario relieve.

Sin embargo, esa misma hegemonía se reveló pronto gravosa y difícilmente sostenible para un reino de las dimensiones, la demografía y las posibilidades económicas de Castilla, que cargó en lo esencial con las ventajas y los inconvenientes de esa posición de privilegio.

De ahí que la dilatada historia imperial de España, esos tres siglos a que antes nos hemos referido, no coincidan con el periodo de hegemonía, que hay que reducir a los ochenta años de los reinados de Carlos I (1516-1556) y Felipe II (1556-1598). Incluso esas décadas estuvieron salpicadas de crisis económicas, cuyas raíces y sentido siguen discutiendo los especialistas. El reflejo literario de estas penurias ha dado origen al nacimiento de una novela singular, *Lazarillo de Tormes*, expresión de la vida cotidiana del país.

A pesar de esas dificultades, la etapa de la hegemonía española significa en el terreno del arte y la cultura el acercamiento y la asimilación de los más valiosos movimientos de la época. Gracias a estos influjos asistimos a la aparición de grandes creaciones literarias, arquitectónicas, musicales, pictóricas... y al desarrollo de la conquista americana, empresa que solo puede encontrar parangón en la expansión del imperio romano.

EL REINADO DE CARLOS I. Tras la muerte de Fernando el Católico, concluyen los periodos de regencia en la corona de Castilla. El jovencísimo nieto de los Reyes Católicos hereda el trono con el nombre de Carlos I. El nuevo rey había nacido en Gante en 1500. No había vivido en España ni conocía sus gentes y costumbres. Su mirada estaba puesta en preparar su elección como emperador; el séquito lo formaban sus consejeros flamencos y no llegó a sintonizar con sus súbditos españoles. Estas circunstancias, unidas a otras de mayor calado social y económico, desataron la primera crisis y un conjunto de guerras civiles: la de las Comunidades en Castilla (1520-1521) y la de las Germanías en Valencia y Mallorca (1521-1523).

Mucho se ha discutido sobre el sentido de estos movimientos. Unos han interpretado las Comunidades como conatos de revoluciones burguesas frente a las corrientes centralizadoras y absolutistas. Otros han visto en ellas la resistencia de la aristocracia feudalizante que intenta volver a la situación anterior a los Reyes Católicos. Probablemente, en estas violentas sacudidas participaron representantes de ideas y actitudes distintas, unidos por el rechazo a la política imperial del joven rey. No es raro el caso de miembros de una misma familia, a los que hay que suponer unos intereses parejos, que militan en bandos contrarios. Así, el poeta Garcilaso de la Vega peleó junto al emperador, mientras que su hermano Pedro estuvo en el de las Comunidades. Es verdad —y este detalle avala la tesis de la revolución burguesa y antiabsolutista— que el movimiento de rebeldía nació en las ciudades y que la alta nobleza estuvo mayoritariamente al lado del rey.

Las Germanías ofrecen menos dudas: expresan el malestar de los sectores urbanos y en especial de la burguesía comerciante y los gremios.

A la victoria imperial siguió una violenta represión que se mantuvo durante años, hasta que la afirmación del absolutismo monárquico fue completa.

La política de Carlos I de España y V del imperio romano-germánico aspiró a establecer la unidad europea y cristiana. Esta pretensión chocaba con los intereses franceses. No es extraño, pues, que se sucedieran las guerras. La primera se desató en 1521 por el dominio del ducado de Milán, esencial para garantizar las comunicaciones entre los dos grandes territorios sobre los que reinaba Carlos (el meridional: España e Italia, y el centroeuropeo: Alemania y los Países Bajos). Derrotado Francisco I, se firmó el pacto de Madrid (1526), por el que el emperador conseguía sus objetivos.

Inmediatamente después, un conjunto de naciones europeas, incluido el papado, se coaligaron contra la hegemonía carolina. El episodio más escandaloso de esta guerra fue el saco de Roma por las tropas del emperador (1527).

El reinado de Carlos I fue un pulso permanente con Francia y con sus ocasionales aliados, los turcos, que también amenazaron por tierra y mar los territorios de su imperio.

Sin embargo, los dos asuntos más importantes, que merecen capítulo aparte, fueron las guerras de religión que se desataron en Centroeuropa y la conquista y colonización del imperio americano.

Con cincuenta y seis años, el monarca abdicó y se retiró al monasterio de Yuste, en Extremadura, donde murió. Antes había dividido sus posesiones entre su hermano Fernando,

119

que le sucedió en el trono imperial, y su hijo Felipe, que heredó la corona española.

LA REFORMA Y LAS GUERRAS DE RELIGIÓN. Las trasformaciones y rápidos cambios que se dieron en el siglo XVI alcanzaron, como era lógico, a la religión, elemento esencial en la vida y la organización social de aquel tiempo. La iglesia procedente de los siglos medios precisaba una profunda reforma para adecuarse a las nuevas realidades sociales que podemos simbolizar en dos fenómenos complementarios y contradictorios: el auge de la burguesía capitalista y el autoritarismo y la centralización monárquica.

Para jugar un papel relevante en la sociedad, la religión tenía que recuperar el prestigio perdido a causa de las prácticas simoníacas, los abusos feudales, la ignorancia del clero y el excesivo ceremonial externo. La Roma papal de los albores de la Edad Moderna fundió los vicios y corruptelas medievales con el lujo y el depravado hedonismo de los nuevos tiempos, de modo que se convirtió en piedra de escándalo para cuantos aspiraban a la regeneración de la iglesia y propugnaban una nueva espiritualidad.

La necesidad de la *restitución del cristianismo* tuvo expresiones muy diversas. Una de las más interesantes fue el *erasmismo*, que toma su nombre del humanista flamenco Erasmo de Rotterdam (1466-1536). En sus escritos critica con humor y agudeza los vicios eclesiásticos, defiende una nueva y más rigurosa lectura de las Sagradas Escrituras, antepone la enseñanza evangélica a la tradición católica, sitúa a Cristo en el centro de la vida religiosa y aboga por una vivencia íntima y directa de la relación con la divinidad.

Erasmo coincidía, salvo en el tono jocoso e irreverente de algunos de sus escritos (*El elogio de la locura*, 1511), con muchas de las voces reformadoras que se alzaron dentro de la iglesia. Fue protegido por el emperador, al que dedicó una *Educación del príncipe cristiano* (1516), y sus enseñanzas constituyeron durante unos años el norte de las élites intelectuales y políticas de España. Erasmistas fueron Alfonso de

120

Valdés, secretario de Carlos V, numerosos profesores de la universidad de Alcalá, el obispo Alfonso de Fonseca e incluso el inquisidor general Alonso Manrique, hermano del célebre autor de las *Coplas a la muerte de su padre*. Las obras del holandés se tradujeron del latín al español y circularon con libertad y aplauso.

Sin embargo, las propuestas erasmianas se vieron desbordadas por los acontecimientos. En 1517 el agustino alemán Martín Lutero (1483-1546) inició una rebelión contra el papado a propósito, en principio, de una cuestión de simonía: la venta de bulas. De ahí se pasó a poner en entredicho la autoridad del pontífice, a rechazar el sacramento de la confesión, a propugnar la doctrina de la predestinación y a negar al hombre capacidad para intervenir en su propia redención: solo la fe en Cristo salva.

Las doctrinas luteranas cayeron sobre una realidad social necesitada de cambio y encontraron el apoyo de sectores contrapuestos: para los grandes aristócratas alemanes eran una vía de emancipación frente a los conatos centralizadores del imperio; para las ciudades burguesas, una palanca desde la que trasformar las rígidas estructuras estamentales; para los creyentes, el camino hacia una religiosidad más directa y sincera.

La reforma tuvo continuadores que la extendieron y racionalizaron: Jean Calvin —españolizado en Calvino— (1509-1564), Philipp Schwarzerd, que helenizó su apellido en Melanchton (1497-1560), Huldreich Zwingli (1484-1531)..., todos ellos humanistas y la mayoría próximos a las ideas de Erasmo.

El emperador primero optó por reprimir el luteranismo (dieta de Worms, 1521); se vio envuelto en una larga y sangrienta guerra que no concluyó, a pesar de su victoria en Mühlberg (1547), y alcanzó al final una suerte de compromiso (dieta de Augsburgo, 1555).

En medio de la contienda, se convocó el concilio de Trento (1545-1563), que tenía en su origen fines reunificadores, pero que concluyó con la división definitiva de los cristianos de Occidente entre los partidarios del papa y las iglesias reformadas.

EL REINADO DE FELIPE II. Es tópico contrastar la vida viajera de Carlos I con la sedentaria de su hijo, y poner esto en relación con una España abierta a todos los influjos frente a otra cerrada a cal y canto, en la que se ejerció un control riguroso sobre las publicaciones y se prohibió que se pudiera estudiar en universidades extranjeras, con excepciones como las de Bolonia o Lovaina, que se presumían fieles a la ortodoxia católica.

Lo cierto es que el príncipe Felipe (Valladolid, 1527-1598) vivió una juventud viajera (Italia, los Países Bajos), fue rey consorte de Inglaterra por breve tiempo y tuvo un interés personal por la cultura realmente fuera de lo común: creó la extraordinaria biblioteca de El Escorial, patrocinó la edición de la *Biblia regia* o de Amberes (1568-1572), dirigida por el humanista Benito Arias Montano, protegió a artistas españoles, flamencos e italianos y tuvo extraordinaria afición a los jardines y los estudios botánicos.

Los asuntos pendientes de la época del emperador pesaron sobre su reinado. Pervivió el enfrentamiento con Francia, que parecía resuelto al principio con la victoria de San Quintín (1557). La amenaza turca se detuvo tras la batalla naval de Lepanto (1571). En cambio, los Países Bajos entraron en la espiral de las guerras de religión desde 1565, lo que determinaría la secesion *de facto* de las Provincias Unidas (la actual Holanda) y la cesión, en los últimos años de vida del rey, del gobierno de Flandes a su hija Isabel Clara Eugenia.

El mayor enemigo de la España de Felipe II fue la Inglaterra de Isabel I, que se estaba convirtiendo en una potencia y amenazaba el dominio español en el mar. Contra ella se organizó la *Jornada de Inglaterra* (1588), una magna expedición marítima que acabó en desastre, a la que sus enemigos llamaron irónicamente la *Armada invencible*.

En el interior, Felipe II continuó la represión contra la disidencia religiosa. A pesar de la propaganda de sus enemigos, los excesos cometidos por el tribunal inquisitorial son poca cosa si se comparan con las matanzas y los terribles abusos que se dan, por ejemplo, en la Francia contemporánea. Con todo, aunque las violencias efectivas fueron relativamente escasas, las trabas a la difusión de nuevas ideas fueron muy severas. A raíz de la publicación del índice del inquisidor Valdés (1559), se impusieron serias limitaciones a la circulación de las obras literarias.

Las finanzas sufrieron graves dificultades, debidas a las empresas bélicas, cuyo coste excedía incluso a las grandes rentas obtenidas en América. En tres ocasiones (1557, 1576 y 1596) la corona se declaró en bancarrota.

Conservando la estructura pluriestatal de los reinos heredados, Felipe II aspiró a una centralización burocrática, a la que él mismo se consagró en cuerpo y alma. Desde Madrid o El Escorial pretendió llevar de forma casi personal los asuntos relevantes de su inmenso imperio. Todo indica que este propósito pudo contribuir al anquilosamiento de un estado que, por sus compromisos internacionales, necesitaba una administración ágil y en constante renovación.

LA REALIDAD SOCIAL: LA EDAD CONFLICTIVA. La hegemonía española, como se ha visto en las páginas precedentes, no estuvo exenta de serios problemas políticos y económicos. Su posterior caída se ha querido explicar por causas fantásticas y poco sólidas. Se ha llegado a tachar a Felipe II de persona inculta y oscurantista y se ha pintado su gobierno como una feroz máquina represiva contra el progreso de la humanidad. Sinceramente, no creemos que fuera así, al menos en contraste con sus coetáneos y rivales, como Isabel I de Inglaterra.

Sí es cierto que la sociedad española emprendió un camino equivocado en la construcción de su futuro. El dinámico siglo XVI cayó en una paulatina desactivación de la industria. Incluso el comercio que generaba la conquista y colonización de América derivó hacia la burocratización y el control paralizador.

Además, el aluvión de metales preciosos procedentes de América provocó una inflación que dañó gravemente las posibilidades de crear riqueza. La riqueza estaba creada: venía de América y la distribuían el estado y la iglesia a los servidores de sus inabarcables empresas políticas y militares. El dicho «iglesia, mar y casa real» resume eficazmente el panorama que se ofrecía a los españoles: el abandono de las actividades productivas para encauzar la vida hacia la burocracia (eclesiástica o estatal), el ejército o la emigración a las Indias.

En los dominios intelectuales, a la vista de estas expectativas, predominaron los estudios teológicos y jurídicos, en detrimento de las ciencias experimentales y productivas. La universidad española se puso al servicio de una sociedad que estaba convencida de que su misión era organizar la vida política y espiritual del orbe.

Esta errónea percepción de la realidad convirtió pronto el imperio español en un gigante con pies de barro. En el siglo siguiente se vería amenazado por minúsculos estados como Holanda, que había dado la debida importancia al trabajo y a las ciencias positivas.

Américo Castro vinculó los fenómenos que hemos descrito a los conflictos entre castas. Desde 1492 no quedan oficialmente judíos en España. Sin embargo, persisten los enfrentamientos entre *cristianos nuevos* (descendientes de judíos conversos) y *cristianos viejos*, que hacen ostentación de su *sangre limpia*, sin contagio de moros ni hebreos.

Este choque no tiene solo un sentido religioso sino también social. Los descendientes de conversos constituyen una clase rica que con facilidad tiende a coaligarse y alzarse con el poder económico y político. Sus relaciones con la nobleza acostumbran a ser buenas e incluso son numerosos los lazos de parentesco. Frente a esta situación, que sienten como amenaza otros grupos sociales, se promueven los *estatutos de limpieza de sangre*, un perverso mecanismo que excluye de los cargos públicos y eclesiásticos, e incluso del ingreso en algunas órdenes religiosas, a aquellos que no puedan demostrar que toda su ascendencia es cristiana. Su primer promotor en 1545 es el cardenal de Toledo Juan Martínez Silíceo, un hombre de origen humilde, hijo de labradores, que llega por sus méritos a la sede primada. Unos años más tarde, la limpieza de sangre será sancionada por el papa y por el rey Felipe II.

LA EMPRESA AMERICANA. Aunque se descubrió en 1492, la verdadera incorporación del territorio americano no se produjo hasta tiempos de Carlos I. El rey, consciente de este hecho, añadió al escudo de España la leyenda *Plus ultra* para indicar que los límites del mundo se habían extendido más allá de las míticas columnas de Hércules (en el estrecho de Gibraltar), donde los antiguos situaban su fin.

En muy pocos años, con un número exiguo de soldados, Hernán Cortés conquistó el inmenso imperio de los aztecas (1519-1521) y Francisco Pizarro el de los incas (1531-1535). Tan inverosímiles empresas hubieran fracasado, de no contar con los conflictos internos de las sociedades indígenas, poco cohesionadas y sustentadas en el dominio de unas etnias sobre otras. También jugó un importante papel a favor de los conquistadores la superioridad de su armamento. Disponían de pólvora, mosquetes y cañones, y de caballos, convertidos en eficaz instrumento bélico.

El triunfo militar de los españoles tuvo un aliado ingobernable y desconocido: las enfermedades que se contagiaron mutuamente los autóctonos y los recién llegados. Los europeos sufrieron diversos tipos de malaria, importaron la sífilis... Los indígenas se vieron diezmados por la viruela, contra la que su organismo no tenía defensas.

En la España de Carlos I y Felipe II la conquista se impulsó y se aprovechó, a través del flujo de metales preciosos; pero, al mismo tiempo, se consideró críticamente. Desde la metrópoli se sometió a juicio la obra de los conquistadores, se desvelaron sus crueldades, se permitió e incluso alentó la denuncia pública de las mismas (piénsese en fray Bartolomé de Las Casas, 3.2.3) y se dictaron leyes para limitar los excesos.

La corona española y los mismos colonos no se propusieron la destrucción de la población indígena, por varias razones contradictorias o, al menos, no coherentes entre sí. Por un lado, estaba la justificación moral del proyecto: evangelizar a los indios y ganarlos para el cristianismo. Por otro, la necesidad de mano de obra para explotar las riquezas agrícolas, ganaderas y mineras. En tercer lugar, la imagen ideal de la empresa que manejaban aquellos hombres del Renacimiento era la del imperio romano. Contradictoriamente, se soñaba con una población autóctona sojuzgada y asimilada lentamente por la cultura de la metrópoli.

Las leyes trataron de atender a estos objetivos difícilmente conciliables en todos sus extremos. La realidad nos ofrece datos y resultados que avalan todo tipo de juicios. El régimen creado en la América española, la encomienda, tuvo rasgos feudales y patriarcales. Esto permitió, en ocasiones, la explotación inhumana del indígena y, al mismo tiempo, impidió su aniquilación. La iglesia puso particular empeño en acercarse a las civilizaciones prehispánicas, aprender sus lenguas, convertir a los nativos y erradicar las creencias preexistentes.

La colonización no fue solo del territorio y las riquezas; también se trató de extender la civilización de la metrópoli. Los criollos se formaron en los modelos europeos. Aprendían el mismo latín que se estudiaba en Salamanca. Leían los mismos autores y adoptaron una actitud imitatoria de cuanto se hacía en la península. Las dificultades para conseguir libros y las largas travesías y viajes determinaron la inclinación de ciertos poetas afincados en América por las traducciones: un quehacer paciente que no precisaba mucho material de consulta y que permitía recrear en la imaginación el mundo cultural dejado en la península. A estas circunstancias debemos probablemente la traducción de Petrarca en 1591 por el portugués Enrique Garcés o la de las *Heroidas* ovidianas de Diego Mexía de Fernangil, que se publicaron en Sevilla en 1608.

La organización administrativa tiende a reproducir la española y en los primeros momentos surgen choques, a menudo sangrientos, entre diversas facciones de conquistadores (las guerras civiles del Perú entre los Pizarro y Diego de Almagro) o entre estos y los funcionarios regios que vienen a desplazarlos de un poder que creen ocupar legítimamente. Surgen sublevaciones radicales como la de Lope de Aguirre, que son sofocadas. Es sorprendente que, a tanta distancia, con las menguadas posibilidades de comunicación, lograra afianzarse una estructura política y jurídica que resistió la decadencia militar y económica de la metrópoli.

El vasto territorio americano se organizó, en la época que ahora nos ocupa, en dos virreinatos: el de Nueva España, con capital en México (1535), y el de Perú, con capital en Lima (1544).

La corona se empeñó en la creación de un urbanismo racionalista, riguroso, equilibrado, útil y con un claro valor simbólico. Las nuevas ciudades americanas tienen una estructura modélica: una cuadrícula que rodea la plaza donde se agrupan los símbolos del poder civil y eclesiástico.

A este proceso de aculturación se le puede llamar, como hace Jean Franco, «la imaginación colonizada». Es cierto: los primeros escritores americanos, muchos de ellos de origen peninsular, son, en cierto sentido, epígonos. Sin embargo, hay una creación hispánica singular que da expresión a ese encuentro —o encontronazo, como se ha dicho sarcásticamente— de dos mundos: las crónicas de Indias. En ese conjunto de narraciones épicas, descriptivas y dramáticas se encierra la historia deslumbrante y trágica de la gran emigración española.

ELEMENTOS AUTÓCTONOS E INFLUJOS EXTERIORES. El Renacimiento español fue asimilación profunda y maduración de cuanto se había apuntado en la etapa inmediatamente anterior. Siguió viva la afición por los elementos de carácter folclórico. Los romances y villancicos vivieron una edad de oro. Se fijaron por escrito y se imprimieron a lo largo del siglo. Fueron musicados y cantados en las cortes de Carlos I y Felipe II. Sirvieron de inspiración a los poetas cultos. Se recrearon a lo divino.

Los adagios y refranes merecieron el mayor aprecio de los humanistas. El propio Erasmo se había ocupado de ellos y, en España, tras el ejemplo espléndido de *La Celestina*, pasaron a integrarse en la literatura culta y a recogerse en colecciones como la *Filosofía vulgar* de Juan de Mal Lara.

Sin duda, una de las mayores empresas estéticas del Renacimiento fue la definitiva y perfecta incorporación de las formas italianas. A los intentos del siglo XV (los sonetos del marqués de Santillana, los tercetos de Francisco Imperial, el poema épico-simbólico de Juan de Mena) les faltaba lo más importante en la literatura: el gusto, el equilibrio, el sentido íntimo del ritmo. El creciente trato con el mundo italiano propició que un poeta de excepción, Garcilaso de la Vega, las captara y trasfundiera a nuestra lengua, donde el endecasílabo y el heptasílabo se naturalizaron para siempre. Con ellos llegó no solo la riquísima herencia petrarquesca (soneto, canciones…), sino también las formas clásicas: la égloga de estirpe virgiliana, las odas, sátiras y epístolas de raíces horacianas, los epigramas al modo de Catulo o Marcial, el poema épico culto, que no había contado hasta entonces con el adecuado instrumento.

En el teatro no tuvo un papel menor el influjo combinado de los modelos clásicos y las prácticas italianas. Y en el desarrollo del diálogo y en los balbuceos de la novela. Y en la teoría literaria, donde se recorrerá el camino desde el platonismo idealizante, presente en los relatos pastoriles, hasta el aristotelismo que enlaza con la función didáctica y moral que el concilio de Trento encomienda a las artes.

El Renacimiento es un momento clave de nuestra historia artística: la apertura a los influjos exteriores permite la creación de unos modelos propios. La tradición crítica suele establecer dos etapas en este proceso:

PRIMER RENACIMIENTO, italianizante y pagano. Corresponde al reinado de Carlos I. Se caracteriza por su aire vital, hedonista, y por la revolución formal que supone la incorporación del italianismo y del clasicismo.

SEGUNDO RENACIMIENTO o periodo de cristianización y nacionalización de los influjos exteriores. Corresponde al reinado de Felipe II. Se caracteriza por la presencia de la literatura religiosa, por su ascetismo, por un tono sombrío y por la naturalización de las formas italianas y clásicas.

128

Evidentemente, esta propuesta esquemática no recoge la variedad y riqueza de ochenta años de fértil creación artística. Así, por ejemplo, la literatura religiosa, tanto ascética como mística, se extiende a lo largo de todo el siglo y hunde sus raíces en la Edad Media. Como en otros campos, hay un proceso de lenta maduración. Desde las obras de Francisco de Osuna (1492-1540), Alonso de Orozco (1500-1591), san Juan de Ávila (1500-1569) o fray Luis de Granada (1504-1588), pasaremos a las cumbres de nuestra literatura mística: santa Teresa de Jesús (1515-1582) y san Juan de la Cruz (1542-1591).

LA LENGUA. El Renacimiento español conoció dos fenómenos contrapuestos: el mejor y más extenso cultivo del latín, y el desarrollo y entusiasta defensa de la lengua española como vehículo para los estudios y la creación literaria.

No puede olvidarse —aunque con frecuencia lo hacemos— que una parte importante de nuestra literatura renacentista está escrita en latín, como los poemas comprendidos en *Humanæ salutis monumenta* (1571) de Benito Arias Montano, u obras históricas como las del padre Juan de Mariana, o los estudios bíblicos de fray Luis de León.

Sin embargo, el siglo XVI es el momento de la definitiva afirmación del español como lengua de cultura. No solo los poetas; los historiadores, los botánicos, incluso los místicos y teólogos prefieren su lengua materna. Además de emplearla, la ensalzan y proclaman sus excelencias. Este fenómeno se da en toda Europa (Bembo, Du Bellay...), pero quizá adquiere una más temprana y radical expresión en el mundo hispánico.

Se intensifica la tendencia, que ya vimos en el Prerrenacimiento, a traducir a los grandes autores de la Antigüedad clásica: Sófocles, Plauto, Terencio, Virgilio... Se cuenta con un amplio Humanismo que se expresa en español: Fernán Pérez de Oliva, Pedro Simón Abril, fray Luis de León... Con su obra están forjando unos modelos de expresión para la creación autóctona.

Los ideales clásicos de equilibrio y naturalidad, tan lejos de las tendencias cultistas y alambicadas de la primera mitad del siglo XV, se instauran en la literatura española. Ya desde los tiempos de los Reyes Católicos se observa la estima que merece la expresión espontánea, sencilla y, a la vez, cultivada. El «buen gusto» no excluye el uso de abundantes epítetos, sinónimos, imágenes y comparaciones, como se ve en la serie poética que parte de Garcilaso y llega, más selecta, más retórica, hasta Fernando de Herrera. Paralelamente, se abre paso una prosa coloquial llana y expresiva, muy próxima al ideal expuesto por Juan de Valdés: «Escribo como hablo». Los cronistas de Indias, el *Lazarillo de Tormes*, santa Teresa son buena muestra de cómo se expresa lo que se quiere decir lo más sencillamente posible.

3.2. LA PROSA

3.2.1. EL DIÁLOGO Y OTROS GÉNEROS ENSAYÍSTICOS

La impronta humanística propicia el desarrollo del diálogo, género característico de la época. En España se vincula a la difusión del ideario erasmista. Además de los que escribe en latín el valenciano JUAN LUIS VIVES (1492-1540), que dan cabida a muy diversos temas, sobre todo de carácter pedagógico, tienen particular relieve los que salen de la pluma de los hermanos Alfonso y Juan de Valdés.

ALFONSO DE VALDÉS (Cuenca, 1490-Viena, 1532), secretario y latinista oficial de la corte de Carlos V, mantiene una asidua correspondencia con Erasmo. Toma parte activa en el intento de reconciliar a los protestantes alemanes con Roma. Es perseguido por la Inquisición a causa de sus escritos.

Toda su obra está puesta al servicio de la política del emperador y de la reforma erasmista, con su nuevo concepto de un cristianismo auténtico, ajeno a la pompa externa y los intereses materiales, y basado en la caridad.

En el *Diálogo de las cosas acaescidas en Roma o Diálogo de Lactancio y un arcediano* intenta exculpar a Carlos I de los abusos cometidos por las tropas imperiales a raíz del saco de Roma de 1527. A través de su álter ego Lactancio, un joven cortesano fiel al emperador, alega que lo ocurrido fue expresión directa de la voluntad de Dios, que quiso castigar a su iglesia porque se había apartado en exceso del camino señalado por Jesucristo. Se trata, pues, de un castigo ejemplar que llama a la reforma. El autor se muestra vehemente en la defensa de sus ideas y, aunque algunas veces cae en lo retórico, por lo general sabe agilizar el diálogo con fórmulas familiares y un estilo directo y vivaz.

De características similares es el *Diálogo de Mercurio y Carón*; ambas obras se imprimieron juntas en fecha no precisada, aunque Marcel Bataillon apunta la de 1541-1545. Se sirve de la materia mitológica y de las técnicas del diálogo lucianesco, relato fantástico y satírico cuyo modelo creó el autor griego Luciano de Samosata (s. II d. de C.). Somete a los distintos estamentos sociales de su tiempo a una crítica implacable. Por la barca de Carón, que ha de trasportar las almas a su último destino, desfilan una serie de condenados (el predicador, el consejero real, el duque, el obispo, el cardenal...) cuya presencia da pie para demostrar que los cristianos, empezando por las propias jerarquías eclesiásticas, viven de espaldas a Cristo, dedicados a prácticas hipócritas y superficiales. La obra deja paso al optimismo religioso al mostrarnos en la segunda parte a las almas que van al cielo, como el buen rey, que encarna la utopía de un monarca cristiano cuya personificación es el propio emperador.

JUAN DE VALDÉS (Cuenca, 1490-Nápoles, 1541) estudia en la universidad de Alcalá. Se rodea de un grupo de humanistas, fervorosos seguidores de Erasmo. En 1529 publica el *Diálogo de doctrina cristiana*, que desarrolla la enseñanza de las verdades fundamentales y deja traslucir sus ideas reformistas. Tiene problemas con la Inquisición y se marcha a Italia. En Nápoles sirve de guía espiritual a un selecto grupo aristocrático para el que escribe y traduce textos bíblicos.

131

Aunque no llega a romper con la iglesia de Roma, cultiva un cristianismo iluminista y místico, basado en la caridad, la gracia y la fe. Se le ha considerado ligado al luteranismo.

Su obra más notable es el *Diálogo de la lengua*, compuesto en 1535. Se conserva en manuscrito hasta 1737, fecha en que lo imprime Gregorio Mayáns y Siscar como anónimo.

Intervienen en él cuatro interlocutores: los italianos Marcio y Coriolano y los españoles Pacheco y Valdés, trasunto del autor. Trata del origen de la lengua castellana, la gramática, las letras, la fonética y la ortografía, las sílabas, los vocablos, el estilo y el comentario de algunos libros. Aunque no es una obra rigurosamente científica y contiene errores (cree que la primitiva lengua de España era el griego), constituye un espléndido comentario crítico de una persona culta, sensible, de buen gusto. Valdés hace una apasionada defensa de la lengua vulgar, que considera tan digna como la latina. Siguiendo el parecer de Erasmo, muestra gran aprecio por los refranes, en los que encuentra un ideal de concisión y brevedad. Son de gran interés sus consejos sobre cómo se debe escribir y hablar: «El estilo que tengo me es natural, y sin afectación ninguna escribo como hablo», y sobre la necesidad de mantener el decoro, es decir, de que el comportamiento de los personajes esté de acuerdo con su condición.

Figura destacada de la prosa renacentista es CRISTÓBAL DE VILLALÓN, al que se han atribuido *La ingeniosa comparación entre lo antiguo y lo presente, Scholástico...* Marcel Bataillon le niega la autoría de las tres obras esenciales que cimentaban su fama: *Crótalon, Diálogo de las transformaciones* y *Viaje de Turquía*. Esta última la atribuye al doctor ANDRÉS LAGUNA, hombre de sólida formación tanto libresca como vital. Es un coloquio erasmista que destaca por su vivacidad y por el cúmulo de datos tomados de la realidad.

Asimismo son ilustres cultivadores del género que nos ocupa FERNÁN PÉREZ DE OLIVA (Córdoba, h. 1494-1531), autor de un *Diálogo de la dignidad del hombre*; PERO MEXÍA (Sevilla, 1499-1551), con una *Silva de varia lección*; ANTONIO DE TORQUEMADA (cerca de Astorga, h. 1510), con unos

Coloquios satíricos; JUAN DE MAL LARA (Sevilla, 1524-1571), que en su *Filosofía vulgar* recoge y glosa refranes españoles; o JUAN HUARTE DE SAN JUAN (San Juan de Pie de Puerto, Navarra, 1529-1588), que en su única obra, *Examen de ingenios* (1575), analiza la psicología humana.

FRAY ANTONIO DE GUEVARA (Treceño, Santander, 1480 ó 1481-1545) es autor de *Marco Aurelio y Relox de príncipes* (1529), novela seudohistórica en la que lo esencial son las enseñanzas a que debe atenerse un perfecto príncipe cristiano. *Menosprecio de corte y alabanza de aldea* (1539), una de sus obras más célebres, desarrolla un lugar común del Renacimiento con un rico repertorio léxico que alude a la realidad cotidiana. También de 1539 es la primera parte de sus afamadas *Epístolas familiares*; la segunda aparecerá en 1541. Recurriendo a ejemplos de la Antigüedad, acumulan consejos morales de toda índole.

3.2.2. LAS CRÓNICAS DE CARLOS I Y FELIPE II

Durante la etapa renacentista se pone gran interés en conocer la historia nacional. El primero de los Austrias cuenta con cronistas como ALONSO DE SANTA CRUZ, autor de una *Crónica del emperador Carlos V*, y el ya citado PERO MEXÍA, con su *Historia imperial y cesárea*. Lugar aparte ocupa el bufón FRANCESILLO DE ZÚÑIGA, autor de una satírica *Corónica historia*, cuyo estilo esperpéntico preludia el talante de Quevedo.

A la época de Felipe II pertenecen DIEGO HURTADO DE MENDOZA (1503-1575), con su *Historia de la guerra de Granada*, en torno a la rebelión de los moriscos en 1570; JERÓNIMO ZURITA (1512-1580), autor de unos documentados *Anales de la Corona de Aragón*, y AMBROSIO MORALES con su *Crónica*.

El más famoso historiador de este siglo es el jesuita JUAN DE MARIANA (Talavera de la Reina, Toledo, 1535-1624), cuyas obras suscitaron polémica. *Historiæ de rebus Hispaniæ libri XXX* (1592) llega hasta la muerte del Rey Católico. Se muestra severo con los posibles yerros y con todo lo que afea nuestra imagen. Él mismo la tradujo al castellano en 1601 con leves alteraciones.

3.2.3. CRONISTAS DE INDIAS

Las crónicas de Indias son historia, historia profunda, que no se limita a registrar los hechos ocurridos; lo mejor es la información que nos proporcionan sobre temas de tanto interés como las costumbres y caracteres raciales de los indígenas, la constitución geográfica de las nuevas tierras o las curiosidades de una fauna y una flora que dejan anonadados a sus descubridores.

Son historia y son literatura; tienen un incomparable valor estético. En ellas, junto al dato minucioso y científico, se encuentra la expresión subjetiva y apasionada de la experiencia vivida, que se plasma directamente en la creación verbal. Nace así un estilo personal, originalísimo, hecho de mesura, de contención descriptiva y de arrebato y sorpresa, al contemplar realidades ignotas para las que no existen palabras en la lengua propia (de ahí el uso de comparaciones, símiles y analogías con lo conocido en Europa) y al juzgar los comportamientos de los hombres en aquellas inverosímiles aventuras.

A la obra de Cristóbal Colón, que abre el camino (véase 2.5.2), sigue la de otros muchos cronistas, entre los que citaremos a los más relevantes.

A GONZALO FERNÁNDEZ DE OVIEDO (Madrid, 1478-Valladolid, 1557) se debe una pieza clave: la *Historia general y natural de las Indias*, que pasa por ser lo mejor que se ha escrito sobre el tema. Fue el primer cronista oficial y pudo disponer por ello de todos los datos que precisaba.

La primera parte de su obra magna (diecinueve de los cincuenta libros que tendrá en total) se publica en Sevilla en 1535. Antes, movido por el interés que manifestaba el emperador, escribió un avance: *Sumario de la natural historia de las Indias* (1526). La primera edición completa se debe a José Amador de los Ríos, que publica también los manuscritos (1851).

Lo más interesante son los datos que ofrece del mundo natural, cuya exuberancia le causa una profunda impresión. Se ocupa sobre todo de describir y clasificar las especies animales y vegetales, de la forma más ordenada posible. Se declara discípulo de Plinio, aunque a veces discrepa del maestro. Insiste en que lo que quiere es trasmitir su propia experiencia. Está orgulloso de exhibir ante sus contemporáneos las maravillas que tuvo el privilegio de contemplar. Otra faceta destacada es la de etnólogo, que analiza con objetividad las características antropológicas de los pueblos que habitan las tierras descubiertas.

También trata de los avatares de la conquista de las Indias occidentales y de México y del proceso de colonización. Se muestra comprensivo con los conquistadores.

La estructura del libro no responde a un plan previo. El estilo no figura entre las prioridades de Fernández de Oviedo. Lo principal para él es acumular datos de forma clara y sencilla. Es, en todo caso, obra que se lee con sumo gusto y que prende al lector interesado.

El más polémico de nuestros cronistas de Indias es el dominico FRAY BARTOLOMÉ DE LAS CASAS (Sevilla, h. 1474-Madrid, 1566), que dedica sus vehementes escritos a defender al indio y atacar a los conquistadores, a los que responsabiliza de su aniquilación. Su denuncia apasionada halla eco en la corona y logra que sus propuestas sean tenidas en cuenta en las *Leyes nuevas de Indias*, promulgadas en 1542-1543.

A raíz de la celebración en Valladolid en 1550-1551 de una Junta convocada por Carlos V para dirimir la justicia o injusticia de la campaña americana, Las Casas entabla una áspera polémica con el humanista Juan Ginés de Sepúlveda, cronista del emperador, que en su *Apología* argumenta en favor del derecho a someter por la fuerza a los indios para cristianizarlos, actitud que queda legitimada por su naturaleza bárbara y por la necesidad de oponerse a la idolatría, los sacrificios humanos y la antropofagia. El dominico refuta todos sus razonamientos y se muestra partidario de una conversión pacífica.

Su primera obra es *Apologética historia de las gentes de estas Indias*, que informa sobre la conquista y describe a los indígenas de forma idealizada. Permaneció inédita, pero su contenido se difundió al utilizarla el autor en sus diatribas con Sepúlveda. No se publicaría hasta 1909.

La que levantó más polvareda por sus violentas acusaciones fue *Brevísima relación de la destrucción de las Indias*, dirigida al príncipe Felipe para que pusiera fin a tantos desmanes. Empezó a redactarla en torno a 1542, pero no vio la luz hasta 1552. Se ocupa de la primera etapa de la conquista. Muestra las bondades naturales de las tierras descubiertas y sus moradores y, como contrapunto, la crueldad de los españoles, al tiempo que denuncia el incumplimiento de las leyes. Fue obra muy difundida que tuvo una inmediata repercusión en la Europa de su tiempo.

El proyecto de más envergadura es una gigantesca *Historia general de las Indias*, en la que trabaja durante treinta y cinco años (desde 1527), sirviéndose de una amplísima documentación de muy diversa procedencia que llega a desbordarlo. El resultado es un libro un tanto caótico que abarca desde el descubrimiento al año 1520, en el que sale al paso de lo que afirman otros cronistas para dar a conocer lo que él considera la verdad; se enfrenta en particular al *Sumario* y la *Historia* de Gonzalo Fernández de Oviedo. Su alambicada prosa, elocuente y llena de vigor, trata de ganar a los lectores para su causa. No difiere demasiado de sus alegatos apologéticos. Dejó dispuesto que no se diera a conocer hasta cuarenta años después de su muerte, para que hubiera suficiente perspectiva al juzgar los hechos; se publicó en torno a 1599.

Para conocer lo relativo a las tierras mexicanas contamos con el testimonio de los conquistadores y de los religiosos

136

que se interesaron por la vida, costumbres y ritos de los indígenas.

HERNÁN CORTÉS (Medellín, Badajoz, 1485-Castilleja de la Cuesta, Sevilla, 1547) plasma sus hazañas en cinco extensas *Cartas de relación* que escribe entre 1519 y 1526. Van dirigidas al emperador para informarle puntualmente de lo acontecido; con ellas se inicia la abundantísima bibliografía sobre la conquista de México. Empieza hablando de los hechos que acaecieron desde su salida de Cuba hasta la fundación de la ciudad de Veracruz y remata con el relato de la expedición a Honduras para reprimir la rebelión de Cristóbal de Olid.

Hasta el siglo pasado solo se conocían tres de las cartas: la segunda (1522), la tercera (1523) y la cuarta (1525), que despertaron gran interés y se tradujeron al latín, al inglés y al alemán. Las otras dos fueron publicadas en 1844 por Martín Fernández de Navarrete, después de que el inglés William Patterson encontrara la primera.

Cortés ofrece, con todo lujo de detalles, su experiencia de observador, profundamente atraído por el mundo mexicano, al que no escatima las muestras de admiración. Más que del marco natural, que tanto atrae a otros cronistas, se ocupa de la organización social y las costumbres, muy distintas de las que había conocido en sus primeras andanzas por Santo Domingo y Cuba. Aborda asuntos de carácter político y legal, ya que intuye la importancia de la empresa que acomete. Le importa mucho justificar sus actos y explicar las razones que los han motivado.

Es un escritor ameno, de prosa fluida y suelta, a pesar de su tendencia al uso de construcciones subordinadas e incisos, dado su afán de argumentación. Se suele comparar estas *Cartas* con los *Comentarios* de César, en los que se han señalado coincidencias estilísticas; quizá los leyera en sus años de estudiante en Salamanca.

FRANCISCO LÓPEZ DE GÓMARA (Gómara, Soria, 1511-1559) es autor de una obra dividida en dos partes: *Historia de las Indias* y *Conquista de México* (1552); al año siguiente se reedita en Medina del Campo con el título de *Hispania victrix*. No tuvo un conocimiento directo de los hechos, sino a través de los relatos de Hernán Cortés, de quien fue capellán cuando volvió a España, y de varios testigos. Gana a otros en erudición y su prosa tiene valores muy apreciables, pero le falta la fuerza de lo vivido. Se muestra parcial al considerar a Cortés como factótum de la empresa.

Como réplica a la *Hispania victrix*, BERNAL DÍAZ DEL CASTILLO (Medina del Campo, Valladolid, h. 1495-Guatemala, 1584) escribe su *Historia verdadera de la conquista de Nueva España*, para hacer justicia a los que acompañaron a Cortés, entre los que se contaba él mismo. Narra todo lo ocurrido desde su llegada a Cuba en la expedición de Pedrarias Dávila hasta la conquista de México y la expedición a Honduras, en la que también intervino junto al extremeño.

Lo cierto es que empezó a redactar su obra en 1551, antes de que se publicara la de López de Gómara; a la vista de esta, amplió su proyecto inicial. Conocía perfectamente los avatares de la conquista mexicana porque había participado en las tres expediciones. Su edad era ya muy avanzada cuando decidió trasladar sus recuerdos al papel.

Dedica su atención a una serie de compañeros que, a no ser por su libro, quedarían sepultados en el olvido. Su afán de reivindicar la importancia de los actores secundarios no le impide reconocer las extraordinarias capacidades de Cortés. Nos ofrece de él un retrato más completo y matizado, sin caer en la idealización de su predecesor. Asimismo le interesa mucho la figura de Moctezuma. En todo momento se muestra orgulloso de haber intervenido en tan singular hazaña. Por eso no es de extrañar que polemizara con el padre Las Casas, cuyos ataques a los conquistadores consideraba totalmente injustificados.

El máximo valor de la *Historia verdadera* está en la sinceridad de que hace gala el cronista, en una prosa dura, sin concesiones a la retórica, pero muy expresiva y ágil, de frase corta. Es una obra de aliento épico, en la que hay también reminiscencias de las novelas de caballerías, en particular del *Amadís*, que Díaz del Castillo leía mientras luchaba contra los indios. De ahí que la magia y la fantasía irrumpan en la descripción de la realidad.

Francisco Cervantes de Salazar (Toledo, 1513?-México, 1575) es autor de una *Crónica de la conquista de la Nueva España*, que no se encontró hasta 1914.

Los monjes dirigieron su atención hacia los aspectos religiosos y antropológicos.

Fray Toribio de Benavente, Motolinía (Paredes, Zamora, 1490-México, 1569), franciscano, pasó gran parte de su vida en México y Guatemala, dedicado a la evangelización de los indios. Participó en las polémicas de su época, frente a las tesis de Las Casas. Entre sus obras se cuentan doce cartas, algunas dirigidas al emperador, numerosos opúsculos menores y unos *Memoriales o capítulos sueltos sobre la vida, costumbres, ritos e idolatrías*, que se extractó en una *Historia de los indios de la Nueva España*, conservada en varios manuscritos hasta su publicación en México (1848). En una «epístola prohemial» y tres capítulos se describe y se intenta explicar y comprender la religión de los nativos.

Fray Bernardino Ribeira (Sahagún, León, 1499-Madrid, 1590), franciscano, pasó a México, donde aprendió náhuatl como instrumento para la evangelización. Escribió una *Historia general de las cosas de la Nueva España*, impresa por vez primera en México en 1830, dedicada a describir los ritos y creencias de los indígenas.

Diego de Landa Calderón (Cifuentes, Guadalajara, 1524-Mérida, México, 1579), también franciscano, es autor de una *Relación de las cosas de Yucatán*, publicada en París en 1864, que registra la vida y civilización de los mayas. Recurre al testimonio de los propios indígenas. Su obra constituye el primer tratado sobre ese mundo fascinante.

Otros religiosos que se dedican a estas tareas son Fray Diego Durán (*Libro de los ritos y ceremonias, Historia de las Indias de Nueva España...*) y Fray Andrés de Olmos, autor de la primera gramática náhuatl (*Arte para aprender la lengua mexicana*) y de un perdido *Tratado de antigüedades mexicanas*.

La conquista del Perú y del imperio de los Incas y la exploración del Amazonas también despertaron el interés de los cronistas.

FRANCISCO LÓPEZ DE JEREZ (1497-1565?) escribió la *Verdadera relación de la conquista del Perú* (1534), en la que defiende las actuaciones militares y políticas de los Pizarro y sus españoles frente a un mundo indígena en descomposición. Su planteamiento maniqueo no es obstáculo para que la obra contenga datos valiosos y abundantes sobre el entorno y los hechos narrados, que se plasman en una prosa eficaz y correcta.

PEDRO CIEZA DE LEÓN, (Sevilla?, 1518?-1554) participó en las guerras civiles del Perú, en las que se vio obligado a servir en los dos bandos. Nombrado cronista de Indias, redactó una *Crónica del Perú*. La primera parte se publicó en Sevilla (1553). Las restantes permanecieron inéditas hasta el siglo pasado, momento en que diversos eruditos las dieron a conocer. En esta obra describe el mundo natural y físico (I), cuenta la historia y comenta la organización social de los incas (II), el proceso de descubrimiento y conquista (III) y las guerras civiles, con una dramática pintura de las batallas y enfrentamientos (IV). Va ajustando su estilo a la materia tratada, pero guiado siempre por el deseo de claridad, precisión y equilibrio en la dicción.

Otras crónicas de la conquista del Perú son la de AGUSTÍN DE ZÁRATE (*Historia del descubrimiento y conquista del Perú*, 1555) y DIEGO DE TRUJILLO (*Relación*).

JOSÉ ACOSTA (Medina del Campo, 1539-Salamanca, 1600) es un jesuita que desempeñó su labor religiosa en Lima y Cuzco. Buena parte de su obra está escrita en latín: *De procuranda indorum salutem, De natura Novi Orbis*. En español compuso una *Historia natural y moral de las Indias* (1590), continuación de lo publicado en *De natura...* Su tratado tiene interesantes capítulos en que describe e intenta explicar los fenómenos naturales (fauna, flora, geografía física) desconocidos en Europa. La crítica ha resaltado siempre el espíritu científico de Acosta.

140

Las expediciones desde los Andes hacia el Atlántico contaron con las crónicas de FRAY GASPAR DE CARVAJAL, autor de una *Relación del nuevo descubrimiento del famoso río grande de las Amazonas*, y FRANCISCO VÁZQUEZ, soldado de Pedro de Ursúa que vive la sublevación de Lope de Aguirre y la relata en *El Dorado*.

Consideración aparte merece ÁLVAR NÚÑEZ CABEZA DE VACA (Jerez de la Frontera?, 1507?-Sevilla, 1559?), que recorrió buena parte de América. Nos ha dejado noticia en sus *Naufragios* (1555) de los terribles avatares que vivió en la península de Florida entre 1527 y 1537, al alistarse en la expedición de Pánfilo de Narváez. Además de su peripecia personal, que no tiene nada que envidiar a cualquier ficción, interesan las descripciones de las tribus indígenas.

A pesar de las penalidades sufridas en su primera experiencia, vuelve a embarcar hacia Paraguay y ofrece una nueva entrega en los *Comentarios*, en torno a la conquista de la región del Río de la Plata, en la que fue gobernador. Se encarga de redactarlos, bajo su directa supervisión, su secretario PERO HERNÁNDEZ; se publican en 1555 conjuntamente con la obra anterior. El autor proporciona abundantes datos sobre las tierras que encuentra a su paso. Dedica mucha atención a las costumbres de los indígenas, entre las que se incluyen las prácticas antropofágicas. Asimismo denuncia los abusos de los conquistadores y trata minuciosamente del tipo de embarciones que empleaban.

Interesante fue también la labor de naturalistas como FRANCISCO HERNÁNDEZ (La Puebla de Montalbán, Toledo, 1517-Madrid, 1578), traductor de Plinio y encargado por Felipe II de describir la flora del Nuevo Mundo, cosa que hizo en latín: *Rerum mediarum Novæ Hispaniæ thesaurus*, y JUAN DE CÁRDENAS (Constantina, Sevilla, 1563), que se trasladó a México siendo niño. Allí compuso *Problemas y secretos maravillosos de las Indias* (1591).

3.3. LA NOVELA. *LAZARILLO DE TORMES*

No es de extrañar que sea en esta época cuando alcanza su mayoría de edad la novela, género burgués por excelencia. A la par que se mantienen vivas algunas modalidades procedentes del pasado, como el libro de caballerías y la novela sentimental, reflejo de un mundo llamado a desaparecer, irrumpen con fuerza otras nuevas.

3.3.1. LA HERENCIA DE *LA CELESTINA*: *LA LOZANA ANDALUZA*

La obra de Rojas dejará amplia sucesión en el llamado *género celestinesco*. Son piezas escritas en prosa, a medio camino entre la narrativa y el drama. Igual que el modelo, presentan lances de amores desvergonzados que se llevan a cabo con la ayuda de los criados y de una alcahueta. Pero carecen de la intensidad trágica de *La Celestina*. Se limitan a reproducir una fórmula preexistente, de la que toman lo más superficial y mostrenco. El lenguaje, aunque incluye giros populares, deriva con frecuencia hacia lo retórico y altisonante.

De ambiente realista y tono descarnado, ofrecen una amplia galería de tipos humanos, estrechamente emparentados con la picaresca. Tienen buenas dosis de pintoresquismo. El desenfado de las escenas eróticas y la crítica de la vida inmoral del clero explican la decadencia del género en la segunda mitad del siglo, cuando la Inquisición actúa con más fuerza en estos casos.

Figuran en primer término las tres *Celestinas*: *Segunda comedia de la Celestina* (1534) de FELICIANO DE SILVA, *Tercera parte de la tragicomedia de Celestina* (1536) de GASPAR GÓMEZ DE TOLEDO y *Tragicomedia de Lisandro y Roselia, llamada «Elicia» y por otro nombre cuarta obra y tercera Celestina* (1542) de SANCHO DE MUÑINO. También forman parte de esta serie la *Comedia Tesorina* y la *Comedia Vidriana* de JAIME DE HUETE, publicadas entre 1528 y 1535; la *Co-*

media Tebaida, la *Comedia Hipólita* y la *Comedia Serafina*, anónimas las tres, que aparecen juntas en Valencia en 1521; el *Auto de Clarindo* (h. 1535) y la *Tragedia Policiana* (1547), también anónimas; la *Comedia Tidea* (1550) DE FRANCISCO DE LAS NATAS, la *Comedia Pródiga* (1554) de LUIS DE MIRANDA...

Muy próxima al género celestinesco está *La lozana andaluza*, novela dialogada de FRANCISCO DELICADO (Peña de Martos, Jaén, 1480?-Venecia, h. 1534), un clérigo de sólida formación, posiblemente de origen converso. Se cree que se marchó a Roma a raíz de la expulsión de los judíos. Del contenido de su obra puede deducirse fácilmente cuáles serían allí sus andanzas.

Se publica en Venecia en 1528, pero ya estaba escrita desde mucho antes. El autor la corrige luego y añade las profecías sobre el saco de Roma de 1527. Este suceso, visto como castigo de la providencia, da lugar a que al final se acentúe la prédica moralizante.

Se considera precedente de la picaresca; en el criado Rampín se ha visto un anticipo del pícaro. Con la exuberante vitalidad de la Roma renacentista como telón de fondo, desarrolla la peripecia de una hermosa e inteligente cordobesa que sabe explotar sus encantos para alcanzar una buena posición. Se habla de sus orígenes —naturalmente, deshonrosos—, de sus habilidades para preparar afeites y ungüentos, de su oficio de prostituta primero y de alcahueta después..., hasta que, escapando del castigo que Dios envía a la ciudad, termina sus días «santamente» en la isla de Lípari, en compañía de su fiel Rampín.

La obra, que refleja el nuevo sistema de valores del Renacimiento, nos ofrece un rico retablo del mundo prostibulario. Insiste mucho el autor en que está sacada directamente de la realidad. Todo lo domina la corrupción moral y el culto a los placeres, pero se deja sentir la amenaza del castigo.

Interesa especialmente la frescura del lenguaje, con sus abundantes expresiones de argó. Sin el menor pudor, se alude constantemente a las prácticas sexuales, recurriendo a atrevidas metáforas y eufemismos. El texto se ha mantenido vivo hasta el presente. Rafael Alberti ofrece en 1963 una versión teatral que, a pesar de las muchas habilidades del poeta, no logra superar la vitalidad del original.

3.3.2. GÉNEROS DE ÉXITO

Una novedad que está muy en boga en la segunda mitad del siglo es la novela pastoril, importada tardíamente de Italia, que viene a tomar el relevo al ya declinante libro de caballerías. Si en aquel domina la aventura, en esta lo esencial es el análisis del sentimiento amoroso. Frente al ritmo acelerado, el *tempo lento*; frente a la acción externa, el mundo interior.

Lo mismo que la égloga garcilasiana, se inscribe en la tradición bucólica heredada de Virgilio, y cuenta con modelos italianos como el *Ninfale d'Ameto* de Boccaccio y la *Arcadia* de Sannazaro.

Los enamorados adoptan el hábito de pastores, que viven absortos en sus propias vivencias, en estrecha comunión con la naturaleza. Intimismo y paisaje son factores esenciales e indisolublemente unidos. El estilo es afectado y la sintaxis latinizante. Se trata de un género demasiado convencional, inverosímil en su refinamiento, que, por eso mismo, resulta menos vivo y expresivo. Aun así, gozó de gran aceptación entre los lectores, que sin duda apreciaban la elegancia y distinción del relato y su suave melancolía. Aunque se acoge a la tradición del amor platónico, lejos de la malsana concupiscencia, provocó la inquina de los moralistas, que no veían con buenos ojos esa morosa delectación en la afectividad.

El portugués BERNARDIM RIBEIRO da los primeros pasos con *Menina e moça*, a medio camino entre el mundo caballeresco y el bucólico. Pero el despegue definitivo se debe a su compatriota JORGE DE MONTEMAYOR (Montemor-o-Velho, h. 1520-Piamonte, 1561?), muy aficionado a la música, autor de *Los siete libros de la Diana* (1558-1559). Como es preceptivo, desarrolla una historia de amores contrariados, rodeada de otras análogas. Es una obra dispersa. Las calidades de la prosa son muy superiores a las de los versos que se mezclan con ella; aun así, el estilo resulta desigual.

En medio de la nutrida descendencia de la *Diana*, adquiere particular relieve, e incluso llega a superarla en algunos aspectos, la *Diana enamorada* (1564) de GASPAR GIL POLO (Valencia, 1529?-Barcelona, 1591?). Quiere ser continuación del relato de Montemayor.

En fechas posteriores, cuando el género está ya en declive, encontramos muestras como *El pastor Fílida* (1582) de LUIS GÁLVEZ DE MONTALVO, la *Galatea* (1585) de MIGUEL DE CERVANTES y la *Arcadia* (1598) de LOPE DE VEGA.

También se popularizaron relatos ambientados en la España musulmana que para algunos constituyen un género independiente: la novela morisca. Está representada por *Historia del Abencerraje Abindarráez y de la hermosa Jarifa*, obra anónima, y por *Guerras civiles de Granada* (dos partes: 1595 y 1619) de GINÉS PÉREZ DE HITA, de tonalidades coloristas, con romances intercalados.

Por otra parte, se despierta la afición por el relato breve que sirve de entretenimiento, con modelos tan ilustres como los italianos Boccaccio, Giraldi Cinthio, Bandello, Straparola y Sachetti. Toma la delantera en este campo JUAN TIMONEDA (Valencia, h. 1520-1583). No es propiamente un creador ya que se limita a recopilar obras ajenas, generalmente de procedencia italiana, y a reunirlas en colecciones: *Sobremesa y Alivio de caminantes* (1563), *Buen aviso y Portacuentos* (1564) y *El Patrañuelo* (1567).

3.3.3. ORIGEN Y RASGOS DE LA NOVELA PICARESCA

Suele considerarse que la publicación del *Lazarillo de Tormes* en 1554 inicia uno de los géneros más representativos de nuestra literatura del Siglo de Oro: la novela picaresca. Sin embargo, las diferencias abismales que median incluso entre esta primera muestra y la más inmediata, *Guzmán de Alfara*

(1599 y 1604) de Mateo Alemán, han llevado a algunos estudiosos, como Alexander A. Parker, a negar la conexión entre el *Lazarillo* y sus sucesoras barrocas. Otros, con Fernando Lázaro Carreter a la cabeza, proclaman, a pesar de los pesares, la existencia de una serie de rasgos comunes que definen al conjunto. Creemos que no hay duda de que el *Lazarillo* está en el origen del género, aunque no se pueden ignorar las enormes diferencias de concepción que la separan del resto.

Las características que pueden aislarse son las siguientes:

FORMA AUTOBIOGRÁFICA. Salvo raras excepciones, siempre es el protagonista quien nos cuenta sus propias andanzas. Frente al héroe idealizado del libro de caballerías, aparece aquí un antihéroe que ha de luchar por la subsistencia, cuyas miserias no tienen otro biógrafo que él mismo. De este modo, todo el relato está enfocado desde un único punto de vista: el del pícaro, que nos da su versión particular, unilateral, de los hechos. Cuando llega a la madurez o a la vejez, vuelve la mirada atrás para contarnos su historia a la luz de la experiencia adquirida. La autobiografía es como el objetivo de una cámara cinematográfica, que enmarca y determina el ángulo de visión, impidiendo un «diálogo real» entre las fuerzas que intervienen en la acción novelesca.

ORÍGENES DESHONROSOS. El protagonista aparece como víctima inocente de faltas que él no ha cometido. Sus padres pertenecen a los estratos más bajos de la sociedad y son casi siempre ladrones, brujas, prostitutas... Sobre el pícaro pesa una herencia nefasta, un pecado original. Desde el primer momento nos habla de estos antecedentes familiares para justificar su conducta.

SÁTIRA SOCIAL. La picaresca presenta la cara negra de una sociedad en la que el protagonista se siente marginado. Su condición de mozo de muchos amos le permite acceder a la intimidad de individuos pertenecientes a los estamentos más representativos y mostrarnos su mezquindad y bajeza. El carácter itinerante del relato —el pícaro se desplaza sin parar de un sitio a otro— amplía el abanico de posibilidades

146

y facilita la crítica. En el *Lazarillo* es más irónica que amarga, pero las novelas posteriores derivan hacia una sátira mucho más desgarrada.

INTENCIÓN MORALIZANTE. En la picaresca se juega con un doble plano: el pecador arrepentido narra desde el presente su vida anterior. Así se salva la contradicción entre las malas acciones que comete y los comentarios edificantes que hace a cada paso; unas y otros pertenecen a secuencias temporales distintas. Ese cambio de actitud es esencial para la acción moralizante de la novela.

ESTRUCTURA ABIERTA. La figura del pícaro es lo único que da coherencia al relato. Este se compone de una serie de escenas aisladas en las que intervienen personajes diversos y que se desarrollan en distintos puntos geográficos. Solo quedan engarzadas por la presencia del protagonista. Son obras que pueden prolongarse o acortarse a voluntad; siempre es posible intercalar una nueva aventura o, por el contrario, suprimirla.

PERSONALIDAD DEL PÍCARO. Son factores esenciales la astucia y el ingenio, que le permiten sobrevivir en circunstancias tan adversas. En los sucesores de Lázaro se acentúan los rasgos negativos. Muchos de ellos son ladrones, tramposos, amigos de tretas y engaños..., pero rara vez llegan al homicidio; el propósito ejemplarizante del género impone sus límites. A pesar de que el pícaro es un marginado que mira a la colectividad con desprecio e ironía, aspira a un ascenso social que invariablemente se le niega.

3.3.4. *LAZARILLO DE TORMES*

FECHA DE COMPOSICIÓN Y PRIMERAS EDICIONES. Una de las muchas incógnitas que presenta *La vida de Lazarillo de Tormes, y de sus fortunas y adversidades* es la de su fecha de composición. Los intentos de determinarla se han apoyado en las referencias históricas que contiene, pero no resultan suficientemente claras. Partiendo de las alusiones a la expedición de los Gelves y a las cortes celebradas en Toledo, unos defienden una datación temprana, en torno a 1525, mientras que otros creen que se escribió poco antes de su impresión. Predomina el segundo criterio, con valedores tan ilustres como Marcel Bataillon (que se retractó de su postura anterior), Francisco Rico y Alberto Blecua. No faltan otras propuestas, como la de José Caso González, que habla de la posibilidad de que la obra de 1554 sea reelaboración de un texto anterior. Rosa Navarro Durán ha aportado muchas y buenas razones para avalar una datación temprana (entre 1529 y 1531) de la obra.

Tampoco la fecha de impresión se ha podido fijar con absoluta certeza. Hasta hace poco se conocían tres ediciones fechadas en 1554, que presentan muchas variantes entre sí: las de Alcalá de Henares, Burgos y Amberes. A ellas hay que añadir otra, descubierta en 1992, de Medina del Campo, también de 1554. Se sabe de la existencia de una edición anterior perdida, de la que derivan la de Burgos y la de Medina; de ella procedería otra igualmente perdida, de la que parten las de Alcalá y Amberes. Navarro Durán ha expuesto una documentada hipótesis sobre una estampa anterior (probablemente italiana), uno de cuyos ejemplares, al que se arrancó un folio prologal, sería la fuente de los impresos conservados. En 1555 la obra se publica de nuevo, pero, al ser incluida en 1559 en el *Índice de libros prohibidos* de la Inquisición, no vuelve a editarse hasta 1573.

EL AUTOR. El problema de la autoría está también sin resolver. Se ha atribuido a fray Juan de Ortega, general de la orden de san Jerónimo, al poeta Diego Hurtado de Mendoza, a Sebastián de Horozco y a Juan de Valdés. La atribución que más prosperó fue la de Hurtado de Mendoza, apoyada por Tomás Tamayo de Vargas y Nicolás Antonio, eruditos del siglo XVII; no es raro encontrar ediciones decimonónicas en las que figura su nombre. Navarro Durán ha publicado interesantes estudios a favor de la autoría de Alfonso de Valdés.

Américo Castro cree que el autor debió de ser un converso, ya que el planteamiento crítico de la novela parece propio de una actitud de oposición. También se ha dicho que debía de estar ligado a los círculos erasmistas, por sus ataques contra las malas costumbres y la falta de caridad del clero.

ESTRUCTURA Y CONTENIDO. Ya en el prólogo se anuncia que se trata de un relato autobiográfico en forma de carta, en el que el protagonista, desde el momento presente, cuando está casado y es pregonero de vinos en Toledo, va a contar su vida anterior. Toda la acción es, por tanto, retrospectiva.

En opinión de Francisco Rico, la estructura de la obra está supeditada al famoso «caso» a que se alude en el prólogo, de cuyos detalles quiere enterarse la persona desconocida a la que Lázaro dirige su carta. Este «caso» no es otro que la deshonra del protagonista por las relaciones existentes entre su mujer y el arcipreste de San Salvador, que lo ha empujado al matrimonio. Todo lo que cuenta conduciría a un fin: justificar ese último episodio, cuando, paradójicamente, dice haber llegado a «la cumbre de toda buena fortuna». Pero Víctor García de la Concha considera que es demasiada historia para algo tan insignificante. Afirma que el caso de que se habla es el conjunto de la vida de Lázaro, no una experiencia concreta. Después de conocer sus míseras andanzas, no puede extrañarnos que se muestre satisfecho de haber mejorado de posición, aunque sea a costa de la propia honra.

El *Lazarillo* se compone de un prólogo y siete tratados de muy desigual extensión. La mayor parte de la obra recoge las aventuras que el protagonista vive entre los doce y los catorce años, que constituyen el fundamento de su personalidad y la justificación de su trayectoria vital.

Los tres primeros capítulos, en los que sirve a un ciego, a un cura y a un escudero muerto de hambre, son mucho más extensos y se recrean en todo tipo de detalles. Su estructura está bien trabada y en ellos se da un clímax ascendente: cada uno de sus amos le hace pasar más hambre que el anterior. A partir de aquí, se rompe la unidad. El cuarto y el sexto contrastan bruscamente por su brevedad y esquematismo. En pocas palabras se resumen cinco años de la vida del personaje. El desenlace en el séptimo es también muy rápido. El capítulo quinto, en el que asistimos a los fraudulentos manejos del buldero, es un elemento intermedio; Lázaro deja de ser protagonista para convertirse en narrador de las escenas que contempla. Probablemente ese desfase se deba a que los nuevos episodios no aportan nada esencial a la evolución psicológica del protagonista; se ha consumado ya el proceso de aprendizaje.

REALISMO Y FOLCLORE. Es frecuente hablar del realismo del *Lazarillo de Tormes*, cuya finalidad sería ofrecer un fiel reflejo de la sociedad de su tiempo. No hay, por otra parte, lances inverosímiles; todo está perfectamente justificado y se ofrecen detalles muy precisos. Sin embargo, sabemos que muchos pasajes no se inspiran en la vida real, sino que refunden motivos literarios. Cabe preguntarse hasta qué punto se puede hablar de realismo en una obra que aprovecha toda clase de motivos folclóricos, tanto en la caracterización de los personajes como en las peripecias argumentales. El mismo tipo del Lazarillo cuenta con una larga tradición literaria.

Se puede concluir que estamos ante una variante de novela realista que no se ajusta a los moldes del realismo decimonónico y que solo puede ser considerada como tal en la medida en que se contrapone a los géneros no realistas. Lo que sí hace es situar a los personajes en un marco real y dotar al relato de tal coherencia y verosimilitud que parece la reconstrucción de una historia vivida.

Aunque el autor se sirve de fuentes tradicionales, no hay duda de que la elaboración artística es suya. Con unos contenidos heredados crea una estructura completamente nueva y original.

CARACTERIZACIÓN DE LOS PERSONAJES. Lázaro, que desde un principio se nos muestra poseedor de grandes dotes de observación, irá aguzando su ingenio y discurriendo las tretas necesarias para poder sobrevivir. No es un pícaro maleado, sino un pobre muchacho que no tiene más medios que su propia inteligencia. Incluso es capaz de sentir compasión por

150

uno de sus amos, el hidalgo, que une a su miseria la obligación de fingir de cara a la galería.

Como todos los pícaros, aspira al ascenso social y a salir del estado en que se encuentra. Se le presenta la ocasión y él la aprovecha. Se nos revela así como un hombre práctico, insensible al qué dirán. No le interesan las apariencias mundanas, como se pone de manifiesto en la aceptación de la deshonra final y en las críticas que hace de la actitud del hidalgo. Pero sí le importa la dignidad personal. Cuenta su vida para justificar su situación, para demostrar que ha subido desde la nada.

A diferencia del protagonista, los demás personajes reciben un tratamiento esquemático, exclusivamente caricaturesco. Son criaturas planas, sin evolución, de las que conocemos un solo rasgo: el que Lázaro quiere destacar desde su punto de vista personal. Su caracterización está supeditada a la intención satírica de la obra.

LENGUA Y ESTILO. Teniendo en cuenta que es el propio Lázaro quien toma la palabra, resulta plenamente acertado el uso de un lenguaje coloquial, lleno de expresiones populares, de refranes y modismos, que imita el habla cotidiana de la época, incluso los descuidos e incorrecciones (cacofonías, anacolutos). Sin duda, lo más artificioso ha sido dar a la obra esa apariencia de sencillez que tan bien cuadra con la humilde condición de su protagonista.

El autor se acoge a las leyes del decoro: los personajes se comportan y hablan de acuerdo con su estado social, origen y educación. Sin embargo, el narrador-protagonista utiliza también vocablos y giros cultos, construye frases complejas y se sirve de recursos retóricos cuidadosamente dispuestos: polisíndetos, metáforas, símiles, paradojas, antítesis, paralelismos... El autor debía de ser una persona relativamente culta, como lo demuestran también algunas alusiones a las Sagradas Escrituras y a los clásicos (Plinio, Cicerón, Ovidio) que se recogen a lo largo de la novela. Quede claro que esta erudición jamás traspasa los límites de lo conveniente ni desentona con la sencillez del conjunto.

VALOR Y SENTIDO. La lectura del libro deja abierto un interrogante acerca de cuál es la postura que adopta el autor. El final no puede ser más ambiguo. ¿Qué sucede? ¿El novelista hace un desplante a la sociedad demostrando que las ideas que la rigen son ridículas ya que pretende exigir que se preocupe de la honra mundana un individuo que ni siquiera tiene para comer? ¿O bien se ríe de Lázaro cordialmente? Está claro que la respuesta depende de quién sea el autor y de su situación personal. Quizá se dé a un tiempo un desplante a la sociedad y una actitud irónica respecto al personaje que preconiza una nueva forma de vida.

Se ha señalado unánimemente su actitud crítica en relación con la iglesia y sus ministros, cuya falta de caridad y mezquino materialismo figura en primer plano, motivo por el que se le ha vinculado a las esferas erasmistas. Cinco son los personajes a través de los cuales se encauza, aunque con muy distinta intensidad, la sátira antieclesiástica: el clérigo avaro, reducido a la condición de pura caricatura; el fraile de la Merced, el capellán y el arcipreste de San Salvador, de quienes se nos dicen muy pocas cosas, y el buldero, un farsante que no vacila en traicionar la buena fe de la gente sencilla, con tal de obtener beneficios. Es este un episodio clave que permite deducir que, si pueden producirse situaciones de ese tipo, es porque la iglesia ha fomentado prácticas vanas y creencias superficiales. Resulta evidente que el tema religioso no surge por azar sino con la intención de ahondar en él y dar pie a la sátira.

3.4. LA POESÍA DEL PRIMER RENACIMIENTO

3.4.1. PANORAMA GENERAL

Aunque generalmente la lírica española del XVI se identifica con las formas italianas introducidas por Juan Boscán y Garcilaso de la Vega, lo cierto es que estas no se difunden hasta la segunda mitad de la centuria, ya que su obra se publica, póstuma, en 1543. Mientras tanto —e incluso después— perduran las tendencias procedentes de la etapa anterior.

La poesía cortesana en metro castellano llegará hasta los poetas italianistas. No desaparecerá con la incorporación del petrarquismo. La obra de Boscán se mueve en las coordenadas que fijan los poetas de cancionero. Incluso Garcilaso tiene algunos versos dentro de esta corriente. Sus seguidores (Diego Hurtado de Mendoza, Gregorio Silvestre, Hernando de Acuña) componen redondillas, coplas de pie quebrado y estrofas octosilábicas.

Enfrentado a las nuevas tendencias, CRISTÓBAL DE CASTILLEJO (Ciudad Rodrigo, Salamanca, 1490?-Viena, h. 1550) es el principal continuador de la lírica cortesana. Su metro preferido es el octosílabo, en cuyo manejo muestra gran destreza. La primera edición de sus *Obras* data de 1573. De ella procede la triple clasificación de sus versos: obras de amores, con poemas de cancionero, romances, villancicos, canciones y glosas de carácter popular y versiones de Ovidio (*Historia de Píramo y Tisbe, Canto a Polifemo*); obras de diversión y pasatiempo: *Diálogo de las condiciones de las mujeres*, inscrito en la tradición misógina, *Diálogo entre el autor y su pluma*..., y obras morales y de devoción: *Diálogo entre la Memoria y el Olvido, Diálogo y discurso de la vida de la corte...*

Los poetas cultos mantienen su afición por la lírica tradicional y el romancero. Ya hemos visto (2.4) que pertenecen a este periodo algunas de las recopilaciones más importantes.

Se desarrolla también la lírica religiosa. Hay una vasta floración de cancioncillas tradicionales y poemas cortesanos vueltos a lo divino, es decir, adaptados para tratar temas piadosos. De 1549 data un *Cancionero espiritual* publicado en Valladolid.

3.4.2. LA INTRODUCCIÓN DE LAS FORMAS ITALIANAS: JUAN BOSCÁN

Los modelos italianos habían atraído a los poetas españoles desde el siglo XV (recuérdese el caso del marqués de Santillana), pero es en el XVI cuando se aclimatan definitivamente, gracias al impulso de Boscán y Garcilaso. El primero cuenta en su *Carta a la duquesa de Soma* cómo se animó a probar fortuna tras su encuentro en Granada en 1526 con el embajador de Venecia Andrea Navagero, que le exhortó a que lo hiciese.

La incorporación del endecasílabo y sus combinaciones estróficas (sonetos, tercetos, liras, octavas, silvas, estancias...) supone una inmensa renovación técnica. El pesado verso de arte mayor queda arrumbado y el ligero octosílabo se reserva para las composiciones populares. Junto con los esquemas métricos, se introducen otros elementos esenciales de la estética italiana, como son el sentimiento de la naturaleza, que sirve de marco y realce a la poesía amorosa, la expresión íntima y delicada de los afectos y el gusto por los temas mitológicos puestos en relación con el sentir del autor. El modelo supremo es, sin duda, Francesco Petrarca. Está presente también la huella del gran poeta latino Virgilio.

Juan Boscán nace en Barcelona entre 1487 y 1492, en el seno de una familia de la aristocracia comercial. Se mueve en los círculos cortesanos; es desde muy joven ayo del futuro duque de Alba, don Fernando. Conoce a Garcilaso en la corte de Carlos I y le une a él una estrecha amistad. Recibe una rigurosa formación humanística, bajo el magisterio de Lucio Marineo Sículo. Desde que se casa con Ana Girón de Rebolledo lleva una vida tranquila en su ciudad natal, donde muere en 1542.

El propio poeta prepara la edición de sus obras, que saldrán a la luz, póstumamente, en marzo de 1543.

Sus composiciones aparecen distribuidas en tres libros. El primero, con las más tempranas, contiene poemas de cancionero en octosílabos, en los que hallamos las sutilezas de rigor en la lírica cortesana. El segundo recoge la poesía italianista, con un total de noventa y dos sonetos y diez canciones. En el tercero se incluyen la *Epístola a Mendoza*, en tercetos, en la que, siguiendo el modelo de Horacio, trasmite a su amigo el poeta Diego Hurtado de Mendoza las impresiones de su apacible vida familiar; la *Octava rima*, poema alegórico inspirado en Bembo, y la *Historia de Hero y Leandro*, que recrea en verso libre la célebre fábula de los míticos amantes.

Muy digna de aprecio es la magnífica traducción de *El cortesano* de Baltasar de Castiglione, que lleva a cabo a instancias de Garcilaso. Se considera un modelo de prosa, que se atiene al ideal de elegancia y distinción propio del siglo XVI.

Resulta inevitable establecer comparaciones entre los versos de Boscán y los de Garcilaso, operación que va en detrimento del poeta barcelonés, que no alcanza la soltura y flexibilidad, el dominio técnico de su amigo. Ni este hecho ni la presencia de ciertas imperfecciones han de impedirnos valorar el vigor de muchos de sus poemas: «Quien dice que la ausencia causa olvido...», «Dulce soñar y dulce congojarme...», «Si suspiros bastasen a moveros...»..., exquisitas muestras de la nueva sensibilidad procedente de Italia.

3.4.3. GARCILASO DE LA VEGA

VIDA Y PERSONALIDAD. Nace en Toledo, probablemente entre 1498 y 1500; pertenece a una ilustre familia. Siempre al lado de Carlos I, participa en diversas empresas bélicas. En 1525 se casa con Elena de Zúñiga, pero al año siguiente se enamora de Isabel Freire, una dama portuguesa de la reina. Recientemente María del Carmen Vaquero ha descubierto documentación sobre sus amores con Guiomar Carrillo, madre de su hijo natural Lorenzo.

Un hecho inesperado rompe las buenas relaciones entre el emperador y el poeta. Este asiste a una boda no autorizada y es desterrado a una isla del Danubio. Pasa luego a Nápoles, donde puede entrar en contacto con el floreciente panorama artístico de Italia. Reanudada su vida de soldado, muere en 1536 al escalar la fortaleza de Muy en Provenza.

Hombre de armas y de letras, Garcilaso es el perfecto cortesano, galante, distinguido y hábil en el trato social. Posee una amplia cultura humanística; domina el latín y conoce el griego, además del francés y el italiano.

RASGOS GENERALES DE SU POESÍA. Junto a Boscán, renueva por completo la lírica española con la incorporación no solo del endecasílabo sino también de las manifestaciones de la sensibilidad poética italiana a que ya hemos aludido. A pesar de haber entregado su vida al servicio del emperador y de haber participado en sus grandes empresas, no dedica su pluma a los temas heroicos o políticos. Siguiendo las huellas de Petrarca, se centra casi exclusivamente en el análisis del sentimiento amoroso, de los estados afectivos. Cultiva una poesía intimista, suavemente melancólica, en la que todo lo relativo a la amada y a la pasión que ella despierta aparece sublimado.

Como marco inseparable del «dolorido sentir» garcilasiano aparece el mundo natural, no menos idealizado. El paisaje se impone con su serena belleza. Se establece una evidente correlación entre los elementos naturales y el estado anímico del poeta.

La primera edición sale a la luz póstumamente en Barcelona en 1543; se inserta en un cuarto libro añadido a los tres de Boscán, al que había hecho depositario de sus manuscritos.

A esta primera edición siguen otras dieciocho en que aparecen juntas las obras de ambos autores. La primera independiente de Garcilaso es la de Salamanca de 1569. En 1574 Francisco Sánchez de las Brozas, «El Brocense», catedrático de retórica en Salamanca, publica la primera edición anotada, en la que se preocupa de buscar las fuentes grecolatinas e italianas. Especialmente interesante es la edición de Fernando de Herrera de 1580, en cuyas *Anotaciones* enjuicia y comenta al poeta toledano.

OBRA POÉTICA. Probablemente a causa de su corta vida, la obra del toledano es muy breve, pero constituye un amplio muestrario de las formas características de la poesía del Siglo de Oro. En ella están presentes los dos influjos capitales del Renacimiento español: el petrarquismo, en los cuarenta sonetos y las cuatro primeras canciones, y la tradición clásica, en tres églogas, dos elegías y una epístola (*A la flor de*

Gnido). En ambas vertientes alcanza una insólita perfección. Además, conservamos muestras de la tradición poética castellana (canciones y villancicos), no especialmente felices, y tres odas en latín.

Muchos poetas planean sobre la creación garcilasiana. Los más relevantes son Petrarca, Pietro Bembo, Virgilio, Horacio y Ausias March. Junto a ellos, algunos otros contemporáneos: Bernardo Tasso, Ariosto, Sannazaro… Nuestro autor, de acuerdo con los postulados renacentistas, basa su actividad poética en la imitación y recreación de los mejores modelos.

La poesía de raíces petrarquistas tiene su expresión más acabada en los sonetos. Aunque de calidad desigual, revelan en su conjunto el dominio adquirido por Garcilaso en el uso del endecasílabo. El primero («Cuando me paro a contemplar mi estado…») es, de acuerdo con la tradición en que se inscriben, una palinodia o canto de arrepentimiento en el que el poeta lamenta el tiempo gastado y las angustias sufridas en aras del amor. El tema más frecuente es la fatalidad amorosa y la queja por los tormentos que sufre el amante desdeñado: «¡Oh dulces prendas por mí mal halladas...!». Se expresa a menudo mediante el juego de antítesis. El tema mitológico se funde constantemente con los sentimientos. En más de una ocasión los cuartetos aluden a alguna fábula que en los tercetos se aplica a la vivencia personal del poeta. Muy célebre es su recreación del tópico del *carpe diem* en el bellísimo «En tanto que de rosa y azucena…».

Entre las canciones destacan la III («Con un manso ruido…»), inspirada en la isla del Danubio en que vivió desterrado, y la IV («El aspereza de mis males quiero…»), que expresa los deleites y dolores del amor. En esta última se recrean los elaborados paisajes alegóricos, tan característicos de la sensibilidad prerrenacentista.

El influjo clásico, aprehendido siempre a través de Italia, alcanza su plenitud en las tres églogas, delicadas composiciones pastoriles donde la naturaleza y el amor aparecen bellamente idealizados; en ellas encontramos la más acabada plasmación del tópico del *locus amœnus*. La *Égloga I* es la más lograda en cuanto a la expresión de los afectos íntimos. Presenta un diálogo entre dos pastores: Salicio, que se queja de la infidelidad de Galatea, y Nemoroso, que llora la muerte de Elisa. Se cree que Garcilaso, desdoblado en estos dos personajes, evoca vivencias que le impresionaron hondamente: la boda de Isabel Freire y su prematura muerte de resultas de un parto. La estructura del poema es perfecta, la simetría total y absoluta.

Muchos críticos han discutido hasta qué punto llega la sinceridad del poeta. Lo cierto es que, aunque sus versos están enraizados en sus vivencias personales, nunca renuncia a las convenciones y artificios de la tradición literaria.

La *Égloga segunda* es más extensa y prolija. Gira en torno a dos núcleos esenciales: las desventuras amorosas del pastor Albanio y el elogio épico de la ilustre casa de Alba.

La *Égloga tercera* posee una extraordinaria belleza y perfección estilística. La mitología ocupa un primer plano. En un bello paraje a orillas del Tajo, tres ninfas bordan en sus tapices tragedias de amantes célebres. La cuarta, en cambio, representa la muerte de una compañera, Elisa, trasunto poético de Isabel Freire. Termina con la aparición de dos pastores que exaltan a sus respectivas amadas. Es un canto amebeo o alternado en que cada cual expresa su sentir; el poeta juega con los paralelismos y contrastes que se establecen entre ambos parlamentos.

Las dos elegías presentan la contaminación de otro género clásico: la epístola. Cada una de ellas pertenece a un modelo claramente diferenciado. La I (*Al duque de Alba, en la muerte de don Bernardino de Toledo*, su hermano) es fúnebre, grave, de carácter moral. La II (*A Boscán*) tiene un aire más libre y espontáneo, describe la vida de la corte con tono marcadamente satírico, rememora un amor perdido y reflexiona sobre los efectos de la ausencia en las relaciones amorosas.

Esta *Elegía II* está muy próxima a la *Epístola a Boscán*, en endecasílabos blancos, que sigue el modelo del *sermo* (charla, plática) cultivado por Horacio. En las dos se consuma el ideal de naturalidad y elegancia en la expresión, y afloran las aspiraciones éticas y vitales del poeta, que se inscriben en el universo de la filosofía estoico-epicúrea: valoración de la amistad, cansancio de la vida militar y cortesana, exaltación de la dorada medianía, recreación de situaciones, personajes y paisajes de la vida cotidiana...

A la flor de Gnido, erróneamente rotulada como *Canción V*, es una oda según los modelos de Horacio. En ella se ensaya por vez primera en nuestra lengua la lira, una estrofa de cinco versos (aBabB) que intenta imitar los esquemas métricos del poeta latino. La estructura también sigue los moldes clásicos: prohemio, desarrollo de la materia principal y digresión mitológica. El poeta trata un asunto ajeno: intercede por su amigo Mario Galeota ante los desdenes de una dama napolitana. En el conjunto, trufado de imágenes mitológicas desmesuradas, puede intuirse un poco de ironía, pero también la admonición moral para que la piedad venza a la dureza en el corazón de la destinataria.

LENGUA Y ESTILO. Las notas dominantes en el estilo de Garcilaso son la elegancia, la distinción, la sobriedad, la naturalidad y la musicalidad del verso, aunque algunos endecasílabos tienen ritmo dactílico, frente al trocaico dominante en la tradición italiana que él introduce en España.

Pone mucho cuidado en la selección de los vocablos. Huye de lo vulgar, pero busca aquellos términos que puedan ser entendidos por el lector y que suenen bien al oído. Sin embargo, bajo su aparente sencillez se oculta una cuidada elaboración, cuyo mayor secreto es no hacerse notar demasiado.

En sus versos hallamos un riquísimo repertorio de imágenes que quedarán definitivamente incorporadas al lenguaje poético renacentista. Ocupa un lugar de honor la metáfora: *el cabello que en la vena del oro se escogió, el viento airado que marchitará la rosa...* También recurre al símil: «¡Oh más dura que mármol a mis quejas...!», la paradoja: «¡Oh dulces prendas por mi mal halladas...!», la antítesis: «el ancho campo me parece estrecho, / la noche clara para mí es escura...», la aliteración: «verme morir entre memorias tristes»… Los epítetos, sabiamente dispuestos, contribuyen a intensificar la expresividad.

3.4.4. LOS SEGUIDORES DE GARCILASO

Garcilaso se convierte a su muerte en el modelo de los poetas de su generación. Ninguno de sus sucesores inmediatos alcanza una calidad equiparable a la suya, pero mantienen viva una tradición que en fechas posteriores dará granadísimos frutos. Destaquemos algunos nombres relevantes:

DIEGO HURTADO DE MENDOZA (Granada, 1503-Madrid, 1575), a quien ya conocemos por la *Historia de la guerra de Granada* y por la persistente atribución del *Lazarillo*, cultiva al mismo tiempo la poesía tradicional y la italianista, pero se mueve con mayor soltura en la primera. Especialmente bellos son sus redondillas y villancicos. La mayoría son composiciones de tema amoroso. Las hay también filosóficas y satíricas. Se evidencia que no acaba de dominar la técnica del endecasílabo. Sus sonetos son bastante duros; algo mejor resultan las canciones.

HERNANDO DE ACUÑA (Valladolid, 1520?-Granada, 1580?), poeta y soldado, interviene en las campañas militares de Carlos V, a quien dedica el famosísimo soneto *Al Rey nuestro señor*, en el que exalta su papel providencial y su futuro dominio sobre un mundo que tiene puestas las esperanzas en «un monarca, un imperio, una espada». Junto a la faceta heroica, encontramos la amorosa. Es un seguidor entusiasta de los metros italianos, lo que no impide que a veces utilice el verso castellano y las formas tradicionales. Entre sus composiciones más extensas destaca *Fábula de Narciso y Eco*, en octavas reales, inspirada en Ovidio.

GUTIERRE DE CETINA (Sevilla, 1520-Puebla, México, 1557?) es el primer poeta petrarquista que vive en el Nuevo Mundo y en él muere y el único que no utiliza jamás el metro

160

siempre el tema amoroso

tradicional. Debe su fama al bellísimo madrigal «Ojos claros, serenos…», pero toda su breve obra tiene la misma musicalidad y elegancia. Nos ha dejado cuarenta y tres sonetos, canciones, cinco madrigales, diecisiete epístolas y quince composiciones de forma estrófica diversa; algunos presentan problemas de atribución. Compone la totalidad de sus versos en los años de juventud; se le considera un poeta bien dotado que no llega a madurar. El tema dominante es el amoroso. Los sonetos («Horas alegres que pasáis volando…») y madrigales son mejores que los poemas extensos.

Citemos, por último, los nombres de FRANCISCO SÁ DE MIRANDA (1495-1558), GREGORIO SILVESTRE (1520-1569), JERÓNIMO DE LOMAS CANTORAL (1538-1600)…

3.5. LA POESÍA DEL SEGUNDO RENACIMIENTO

3.5.1. PANORAMA GENERAL

En esta etapa se produce la plena aclimatación de las formas y los versos italianos, aunque esto no supone el abandono del octosílabo, que conocerá un momento de esplendor.

En la poesía culta que utiliza versos endecasílabos y heptasílabos surgen dos corrientes: una de inspiración propiamente italiana, petrarquista, y otra de inspiración clásica, horaciana. La primera, más florida, sonora, brillante y sensual, dedicada al cultivo de la poesía erótica, sigue los derroteros señalados por Garcilaso en sus sonetos y en las cuatro primeras canciones. Generalmente, se inscriben en esta tendencia las églogas, poemas amorosos de abolengo clásico, virgiliano. El género había sido adoptado por los poetas del Renacimiento italiano. La corriente horaciana, de mayor sobriedad, prefiere la concisión de la lira y los temas morales y religiosos tratados en el formato de la oda.

Estas dos tendencias se han identificado, respectivamente, con la escuela sevillana de Fernando de Herrera y la salmantina de fray Luis de León. Sin embargo, no parece propio

161

hablar de escuelas enfrentadas. Son los poetas sevillanos, probablemente, los primeros que escriben con regulariad y perfección odas horacianas. Por otra parte, en la Salamanca de la segunda mitad del XVI, Petrarca cuenta con excelentes imitadores, entre ellos el fray Luis de los sonetos y canciones. Tampoco está justificado identificar los rasgos de Herrera o fray Luis con los de los poetas sevillanos o salmantinos.

Persiste la poesía culta en versos octosílabos: redondillas, quintillas, coplas reales... La tradición de las canciones populares tiene un nuevo resurgir en esta etapa. Encontramos buen número de cancioneros: *Vergel de amores* (1551), *Cancionero de Upsala* (1556), *Flor de enamorados* (1562)... Los autores cultos siguen glosando e imitando estos poemas. La generación que nace en torno a 1560 (Lope, Góngora) llevará el género a una fase de esplendor en el siglo barroco.

Paralelamente se va desarrollando también un romancero nuevo. En 1550 empieza la reproducción en un mismo volumen de romances anónimos tradicionales y de autor individual, aunque por lo común se desconozca su nombre. Hay colecciones notables como los *Romances nuevamente sacados de historias* (1551) de LORENZO DE SEPÚLVEDA o el *Romancero historiado* (1584) de LUCAS RODRÍGUEZ. También las sucesivas *Silvas* que van apareciendo, en especial la de Barcelona de 1561, acogen romances nuevos. La primera colección en que estos predominan sobre los tradicionales la forman las cuatro «rosas» de JUAN TIMONEDA: *Rosa de amores, Española, Gentil y Real* (1573). A partir de 1580, aparece una generación poética que aporta nueva savia a este viejo género. De ella hablaremos en 4.2.2.

Se completa el panorama con la poesía religiosa, presidida por las figuras señeras de fray Luis de León y san Juan de la Cruz. Siguen imprimiéndose cancioneros a lo divino, que mezclan la lírica tradicional, la poesía cortesana octosilábica y los metros italianos. Texto clave dentro de esta tendencia es *Obras de Boscán y Garcilaso trasladadas en materias cristianas y religiosas* (1575) de SEBASTIÁN DE CÓRDOBA; tuvo tanto éxito que salió una nueva edición en 1577.

Siguiendo una corriente medieval, florece el conceptismo sacro, que se manifiesta sobre todo en las justas poéticas en honor de los santos e instituciones religiosas. Particularmente interesante es un «manuscrito sevillano de justas en honor a santos (de 1584 a 1600)» que ha estudiado Dámaso Alonso.

3.5.2. FRAY LUIS DE LEÓN

VIDA Y PERSONALIDAD. Nace en Belmonte de la Mancha (Cuenca) en 1527, en el seno de una familia de intelectuales. Desde los catorce años reside en Salamanca y, cuando tiene diecisiete, profesa en los agustinos. Su biografía está marcada por las luchas que mantiene su orden con la de los dominicos por el dominio de la universidad. Cuando en 1561 obtiene la cátedra de teología, se intensifican los enfrentamientos. Su mucho saber en materia bíblica le granjea considerable prestigio, pero es aprovechado por sus adversarios para causarle problemas; a ello se suma su temperamento inquieto y batallador.

Se le acusa ante la Inquisición de preferir el texto hebreo de la *Biblia* frente a la *Vulgata*, la traducción latina de san Jerónimo (siglo V) que ha adoptado el concilio de Trento. Otro cargo es el de haber vertido al castellano el *Cantar de los cantares*, cuando está prohibido trasladar los libros sagrados a las lenguas vulgares. Hay que tener en cuenta que esa traducción es para uso privado y que la preferencia por el texto hebreo obedece a razones meramente filológicas. Aun así, permanece en la cárcel inquisitorial de Valladolid desde marzo de 1572 a finales de 1576. Sus detractores hacen hincapié en los antecedentes judaicos de su familia.

Al ser absuelto, vuelve a la universidad, donde sigue dedicado a sus estudios bíblicos y teológicos. Muere en Madrigal de las Altas Torres (Ávila) en 1591, poco después de ser nombrado provincial de su orden en Castilla.

LA POESÍA: EL TEXTO. Hay que subrayar que fray Luis, volcado en tareas escriturarias, no es un profesional de la poesía. Sin embargo, no hay que tomarse muy en serio el desdén que manifiesta hacia estas «obrecillas» hechas a ratos perdidos en su mocedad, caídas «como de entre las manos», ya que les dedica una atención muy considerable. Significan mucho en su vida; son la expresión más directa de sus contradicciones y conflictos. Escribe, como él mismo dice, para olvidar «otros trabajos»; pero esas penas están siempre presentes. Esta autenticidad dota de indudable fuerza a los versos de fray Luis. Aunque en ellos hay determinadas «imperfecciones» formales (asonancias, rimas fáciles, prosaísmos, pleonasmos retóricos), quedan compensadas por la sinceridad, por los singulares aciertos expresivos y por una originalísima concepción de la poesía.

No conservamos ningún autógrafo. Los manuscritos que han llegado a nosotros presentan alteraciones y variantes propias de ese sistema de trasmisión. La primera edición (1631), que ha sido muy elogiada, se debe a Francisco de Quevedo; aparece cuarenta años después de la muerte del autor.

La obra en verso de fray Luis acostumbra a dividirse en tres apartados: poesías originales, traducciones profanas y traducciones sacras. A lo largo de los años, se le han atribuido numerosos poemas que recuerdan vagamente su estilo. En la actualidad no se consideran como auténticas más que veintitrés poesías originales, diez o quince imitaciones de poetas italianos y un crecido número de traducciones de autores clásicos y textos sagrados. Naturalmente, nuestro interés se centra en las primeras.

FORMA MÉTRICA. EL MODELO HORACIANO. La mayor parte de los poemas originales de fray Luis son odas horacianas. Este género lírico se caracteriza por las preocupaciones morales y por una peculiar estructura que tiende a situar el núcleo temático en el centro del poema, de modo que el remate sea un anticlímax, un descenso del tono que reduce o anula cualquier tentación de grandilocuencia. La estrofa más empleada es la lira. Esa predilección no se debe a capricho o azar; obedece al propósito de romper con el amplio periodo petrarquesco, en busca de una mayor concisión y agilidad expresiva. Con su mezcla de endecasílabos y heptasílabos, es la forma que más conviene a una poesía apretada, con rápidos quiebros, que renuncia a la sonoridad y al tono discursivo. Además de invitar al recogimiento, la lira permite que cada estrofa tenga autonomía. Así el pensamiento del poeta va de una a otra como a saltos. Es la mente del lector la encargada de enlazar una estrofa con la que sigue y un pensamiento con otro.

De Horacio toma muchos recursos formales y también temas y actitudes, como la exaltación de la *aurea mediocritas* y el epicureísmo. Pero entre ambos media una considerable distancia. Fray Luis no se atiene al espíritu del poeta latino. Su apasionamiento y sinceridad están en las antípodas del redomado cinismo horaciano. Buen ejemplo de ello es la *Oda a la vida retirada*, que sigue al *Beatus ille*. En este último, el poeta nos hace creer que es él mismo quien canta las excelencias del campo, pero en los dos últimos versos se da un giro sarcástico y resulta que todo lo dicho está puesto en boca de un usurero, de forma que el contenido muda por completo. Fray Luis suprime ese detalle y trasforma la ironía horaciana en un arrebatado anhelo de paz y tranquilidad.

TEMAS DOMINANTES. Los más célebres versos del agustino cantan la soledad del campo, el abandono de la lucha, la tranquilidad y la paz. Algunos críticos creyeron que la vida del poeta fue eso: un silencioso discurrir por la apartada senda de los sabios. Hoy sabemos que fue justamente lo contrario. Quizá la autenticidad y la fuerza de sus versos se deba precisamente a que expresan una aspiración nunca conseguida. Este tema aparece en la oda que ocupa el primer lugar en todos los códices e impresos («¡Qué descansada vida…!), la más conocida de cuantas escribió. En ella encontramos, magníficamente expresado, el violento contraste entre la felicidad de la vida en solitario y las calamidades a que lleva la ambición humana.

Fray Luis, profesional del estudio, expresa en varios poemas la emoción del saber. En la *Oda al licenciado Juan de Grial* («Recoge ya en el seno / el campo su hermosura…») se

165

unen tres motivos muy frecuentes en él: la belleza de la naturaleza, la invitación al estudio y la angustia por la injusta prisión que sufrió. La bienaventuranza del sabio vuelve a surgir en una célebre oda dedicada a su amigo Felipe Ruiz: «¿Cuándo será que pueda, / libre de esta prisión, volar al cielo?...». Aspira a alcanzar en la esfera celeste la visión de la perfecta maquinaria del mundo.

El símbolo más perfecto de esa armonía total que anhela el poeta es la música. A su amigo Francisco Salinas dedica la oda «El aire se serena...», en la que los efectos de la armoniosa melodía sobre el oyente, su capacidad para trasportarnos a otra realidad o para profundizar en nosotros mismos están pintados con imágenes certeras, ceñidísimas, sorprendentes. La música es el símbolo de la perfección del universo, cuya contemplación produce versos que rozan el misticismo. Asoma, sin embargo, la angustia existencial: «¡Oh, desmayo dichoso! / ¡Oh, muerte que das vida! ¡Oh, dulce olvido!...».

Son varios los poemas en que alude directamente al encarcelamiento y la tardía liberación: *En una esperanza que salió vana, A Nuestra Señora, Triunfo de la inocencia, Descanso después de la libertad, Al salir de la cárcel.* En los primeros predominan las notas de desesperación y angustia; en los últimos encontramos el contento por la liberación y el canto a la verdad que vence a la injusticia.

Todos los poemas de fray Luis tienen una intención moral, pero en algunos este ingrediente adquiere mayor importancia. En las odas a Felipe Ruiz que empiezan «En vano el mar fatiga...» y «¿Qué vale cuanto ve...?» contrapone la paz del alma a los bienes del mundo. El mismo tema aparece en la oda «Aunque en ricos montones...», titulada *Contra un juez avaro.* En otros textos el asunto predominante es el rechazo de los placeres. «Elisa, ya el preciado cabello...» trata sobre el paso del tiempo y la renuncia al amor. El mismo tono de prudencia antivital encontramos en «No te engañe el dorado / vaso...».

Se ha planteado la cuestión de si fray Luis debe asociarse o no al misticismo. Ciertamente, presenta puntos de contacto con esta tendencia; pero en sus versos prevalece la reflexión intelectual sobre el arrebato místico.

RASGOS DE ESTILO. En la poesía de fray Luis se reiteran obsesivamente un conjunto de símbolos que reflejan sus más íntimas vivencias y anhelos: el mar, la noche, la luz, el cielo, el aire, la música... Estas imágenes no siempre tienen un valor único y claro. Sin embargo, algunas se tiñen de un cierto carácter positivo o negativo. El mar suele representar el tráfago mundano, las locas ambiciones del hombre. Hay una excepción en la *Oda a Salinas*, donde se habla del «mar de dulzura» en que nos sumerge la música. La noche es símbolo, junto a la cárcel y la tierra, de la angustia y el desamparo de la criatura humana, perdida en este mundo, deseosa de alcanzar la armonía encarnada por los astros y su perfecto orden. El aire, a veces huracanado, se remansa en otras ocasiones y es imagen de la felicidad y de la belleza. La música se une a él para reforzar esa simbología.

Lo peculiar de las imágenes usadas por fray Luis es que tienen un valor doble. Hay que interpretarlas a la vez en sentido recto y figurado. Así, por ejemplo, cuando habla de la «escondida senda», estamos ante una metáfora que alude a una forma de conducta, pero también se refiere a un sendero real, en el que proyecta sus íntimos deseos de paz. Los motivos líricos acostumbran a ser en estos versos símbolo y realidad al mismo tiempo.

LA OBRA EN PROSA. Junto a su abundante producción latina (*In Psalmum vigesimum sextum explanatio, In Abdiam, Epistola ad Galatas, De incarnatione Verbi, De charitate...*), nuestro autor escribe una serie de obras en prosa castellana que se centran en las Sagradas Escrituras. No atañen a la intimidad sino a su faceta de teólogo y escriturario. En ellas se refleja un conocimiento exhaustivo no solo del texto bíblico sino también de otras obras religiosas. Aparece como un escritor erudito que domina la técnica filológica. Fray Luis lu-

167

chó sin descanso para que la *Biblia* pudiera ser traducida a las lenguas vulgares; solo así estaría al alcance de todos los fieles. El tiempo ha venido a darle la razón.

Su primera obra en prosa fue la excelente traducción del *Cantar de los cantares*, que tantos disgustos le ocasionaría. La realizó, entre 1561 y 1562, a instancias de su prima Isabel Osorio, monja de un convento salmantino, que, por no saber latín, se veía privada de la lectura de esta obra singular. Fray Luis se mantiene fiel al original hebreo, traduce palabra por palabra y comenta cada capítulo para evitar cualquier oscuridad.

Más tarde, lleva a cabo *La exposición del «Libro de Job»*, obra larga de difícil gestación, en la que ocupa prácticamente toda su vida de escritor, desde 1571 a 1591. Su redacción se ve interrumpida varias veces. También aquí le mueve un prurito de fidelidad. Tras la versión literal, hay un comentario en prosa y una paráfrasis en verso. Es fácil advertir cómo se identifica con esa figura bíblica que tantas tribulaciones sufrió. Además de ser la cuminación de su trabajo como escriturario, es un texto bellísimo, en el que las galas del estilo se unen a la profundidad del pensamiento.

La perfecta casada (1583), escrita para su sobrina María Varela Osorio con motivo de su boda, es la más difundida de sus obras en prosa. Como anuncia el título, ofrece una serie de consejos que debe seguir la esposa cristiana. Algunas páginas están inspiradas en otros libros, entre ellos la *Biblia*, pero dominan sus observaciones e intuiciones personales sobre la vida doméstica. Por su estilo, es uno de sus textos más valiosos. Destaca la viveza de las descripciones y el lenguaje directo y expresivo.

De los nombres de Cristo viene a ser síntesis de los temas que aborda en sus trabajos, que aquí se estructuran de forma sistemática. La primera edición, de 1583, consta de dos libros; en la de 1585 se añade un tercero. Sigue la técnica renacentista del diálogo. Los interlocutores son tres frailes agustinos que, retirados en una espléndida finca de la orden, conversan sobre los distintos nombres que se dan a Cristo en las Sagradas Escrituras. Está impregnado de aroma renacentista. Junto a las ideas teológicas y escriturarias florece la cultura profana. Hace una apasionada defensa de la lengua vulgar. El estilo, de ritmo solemne y majestuoso, se halla próximo a la oratoria sagrada. Es un librito erudito, pero de gran belleza literaria.

3.5.3. FERNANDO DE HERRERA

Los pocos datos que de él tenemos proceden del *Libro de verdaderos retratos* del pintor Francisco Pacheco, escrito en 1599, y de Francisco de Rioja y Enrique Duarte, prologuistas de la edición de *Versos de Fernando de Herrera* (1619) del mismo Pacheco. Parece que nació en 1534 y murió en 1597. La mayor parte de su vida, si no toda, discurrió en Sevilla.

Fue clérigo de órdenes menores de la parroquia de San Andrés. Estuvo siempre dedicado a su tarea poética. Trabó relación con un selecto grupo de humanistas y poetas sevillanos, entre los que se contaba Juan de Mal Lara. De natural retraído y orgulloso, tenía fama de áspero. Su reputación de poeta le valió el sobrenombre de *El divino*.

Se ha insistido mucho en sus amores con doña Leonor de Milán, condesa de Gelves, una mujer casada a la que dedica sus versos. La identidad de la dama la revela Pacheco. Ignoramos qué hay de realidad en la plasmación poética de esa vivencia. Puede ser que se tratara de una relación puramente amistosa que Herrera sublimó al inscribirse en la órbita de la tradición petrarquista.

Se han perdido buena parte de sus obras juveniles. Su producción poética impresa durante el Siglo de Oro se contiene en *Algunas obras de Fernando de Herrera* (1582), muestra antológica seleccionada por él mismo, con una égloga, cinco canciones, siete elegías y setenta y ocho sonetos, y en *Versos de Fernando de Herrera* (1619), recopilados, a su muerte, por Francisco Pacheco, con un total de trescientos setenta y dos poemas. Estas ediciones difieren una de la otra considerablemente.

Herrera no es el poeta monolítico que a veces se ha querido mostrar, sino que hay en él diversas facetas. En un primer momento cultivó el género épico; pero no ha llegado a nosotros muestra alguna de esta labor. Luego lo abandonó para cantar los avatares de su experiencia erótica. Compuso muchos poemas cancioneriles, sobre todo en quintillas y redondillas, siguiendo los cánones de la lírica cortesana conceptuosa. Nunca renunciaría del todo a esta tendencia.

La imagen que ha prevalecido es la del brillante pero limitado poeta petrarquista, artificioso y perfeccionista, que se sitúa en el punto intermedio de la línea evolutiva que va de Garcilaso a Góngora, aunque lo cierto es que en su expresión del sentimiento se aproxima más a Lope de Vega que al cordobés. El amor (temor y osadía) es el alma de sus versos que, como ya se ha señalado, parten de un sustrato biográfico. Siguiendo a Antonio Vilanova, se pueden distinguir tres estadios en la evolución sentimental que refleja el *canzoniere* herreriano: el primero («la revelación amorosa») lo constituyen los poemas galantes dedicados a exaltar con opulenta imaginería la belleza de doña Leonor (Luz, Heliodora, Delia..., en sus versos). El segundo («el amor mundano») alude a una fugaz correspondencia de la condesa. El tercero («la elegía nostálgica») recoge los angustiosos lamentos que engendra la vuelta de la amada a su primitiva tibieza.

En este corpus poético hallamos una exquisita reelaboración de los tópicos petrarquistas. Aparecen una serie de imágenes obsesivas, entre las que figuran en primer término las relacionadas con la luz: lo luminoso en contraposición a lo oscuro es elemento fundamental del metaforismo de Herrera, basado en el juego de contrarios, en la línea del más genuino petrarquismo. El tormento amoroso se revela en metáforas consagradas por la tradición: «fiero ardor», «encendida llama», la antítesis «fuego / hielo»... Zarandeado entre realidades irreconciliables, recurre a la paradoja («¡Oh cara perdición, oh dulce engaño!»). Hay una complacencia masoquista, que se resuelve en llanto, en reavivar el dolor con el recuerdo. Su espíritu atormentado encuentra siempre el adjetivo más sugerente y expresivo, la más armoniosa secuencia fónica.

El desengaño le hará desembocar en la poesía moral, que tiene un extraordinario relieve aunque a menudo ha caído en el olvido. Se revela la dolorida conciencia del paso del tiempo: «Gasté en error la edad florida mía...». Pieza clave es la elegía «A la pequeña luz del breve día...», poema metafísico en cuyos primeros versos se percibe un voluntarioso afán de huir del «osado desvarío», pero acaba entregándose al destino. En estas composiciones se rebaja el colorido excesivo, la esplendorosa abundancia, y da en una actitud inhibitoria, antivital, que se quiebra a cada paso con la presencia de la pasión amorosa.

Una parcela muy conocida la constituyen las canciones en que funde los temas heroicos y religiosos. La primera composición relevante es *Canción en alabanza de don Juan de Austria por la reducción de los moriscos*, en liras. Exalta la figura del héroe e incluye una premonición de la victoria de Lepanto, a la que dedicará su célebre *Canción en alabanza de la divina Majestad por la victoria del señor don Juan*, en estancias. Supone el punto culminante de la poesía nacional y religiosa de Herrera. Sus tonalidades están tomadas de la *Biblia*. Impresionante es la canción elegíaca «Voz de dolor y canto de gemido...», en que llora la pérdida del rey don Sebastián en Alcazarquivir, también en estancias. Resplandece de nuevo la inspiración bíblica. La derrota se presenta como un castigo divino a la altanería y avaricia del ejército portugués. Al mismo asunto dedicó cuatro sonetos. Otros cantan las hazañas del emperador.

Particular importancia tiene la publicación en 1580 del ya citado volumen *Obras de Garcilaso de la Vega con anotaciones*, donde, al hilo de la lectura, expone sus ideas poéticas.

3.5.4. OTROS POETAS

La obra de FRANCISCO DE ALDANA (Nápoles?, 1537-Alcazarquivir, 1578), poeta de formación bilingüe, nos ha llegado

171

a través de una póstuma *Primera parte* preparada por su hermano Cosme (1589; reimpr.: 1593), a la que siguió una *Segunda* (1591).

Cultiva fundamentalmente el soneto y la epístola, en tercetos encadenados y en verso suelto, y los temas amorosos y religioso-existenciales. Sus poemas más representativos reflejan una actitud de epicúrea renuncia del tráfago mundano, que se acompaña del ansia de unión mística con Dios y del goce sereno de la belleza del mundo natural. Junto a la abstracción metafísica hace acto de presencia la sensualidad. La expresión del desengaño tiene uno de sus momentos más afortunados en el célebre soneto *Reconocimiento de la vanidad del mundo*: «En fin, en fin, tras tanto andar muriendo…», en que se funden estoicismo y religiosidad.

Tres poetas castellanos destacan en el panorama del segundo Renacimiento: FRANCISCO DE FIGUEROA (Alcalá de Henares, Madrid, 1536-1617?), una de las voces más personales entre los cultivadores de las formas italianas, con un corpus poético armónico y expresivo, de suaves tonalidades, cuya exquisita musicalidad resulta de recortar las galas del petrarquismo; FRANCISCO DE LA TORRE, cuyas poesías fueron editadas por Quevedo en 1631, que se acoge a los tópicos motivos petrarquistas y también a la tradición horaciana, con la búsqueda estoico-epicúrea de la paz que caracteriza a esa tendencia; PEDRO LAÍNEZ (h. 1538-1584?), autor de un *Cancionero*, mezcla de versos octosílabos y endecasílabos, en el que destacan, por una parte, los villancicos y, por otra, las elegías, en representación de las dos vertientes fundamentales que conviven en esta época.

Entre los andaluces encontramos a BALTASAR DE ALCÁZAR (Sevilla, 1530-Ronda, 1606), cultivador de una poesía humorística y desenfadada que alcanza su mejor momento en la magnífica *Cena jocosa*, quintaesencia de su talante risueño y vitalista; CRISTÓBAL MOSQUERA DE FIGUEROA (Sevilla, 1547-1610), que recrea con habilidad los múltiples motivos poéticos que circulan en sus días; y LUIS BARAHONA DE SOTO (Lucena, Córdoba, 1548-Antequera, Málaga, 1595), ducho a la vez en los metros italianos y castellanos, autor de la *Fábula de Vertumno y Pomona* y de la de *Acteón*, ambas en octosílabos, y del poema épico *Las lágrimas de Angélica*, en octavas.

3.5.5. LA IMPLANTACIÓN DE LA POESÍA ITALIANISTA EN HISPANOAMÉRICA

Las formas italianas llegan a América y en 1577 en la ciudad de México se recopilan unas *Flores de varia poesía* que incluyen a los más importantes poetas peninsulares y a algunos petrarquistas americanos o que residieron en las Indias: Gutierre de Cetina, Juan de la Cueva, Francisco de Terrazas, Juan de Mestanza... Se ha sugerido que la recopilación puede deberse a los dos primeros.

En JUAN DE LA CUEVA (Sevilla, 1543-Granada, 1612) se inicia el tema poético de la grandeza mexicana, la descripción de la ciudad y sus encantos. Así lo vemos en la *Epístola a Laurencio* (Lorenzo Sánchez de Obregón, primer corregidor de México). Motivos similares aparecen en la *Descripción de la Laguna de Tenochtitlán* de EUGENIO SALAZAR DE ALARCÓN (Madrid, h. 1530-Valladolid, 1602), que vivió cerca de treinta años en América. El retrato que traza el poeta debe más a las convenciones de la lírica renacentista que a la observación de la realidad.

Entre los poetas vinculados a la Lima virreinal en los siglos XVI y XVII se cuentan el sevillano DIEGO MEXÍA DE FERNANGIL, traductor de las *Heroidas* de Ovidio, que vio la luz en la *Primera parte del Parnaso antártico de obras amatorias* (1608), y poeta religioso de acentos sentidos y directos en la *Segunda parte del Parnaso antártico* (1617); el ecijano DIEGO DÁVALOS Y FIGUEROA, autor de *Miscelánea austral* y *Defensa de las damas*, y MATEO ROSAS DE OQUENDO (Sevilla?, h. 1559), que satirizó las «cosas que pasan en el Perú, año de 1598» y, trasladado a México, hizo lo propio con la otra gran corte virreinal.

FRANCISCO DE TERRAZAS (México, 1525?-1600?) es el primer poeta español de relieve nacido en México. Fue eclesiástico y disfrutó de la rica herencia de su padre, uno de los conquistadores. Su breve obra (ocho sonetos, una epístola, diez décimas) responde a las convenciones del Renacimiento hispánico, con claros influjos de Cetina, Herrera, Camões y Petrarca. Es unánimemente elogiado su soneto «Dejad las hebras de oro ensortijado...». Como poeta épico se le debe *Nuevo Mundo y conquista*, sobre las hazañas de Hernán Cortés, del que solo nos ha llegado un fragmento que narra la primera parte de la expedición.

La primera poetisa americana quizá sea LEONOR DE OVANDO (Santo Domingo, mediados del XVI-1609), monja profesa y autora de cinco sonetos en torno a las grandes fiestas anuales: las cuatro pascuas y San Juan. Poesía menor, pero escrita con discreción.

3.6. LA ÉPICA CULTA

3.6.1. PANORAMA GENERAL

En los siglos XVI y XVII la épica culta aspira a la creación de un mundo heroico análogo al de las epopeyas clásicas. Como es natural, no se trata de una poesía eminentemente popular, de autoría colectiva, destinada a la difusión oral, sino que es obra de autor individual que se difunde a través de la escritura. Sus modelos clásicos son Virgilio y Lucano. Junto a este influjo, se percibe el de los italianos Mateo Boiardo, Ludovico Ariosto y Torquato Tasso. De ellos hereda la forma métrica predilecta: la octava real.

Dejando aparte algún poema temprano (*Historia Parthenopea*, 1516, de ALONSO HERNÁNDEZ, dedicada al Gran Capitán), la épica culta empieza a desarrollarse en la segunda mitad del siglo, tras el triunfo del italianismo. Las primeras obras, aunque se componen en el reinado de Felipe II, están destinadas a ensalzar la figura de Carlos V. A medida que pasa el tiempo, el influjo de Ariosto y sus fantasías caballerescas cede terreno al de Tasso y su nueva épica de exaltación nacional y religiosa. Se va evolucionando desde el poema novelesco o el que se aplica a temas de la historia reciente, a los asuntos históricos y religiosos localizados en el Medievo, con la presencia de lo maravilloso cristiano. Al margen de ambas tendencias, tenemos los poemas en torno a la conquista americana, sentida como una materia exclusiva del mundo hispánico. Son rigurosamente históricos y en ocasiones recogen testimonios directos y personales. Se escriben bajo el signo de la *Farsalia* de Lucano, en quien los cultivadores de la épica creyeron encontrar un precedente hispánico de su actitud poética. Faltan en esta primera fase los temas burlescos que se incorporarán en el Barroco.

Bajo el impulso del nacionalismo, este género tuvo mucho éxito en sus años de esplendor (1550-1650), con gran número de lectores y ediciones; pero la valoración posterior ha sido muy negativa. Se le ha reprochado el limitarse a reproducir esquemas fosilizados. Además, la acumulación de episodios resta agilidad al relato, que a menudo resulta pesado en extremo. Salvo alguna excepción, no hubo poetas capaces de elevarlo a un estadio superior.

3.6.2. *LA ARAUCANA* DE ALONSO DE ERCILLA

La excepción más relevante a este panorama poético enrarecido es la obra de Alonso de Ercilla. Nacido en Madrid (1533) de una familia oriunda de Bermeo (Vizcaya), sirve como paje al príncipe Felipe y con él viaja por buena parte de Europa (Países Bajos, Viena, Inglaterra). Se traslada a América y en 1557 se enrola en una expedición al mando de don García Hurtado de Mendoza contra los araucanos, que se habían sublevado y dado muerte a Pedro de Valdivia. De esta experiencia surgirá su poema. Participa en otras empresas y regresa a España, donde publica *La Araucana*, que ve la luz en tres entregas: Madrid, 1569; Zaragoza, 1578, y Madrid, 1589. Sirve a Felipe II en distintas misiones diplomáticas y militares (entre ellas la toma de las Azores en 1582). Muere en Madrid en 1594.

Curiosamente, este notable poema de Ercilla se dedica a un asunto de menor relieve: la conquista del pequeño valle chileno de Arauco. Sin embargo, gracias a la creación literaria, esta expedición se ha convertido en un símbolo de la conquista de América.

La obra consta de tres partes, sobre cuyo proceso de redacción no se han puesto de acuerdo los especialistas. La primera (quince cantos) describe el territorio, habla de la conquista de Chile por Valdivia y del levantamiento de los araucanos. Son los antecedentes, el origen y las causas de la acción en que intervino el poeta. Para escribirla, recurre a informes ajenos ya que, como confiesa, no estuvo presente en los hechos que narra. Su participación directa se plasma poéticamente en la segunda parte (catorce cantos) y en la tercera (ocho cantos), donde se intercalan excursos que cantan los triunfos de Felipe II (San Quintín, Lepanto) y su acceso al trono de Portugal, descripciones geográficas e historias amorosas al modo pastoril protagonizadas por personajes araucanos, habitantes de una imaginaria, utópica Arcadia.

A los textos publicados en vida del poeta se añadieron en la primera edición póstuma (1597) las 104 octavas en que narra la expedición de la que formó parte.

Desde su arranque («No las damas, amor, no gentilezas...»), *La Araucana* se sitúa en una posición paradójica como continuadora de la épica italiana a lo Ariosto y frente a ella. La diferencia de ambas es la distancia entre la fantasía y la verdad vivida. Ercilla insiste en que su testimonio es directo y fehaciente. No canta las «galas, regalos y ternezas» de enamorados caballeros, sino «el valor, los hechos, las proezas» de los que participaron en aquella dura guerra. Los indígenas aparecen convertidos en mitos, en seres ideales que pueden encarnar un paraíso perdido, solo vivo en las fábulas sentimentales de las églogas y libros de pastores. Como guerreros son exaltados a la categoría de héroes del poema. Sucumben ante un ejército mejor armado. Un halo de trágica grandeza rodea sus figuras. Hasta tal punto que el poeta sintió la necesidad de justificar este tratamiento en el prólogo:

«son pocos los que con tan gran constancia y firmeza han defendido su tierra contra tan fieros enemigos como son los españoles...».

Ercilla huye del maniqueísmo, pero no puede evitar el distinto grado de información. Mientras que de los españoles conoce con detalle grandezas y miserias, rasgos de nobleza y episodios de crueldad, de los araucanos solo llega a vislumbrar admirado su heroica resistencia, su estoico sentido de la dignidad.

Por estos y otros muchos conceptos, *La Araucana* es un poema excepcional, pero desigual en extremo. La fuerza y la intuición poética sufren considerables altibajos en los treinta y siete cantos. El enfoque varía desde el extremo realismo y la descripción minuciosa (rayana, a veces, en la prolijidad) hasta la recreación convencional de los tópicos de la poesía renacentista. El vigor y aliento de algunos episodios contrastan con la flojedad de otros.

Con todo, el conjunto es unánimemente reconocido como la más notable creación de la épica culta española. A sus altos valores poéticos hay que añadir una visión de la historia en la que se refleja con generosidad la compleja realidad hispanoamericana.

3.6.3. Otros títulos destacados

Dada la resonancia de la obra de Ercilla, no es de extrañar que tuviera imitadores, como el criollo Pedro de Oña (Infantes de Angol, Chile, 1570-d. de 1643), político, funcionario y poeta próximo a la corte virreinal de Lima. Hoy su fama se vincula a *El Arauco domado* (1596), poema en que reivindica el papel de don García Hurtado de Mendoza, marqués de Cañete, en la conquista de Chile, silenciado por Ercilla. Todo apunta a que se trata de una obra de encargo, exaltadora de la aristocracia virreinal y poco comprensiva con las razones del mundo indígena.

La producción de Oña no se limita a este texto epigonal. Ya en el siglo XVII escribió y publicó *El temblor de Lima* (1609) y *El Ignacio de Cantabria* (1639), sobre el fundador de los jesuitas. Desde su tardía edición de 1941, la crítica ha ponderado el interés del largo poema épico *El Vasauro*, que se acabó de escribir en 1635. La historia de don Andrés Cabrera y de su esposa doña Beatriz de Bobadilla sirve para recorrer barrocamente los tiempos de los Reyes Católicos. El objetivo es lisonjear al virrey Luis Fernández de Cabrera, descendiente de los protagonistas, en un texto culterano y conceptuoso, plagado de reminiscencias gongorinas.

JUAN DE CASTELLANOS (Alanís, Sevilla, 1522-Tunja, Colombia, 1607) escribe unas *Elegías de varones ilustres de Indias*, dedicadas a Felipe II. Es un larguísimo poema que pasa revista a la conquista americana desde el descubrimiento. En vida del autor solo se publicó la primera parte (1589). En la actualidad disponemos de la edición completa de la Presidencia de Colombia (1955). La obra tiene un valor más histórico que poético.

Poemas menores en torno a la conquista son los de DIEGO SANTISTEBAN OSORIO (*Cuarta y quinta parte de «La Araucana»*, 1597) y HERNANDO ÁLVAREZ DE TOLEDO (*El Purén indómito*, primera edición, 1832) y el atribuido a FRANCISCO LÓPEZ DE JEREZ (*Relación de la conquista... de Nueva Castilla*).

De las composiciones dedicadas a Carlos V destacan *La Carolea* (1560) de JERÓNIMO SEMPERE y *Carlo famoso* (1566) de LUIS ZAPATA. A don Juan de Austria se consagra *La Austriada* (1584) de JUAN RUFO.

Entre los poemas histórico-religiosos, a la manera de Tasso, se cuenta *Las Navas de Tolosa* (1594) de CRISTÓBAL DE MESA.

También tienen cabida los temas legendarios y milagreros en obras como *El Monserrate* (1587) de CRISTÓBAL DE VIRUÉS, y los novelescos en *Las Abidas* (1566) de JERÓNIMO DE ARBOLANCHE y en *Las lágrimas de Angélica* (1586) de LUIS BARAHONA DE SOTO.

3.7. EL TEATRO

A lo largo del siglo XVI se realiza un gran esfuerzo en este campo; hay una serie de intentos, frustrados en sí mismos, pero que preparan el camino que conduce a la *comedia nueva*. Aunque su valor histórico es considerable, carecen de entidad estética, salvo en contadas ocasiones.

3.7.1. EL TEATRO RELIGIOSO

Partiendo de los autos y farsas que compuso la generación de los Reyes Católicos, se inicia el desarrollo del drama religioso. Disponemos de algunas colecciones, entre las que ocupa un primer puesto el *Códice de autos viejos*, manuscrito conservado en la Biblioteca Nacional con el título de *Colección de autos sacramentales, loas y farsas del siglo XVI*, con un total de noventa y seis piezas. Leo Ruanet lo editó completo en cuatro tomos de la «Biblioteca hispánica» (1901). En su inmensa mayoría son obras anónimas, polimétricas, de técnica rudimentaria; la estrofa que predomina es la quintilla. Tratan de asuntos bíblicos, hagiográficos, marianos... Intervienen con frecuencia elementos alegóricos. Su valor literario es muy limitado.

Entre los nombres que pueden destacarse dentro del teatro religioso están los de HERNÁN LÓPEZ DE YANGUAS, con su *Farsa sacramental* (1520); JUAN DE PEDRAZA, con la *Danza de la muerte* (1551?); DIEGO SÁNCHEZ DE BADAJOZ, con la *Recopilación en metro* (1554); MICAEL DE CARVAJAL, con *Auto de las cortes de la muerte* y *Tragedia llamada Josefina*, en torno al hijo de Jacob; SEBASTIÁN DE HOROZCO, con *Parábola de san Mateo, Historia evangélica de san Juan...*

En los dominios de la tragedia, sobresale el padre PEDRO PABLO ACEVEDO, autor de veinticinco piezas conservadas en un códice de la Academia de la Historia, en las que se sirve continuamente de figuras alegóricas. En todo momento se antepone la preocupación moral, con los resultados que son de esperar.

La tragedia de san Hermenegildo, uno de los dramas más valiosos del siglo XVI, es obra de tres dramaturgos: el P. HERNANDO DE ÁVILA, el P. MELCHOR DE LA CERDA y el poeta JUAN DE ARGUIJO. Se concentra en el problema íntimo de la religiosidad del protagonista y en la tensión de Leovigildo entre su deber de rey y su amor de padre.

3.7.2. LOPE DE RUEDA Y LA INFLUENCIA ITALIANA

Sobre la generación que escribe obras profanas a partir del siglo XVI influye considerablemente lo que se ha venido haciendo en Italia. Se adaptan y difunden las comedias de Cecchi, Giancarli, Ariosto… En la base de lo que luego será la *comedia española* están los dramaturgos que se sirven de esas experiencias para crear un teatro popular. El más importante entre ellos (ALONSO DE LA VEGA, SEPÚLVEDA, JUAN TIMONEDA) es, con mucho, Lope de Rueda.

Sabemos poco de su vida. Nació en Sevilla en la primera década del siglo. Vivió de y para el teatro, como dramaturgo, actor y director. Recorrió las grandes ciudades y adquirió considerable fama. Murió en Córdoba en 1565.

No es un intelectual, sino un hombre que se mantiene en permanente contacto con la escena. Quiere crear un teatro que interese al público. Para ello se inspira en la *commedia dell'arte* italiana. Se basa también en la observación de la vida real, de la que toma tipos y costumbres.

Sin duda alguna, lo mejor de su producción son los pasos, piezas humorísticas breves, de trama muy sencilla, en las que introduce figuras populares, convenientemente caricaturizadas; son tipos esquemáticos sin la menor evolución psicológica. Una aportación absolutamente original es la traslación a la escena del habla de la calle, repleta de errores léxicos, anacolutos, tartamudeos y disparates lógico-lingüísticos que mueven a risa. El lenguaje, en prosa, es el alma de este teatro. Desempeña un papel importante la figura del bobo, cuyas simplicidades y desdichas hacen las delicias del público. Cabe suponer que estas piececitas no eran más que guiones que el actor recreaba en el escenario mediante la improvisación, reforzando la comicidad con recursos de carácter gestual.

Juan Timoneda, que corrigió y retocó el texto, los editó en Valencia en dos volúmenes: *El deleitoso* (1567), y *Registro de representantes* (1570), con siete y seis pasos, respectivamente (del último solo tres son de Lope de Rueda). Entre los más célebres se cuentan *Las aceitunas, La tierra de Jauja, Cornudo y contento...*

También nos ha dejado cinco comedias, de valor limitado, que imitan servilmente los modelos italianos*: Los engañados, Eufemia, Armelina, Medora...* No tiene reparo en utilizar temas y argumentos ajenos que puedan servir para sus propósitos. El éxito de la representación debía de apoyarse en las escenas humorísticas intercaladas; son pasos enteramente independientes del resto de la obra, que hay que sumar a los que contienen los dos volúmenes citados. La trama, torpe y deshilvanada, probablemente estaba concebida como un armazón en el que introducir los episodios cómicos. Gracias al influjo italiano, las obras de Lope de Rueda tienen una agilidad desconocida hasta entonces en nuestros lares.

3.7.3. TRAGEDIAS Y COMEDIAS CLASICISTAS

En esta etapa se da un intento frustrado de crear una tragedia y una comedia españolas de inspiración clásica. Nacen como algo dramáticamente muerto porque sus autores trabajan de espaldas al público. Es un teatro técnicamente inmaduro, que solo vive en los recintos de las universidades y colegios. A veces son meras refundiciones de textos grecolatinos, con las que se pretende dar a conocer a los grandes autores del pasado, no poner en pie un espectáculo vivo y actual. Destacan

181

en esta actividad JUAN DE TIMONEDA, adaptador de Plauto; FERNÁN PÉREZ DE OLIVA, de Plauto, Sófocles y Eurípides; PEDRO SIMÓN ABRIL, que traduce fielmente la obra de Terencio...

A medida que pasa el tiempo, nuestros dramaturgos van introduciendo temas y elementos nacionales sin abandonar las estructuras y normas clásicas. El gallego JERÓNIMO BERMÚDEZ incluye en *Primeras tragedias españolas* (1577) dos obras: *Nise lastimosa* y *Nise laureada*, en torno al mito de Inés de Castro. LUPERCIO LEONARDO DE ARGENSOLA presenta en *Isabela* un conflicto de castas en la Zaragoza musulmana del siglo XI. MIGUEL DE CERVANTES crea una tragedia heroica, *La Numancia* (1585), que no se rescatará hasta el siglo XVIII.

Particular relieve adquiere el grupo valenciano. En la capital del Turia, lo mismo que en Madrid y Sevilla, los corrales funcionan regularmente y se desarrolla una intensa actividad teatral. La *comedia española* nacerá en 1588, cuando Lope de Vega llegue allí a cumplir su destierro. Antes de eso, hay una serie de tentativas que, aunque insatisfactorias, conducen a ella. La incorporación de temas novelescos y nacionales hace posible que se vayan rompiendo las trabas de la imitación clásica y se avance hacia una nueva concepción de la intriga dramática. En ese camino destacan dos tragediógrafos.

CRISTÓBAL DE VIRUÉS (Valencia, h. 1550-d. 1613) en sus *Obras trágicas y líricas* (1609) publica cinco tragedias: *La gran Semíramis, La cruel Casandra, Atila furioso, La infelice Marcela* y *Elisa Dido*. Siguiendo la huella de Séneca, acumula en escena toda clase de atrocidades. Sus personajes son criaturas estereotipadas, sin vida, que aparecen como juguetes del destino. Viene a ser un intento apreciable pero fallido. ANDRÉS REY DE ARTIEDA (Valencia, 1544-1613) en su única pieza conservada, *Los amantes* (1581), nacionaliza un cuento de Giovanni Boccaccio.

Por las mismas fechas se desarrollan intentos similares en Sevilla. Figura a la cabeza JUAN DE LA CUEVA (Sevilla, 1543-Granada, 1612), que estrena sus primeras piezas en 1579, y en 1588 publica sus *Comedias y tragedias*. Preparaba una segunda parte que no llegó a aparecer. Hay en su obra elementos que anuncian la fórmula de Lope (preferencia por los asuntos de la historia nacional, incorporación de los viejos romances), pero no tiene habilidad para estructurar adecuadamente la intriga y mantener el ritmo. Tiende a adoptar un aire narrativo. Los caracteres son desequilibrados. Muestra un desmedido afán por lo anormal y monstruoso. Algunos títulos son: *La muerte del rey don Sancho y reto de Zamora, Los siete infantes de Lara, El infamador...* En su texto teórico *El ejemplar poético* (última redacción de 1609) no recoge las ideas que practicaba, sino que es una defensa titubeante de la nueva dramaturgia que había hecho triunfar Lope de Vega.

3.7.4. EL TEATRO EN HISPANOAMÉRICA

En la América prehispánica las ceremonias religiosas incluían danzas y ritos próximos al teatro. De ahí que los misioneros aprovecharan este medio para la evangelización. Compusieron para ello autos en las lenguas autóctonas.

En las universidades y colegios se importó la costumbre de representar comedias clásicas y otras piezas escritas en latín o castellano, ligadas muchas veces a festividades cívicas como las entradas de los gobernadores y virreyes. Nos han llegado un par de églogas latinas del jesuita BERNARDO DE LLANOS, puestas en escena en el colegio de San Ildefonso de México hacia 1588, y noticias de la representación de *El triunfo de los santos* (1578) de VINCENCIO LANUCCI y JUAN SÁNCHEZ BAQUERO.

En todas las ciudades de relieve la festividad del Corpus se celebraba con funciones teatrales. Entre los dramaturgos incipientes destaca FERNÁN GONZÁLEZ DE ESLAVA, que llegó a México en 1588 y nos ha legado hasta dieciséis coloquios, varias loas y un entremés. Todas ellas son piezas muy simples, en las que se encuentran algunos reflejos de la vida cotidiana de la capital del virreinato.

3.8. LITERATURA ASCÉTICA Y MÍSTICA

3.8.1. PANORAMA GENERAL

Ascética y mística son dos estadios en el camino de perfección espiritual que dejan profunda huella en nuestra literatura, tanto en prosa como en verso. Suponen un grado distinto de acercamiento a la divinidad.

La ascética busca la elevación moral por medio de oraciones, penitencias, meditaciones... Depende de la propia voluntad, del esfuerzo individual. La mística parte de la ascética, pero supone un nivel superior, reservado a algunas almas escogidas a las que Dios concede gracias especiales.

En el camino que debe seguir el alma hacia la unión con Dios se distinguen tres fases:

— Vía purgativa, de purificación inicial
— Vía iluminativa, de perfeccionamiento
— Vía unitiva, de plenitud

Las dos primeras corresponden a la ascética; la última, al éxtasis místico.

Desde el punto de vista literario, la mística ofrece una mayor riqueza y complejidad. El místico quiere trasmitirnos sus experiencias, pero no encuentra las palabras adecuadas porque pertenecen al terreno de lo inefable. Recurre entonces a un lenguaje repleto de símbolos, metáforas y toda clase de imágenes que quedan fuera de lo estrictamente racional. Ese es el único medio de comunicar sensaciones que no pueden ser reducidas al lenguaje humano.

En España la literatura ascética y mística se desarrolla tardíamente, en la segunda mitad del siglo XVI. Tiene su punto de partida en la reforma religiosa que se opera bajo la dirección del cardenal Cisneros.

Las cumbres de la mística española son santa Teresa de Jesús y san Juan de la Cruz, pertenecientes ambos a la escuela carmelitana. Hay otros muchos escritores religiosos. Destacan dentro de la orden dominicana las figuras de SAN JUAN DE ÁVILA (1500-1569), autor de un *Epistolario espiritual*, y FRAY LUIS DE GRANADA (1504-1588), discípulo del anterior, con *Libro de oración y meditación* (1554), *Guía de pecadores* (1556) e *Introducción al símbolo de la fe* (1582). Entre los franciscanos se cuentan FRAY ALONSO DE MADRID, con su *Arte de servir a Dios*; FRANCISCO DE OSUNA (1492-1540), autor de *Tercer abecedario espiritual* (1527); BERNARDINO DE LAREDO (1482-1540), con su obra de contenido místico *Subida al monte Sión por la vía contemplativa* (1535); SAN PEDRO DE ALCÁNTARA, FRAY DIEGO DE ESTELLA, FRAY JUAN DE LOS ÁNGELES... Entre los agustinos son notables ALONSO DE OROZCO (1500-1591), autor de *De nueve nombres de Cristo* (inédito hasta 1881); PEDRO MALÓN DE CHAIDE (1530-1589), con la *Conversión de la Magdalena* (1588), SANTO TOMÁS DE VILLANUEVA... Los jesuitas están encabezados por su fundador, SAN IGNACIO DE LOYOLA (1491-1556), cuyos *Ejercicios espirituales* (1548) han tenido un notable influjo sobre todo el orbe católico. Le siguieron SAN ALFONSO RODRÍGUEZ, SAN FRANCISCO DE BORJA...

Al margen de estas escuelas, hay que destacar a ALEJO VENEGAS (1493-1572), autor de *Agonía del tránsito de la muerte* (1537), de filiación erasmista.

3.8.2. SANTA TERESA DE JESÚS

Teresa de Cepeda y Ahumada nace en Ávila en 1515. En 1535 entra en el convento carmelita de la Encarnación, en el que profesa dos años más tarde. A pesar de su mala salud, agravada por los rigurosos ejercicios ascéticos a que se somete, desarrolla una actividad incansable en el intento de reformar la orden carmelitana para devolverla al rigor de los primeros tiempos. Esta tarea le acarrea un sinfín de sinsabores y la enfrenta a las autoridades religiosas. En 1562 funda el convento reformado de San José de Ávila, al que siguen otros muchos en Castilla y Andalucía. Muere en Alba de Tormes

(Salamanca) en 1582. Su proceso de canonización culmina en 1622.

Santa Teresa carece de pretensiones artísticas. Escribe tan solo para orientar a sus monjas en el camino de la perfección espiritual, pero su prosa alcanza gran valor literario. Su lenguaje, con los rasgos propios del habla coloquial castellana, es el más acabado ejemplo de la norma de sencillez y naturalidad que impera en el siglo XVI. Puede decirse que la suya es una «sintaxis emocional», que se sale de los cauces gramaticales al uso, en busca de una expresividad más directa. La mueve una finalidad de comunicación práctica; de ahí que siempre quiera hacerse entender. Las tonalidades afectivas se dejan sentir sobre todo en el uso del diminutivo.

De extraordinario interés es el *Libro de la vida,* indispensable para el conocimiento de la trayectoria humana y espiritual de la autora; su redacción definitiva data de 1564-1565. En sucesivos capítulos, habla de su infancia y juventud, de los primeros años de su vida religiosa, de sus progresos en la oración mental, de las mercedes que recibe de la divinidad antes de fundar el convento de San José y de su periodo de plenitud tras esta primera empresa. En este punto se interrumpe la autobiografía, como si ya se hubiera culminado una parte esencial de ella. En medio del relato se intercalan consideraciones de carácter didáctico-espiritual. Para el lector lo más interesante son los pasajes dedicados a la vida externa de la santa y aquellos otros en que intenta hacer comprensibles las más altas experiencias místicas de una forma sencilla e inmediata.

Libro de las fundaciones, cuya redacción se inicia en 1573 y llega hasta las vísperas de la muerte, parte del punto en que se interrumpe la obra anterior para dar cuenta de los avatares relativos a la fundación de los conventos.

Complemento de estos textos son las *Cartas* que escribió a impulsos de la actividad reformadora. Se conservan unas cuatrocientas. Van dirigidas sobre todo a personajes religiosos con los que mantuvo relación. Destacan por su espontaneidad.

De índole distinta es *Castillo interior o las moradas*, escrita en 1577, donde hace un análisis más complejo del fenómeno místico. Compara la vida espiritual del hombre con un castillo de diamante y cristal en el que hay siete aposentos. Se penetra en él a través de la oración y la meditación y luego hay que ir perfeccionándose para atravesar las seis moradas que conducen a aquella en que se verifica la unión con Dios. No se trata de una obra sistemática porque, al intentar contar experiencias tan intensas, la autora se aparta a menudo de la línea recta; pero es un prodigio de introspección y de capacidad de análisis de las propias vivencias espirituales.

También compuso algunos poemas: glosas, canciones y villancicos en metros tradicionales. Los más célebres son «Vivo sin vivir en mí...» y «Véante mis ojos...», ambos de dudosa atribución.

3.8.3. San Juan de la Cruz

Vida y personalidad. Juan de Yepes y Álvarez, que es su nombre de seglar, nació en Fontiveros (Ávila) en 1542, en el seno de una familia humilde. Desde la infancia se vio obligado a desempeñar diversos oficios. Pese a ello, sacó adelante sus estudios. A los veintiún años ingresó en la orden del Carmelo.

En su trayectoria vital fue decisivo su encuentro con santa Teresa de Jesús, en cuya empresa reformadora colaboró activamente. Sufrió toda clase de persecuciones por parte de los carmelitas «calzados», que se oponían a los «descalzos» o reformados.

Desde 1568 fundó varios conventos en Castilla y Andalucía, siempre en medio de graves conflictos. Estas tensiones llegaron a su punto culminante cuando en 1577 los «calzados» lo raptaron y encerraron en Toledo en una estrechísima celda de la que logró escapar nueve meses más tarde. Desempeñó cargos de importancia. No tuvo ni un momento de paz, ni siquiera a la hora de su muerte, que acaeció en el convento de La Peñuela, en Jaén, en 1591, rodeado de una fría hostilidad.

Llama poderosamente la atención el hecho de que san Juan pudiera compaginar su ajetreada vida con el recogimiento espiritual que requerían sus experiencias místicas. En medio de constantes idas y venidas, fundaciones y tareas encomendadas por su orden, logró alcanzar el sosiego necesario para acceder a las más altas cimas de la unión con Dios.

OBRA POÉTICA. Aunque la producción de san Juan es muy escasa, le ha bastado para que se le considere uno de los mayores poetas de la lengua castellana. Sus versos hay que entenderlos como un canto espontáneo y auténtico que no se somete al rigor lógico de los discursos habituales. Habla de sus propias vivencias, pero no llega a explicarlas. Sus poemas son una pura exclamación. Como es propio de la literatura mística, domina lo irracional y subconsciente, lo intuitivo. No puede extrañarnos, por tanto, la presencia de anacolutos, enumeraciones caóticas... o el paso súbito de un tema a otro. Todo ello es fruto del arrebato místico. La palabra se carga de valores emotivos.

Siguiendo una larga tradición, utiliza una simbología erótica para expresar la relación íntima del alma con Dios:

> Quedéme y olvidéme,
> el rostro recliné sobre el Amado;
> cesó todo, y dejéme,
> dejando mi cuidado
> entre las azucenas olvidado.

Sus tres poemas mayores místicos *(Noche oscura del alma, Cántico espiritual, Llama de amor viva)* son variaciones sobre un mismo asunto, con predominio de lo dramático en el *Cántico*, de lo narrativo en *Noche...* y de lo lírico en *Llama...* *Noche oscura del alma* muestra cómo esta se une con el Amado. Aparece representada bajo la figura de una mujer que abandona su casa a altas horas para acudir a una cita amorosa. Consta solamente de ocho liras, que desarrollan el tránsito a la unión con Dios siguiendo las tres etapas de la vida espiritual: purgativa (estr. 1-2), iluminativa (3-5) y unitiva (6-8). El símbolo central del poema, la «noche oscura», alude a la privación de todos los apetitos sensuales.

Cántico espiritual, el más extenso (cuarenta liras) e interesante, es una versión del *Cantar de los cantares* atribuido a Salomón. El influjo bíblico se advierte en el bello exotismo del léxico. La Esposa busca al Esposo y va preguntando por él a las criaturas y a la naturaleza. Por fin lo encuentra, sostienen un amoroso diálogo y se produce la unión. La expresión poética es sumamente compleja y difícil de desentrañar.

Llama de amor viva es un breve canto de júbilo por el goce de la unión (cuatro estrofas abCabC). Para designar los efectos del amor, el poeta recurre a imágenes sadomasoquistas y a los juegos de contrarios: «¡Oh cauterio suave! / ¡Oh regalada llaga!».

Además de las peculiaridades estilísticas del lenguaje místico, a las que ya hemos aludido, caracteriza a estos versos la tendencia a la condensación, que se logra con el uso predominante del sustantivo, a expensas del verbo y el adjetivo. Se da así mayor densidad a la expresión prescindiendo de todo lo ornamental y superfluo. El léxico recurre tanto a voces populares y rústicas (*majadas, otero, ejido...*) como cultas (*vulnerado, bálsamo...*). Es relativamente frecuente el uso afectivo del diminutivo (*palomica, tortolica...*).

Estos poemas tardaron mucho en llegar al público. No se imprimieron en vida del autor. Hasta 1618 no apareció la edición de las *Obras espirituales,* que modificaba algunos fragmentos y dejaba fuera el *Cántico espiritual.* Este se imprimió por primera vez, en francés, en 1622 y cinco años más tarde en español (1627). La primera edición conjunta de los tres data de 1630: *Obras del venerable y místico dotor fray Joan de la Cruz.* Fueron denunciados a la Inquisición, pero eso no impidió que se difundieran.

Compuso, además, algunos otros versos de corte tradicional. Muy bellas son la *Canción del pastorcico* y «Tras un amoroso lance...», que desarrolla el tópico motivo de la caza cetrera de amor. Los temas propios del amor profano son trasladados a lo divino. Es célebre su glosa de la conocida copla «Vivo sin vivir en mí...».

COMENTARIOS EN PROSA. San Juan desentraña el significado simbólico de sus grandes poemas en sendos comentarios en prosa que redacta años más tarde con el mismo título; a *Noche oscura del alma* le dedica, además, un segundo texto: *Subida al monte Carmelo*. Constituyen un auténtico tratado de mística.

La relación entre los versos y sus comentarios ha sido objeto de debate. Todo parece indicar que si los primeros nacieron de forma espontánea, los segundos obedecerían a la presión del círculo espiritual en que se movía el poeta, debido quizá a la necesidad que se sentía de justificar unas composiciones de exacerbado erotismo. Unos y otros pertenecen a universos estéticos y afectivos totalmente distintos. Media gran distancia entre el impacto emocional que nos producen las imágenes poéticas y la frialdad de las prosas.

Por otra parte, el simbolismo está muy recargado; rara es la palabra que puede tomarse en sentido recto. Las aclaraciones resultan, paradójicamente, muy complicadas. En general, el lector prefiere los poemas desnudos, sin comentario.

4

Barroco

4.1. CONTEXTO HISTÓRICO Y CULTURAL

HISTORIA Y CULTURA. SUS CONTRADICCIONES. Entre la muerte de Felipe II y la de su biznieto media poco más de un siglo, en que la corona española recae en las sienes de los llamados «Austrias menores»: Felipe III (1598-1621), Felipe IV (1621-1665) y Carlos II (1665-1700; con un periodo de minoridad bajo la regencia de la reina madre Mariana de Austria y otro de privanza de don Juan José de Austria, 1665-1679).

En esta etapa España pasa de ser la potencia hegemónica a convertirse en un estado de segunda fila, a pesar de mantener, con más o menos dificultades, un inmenso territorio repartido entre varios continentes.

La caída de ese imperio no fue repentina ni completa. Incluso podría afirmarse que existió un doble proceso contrapuesto: la decadencia en los territorios europeos y la secesión de varios de ellos, frente al auge y asentamiento de las colectividades americanas, que desplegaron una singular actividad económica y afianzaron una cultura importada de la península, pero que iba adquiriendo lentamente rasgos propios.

Sorprende la solidez de ese imperio. Es casi inexplicable que el declive económico y político de la metrópoli no viniera seguido de la desmembración territorial.

Quizá tuviera que ver con esta cohesión otro fenómeno que también contradice la idea general de decadencia: el apogeo de la cultura española y sobre todo de su arte. En medio de las crisis económicas y de las derrotas militares, el mundo hispánico vive un singularísimo Siglo de Oro, una etapa de fervor colectivo por la poesía, el teatro, la novela, la pintura, la escultura policromada... Aparecen en este periodo algunos de los grandes genios del arte universal: Cervantes, Góngora, Lope de Vega, Quevedo, Calderón, Velázquez, Zurbarán... Surgen también los primeros creadores nacidos en tierras americanas que alcanzan el rango de autores clásicos en nuestra lengua: el Inca Garcilaso de la Vega, Juan Ruiz de Alarcón, sor Juana Inés de la Cruz... Como ya venía ocurriendo en el siglo anterior, escritores nacidos en la península viven y escriben en América, se impregnan de los valores del Nuevo Mundo y contribuyen a forjar su espíritu. Es el caso de los grandes épicos barrocos fray Diego de Hojeda y Bernardo de Balbuena.

El siglo conoce distintas fases en su evolución histórica y cultural que conviene abordar con detalle.

EL PACIFISMO BARROCO (1598-1621). La última etapa del reinado de Felipe II revelaba las dificultades de la monarquía española para mantener el papel hegemónico que todavía desempeñaba en Europa. El acudir a los distintos frentes consumía las remesas de plata americana. Las guerras europeas y la conquista y colonización de América provocaron una creciente despoblación y empobrecimiento de los reinos peninsulares, en especial del más extenso e importante: el de Castilla.

Al llegar al trono Felipe III, se modificó sustancialmente la forma de gobierno. El nuevo rey no tenía ni la capacidad ni la voluntad autocrática de su padre y delegó las tareas en la figura del valido, especie de primer ministro que elegía entre la alta aristocracia. El primero de ellos fue el duque de Lerma, que gobernó de 1598 a 1617. Orientó la política exterior hacia el pacifismo. En 1604 firmó la paz con la Inglaterra de Jacobo I; en 1609 estableció una tregua de doce años con las provincias rebeldes de los Países Bajos (la actual Holanda).

En la política interior, el gobierno de Lerma no emprendió tarea alguna de reforma para salir del inmovilismo social y económico. Esto se agravó con una desacertada maniobra de prestigio y distracción: la expulsión de los moriscos (1609-1610). Se invocaron para tan cruel medida razones de seguridad (el temor a una agresión del imperio turco con la complicidad de los moriscos) y religiosas (la persistencia de prácticas musulmanas). La operación perjudicó gravemente a la economía española.

Más grave aún fue la corrupción administrativa. Los intereses de la aristocracia que rodeaba al poder dictaron las medidas en cada momento, entre ellas un disparatado traslado de la corte a Valladolid en 1601 y su vuelta a Madrid en 1606, que tuvo la virtud de arruinar a las dos ciudades. Los escándalos (rápido enriquecimiento de hombres oscuros, abusos de la alta aristocracia a costa del patrimonio regio...) provocaron la destitución de Lerma en 1617. Le sucedió su hijo, el duque de Uceda, que gobernó con los mismos principios hasta la muerte de Felipe III.

El de Lerma y el de Uceda no supieron, no pudieron o no quisieron enmendar la decadencia económica de la península, pero tuvieron la virtud de no hundirla definitivamente con nuevos esfuerzos bélicos. Esa tarea quedaba reservada a sus sucesores.

FELIPE IV (1621-1665). EL AUSTRACISMO. La subida al trono del nuevo monarca y el acceso al poder de don Gaspar de Guzmán, conde (después conde-duque) de Olivares, despertaron esperanzas de regeneración. Varios de los ministros corruptos de Felipe III fueron a la cárcel y alguno al patíbulo. Un cierto mesianismo se instauró entre las élites políticas. Olivares traía un proyecto complejo y contradictorio que las circunstancias se encargaron de desbaratar. Se propuso reforzar el poder real, propiciar la centralización y crear una monarquía absoluta e intervencionista, anuncio prematuro de lo que sería la política en el siglo XVIII.

Quiso dinamizar y modernizar la economía. Para conseguirlo, intentó incluso remover los viejos prejuicios antijudaicos. Entró en conversaciones con financieros judíos de origen portugués, a los que invitó a instalarse en la corte. Diversos conflictos y escándalos y las violentas apariciones de panfletos antisemitas, que constituían un ataque indirecto al valido, acabaron con este proyecto.

Las ideas de Olivares y de los que lo apoyaron encerraban contradicciones insalvables. Para estimular la economía había que fomentar el crecimiento de una clase media laboriosa; pero, al mismo tiempo, se pretendía mantener el marco estamental y frenar la movilidad social. Para añadir rémoras, el propio conde-duque y muchos de sus colaboradores aspiraban a un imperio que se sustentara en la fuerza de las armas. Los más exaltados (entre ellos Quevedo) soñaban con la vuelta de una quimérica edad heroica, en la que las virtudes marciales arrinconaran las tentaciones de progreso económico y la modernización social, que concebían como formas de decadencia moral.

Este espíritu contradictorio se manifestó en los fallidos intentos de reconstrucicón interior que se quisieron simultanear con la recuperación del prestigio internacional. A partir de 1621, la corona española entró en la llamada guerra de los Treinta Años, que asoló Centroeuropa entre 1618 y 1648. Para subvenir económicamente a esta empresa se recurrió temerariamente a provocar la inflación mediante el *resello* de la moneda. El gobierno se incautó de las disponibilidades particulares de plata y oro y devolvió la mitad con un cuño que indicaba el nuevo valor. Naturalmente, los precios de los bienes subieron de inmediato en la misma proporción.

Los primeros embates de esta contienda fueron favorables a las armas españolas; pero esos éxitos determinaron la decidida intervención de Francia. A partir de 1639 (batalla de las Dunas), se sucedieron las derrotas. Y, con ellas, la necesidad de allegar nuevos fondos. Olivares quiso extender el sostenimiento de la guerra a todos los reinos peninsulares (hasta entonces la pagaba solo Castilla). En 1640 se alzaron

194

en armas Portugal, que se separaría definitivamente, y Cataluña, que tras trece años de unión irregular a la corona francesa, volvió a la española, con la pérdida de una parte de su territorio (el Rosellón y la Cerdaña).

La propaganda oficial puso a Felipe IV el sobrenombre de «El grande». Sus detractores y críticos se burlaron sarcásticamente de estas pretensiones y divulgaron en pasquines y sátiras anónimas que era como un hoyo, tanto mayor cuanto más tierra le quitaban.

El conde-duque fue depuesto en 1643, víctima de su política de intervención europea. Su sucesor y sobrino, don Luis de Haro, hubo de limitarse a gestionar la derrota. En 1648 la paz de Westfalia, con que se remató la guerra de los Treinta Años, y en 1659 la de los Pirineos, firmada con Francia, supusieron el reconocimiento de un nuevo *statu quo* en el que la hegemonía continental pasaba a manos francesas.

EL REINADO DE CARLOS II (1665-1700). La figura enclenque y deforme del último rey de la casa de Austria se ha utilizado durante siglos como símbolo de la extrema decadencia española; sin embargo, los modernos historiadores —más atentos a los datos que a los símbolos— han demostrado que la imagen no coincide en este caso con la realidad. La pérdida de la hegemonía fue un alivio económico e influyó en un lento cambio de rumbo. Se intentó corregir el absurdo planteamiento que llevó a la bancarrota. Para ello el gobierno del conde de Oropesa en 1682 aprobó leyes que permitían a la aristocracia dirigir y fomentar industrias y comercios. Hasta ese momento dichas actividades excluían a los que las ejercían de los privilegios nobiliarios.

A la muerte del rey —no tuvo hijos—, Francia y Austria se disputaron la corona española y se desató una guerra civil en la que se enfrentaban las posiciones centralizadoras, representadas en conjunto por el reino de Castilla, y las tendencias federalizantes, que tuvieron sus valedores en los territorios de la corona de Aragón.

El mundo americano, parte de la corona castellana, no sufrió esta guerra civil y siguió su marcha de progreso y afirmación, que se consolidaría en el siglo siguiente.

LA EVOLUCIÓN AMERICANA. Mientras en Europa se vivía la crisis política y económica que hemos tratado de sintetizar, en América las condiciones y circunstancias eran bien distintas. Fue una etapa de prosperidad. La minería seguía siendo actividad dominante. En la agricultura, que antes había sido de mera subsistencia, se inició el camino hacia el monocultivo con destino a la exportación. La ganadería se desarrolló, por así decirlo, espontáneamente. Las nuevas especies importadas del Viejo Mundo (el ganado caballar y vacuno, sobre todo) se aclimataron a la perfeción y poblaron buena parte del territorio.

Las relaciones comerciales con la metrópoli se vieron dificultadas por los conflictos bélicos europeos. Las posesiones americanas sufrieron los embates de ingleses, franceses y holandeses, en guerra con la corona española. Pese a todo, la estructura política se mantuvo intacta, se consolidó el sistema de los virreinatos (el de Nueva España, con capital en Ciudad de México, y el de Perú o Nueva Castilla, con capital en Lima) y de las audiencias. No se produjeron en el XVII las guerras civiles entre conquistadores y los enfrentamientos radicales entre colonos y emisarios reales que hubo en el siglo anterior; pero no desaparecieron —no podían desaparecer— los recelos entre la población criolla y los funcionarios y fiscalizadores enviados desde Madrid.

La corrupción administrativa incidió de forma escandalosa en América a través de la compra abusiva de cargos públicos (ciertas compraventas eran legales, pero los precios excesivos determinaban corruptelas posteriores para resarcirse de lo pagado). Además, la corona obtuvo crecidos beneficios mediante los donativos, que permitían el indulto de los delitos, la venta de títulos nobiliarios y la legalización de usurpaciones de tierras realizadas por los criollos adinerados.

En el siglo XVII se ponen los cimientos de lo que será la estructura racial y social de la América hispana: una élite funcionarial y comercial nacida en España, una minoría criolla que tiene el poder económico, una cada vez más abundante presencia de mestizos (diferenciados racial y socialmente), una población indígena que retrocede a causa de las enfermedades y de los trabajos forzados e insalubres y una creciente mano de obra esclava de raza negra.

La cultura, eco cada vez más original y con mayor fuerza de las corrientes peninsulares, adquiere desarrollo, sobre todo en las cortes virreinales y en las ciudades relevantes. El interés central de la literatura del XVI por dar testimonio del proceso de conquista y de la nueva realidad descubierta, se trueca en el XVII por un arte más autónomo, recreador de los estilos que han hecho fortuna en la metrópoli. Se producirá un inevitable desajuste entre unas formas artísticas nacidas para expresar la profunda crisis política, económica y filosófica que vive Europa, y su traslación al Nuevo Mundo, cuyas coordenadas vitales son bien distintas. Probablemente, las peculiaridades del Barroco americano tienen su raíz en esa contratradicción.

LA CONCIENCIA DE MALESTAR. En la Europa del siglo XVII, no solo en España, existe una clara conciencia de malestar. José Antonio Maravall ha sintetizado las raíces de la cultura de esta época en varias de las circunstancias que hicieron más difícil e ingrata la vida de los hombres: «la economía en crisis, los trastornos monetarios, la inseguridad del crédito, las guerras económicas y, junto a esto, la vigorización de la propiedad agraria señorial y el creciente empobrecimiento de las masas, crean un sentimiento de amenaza e inestabilidad en la vida social y personal».

Una situación como la descrita exige unos mecanismos de represión y sujeción particularmente eficaces. La coerción, *manu militari*, no basta para evitar que una sociedad sometida a tales presiones camine hacia su disolución. Es necesaria una cultura propagandística que haga tolerable, que explique y justifique el deterioro de la calidad de vida. A ese propósito responde buena parte de la literatura moral del Barroco.

Pero la resignada aceptación no anula la actitud reflexiva e incluso el nacimiento de una corriente de pensamiento (el arbitrismo) empeñada en proponer soluciones a la decadencia económica, política y demográfica de la época. La figura del arbitrista fue ridiculizada por la literatura, pero muchos de sus escritos apuntan hacia remedios para los males de la sociedad y la economía (apoyo legal a las actividades productivas, control monetario, desarrollo de las clases medias...) cuya eficacia se demostraría años más tarde.

UNA MORAL PARA LAS MINORÍAS INTELECTUALES. La crisis histórica engendra una desvalorización de la realidad, de la que constantemente se subraya su carácter pasajero, inconsistente, ilusorio... Cuadros como *In ictu oculi* de Juan de Valdés Leal, en el que se ve un cadáver en proceso de putrefacción bajo las ricas ropas episcopales, o *El sueño del caballero* de Antonio de Pereda son manifestación plástica de esa constante meditación sobre la muerte y la inconsistencia de la realidad. En la literatura son tópicos reiterados la locura del mundo, el sueño de la vida, la existencia humana como teatro...

En los espíritus más lúcidos de la época se instala un sentimiento de desconfianza y desengaño frente al exterior. Con él llega —y esto los aproxima a los hombres de nuestros días— la soledad y la angustia existencial.

Luis Rosales dijo, con razón, que en el paso del siglo XVI al XVII se cambia el ideal social del héroe por el del sabio. La acción se siente como locura en un universo hecho de sombras e irrealidades. El esfuerzo cede el lugar a la prudencia. Dos viejas doctrinas filosóficas, emparentadas y opuestas en algunos puntos, reverdecen en los primeros años del XVII para configurar la moral de las minorías: el estoicismo senequista y el epicureísmo. De esta última toman los artistas barrocos la exaltación de los sencillos placeres de la vida cotidiana: la amistad, la lectura, la contemplación de la naturaleza y los jardines, la pasión por los objetos manufacturados (cerámica, cacharros de bronce o latón...), las frutas y manjares... En la pintura se pone de moda el bodegón, cuadro en que se reproducen de forma desnuda cacharros de cocina, vegetales, piezas de caza, pescados... Se desarrollan la literatura descriptiva, los poemas a las flores, la pasión por las ruinas, testimonio de belleza y fugacidad...

El sentimiento de renuncia, acorde con las adversas circunstancias históricas, lleva a la exaltación de la *aurea mediocritas* (la dorada medianía), alejada de las inquietudes de los grandes y las miserias de los pequeños. Una moral elitista que prepara para aguantar con dignidad los golpes de la fortuna. El dicho emblemático del estoicismo («Abstine et substine»: «Renuncia y aguanta») se convierte en guía del sabio en estos tiempos de crisis.

La misma corriente filosófica estimula una constante meditación sobre la muerte. Preocupación central en algunos autores (Quevedo, Gracián, Calderón...) es desengañar al hombre: mostrarle que es un ser para la muerte, sometido al imparable atropello del tiempo. Una y otra vez las artes en su conjunto y la literatura en particular trasladan al receptor lo más relevante de la doctrina estoica: lo trascendental en la vida es aprender a morir con dignidad y plena conciencia. Esta lección última da pie a la reflexión resignada (la muerte nos exime de un mundo de angustias y apariencias), a las expresiones de angustia, de desesperada rebeldía, de descorazonador nihilismo, y al sentimiento dolorido de melancolía.

ESPLENDORES Y BURLAS DEL BARROCO. No se piense solo en una visión tétrica de la existencia. Las mismas raíces históricas dan pie a otras manifestaciones contradictorias. Es el momento de mayor desarrollo del teatro, convertido en una forma capital de diversión pública para los distintos grupos sociales. En los corrales de comedias, en los palacios y en las plazas se ofrecían espectáculos de cuyas características hablaremos más tarde (véase 4.2.3).

Las sociedades hispánicas celebran con esplendor el Carnaval (desfiles grotescos, bailes de disfraces, representaciones cómicas), el Corpus Christi y otras fiestas: la noche de san Juan, de san Pedro, la Navidad... En numerosos escritos moralistas y políticos se quejan de la gran cantidad de días feriados que apenas deja lugar para el trabajo.

La entrada de reyes, reinas, virreyes, gobernadores, obispos..., las canonizaciones de santos, el traslado de reliquias... daban ocasión a grandes festejos para los que se engalanaban las calles, se construían arcos, se celebraban certámenes poéticos...

En medio de la crisis histórica, las gentes del XVII buscaron el consuelo de la diversión y del arte. Una parte de ese arte presenta la realidad trasfigurada, embellecida, exaltada. Tal el caso de la pintura mitológica, que tanto éxito tuvo en las cortes europeas y de manera muy especial en la española, para la que Rubens pintó una suntuosa colección de lienzos. En literatura Góngora elevó la fábula mitológica a su más extrema perfección: *Fábula de Polifemo y Galatea*. Pero no solo Góngora, también Lope de Vega, Juan de Jáuregui, el conde de Villamediana... escribieron excelentes poemas de esta índole.

Con la visión exaltadora, entusiasta, convivió el placer de la degradación, de la caricatura, de la chanza... Toda una corriente de poesía burlesca (Góngora, Quevedo, Polo de Medina...) se complace en ridiculizar la realidad, rebajarla y convertirla en objeto de mofa. Son creaciones ingeniosas, alardes de la capacidad imaginativa y el dominio verbal de los poetas. No debemos ver en muchas de ellas más que el placer de la burla: no hay intención satírica (como a veces se ha supuesto sin fundamento alguno) ni aspiración moral seria a corregir los usos y figuras que se ridiculizan. Sin embargo, en algunos autores, sobre todo en los de mayor calidad, puede verse por debajo del juego una inquietante desazón, un «disgusto metafísico» con el mundo en crisis que les tocó vivir.

El arte, no solo en sus formas extremadas de exaltación o de caricatura degradadora, fue una pasión constante en aquel siglo. El placer de indagar, a través de él, en la naturaleza dio lugar a manifestaciones de un realismo depurado. Cervantes, Velázquez, pero también Lope de Vega, Zurbarán, cierto Murillo, cierto Calderón... nos invitan a mirar el mundo sin las lentes deformantes de la exaltación y el vituperio. Sus obras nos permiten entender la compleja textura de la realidad en que vivimos. El alejamiento de la idealización no para en la caricatura sino en el punto justo en que el receptor se reconoce en la humanidad de los personajes y cree ver en las circunstancias de la ficción artística su propio entorno. Ejemplo de ese peculiar realismo barroco son las creaciones de Cervantes y Velázquez. Se trata, como ya ha señalado la crítica, más de un realismo de concepto que de técnica (preimpresionista en Velázquez) o de intención. Cervantes quiso escribir una parodia al iniciar el *Quijote*; a los pocos capítulos la caricatura se convirtió en humor, los personajes se hicieron sumamente complejos y la realidad de la España secentista (ventas, caminos, arrieros...) afloró en el relato. Velázquez pintó un conjunto de degradados cuadros mitológicos: *La coronación de Baco* (*Los borrachos*, según el vulgo), *La fragua de Vulcano*, *Marte*... Los modelos elegidos y la concepción del cuadro nos llevan a la vida cotidiana del Madrid de la época: la sonrisa bobalicona del personaje central de *Los borrachos*, los herreros escuálidos que sustituyen a los cíclopes en la fragua...

EL BARROCO: ESTILO Y CONCEPTO DE ÉPOCA. Los historiadores alemanes de la cultura y las artes plásticas fijaron en el siglo XIX el término *barroco* para referirse a las formas que adopta el arte renacentista en la Italia de la segunda mitad del XVI. Lo caracterizaron por el abandono de la pureza de líneas, por la incorporación de elementos ornamentales (follaje trepador, altorrelieves que adornan los paramentos y columnas de los edificios), retorcimiento (columnas salomónicas), grandiosidad y dramatismo en las representaciones pictóricas y escultóricas...

Durante mucho tiempo, y aun hoy, la crítica, especialmente la de las artes plásticas, ha utilizado el término *barro-*

co en esta acepción puramente formalista. Las etimologías que se han propuesto apuntan hacia esa noción de las formas caprichosas, irregulares, deformes, frente al rigor y equilibrio clásicos. Quieren unos que el nombre del movimiento artístico que nos ocupa derive de la voz portuguesa *barroco* (perla irregular, defectuosa); otros prefieren como origen el nombre que los escolásticos dieron a un falso silogismo (*baroco*). En los dos casos nació como un término despectivo para designar a un arte caracterizado por la complicación, la ornamentación excesiva, el desequilibrio y el mal gusto.

Werner Weisbach a principios del siglo XX vinculó estas formas expresivas al influjo de la Compañía de Jesús. La exuberancia barroca sería expresión de la nueva espiritualidad y del celo propagandístico que el concilio de Trento exigía a las artes para la difusión de la fe. Estudiosos posteriores (Enrique Lafuente Ferrari, Emilio Orozco) profundizaron en la vinculación del arte barroco con las circunstancias históricas. La idea de la complicación y el abigarramiento formal, la inclinación a las líneas curvas y a lo caprichoso y sorprendente, se sustituyó por la de la expresión de una nueva sensibilidad que atiende, con fórmulas estilísticas variadas e incluso aparentemente contradictorias, «a los eternos y angustiosos problemas del hombre» (Lafuente Ferrari).

Reflexiones posteriores han vinculado estrechamente el concepto de Barroco a la época de crisis en que nacieron estas formas artísticas. Maravall ha hablado de la *cultura del Barroco* como el resultado de la situación social e histórica del siglo XVII, caracterizado por la depresión. La ha definido como una cultura dirigida, masiva, urbana y conservadora.

Además de estos factores sociales, hay que contar con el agotamiento de las propuestas estéticas del clasicismo renacentista. La depuración, el equilibrio, la simetría, la idealización de la realidad a que aspira el arte dominante en el siglo XVI se quiebran para buscar la sorpresa, la emotividad, el dinamismo… El nuevo arte se inclina a la expresión de las tensiones, de la angustia, y constituye, como dijo Alejandro Cioranescu, «el descubrimiento del drama». Da entrada a elementos informes (los adornos vegetales y florales, los grutescos, la rocalla como ornamentación) y a la realidad subhistórica: lo cotidiano, pero también lo vulgar, lo chabacano, los chistes escatológicos, el submundo prostibulario... Frente a la selección renacentista, el Barroco procede por acumulación y antítesis. Por eso no cabe reducirlo a una definición exclusivamente estilística. Lo genuino barroco es el contraste entre la exaltación y la degradación, entre la dificultad expresiva, el cultismo, la exquisitez, y el lenguaje coloquial, la parodia y la incorporación del vocabulario soez y malsonante.

Estamos ante una ampliación de los moldes estilísticos, que se abren para trasmutar en objetos estéticos las vivencias angustiosas de un mundo en crisis.

EL ARTE DE LA DIFICULTAD. La más llamativa, no la única ni siquiera la más importante, manifestación del estilo literario barroco es lo que podemos llamar «el arte de la dificultad», es decir, la creación de un lenguaje hermético que exige un esfuerzo de desentrañamiento al lector. Es, sin duda, uno de los síntomas más evidentes del agotamiento de las formas de expresión renacentistas, y también de la existencia de un público experto, familiarizado con la literatura, buen conocedor de los tópicos y recursos comunes. Ese lector distinguido demanda al poeta un lenguaje que se salga de los caminos trillados, que proponga un ejercicio mental y, en algunos casos, requiera el dominio de un considerable acervo erudito. En suma, como sintetizó el antequerano-peruano Rodrigo de Carvajal y Robles, el poeta opone obstáculos a la comprensión

> por que solo merezca conocello
> aquel que fuere digno de entendello.

El arte de la dificultad presenta variedades notables y recibe nombres distintos en cada uno de los países en que se da: *conceptismo* y *culteranismo* en España, *manierismo* en Italia, *preciosismo* en Francia, *eufuismo* en Inglaterra... El común denominador de todas estas manifestaciones es el alejamiento del lenguaje natural y espontáneo, la elaboración del discurso literario, la acumulación de imágenes, figuras y recursos.

En España se acostumbra a distinguir entre dos variantes (conceptismo y culteranismo) que muchas veces se combinan y confunden, pero que resultan perfectamente discernibles en sus formas genuinas.

El *conceptismo* parte de una larga tradición literaria (tan larga como la propia literatura) que busca establecer semejanzas, paralelismos y relaciones entre objetos o ideas distantes. Para ello se puede recurrir a diferentes procedimientos. Uno de ellos consiste en establecer complejas semejanzas. Así, Quevedo habla de que se enamoró en una iglesia:

> que entonces a los dos nos convenía:
> por retraída a ti, que me habías muerto,
> y, como muerto, a mí, por sepultura.

(La iglesia convenía a la dama, que había matado de amor al enamorado, como a los homicidas y delincuentes que se refugiaban —se retraían— en ellas para evitar ser arrestados por la justicia; y al amante porque los templos servían antiguamente de cementerios.)

Otros conceptos se basan en el parecido fónico de las palabras: «…y tahúres muy desnudos / con dados ganan condados» (Góngora); la selección de una parte de la palabra: «porque va de *amar* a *mar* / una letra solamente» (Tirso de Molina), «Leovigildo, rey cruel, / nombre que en león empieza» (Lope de Vega); el doble significado de un término: «Y en saliendo su doncella, ella dejó de serlo» (Cervantes); la inversión de sílabas o fonemas: Góngora alude a los amores de Lope de Vega con Marta de Nevares: «que su nombre del revés […] / pelo [inversión del nombre de Lope] de esta Marta es».

Estos juegos de ingenio pueden complicarse hasta convertirse en un difícil acertijo, como el que cita Gracián en su

Agudeza y arte de ingenio, tratado teórico sobre el arte de la dificultad:

> En un medio está mi amor
> y sabe él
> que si en medio está el sabor,
> en los extremos la hiel.

(Alude a una dama llamada Isabel y reflexiona sobre los gustos y disgustos del amor. En los principios y finales del amor, y del nombre de la dama, está la amargura, I-el, y en el centro el sabor, -sab-.)

Los autores conceptistas son aficionados a la creación de neologismos caprichosos o construidos sobre modelos preexistentes. Quevedo inventó palabras como *cabellar, embodar, protocornudo, zurdería, pretenmuela* (sobre *pretendiente*), etc., e incorporó a la poesía culta el léxico vulgar y el del hampa.

El conceptismo se aplicó con igual fortuna a la poesía grave, seria, y a la burlesca y desenfadada. A veces es un leve toque que da coherencia y vigor al texto; en otros casos la acumulación de recursos conceptistas o la impertinencia de las relaciones que se establecen entre realidades que nada tienen que ver entre sí convierten esta forma del arte de la dificultad en un fenómeno gratuito y chabacano, como supieron ver los propios escritores del siglo XVII, que se burlaron en multitud de ocasiones del «vil concepto».

El conceptismo tuvo, y sigue teniendo, un carácter popular. Las dificultades que ofrece pueden vencerse, en la mayor parte de los casos, con el ingenio natural de un lector experimentado. La satisfacción de desentrañar el enigma complace sobremanera al receptor y facilita que el mensaje quede grabado en su mente. Por eso el conceptismo, que llegó a todos los aspectos de la literatura, tuvo uno de sus campos privilegiados en la poesía de propaganda religiosa (*Conceptos espirituales* de Alonso de Ledesma, *Peregrinos pensamientos* de Alonso de Bonilla…) y hoy sigue utilizándose en la publicidad.

Frente a la vulgarización a que propende el conceptismo, se difundió desde principios de siglo una corriente cultista que se proponía escribir solo para las élites ilustradas. Lope de Vega, autor popular donde los haya, defendió, sin embargo, la existencia de una literatura cultista: «no es justo que los libros anden entre mecánicos e ignorantes, que cuando no es para enseñar, no se ha de escribir para los que no pudieron aprender». Esta idea de dirigirse en exclusiva a las minorías eruditas la desarrolló el cordobés Luis Carrillo y Sotomayor en su *Libro de la erudición poética* (1605). En él pide la creación de una lengua que se aparte de la usual, que exija una formación y un esfuerzo al lector. Su paisano Luis de Góngora llevaría a sus últimas consecuencias esa pretensión en sus dos poemas mayores *Fábula de Polifemo y Galatea* y *Soledades* (1612-1613). El cultismo gongorino, al que sus detractores llamaron peyorativamente *culteranismo*, creó una lengua oscura, pródiga en latinismos, hipérbatos, incisos, muy compleja en su organización sintáctica. A estas dificultades añadió el uso de metáforas de segundo y tercer grado, juegos de palabras conceptuosos, imágenes caprichosas, a menudo descendentes y empequeñecedoras, múltiples alusiones a la mitología y el mundo antiguo… Una poesía, en suma, que solo es inteligible tras arduo esfuerzo y que está vedada a todo el que no tenga familiaridad con el latín, la cultura clásica y la tradición literaria renacentista.

Los dos poemas citados desataron una polémica violentísima. Los mismos defensores de una literatura cultista reaccionaron contra las desmesuras gongorinas. Anatematizaron la latinización excesiva, las imágenes caprichosas y lo que consideraron una falta de «pensamientos exquisitos y sentencias profundas».

El ejemplo de Góngora estimuló a otros autores para ofrecer poemas también cultistas pero alejados de esos excesos. Así, Juan de Jáuregui publicó su *Orfeo* (1624) y Lope de Vega ofreció fábulas mitológicas como *La Circe* (1624), en que se compendia su ideal de poema elaborado, cincelado en muchos aspectos, erudito, pero al mismo tiempo inteligible,

206

ágil, sentencioso, no carente de humor y en el que se recrean, dentro de los moldes petrarquistas, episodios de la propia biografía sentimental.

A pesar de la polémica, el cultismo triunfante fue el gongorino. Los lectores exquisitos del siglo XVII encontraron en el *Polifemo* y las *Soledades* el tipo de literatura que les permitía distinguirse del vulgo. Las sátiras y parodias no hicieron sino agrandar el eco y el influjo social de la nueva poesía. Incluso sus más encarnizados enemigos se impregnaron de ella. El mismo Quevedo, que siempre y con ferocidad se mostró contrario al gongorismo, recibió el influjo de su rival. La dicción gongorina se difundió y se vulgarizó a través de mil imitadores y llegó al teatro gracias a la promoción encabezada por Calderón y Rojas Zorrilla.

La polémica sobre el culteranismo llegó tardíamente a América. En 1662, en Lima, Juan Espinosa, «El Lunarejo», justificó la dificultad culterana (hipérbatos, latinismos...) con su *Apologético en defensa de don Luis de Góngora*.

4.2. LA COMPLEJA EVOLUCIÓN DE LOS GÉNEROS LITERARIOS

En la edad barroca se producen dos fenómenos complementarios: la existencia de grandes personalidades (Cervantes, Lope de Vega, Quevedo, Góngora, Calderón), que con frecuencia cultivan varios géneros literarios (en el caso de Lope, todos ellos), y la proliferación de autores a los que hoy llamamos secundarios exclusivamente porque vivieron en el mismo siglo que los genios citados.

La estructura más razonable y didáctica de este capítulo exige que tratemos de la obra de Cervantes (novela, teatro, poesía), Lope, Quevedo o Góngora de forma unitaria; pero, al mismo tiempo, no podemos olvidar el decisivo influjo de estos creadores sobre la evolución de los géneros, y también es imprescindible mostrar al lector cómo estas producciones excepcionales nacen de un humus literario, son fruto de una evolución colectiva y mantienen estrechas relaciones con el resto de la producción contemporánea. De ahí que ofrezcamos como preámbulo un panorama de los géneros y sus variantes.

4.2.1. LA NOVELA BARROCA

La narrativa barroca hereda y trasforma de manera radical las modalidades procedentes del siglo XVI. En esa evolución tienen un papel destacadísimo, aunque de distinto calado, tres narradores: Miguel de Cervantes, Mateo Alemán y Francisco de Quevedo.

CERVANTES Y LA CONFIGURACIÓN DE LA NOVELA MODERNA. Cervantes forja un universo estético nuevo al recibir y desarrollar la herencia del realismo. Crea la novela moderna profundizando en la teoría del decoro (la coherencia en el hacer y el decir de los personajes, predicada por las doctrinas clasicistas) y ensanchándola para abarcar el mundo complejo y contradictorio que se presenta ante sus ojos. El *Quijote* (1605 y 1615) mezcla la parodia literaria de un género obsoleto (los libros de caballerías), la agilidad narrativa aprendida en los *novellieri* italianos (de Boccaccio a Mateo Bandello), la atenta observación de las personas y las cosas (que estaba ya en el *Lazarillo de Tormes*), un singular dominio del lenguaje (natural y espontáneo, pero denso y elaborado), unas sorprendentes novedades técnicas (juego con distintos narradores que se corrigen y contradicen; presencia e influjo de la *Primera parte* de la novela sobre la *Segunda*) y buenas dosis de humor, comprensión y malicia.

Se ha dicho que en el *Quijote* se encierran todos los secretos del arte novelesco. Quizá no sea exactamente así; pero sí puede afirmarse que en esta obra singular están las claves de la novela occidental, muy especialmente de la realista del siglo XIX.

Cervantes, quizá sin proponérselo y advertirlo, creó en un solo libro la fórmula de la ficción compleja, amplia, que retrata el entorno de los protagonistas a través de un elenco extenso y diversificado de personajes y de una descripción puntual y aparentemente exacta de los paisajes, objetos e incluso animales que los rodean.

El éxito de la obra fue inmediato, pero no tuvo continuadores o, mejor dicho, sus continuadores fueron pálidos reflejos de la gran creación cervantina.

LA TRASFORMACIÓN DE LA NOVELA ITALIANA. Más amplia descendencia dejó su esfuerzo para adaptar a nuestra lengua la *novela italiana*, corta, concisa, de acento dramático, en la que la tensión argumental acostumbra a tener particular relieve. En este género, con los matices que apuntaremos, Cervantes aplicó también las técnicas y principios del realismo que tan buen resultado dieron en el *Quijote*. En las *Novelas ejemplares* (1613) fijó varias formas de encauzar el relato breve (véase 4.3.4). Enseguida surgieron las réplicas de rivales y discípulos (Lope de Vega, Tirso de Molina, Castillo Solórzano…) que, con sus respectivos encantos y originalidades (digna de la mayor atención es la configuración de la voz narrativa en las *Novelas a Marcia Leonarda* de Lope de Vega), tendieron a reducir la novela italiana a la acción y la peripecia, y ocasionalmente al análisis de la psicología amorosa, en detrimento de la variedad de enfoques cervantinos.

LA EVOLUCIÓN DE LA PICARESCA Y LA DESINTEGRACIÓN DE LA NOVELA. La obra de Mateo Alemán, *Guzmán de Alfarache* (1599 y 1604), sigue las huellas del realismo del *Lazarillo*, marcado por la coherencia íntima de los personajes y por el reflejo del entorno que el lector conoce como propio; pero —al margen de otras diferencias que se señalan en 4.6.1— el afán moralizante engorda los excursos y digresiones en que el narrador (en teoría, el propio pícaro) hace examen de conciencia, exhibe el dolor por los pecados cometidos y da consejos al lector. En manos de sus sucesores, la picaresca derivará hacia la colección de sermones y apólogos edificantes, la novela de aventuras o la sarta de cuadros de costumbres.

Quevedo compone *La vida del buscón llamado don Pablos* en su juventud, quizá entre 1603 y 1608, es decir, en los años en que aparece la primera parte del *Quijote*. *El buscón* representa otro modo de narrar. La brillantez del estilo (juegos de palabras, imágenes atrevidas, paradojas y oxímoros, alusiones maliciosas a los valores sociales...) pesa más que el interés por crear un mundo de ficción convincente. El escritor se desentiende de la vida íntima de sus personajes para trazar un retrato esperpéntico, hiperbólico y absurdo del mundo. El relato se descompone en estampas yuxtapuestas en las que se escarnecen tipos, figuras, hábitos sociales.

Por este camino, la novela se desintegra y se convierte en pieza fantástico-satírica (el llamado *relato lucianesco*) o en escrito costumbrista. Ambas modalidades combinan los retratos bufos de situaciones y personajes con el ejercicio de estilo conceptista, pródigo en equívocos y otros juegos de palabras.

El género novelesco —hay otros aspectos de los que hablamos en 4.6— alcanza en el siglo barroco la complejidad que abre el camino hacia el moderno realismo y, al mismo tiempo, se desintegra en manos de Quevedo.

4.2.2. LA POESÍA BARROCA

Las variedades y trasformaciones de la lírica y la épica barrocas no son menores que las de la novela. Lope de Vega dijo que en el Madrid de su época había «en cada calle cuatro mil poetas». Esta caterva de vates —excelentes, buenos, malos y pésimos— cultivó e hizo evolucionar todas las corrientes que procedían del siglo anterior.

EL ROMANCERO NUEVO. Los más conspicuos creadores empezaron precozmente su andadura poética y en la década de 1580 se hicieron famosos con una serie de espléndidos romances moriscos y pastoriles. En ellos recreaban, bajo los disfraces poéticos, sus aventuras y desventuras sentimentales. Los primeros en el tiempo fueron los moriscos. El brío de estos poemas, su carácter apasionado y colorista, el exotismo de los ambientes retratados... cautivaron a los lectores y los oyentes (los romances se cantaban) y constituyeron una moda literaria que engendró pronto malintencionadas parodias. Algo parecido ocurrió con los pastoriles, más melancólicos, íntimos, depresivos..., reflejo con mucha frecuencia de las horas bajas de los amores juveniles de los poetas y sus coetáneos.

Tras vivir estos versos en boca de las gentes y de imprimirse en pliegos sueltos, se reunieron en una serie de libritos, encabezados por el que se tituló *Flor de romances nuevos y canciones*, que recopiló el bachiller JUAN DE MONCAYO (Huesca, 1589). Siguieron diversas partes, hasta la novena (Madrid, 1597). El conjunto se reunió, con modificaciones y alteraciones, en el *Romancero general* (Madrid, 1600) y, con adición de nuevos elementos, en la *Segunda parte del Romancero general* (1604).

En estas ediciones se sustanciaba una parte relevante de la producción juvenil de Lope de Vega, de Góngora, de toda su generación (Pedro Liñán de Riaza, Luis de Vargas Manrique, Juan de Salinas, Pedro de Medina Medinilla) y de algunos poetas más viejos (Cervantes, Juan Rufo, Juan de la Cueva...). Los textos aparecen sin nombre de autor y, a veces, la atribución es problemática.

Tras la *Segunda parte del Romancero general* de 1604 y, a pesar del desgaste de las fórmulas poéticas, los romances siguieron vivos. Numerosas colecciones, conocidas genéricamente como *romancerillos tardíos*, siguieron difundiendo la obra de Lope, Góngora... y añadieron la de Quevedo, Luis Vélez de Guevara, Gabriel Bocángel, el conde de Villamediana... Predomina en estos un tono irónico, distante, humorístico a ratos, lejos de las vehemencias habituales en las *Flores*; aunque también encontramos textos sentenciosos y

211

reflexivos. Abundan los estribillos y las letras para cantar intercaladas en el discurso del romance. El lenguaje se ha vuelto más conceptuoso y alambicado. Además del tono burlesco de muchos poemas, se han introducido nuevos géneros como la *jácara*, una genial invención quevedesca, en que se describe con un derroche de ingenio verbal la vida de delincuentes y prostitutas. Romancerillos tardíos característicos son los *Romances de germanía de varios autores con su vocabulario* (1609) de JUAN HIDALGO, *Laberinto amoroso* (1611) de JUAN CHEN, *Primavera y flor de los mejores romances* (1621) de PEDRO ARIAS PÉREZ, *Maravillas del Parnaso* (1637) de JORGE PINTO DE MORALES...

El romancero nuevo llegó pronto a América y gozó del mismo éxito que en España. Sin embargo, la producción autóctona (sor Juana Inés de la Cruz, Juan del Valle Caviedes, Luis José de Tejeda y Guzmán, Francisco Álvarez de Velasco...) corresponde a la segunda mitad del siglo y se inspira en la estética conceptuosa de los romancerillos tardíos.

LA LÍRICA DE TIPO TRADICIONAL. Los mismos poetas de los romanceros escriben multitud de villancicos, seguidillas y otras letras para cantar, tanto en el terreno del teatro (la canción establece la complicidad con el público, que la conoce desde niño) como en el de la lírica.

Quizá las canciones insertas en las piezas dramáticas, especialmente en las de Lope de Vega, conservan con mayor pureza el aire tradicional; evidencian el deseo de fundirse con la voz popular. Aparecen fórmulas arcaizantes como el zéjel o la canción paralelística, junto a otras modernas como las seguidillas.

En la lírica (amorosa, religiosa y satírica) encontramos el molde tradicional del villancico o letrilla, recreado por los nuevos poetas, y las modernas seguidillas, de estilo conceptuoso y ocurrente.

En estos, como en otros géneros, las figuras clave son Lope de Vega, Góngora y Quevedo, aunque todos los poetas de la época cultivan dichas formas, tanto en España como en América.

La lírica culta en metros castellanos. Pervive la lírica escrita en redondillas, quintillas, coplas reales..., a las que la inventiva barroca añade una estrofa llamada a tener notabilísimo éxito: la décima. Muchos escritores admiran la poesía sentenciosa, llena de ingenio y agudeza, de los cancioneros del siglo XV, y recrean su estética en magníficos versos, hoy quizá un poco olvidados. Lope, Góngora, Quevedo, Villamediana, el conde de Salinas... son nombres de singular relieve. Sin embargo, el más célebre poema de este estilo es, sin disputa, el que empieza «Hombres necios que acusáis...» de la mexicana sor Juana Inés de la Cruz.

Las estrofas castellanas se especializaron en la poesía de carácter epigramático. Generalmente, dos redondillas o una décima son el molde perfecto para un pensamiento ingenioso o picante, tanto en el campo de la sátira como en el de la expresión amorosa o en los epitafios. Junto a los poetas de primera fila, descata en este empleo el jienense, trasplantado a la Lima virreinal, Juan del Valle Caviedes.

La décima o espinela pasa a convertirse en la estrofa propia de la expresión popular hispanoamericana, probablemente por el extraordinario influjo del teatro calderoniano, que se funde con la habilidad versificatoria de los poetas locales.

La lírica culta en metros italianos. La poesía culta en metros italianos se abre en dos brazos, tal y como vimos en el siglo XVI: uno amoroso, de raíces petrarquistas, cuyos cauces predilectos son el soneto y la canción, y otro moral, horaciano, que prefiere la epístola y la oda en estrofas próximas a la lira.

La herencia de Petrarca presenta primero una fosilización manierista, poesía geométrica, pura reelaboración intelectual de tópicos, muy presente en la juventud de Lope de Vega y de Góngora. Después adquirirá nueva intensidad gracias a la fuerza que le insufla Lope, recreando apasionadamente su biografía sentimental, fingiendo para el lector la confusión del yo poético con el yo histórico del creador. Esta irrupción de la vida en el amasijo de tópicos quiebra, aun sin pretenderlo, la mecanización expresiva y le confiere una mo-

213

dernidad emparentada con ciertas actitudes románticas. La misma desautomatización del discurso la consigue Quevedo a través de la hipérbole, la violencia verbal, la capacidad para convertir, mediante el metaforismo descendente, lo abstracto en concreto y próximo, y dejar, entre los juegos de palabras, el poso de la angustia y la amargura de la soledad.

La poesía amorosa de raíces petrarquistas traspasa la obra de casi todos los líricos barrocos. El conde de Villamediana la renueva contaminándola con la poesía atormentada de los cancioneros del siglo XV. Soto de Rojas, Bocángel... la recrean con habilidad y con acierto. Sor Juana Inés de la Cruz, en medio de la perfección formal de sus imitaciones, pone a veces una nota de efusión sentimental.

La poesía moral está impregnada de la filosofía neoestoica y neoepicúrea. Los moldes elegidos, además del soneto petrarquista, son horacianos (la epístola en tercetos es traslación italiana del *sermo*) y el estilo persigue el equilibrio, la claridad expresiva, el lenguaje culto pero alejado del arte de la dificultad.

Una parte de esa poesía moral deriva hacia las preocupaciones metafísicas y existenciales. En todos los poetas vamos a encontrar amargas lecciones de resignación y desengaño barroco. En Quevedo la presencia de la muerte adquiere un tono acuciante y angustioso, potenciado por su característico desbordamiento expresivo.

La lírica religiosa, abundantísima y de calidad muy desigual, tiene a veces los acentos agónicos de Quevedo o López de Zárate. Otras, el tono íntimo, directo, presuntamente autobiográfico que permite a Lope ir más allá del formalismo expresivo. En muchos otros casos es poesía meramente propagandística o celebrativa, lastrada, para nuestra sensibilidad, por los excesos y caprichos del conceptismo.

LA DESINTEGRACIÓN DEL UNIVERSO LÍRICO: POESÍA DESCRIPTIVA Y FÁBULAS MITOLÓGICAS. La poesía cultista, que estuvo presente en las variantes enumeradas hasta ahora, halló su mejor expresión en los textos descriptivos y narrativos.

Los primeros, iniciados por Lope con su *Descripción del Abadía, jardín del duque de Alba*, tendrían su culminación en las *Soledades* gongorinas, en las que una levísima trama argumental da ocasión a la pintura de la vida del campo. Continuadores destacados son Pedro Soto de Rojas con su *Paraíso cerrado para muchos, jardines abiertos para pocos* y sor Juana Inés de la Cruz con *Primero sueño*.

La vertiente narrativa encontrará el cauce idóneo para la reelaboración barroca en la *fábula mitológica*, poema no demasiado extenso por lo general (rara vez supera los mil versos), cuidadosamente elaborado. Tan cincelado que la palabra atrae la atención sobre sí misma en detrimento de la materia narrada. Luis Carrillo y Sotomayor inicia esta tendencia ya plenamente barroca con su *Fábula de Acis y Galatea*, que tendrá continuación y réplica en la *Fábula de Polifemo y Galatea* de Góngora y en todos sus seguidores (Villamediana, Bocángel...) y émulos (Lope, Jáuregui...).

4.2.3. EL GRAN MUNDO DEL TEATRO

En el último tercio del siglo XVI se fraguó un singular fenómeno artístico y sociológico: el teatro comercial. Por primera vez en la historia, el teatro no depende del mecenazgo de los poderosos o de las instituciones. Son los espectadores comunes los que lo sostienen con el pago de sus entradas.

LOS CORRALES DE COMEDIAS. Las representaciones se daban en locales estables, a los que en España y en la América española se llamaba *corral de comedias* o *casa de comedias*. Unas veces estos teatros se construían aprovechando un patio o corral preexistente. Bastaba adosar un tablado a una de las caras del rectángulo para disponer, con poco costo, de un espacio apropiado. Las galerías, que rodeaban el patio, casi siempre dispuestas en dos pisos, servían para acomodar al público según sus circunstancias y jerarquías: a las mujeres se les reservaba la balconada que estaba en el primer piso frente al tablado, a la que se llamaba *cazuela*; los doctos se instalaban en la galería superior (*desván* o *tertulia*); los laterales estaban divididos en *aposentos* para las familias nobles; el público masculino de clase media se sentaba en los *bancos* y *gradas* que se disponían alrededor del patio y cerca del escenario; los espectadores más bulliciosos y temibles eran los mosqueteros, que veían la representación de pie en el *patio*.

Otros locales se construyeron de nueva planta. Algunos de ellos adoptaron la forma de herradura, pero en lo demás no presentaban diferencias notables con el corral.

Hoy conservamos en perfecto estado y en pleno uso uno de estos corrales: el de Almagro, donde cada año se celebra el festival dedicado a nuestro teatro clásico; pero tenemos noticias e informes de otros muchos en Madrid (el del Príncipe y el de la Cruz), Valencia (el de la Olivera), Sevilla (el de Doña Elvira, las Atarazanas, el Coliseo), Toledo (el Mesón de la Fruta), Granada (el Corral del Carbón), Zaragoza, Oviedo, Valladolid, Barcelona, Córdoba, Lisboa... En América en fechas muy tempranas se crearon teatros en las grandes ciudades: en México se fundó en 1597 el Coliseo y en 1602 un corral regentado por el Hospital de los Naturales; en Lima existieron dos: el de Santo Domingo y el de San Andrés.

Estos teatros contaban con una escenario muy reducido (en torno a los 40-45 ms^2). No disponían de decorados pintados (alguna sábana servía ocasionalmente para sugerir determinados efectos) ni de aparatos o tramoyas, salvo escotillones o un primitivo elevador (la *canal*), que servía para fingir los éxtasis y las subidas o descensos desde el cielo. La mayor parte de las comedias confiaban la creación del espacio dramático al *decorado verbal* (los parlamentos de los personajes describían poéticamente el lugar de la acción) y a la imaginación de los oyentes.

Los corrales disponían de un toldo que cumplía una triple función: proteger a los espectadores del sol, difuminar la luz y mejorar las condiciones acústicas del local.

Los espectáculos en los corrales. Las representaciones se daban en torno a las tres de la tarde (hora solar) y tenían lugar preferentemente en otoño y primavera. Tras el Carnaval se cerraban los teatros y se volvían a abrir el Sábado de Gloria.

Cada función se componía de numerosas partes. La estructura más común era la siguiente:

- Loa (breve monólogo para saludar y captar la benevolencia del auditorio)
- I acto o jornada de la comedia
- Entremés (breve pieza cómica)
- II jornada de la comedia
- Sainete (nueva pieza cómica breve)
- III jornada de la comedia
- Baile y fin de fiesta

Estos elementos dramáticos heterogéneos, aderezados con música, canciones y danzas, satisfacían durante dos horas y media aproximadamente a sabios y analfabetos, mujeres y varones, pobres y ricos.

La comedia española. El alma poética del espectáculo era la *comedia*, un género literario que se conformó a finales del siglo XVI gracias a la intuición y el empeño de distintos poetas que trabajaron simultáneamente en las tres grandes ciudades de la época: Madrid, Valencia y Sevilla. Entre ellos tuvo un papel destacadísimo Lope de Vega.

Este dramaturgo definió y caracterizó a la *comedia nueva o española* (se le llamó así para distinguirla de la clásica y la italiana de su tiempo) en el *Arte nuevo de hacer comedias* (1609). Los rasgos esenciales son los siguientes: se mezcla lo trágico y lo cómico; el tiempo y el espacio no están sujetos a las unidades clásicas (la acción se traslada de un lugar a otro y se desarrolla en el tiempo que haga falta, a veces varios años, en lugar de las veinticuatro horas que po-

217

nían como límite los comentaristas de Aristóteles); cada pieza tiene tres actos en verso que se corresponden, *grosso modo*, con el planteamiento, el nudo y el desenlace; es esencial mantener la tensión dramática y el interés del público; los temas y asuntos, sumamente variados, han de contribuir a este fin; la trama argumental acostumbra a estar presidida por una fábula de amores, es decir, las relaciones entre un galán y una dama, que consiguen sus propósitos ayudados por un agudo criado del galán (el gracioso).

La comedia se escribe enteramente en verso (excepto las acotaciones) y se emplea un sistema polimétrico que fija las estrofas más adecuadas para cada situación: las redondillas para el diálogo, las décimas para las quejas y monólogos, las quintillas para las escenas de amor, los romances y las octavas reales para las relaciones o fragmentos narrativos, los tercetos para las cosas graves...

La comedia española es un producto de consumo, concebido para satisfacer las apetencias de diversión del público y las necesidades de las compañías teatrales. Fue un espectáculo para las masas parecido al cine de los años cuarenta y cincuenta. Fabricada en serie, recurría con frecuencia a tramas argumentales, temas y motivos más o menos repetidos. La creación debía ser rápida, dado que el público exigía sin descanso nuevas obras y que una comedia en Madrid no duraba en cartel más de cinco o seis días seguidos.

LAS FIESTAS DEL CORPUS Y EL TEATRO RELIGIOSO. En todo el orbe hispánico se celebraban con especial brillantez el día del Corpus y su octava. En estos festejos, la exaltación religiosa (la celebración del misterio de la eucaristía) se funde con la procesión cívica, con las danzas de gigantes y cabezudos, con la presencia de la tarasca (serpiente, monstruosa y bufa, hecha de madera y tela, que se pasea por las calles, a veces echando fuego por las fauces) y con la representación de una pieza de teatro grave (el auto sacramental) y otras de carácter burlesco o disparatado (el entremés y la mojiganga).

218

La representación tenía lugar en un tablado, en algunos casos de grandes dimensiones, al que se añadían unos escenarios móviles de varios pisos (los *carros*) en los que se disponían las tramoyas y los efectos escenográficos.

Este espectáculo se ofrecía gratuitamente por la calles y plazas públicas. A él asistían los estamentos oficiales, que lo veían desde unos tablados preparados con asientos, y el pueblo llano. En algunos casos, los autos, después de representarse en la plaza, pasaban a los corrales de comedias, donde sí había que pagar entrada para verlos.

Los ayuntamientos subvencionaban generosamente a los dramaturgos y a las compañías que representaban. Era habitual que los actores renovaran su vestuario gracias a estos contratos.

Conservamos abundante información de las fiestas teatrales del Corpus de Madrid, Sevilla, Toledo, Granada, México, Lima…

EL TEATRO PALACIEGO. Los reyes, virreyes y grandes señores fueron muy aficionados al teatro. Con frecuencia hacían representar en sus palacios las mismas comedias que se daban en los corrales. Además, en las grandes celebraciones (el Carnaval, la noche de san Juan, la de san Pedro, la Navidad, los cumpleaños y onomásticas) organizaban espectáculos de gran suntuosidad y aparato, muchas veces nocturnos. Para esos fines se utilizaban los jardines, estanques, ermitas o lujosos salones, convenientemente iluminados con cientos de candilejas, a veces miles. En 1640 se inauguró en el palacio del Buen Retiro de Madrid un coliseo con los recursos técnicos necesarios para posibilitar este tipo de funciones.

Esta nueva concepción teatral nació en Italia y se expandió rápidamente por toda Europa. En ella, la escenografía engaña a los ojos por medio de la perspectiva, la luz de las candilejas crea juegos ilusorios. El mágico poder de la música se alía con el texto poético para configurar un nuevo género: la ópera. En España, en manos de Calderón y de los escenógrafos italianos Cosme Lotti y Baccio del Bianco, alcanzará momentos de esplendor en las representaciones del Buen Retiro y de los reales sitios próximos a Madrid, entre ellos La Zarzuela, de donde tomará el nombre la variante, cantada y recitada, que llegará a constituir una de las formas características de nuestra tradición.

Las cortes virreinales reproducen en América estos suntuosos espectáculos. De hecho, la música conservada de una de las primeras óperas españolas es la que Tomás de Torrejón y Velasco preparó para la representación de *La púrpura de la rosa* de Calderón en la corte limeña en 1701. Es, como se ha dicho, «la primera ópera del Nuevo Mundo», que no niega sus vinculaciones con el viejo.

4.3. MIGUEL DE CERVANTES

4.3.1. Vida y personalidad

Nace en Alcalá de Henares (Madrid), probablemente el 29 de septiembre (día de la festividad del santo de su nombre) de 1547. Es hijo de un cirujano que, por motivos profesionales, tiene que ir de una ciudad a otra: Valladolid, vuelta a Alcalá, Córdoba, Sevilla y Madrid. Se sabe poco de la infancia y adolescencia de nuestro autor. Ni siquiera tenemos la absoluta certeza de que acompañara a su padre en esos traslados.

Con el viaje a Italia de finales de 1569 se inician las peripecias de una vida difícil y ajetreada, llena de adversidades. En Roma entra al servicio del cardenal Acquaviva. Sigue luego la carrera de las armas. En 1571 toma parte en la batalla de Lepanto, donde pelea valerosamente y recibe una herida que le deja inútil el brazo izquierdo. Siempre recordará con orgullo este episodio. Tras restablecerse, se incorpora de nuevo al servicio. Cuando en 1575 regresa a España, su nave es apresada por los corsarios berberiscos, que lo llevan a Argel, donde sufre cautiverio durante cinco años.

Tras muchas penalidades, es rescatado por un fraile trinitario. Ya en España, se casa con la joven Catalina de Salazar y

Palacios. En 1587 se marcha a Sevilla para encargarse del suministro de la Armada Invencible. Ciertas irregularidades administrativas dan con él en la cárcel de esta ciudad. Cuando en 1604 se traslada a Valladolid, donde está la corte, ya tiene terminada la primera parte del *Quijote*. Su publicación en 1605 es una auténtica revelación; a sus cincuenta y siete años cumplidos, al autor se le consideraba un fracasado. En 1606 vuelve a Madrid con la corte. En sus últimos años se concentra su mayor actividad literaria. Muere el 23 de abril de 1616.

Se ha supuesto que Cervantes era de origen converso, pero no disponemos de pruebas documentales. Aunque probablemente no llegó a cursar estudios universitarios, era un hombre muy culto, con extraordinaria afición a la lectura. En su juventud fue discípulo en Madrid del humanista Juan López de Hoyos, que imprimió en él la huella del erasmismo. Destacan, por encima de todo, su talante paciente y bienhumorado, lleno de comprensión y tolerancia con la criatura humana, su escepticismo y el humor y la ironía que presiden su visión del mundo, rasgos todos ellos que se traslucen claramente en sus obras.

4.3.2. LA POESÍA Y EL TEATRO

Nuestro autor se afanó por ser un buen poeta, aunque no se consideraba dotado para ello: «Yo, que siempre trabajo y me desvelo / por parecer que tengo de poeta / la gracia que no quiso darme el cielo...». Sin embargo, la crítica parece no estar de acuerdo con esta apreciación. Algunas de las composiciones poéticas cervantinas son valiosas e interesantes, sobre todo el soneto satírico dedicado *Al túmulo de Felipe II en Sevilla*, cuyo mayor logro está en el final descendente. En las novelas y comedias encontramos acertados romances y letrillas tradicionales: «Escuchadme los de Orán...», «Derramásteme el agua la niña...», «Madre, la mi madre...», etc. El *Viaje del Parnaso* (1614) es una extensa obra que trata sobre los poetas de su tiempo. Pero lo cierto es que no supo hallar en el verso el instrumento adecuado para plasmar su mundo literario.

También se dedicó con tesón al teatro. Ese empeño no se vio recompensado, a pesar de lo cual él se sentía orgulloso de sus logros. Tampoco en este campo llegó a dominar la técnica; sus obras, tendentes a lo episódico, carecen de la debida trabazón. No acertó a insuflarles la ironía y el juego de perspectivas que enriquecen sus novelas. No falta, sin embargo, quien defienda los valores del teatro de Cervantes y su vigencia actual, así como su papel de precursor. Se han distinguido dos etapas en esta producción dramática.

La primera corresponde a los años que siguen a la vuelta del cautiverio de Argel (1580); en ella sigue una estética clasicista. Asegura el autor que en esa época compuso unas veinte o treinta comedias que se llevaron a las tablas con éxito; en cualquier caso, solo conservamos dos muestras: *El trato de Argel* y *La Numancia*, que no se publicaron hasta el siglo XVIII (1734). La más valorada ha sido esta última, una sobrecogedora tragedia en torno al episodio de la heroica resistencia de los numantinos frente al ejército romano. Se ha visto un toque de modernidad en su sencilla estructura, en la que se suceden distintos cuadros de la ciudad sitiada. En nuestros días ha despertado interés y ha subido a los escenarios en repetidas ocasiones.

Luego Cervantes ha de abandonar la actividad teatral para dedicarse a sus tareas de funcionario de hacienda en Andalucía. Cuando se reincorpora a ella años más tarde, la situación es muy distinta. Lope de Vega ha impuesto su sistema y ha cambiado el gusto del público. Nuestro autor arremete contra el teatro lopesco, que considera acartonado y repleto de inverosimilitudes, pero al final no tiene más remedio que someterse a sus dictados; no sin dificultad, intenta adaptarse, en la medida que le permite su formación clasicista. En esta fase publica *Ocho comedias y ocho entremeses nuevos nunca representados* (1615). Es posible que algunas de las primeras sean adaptaciones de las que escribió en otro

tiempo. Entre las comedias se cuentan *Los baños de Argel,
La gran sultana, La entretenida, Pedro de Urdemalas*...

Lo mejor, sin duda, son los entremeses, dignos de todo
elogio por la vivacidad de los tipos y ambientes populares y
la gracia del lenguaje coloquial: *El retablo de las maravillas,
La elección de los alcaldes de Daganzo, El viejo celoso, La
cueva de Salamanca*... La vis cómica cervantina no se basa
exclusivamente en la situación escénica, sino también en la
aguda sátira de costumbres que encierran estas piececitas, en
las que irrumpen con fuerza los menudos avatares de la vida
cotidiana. Los personajes tienen un punto de complejidad
psicológica que contrasta fuertemente con los tipos planos,
definidos por un solo rasgo, que encontramos en otros cultivadores del género.

4.3.3. EL *QUIJOTE*

CIRCUNSTANCIAS DE LA PUBLICACIÓN. *Don Quijote de la
Mancha* se publicó en dos partes. Al aparecer la primera en
1605, hubo un considerable revuelo en el mundo literario.
Con algunas voces discordantes, como la de Lope de Vega,
la opinion general proclamó que se trataba de una obra de
excepción. El éxito fue inmediato. En vida del autor se realizaron dieciséis ediciones y se tradujo al inglés y al francés.

La segunda parte (1615) tuvo que ser concluida precipi-
tadamente porque un tal Alonso Fernández de Avellaneda,
cuya identidad se ignora, había publicado en 1614 en Tarragona una continuación de las aventuras de don Quijote. Todo
parece indicar que se trata de un seudónimo. Debe de ocultarse tras él un rival del autor, ya que en el prólogo lo insulta
y denigra. Se piensa que quizá pertenecía al círculo de Lope.
Cervantes se vio obligado a modificar el plan de su obra
para no coincidir con su imitador.

ESTRUCTURA NARRATIVA. El argumento del *Quijote* se organiza en torno a tres salidas de los personajes: dos en la pri-

mera parte y una en la segunda. Cada una de ellas tiene un movimiento circular: partida, aventuras y vuelta a casa. Es una novela itinerante, en la que los protagonistas se van perfilando a través de las peripecias que les sobrevienen en su recorrido por tierras de La Mancha, Aragón y Cataluña.

Parece que Cervantes tuvo ciertas dudas sobre la organización y estructura de su obra. Los primeros capítulos (hasta la aventura del vizcaíno, cap. VIII) pueden hacernos pensar en una novela corta: no hay digresiones, los episodios se suceden con rapidez. Sin embargo, el autor se percató pronto de que el tema que había concebido merecía un desarrollo más amplio. Al cambiar de plan, abandonó la economía con que hasta ese momento había llevado el relato. Combinó las aventuras de don Quijote y Sancho con excursos narrativos (historia de Marcela, de Cardenio y Dorotea, del cautivo, novela del curioso impertinente...) y discursos (sobre la edad de oro, de las armas y las letras...).

Aunque cada una de estas digresiones es una pequeña obra maestra, los lectores se apasionaron por las andanzas de los protagonistas y sintieron los episodios marginales como un estorbo. Las críticas debieron de ser de cierto relieve porque el autor se vio obligado a disculparse en la segunda parte y se centró exclusivamente en las figuras de los protagonistas.

En lo que a la estructura se refiere, la segunda parte (la publicada en 1615) es más compacta y unitaria. La genialidad espontánea de 1605 ha sido sustituida por una reflexiva, pero fresca y jugosa, creación sin altibajos.

No hay un punto de vista único en nuestro relato. Hasta la aventura del vizcaíno, Cervantes narra directamente la acción; actúa como un narrador omnisciente, que extrae los datos de diversas crónicas, aunque a veces los presenta de forma inexacta y nebulosa. A partir de ahí, finge que está traduciendo la historia de un sabio moro, al que burlescamente llama Cide ('señor') Hamete Benengeli ('berenjena'). De vez en cuando, habla de los problemas que tiene para traducir el texto o de lo inverosímil de algunas aventuras. La interposición de esta figura es un recurso literario que le permite distanciarse del relato y aportar comentarios, entre humorísticos y escépticos, que, de contarlo él mismo, no habrían tenido cabida.

La segunda parte abre una nueva perspectiva. La historia de Cide Hamete Benengeli, ya dada a la imprenta, es conocida por los personajes que en ella intervienen, que opinan acerca de los descuidos e inexactitudes del cronista y tienen exacta noticia de las andanzas de don Quijote y Sancho. De este modo, el texto novelesco de 1605, con su enorme fama, gravita sobre el de 1615.

La parodia y el equívoco cómico. El *Quijote* nace como una parodia de los libros de caballerías. La intención del autor está claramente expresada en el prólogo. Para conseguir su propósito, recurrirá a contraponer la realidad con las fantasías alucinadas del protagonista, que interpreta los datos de los sentidos con la clave de las novelas caballerescas. Así, al ver la mole de los molinos de viento, cree que son gigantes; al sentir el vino que destilan los cueros agujereados, imagina que es la sangre de sus enemigos; al notar las miradas maliciosas de Maritornes, le vienen a las mientes las tiernas doncellas que se enamoran perdidamente de los caballeros andantes...

A veces los personajes con que topa deciden seguirle la corriente. Don Quijote ve confirmado su juego y sigue fabulando y superponiendo a la dura y mezquina realidad de la España barroca las fantasías que ha asimilado en sus lecturas.

La comicidad surge del violento contraste entre los delirios del hidalgo y lo que realmente ocurre a su alrededor. A lo largo de la obra, va cambiando la actitud del novelista. Primero solo se propone ridiculizar a un loco que se cree caballero andante en pleno siglo XVII; pero, a medida que avanza la acción, le toma cariño y va dibujando los aspectos positivos del loco idealista que es don Quijote.

La caracterización de los personajes. Nuestro protagonista es un hidalgo que goza de un mediano pasar. «Los ratos que estaba ocioso, que eran los más del año», los dedicaba a leer libros de caballerías. Poco a poco ese mundo fantástico va apoderándose de su cerebro y cae en la locura de interpretar lo que ocurre en la realidad como si se tratara de una de esas novelas. En ellas encuentra justamente lo que a él le falta: acción, aventuras, amor...

Si don Quijote no tuviera más trasfondo, sería simplemente un figurón cómico. El acierto de Cervantes consiste en haber pintado una criatura sumamente compleja, en la que alternan los disparates caballerescos y la reflexión sensata. Cuando no trata de asuntos relativos a su monomanía, admira por su cordura y agudeza.

La hondura del personaje se acrecienta con su bondad. Aunque yerre y resulte ridículo, vemos que todas sus aventuras se encaminan a lo que él considera la práctica del bien y la justicia.

Al principio está convencido de su misión como caballero andante; pero en la segunda parte, precisamente cuando los demás siguen su juego, empieza a agrietarse su fe. La duda da paso al desengaño y, con él, a la muerte.

Por lo que a Sancho respecta, tradicionalmente se ha visto en él un contrapunto de don Quijote, tanto en lo físico como en lo moral. Eso es una simplificación de un personaje mucho más rico y complejo. Cierto que se muestra más realista y materialista que don Quijote, pero en ocasiones es también ingenuo y se ilusiona con las mismas fantasías que el hidalgo.

Cervantes en un principio se propuso pintar un buen hombre, «con muy poca sal en la mollera»; pero, lo mismo que ocurrió con don Quijote, fue ahondando progresivamente en su talante y descubriendo nuevas perspectivas. Sancho no es arrojado, pero tiene el valor suficiente para no dejarse atropellar. Es iluso, pero, al mismo tiempo, escéptico y realista. Las quimeras de su amo lo tienen en un constante titubeo: tan pronto piensa que son sandeces como cree en los beneficios que le van a reportar. En estas facetas contradictorias se refleja con singular acierto la condición dual del ser humano.

A lo largo del relato, Sancho se va contagiando de la mentalidad de don Quijote y de su forma de hablar, fenómeno que también se produce en sentido inverso. Al final, cuando el hidalgo está ya desengañado, es su escudero quien lo anima a seguir sus aventuras.

La mayor parte de los personajes secundarios están magníficamente trazados. Cervantes hace un acabado retrato de los tipos que pululan por las ventas y caminos de la España barroca: venteros, galeotes, mozas del partido... Su materialismo y crueldad contrastan con la actitud generosa del protagonista. También entre los paisanos de don Quijote encontramos sugerentes caracterizaciones: Teresa Panza, su hija Sanchica, el cura, el barbero, Sansón Carrasco, el ama, la sobrina... Las criaturas más insulsas son las que pertenecen a los episodios marginales de la primera parte, seres idealizados y esquemáticos sin mayor interés.

LENGUA Y ESTILO. Una parte del *Quijote* ridiculiza el estilo pomposo y altisonante de los libros de caballerías, amontona retruécanos, arcaísmos... Se trata de una parodia. Pero, en general, como suele ocurrir en la prosa cervantina, es un prodigio de equilibrio y naturalidad. Aunque nuestro autor utiliza a menudo periodos largos, tienen siempre un desarrollo lógico, armónico y sin mayores complicaciones sintácticas. Su estilo es cuidado y elegante, pero no vacila en dar cabida a las expresiones propias del lenguaje coloquial.

Cada personaje presenta unos rasgos lingüísticos que lo definen. Especialmente interesante resulta la caracterización de los protagonistas. Don Quijote emplea distintas jergas según las circunstancias. Cuando se encuentra en su papel de caballero andante, usa un lenguaje arcaico y disparatado, aprendido en las novelas; si la conversación no roza temas caballerescos, se expresa en la lengua coloquial de su tiempo. El habla de Sancho, salpicada de refranes y dichos populares, es expresiva y vivaz, como la del resto de los personajes realistas de la obra. La de los que intervienen en las historias marginales es más artificiosa.

227

VALOR Y SENTIDO. Sus contemporáneos vieron en el *Quijote* una novela eminentemente cómica y divertida en la que el autor ridiculizaba el género caballeresco. Con el Romanticismo, llegaron las interpretaciones trascendentes, que ven al protagonista como un símbolo. El ingenioso hidalgo pasó a representar el heroísmo, la entrega, la generosidad sin límites e incluso, según ciertas lecturas, el espíritu español en su vertiente idealista. Se le ha rodeado de un halo mesiánico, de forma que el que nació como personaje desmitificador se ha convertido en mito, y con ello corremos el riesgo de perder el placer esencial de la lectura directa.

No creemos necesario recurrir a esas interpretaciones para comprender la grandeza de la creación cervantina. Basta como atractivo la comprensión de unos seres tan complejos y entrañables como don Quijote y Sancho. Nada más jugoso que vivir los mil matices de su psicología. Lo verdaderamente nuevo y revolucionario es ese acertado juego de ironía y simpatía en que se sustenta la más genial creación humorística de todos los tiempos.

A ello hay que añadir la extraordinaria pintura de la España contemporánea y la incomparable riqueza lingüística del texto.

4.3.4. LAS *NOVELAS EJEMPLARES*

Son una colección de doce novelas cortas, publicadas en 1613. Cervantes manifiesta su legítimo orgullo por haber sido el primero en adaptar este género de procedencia italiana a nuestra lengua. Los relatos son variados y amenos, tal como pretende el autor: «Mi intento ha sido poner en la plaza de nuestra república una mesa de trucos, donde cada uno pueda llegar a entretenerse sin daño de barras…». En cuanto al calificativo de *ejemplares*, no debe entenderse en un sentido moral estricto, sino como enseñanza para la vida. Con estas obritas ensancha los cauces de la novela italiana, dotándola de profundidad; el conjunto nos ofrece una rica muestra de variedades novelescas y de técnicas narrativas y temas o asuntos.

Ángel Valbuena Prat estableció una división tripartita según el grado de realismo de los relatos:

NOVELAS IDEALISTAS: *El amante liberal, La señora Cornelia, La española inglesa, Las dos doncellas, La fuerza de la sangre.*

NOVELAS IDEORREALISTAS: *La gitanilla, La ilustre fregona, El casamiento engañoso, El celoso extremeño.*

NOVELAS REALISTAS: *Rinconete y Cortadillo, El coloquio de los perros, El licenciado Vidriera.*

Conviene subrayar cómo el autor no solo se acerca o se aleja de las técnicas realistas, sino que ofrece enfoques contrapuestos al lector y al novelista que quiere aprender de él. En los relatos señalados en primer lugar predomina la tensión argumental, a menudo sostenida en aventuras fantásticas y peripecias poco verosímiles. Estamos en los límites entre el cuento y la moderna novela.

En cambio, *La gitanilla* y *La ilustre fregona* combinan los recursos de la narración irreal (belleza y perfección casi divinas de las protagonistas, amores constantes y contumaces, anagnórisis final…) con la descripción de ambientes y escenarios de la vida cotidiana y las observaciones exactas sobre el comportamiento humano. Esta tendencia hacia el realismo psicológico, sin abandonar las libertades que proporcionan las convenciones novelescas, se acendra en *El celoso extremeño*, un cuento de hadas por la desmesura de lo narrado (las increíbles cautelas de un viejo celoso) y una novela moderna por el fiel retrato de unos personajes y sus reacciones íntimas.

No lejos de ella se encuentra *El licenciado Vidriera*, que añade a la peripecia de un personaje que enloquece y cree ser de vidrio, un conjunto de reflexiones sobre la vida humana a través de los adagios y proverbios con que el loco aconseja sabiamente a cuantos le consultan.

Con *Rinconete y Cortadillo* Cervantes aborda la materia picaresca, pero no su técnica. El narrador es omnisciente e irónico: no tenemos el punto de vista único del protagonista. Es una novela de argumento mínimo. Dos pilletes se conocen camino de Sevilla. Cuando llegan a la gran ciudad, ingresan en una cofradía de ladrones y gentes de mal vivir que hacen del robo el más sagrado de los oficios. Para más inri, son devotísimos de las imágenes sagradas y están conchabados con los ministros de la justicia. Es un cuadro de malas costumbres, un retazo de la realidad que tan bien conocía el autor. Carece de clímax final, la historia queda abierta. La dura crítica no hace que la obra pierda animación y colorido.

En *El coloquio de los perros* se combinan la naturaleza fantástica de la trama general y el realismo de muchas escenas. El alférez Campuzano (protagonista de *El casamiento engañoso*, novela que sirve de prólogo a la que ahora comentamos) ha creído oír en medio de la fiebre el diálogo de los dos perros del hospital de Mahúdes en Valladolid. En esa conversación, uno de ellos, Cipión, cuenta sus peripecias a su compañero Berganza. Muestra la maldad de los hombres, sus vicios, desvergüenzas y disparates. La fantasía inicial se pone al servicio de una sátira aguda, realista y amarga. La curiosa perspectiva (un perro analiza el comportamiento humano) retrata una imagen del mundo al revés: los criados tracionan la casa para la que trabajan, los pastores matan al ganado que han de cuidar... La novela italiana, pródiga en viajes y peripecias, se abre hacia el relato lucianesco de carácter satírico y moral.

4.3.5. Otras novelas

La primera y la última de las novelas cervantinas se alejan enteramente del peculiar realismo en el que el autor alcanza sus mejores frutos. Son las que menos pueden apasionar a los lectores de hoy, aunque presentan muchos aspectos de interés para el estudioso de la literatura.

La Galatea (1585) es una novela pastoril, con los rasgos propios del género (véase 3.3.2), que cuenta los amores de Elicio y Galatea en medio de un paisaje idealizado. En ella se intercalan numerosos poemas.

Los trabajos de Persiles y Sigismunda (1617), rematada en los umbrales de la muerte, es una larga narración simbólica, de corte bizantino, con complicadas aventuras que llevan a los protagonistas desde los países nórdicos a Roma, pasando por España y Portugal. Cervantes la consideró una de sus mejores creaciones y se dedicó a ella con ahínco; debió de empezar a escribirla en 1599. Es una última incursión en el idealismo neoplatónico, del que nunca llegó a abdicar por completo.

4.4. LOPE DE VEGA

4.4.1. Perfil humano y literario

Nace en Madrid el 25 de noviembre de 1562, en el seno de una familia de artesanos. Estudia con los jesuitas y pasa después a la universidad de Alcalá de Henares, pero no llega a obtener nungún título universitario.

Muy pronto alcanza la fama como poeta, empieza a relacionarse con artistas y cómicos, e inicia su agitada vida sentimental. En 1584 conoce a la actriz Elena Osorio (*Filis* en los versos), con la que mantiene unos apasionados amores que acaban en una ruptura escandalosa. Lope, despechado, escribe y propaga unos poemas insultantes. Es condenado a dos años de destierro del reino de Castilla y ocho de la corte madrileña. Antes de partir para el exilio, rapta —con el consentimiento de la interesada— a la que había de ser su primera mujer: Isabel de Urbina (*Belisa*). Antes de casarse se enrola en la Armada Invencible y, tras la derrota, fija su resi-

231

dencia en Valencia. Allí conoce a un importante grupo de poetas y perfecciona su sistema dramático.

En 1590 regresa a Castilla y se instala en Toledo y Alba de Tormes. De vuelta a Madrid, viudo de Isabel de Urbina, Lope vive del teatro hasta que en 1597-1598 se prohíben las representaciones. Se casa con Juana de Guardo, hija de un rico comerciante. Por esos mismos años, sin que podamos precisar el momento exacto, conoce al segundo gran amor de su vida: una actriz llamada Micaela de Luján (*Lucinda*). Empieza a publicar sus obras de forma constante. Sin su autorización, se edita la *Primera parte de sus comedias* (1604). En lo sucesivo, aunque con altibajos, procurará controlar las ediciones de su teatro. Lope es el primer profesional de nuestra literatura.

Tras separarse de Micaela (hacia 1608) y morir Juana (en 1613), con cincuenta años, Lope cree llegado el momento de ordenarse sacerdote. Escribe, además, unos apasionados versos de amor divino: *Rimas sacras* (1614).

Este fervor religioso no impide que solo dos años después de recibir las órdenes sagradas, le sobrevenga el que habrá de ser su último gran amor: Marta de Nevares (*Amarilis*), mucho más joven que él. Es el momento en que arrecian los ataques y polémicas literarias.

Al llegar a la vejez aspira en vano a un puesto oficial, que nunca consigue. Padece, además de los achaques de la edad, diversas desgracias familiares: la ceguera, locura y muerte de Marta Nevares (1632), la muerte de su hijo Lope Félix (1634) y la fuga de su hija Antonia Clara (también en 1634). Todas estas circunstancia debieron de precipitar su muerte. Expiró en Madrid el 27 de agosto de 1635.

Conviene subrayar que la suya fue una existencia consagrada al arte. No dejó de escribir en ningún momento, cultivó todos los géneros, estuvo siempre atento a las novedades artísticas y trató de ser el primero en cualquiera de las manifestaciones de la literatura de su tiempo.

Con esta actividad incesante procuró el prestigio social que sus humildes orígenes le negaban. Gozó de un inmenso

éxito entre todos los grupos sociales y contó con admiradores incondicionales entre los nobles; pero no alcanzó el reconocimiento oficial.

Se le llamó con razón «Fénix de los ingenios» y «Monstruo de la naturaleza» por su extraordinaria capacidad de trabajo y por su genial sensibilidad poética. Ha sido uno de los
autores más prolíficos de la literatura universal. Exagerada-
mente, se ha dicho que compuso mil ochocientas comedias.
Conservamos unas cuatrocientas (aproximadamente un millón doscientos mil versos), a lo que hay que añadir unos
cincuenta volúmenes de obra no dramática (lírica, épica, novelas, ensayos, historia...). Naturalmente, este número no
tendría ninguna importancia si muchas de ellas no fueran,
como lo son, obras maestras de la literatura universal.

4.4.2. POESÍA LÍRICA

LOS ROMANCES. Lope es uno de los creadores del romancero nuevo (véase 4.2.2). Cultivó las dos modalidades más
significativas: los romances moriscos y los pastoriles. Los
poemas que hoy le atribuimos (recordemos que se publicaron sin nombre de autor) destacan por su concisión (siempre
recrean el momento climático de un proceso) y por su capacidad de sugerencia. De los moriscos dijo José F. Montesi-
nos que el «interés no es tanto psicológico cuanto pictórico»;
pero lo cierto es que esa «pintura decorativa» venía a ser la
expresión del afán «romántico» de huir de un mundo que no
satisfacía a los jóvenes poetas de 1580. Es un disfraz que
eleva y estiliza la realidad. El poeta selecciona y recrea algunos episodios de su agitada vida sentimental y los traspone a
un marco exótico, colorista, suntuoso, donde pueden desarrollarse las pasiones arrebatadas del brioso Zaide, Azarque
o Gazul (seudónimos preferidos de Lope) y la bella Zaida o
Celindaja (Elena Osorio). «Ensíllenme el potro rucio...»
(h. 1585) es la sublimación de una separación ocasional de

los amantes. A la etapa conflictiva que desembocó en la ruptura y en el proceso por libelos, deben de pertenecer «Mira, Zaide, que te aviso...», la respuesta «Di, Zaida, de qué me avisas...» y «Sale la estrella de Venus...».

Posteriores parecen los romances pastoriles protagonizados por Filis y Belardo. Su tono es más íntimo, sentimental, depresivo. Un aire quejumbroso y lastimero impregna los octosílabos, aunque en algún texto todavía alienta una esperanza que lleva al poeta a imaginarse casado («Por las riberas famosas...») o a apuntar esa posibilidad («El tronco de ovas vestido...»). La mayor parte y los más celebrados tratan de los celos («De una recia calentura...») y de la angustia y desesperación que van a acabar con su vida («Ansí cantaba Belardo...»).

En Valencia, los romances genuinamente pastoriles se cambian por otros en que encontramos alusiones mitológicas o históricas: «De pechos sobre una torre...», que trata del embarque del autor en la Armada de Inglaterra, y «Mirando está las cenizas...», barroca reflexión sobre las ruinas de Sagunto y la propia juventud.

Y así se llega a una de las piezas más originales y valiosas: «Hortelano era Belardo...», en que rememora, con un aire de autodegradación y burla, sus andanzas y amoríos de juventud.

Nunca abandonará Lope los romances. De acuerdo con la evolución de la poesía de su época, en etapas sucesivas serán más conceptuosos y elaborados. Entre 1612 y 1614 los compondría de asunto religioso (*Pastores de Belén*, *Rimas sacras*). En la vejez incluyó en *La Dorotea* cuatro emotivas endechas a la muerte de Marta de Nevares y un romance desengañado y sentencioso: «A mis soledades voy...».

LA POESÍA PETRARQUISTA Y SU EVOLUCIÓN. Al tiempo que escribía los romances juveniles, Lope se inició en la composición de sonetos y canciones; su publicación se retrasó hasta finales del siglo XVI. En la *Arcadia* (1598), novela pastoril, se encuentra la primera gran colección de poemas líricos de todo tipo (también hay romances, redondillas, quintillas...). Destacan algunos sonetos magistralmente estructurados, próximos al manierismo: «No queda más lustroso y cristalino...». Lo más característico es, sin embargo, la reelaboración poética autobiográfica y el exhibicionismo sentimental presente en las canciones «Sola esta vez quisiera...» y «La verde primavera / de mis floridos años...» o en el soneto «Silvio a una blanca corderilla suya...».

En 1602 dio a las prensas doscientos sonetos que formaron la primera parte de las *Rimas*. En 1604 se completaron con otros poemas (églogas, epístolas, epitafios, romances...). Así se fija la estructura del cancionero lopesco: una colección de sonetos seguidos o precedidos de otros poemas variados y más extensos. Cada diez años aproximadamente fue ofreciendo una de estas colecciones.

Las *Rimas* están dominadas por el amor de *Lucinda* (Micaela de Luján) y el recuerdo de *Filis* (Elena Osorio), aunque no faltan versos panegíricos, fúnebres, históricos... Los poemas a Lucinda constituyen una suerte de cancionero petrarquista: se rememoran los momentos clave del proceso amoroso (el encuentro, las angustias del pretendiente, la plenitud del amor, los celos, la ausencia...), se canta la belleza de la amada, se definen los contradictorios efectos del amor... Es difícil señalar en esta amplia colección las joyas más valiosas. Desde su aparición han apasionado a los lectores «Desmayarse, atreverse, estar furioso...» (tópica aunque originalísima, por el acento personal, definición del amor), «Ir y quedarse, y con quedar partirse...» (efectos de la ausencia), «Ya no quiero más bien que solo amaros...», «Con una risa entre los ojos bellos...» (canto al amor de Lucinda), «Suelta mi manso, mayoral extraño...» (alegoría pastoril sobre la ruptura con Elena), etc., etc. Son también notables los poemas descriptivos sobre asuntos míticos, bíblicos o históricos: *Al triunfo de Judith, A Europa...*

De la *Segunda parte* destacaremos la *Epístola a Gaspar de Barrionuevo*, de tono familiar, con reflejo de la vida cotidiana, y el *Arte nuevo de hacer comedias*, conferencia en

235

verso o poema didáctico sobre el teatro de su tiempo, añadido en la edición de 1609.

En 1614 apareció un nuevo cancionero lopesco, este de carácter religioso: *Rimas sacras*. La primera parte la forman cien sonetos. Entre ellos hay una larga serie (casi la mitad) en que el poeta canta su arrepentimiento y las nuevas relaciones, de un erotismo apasionado, que mantiene con la divinidad. Cristo no es aquí una imagen abstracta sino una criatura tangible a la que Lope requiebra con los mismos piropos que había dedicado a sus amadas terrenas: «No sabe qué es amor quien no te ama, / celestial hermosura, esposo bello…», «Oh, quién muriera por tu amor ardiendo…», «La lengua del amor, a quien no sabe / lo que es amor, ¡qué bárbara parece!…». Llama la atención el diálogo directo, íntimo, personal, que es, al mismo tiempo, una oración que sirve para todos los lectores. La expresión más perfecta y acabada de ese tono la tenemos en «¿Qué tengo yo, que mi amistad procuras…?», concisa y original recreación del tema popular de la ronda del galán.

Estos textos, en que se advierte también esa propensión al exhibicionismo sentimental, tan característico del poeta, se completan con otros de carácter descriptivo o hagiográfico y con una sentida elegía a la muerte de su hijo Carlos Félix.

En 1621 y 1624 aparecen dos volúmenes misceláneos, *La Filomena* y *La Circe*, que contienen poemas cultistas de asunto mitológico, una breve colección de cuatro novelitas italianas (*Novelas a Marcia Leonarda*), epístolas horacianas, sonetos… Lope, frente a sus enemigos y rivales literarios, trata de demostrar que es un creador capaz de brillar en cualquier género. Y así ocurre, en efecto, aunque su propia fertilidad impidió en su tiempo y sigue limitando hoy una adecuada valoración. *La Circe* es uno de los grandes poemas del siglo; los sonetos neoplatónicos que tratan de exaltar y disculpar los amores sacrílegos con Marta son dignos de mayor atención; las epístolas, entre los asuntos familiares y la polémica literaria, constituyen también una preciosa muestra de la poesía barroca.

Al final de su vida, Lope publicó varias églogas, elegías, canciones y epístolas que tienen como denominador común el sentimiento de desengaño, la descorazonadora evidencia de no haber obtenido el premio que creía merecer por su obra. La mal llamada *Égloga a Claudio* (en realidad es una epístola dirigida a su amigo Claudio Conde) pasa revista a su creación y se queja con amargura y orgullo de la desatención en que se encuentra. Estos poemas, que vieron la luz en ediciones sueltas, se reunirían póstumamente en *La vega del Parnaso* (1637).

Todavía tenía fuerza Lope para publicar a finales de 1634 unas *Rimas humanas y divinas del licenciado Tomé de Burguillos*. Para «templar tristezas» de la vejez, escribe este cancionero paródico. Inventa un álter ego burlesco, Tomé de Burguillos, enamorado de Juana, una simpática lavandera del Manzanares, a la que dedica un cancionero petrarquista, remedo humorístico de los que el propio Lope había escrito en otros momentos de su vida. A través de esta burla cariñosa y cordial, desmonta los tópicos que habían alimentado su poesía; pero, al caricaturizarlos, vuelve sobre ellos por última vez con una mirada de complacencia.

4.4.3. EL POETA DRAMÁTICO

Lope crea, casi de la nada, la comedia española, cuyos rasgos esenciales enumeramos en 4.2.3. Dentro de la convención por él forjada, sus obras destacan por su acento poético. Muchos de sus dramas tienen como origen una cancioncilla tradicional. En la mayor parte de ellos se insertan villancicos, romances, sonetos… que presentan un valor dramático como síntesis de la acción, un valor escénico como elemento que permite dar variedad al espectáculo y conseguir la complicidad del auditorio, y un valor autónomo como poesía lírica.

El teatro de Lope se complace en sacar a la escena múltiples manifestaciones de la vida cotidiana (labores del campo, fiestas, ritos, trajes, aperos…) a las que confiere un carácter a la vez realista y simbólico.

Desde el punto de vista técnico, las cuatrocientas comedias conservadas, escritas a lo largo de unos cincuenta años, siguen una notable evolución. La crítica viene distinguiendo tres etapas:

ETAPA DE FORMACIÓN (1585-1604, APROXIMADAMENTE). Pesan mucho sobre la concepción de las obras cómicas los modelos celestinescos y los clásicos latinos. Su humor está muy próximo a la sal gorda: equívocos sexuales, alusiones escatológicas, reflejo del mundo prostibulario. No puede extrañar que las piezas más celebradas sean las que Menéndez Pelayo llamó «comedias de malas costumbres»: *El arrogante español y caballero del milagro* (1593), *El rufián Castrucho* (1598), *El anzuelo de Fenisa* (1602-1608)… La acción, situada en la Italia renacentista, desarrolla un ingenioso enredo que se alía a la caricatura para darnos unos espectáculos regocijantes que presentan una visión desenfadada y libre del comportamiento humano.

El mismo tono, pero lejos del mundo prostibulario, lo volvemos a encontrar en un par de comedias de ambiente español: *Los locos de Valencia* (1590-1595) y *La viuda valenciana* (1595-1603).

SEGUNDA ETAPA (1604-1618, APROXIMADAMENTE). En estos años escribe algunas de sus piezas más célebres. Hoy nos interesan numerosas tragicomedias inspiradas en leyendas españolas: *Las almenas de Toro* (1610-1643), *Las paces de los reyes* (1610-1612)…, y en especial un grupo de comedias villanescas o de comendadores en que se presenta un conflicto político engendrado por el ejercicio del poder injusto. *Peribáñez y el comendador de Ocaña* (1604-1614) es un hermoso drama rural, de carácter simbólico. El argumento es sencillo: el comendador se enamora de Casilda, la mujer de Peribáñez; intenta seducirla recurriendo a los regalos y a la violencia, y muere a manos del protagonista, al que el rey perdona por haber sabido defender su honor. Sobre este cañamazo Lope crea un rico universo poético en el que se oponen el campo y la ciudad, lo natural y espontáneo frente a la cultura libresca. A través de los versos se revela el encanto de las cosas sencillas, la evocación de una vida más auténtica. *Peribáñez* tiene aire de comedia musical en la que el amor triunfa sobre la pasión caprichosa del poderoso que quiere atropellar los derechos de los campesinos. Las canciones corales, los monólogos líricos van esbozando esta exaltación de la libertad amorosa:

> Que más quiero a Peribáñez,
> con su capa la pardilla,
> que no a vos, comendador,
> con la vuesa guarnecida.

El mismo conflicto, pero con otro tono, aparece en *Fuenteovejuna* (1611-1618). Aquí el comendador es más violento, incluso sádico, y la venganza no es individual sino colectiva. Esa dimensión política ha convertido a este drama, de menor calidad poética que *Peribáñez*, en una de las obras más representativas de nuestro teatro clásico.

En esta segunda etapa Lope alcanza la madurez cómica. Al sabio manejo del enredo se une la aguda penetración en la psicología de los personajes. Desde la convención escénica, se presentan las reacciones, a veces contradictorias, de los protagonistas y, sobre todo, de las protagonistas. *La discreta enamorada* (1604-1608) recrea el carácter desenvuelto, sincero y apasionado de Fenisa, que con su ingenio logra convertir a su pretendiente, un viejo capitán, en mensajero de las declaraciones de amor que dirige a su hijo. *La dama boba* (1612) es un canto al poder educativo del amor. Finea, simple y atolondrada, despierta a la razón y a la sensibilidad cuando se enamora. La bobería se cambia por la agudeza con que engaña a todos y logra sus propósitos. *El perro del hortelano* (1613) desarrolla la íntima lucha de Diana, condesa de Belflor, entre el orgullo nobiliario y el amor a su secretario. Diana analiza sus celos, que la llevan a estorbar los

239

amores de su amado con una de sus criadas, y su resistencia a dar su mano a un hombre que no pertenece a su grupo social. El espectador asiste divertido a este conflicto irresoluble en que se debate la sensual, caprichosa, a ratos despótica y siempre atractiva y deliciosa protagonista.

TERCERA ETAPA (1618 APROXIMADAMENTE-1635). Lope deriva hacia una comicidad más mecánica: equívocos, enredos complejos, entradas y salidas de personajes, confusión de identidades... Se perfecciona la estructura dramática y se pierde, en cierta medida, el interés por la psicología. *Amar sin saber a quién* ejemplifica la nueva concepción. Don Juan, preso por una muerte que no ha cometido, recibe en la cárcel los regalos y atenciones de una dama misteriosa (es hermana del caballero homicida, que trata de aliviar las penas del inocente). Surge el amor entre ambos, aunque el galán no llega a saber de quién se ha enamorado hasta las escenas finales. El alma de la pieza son los enredos y equívocos que nacen de esa falta de información.

Mecanismos similares se observan en otras comedias de esta época: *La noche de san Juan* (1631), *Las bizarrías de Belisa* (1634)...

El universo trágico de Lope consigue en estos años su mejor expresión. Quizá ligadas a sus relaciones con Marta de Nevares (amor socialmente inaceptable, no lo olvidemos), escribe dos grandes tragedias: *El caballero de Olmedo* (1620) y *El castigo sin venganza* (1631), en las que el amor desemboca en la muerte.

El caballero de Olmedo se abre como una comedia celestinesca de amores juveniles, que se va entenebreciendo en el trascurso de la acción. La exaltación primaveral contrasta con el presentimiento de la muerte. Las fiestas de la cruz de mayo y la corrida de toros en que participa el protagonista son los símbolos de esa vitalidad excesiva que se complace en asomarse al brocal de la muerte. El amor, presente desde los primeros versos como creador y sustentador de la vida, se contrapone el carácter destructivo del desamor y los celos que truncan la existencia del caballero en una conmovedora escena nocturna en que es asesinado por su rival.

El castigo sin venganza es, posiblemente, la más hermosa tragedia de nuestra lengua. Lope la escribió para reivindicar en los últimos años de su vida su prestigio como maestro del drama. El desarrollo argumental, inspirado en una novelita de Bandello, es sencillo y escueto: un caso de incesto, violentamente resuelto con la muerte de los amantes. Pero el poeta ha sabido dar hondura a los personajes, trazar de forma sutil y profunda su evolución psicológica, mostrar los matices del amor apenas intuido, los esfuerzos para reprimir y no llegar a confesarse unos sentimientos que no caben en la realidad social; la preocupación paterna por el ensimismamiento y la depresión del hijo bienamado... Todo esto se trata con una perfección inigualable. Los personajes avanzan —y el espectador lo intuye en cada verso— por un callejón trágico, cuya única salida es el dolor y la muerte. No sin razón, un editor portugués subtituló esta tragedia admirable con esta frase: «Cuando Lope quiere, quiere».

4.4.4. OTROS GÉNEROS

La inmensa producción lopesca impide que hagamos justicia a cada una de las obras. Subrayemos que cultivó todos los géneros y sus variantes. Siempre aspiró a ser poeta épico. Ensayó el poema hagiográfico (*Isidro*, 1599; *Corona trágica*, 1627), el histórico de asunto contemporáneo (*La Dragontea*, 1598), el caballeresco (*La hermosura de Angélica*, 1602) y el nacional-cristiano, a la manera de Tasso (*Jerusalén conquistada*, 1609). Son obras tan admirables como irregulares. Lope se pierde en la compleja estructura de estos textos. Lo que hoy más apreciamos son los excursos poéticos, en especial los que encierran reminiscencias autobiográficas.

Su mejor poema épico es, sin disputa, una parodia: *La gatomaquia* (publicada en las *Rimas de Burguillos*, 1634).

241

Reduce las hazañas propias de estas obras al mundo de los gatos que habitan los tejados madrileños. Se burla cariñosamente de la épica clásica, pero también de su propia creación literaria (desde el poema ariostesco a la lírica petrarquista y la comedia) y de la moda gongorina. El resultado es un gracioso divertimento en el que también se refleja de forma irónica la vida íntima, doméstica, del siglo XVII.

En la narrativa en prosa se inició con una novela pastoril, la *Arcadia*, de estilo relamido, que sirve de estuche a magníficos versos. Vertió el género a lo divino en *Pastores de Belén* (1612), donde también son los versos, de aire popular, lo más notable. A imitación y en competencia con las *Ejemplares* de Cervantes, escribió la *Novelas a Marcia Leonarda*, cuatro relatos de aventuras amorosas, en las que la prosa lopesca se vuelve ágil, familiar, directa. Son novelas epistolares en las que el narrador dialoga constantemente con la destinataria: Marta de Nevares.

En los últimos años de su vida publicó *La Dorotea* (1632), acción en prosa, diálogo celestinesco que recrea, una vez más, sus amores juveniles. Es una crónica de recuerdos, un melancólico volver la vista atrás y complacerse en las tormentosas relaciones de Dorotea y Fernando (Elena y Lope), dos jóvenes embriagados de literatura, mitómanos empedernidos, que arrastran una existencia semiprostibularia. Sobre la rememoración nostálgica del pasado remoto planean las emociones del Lope viejo, que vive en esos momentos la muerte desgarradora de Marta de Nevares. Se ha dicho que *La Dorotea* es esa obra maestra que no resulta fácil determinar entre los cientos de piezas de Lope. Probablemente sea así.

4.5. FRANCISCO DE QUEVEDO

4.5.1. VIDA Y PERSONALIDAD

Francisco de Quevedo y Villegas nace en Madrid el 17 de septiembre de 1580. Estudia en Alcalá de Henares, donde adquiere una sólida cultura. Interviene activamente en la política italiana al lado del duque de Osuna. Al subir al poder, el conde-duque de Olivares mira con recelo al poeta. Más tarde se traba entre ellos una amistad que pronto empieza a deteriorarse, hasta que en 1639 Quevedo es detenido y encerrado en el convento de San Marcos de León. Recupera la libertad en 1643, año en que se produce la caída de Olivares; pero su salud está ya muy deteriorada. Muere el 8 de septiembre de 1645 en Villanueva de los Infantes (Ciudad Real), cerca de su señorío de la Torre de Juan Abad, en el que pasó largas temporadas.

Estamos ante una de las personalidades más originales y contradictorias que ha dado el arte español. Su actitud vital e ideológica presenta caracteres contrapuestos y, en apariencia, difíciles de conciliar. Apasionado y desdeñoso, niega los valores de la existencia y, al mismo tiempo, se duele patéticamente de su carácter fugitivo. En el campo de la política, fue un agudo observador de los males de España, pero un pésimo diagnosticador de los remedios.

4.5.2. RASGOS DE SU OBRA

Quevedo es un polígrafo, en cuya variada producción literaria se reflejan las mismas contradicciones que hemos señalado en su personalidad. Lo mismo escribe sátiras y burlas que poemas sentidos y sinceros. Es, a la vez, moralista y cantor de la mala vida, lírico amoroso y caricaturista cruel y sarcástico. Abarca todos los géneros y tonos, desde lo más sublime a lo grosero y escatológico. Cultiva con igual acierto el verso y la prosa. Su ingenio y agudeza no conocen límites. Sus textos están plagados de recursos conceptistas. No en vano es la cabeza visible de ese movimiento. No cultiva la brillante sonoridad de Góngora, ni el verso fluido y fácil de Lope. Su poesía quiere centrarse en las cuestiones conceptuales. En general, los aspectos sonoros del verso están subordinados a las figuras de pensamiento: juegos de palabras, paronomasias, tropos... La prosa se vale de idénticos procedimientos. El equívoco es el recurso más abundante en las obras burlescas. Sus imágenes sorprenden por la enorme distancia que hay entre el sustituyente y el sustituido. Hace gala de un rico metaforismo descendente: «el platero del mundo» (el sol), «los chafarrinones de la Aurora» (la luz del amanecer)...

La novedad de las imágenes se intensifica a veces con una construcción gramatical original. Utiliza sustantivos en función de adjetivos («érase una nariz sayón y escriba») o los verbos se trasforman en sustantivos: «soy un fue, un será y un es cansado»; o añade prefijos o sufijos propios del adjetivo al sustantivo: «érase un naricísimo infinito»; o utiliza de forma inusual un nexo sintáctico: «Ella es verdad que es vieja, pero fea».

El léxico quevedesco es amplísimo. Incorpora al lenguaje de la lírica términos del habla familiar: *apear, escupir, maroma, amartelar, hartarse, morder, tropezón...* En la poesía burlesca abundan las voces de germanía: *bayuca* (taberna), *trena* (cárcel), *afufar* (huir)... Además, crea neologismos aplicando prefijos (*protocornudo, archipobre, protomiseria*) y sufijos (*febrerear, diablazgo, zurdería*) o formando compuestos: *quintacuerna* (de *quintaesencia*), *diabloposa* (de *diablo* y *mariposa*)...

Salvo excepciones, la obra de Quevedo se editó fuera de su control y su cuidado. La mayor parte de su prosa vio la luz lejos de Madrid, a manos de impresores que disponían de un texto no autorizado. Sus poesías, aunque es posible que el autor las preparara en los últimos años de su vida, se publicaron póstumamente. En 1648 apareció el *Parnaso español, monte en dos cumbres dividido*, al cuidado de José Antonio González de Salas, y en 1670 *Las tres musas últimas castellanas*, a cargo de Pedro de Aldrete, sobrino del poeta.

4.5.3. OBRA EN PROSA

EL BUSCÓN. Quevedo tiene en su haber una de las más notables novelas picarescas: *La vida del buscón llamado don*

Pablos (1626). Pese a la madurez del estilo, es una obra de juventud, que debió de escribirse en torno a 1603-1608. Durante el tiempo que discurrió hasta su publicación, circularon los manuscritos, de los que han llegado hasta nosotros tres textos, conocidos con las siglas *B* (perteneció a don José Bueno; actualmente en la Fundación Lázaro Galdiano), *C* (catedral de Córdoba) y *S* (Santander, Biblioteca Menéndez Pelayo). Pablo Jauralde mantiene que el único texto genuino es el representado por el manuscrito *B*, mientras que *C* y *S* son deturpaciones del mismo.

Cuenta las aventuras del segoviano Pablos, hijo de un barbero ladrón y de una judía medio bruja. Entra al servicio de don Diego Coronel, al que acompaña en sus estudios. Célebre es el episodio en que amo y criado sufren los rigores del hambre bajo el pupilaje del dómine Cabra. El protagonista intenta salir del ambiente en que se ha criado y conseguir una buena posición social, pero fracasa y se inicia en el camino de la picardía. Tras una serie de aventuras desafortunadas, emigra a América para mejorar su suerte. Tampoco allí logrará su propósito.

Lo más interesante de la novela es su acabado estilo conceptista, ingenioso y demoledor, lleno de equívocos y sarcasmos crueles. Abundan las sátiras, incluso contra la Inquisición, y los personajes aparecen caricaturizados. Es una obra despiadada, en la que Quevedo se ensaña con sus criaturas, sin mostrar la menor comprensión ni solidaridad hacia ellas. No hay aquí ni rastro de realismo. Todo es excesivo, monstruosamente hiperbólico. Pero sí es evidente que el autor parte de una realidad muy concreta que somete a su óptica deformante. Ya hemos hablado antes del papel que desempeña en el proceso desintegrador que sigue el género picaresco.

Aunque se han hecho distintas interpretaciones de *El buscón*, estamos de acuerdo con Fernando Lázaro Carreter en que se trata, ante todo, de una obra de ingenio. Lo que la define es la portentosa elaboración de su verbo, la intensidad de la palabra, que atrae la atención sobre sí misma, la acumulación de pinceladas grotescas. Desprovista del ropaje formal, su contenido quedaría reducido al de cualquier otro texto picaresco. Eso no impide reconocer que, tras el retorcimiento de la palabra, se oculta una amarga visión del mundo, un pesimismo radical.

LOS *SUEÑOS* Y OTRAS OBRAS SATÍRICAS Y FESTIVAS. Escritos mucho antes (los primeros entre 1606 y 1610), en 1627 se publicaron los *Sueños*: *Sueño del infierno, Sueño del juicio final, El alguacil endemoniado, Sueño de la Muerte* y *El mundo por de dentro*. Fueron perseguidos por la Inquisición y, para volver a editarlos, el poeta tuvo que corregirlos y cambiar los títulos. La nueva versión, en la que se había limado la espontaneidad satírica del joven Quevedo, apareció en *Juguetes de la niñez y travesuras del ingenio* (1631). Las ediciones posteriores reprodujeron ese texto.

Son una serie de cuadros expresionistas en los que se mezcla la sátira caricaturesca de las costumbres y oficios de la época con hondas reflexiones morales. Entroncan con los relatos lucianescos, las danzas de la muerte, la *Divina comedia* de Dante... El tema que domina es la visión burlesca de la vida de ultratumba. En todos ellos el autor finge un sueño a través del cual contempla esas esperpénticas visiones. El ambiente en que se desarrollan es siempre fantástico.

Una fantasía moral muy parecida a los *Sueños* es *La hora de todos y la fortuna con seso*, que estaba rematada en 1636 pero no se pudo publicar hasta 1650, sin duda por sus alusiones satíricas a personajes ilustres de la época. Vemos cómo esta diosa, que reparte sus dones a lo loco, recupera la razón y, durante una hora, el mundo se trastorna por completo. Vuelven luego las cosas a su cauce, pues tampoco se ha conseguido así desterrar la injusticia.

Entre sus opúsculos satíricos se cuenta *Aguja de navegar cultos*, dirigido contra Góngora, en un tono muy similar al que vemos en sus versos.

OBRAS FILOSÓFICAS Y POLÍTICAS. A Quevedo pertenecen diversos escritos de tema histórico y político, que van desde el panfleto burlesco al libro de denso contenido teórico. Los más interesantes son *Política de Dios y gobierno de Cristo* (1.ª parte, 1626; 2.ª, 1655) y *Vida de Marco Bruto* (1644), en los que expone su ideario.

También nos ha dejado obras filosóficas y ascéticas. En *La cuna y la sepultura* (1634), de tono pesimista y escéptico, se revela seguidor del estoicismo de Séneca. Es un expresivo reflejo del desengaño barroco, con su trágica consciencia de la brevedad de la vida. Nos enseña a despreciar la vanidad de las cosas terrenas y a vencer el sufrimiento.

4.5.4. OBRA EN VERSO

OBRAS SATÍRICAS Y BURLESCAS. Casi la mitad de los versos que conservamos de Quevedo son satíricos o burlescos. Estos últimos son meros juegos conceptuosos en los que aplica toda su capacidad para hacer chistes, pergeñar equívocos, crear imágenes alucinantes y disparatadas. En muchos se percibe un marcado pesimismo. Los más célebres son «Parióme adrede mi madre...», *A Adán* (lo felicita porque no tuvo suegra), *Boda de negros...* De su pluma salieron también sonetos burlescos dedicados a muy diversos asuntos. Algunos de ellos son una pura caricatura: *A una nariz, A una fea espantadiza de ratones...*

En otros poemas se combina la pirueta burlesca con la crítica de figuras o comportamientos sociales. Así ocurre en los de carácter misógino, donde Quevedo da rienda suelta a una agresividad sin límites contra las mujeres, especialmente si usan afeites o si son viejas y pretenden disimular su edad. Son en buena medida ejercicios retóricos, pero el ingenio verbal del autor es capaz de crear las imágenes más repulsivas e inmisericordes. La hipérbole degradadora alcanza a toda la realidad. A través de ella se nos muestra el concepto que el autor tiene de la existencia: «La vida empieza en lágrimas y caca...». Sus letrillas son eminentemente satíricas, como la celebérrima «Poderoso caballero es don Dinero».

Este ingenio verbal lo pone también al servicio de las sátiras a sus enemigos literarios. El destinatario más frecuente, que le inspiró sus más feroces versos, es Góngora. Otra víctima de sus invectivas fue el dramaturgo Juan Ruiz de Alarcón.

No abundan las sátiras contra la política y los gobernantes, salvo las críticas genéricas a la corrupción y la venalidad cortesanas. La famosa *Epístola satírica y censoria contra las costumbres presentes de los castellanos* («No he de callar por más que con el dedo...») no es una crítica al condeduque de Olivares, como a veces dicen los que no la han leído. Al contrario, se trata de un programa de regeneración moral, militarista, providencialista y nostálgico de la edad heroica, que el poeta presenta al valido, al que elogia como un nuevo Pelayo que ha de restaurar la grandeza de España.

Quevedo fue creador y maestro de la jácara, poema prostibulario —generalmente un romance— en que se cuentan las aventuras de un *jaque*, es decir, un delincuente. Se hicieron muy famosas las de Escarramán.

POEMAS FILOSÓFICOS Y MORALES. Frente al poeta burlesco y desenfadado, hallamos el Quevedo lleno de angustia de los poemas que expresan sus inquietudes metafísicas. El tema que trata con mayor frecuencia e intensidad es el discurrir de la vida hacia la muerte, el paso inexorable y destructivo del tiempo: «Fue sueño ayer, mañana será tierra...», «Miré los muros de la patria mía...». La vida no es más que una muerte progresiva que velozmente se va apoderando del hombre. Todo lo firme se tambalea y cae con los años. La paradoja es el recurso idóneo para expresar con justeza este sentimiento: «Buscas en Roma a Roma, ¡oh peregrino!, / y en Roma misma a Roma no la hallas...». Junto a los acentos existenciales aflora a veces la religiosidad del poeta.

Quevedo denuncia las vanas ambiciones y recomienda un apartamiento epicúreo y estoico. Aunque su vida real trascurrió en medio del torbellino de la política, sus advertencias morales tienen la intensidad y emoción que les presta su estilo vivo y centelleante.

POEMAS AMOROSOS. En la sorprendente personalidad de Quevedo cabe el ser un escritor decididamente misógino y, a la vez, uno de los más excelsos poetas amorosos de todos los tiempos. Su lírica erótica parte de la tradición petrarquista que en España representan Garcilaso, Herrera y Lope de Vega. Buena parte de ella es reiteración de los tópicos obligados: juegos de contrarios para definir el amor, belleza sobrehumana de la dama, rendimiento amoroso del amante...

Sin embargo, introduce en estos moldes una concepción de la lengua poética de tonos más violentos y oscuros, más angustiada y bronca. A menudo se impregna de preocupación metafísica. El tema del amor que sobrevive a la muerte y se perpetúa en las almas cuando estas abandonan los cuerpos, es uno de los más y mejor tratados en sus versos. Celebérrimo es el soneto «Cerrar podrá mis ojos la postrera....».

Los poemas más intensos —entre ellos el que acabamos de citar— forman un cancionero al estilo petrarquesco: *Canta sola a Lisi*. Están dedicados a una dama a la que le unía un amor platónico, quizá una mera amistad. Esta relación, real o ficticia, es la excusa para que el poeta hable de su soledad, de su angustia y su necesidad de comunicación. Las imágenes elegidas oscilan entre el colorido de los sonetos galantes y el tono sombrío de los poemas más íntimos.

4.6. LA NOVELA Y LA PROSA DIDÁCTICA

4.6.1. LA EVOLUCIÓN DE LA PICARESCA. MATEO ALEMÁN

LA HERENCIA DEL *LAZARILLO*. Como ya se ha señalado (véase 3.3.3), el parentesco que existe entre la obrita anónima del XVI y sus sucesoras barrocas ha sido muy discutido. Sin embargo, hemos admitido la existencia de una serie de rasgos comunes, a pesar de las muchas diferencias de concepción que separan a la una de las otras.

No cabe negar, con todo, que algunos de estos rasgos se irán perdiendo en la evolución del género. El *Lazarillo* había puesto en circulación un trascendente hallazgo estético: el realismo psicológico. Esta característica se mantiene en el *Guzmán de Alfarache*. Pero luego se pierde y, como ya se ha dicho (véase 4.2.1), la novela picaresca, siguiendo la ruta marcada por *El buscón* de Quevedo, se convierte en una acumulación de estampas burlescas o satíricas, que no contribuyen a crear ante los ojos del lector un personaje complejo, sino un testigo-protagonista de las diversas aventuras. El influjo de la fantasía lucianesca es decisivo en este proceso. Buena muestra de ello la tenemos en *El diablo Cojuelo* (1641) de Luis Vélez de Guevara, que prescinde incluso de la forma autobiográfica, perfectamente coherente en las dos primeras novelas, en las que la voz que escuchamos es la del pícaro. Luego nos encontraremos con un mero calco de esa estructura. La autobiografía —cuando se da— no es más que el soporte al que se adhieren los más heterogéneos elementos.

La pérdida del realismo psicológico puede llevar también a que el interés se centre en la realidad descrita, que ya no se utiliza para justificar las reacciones del protagonista. En esos casos, la picaresca deriva hacia el costumbrismo (*Lazarillo de Manzanares*, 1617, de JUAN CORTÉS DE TOLOSA). Otras veces se asimila al género de aventuras (*La vida de don Gregorio Guadaña*, 1647, de ANTONIO ENRÍQUEZ GÓMEZ) o incorpora elementos de la novela cortesana (*Aventuras del bachiller Trapaza*, 1637, y *La garduña de Sevilla y anzuelo de las bolsas*, 1642, de ALONSO DE CASTILLO SOLÓRZANO).

Otro de los cambios operados es lo que podría llamarse la santificación del héroe. Tradicionalmente se viene admitiendo que uno de los rasgos esenciales de la picaresca es el reflejo del inframundo de la delincuencia. En la obra central del género, el *Guzmán*, la función del pícaro como ser marginado que ofrece una moralidad *a contrario* está clara y el afán adoctrinador pesa muchísimo. Ese pícaro predicador se va a convertir en una buenísima persona en la *Vida del escudero*

Marcos de Obregón (1618) de Vicente Espinel e incluso en un santurrón más bien impertinente e insufrible en *Alonso, mozo de muchos amos* (1624) de Jerónimo de Alcalá Yáñez. En la primera se pierde también otro ingrediente capital, al dejar de describir los esfuerzos fracasados de una persona para huir del puesto social al que lo condena su nacimiento. La deshonra inicial ha desaparecido y solo queda una vida itinerante e inestable, plagada de consejas y consejos.

En estas novelas, escritas en un tiempo de crisis, la visión del mundo es mucho más agria y pesimista que en el *Lazarillo*.

MATEO ALEMÁN Y EL *GUZMÁN DE ALFARACHE*. Mateo Alemán (Sevilla, 1547-México, d. de 1615) es de origen converso, lo que quizá ayude a explicar la amargura y el resentimiento que rezuma su obra. Lleva una vida aventurera, acosado siempre por las dificultades económicas. Tiene problemas con la justicia y va a la cárcel más de una vez. Su pesimismo vital se acentúa con la conciencia de ser injustamente marginado.

Publica la primera parte de su novela en 1599; la segunda aparecerá en 1604. Recoge algunas de sus vivencias y reflexiones personales. Nos muestra un mundo hostil, en el que el hombre es el peor enemigo para sus semejantes; la vida aparece como una lucha sin cuartel en la que reinan el vicio y la falsedad.

Como es propio de la picaresca, nos encontramos con una visión unilateral del mundo. Desde su situación final (la condena a galeras), el protagonista cuenta sus aventuras y desventuras para trasmitir una enseñanza al lector. Salta a la vista que la estructura de esta novela viene condicionada por su intención ejemplarizante. La acción se ve continuamente interrumpida por digresiones y comentarios morales, que no son simple relleno, sino ingredientes esenciales en los designios del autor. Hay, además, gran cantidad de cuentecillos, anécdotas y parábolas, ajenos a la historia nuclear, que refuerzan las enseñanzas. Lo didáctico predomina sobre lo narrativo.

También se intercala alguna novela corta, a modo de paréntesis puramente artístico, para dar un respiro a los lectores.

En el *Guzmán de Alfarache* sí se tiene en cuenta cómo evoluciona el personaje. Cada vivencia deja huella en él y va sentando las bases de su devenir moral. Lo vemos avanzar hacia la degradación, hasta que llega al punto en que emprende el camino del arrepentimiento. Hay, por tanto, una estructura climática ascendente y descendente.

Encierra la obra una dura crítica que recae sobre personajes representativos de los diversos grupos sociales. Pero, de forma un tanto contradictoria, el protagonista muestra una clara voluntad, siempre frustrada, de integración en la sociedad que critica. El ritmo se desarrolla en un *tempo lento*, con expresión reconcentrada. El lenguaje es intenso, detallista, de léxico exuberante. Se advierte una considerable preocupación estilística y un alto grado de elaboración de la prosa. Ofrece un complejo y riquísimo retrato del mundo barroco.

OTRAS NOVELAS. El éxito del *Guzmán de Alfarache* propició la resurrección de la literatura de asunto picaresco. Además de *El buscón* quevedesco, ya visto en 4.5.3, contamos con una larga serie de relatos. Particular interés tiene la *Vida del escudero Marcos de Obregón* (1618) de VICENTE ESPINEL (Ronda, Málaga, 1550-Madrid, 1624), que además de novelista, fue poeta (*Rimas*, 1591) y músico. Intenta ajustarse a los cánones de la picaresca, pero presenta considerables discrepancias, que afectan sobre todo a la psicología del protagonista. Marcos no es un pícaro, sino un observador de la realidad, que no solo tiene contacto con las capas bajas de la sociedad; frecuenta también otros ambientes más refinados. No participa del tono sombrío de las novelas picarescas. El escudero es un viejo amable y bondadoso, que rememora sin hiel las travesuras de los años mozos. Desde el primer momento despierta la simpatía del lector. No es un individuo maleado por la sociedad. No siempre fracasa; a veces sale con éxito de sus empresas y de su conducta se derivan beneficios para otros. Hasta cierto punto, puede decirse que es un antipícaro. Sin embargo, la inmensa mayoría de los materiales que componen la obra están vinculados a la picaresca; de ahí su clasificación dentro de este género. Abundan las disertaciones sobre temas morales y hay una clara intención didáctica, pero sin llegar a los extremos del *Guzmán*. La crítica de los vicios se hace con benevolencia y desde una actitud tolerante. Hay, con todo, apuntes de sátira social. La prosa es clara, fácil de entender.

En 1620 se edita en París una nueva *Segunda parte del Lazarillo de Tormes* (se había publicado otra, anónima, en Amberes en 1555). Aparece a nombre de H. de Luna, pero sabemos con certeza que se debe a JUAN DE LUNA, intérprete y profesor de lengua española. Quizá cambió la inicial de su nombre para protegerse de la persecución inquisitorial, motivo que le llevó incluso a huir de España. Es un relato de tono bronco y sátira mordaz, cuyo principal destinatario es el clero y, junto a él, la Inquisición. Los ataques son de una violencia inaudita. Otra nota discordante dentro del género es el tono descarado y obsceno de algunas aventuras.

La pícara Justina (1605) del doctor FRANCISCO LÓPEZ DE ÚBEDA, *La hija de la Celestina* (1612) de ALONSO JERÓNIMO DE SALAS BARBADILLO (1581-1635) y *Las harpías de Madrid y coche de las estafas* (1631), *La niña de los embustes, Teresa de Manzanares* (1632) y *La garduña de Sevilla y anzuelo de las bolsas* (1642) de ALONSO DE CASTILLO SOLÓZARNO (1584-h. 1648) presentan la novedad de incorporar un personaje femenino como protagonista.

Además de los ya citados, podemos recordar otros títulos como *El guitón Onofre* (el manuscrito data de 1604; fue editada por vez primera en 1973) de GREGORIO GONZÁLEZ, *La desordenada codicia de los bienes ajenos* (1619) del doctor CARLOS GARCÍA, *Lazarillo de Manzanares* (1620) de JUAN CORTÉS DE TOLOSA, *Vida y hechos de Estebanillo González, hombre de buen humor, compuesta por él mismo* (1646)...

EL DIABLO COJUELO: UN RELATO LUCIANESCO PRÓXIMO A LA PICARESCA. El autor de esta obra, publicada en 1641, es

Luis Vélez de Guevara (Écija, Sevilla, 1579-Madrid, 1644), célebre dramaturgo (véase 4.8.4). Se trata de una fantasía satírica que se ha emparentado con la picaresca, pero en la que faltan prácticamente todos los elementos caracterizadores: no emplea la técnica autobiográfica, al personaje lo conocemos cuando ya es adulto, no pesa sobre él una deshonra original y en la narración se introducen elementos fantásticos, como es la propia presencia del Cojuelo. Un estudiante lo libera de la redoma en que lo tiene encerrado un astrólogo; en agradecimiento, el protagonista lo lleva volando a la torre de San Salvador de Madrid, desde donde contemplan la ciudad levantando los techos de las casas. Vemos un vivo contraste entre la realidad y la apariencia. Viene luego un recorrido aéreo por otras ciudades españolas. La novela está empedrada de motivos folclóricos, alusiones a refranes, cancioncillas, creencias populares...

Es un espléndido ejercicio conceptista que, si no brilla más en nuestra historia literaria, se debe al obligado parangón con Quevedo. Los juegos de palabras son la esencia de muchas escenas. Las imágenes son atrevidísimas y a veces de difícil comprensión. Está claro que Vélez no pretende revelar los entresijos de sus criaturas y ambientes. En su relato predomina lo sorprendente; la palabra llama la atención en sí misma y no la dirige hacia el mundo reflejado. Ese es el valor y la limitación de esta bella novela ágil y llena de ingenio.

4.6.2. La novela corta italiana

Con la publicación de las *Novelas ejemplares* (1613) se inauguró en España un género fecundísimo que hasta entonces no había tenido en nuestro suelo un autor que supiera imprimirle un sello personal: la novela corta italiana de ambiente cortesano. Si bien el influjo cervantino posibilita la existencia de una fabulación autóctona, sus continuadores no aprovechan enteramente las posibilidades que en su obra se vislumbran. Se acogen a lo más externo y superficial; no imitan el mundo complejo de los personajes y la sátira mordaz de la sociedad de su tiempo, sino las aventuras intrincadas, regidas por el azar, que caracterizan a las piezas más endebles de la colección.

Naturalmente, pesa mucho la influencia de los grandes *novellieri* italianos: Boccaccio, Bandello, Straparola, Giraldi Cinthio..., que habían sido traducidos. A veces los autores españoles toman de su modelo las líneas generales de la trama argumental y algunas situaciones.

El escenario en que se desarrollan estos relatos suelen ser las grandes ciudades. Los personajes pertenecen, por lo general, a las clases altas. Son damas y caballeros de vida ociosa que cultivan el galanteo.

El concepto esencial que rige toda la arquitectura novelesca es el amor. La mujer deja de ser un objeto inerte, pasivo, y pasa a intervenir de una forma más activa en la peripecia amorosa, tal y como hacía en la comedia. El tono, habitualmente desenvuelto, raya a veces en la procacidad.

A una con el amor, domina otro sentimiento esencial: el honor. El orgullo del linaje y la honra familiar pasan a ocupar un lugar destacado, así como la dignidad de las propias acciones.

En buena medida, la novela cortesana se contagia de los lances y figuras de la comedia. A pesar de la gran dosis de fantasía novelesca que hay entre sus ingredientes, constituyen un documento social de interés.

Entre los cultivadores del género se cuentan GONZALO DE CÉSPEDES Y MENESES, con *Historias peregrinas y ejemplares* (1623); JUAN PÉREZ DE MONTALBÁN, con *Sucesos y prodigios de amor* (1624)... Asimismo se acercan a él autores como LOPE DE VEGA (*Novelas a Marcia Leonarda*, 1621-1624) o Tirso de Molina (los relatos incluidos en *Los cigarrales de Toledo*, 1621, y *Deleitar aprovechando*, 1635). Adquieren particular relieve dos figuras de las que ahora nos ocuparemos.

ALONSO DE CASTILLO SOLÓRZANO (Tordesillas, Valladolid, 1584-h. 1648) luce sus dotes narrativas en gran número de novelas cortesanas, agrupadas por colecciones al estilo boccacciesco. Entre otros libros, destacan *Tardes entretenidas* (1625), que incluye un conjunto de relatos galantes, de grata lectura, llenos de colorido, que tienden a una visión idealizadora y, aunque injertan algunos motivos picarescos, no se salen nunca del buen tono; y *Jornadas alegres* (1626), que se apoya en la tópica ficción de reunir algunas narraciones que alivien el ocio del viajero.

María de Zayas (Madrid, 1590-1661) aparece rodeada de una aureola de feminismo, debido a su intento de poner a los dos sexos en pie de igualdad. Presenta a la mujer como víctima de los engaños del varón. Es llamativa la libertad en la recreación de las aventuras amorosas, que a veces adquieren un aire mórbido y sensual. Se multiplican los lances: raptos, desafíos, naufragios, hechizos... Insiste en presentar las ficciones como hechos reales, aunque no faltan elementos fantásticos. Su estilo es directo y expresivo. Toda su producción se recoge en dos libros, cada uno con diez narraciones: *Novelas amorosas y ejemplares. Honesto y entretenido sarao* (1637) y *Desengaños amorosos. Parte segunda del sarao y entretenimientos honestos* (1647).

4.6.3. Ensayos novelescos en la América barroca

El esplendor de la narrativa en la metrópoli contrasta con la escasez o inexistencia en los virreinatos americanos. Quizá sean responsables de esa situación unas leyes que prohíben o dificultan la difusión de estos géneros ficticios. Con frecuencia lo que se crea en América son obras híbridas, en las que se combinan poesía, descripción y narración. Así ocurre con *Siglo de Oro en las selvas de Erífile* (impresa en 1608) del obispo de Puerto Rico Bernardo de Balbuena, o con *Los sirgueros de la Virgen* (1620) del mexicano Francisco Bramón. *La endiablada*, del madrileño afincado en Perú Juan Mogrovejo de la Cerda, se acerca al costumbrismo expresionista a través del diálogo entre dos diablos (uno chapetón, español, y otro criollo) que han vivido y observado el comportamiento humano tanto en la corte madrileña como en el Nuevo Mundo.

La misma intención satírica anima la extraña mezcla de crónica histórica y malévolo retrato de la vida cotidiana conocida con el título de *Conquista y descubrimiento del Nuevo Reino de Granada* o *El carnero* (1638) del bogotano JUAN RODRÍGUEZ FREYLE (1566-?). Objeto de la sátira son las autoridades civiles y religiosas, siempre propensas al abuso, y las mujeres, siempre frágiles e inclinadas al pecado.

Crónicas noveladas son también *El cautiverio feliz* del chileno FRANCISCO NÚÑEZ DE PINEDA Y BASCUÑÁN (1609-1680) y la *Historia de la monja alférez, doña Catalina de Erauso escrita por ella misma*, que narra las aventuras de esta joven singular que, disfrazada de varón, deambuló por América.

4.6.4. BALTASAR GRACIÁN Y LA PROSA DIDÁCTICA

La prosa barroca comprende, además de la novela, un conjunto de libros consagrados a verter ideas o conocimientos sobre temas de interés colectivo. Son obras estéticas, pero no de ficción, que se sirven de una técnica literaria, atenta a los aspectos formales y estilísticos. La figura más notable es Baltasar Gracián.

VIDA Y PERSONALIDAD. Nació en Belmonte (Zaragoza), cerca de Calatayud, en 1601. Muy joven, ingresó en la Compañía de Jesús. Estuvo en diversos establecimientos de la orden. Las relaciones con sus superiores y compañeros fueron siempre conflictivas. Participó en la campaña de Cataluña y en el cerco de Lérida, donde tuvo una destacada intervención. Ganó la cátedra de Sagrada Escritura en Zaragoza, pero la publicación de *El criticón* (1651) sin los permisos pertinentes hizo que se le destituyera y se le desterrara a Graus. Murió en Tarazona en 1658.

Era muy independiente y crítico, y de temperamento difícil. Tenía una conciencia muy clara de su propia valía. En consonancia con la época de crisis en que le tocó vivir, expuso una filosofía pesimista y amarga.

RASGOS GENERALES DE SU OBRA. Sus escritos tienen un tono desengañado. Concibe la vida, en lo puramente físico y en lo moral, como una lucha sin tregua. No se deja llevar por idealismos e ilusiones; ve las cosas con toda crudeza y adopta una actitud práctica. De ahí su interés por adiestrar al lector para que sea capaz de sobrevivir en medio de esa pugna.

Es un típico escritor conceptista, con una marcada voluntad de estilo. Se aleja del habla normal y acumula ingeniosos juegos de palabras. Su expresión tiende al laconismo. «Lo bueno, si breve, dos veces bueno» es su máxima. Los rasgos que definen su prosa son: elisión del verbo copulativo y los adjetivos innecesarios, uso del asíndeton, el paralelismo y la similicadencia, y de la paradoja, la paronomasia, el equívoco, las metáforas concentradas… La acumulación de estos recursos y las frases breves dan a su estilo un aire sentencioso.

EL CRITICÓN. Es la obra cumbre de Gracián. Aunque en un principio solo había previsto dos partes, se publicó en tres, que aparecieron en años sucesivos: 1651, 1653 y 1657. Iban firmadas con distintos seudónimos para evitar el control de sus superiores.

El libro está compuesto por un conjunto de «crisis» o juicios. Vemos cómo Critilo, el hombre experimentado, producto de la civilización, tras salvarse de un naufragio, es acogido en la isla de Santa Elena por un joven salvaje, Andrenio, el ser natural que se guía por el instinto. Critilo le enseña el lenguaje humano y el funcionamiento de la sociedad. Emprenden luego un largo viaje por Europa, en el que le muestra la crueldad y estupidez de los hombres y la necesidad de estar siempre en guardia. En todo momento se contraponen esas dos formas de vida. La trama, en su estructura itinerante, presenta una gran complejidad. En ella se insertan multitud de episodios y personajes que tienen un valor simbólico. A la alegoría central se superponen otras muchas, así como fábulas y apólogos.

Es una obra muy pesimista. Pese a la razón que Dios le ha dado, el hombre es, según Gracián, la más ingrata y malvada de las bestias. La vida es una mentira a la que solo se puede hacer frente mediante el desengaño.

OTRAS OBRAS. De muy distinta naturaleza es *Agudeza y arte de ingenio* (1648), un minucioso análisis de la estética conceptista, de la que nuestro autor es eximio representante. Expone sus teorías estilísticas y estudia y exalta el ingenio.

En otros escritos aspira a forjar con sus máximas un tipo de hombre ideal, que debe ser ante todo discreto y prudente. *El héroe* (1637) y *El discreto* (1646) son dos opúsculos en que enseña la forma de comportarse en la vida, de triunfar en el trato social. El estilo es extremadamente rebuscado y conciso. Sus teorías ya las conocemos: hay que vigilar y ser cauto.

El político (1640) es una exaltación de la figura de Fernando el Católico. Además, teoriza sobre la política. Tiene mucho de tratado filosófico.

4.6.5. OTROS CULTIVADORES DE LA PROSA

DIEGO SAAVEDRA FAJARDO (Algezares, Murcia, 1584-Madrid, 1648), diplomático y erudito de profunda formación teológica y humanística, desarrolla buena parte de su carrera en Italia y en Europa central. Interviene en los acontecimientos clave de la política del siglo XVII. Su obra literaria es fruto de esas actividades. Llega a su punto culminante cuando en 1640 se publican las célebres *Empresas políticas*. Para impartir sus lecciones, elige la fórmula del emblema o empresa, que se sirve de la plasmación gráfica de una figura alegórica, cuyo significado se glosa con reflexiones morales.

Las *Empresas políticas* están destinadas a la formación del príncipe. Insiste en la necesidad de que sea auténticamente cristiano y de que trabaje sin descanso en beneficio de su pueblo buscando la paz y el progreso. Además de la gloria política, debe procurar el bienestar de la colectividad y favorecer las artes y las letras.

JUAN DE ZABALETA (Madrid, 1610?-h. 1670), cronista de Felipe IV, desarrolla una actividad literaria variada. Escribe comedias con Calderón y otros autores coetáneos. Cultiva también el género didáctico y filosófico. Pero lo más interesante es su faceta costumbrista, que nos ha proporcionado dos obras deliciosas: *El día de fiesta por la mañana* (1654) y *El día de fiesta por la tarde* (1660). Los tipos y situaciones están tratados con distancia y humor. En la primera de ellas describe figuras: el enamorado, el hipócrita, el glotón...; en la segunda refleja ambientes: la comedia, el paseo, la casa de juego... El único defecto que se le ha achacado es la excesiva prolijidad de las reflexiones moralizantes. Por lo demás, son dignas de elogio estas escenas de la vida cotidiana, simples y elementales, recreadas con un lenguaje próximo al habla coloquial.

4.6.6. LA PROSA HISTÓRICA Y DIDÁCTICA EN AMÉRICA

CRÓNICAS E HISTORIAS. El interés historiográfico por América persiste en el siglo XVII. Ya asentada la conquista, no tenemos los testimonios vivos y directos de la centuria anterior; pero contamos con abundante producción y con un escritor excepcional que encarna el carácter mestizo de la nueva cultura.

El INCA GARCILASO DE LA VEGA (Cuzco, 1539-Córdoba, 1616), hijo de una princesa india y de un capitán español, reparte su vida entre el Perú y España, adonde se traslada en 1560. Participa en la guerra de las Alpujarras y se retira a Córdoba para dedicarse enteramente al estudio. Traduce los *Diálogos de amor* de León Hebreo (1590), que son prohibidos por la Inquisición, y redacta y publica sus dos obras mayores: *La Florida del Inca o Historia del adelantado Hernando de Soto* (1605) y *Comentarios reales* (primera parte, 1608; segunda parte, *Historia general del Perú*, impresa póstumamente en 1617).

Los *Comentarios...* registran en su primera parte los logros de la civilización incaica antes de la llegada de los españoles. Ofrecen datos, procedentes de los recuerdos del autor y de los relatos que oyó siendo niño. Compara aquel imperio con la antigua Roma o con la España contemporánea. Más que un cúmulo de documentos, es una rememoración ideal y emocionada de una civilización cuyos últimos estertores alcanzó a conocer el escritor.

La *Historia general del Perú* versa sobre la conquista y las guerras civiles, que se interpretan en clave providencialista, pero sin rehuir la denuncia de los abusos cometidos por los colonizadores.

Son multitud los historiadores que, desde la propia América, narraron el proceso de conquista y colonización. De México se ocuparon Fernando de Alva de Ixtlilxochitl, que escribió en náhuatl y en español (*Historia de la nación chichimeca*), y Baltasar Durantes de Carranza (*Sumaria relación de las cosas de Nueva España*); de Nueva Granada, Luis Fernández de Piedrahíta (*Histora general de la conquista del Nuevo Reino de Granada*); de Perú, Bernabé Cobo; del Río de la Plata, Ruy Díaz de Guzmán... Añádanse a estos un sinfín de religiosos, chapetones y criollos, que registraron no solo el pasado y el marco geográfico, sino también las costumbres, ritos, lenguas y tradiciones de los territorios que evangelizaron.

Las instituciones jurídicas de la América española fueron analizadas por Juan de Solórzano y Pereira en su *Política indiana* (1647).

Junto a la producción en tierras americanas, contamos en España con aportaciones de cronistas oficiales como Antonio de Herrera (*Décadas*) y Antonio de Solís y Rivadeneyra, a quien debemos una *Historia de la conquista de la*

Nueva España (1684), siempre admirada por su estilo sobrio, equilibrado y elocuente.

CARLOS DE SIGÜENZA Y GÓNGORA. Nace en México en 1645, hijo de una familia de funcionarios y sobrino segundo del poeta cordobés Luis de Góngora y Argote. Ingresa en el noviciado de los jesuitas, pero se le expulsa, al parecer, por su conducta irregular. En 1672 obtiene la cátedra de matemáticas y astronomía de la universidad mexicana. En el ejercicio de sus funciones publica en 1681 un par de escritos (*Manifiesto filosófico contra los cometas* y *Belerofonte matemático*) en los que desmiente la tesis que atribuía a la aparición de cuerpos celestes un influjo sobre la conducta humana. Muere en su ciudad natal en 1700.

El conjunto de su obra nos ofrece características contrapuestas que podemos sintetizar en los siguientes rasgos: usa una prosa compleja, retórica, indigesta, de acuerdo con las tendencias amaneradas del barroco tardío; desarrolla ideas y principios racionalistas, que han permitido ver en él un precursor de la actitud ilustrada. Sus creencias religiosas y políticas son —como es lógico— las contrarreformistas propias de su tiempo.

Ha llamado la atención de los historiadores su deseo de ensalzar lo genuinamente mexicano. Así, en *Teatro de las virtudes políticas* (1680) describe las fiestas y la arquitectura efímera con que se celebró la entrada del virrey conde de Paredes; el arco diseñado por Sigüenza y Góngora presentaba las efigies de los «monarcas antiguos del mexicano imperio» como modelos de virtudes políticas.

Claro está que nuestro autor no tenía ni podía tener la sensibilidad de los insurgentes decimonónicos. La crítica se ha sorprendido sin razón de la actitud contraria a los indígenas en la crónica *Alboroto y motín de los indios de México* (1692), que se alzaron contra la carestía de alimentos.

Sus escritos históricos (*Piedad heroica de don Fernando Cortés, Relación de lo sucedido a la armada de Barlovento, Trofeo de la justicia española, Mercurio Volante*), con la pesada prosa que le es característica, defienden y proclaman los valores defendidos por la sociedad española en ese momento.

La obra de mayor interés literario de este erudito polígrafo es *Infortunios de Alonso Ramírez* (1690), crónica de la vida de un aventurero que llegó a dar la vuelta al mundo, unos trechos de grado y otros por fuerza (lo apresaron los piratas ingleses en Filipinas). La narración en primera persona ha propiciado que se compare con la novela picaresca; pero en rigor pertenece al género de la autobiografía de soldados, muy abundante en el siglo XVII. Historia novelada o novela de base histórica, en la que sorprenden las increíbles peripecias, los infortunios, los padecimientos del protagonista, que Sigüenza narra en una prosa algo más llana de lo que en él es habitual.

JUAN DE PALAFOX Y MENDOZA (Fitero, Navarra, 1600-Soria, 1659), obispo de Puebla, dejó una inmensa obra de carácter religioso y espiritual. El mayor interés histórico y literario se centra en *De la naturaleza del indio* (escrito hacia 1650), en que pide protección para los indígenas, sin modificar la situación legal pero corrigiendo los abusos introducidos, y en *El pastor de Nochebuena* (1644), sencillo relato de carácter alegórico para desengaño de las vanidades mundanas.

4.7. GÓNGORA Y LA POESÍA BARROCA

4.7.1. LUIS DE GÓNGORA

SÍNTESIS BIOGRÁFICA. Nació en Córdoba el 11 de julio de 1561. Estudió en Salamanca. Fue racionero de la catedral cordobesa. En 1617 se ordenó sacerdote y se instaló en Madrid; fue nombrado capellán real. Un año antes de su muerte, que acaeció el 23 de mayo de 1627, regresó a la capital cordobesa.

Desde sus años mozos mantuvo una dura guerra literaria con Lope de Vega. La lucha arreció cuando en 1612-1613

263

dio a conocer sus grandes poemas culteranos. Quevedo fue su rival más agresivo y difícil.

RASGOS GENERALES DE SU OBRA. Góngora fue el creador del culteranismo, pero eso no le impidió ser, a la vez, uno de los grandes poetas conceptistas.

Como buen barroco, presenta en sus versos violentos contrastes. Alterna la visión ascendente y la degradante. Hay obras de tono exaltado, de una belleza refinada y colorista, mientras que en otras aparece la ridiculización de mitos poéticos o los aspectos más groseros de la realidad. Estos contrastes se dan a veces en una misma composición.

Su poesía es muy elaborada y formalista. Incorpora cultismos derivados del latín: *canoro, caliginoso, émulo*… Utiliza hipérbatos («Pasos de un peregrino son, errante, / cuantos me dictó, versos, dulce musa»), fórmulas de contraste («no corvo, mas tendido»), perífrasis («doméstico es del sol nuncio canoro» = el gallo)…

Pese a los ataques de sus rivales, la moda culterana se impuso. Muchas de las palabras que introdujo han pasado al lenguaje coloquial: *candor, métrica, construir, armonía*… Góngora tuvo numerosísimos discípulos y seguidores. Incluso sus enemigos se contagiaron de sus usos poéticos.

Como era habitual en los siglos áureos, no publicó sus obras en vida. Salvo algunas composiciones que aparecieron en las sucesivas partes del *Romancero general* y en las *Flores de poetas ilustres*, su poesía se difundió manuscrita. El mismo año de su muerte, Juan López de Vicuña publicó las *Obras en verso del Homero español* (1627). En 1633 apareció la edición de Gonzalo de Hoces y Córdoba: *Todas las obras de don Luis de Góngora en varios poemas*. Por último, García Salcedo Coronel dio a la imprenta las *Obras de don Luis de Góngora comentadas* (1644-1648). Las ediciones modernas, a partir de la de Raymond Foulché-Delbosc (1921), se basan en el llamado «manuscrito Chacón», preparado por un amigo del poeta, Antonio Chacón, para regalárselo al conde-duque de Olivares. Los poemas vienen datados y eso ha permitido estudiar la evolución poética de Góngora; pero faltan muchos textos satíricos y casi todos los relativos a la polémica con Quevedo y Lope.

COMPOSICIONES BREVES. Desde su juventud, fue lírico famoso tanto en las formas tradicionales (romances, letrillas...) como en las italianizantes (sonetos, canciones...). En cada una de estas facetas conviven poemas exaltados, embellecedores de la realidad, con otros paródicos y degradantes.

Desde el punto de vista métrico y de género, los poemas breves se pueden dividir en tres sectores:

Las letrillas son textos de carácter popular y ritmos ágiles, famosísimas en su tiempo y en el nuestro. Entre ellas hay unas de carácter lírico («La más bella niña...») y otras satíricas y burlescas («Ándeme yo caliente...», «Cuando pitos, flautas...»). Fue siempre amigo de mostrar el envés prosaico de la vida y de burlarse de los sentimientos exagerados. También las escribió de tema sacro y obscenas y escatológicas.

Los romances gongorinos abarcan los géneros más característicos de la época. Escribió algunos de ambiente musulmán pero protagonizados por caballeros cristianos («Entre los sueltos caballos...», «Servía en Orán al rey...») y otros de forzados, obligados por los turcos a remar en sus galeras («Amarrado al duro banco...», «La desgracia del forzado...»). También parodió célebres romances moriscos, en especial algunos de Lope. Los grandes mitos amorosos de la Antigüedad son narrados en términos burlescos y por medio de difíciles juegos conceptistas. La *Fábula de Píramo y Tisbe* es la obra maestra de esta serie. Góngora, en ese esencial desequilibrio que es la clave de toda su poesía, recrea tanto los relatos caballerescos, en el romance de *Angélica y Medoro*, como las escenas de la vida vulgar y cotidiana, en el delicioso «Hermana Marica...».

Los sonetos han valido a nuestro autor el estar considerado entre los grandes maestros del género. La mayor parte siguen la línea del petrarquismo español («La dulce boca que a

265

gustar convida...»), que a veces se tiñe de desengaño y melancolía («Mientras por competir con tu cabello...»). El arte de Góngora consigue una singularísima perfección al expresar unos sentimientos que pertenecían a la tradición literaria y que no tenían por qué ser compartidos por el poeta. No faltan sonetos de estilo culterano y otros satíricos y burlescos, como los empleados en las polémicas con Lope de Vega y Quevedo.

POEMAS MAYORES. En 1612-1613 se difundieron por Madrid dos extraños poemas oscuros y difíciles que provocaron ataques inmediatos de los enemigos de Góngora. Con ellos nacía el nuevo estilo culterano.

La *Fábula de Polifemo y Galatea* cuenta en sesenta y tres octavas reales los amores de Acis y Galatea. Polifemo, amante desdeñado, mata por celos a su rival con una enorme piedra. El cadáver del joven se convierte en río: «corriendo plata al fin sus blancos huesos, / lamiendo flores y argentando arenas». Nos encontramos con el contraste, muy barroco, entre la belleza (la ninfa, la campiña siciliana), engalanada con todos los recusos del petrarquismo, y lo feo y monstruoso (el cíclope, su cueva). Junto a las metáforas delirantemente ascendentes, hay otras que nos muestran el lado repulsivo de la realidad.

En el *Polifemo* están todos los recursos del Góngora culto. El hipérbaton traslada las palabras al punto en que más han de brillar, donde realzan la impresión de colorido o sonoridad que busca el poeta. La sintaxis es compleja. Hay numerosos incisos, aposiciones, construciones absolutas... que matizan hasta lo indecible cada expresión y que, como contrapartida, dificultan la lectura.

El *Polifemo* es, además, un poema trágico. Los personajes cobran entidad humana, precisamente gracias a sus desmesuradas proporciones, a lo hiperbólico de sus rasgos. El cíclope tiene una sobrecogedora grandeza. El amor entre Acis y Galatea adquiere dimensiones cósmicas. La tragedia, la violencia se desatan inevitablemente.

Poco después aparecen las *Soledades*, que tienen aún mayor complejidad, al no limitarse el periodo a los ocho versos de la octava real. La forma métrica elegida es ahora la silva, que permite una mayor libertad. Parece que iban a constar de cuatro cantos. Tenemos el primero y parte del segundo. El hilo narrativo es muy tenue. Son esencialmente descriptivas. Un náufrago llega a una playa desconocida y comienza a explorar el terreno. Este personaje es solo unos ojos que ven y unos oídos que oyen, a través de los cuales el poeta nos va a presentar el espectáculo de la naturaleza y las actividades de campesinos y pescadores. Su presencia no es más que un pretexto para esa delectación epicúrea.

TEATRO. Góngora no era poeta dramático y nunca intentó competir en ese terreno. Solo compuso dos comedias: *Las firmezas de Isabela* (1610) y *El doctor Carlino* (1613), inconclusa. Su único valor reside en tal o cual expresión afortunada, en los versos sueltos y ágiles. No resultaría fácil mantenerlas sobre la escena.

4.7.2. ENTRE EL PETRARQUISMO Y LA ESTELA DE GÓNGORA

Son numerosos, y algunos excelentes, los poetas que dividen su producción entre la poesía amorosa y moral y los poemas narrativos y descriptivos al modo gongorino. Ese es el caso de PEDRO SOTO DE ROJAS (Granada, 1584-1658), autor de un cancionero petrarquista, *Desengaños de amor en rimas* (1622), y de una epicúrea y dificilísima descripción de su carmen granadino: *Paraíso cerrado para muchos, jardines abiertos para pocos* (1652). También GABRIEL BOCÁNGEL (Madrid, 1603-1658) oscila entre el cultismo de sus poemas extensos y la ternura e ironía de su lírica amorosa en sus dos colecciones: *Rimas y prosas* (1627) y *Lira de las musas* (1637). Al margen de sor Juana Inés de la Cruz, de la que hablaremos en 4.7.6, el discípulo más original del maestro cordobés es el conde de Villamediana.

JUAN DE TASSIS, CONDE DE VILLAMEDIANA (Lisboa, 1582-
Madrid, 1622), de vida irregular y repleta de lances escanda-
losos, es asesinado en misteriosas circunstancias. Sus obras
se publican por vez primera en 1629 y vuelven a aparecer en
1635. En ellas se distinguen cuatro vertientes fundamentales:
la poesía satírica, la amorosa, la de carácter moral y las fábulas mitológicas.

La poesía satírica se distingue por lo directo y a veces temerario de sus ataques. Va dirigida contra individuos a los
que cita con nombres y apellidos.

Villamediana es uno de nuestros grandes líricos amorosos.
Esta faceta se desarrolla en las dos direcciones dominantes en
su tiempo: las redondillas conceptuosas de los cancioneros y
los sonetos petrarquistas. En una y otra se muestra amante neoplatónico, agobiado por una pasión indomable que augura consecuencias fatales. Los sonetos constituyen un mundo más rico
y personal, aunque se sirve de los tópicos habituales. La pasión
amorosa es un tormento dichoso sobre el que se ha de guardar
silencio: «que el que acierta a decirse no es cuidado». La muerte y la locura rondan estos versos cargados de premoniciones
funestas que tan bien encajan en la leyenda del conde.

El cancionero del desengaño reúne un conjunto de poemas morales y satíricos que revelan cansancio y desazón
ante su fracaso personal y la decadencia colectiva.

Las fábulas mitológicas son fruto de una afición cultista
que le llega a través de Giambattista Marino y de Góngora.
Es, en realidad, algo que toma prestado, pero que responde a
su tendencia a lo suntuoso y a su pasión por algunos mitos.
La más interesante es la *Fábula de Faetón*. En ella vuelca su
intimidad al hablar del héroe que se despeña al conducir el
carro del sol. Se retrata a sí mismo en ese Faetón orgulloso y
fracasado que acepta la muerte para afirmar su personalidad.

4.7.3. POETAS DEL BARROCO SEVILLANO

La importancia económica y cultural de Sevilla (la mayor
ciudad del inmenso imperio español en esta época) propició

la existencia de numerosas academias y reuniones intelectuales en las que se cultivaba la poesía. Se ha señalado la existencia de un grupo de líricos que comparten la predilección por algunos temas como la reflexión epicúrea sobre las ruinas de Itálica, las flores... Todos ellos tienen una formación clasicista, en la tradición del humanismo que representa Fernando de Herrera. Su expresión es culta y trabajada, pero también contenida, clara y precisa, pródiga en referencias eruditas pero no oscura.

JUAN DE ARGUIJO (Sevilla, 1567-1622) es un excelente sonetista que recrea mitos clásicos y episodios de la historia antigua con una puntualidad y exquisitez que recuerda al Parnasianismo decimonónico, aunque impregna siempre sus versos de una reflexión moral de ascendencia estoica.

De FRANCISCO DE MEDRANO (Sevilla, 1570-1607) se conservan manuscritos romances juveniles de carácter religioso. Su breve obra publicada (edición póstuma: *Rimas*, 1617) sigue las huellas de Horacio y Petrarca. Muchas de sus odas son adaptaciones o traducciones casi literales que reproducen con fortuna el tono sobrio, irónico y juguetón del modelo latino. Luce en sus versos un epicureísmo muy propio de la época y del grupo poético al que pertenece, que busca la paz de la *aurea mediocritas*. Sus versos invitan a reflexionar sobre el paso del tiempo. Describe con delectación los paisajes naturales y las ruinas. Tiene también sonetos de corte petrarquista, entre ellos el excelente «Quien te dice que ausencia causa olvido...», y algunas interesantes variaciones sobre el tema del *carpe diem*.

RODRIGO CARO (Utrera, Sevilla, 1573-Sevilla, 1647), sacerdote y abogado eclesiástico, solo se dedicó de forma ocasional a la literatura. Su obra es breve. El único poema sobresaliente es *Canción a las ruinas de Itálica*, que se supone de 1595. Es una meditación sobre el tema del *ubi sunt?* en la que se trasparenta la afición arqueológica del poeta. Establece un vivo contraste entre el pasado vivo y brillante de la ciudad y su presente desolado. La melancolía es el sentimiento dominante en la grave sonoridad de estos versos.

También se le viene considerando autor de *Días geniales o lúdricos* (1626), seis diálogos en prosa en los que proporciona datos acerca de los diversos tipos de juegos que se desarrollaron en la Antigüedad y los compara con las manifestaciones del folclore andaluz, concretamente sevillano, sobre el que nos da sabrosísimas noticias.

FRANCISCO DE RIOJA (Sevilla, 1600-Madrid, 1659), canónigo de la catedral, entró al servicio del conde-duque de Olivares y fue bibliotecario real y cronista de Castilla. Sus obras no se editaron hasta el siglo XVIII. En los sonetos amorosos encontramos los motivos habituales de la época. Los de carácter moral recogen el sentimiento de la fugacidad de la vida. Muy representativo es el que le inspiraron las ruinas de Itálica: «Estas ya de la edad canas ruinas...». Debe buena parte de su fama a las silvas dedicadas a las flores: *A la rosa, Al jazmín, A la arrebolera....* La contemplación de estas minúsculas maravillas suscita en el poeta una serie de sensaciones cromáticas, olfativas y táctiles, y, a la par, la presencia, muy barroca, del tema de la brevedad del existir.

EPÍSTOLA MORAL A FABIO. Es la obra de mayor proyección de la poesía sevillana del XVII. Casi nada sabemos de ANDRÉS FERNÁNDEZ DE ANDRADA, autor de este excepcional poema. Solo que era capitán y, según se desprende de sus versos, de Sevilla. Debió de morir a finales de 1648 en tierras mexicanas.

La *Epístola* de compone de sesenta y siete tercetos impecables y un cuarteto final. Entre sus fuentes están la *Biblia*, Horacio, Ariosto, Lucrecio... Maneja sabiamente una serie de tópicos del estocismo neosenequista. No dice ni pretende decir nada nuevo, pero actualiza y vivifica todos esos materiales. Con sorprendente equilibrio y naturalidad va exponiendo la vivencia barroca de la renuncia y el desengaño, que se empareja con las doctrinas epicúreas de la búsqueda de la ataraxia y la vida sencilla.

La primera parte, la más extensa, recorre diversos tópicos de la literatura moral. Es una invitación a buscar la libertad, la paz y el sosiego recortando anhelos. Como argumento definitivo para frenar las ansias de notoriedad aparece el tema del *ubi sunt?* y de la fugacidad del tiempo: la vida como carrera hacia la muerte. La segunda parte (desde el verso 114) es una exposición de la filosofía estoico-epicúrea. Hay una llamada a la templanza, a la dorada medianía, al sosiego, incluso en la hora de la muerte.

Es una obra que en cualquier lugar y época puede conectar con la sensibilidad del lector. La expresión es sencilla, sin hipérbatos ni figuras atrevidas.

4.7.4. OTROS POETAS DE LA METRÓPOLI

Son incontables los poetas de cierto interés que florecieron en el siglo XVII. Entre otros hay que citar a PEDRO DE ESPINOSA (Antequera, 1578-Sanlúcar de Barrameda, 1650), que escribió excelente poesía religiosa; LUIS CARRILLO Y SOTOMAYOR (Baena, Córdoba, 1585?-El Puerto de Santa María, 1610), autor de sonetos morales de sabor quevedesco y de la fábula mitológica *Acis y Galatea*; JUAN DE JÁUREGUI (Sevilla, 1583-Madrid, 1641), traductor de Tasso y de Lucano, poeta moral, censor de los atrevimientos gongorinos e impulsor de un cultismo del que es muestra su fábula *Orfeo*; DIEGO DE SILVA y MENDOZA, CONDE DE SALINAS (1564-1630), FRANCISCO LÓPEZ DE ZÁRATE (Logroño, 1580-1658), SALVADOR JACINTO POLO DE MEDINA (Murcia, 1603-1676), etc., etc. Entre ellos cabe destacar a los hermanos Argensola.

LUPERCIO LEONARDO DE ARGENSOLA (Barbastro, Huesca, 1559-Nápoles, 1613) fue secretario del duque de Villahermosa y de la emperatriz María de Austria y cronista de Aragón. No se dedicó de una manera constante a la poesía ni quiso publicar su obra (edición póstuma: *Rimas*, 1634). Domina en sus versos el gusto por la sátira y el fervor por los clásicos. Cultiva los temas propios de su época, como son la conciencia del paso del tiempo y de la desintegración del ser. Su horacianismo se queda en lo moralizante, sin participar del cinismo y los sarcasmos del modelo latino. Aunque es más frío y racionalista que otros contemporáneos, también hallamos en él la impronta neoplatónica. Entre sus más célebres poemas amorosos figura «Llevó tras sí los pámpanos otubre...», en el que pesan considerablemente los acentos morales.

BARTOLOMÉ LEONARDO DE ARGENSOLA (Barbastro, 1562-Zaragoza, 1631), cronista de Aragón y canónigo de la Seo, es un poeta más rico y extenso que su hermano. Su obra se publica, junto a la de Lupercio, en las *Rimas* de 1634. El horacianismo se tiñe en sus versos de melancolía y desengaño. Al cantar las bellezas del entorno, introduce reflexiones sobre su escasa consistencia. Se manifiesta poco acorde con el metaforismo petrarquista, pero no deja de recurrir a algunos de sus tópicos. Su interés por los clásicos lo aparta de las corrientes cultistas de la época y de la polémica gongorina. En los sonetos domina el tema amoroso, con sus toques sensuales. La carnalidad se impone en «Firmio, en tu edad ningún peligro hay leve...». En otras composiciones encontramos la resignada aceptación de la muerte o la exaltación de la vida sencilla y sin peligro.

4.7.5. LA POESÍA EN AMÉRICA

La floración poética de la América barroca, aunque de menor entidad que la metropolitana, es también muy abundante. En el *Discurso en loor de la poesía*, obra de una anónima poetisa que apareció al frente de la *Primera parte del Parnaso antártico* (1608), se nos dice

> ser los [poetas] del Perú tantos, que exceden
> a las flores que Tempe da en verano.

Y aún serían más en los años posteriores, tras los ejemplos peninsulares de Lope de Vega y Góngora y con el impulso de virreyes apasionados por la poesía y excelentes poetas ellos mismos, como el marqués de Esquilache.

A la admiración por el Fénix responde la famosa *Epístola a Belardo* (1621), escrita desde Lima por una enigmática *Amarilis indiana* (se ha llegado a sospechar que fuera una superchería del propio Lope), en la que elogia al destinatario, da noticia de su familia y situación y le pide que escriba una vida de santa Dorotea.

El mismo Lope vuelve a ser ensalzado, ahora junto a Góngora, por RODRIGO DE CARVAJAL Y ROBLES en el *Poema heroico del asalto y conquista de Antequera* (1627), su ciudad natal; también nos dejó unas silvas a las *Fiestas... al nacimiento del... príncipe Baltasar Carlos*, celebradas en Lima.

El poema de mayor impacto vinculado al Nuevo Mundo es, sin duda, el soneto *A Cristo crucificado* («No me mueve, mi Dios, para quererte...»), que se encuentra autógrafo entre los papeles (1638) del agustino mexicano FRAY MIGUEL DE GUEVARA († Michoacán, 1640). La obra se había imprimido en Madrid en 1628 y nada puede asegurarse sobre su autor. En todo caso, es una muestra sobresaliente de la lírica religiosa, en la que se funden la expresión apasionada, de entrega amorosa, y el juego conceptual y paradójico con hipótesis cuya validez se niega previamente («pues aunque lo que espero no esperara...»), muy característico del pensamiento escolástico y de la retórica barroca.

Otras aportaciones de interés son la *Canción a la vista de un desengaño* del jesuita mexicano MATÍAS DE BOCANEGRA (Puebla, 1612-1668) o las tardías muestras antológicas *Ramillete de varias flores* (1675), con poemas de JACINTO DE EVIA, ANTONIO BASTIDAS y HERNANDO DOMÍNGUEZ CAMARGO, y *Triunfo parténico* (1683), donde Carlos de Sigüenza y Góngora recogió los frutos convencionales de unos certámenes poéticos marianos celebrados en México.

JUAN DEL VALLE CAVIEDES (Porcuna, Jaén, 1645?-Lima, 1697?) es el más notable representante de la poesía satírica en el Nuevo Mundo. Con raras excepciones, su obra permaneció manuscrita hasta el siglo XIX, en que se publicó: primero en *Documentos literarios del Perú* (1873), y más tarde en dos volúmenes independientes: *Flor de academias* y *Diente del Parnaso* (1899). De acuerdo con los tópicos del género, escribe textos burlescos a costa de los médicos, los corcovados, los narigudos, los negros, las mujeres de mal vivir... En todos ellos hace gala de un humor conceptista próximo a Quevedo. No desdeñó tampoco los poemas graves de asunto moral (*Definición de la muerte*), religioso o erótico (*Catorce definiciones de amor*) ni los versos de circunstancias.

4.7.6. SOR JUANA INÉS DE LA CRUZ

La mayor gloria literaria americana del siglo XVII es, sin disputa, Juana Ramírez de Asbaje, que sería conocida con el nombre que adoptó al profesar como religiosa.

SÍNTESIS BIOGRÁFICA. Vio la luz en San Miguel de Nepantla (México) el 12 de noviembre de 1651. Era hija natural de un capitán español y de una criolla. Niña prodigio, fue protegida por la virreina, la marquesa de Mancera. En 1667 ingresó en las carmelitas descalzas, pero abandonó esta orden para profesar en las jerónimas en 1669. El convento le proporcionó cierta independencia para dedicarse al estudio, cosa poco menos que imposible en una mujer casada; pero su trayectoria intelectual no careció de contratiempos, trabas y prohibiciones.

El obispo de Puebla, Manuel Fernández de Santa Cruz, le escribió una *Carta de sor Filotea* para exhortarla a que se consagrara a Dios con mayor intensidad. La *Respuesta a sor Filotea de la Cruz* (1691) es una exposición del derecho de la mujer al estudio y del valor de las letras profanas. Sin duda, como apuntó José María de Cossío, el obispo (con el seudónimo de *sor Filotea*, que usó en otras ocasiones) entró en un juego de ficciones intelectuales para propiciar la réplica de la monja a cuantos se oponían a su dedicación literaria. A la postre, los contrarios a que una religiosa escribiera y publicara sobre asuntos que no eran de su ministerio triunfaron. Sor Juana Inés fue enfriando su pasión estudiosa, vendió su biblioteca y se entregó a las prácticas ascéticas (al menos, así lo dejó registrado en sus últimos escritos). Murió, víctima de la peste, el 17 de abril de 1695.

Su obra se empezó a publicar en vida: *Inundación castálida* (Madrid, 1689), *Poesías de la única poetisa americana, Musa décima* (Madrid, 1690) y *Segundo volumen de las obras* (Sevilla, 1692). Se remató con *Fama y obras póstumas del Fénix de México* (Madrid, 1700).

OBRAS EN PROSA. Al margen de ciertos opúsculos de carácter religioso (*Ejercicios devotos de la Encarnación* y *Ofrecimientos de los dolores*) y del *Neptuno alegórico*, descripción del arco alegórico que se le encargó para festejar la entrada del virrey marqués de La Laguna, la prosa de sor Juana tiene su mejor expresión en tres epístolas: *Carta atenagórica* (1690), crítica a un sermón del padre Vieira, escrita a instancias del obispo de Puebla; la ya citada *Respuesta a sor Filotea de la Cruz* (publicada en *Fama y obras póstumas*) y la *Carta... al R. P. M. Antonio Núñez de la Compañía de Jesús*, que no se conoció hasta 1981.

El interés de las tres radica en las constantes referencias autobiográficas y en la defensa (muy de nuestros días) de la mujer y sus derechos.

POESÍA. Gozó sor Juana Inés de una reconocida facilidad y dulzura para el verso. Esta habilidad e inspiración le sirvieron para abrirse paso en la elitista corte virreinal. No puede sorprendernos, por tanto, que la mitad de sus poemas sean de carácter circunstancial y panegírico, donde hoy solo cabe admirar la destreza y soltura versificatorias.

La lírica amorosa encierra algunos de sus más celebrados versos. Es famosa la serie de sonetos dedicados al amor no

275

correspondido: «Al que ingrata me deja busco amante...», «Deténte, sombra de mi bien esquivo...». Otros ponen una nota de sentimentalidad moderna. Así, el que «satisface un recelo con la retórica del llanto» describe las circunstancias de la experiencia («Esta tarde, mi bien, cuando te hablaba...») y el deseo de comunicación íntima y espontánea («que el corazón me vieses deseaba»), para rematar con la contraposición entre los celos infundados y la sincera elocuencia de las lágrimas (pues «en líquido humor viste y tocaste / mi corazón deshecho entre tus manos»).

Cultivó también los romances sentenciosos («Finjamos que soy feliz, / triste pensamiento, un rato...», «Ya, desengaño mío...»), los sonetos de reflexión moral («Este que veis, engaño colorido...», «Rosa divina que en gentil cultura...»), las redondillas conceptuosas, como las famosas en que defiende a la mujer de las vanas acusaciones masculinas («Hombres necios, que acusáis / a la mujer sin razón...»), etc., etc.

Poesía epigramática, ocasionales poemas religiosos, villancicos y algunos ejercicios métricos completan sus producciones menores.

A imitación de Góngora, compuso *Primero sueño,* una extensa silva (965 versos) en que describe, con exacerbado cultismo, el vuelo del alma mientras el cuerpo duerme. El tema parece ser el desengaño del saber humano, y el poema expresaría la crisis intelectual de los últimos años de la poetisa. Sin embargo, es también —en paralelo a las *Soledades* gongorinas— un canto admirado a los misterios del hombre y la naturaleza.

TEATRO. Sin duda, sor Juana Inés de la Cruz supone la culminación de la dramaturgia barroca americana, si se exceptúa a Juan Ruiz de Alarcón, cuya obra se escribe íntegramente en Madrid (véase 4.8.3). Discípula de Calderón, sigue sus huellas en *Los empeños de una casa* (1683), comedia de capa y espada cuya acción se desarrolla en Toledo, ciudad que la monja mexicana solo conocía por referencias. Las únicas notas americanas las pone el gracioso Castaño. La comedia se acompaña de loa, canciones, dos sainetes (en el segundo se representan los cuchicheos y comentarios del público) y el *Sarao de cuatro naciones*, en el que intervienen españoles, negros, italianos y mexicanos.

La fiesta mitológica *Amor es más laberinto* (1689) recrea barrocamente la fábula de Teseo y Ariadna.

Se completa la obra dramática de sor Juana con unas loas y tres autos: *El divino Narciso, El mártir del sacramento, san Hermenegildo* y *El cetro de José*. Sin duda, el primero, una versión a lo divino de la comedia calderoniana *Eco y Narciso*, es el más logrado.

4.7.7. LA ÉPICA

Este género fue ampliamente cultivado en el Siglo de Oro y editado con generosa constancia. En el XVII persistieron y se desarrollaron las variedades que ya vimos en el Renacimiento y se incorporaron otras muchas. Quizá lo más relevante sea la importancia de los elementos legendarios y religiosos, en pos del modelo de Tasso y de acuerdo con las disposiciones tridentinas sobre el carácter ejemplar y propagandístico que debía tener la literatura. Otra innovación fue la progresiva complejidad del poema, tanto en su estructura como en su lenguaje. Síntoma de este fenómeno puede ser la obra tardía de PEDRO DE OÑA, al que generalmente se estudia en el XVI (véase 3.6.3), pero que en 1635 escribe *El Vasauro*, poema extenso (cerca de 10000 versos) en el que la crítica ha subrayado la impronta culterana y conceptista.

La épica del XVII no alcanzó un hueco en el canon y pronto se convirtió en una antigualla evitada por los lectores espontáneos. Ese destino han tenido los poemas legendarios de exaltación nacional y religiosa, en la estela de Tasso: *Las Navas de Tolosa* (1594) y *Restauración de España* (1607) de CRISTÓBAL DE MESA; los hagiográficos: *Vida, excelencias y*

muerte del glorioso patriarca san José (1604) de JOSÉ DE
VALDIVIELSO; los bíblicos: *Sansón nazareno* (1656) de AN-
TONIO ENRÍQUEZ GÓMEZ... Incluso la perpetua obsesión épi-
ca de Lope de Vega (véase 4.4.4) ha pasado al olvido.

En América pervive un constante cultivo del poema épico. El tema de la conquista reaparece en *Armas antárticas* de
JUAN MIRAMONTES Y ZUÁZOLA (afincado en Perú), que permaneció inédito hasta 1921, y en algunas composiciones
menores del ciclo cortesiano y araucano.

Dejando aparte a Lope, los mejores poemas barrocos los
escriben en América dos clérigos: Hojeda y Balbuena.

FRAY DIEGO DE HOJEDA: *LA CRISTÍADA*. Hojeda nace en
Sevilla hacia 1571. En Lima profesa en los dominicos, entre
los que desempeña cargos de importancia. Participa en la intensa vida literaria limeña. A raíz de la publicación de *La
Cristíada* (Sevilla, 1611), sufre los ataques de ciertos miembros de su orden, que consiguen desplazarlo al convento de
Huánuco, en los límites de la selva, donde muere en 1615.

La Cristíada responde a los preceptos tridentinos, sustan-
ciados por Tasso, sobre el fin doctrinal de la literatura. Relata
la pasión de Cristo en tono patético y lírico, a veces contagiado
—para bien y para mal— de la lengua coloquial y de expresiones prosaicas. Ante todo se propone conmover al auditorio.

BERNARDO DE BALBUENA. Nace en Valdepeñas (Ciudad
Real) en 1562. Es hijo natural de uno de los primeros colonos de México. Pasa casi toda su vida en el Nuevo Mundo,
al que llega en plena niñez; solo lo abandona durante los
cuatro años en que estudia en Sigüenza (Guadalajara). Se ordena en 1586 y ejerce su ministerio en México. Es abad en
Jamaica y obispo en Puerto Rico, donde muere en 1627.

La dedicación poética es constante en su vida, como se
ve en la novela pastoril *Siglo de Oro en las selva de Erífile*
(publicada en 1608), donde abundan los versos, y en sus
otras dos obras: *Grandeza mexicana* (1604) y *El Bernardo* o
Victoria de Roncesvalles (1624).

Grandeza mexicana es una epístola en tercetos dirigida a doña Isabel de Tovar y Guzmán, que despliega en nueve cantos las excelencias de la ciudad de México. Escrita entre 1602 y 1603, es una temprana muestra de la poesía descriptiva del Barroco. Se ha destacado en ella el cromatismo, el rico vocabulario, la precisión con que se pintan los edificios, objetos, animales, plantas y flores, cargos públicos, actividades y diversiones de la gran ciudad. Es una poesía de evocación, próxima en muchos sentidos a la que contemporáneamente estaba creando Lope de Vega en la metrópoli.

El Bernardo estaba escrito y aprobado en 1609, aunque no se imprimió hasta 1624. Sus veinticuatro cantos y cinco mil octavas registran una enmarañada sucesión de aventuras caballerescas, cuadros alegóricos, episodios fantásticos, largas descripciones geográficas… A los modelos clásicos Balbuena ha superpuesto la materia predilecta de Ariosto y Boiardo, y los temas e intenciones que puso en circulación Tasso. Teje un poema simbólico y nacional en el que la leyenda central se ve interrumpida por múltiples digresiones. El conjunto, aunque tenga una línea argumental claramente marcada, es tan exuberante que no hay lector que no se vea desbordado. Cabe subrayar la embriaguez descriptiva con que el poeta recorre panorámicamente gran parte del mundo conocido, incluida la América española. La desatada fantasía que es sustancial a estos poemas autoriza que el mago Malgesí vuele en un barco encantado hasta llegar a México. El colorido en las descripciones, ya ensayado por Balbuena en obras anteriores, es rasgo de estilo que siempre se ha señalado. Como contraste, la intención moral y alegórica de la epopeya, puntualmente explicada por el autor en los preliminares de la obra.

LA PARODIA ÉPICA. La familiaridad de los lectores con todo género de poesía engendró el inexcusable desgaste de los tópicos y fórmulas empleados. No debe extrañarnos que la parodia tenga un lugar de honor dentro del conjunto de la

279

poesía barroca, tanto en el campo de la lírica (romances burlescos, remedos anticulteranos, degradación de los mitos, símbolos e imágenes petrarquistas...) como en el de la épica. Hoy los poemas épicos con mayor vigencia son, sin duda, parodias, espléndidas parodias, obras maestras del lenguaje y del humor: *La gatomaquia* de LOPE DE VEGA y las *Necedades y locuras de Orlando el enamorado* de QUEVEDO.

4.8. DRAMATURGOS DE LA ESCUELA DE LOPE

4.8.1. LOS VALENCIANOS. GUILLÉN DE CASTRO

Cuando Lope llegó a Valencia en 1588, existía en esa ciudad una intensa vida teatral y un grupo de dramaturgos que, partiendo de los moldes clásicos e italianos, habían avanzado hacia la fórmula de la *comedia nueva*. Entre ellos cabe destacar al canónigo FRANCISCO AGUSTÍN TÁRREGA (h. 1553 ó 1556?-1602), el más veterano y el que madura en fecha más temprana. En sus dramas funde los elementos históricos y legendarios con la fábula de amores (*La sangre leal de los montañeses de Navarra, El cerco de Rodas*). Sienta también los principios de la comedia urbana en *El prado de Valencia*.

La cumbre del parnaso dramático valenciano la ocupa GUILLÉN DE CASTRO (Valencia, 1569-Madrid, 1631). En su obra se suele distinguir una primera etapa caracterizada por la violencia trágica, heredera de la tradición senequista (*Progne y Filomena, Los amores de Dido y Eneas*), y una segunda en que el influjo de Lope es más evidente. A esta pertenecen las dos partes de *Las mocedades del Cid* (1618), drama heroico inspirado en el romancero, y comedias excelentes como *Los malcasados de Valencia, La fuerza de la costumbre, El Narciso en su opinión...*

4.8.2. TIRSO DE MOLINA

SÍNTESIS BIOGRÁFICA. Gabriel Téllez, que firma sus obras con el seudónimo de *Tirso de Molina*, nace en Madrid en 1579. Profesa muy joven en los mercedarios. Como maestro de teología y en el desempeño de diversos cargos de su orden, reside en Toledo, Galicia, Sevilla y Santo Domingo. En 1625 la Junta de Reformación, creada por el conde-duque, pide su destierro por escribir comedias «profanas y de malos incentivos y ejemplos». A raíz de esta condena, Tirso se limita al teatro devoto, pero publica cinco partes de comedias con la obra anterior (1627-1636). Un destierro oficioso lo mantiene alejado de la corte en Trujillo, Cuenca, Soria y Almazán, donde muere en 1648.

RASGOS DE SU OBRA. Sorprende en este profesor de teología la apasionada dedicación al teatro. Aunque dice haber escrito «cuatrocientas y más comedias», conservamos unas ochenta. Fue uno de los más fieles defensores del arte de Lope, pero su obra dramática es muy personal y original, dentro siempre del marco de convenciones de la comedia española, a la que dedicó los más encendidos elogios.

Durante el siglo XIX se valoró en Tirso la capacidad para la penetración psicológica, para crear caracteres complejos. Hoy no lo vemos así. En sus comedias apreciamos sobre todo la habilidad con que desarrolla el enredo de manera extraordinariamente imaginativa y antirrealista, rozando siempre la inverosimilitud tanto moral como física. Divierte al público con intrigas vertiginosas, alucinantes, en las que se produce la distensión cómica gracias al ingenio de los protagonistas, que encuentran salida airosa a las difíciles situaciones en que el azar los ha colocado o ellos mismos buscaron para conseguir sus fines. Son obras festivas, bienhumoradas, despreocupadas: juguetes escénicos que, según Serge Maurel, constituyen «el reino de la quimera». Para Alonso Zamora Vicente, presentan calidades cinematográficas, por su ritmo vivo, por la rapidez con que los personajes cambian de

281

atuendo e identidad. La sorpresa, el dinamismo, la fantasía desbordada y la comprensión, bondadosa pero irónica y escéptica, para las flaquezas humanas constituyen las marcas del mundo cómico de Tirso.

El vergonzoso en palacio (1611-1612) es una pieza de enredos y confusiones en torno a Mireno, un tímido pastor al que la casualidad lleva a palacio. Allí recibe los favores de Magdalena, la hija del duque de Aveiro, pero las provocaciones de la dama chocan con los temores y vergüenzas del protagonista.

En *Don Gil de las calzas verdes* (1615) se riza el rizo del enredo cómico en las aventuras de doña Juana, que acude a la corte para deshacer la boda prevista por el galán que la ha abandonado. Bajo el disfraz varonil, le hace la vida imposible, enamora a la dama con la que se quiere casar y crea la confusión hasta salirse con la suya.

Marta la piadosa (1615) es la comedia del fingimiento: la protagonista dice haber hecho un voto de castidad para evitar un matrimonio no deseado. Como maestro de latín, se introduce en la casa su amante. Ambos juegan, peligrosamente, con la ingenuidad del resto de los personajes hasta que, descubiertos, se casan y son felices.

Otras piezas siguen la estela de las hasta ahora citadas: *No hay peor sordo...*, *El amor médico*, *Amar por señas*, *La celosa de sí misma...*

GRANDES MITOS Y DRAMAS HISTÓRICOS. Tirso es universalmente conocido como creador del mito de don Juan. Sin embargo, *El burlador de Sevilla* no apareció entre sus comedias, sino en un volumen de varios autores (Barcelona, 1630). Otra versión de esta obra con el título de *¿Tan largo me lo fiais...?* se publicó a nombre de Calderón; pero el propio don Pedro rechazó esa atribución. Recientemente se ha atribuido a Andrés de Claramonte. Por ahora, el candidato más firme es Tirso de Molina.

El drama funde dos mitos: el del burlador que seduce o engaña a las mujeres y el del libertino que por escarnio invita a cenar a un muerto. La acción es itinerante: empieza en Nápoles y sigue en Tarragona, Sevilla y Dos Hermanas. En cada uno de estos lugares el protagonista burla o intenta burlar a una mujer. Finalmente, el castigo le llega a través de la estatua de don Gonzalo de Ulloa, al que mató para escapar de una de sus aventuras.

El burlador de Tirso no tiene el halo romántico de sus sucesores. Es un ser destructivo, demoníaco, que se condena por su impiedad, por su orgullo, por su esencial falta de caridad. Las versiones posteriores (Molière, Da Ponte, Zorrilla...) irían creando variaciones que derivarían hacia la exaltación romántica de este mito del individualismo solitario y antisocial.

En contraste con *El burlador*, Tirso creó en *El condenado por desconfiado* la figura del asceta interesado que pide cuentas a Dios sobre su salvación. El demonio lo tienta diciéndole que tendrá el mismo fin que un desalmado valentón. El antiguo eremita se desespera, se hace bandolero y muere sin arrepentirse. En cambio, el matachín disoluto atesora, en medio de sus sacrilegios e infamias, una ilimitada piedad filial y una salvífica confianza en Dios. Y se salva. Este drama de tesis, cuya paternidad también se ha discutido, defiende algo muy caro a Tirso: la fuerza de la caridad, capaz de borrar cualquier pecado.

Además de estas piezas mayores, compuso numerosos dramas bíblicos (*La venganza de Tamar, Vida y muerte de Herodes*), hagiográficos (*La santa Juana*), villanescos (*La dama del olivar*) y políticos (*La prudencia en la mujer*, en el que puede verse un duro ataque al valimiento de Olivares).

4.8.3. JUAN RUIZ DE ALARCÓN

SÍNTESIS BIOGRÁFICA. Juan Ruiz de Alarcón y Mendoza (México, 1580-Madrid, 1639) es el primer dramaturgo de importancia nacido en tierras americanas. Estudia en la universidad de México. Con veinte años viaja a España y prosigue su carrera en Salamanca. Vive en Sevilla. En 1609 vuelve a su país, donde acaba sus estudios. Regresa definitivamente a la metrópoli en 1613. Hasta su muerte, reside en la capital, donde trabaja como funcionario del Consejo de Indias.

Participa en varias polémicas literarias, en especial con Lope de Vega y Quevedo. Sus rivales se burlaron repetidamente de su desgarbada figura (era corcovado y patizambo).

A pesar de no ser un dramaturgo profesional, escribió unas treinta piezas, de las que publicó por su cuenta veinte (*Primera parte*, con ocho dramas, 1628, y *Segunda parte*, 1634).

RASGOS DE SU TEATRO. Desde que Pedro Henríquez Ureña habló del «mexicanismo» de este dramaturgo, la crítica ha creído ver en su teatro peculiaridades ligadas a su condición de indiano. Más bien parece que los rasgos que se le atribuyen (preocupación moral, buen sentido, escasa presencia de los temas religiosos, reflexión política...) hay que relacionarlos con el hecho de ser un funcionario o aspirante a funcionario que escribe teatro durante un corto espacio de tiempo y algo apartado de los circuitos habituales.

Se le ha querido atribuir un sentido democrático que es poco verosímil en la Europa del siglo XVII. Sus reflexiones sobre el poder, el respeto a la figura del rey, las ideas de reforma social se inscriben en los intentos regeneradores encabezados por el conde-duque de Olivares, a cuyas órdenes trabajó. Sin embargo, en sus comedias urbanas encontramos un aire burgués y un tono mesurado que podrían emparentarlo con ciertos ideales mesocráticos que no estaban excluidos del programa monárquico y absolutista del conde-duque.

COMEDIAS DE RELIEVE. Han entrado en el repertorio algunas comedias de enredo como *La verdad sospechosa* o *Las paredes oyen*. La crítica de siglos pasados vio en ellas una denuncia moral de dos graves defectos: la mentira y la maledicencia. En la primera lo más notable es la figura caricaturesca y simpática del protagonista, un embustero fantasioso que siempre cae en la tentación de sustituir la realidad por sus descabelladas invenciones. Naturalmente, cada nueva mentira engendra otras mil y acaba enredando al propio don García, que al final pierde a la dama con la que aspira a casarse.

Las paredes oyen es un nuevo enredo que contrapone a don Juan de Mendoza, pobre, jorobado y feo pero virtuoso, al rico y maldiciente don Mendo. Triunfa el primero y la moraleja no da lugar a dudas; pero no es esa la esencia del drama, sino las ágiles y medidas peripecias, los coqueteos de los personajes y los equívocos en que se ven metidos.

Notable, por el hábil juego con la realidad y la ficción, es *La prueba de las promesas,* inspirada en el exemplo XI de *El conde Lucanor.* El mago don Illán hace que don Juan, pretendiente de su hija, viva en la imaginación un vertiginoso ascenso social. La insólita prosperidad revela su ingratitud. Cuando amenaza al mago con mandarlo a la hoguera, la situación vuelve al principio del drama: personajes y público habíamos olvidado que estábamos viviendo un sueño.

Muchas otras comedias revelan a un dramaturgo sutil, irónico, escéptico respecto a la condición humana, partidario de no dejarse arrastrar por prejuicios ni absurdas imposiciones: *No hay mal que por bien no venga, Mudarse por mejorarse, Examen de maridos, Los favores del mundo, Cautela contra cautela...*

También escribió Ruiz de Alarcón algunos dramas de acento heroico (*Ganar amigos, Los pechos privilegiados, El tejedor de Segovia...*) y una extraña pieza de carácter religioso: *El Anticristo*, en la que es digno de destacarse el papel del gracioso Balán.

4.8.4. LUIS VÉLEZ DE GUEVARA Y OTROS DISCÍPULOS DE LOPE

LUIS VÉLEZ DE GUEVARA (Écija, Sevilla, 1579-Madrid, 1644) es quizá el discípulo más próximo al maestro en el manejo de las cancioncillas populares y el lirismo trágico de la acción. Su obra más celebrada es *Reinar después de morir*, en torno a la figura de Inés de Castro, amante del príncipe don Pedro de Portugal, a la que por razones de estado mandó degollar el rey. La tragedia de amor y muerte tiene desde su arranque un punto de melancólico patetismo que culmina en la escena en que la protagonista trata en vano de alcanzar la gracia del monarca.

Vélez fue también afortunado cultivador de la comedia villanesca (*La serrana de la Vera*, *La luna de la sierra*) y de piezas cómicas (*El diablo está en Cantillana*).

Al margen de los citados, el más notable seguidor de la dramaturgia de Lope es ANTONIO MIRA DE AMESCUA (Guadix, Granada, 1574?-1644). Por la ampulosidad cultista del verso, se le suele considerar un precedente inmediato de Calderón, pero sus estructuras dramáticas, confusas e incluso incoherentes, están muy lejos de los maestros. Destaca su aportación al teatro religioso con el drama *El esclavo del demonio*, una versión del mito de Fausto.

Figuras menores de este ciclo dramático son DIEGO JIMÉNEZ DE ENCISO (*El príncipe don Carlos*, *Los Médicis de Florencia*), JUAN PÉREZ DE MONTALBÁN, el judaizante FELIPE GODÍNEZ...

Una obra singular, anónima pero tradicionalmente atribuida a Lope de Vega, es *La Estrella de Sevilla*. Presenta el choque letal entre los afectos y la obediencia debida al rey. Sancho IV, que persigue los favores de la protagonista, manda matar a Busto Tavera, su hermano. Encarga tan triste misión a Sancho Ortiz de las Roelas, amado de Estrella. El drama muestra, con trágica desnudez, cómo el capricho, la arbitraria irresponsabilidad de un rey absoluto destruye la vida de sus vasallos.

4.8.5. EL TEATRO BREVE. EL AUTO ANTES DE CALDERÓN

Junto a la comedia, se cultivaron otros géneros teatrales: loa, entremés, mojiganga, baile, además de los más extensos autos sacramentales. Muchos poetas, tanto en el ciclo de Lope como en el de Calderón, se dedicaron a ellos. Así, AGUSTÍN DE ROJAS VILLANDRANDO (Madrid, 1572-Paredes de Nava, Palencia, d. de 1618), en su diálogo en prosa *El viaje entretenido* (1603), incluyó una colección de loas junto a curiosas noticias sobre la vida teatral de la época. El entremés contó con un singular especialista, LUIS QUIÑONES DE BENAVENTE (Toledo, 1593?-Madrid, 1651), del que conservamos ciento cincuenta piezas de teatro breve. Además, cultivaron con fortuna el entremés QUEVEDO y CERVANTES, aunque los de este último no llegaron a representarse en su época.

El auto sacramental sigue un largo recorrido antes de llegar a Calderón, con el que alcanzará su última perfección. A la definitiva configuración del género contribuyen LOPE DE VEGA (*La siega*, *Los cantares*), TIRSO DE MOLINA (*El colmenero divino*), ANTONIO MIRA DE AMESCUA (*Pedro Telonario*) y un dramaturgo especializado en autos y comedias religiosas: JOSÉ DE VALDIVIELSO (Toledo, último tercio del siglo XVI-1638), autor de *El hospital de los locos, El hijo pródigo...*

4.9. CALDERÓN Y SUS CONTEMPORÁNEOS

4.9.1. PEDRO CALDERÓN DE LA BARCA

SÍNTESIS BIOGRÁFICA. Nace en Madrid el 17 de enero de 1600. Pertenece a una familia hidalga y su padre es funcionario del consejo de Hacienda. Estudia con los jesuitas y más tarde en las universidades de Alcalá y Salamanca. Sus años juveniles revelan un carácter díscolo y se ve envuelto en varios altercados. Renuncia a la carrera eclesiástica a que querían dedicarlo sus mayores y se consagra al teatro. Su primer estreno se produce precozmente en 1623; a partir de entonces, escribirá alternativamente para los corrales de comedias, para palacio y para la plaza pública (autos sacramentales del Corpus). Los ímpetus y rebeldías de juventud se truecan en una actitud discreta, grave, y en una intensa dedicación a su trabajo de dramaturgo.

En 1636 es nombrado caballero de Santiago y en 1640 participa en la guerra de Cataluña. En 1647 tiene un hijo natural, de cuya madre nada sabemos.

En 1651 se ordena sacerdote. Vive diez años en Toledo (1653-1663), destinado a la capellanía de los Reyes Nuevos, aunque cada primavera regresa a Madrid para preparar los autos del Corpus y las fiestas palaciegas.

Muere en Madrid el 25 de mayo de 1681, cuando está preparando los autos para el Corpus de ese año. Llevaba cerca de sesenta años dedicado al teatro.

Salvo algún poema suelto, como *Psalle et sile* (*Canta y calla*), Calderón escribió en exclusiva para los escenarios. Abarcó todas las variedades y géneros dramáticos de su tiempo. Conservamos unos ciento veinte dramas y comedias, de ellos una docena hechos en colaboración, y unos ochenta autos sacramentales.

En vida del autor se publicaron cuatro partes de comedias (1636, 1637, 1664 y 1672), multitud de obras sueltas, a veces atribuidas a otros dramaturgos, y un tomo de autos sacramentales. Muerto el poeta, Juan de Vera Tassis editó cinco partes más de comedias (de 1682 a 1691) y Pedro Pando y Mier sacó a la luz seis volúmenes de autos (1717).

RASGOS DE SU TEATRO. Calderón llega a la escena cuando Lope y sus discípulos habían creado un conjunto de convenciones dramáticas, un lenguaje teatral muy eficaz y bien aceptado por el público. Don Pedro continúa y perfecciona lo ya conseguido. Estructura rigurosamente la acción. Tiende a concentrarla, tanto en el tiempo como en el espacio. Sobre las tablas solo aparecen los momentos culminantes del drama. Los antecedentes se nos presentan a través del diálogo o de las *relaciones*. Los repartos adoptan una organización piramidal, encabezada por la figura del protagonista. Cada criatura dramática se define por paralelismo y contraste frente a sus semejantes. La acción se desdobla en un juego de contrapunto entre diversos planos: uno grave, otro humorístico; uno filosófico o religioso, otro amoroso.

El lenguaje dramático no desprecia la llaneza y la naturalidad en los diálogos de carácter realista; pero en los soliloquios atormentados de algunos de sus personajes recurre a la construcción de frases complejas o estructuras en que los elementos correlativos reflejan el pensamiento zigzagueante y dubitativo, o refuerzan por medio del paralelismo y la anáfora las convicciones del que habla. En otros momentos incorpora las dificultades léxicas, sintácticas y culturales del gongorismo: alusiones mitológicas, referencias eruditas, latinismos, hipérbatos, perífrasis... En sus dramas pasamos, sin transición, de uno a otro registro: del diálogo vivo y coloquial al monólogo rigurosamente elaborado desde un punto de vista poético o a la descripción alambicada y cultista.

Con estos mimbres configuró un nuevo drama poético (distinto del que cultivó Lope) que hizo escuela y que ha dado algunas de las obras maestras de nuestro teatro.

EL POETA TRÁGICO. Desde los primeros años de su producción artística, creó un universo trágico que Alexander A. Parker caracterizó por el principio de responsabilidad difusa: «Calderón se dio cuenta [...] de que el bien y el mal no pueden ser diferenciados mediante una simple división entre lo que es justo y lo que es injusto». Sus tragedias desarrollan los confusos perfiles de la realidad moral. Los personajes son al mismo tiempo culpables e inocentes. Se ven abocados a un mundo hostil que los lleva a conflictos difíciles de superar; pero son ellos mismos los que deciden, bien dejándose arrastrar a la catástrofe por sus errores morales, bien superando su destino con la voluntad y el espíritu de renuncia.

El dramaturgo intuye que, para trasmitir la compleja verdad de esa responsabilidad difusa, no sirven las criaturas dramáticas convencionales, poco definidas en sus deseos e intereses, que con tan buen resultado maneja en sus piezas cómicas. Hay que ofrecer al espectador las razones y perspectivas íntimas de los personajes. Es necesaria, como dijo Marc Vitse, «la conquista del espacio interior». De ahí el relieve que en este teatro adquieren los monólogos, que son, por un lado, expresión lírica de los temas dramáticos nucleares y, por otro, manifestaciones de la perplejidad de la criatura ante las perspectivas que le ofrece cada situación.

No resulta fácil reducir a una clasificación las decenas de obras calderonianas de sentido trágico. Por su tema, se puede hablar de dramas del destino (*La vida es sueño, La hija del aire, El mayor monstruo del mundo*), de la rebeldía juvenil (*La devoción de la cruz, Las tres justicias en una*), religiosos y morales (*El príncipe constante, El mágico prodigioso*), de honor (*El médico de su honra, El pintor de su deshonra, A secreto agravio, secreta venganza*) y un conjunto de piezas de difícil ubicación, cuyos asuntos son muy distintos pero comparten dos núcleos significativos: los abusos sexuales y la siempre problemática aplicación de la justicia (*El alcalde de Zalamea, Los cabellos de Absalón*).

El más célebre de estos dramas es, sin duda, *La vida es sueño* (a. 1636), paradigma del teatro simbólico calderoniano, que se desarrolla en un espacio alejado e irreal y presenta mediante una fábula o parábola conflictos esenciales de la vida humana: la libertad, la educación y la formación moral y política del individuo, la inconsistencia de la realidad. Segismundo está preso desde su nacimiento porque su padre, Basilio, rey de Polonia, da crédito a un augurio que dice que el príncipe ha de ser cruel e impío. Cuando llega a la edad adulta, decide hacer con él un experimento: llevarlo narcotizado a palacio para ver cómo reacciona y saber si se equivocó al encerrarlo. Como cabía esperar, su comportamiento es bárbaro y despiadado. Lo devuelven a la prisión y le hacen creer que cuanto vivió en la corte fue un sueño. La confusión del protagonista lo lleva a concluir dolorosamente que toda nuestra vida carece de realidad. No sin lucha, logra dominar sus instintos, que son los comunes a todos los hombres: el poder, el sexo, el deseo de venganza.

La fábula escénica condensa en una sucesión de monólogos (en décimas y romances) los conflictos centrales del protagonista, y contrapone simbólicamente el mundo de la torre (lo primitivo, lo salvaje) y de la corte (la política, la ambición, el juego con la vida de los demás). La síntesis se produce en el campo de batalla, en que Segismundo derrota a su padre y renuncia a la pretensión adolescente de la libertad sin límites.

El alcalde de Zalamea (quizá h. 1640) es el más acabado ejemplo del drama trágico de carácter «realista», es decir, de organización rigurosa y trabada, que se ofrece al espectador como un reflejo creíble de la vida cotidiana de un momento histórico. El argumento es simple. Un capitán viola a una muchacha del pueblo. El padre de esta, que ha sido nombrado alcalde, instruye un proceso y, ante la negativa del soldado a reparar su ofensa, lo manda ajusticiar.

El drama retrata con precisión y agudeza, también con humor, el carácter de los personajes. Contrapone la personalidad del alcalde, Pedro Crespo, villano y rico, a la de los militares: uno justo aunque malhumorado (don Lope de Figueroa) y otro caprichoso, inconsciente y abusivo (el capitán violador). Plantea un conflicto eterno en la sociedad: la obligación de defender a las víctimas, la necesidad de que las jurisdicciones especiales (en este caso, un tribunal militar) y las triquiñuelas jurídicas no se conviertan en medio para alcanzar la impunidad.

Temas próximos a estos toca una tragedia menos conocida pero no de menor relieve: *Los cabellos de Absalón* (h. 1634). La historia bíblica de la casa del rey David sirve al dramaturgo para mostrar cómo el sexo y el ansia de poder se combinan en una espiral trágica. Los delitos particulares (Amón viola a su hermana Tamar), cuando no son castigados por la justicia, llaman a la venganza y son instrumentalizados en la lucha política. Absalón, que aspira a reinar, degüella a su hermano Amón, se subleva contra su padre y muere en la guerra civil. El camino del trono está sembrado de cadáveres y en la batalla por alcanzarlo el hombre es siempre un lobo para el hombre.

EL POETA CÓMICO. Calderón tuvo un sentido del humor desbordante, aunque una parte del público y la crítica lo ignoren. Perfeccionó el tipo de comicidad mecánica que se vislumbraba en el último Lope. No es el carácter o el sentimiento lo que interesa en primer lugar al dramaturgo (aunque en sus obras encontremos espléndidos comentarios sobre las sutilezas de los afectos), sino la complicación del enredo, que logra confundir a los personajes. Galanes y damas, más los primeros que las segundas, dan palos de ciego, sacan conclusiones tan lógicas como erróneas y resultan ridículos, no por sus tachas y defectos morales, sino por la falta de información que, en cambio, tiene el espectador. El sentido del honor y la caballerosidad les obligan a mentir u ocultar datos comprometedores para sus damas o amigos. Esas mentiras engendran otras en las que todos se ven inexorablemente envueltos.

La técnica es parecida a la del vodevil. Múltiples puertas, pasadizos no conocidos por alguno de los protagonistas, cambios de identidad, damas tapadas y caballeros embozados crean el caos sobre el escenario. En cambio, todo se desarrolla con lógica impecable a los ojos del espectador, divertido al ver los apuros de los personajes y feliz de comprobar que salen con bien de las situaciones más comprometidas.

Como ocurre en la vertiente trágica, Calderón alcanza en edad muy temprana la perfección cómica. En 1629 escribe *La dama duende*, donde se condensan todas las excelencias del género. Una dama tramoyera se vale de una alacena, que se puede mover, para entrar clandestinamente en la habitación de un huésped de sus hermanos. Como el galán no sabe quién es la dama ni cómo entra en su cuarto, la confusión, el enredo y la risa están servidos. El arte de Calderón consiste en ir acumulando sorpresas y equívocos, todos perfectamente trabados, a lo largo de dos horas de diversión.

Son muchas las comedias que, con variantes, recrean el mundo y los resortes cómicos de *La dama duende*. Destaquemos *Casa con dos puertas mala es de guardar, No hay burlas con el amor* (en que se parodia con mucho ingenio la lengua culterana), *Mañanas de abril y mayo* (con una divertida pareja de personajes cínicos y desvergonzados que se alejan del paradigma caballeresco habitual en Calderón), *No hay cosa como callar* (más próxima a la comedia sentimental que a la de enredo), *Guárdate del agua mansa* (que, además de las intrigas habituales, ofrece el retrato de un figurón, personaje estrafalario y caricaturesco), *El galán fantasma, El astrólogo fingido, Hombre pobre todo es trazas, El encanto sin encanto...*

LAS FIESTAS CORTESANAS. Desde muy joven Calderón intervino en las representaciones palaciegas y, a partir de 1635, tuvo a su cargo organizarlas. Para estas funciones creó dramas en los que se podía lucir una compleja tramoya. Colaboró con varios escenógrafos (Cosme Lotti, Baccio del Bianco) e impuso su criterio de que el espectáculo había de ser un todo armónico en el que se conjugaran la poesía, la pintura, la música y otras artes. Los asuntos que eligió para estas obras fueron siempre mitológicos y caballerescos. Con unos y otros trazó piezas en las que lo deslumbrante de la representación se compensaba con la reflexión moral y filosófica. Obtuvo un notable éxito con *El mayor encanto, amor* (1635), *Los tres mayores prodigios* (1636), *La fiera, el rayo y la piedra* (1652), *Las fortunas de Andrómeda y Perseo* (1653)... El más interesante de estos textos es posiblemente *Eco y Narciso*, una preciosa fábula en torno a la educación sentimental.

Escribió dos óperas (*La púrpura de la rosa* y *Celos, aun del aire, matan*) y creó un nuevo género: la zarzuela, en el que se alternan las partes cantadas y las habladas.

LOS AUTOS SACRAMENTALES. Con Calderón el auto sacramental alcanzó la máxima perfección, hasta el punto de que durante muchos años tuvo la exclusiva de escribirlos para el ayuntamiento de Madrid. También se ocupó de concebir «las apariencias» (escenografías y tramoyas) que acompañaban a las representaciones.

El más celebrado de los autos calderonianos es *El gran teatro del mundo* (h. 1635). La alegoría nos presenta la vida humana como una función en la que los hombres son los actores; Dios, el *autor* (director de la compañía); el Mundo, el regidor; el nacimiento, la salida al escenario; la muerte, el mutis... En esa representación cada uno interpreta un papel: el Pobre, el Rico, el Labrador, el Rey, la Hermosura, la Discreción... Al acabar, el autor (Dios), reparte los premios y castigos. La pieza se organiza en tres partes: antes de la vida, la vida y después de la muerte. En la que ocupa el centro cada personaje sale de la cuna, convive con los demás, recita un monólogo y se encamina hacia el sepulcro, unos con alegría y otros con desesperación. En 1500 versos el poeta ha encerrado una compleja visión del mundo como algo transitorio, inconsistente y volátil, circunstancia que no nos exime de la responsabilidad moral.

Otros muchos autos plantean también conflictos sociales y religiosos y mantienen su actualidad: *El gran mercado del mundo, El veneno y la triaca, La vida es sueño, La cena del rey Baltasar...*

PIEZAS MENORES. Para las fiestas palaciegas compuso también loas, entremeses y mojigangas. Se ha destacado en las últimas su carácter degradador, caricaturesco, tanto en relación a los usos sociales como a las convenciones dramáticas del propio autor.

Es digna de atención *Céfalo y Pocris*, una comedia burlesca o de disparates que emplea el sinsentido como recurso humorístico y recuerda, en algunos aspectos, el teatro del absurdo del siglo XX.

4.9.2. COETÁNEOS Y DISCÍPULOS DE CALDERÓN

FRANCISCO DE ROJAS ZORRILLA. Nació en Toledo en 1607; pero, siendo niño, se trasladó a Madrid, donde viviría hasta su temprana muerte en 1648. Fue dramaturgo predilecto de palacio y obtuvo en 1643 el hábito de caballero de Santiago.

En vida publicó dos partes de comedias (1640 y 1645) y vieron la luz otras muchas obras en colecciones de varios autores y sueltas. No es fácil precisar su caudal literario (las atribuciones son a menudo dudosas), pero con seguridad no bajan de las cuarenta piezas teatrales.

Su producción es muy irregular. Aunque en el siglo XIX se apreció más su vena trágica, hoy despierta más interés la cómica.

Sus tragedias, desde la perspectiva actual, pecan de exageradas, desmesuradas. El autor se empeña en llevar los conflictos hasta extremos poco verosímiles y difícilmente aceptables para el público. Pueden corroborarse estas apreciaciones con la lectura de *Progne y Filomena, Morir pensando matar, El Caín de Cataluña* y otros dramas similares.

Se le ha atribuido *Del rey abajo, ninguno*, pero no es seguro que le pertenezca. Es un drama de honor en el que García del Castañar, un labrador que al final resulta ser noble, cree que el mismo rey pretende a su esposa. Se ve atenazado entre el respeto a la institución monárquica y el sentimiento del honor. La angustiosa situación se resuelve al saber que su ofensor es un aristócrata disoluto. La venganza y el perdón real ponen fin a la obra. Lo mejor de ella son los versos en que se elogian los encantos de la vida bucólica y conyugal.

Más actuales y más conseguidas son las piezas cómicas de Rojas. Cultivó dos variantes contrapuestas que en otros estudios hemos llamado *comedias cínicas* y *comedias pundonorosas*.

A la primera especie pertenece *Abrir el ojo*, en la que presenta damas y galanes desvergonzados, promiscuos, en las antípodas del ideal caballeresco que vemos en otras comedias contemporáneas. El enredo de vodevil se alía con la caricatura y lo grotesco para ofrecer una regocijante visión del Madrid subhistórico de la época.

En las comedias pundonorosas, por el contrario, se complace en exagerar el sentimiento del honor hasta que los personajes quedan cómicamente atrapados entre obligaciones contradictorias y ridículas. El enredo se tensa y provoca la hilaridad, no por la vía de la degradación de los individuos, sino por la elevación del sentimiento del honor que, a la postre, resulta incompatible con sus propios intereses. La mejor muestra de esta serie es *Donde hay agravios no hay celos*. Citemos junto a ella *Obligados y ofendidos*, *No hay amigo para amigo* y *Sin honra no hay amistad*.

Además, Rojas escribió la más célebre obra cómica de figurón: *Entre bobos anda el juego*.

AGUSTÍN MORETO. Nace en Madrid en 1618. Sigue la carrera eclesiástica y la teatral —claro está—, y acaba sus días en Toledo en 1669.

En sus comedias se ha querido ver un espíritu reflexivo, moderado y comedido. Se le ha comparado con Terencio por plantear, desde el buen sentido, conflictos morales que afectan a la clase media.

No va en esa dirección su teatro religioso (*San Franco de Sena*, *La adúltera penitente*), que peca de la exaltada inverosimilitud que es común a otros contemporáneos.

En cambio, parte de sus comedias, tanto urbanas como palatinas, combinan los prudentes consejos con los enredos complicadísimos, llevados con el pulso ajustado y preciso de los modelos calderonianos. Así, *No puede ser...* es una divertida comedia que, con peripecias que rozan el disparate (sobre todo las ocurrencias del gracioso Tarugo cuando se disfraza de indiano), enseña que es inútil la pretensión de guardar a una mujer si ella no quiere guardarse.

El desdén con el desdén es un delicioso ballet en que se discurre ingeniosamente sobre el amor, los celos y los efectos de un fingido desprecio sobre el corazón de la protagonista. *El lindo don Diego* es una caricatura del tipo que le da título. *El parecido en la corte* extrema el juego cómico que puede provocar una confusión de identidades.

Se trata de piezas discretas, bien construidas y de arrebatadora fuerza cómica.

OTROS CONTEMPORÁNEOS Y DISCÍPULOS DE CALDERÓN. Junto a estas figuras mayores, existen otros dramaturgos interesantes aunque de proyección más limitada. Es el caso de ÁLVARO CUBILLO DE ARAGÓN (Granada, 1596-Madrid, 1661), autor de una curiosa comedia sentimental (*La muñecas de Marcela*) y de una sorprendente pieza de figurón (*El invisible príncipe del Baúl*). ANTONIO DE SOLÍS y RIVADENEYRA (Alcalá de Henares, 1610-Madrid, 1686), al que ya nos hemos referido como cronista de Indias, escribió *El amor al uso*, graciosa comedia en que juega con el cinismo que gastan damas y galanes en sus relaciones.

En las promociones que siguieron a Calderón cabe citar a JUAN DE LA HOZ Y MOTA, JUAN BAUTISTA DIAMANTE, FRANCISCO ANTONIO DE BANCES CANDAMO...

4.9.3. EL TEATRO EN AMÉRICA

Aunque las capitales virreinales tienen una intensa vida teatral desde fechas tempranas, la creación dramática en el Nuevo Mundo es muy elemental en las primeras décadas del XVII. En 1617 DIEGO MEXÍA DE FERNANGIL publica en Perú un par de églogas: *Égloga del Buen Pastor, Égloga del dios Pan al Santísimo Sacramento*. En México CRISTÓBAL GUTIÉRREZ DE LUNA y en Cartagena de Indias JUAN CUETO DE MENA escriben breves coloquios, y fray DIEGO DE OCAÑA da a la luz en Potosí su *Comedia de la Virgen de Guadalupe y sus milagros* (1601).

En México FRANCISCO BRAMÓN incluye en su novela *Los sirgueros de la Virgen* (1620) un *Auto del triunfo de la Virgen,* y el jesuita MATÍAS DE BOCANEGRA publica una *Comedia de san Francisco de Borja* (1640).

Esta actividad sería superada en las décadas siguientes. Bajo el influjo calderoniano, JUAN ESPINOSA MEDRANO, «EL LUNAREJO» (Calcauso, Perú, h. 1625-Cuzco, 1688?), compone hacia 1650 el drama bíblico *Amar su propia muerte*, sobre

297

la historia de Jael y Sísara. JUAN DEL VALLE CAVIEDES contribuye con el *Entremés del amor alcalde* y un par de bailes, de inspiración quevedesca. FERNANDO FERNÁNDEZ DE VALENZUELA (Bogotá, 1616-Jerez de la Frontera, 1677), con otro entremés caricaturesco (*Laurea crítica*), cuyo principal mérito es ser el primero que se escribe en Nueva Granada.

Más prolífico es LORENZO DE LAS LLAMOSAS (Lima, h. 1665?-1705), autor de abundantes zarzuelas mitológicas para las fiestas virreinales en Lima (*También se vengan los dioses*, 1689) y para los palacios madrileños (*Amor, industria y poder*, 1695; *Destinos vencen finezas*, 1698).

La aportación más notable a la literatura dramática del Barroco hispanoamericano es la obra de sor Juana Inés de la Cruz, a la que nos hemos referido en 4.7.6.

298

5
Siglo XVIII

5.1. CONTEXTO HISTÓRICO Y CULTURAL

IMPLANTACIÓN Y DESARROLLO DE LA MONARQUÍA ABSOLU-
TISTA. En 1700 el testamento de Carlos II nombra heredero a su
sobrino el duque de Anjou, nieto del rey de Francia Luis XIV.
Un año después, estalla la guerra de Sucesión (1701-1714) al
reclamar sus derechos al trono el archiduque Carlos de Austria.
Esta guerra civil (la corona de Castilla frente a la de Aragón) e
internacional (Francia frente a Inglaterra y sus aliados) se salda
con el asentamiento de la casa de Borbón y con una nueva concepción del estado, que tiende a ser más eficaz e intervencionista a través de la centralización administrativa. El *Decreto de
nueva planta* reforma las viejas leyes y las unifica sobre el modelo castellano.

Por el tratado de Utrecht, que pone fin a la guerra de Sucesión, se desgajan del inmenso imperio de los Austrias los
Países Bajos y los dominios italianos; en cambio, se mantiene sin apenas alteraciones toda la América española, que incluso crece hasta alcanzar su mayor dimensión en el último
tercio del siglo.

Los reinados de Felipe V (1700-1746, con un breve inte-
rregno en 1724), Fernando VI (1746-1759) y Carlos III
(1759-1788) pueden definirse, *grosso modo*, por la estabilidad, el crecimiento demográfico y económico y la progresi-

va presencia del estado a través de una administración paulatinamente profesionalizada.

Hay, naturalmente, matices de importancia en tan extenso periodo. Mientras que durante la primera mitad del siglo se conservan muchas de las estructuras de la etapa anterior, los reinados de Fernando VI y Carlos III se caracterizan por la aceleración del proceso modernizador.

Así, en el terreno de la cultura, si Felipe V instituye las academias de la Lengua (1713) y de la Historia (1738), en el reinado de Carlos III se aborda la compleja reforma universitaria con el cambio radical de los planes de estudio y la supresión de las universidades menores, en las que tenían intereses muy fuertes las órdenes religiosas. En ese arduo proceso de remoción de las viejas estructuras para impulsar el estudio de las ciencias útiles frente a la escolástica, juega un destacado papel el peruano Pablo de Olavide (1725-1803). Además, se fundan los primeros institutos de enseñanza media laicos y se intenta crear, desde el estado, la infraestructura científica que exigen los nuevos tiempos.

No otra cosa ocurre con el ejército, cuya formación y recluta se racionaliza progresivamente, y con la administración americana. Si en la primera mitad del siglo el gobierno ultramarino mantiene parte de los hábitos y concepciones de los Austrias, en tiempos de Carlos III el secretario de Indias, José Gálvez, se preocupa de reorganizar la economía, la fiscalidad y el sistema de nombramiento de cargos. Las posesiones americanas se conciben ahora como colonias cuya función en el imperio es producir en las condiciones más ventajosas determinadas materias primas y convertirse en mercado para los productos manufacturados de la metrópoli.

La política de los Austrias no concebía una España consagrada a la industria; pero al empezar el último tercio del siglo XVIII, esta aspiración tomaba forma en el *Discurso sobre el fomento de la industria popular* del conde de Campomanes y se volcaba en la creación de las *Sociedades económicas de amigos del país*, instituciones que buscaban el crecimiento de la industria, el comercio y la cultura.

A diferencia de otros estados coloniales, la América española participó de las inquietudes de la metrópoli. Incluso puede observarse mayor vigor y empeño en el fomento de la actividad económica, dadas las mayores posibilidades que ofrecía un continente aún pendiente de ser ocupado por haciendas agrícolas y ganaderas e instalaciones manufactureras.

El desarrollo americano a lo largo del siglo puede medirse en lo administrativo por la creación de nuevos virreinatos: el del Nuevo Reino de Granada (definitivamente instaurado en 1739), con capital en Bogotá, y el del Río de la Plata (1776), con sede en Buenos Aires. No son caprichos políticos sino resultado del crecimiento demográfico y la importancia económica de los nuevos territorios.

Esta presencia del estado, traducida en ideas de reforma, pero también en presión fiscal, suscita levantamientos como el de Tupac Amaru (1780-1783), que alienta una quimérica vuelta al imperio incaico y en el que subyace la nostalgia de una monarquía más paternalista.

Tanto en la península como en las Indias, el despotismo ilustrado impulsó, a veces de forma paradójica y contradictoria, el fortalecimiento de una burguesía cada vez más consciente de sus derechos y de su papel en la sociedad. La vieja aristocracia (los grandes de España) no desempeñó puestos de especial relieve y la iglesia vio limitados algunos de sus poderes. Con el *Tratado de la regalía de amortización* (1765) del ministro Campomanes se iniciaba un lento proceso que discutía la vinculación de los bienes eclesiásticos, en especial los de las órdenes religiosas, y de las grandes casas nobiliarias. El despotismo ilustrado estaba creando los instrumentos para la formación del estado liberal.

El regalismo, doctrina que establece la supeditación del poder religioso al político, tiene un importante elemento de resistencia en los jesuitas. Su posición dominante en buena parte de América explica que el siglo esté salpicado de enfrentamientos con la sociedad civil. Así ocurre en el episodio de los *comuneros del Paraguay* (1720-1731, con rebrotes posteriores); se inicia como un choque entre las autoridades y los jesuitas y se convierte en revuelta al conseguir los religiosos el apoyo del virrey, que se ve obligado a un difícil equilibrio entre ambos contendientes. La propia monarquía, y no los criollos, se enfrenta a la resistencia jesuítica en la guerra guaraní (1754-1756) por la aplicación del tratado de Madrid, que fija las fronteras entre las colonias portuguesas y españolas.

El mismo pulso se traslada a Madrid y lo pierde la Compañía. El motín de Esquilache (1766), inspirado al parecer por los religiosos, determina la durísima medida de su expulsión. En un breve plazo se confiscan sus bienes y se les obliga a abandonar las posesiones de la corona española. Gran parte de ellos se instalan en Italia, donde aparece uno de los primeros manifiestos que apuntan hacia la independencia. Lo escribe el jesuita peruano JUAN PABLO VISCARDO (1748-1798) en francés: *Lettre aux espagnols américains* (*Carta a los españoles americanos*, 1792).

En la América española durante el siglo XVIII se dan otras muchas revueltas, motines y disensiones, en los que van aflorando los intereses contrastados de la monarquía y sus comisionados peninsulares, de los criollos, de los indígenas y de los negros esclavos que constituyen ya un importante sector de la población. Rebeliones de importancia son las de los indígenas en la región de Chiapas (1706, 1712), la de los vegueros cubanos (1717), la de los esclavos negros en Chocó (Nueva Granada, 1728) y en Venezuela (1730), la de los indígenas peruanos (1742-1761), la que se desata en Caracas contra el monopolio de la Compañía Guipuzcoana en el comercio del cacao (1749-1751), la de Tupac Amaru (1780-1783), la de los comuneros de Nueva Granada (1781)...

Algunas de ellas se han presentado románticamente como anuncios de la independencia. Hoy tendemos a considerarlas conflictos internos que se dirigían contra el *mal gobierno* y no contra la estructura general del estado, con el que en sustancia las clases dominantes criollas estuvieron de acuerdo a lo largo del siglo XVIII, a pesar del ejemplo de la independencia de las colonias inglesas de Norteamérica (1775-1783), apoyada por España.

LA CRISIS DEL SISTEMA. El reinado de Carlos IV (1788-1808) no tendrá que enfrentarse en primer término a las tensiones independentistas, aunque exista un ambiente precursor limitado a las minorías intelectuales, sino a los desajustes cada vez mayores y comunes a todo Occidente entre el régimen absolutista y las nuevas realidades sociales nacidas de un siglo de desarrollo económico y cultural.

La monarquía española reaccionará con pánico ante la Revolución Francesa (1789) y los acontecimientos posteriores (entre ellos, la ejecución de Luis XVI). Se esforzará por frenar las reformas, perseguirá a sus promotores y se moverá a bandazos en una incomprensible política de alianzas.

La América hispana se mantiene fiel a la corona hasta que las guerras napoleónicas llegan a España (1808) y crean un vacío de poder que autoriza la declaración de independencia.

LA ESTÉTICA POSBARROCA. Comúnmente se admite que las formas artísticas y literarias creadas durante la depresión del siglo XVII se prolongan, en una coyuntura histórica mucho más benigna, en las primeras décadas del XVIII. Así, el culteranismo gongorino, el conceptismo, burlesco o moral, de ascendencia quevedesca, la comedia forjada en la matriz calderoniana, el molde de la novela picaresca... se mantienen, aunque modificando el tono y la intención. El pesimismo autoflagelador del *Guzmán de Alfarache* se trasmuta en la orgullosa reivindicación de ascenso social de un hombre de clase media en la *Vida* de Diego de Torres Villarroel; la dolorida y violenta caricatura de Quevedo se vuelve juego despreocupado en Eugenio Gerardo Lobo, etcétera.

Si esta permanencia de los esquemas barrocos y su vaciado interior se puede observar con facilidad en España, será mucho más evidente en Hispanoamérica. Las formas barrocas vivirán una segunda y larga etapa de esplendor, hasta el extremo de que vendrán a constituir un estilo propio y característico de la colonia. No puede sorprendernos ese arraigo en unas tierras cuyas clases dominantes, en las primeras seis o siete décadas del siglo XVIII, aspiran a reproducir los usos y costumbres de la metrópoli, y donde el influjo de los jesuitas, a los que se atribuye un papel capital en la creación y difusión del Barroco, es tan notable como hemos visto.

Iglesias churriguerescas, retablos estofados de oro, prosa alambicada y versos gongorinos o conceptuosos constituyen durante casi más de medio siglo la expresión genuina del alma criolla. Un arte manierista que quiere ser calco fiel del creado en la península en el XVII; pero que no puede ser idéntico porque el medio en que vive y el espíritu que lo anima son sustancialmente distintos.

La Ilustración. El pensamiento ilustrado nace en la Inglaterra de finales del siglo XVII y principios del XVIII. Desde la física experimental que, con Isaac Newton, logra formular matemáticamente sus hipótesis y corroborarlas con la experiencia, los principios del racionalismo y el empirismo y la negación del principio de autoridad se extienden a la medicina, a la filosofía política, a la economía, a la moral... Como es sabido, esta corriente escéptica arraiga en España con cierto retraso respecto al resto de Europa. De ese desfase se ha culpado al tribunal de la Inquisición, muy receloso ante cualquier novedad, sobre todo si toca temas de fe o atenta contra la autoridad de la iglesia. Pero el fenómeno es más complejo: una universidad anquilosada, en manos de las órdenes religiosas, y una sociedad añorante de su pasado inmediato de gran potencia dificultan la introducción de los avances científicos y filosóficos.

La Ilustración española fue tardía, moderada y cristiana. No es que iniciara tarde su introducción, contra lo que se acostumbra a decir. En 1725 el padre Benito Jerónimo Feijoo publicó un par de trabajos polémicos en defensa de la nueva medicina: *Aprobación apologética del escepticismo médico del doctor Martín Martínez* y *Medicina escéptica y cirugía moderna*, y en 1726 emprendió la traslación de las ideas ilustradas en los artículos que conforman el *Teatro crí-*

tico universal, para los que se valió de prestigiosas revistas inglesas (*Spectator*) y francesas (*Journal des Savants*). Tuvo numerosos impugnadores, pero contó con el apoyo del propio Fernando VI. Sin embargo, estos tempranos esfuerzos no lograron formar una minoría intelectual hasta el último tercio del siglo y nunca llegaron a calar en el conjunto de la sociedad.

Fue moderada y cristiana porque el mismo Feijoo estableció límites claros al debate intelectual. El escepticismo crítico solo podía aplicarse a las cosas «de tejas abajo». Las cuestiones religiosas habían de regirse por los dogmas proclamados por la iglesia. Incluso en los asuntos terrenos se guardó casi siempre respeto a la monarquía y al orden social. La Ilustración española fue mayoritariamente reformista y muy poco afecta a las revoluciones.

Escaso fue el eco del teísmo herético de Voltaire y mucho menor el del materialismo del barón de Holbach. La *Enciclopedia* (1751-1780) penetró dificultosamente en los territorios de la corona española, en los que se prohibió su distribución.

Los deseos de reforma política no llegaron a formulaciones anunciadoras del liberalismo, como las que ofrece el barón de Montesquieu en *El espíritu de las leyes* (1743) y más tarde Jean-Jacques Rousseau en *El contrato social* (1762). Sin embargo, sí calaron en las minorías intelectuales la preocupación filantrópica por la *felicidad* ('bienestar') del pueblo y el deseo de remover, mediante reformas paulatinas, los obstáculos que impedían alcanzarla. Inevitablemente, la consecución de esos propósitos pasaba por el desarrollo de las clases medias, la desamortización y el arrinconamiento del sistema estamental.

Al estallar la Revolución Francesa, se abandonó el programa de reformas desarrollado en los reinados de Fernando VI y Carlos III. Mientras algunos ilustrados se pusieron al servicio de la República Francesa (el abate Marchena, el peruano Pablo de Olavide, por ejemplo), la mayoría se sintieron presos entre dos fuegos: el de la reacción antiilustrada y el de los excesos revolucionarios.

305

AMÉRICA Y LA ILUSTRACIÓN. América fue campo predilecto de la experimentación ilustrada. La expedición de La Condamine para medir el meridiano terrestre en 1737 inició esta labor. De ella formaron parte ANTONIO DE ULLOA y JORGE JUAN, que redactaron unas *Noticias americanas físico-históricas* (1748).

Los estudios botánicos se desarrollaron con inusitado vigor, se crearon jardines botánicos y se organizaron expediciones para catalogar y describir la flora de Perú, Chile, Cuba, México... Este proceso culminó en la magna empresa de JOSÉ CELESTINO MUTIS (Cádiz, 1732-Bogotá, 1808), que emigró en 1760 a Nueva Granada. Como médico y catedrático de matemáticas, difundió la nueva ciencia y en 1783 emprendió una expedición que se prolongó más allá de su muerte, a las órdenes de su sobrino, hasta 1816. El resultado fue una amplia obra: *Flora de la real expedición del Nuevo Reino de Granada*, en 51 volúmenes, que no se ha editado completa hasta 1992.

Por las mismas fechas, Alexander von Humboldt emprendía su viaje a la América española (1799-1804), del que saldrían interesantísimas observaciones sobre la geografía, la flora y la fauna, los habitantes, lenguas y culturas de la región visitada.

Con esta actividad se impuso la concepción heliocéntrica del mundo y la nueva física newtoniana, que aún suscitaban reservas e incluso reacciones represivas en la metrópoli.

El espíritu ilustrado, universalista y racionalizador, tuvo la paradójica virtud de atraer la atención sobre la realidad regional. Lentamente fue fraguando una valoración positiva de la tierra y de sus habitantes. Iniciaron este proceso los jesuitas expulsos, con obras tan sorprendentes como la *Rusticatio mexicana* (1781) del guatemalteco RAFAEL LANDÍVAR, que describe en hexámetros latinos la vida del campo en Nueva España, o la *Historia antigua de México* (1780-1781) de FRANCISCO JAVIER CLAVIJERO, que exalta las civilizaciones prehispánicas.

La Ilustración se vinculó pronto a las ideas independentistas en la actividad literaria y política de los venezolanos

Francisco Miranda, traductor en 1801 de la *Carta a los españoles americanos* de Viscardo, y Simón Rodríguez, maestro de Simón Bolívar, difusor de Voltaire y Rousseau, y de los colombianos Antonio Nariño, traductor de la *Declaración universal de los derechos del hombre* (1793), y Francisco Antonio Zea. A la misma labor de propaganda de las ideas ilustradas y de una política proclive al independentismo contribuyeron el argentino Mariano Moreno, traductor de *El contrato social* de Rousseau (1810), o el mexicano fray José Servando Teresa de Mier, al que se debe una de las más contundentes y razonadas expresiones de la actitud de estas minorías:

> Independencia no es más que una declaración de mayoría de edad. Nosotros, que ya tenemos mayor población que la madre patria, iguales luces y mayor riqueza, creemos que estamos ya en estado de emancipación. Llamarnos por eso rebeldes es llamar rebelde a la naturaleza que emancipa a los hijos cuando no han menester a sus padres.

Las estéticas de la Ilustración. El Neoclasicismo. Durante la primera mitad del siglo, la preponderancia del estilo posbarroco se ve interrumpida en España por algunas muestras de la reacción frente a su abigarramiento y complicación. Una tendencia neoclásica se abre paso lentamente. Propugna la pureza de líneas, la desnudez y la sujeción a unos modelos de equilibrio que llegan desde Italia y Francia y que remiten al arte de la Antigüedad grecorromana.

Ese cambio se vislumbra en la década de 1730, en la que se producen dos obras que encarnan el nuevo arte: la reconstrucción del palacio real de Madrid, tras el incendio del viejo alcázar, y la publicación de la *Poética* de Ignacio de Luzán (Zaragoza, 1702-Madrid, 1750). De esta obra se estampan dos ediciones muy diferentes entre sí. La primera (1737) en vida del autor, y la segunda (1789), póstuma. Esta última extrema las críticas contra el arte barroco y presenta un tono más radical. Cabe sospechar que algunos de los cambios

307

sean obra de sus editores, el hijo de Luzán, Juan Ignacio, y Eugenio Llaguno.

Basándose en escritos italianos (sobre todo *De la perfecta poesía* de Muratori) y franceses (*Arte poética* de Boileau), Luzán expone las ideas básicas del neoclasicismo literario. La creación poética exige en igual grado la inspiración y el estudio. Su objetivo es imitar a la naturaleza. Para ello ha de encarnarse de acuerdo con unas reglas fijadas por los modelos griegos y latinos. El arte debe unir la belleza, que dimana de la razón, con lo útil y lo moral. Se rechazan los arrebatos de la fantasía y las creaciones que carezcan de un fin didáctico. Se impone el ideal horaciano de «enseñar deleitando».

En su primera edición la *Poética* luzanesca pinta un neoclasicismo escasamente dogmático. Por ejemplo: propone la implantación de las tres unidades dramáticas (de lugar, tiempo y acción), pero no faltan elogios a algunos escritores (Lope de Vega, sobre todo) que las habían trasgredido.

La obra de Luzán sintetiza los principios rectores del Neoclasicismo, pero no está claro que influyera de forma inmediata más que en un reducido grupo de artistas. La prueba es que tardó más de cincuenta años en reimprimirse.

El Neoclasicismo fue la estética oficial de la Ilustración y se impuso al ritmo al que los nuevos «filósofos», como se les denominaba irónicamente, fueron tomando las riendas del poder, es decir, en el reinado de Fernando VI y, principalmente, en el de Carlos III. Muchas de sus creaciones fueron encargos oficiales y constituían un símbolo del despotismo ilustrado. Esto, que es evidente en el campo de la arquitectura, también se proyectó sobre el arte de la palabra: los poemas didácticos, las odas, los apólogos morales e incluso el teatro se convirtieron en instrumentos propagandísticos de las ideas y las realizaciones de la Ilustración.

El arte neoclásico tardará en llegar a América. Cuando lo hace, a finales del siglo XVIII y principios del XIX, se alía a la exaltación de la tierra, sus frutos y sus posibilidades de progreso, que anuncia la futura independencia.

EL ROCOCÓ. Si el Neoclasicismo es el arte oficial de la Ilustración, el Rococó se ha descrito como su cara íntima. Es una estética voluntariamente menor que busca la elegancia, la galantería, la sensualidad, el artificio y la ligereza. Subyace en ella la moral hedonista y el materialismo filosófico del siglo XVIII. Frente a la monumentalidad neoclásica, se caracteriza por la gracia, la coquetería, el capricho... Hay siempre algo de mórbido y afectado en sus creaciones. Son expresión del rococó literario la moda de las anacreónticas, con la exaltación de los placeres del amor, el vino y la mesa, la poesía floral, los cuadros bucólicos poblados de artificiosos pastores... Aunque no es difícil rastrear el camino desde cierto arte del XVII al Rococó (a veces parece simplemente una delicada reducción de los modelos barrocos), esta estética no triunfa en el mundo hispánico hasta la segunda mitad del siglo XVIII, en paralelo a las ideas y la moral ilustradas.

EL PRERROMANTICISMO. La filantropía que caracteriza a los «filósofos» deriva fácilmente hacia el sentimentalismo compasivo. La Ilustración no solo puso de moda el racionalismo optimista; también prestigió la melancolía, las lágrimas y la conmiseración por los caídos. Desde mitad del siglo, Jean-Jacques Rousseau anunció principios que eran consecuencia y reacción frente a las tesis ilustradas. Se descubrió el mundo del sentimiento y de la irracionalidad. La sociedad pasó de su papel de benefactora universal a ser considerada corruptora de una humanidad naturalmente inocente y bondadosa. Un conjunto de motivos constituyen la marca estilística de la nueva sensibilidad: los paisajes nocturnos, la fascinación por los astros, la naturaleza salvaje, las ruinas, la muerte... La emoción patética desplaza al discurso hedonista o didáctico.

Quizá haya que buscar una raíz de ese giro en el propio progreso de la sociedad dieciochesca. El bienestar lleva a las minorías intelectuales a interesarse por los desvalidos y a contemplar su propia soledad como individuos. Si se añade a esto el desencanto que engendraría la difícil lucha para quebrar las estructuras del antiguo régimen, podremos en-

tender el salto hacia la violencia expresiva, hacia el arrebato, hacia la intimidad en conflicto, hacia la complacencia
masoquista, que se observa en todas las facetas del arte a finales del siglo XVIII.

Es el momento en que artistas de campos tan distintos
como la pintura (Goya), la música (Beethoven) o la literatura
(Goethe) van abandonando el clasicismo y la estética rococó
para adentrarse en el drama del hombre. La sacudida revolucionaria y sus secuelas (las guerras napoleónicas) acabarían
de dar pleno sentido a ese arte del sentimiento.

Es el momento en que se conforma lo que serán los principios estéticos del Romanticismo, a través del movimiento
alemán *Sturm und Drang* ('Tempestad y empuje'). Se redes-
cubre la obra de Shakespeare (traducido al español por el neoclásico Leandro Fernández de Moratín) y de Calderón, y crece la afición a la Edad Media, a cuyo arte los mismos
valedores del Neoclasicismo reconocían una grandeza que
negaban al Barroco.

Rasgos prerrománticos se observan en la literatura española desde fechas relativamente tempranas. Algo de esa
sensibilidad se apunta en *Las ruinas. Pensamientos tristes*
del conde de Torrepalma, poeta ligado al posbarroquismo,
pero que en esta égloga reúne algunos de los tópicos predilectos del Prerromanticismo. Más tarde la comedia lacri-
mógena, las *Noches lúgubres* (1775) de José Cadalso y un
sinfín de poemas fúnebres, melancólicos, nocturnos, con-
firman el prestigio literario de lo que se llamará el dolor romántico.

En los virreinatos, a pesar de que Rousseau había puesto
a su concepto del buen salvaje la máscara del indio americano, el Prerromanticismo se liga al espíritu revolucionario e
independentista más que al sentimentalismo macabro y lacri-
moso. Recordemos, no obstante, que José Servando Teresa
de Mier traduce, a su paso por París, la novela *Atala* (1801)
de Chateaubriand, homenaje al indigenismo idealizado y en-
tronque con el universo romántico.

5.2. LA NOVELA

Uno de los rasgos más destacados de la prosa dieciochesca es la decadencia de la narrativa en beneficio del ensayo. Se ha hablado de un siglo «sin novela», aunque no faltan textos de esta índole. Se escriben muchos, pero o bien se trata de reminiscencias barrocas, o bien tienen una intencionalidad didáctica tan patente que condiciona la estructura y sentido del relato, o bien dependen de los modelos extranjeros. No se crea en esta época una novela autónoma. Aun así, hay una nutrida masa de lectores que, para paliar la escasa calidad de la producción nacional, acuden a las traducciones. Es, por otra parte, uno de los géneros que más inquieta a censores y moralistas; en el mejor de los casos, se la desprecia como entretenimiento vano que no aporta nada útil.

Diego de Torres Villarroel. Este curioso personaje (Salamanca, 1694-1770), escritor y catedrático de matemáticas, es famoso como poeta y adivino. Escribe unos *Almanaques* y *Pronósticos* en que anuncia, a veces con acierto, sucesos futuros. Es autor de una muy célebre *Vida, ascendencia, nacimiento, crianza y aventuras del doctor don Diego de Torres Villarroel*, presuntamente autobiográfica. Los cuatro primeros «trozos» se publican en 1743, el quinto en 1750 y el sexto en 1758; cada uno de ellos abarca una década. Desarrolla su trayectoria vital, desde las alegres travesuras juveniles, cuando ejerce muy variados oficios (criado de un ermitaño, guitarrista, bailarín... e incluso torero), hasta el pesimismo del viejo enfermo que escribe al final de sus días.

Esta novela se considera un epígono de la picaresca, de la que toma el molde y a la que se aproxima por el tono general de las aventuras, sobre todo en los tres primeros capítulos; pero hay diferencias fundamentales. El protagonista no es un marginado, sino que pertenece a la burguesía y participa de la ética e ideología de ese grupo social. No hay en el libro intención moralizante alguna. Acaba convirtiéndose en una exaltación del catedrático salmantino que lo escribe.

311

Tanto la *Vida* como los *Sueños morales*, que siguen la huella quevedesca (en especial, *Visiones y visitas de Torres con don Francisco de Quevedo por la corte*, 1727), son una muestra de la prolongación de las formas barrocas, pero también del cambio ideológico y social que se ha producido en la sociedad española.

EL PADRE ISLA. Entre las muchas obras que se presentan como novelas pero que tienen tan gran cantidad de elementos didácticos que no se ajustan propiamente al esquema tradicional, se cuenta el famoso *Fray Gerundio de Campazas, alias Zotes* del jesuita José Francisco de Isla (Vidanes, León, 1703-Bolonia, 1781). La primera parte sale a la luz en 1758; el gran revuelo que provoca da lugar a que la Inquisición la prohíba; la segunda no podrá publicarse hasta 1770.

Su levísima trama argumental da pie al autor para arremeter contra los excesos a que había llegado la oratoria sagrada en su afán de emplear un lenguaje cultista. Se sirve para ello de un mozo aldeano que, tras pasar por las manos de fray Blas, acaba convirtiéndose en el más ridículo e ininteligible de los predicadores. El principal blanco de la sátira es el más ilustre representante de la oratoria barroca: fray Hortensio Félix Paravicino.

EL LAZARILLO DE CIEGOS CAMINANTES. Lugar muy destacado ocupa esta obra de ALONSO CARRIÓ DE LA VANDERA. Nace en Gijón (Asturias) en 1715 y emigra sucesivamente a México (1735) y Lima (1746). Vuelve a España y de nuevo a América. Desde Buenos Aires se ocupa de organizar el correo de la zona. A esta actividad se debe el viaje que inicia en 1771, que es el origen de su libro. Muere en Lima en 1783.

El lazarillo... aparece en la capital peruana a finales de 1775 o principios de 1776, con fecha de 1773, que se ha considerado falsa. En la portada aparece confusamente atribuido al inca Calixto Bustamante Carlos, alias *Concolorcorvo* ('con color de cuervo' = negro), que en realidad es el amanuense y que también interviene en la redacción, valiéndose siempre de los materiales que le proporciona Carrió y bajo su atenta supervisión. Quizá con este procedimiento el autor pretende, dada su condición de funcionario de alto rango, eludir las responsabilidades que podrían acarrear ciertas críticas o evitar la imagen poco seria que derivaría de algunos pasajes jocosos.

Se presenta como unas notas de viaje, trufadas de episodios picarescos, en un género híbrido entre la crónica y la novela. Da cuenta, con datos de primera mano, del trayecto que entre 1771 y 1773 sigue Carrió desde Buenos Aires a Lima. Está escrito en primera persona y emplea el tono autodegradador de la picaresca, incluidos los orígenes innobles: «Yo soy indio neto, salvo las trampas de mi madre, de que no salgo fiador». El tono de algunos pasajes recuerda los jugueteos verbales de Quevedo. Estos componentes literarios se funden con la información rigurosa sobre itinerarios, distancias y medios de trasporte que enlazan los territorios de la cuenca del Paraná. Las observaciones se extienden a la vida social, costumbres, gastronomía, vestidos, variedad de razas, economía, actividades comerciales... Como reza el título, se trata de una guía («lazarillo») cuyas informaciones quieren ser de utilidad.

De todo se habla con desparpajo y gracia, zahiriendo a unos y otros con un humor burlesco, escasamente misericordioso, que probablemente encierra críticas en clave que debieron de ser trasparentes para sus contemporáneos. Ese es el motivo de que el volumen se publicara con falso pie de imprenta y sin las autorizaciones exigidas por la legislación.

PABLO DE OLAVIDE. Nace en Lima en 1725. Vive en España en 1752-1780; se integra en la minoría ilustrada y goza de la protección del conde de Aranda, tras cuya caída es perseguido y condenado por la Inquisición por su marcado regalismo y por su oposición a ciertas prácticas religiosas. Huye a Francia y apoya a la Revolución, pero pronto se desencanta y en 1798 regresa a nuestro país. Muere en Baeza (Jaén) en 1803.

Particular relevancia tienen el proyecto de colonización y repoblación de Sierra Morena y la reforma de los estudios de la universidad sevillana. Fruto de esta labor son los escritos que reflejan su lucha por el progreso y su constante preocupación por el proverbial atraso español: *Informe sobre la ley agraria* (1767), *Plan de estudio para la universidad de Sevilla* (1768)...

Es más famoso por sus empresas como político ilustrado que por su obra literaria. Sin embargo, tuvo notable relieve como introductor de la tragedia neoclásica y por su esfuerzo por reformar el teatro tanto en Sevilla como en Madrid. Él y otros componentes de los círculos culturales en que se movía realizaron traducciones de piezas extranjeras, principalmente francesas. A Olavide se atribuyen, entre otras, las de *Mitrídates* y *Fedra* de Jean Racine y *Zaira* de Voltaire.

En 1797 publicó en Valencia *El Evangelio en triunfo o historia de un filósofo desengañado*, novela epistolar que exalta las excelencias de la fe católica y cuenta, a través de cuarenta y una cartas, el proceso de conversión de un librepensador por un ermitaño. Se ha visto un claro precedente en *Les délices de la religion* (1788) del abate Lamourette, que se tradujo al español en 1796.

También en esa etapa final compuso siete novelas de naturaleza ejemplar y moralizante, de acuerdo con su mentalidad ilustrada: *El incógnito o el fruto de la ambición*, *Paulina o el amor desinteresado*... Se publicaron en 1828.

Otra faceta de los últimos años es la de poeta neoclásico, de interés muy limitado. Como *El Evangelio en triunfo*, los versos se hacen eco de las recién adquiridas convicciones religiosas del autor y de su acto de contricción: *Poemas cristianos en que se exponen con sencillez las verdades más importantes de la religión* (1799), *Salterio español o versión parafrástica de los Salmos de David, de los cánticos de Moisés, de otros cánticos y algunas oraciones de la Iglesia* (1800)...

OTROS NOVELISTAS. El jesuita PEDRO MONTENGÓN (Alicante, 1745-Nápoles, 1824) es autor de cinco novelas, entre las que gozó de gran éxito *Eusebio* (1786-1788), que relata la educación de un muchacho en contacto con la naturaleza. La Inquisición no vio con buenos ojos las ideas propuestas en la obra y prohibió su circulación.

En tierras americanas el influjo quevedesco llega hasta fechas muy tardías. Aún está presente en *Sueño de sueños* (d. 1792) del presbítero mexicano JOSÉ MARIANO DE ACOSTA ENRÍQUEZ (a. de 1779-d. de 1816), que recibe también la impronta de Torres Villarroel.

Cierta relación con la novela, aunque no lo son propiamente, tienen también obras como *La portentosa vida de la Muerte* (1792) del fraile mexicano JOAQUÍN BOLAÑOS († 1792), ficción alegórica de carácter doctrinal y retórica prosa.

A pesar de estos y otros títulos que se podrían allegar, la novela hispanoamericana no despegará hasta ya entrado el siglo XIX con *El Periquillo Sarniento* (1816) de José Joaquín Fernández de Lizardi.

5.3. LA PROSA ENSAYÍSTICA

El mayor hallazgo literario del siglo XVIII es la creación de una prosa clara y precisa que va a ser un eficacísimo instrumento para la divulgación de las ideas ilustradas. De ahí arranca el ensayo moderno, con un estilo expositivo en que se ha eliminado todo lo superfluo en busca de una mayor claridad.

BENITO JERÓNIMO FEIJOO. Muy atractiva es la figura de este fraile benedictino (Casdemiro, Orense, 1676-Oviedo, 1764), profesor de teología y curioso espectador del desarrollo de la ciencia moderna, cuyos principios y logros trata de difundir en el mundo de lengua española. Para ello escribe 118 artículos que reúne en ocho volúmenes y un suplemento con el título de *Teatro crítico universal* (1726-1740). Completa esta labor con las 164 misivas que publica en *Cartas eruditas y curiosas* (1742-1760, 5 vols.). En estos opúsculos aborda los temas más variados que puedan imaginarse: escribe contra las supersticiones y falsos milagros, ofrece nociones de la nueva medicina y de las ciencias positivas de su tiempo, propone determinadas reformas de la enseñanza universitaria, alienta el aprendizaje de las lenguas modernas, comenta asuntos relacionados con la política y la historia... Las reflexiones de Feijoo, aunque pueden contener errores de detalle, están siempre guiadas por la cordura y el buen sentido.

Especialmente interesante es la construcción de un nuevo estilo: una prosa llana, sencilla, de tono familiar, precisa, que logra estimular la atención del lector.

JOSÉ CADALSO Y VÁZQUEZ. Este militar (Cádiz, 1741-Gibraltar, 1782) encarna la fusión del espíritu reformista de la Ilustración y la sensibilidad prerromántica. Al primer campo pertenecen *Los eruditos a la violeta* (1772), sátira irónica contra la cultura superficial, y las *Cartas marruecas* (1789). Esta obra, inspirada en las *Cartas persas* de Montesquieu, ofrece la correspondencia en la que el joven marroquí Gazel cuenta a su maestro Ben-Beley las impresiones y experiencias del viaje que hace a España acompañando al embajador de su país. También interviene Nuño, un español que le ayuda a deslindar las informaciones verdaderas de las falsas.

Las *Cartas* desgranan múltiples aspectos de interés para la sociedad española: sus raíces históricas, la frivolidad de la vida contemporánea, el escaso aprecio del saber, la holgazanería popular, las cuestiones morales que preocupan a las minorías intelectuales... A pesar del carácter satírico y en algunos momentos caricaturesco que tiene la obra, Cadalso confía en el progreso que la Ilustración trae a España: «la península se hundió a mediados del XVII y ha vuelto a salir de la mar a últimos del XVIII».

Las noches lúgubres (1775, publicadas póstumamente: 1789-1790) es un diálogo que muestra el camino que sigue Tediato desde sus obsesiones enfermizas (quiere desenterrar a su amada muerta) hasta la preocupación por las tragedias ajenas. No solo el ambiente macabro (la cripta, la noche, la tempestad), también el tono, patético y angustiado, es decididamente romántico. Cadalso, como confiesa en las *Cartas marruecas*, se inspira en *Las noches* de Edward Young.

GASPAR MELCHOR DE JOVELLANOS. Nace en Gijón (Asturias) en 1744. Durante el reinado de Carlos III, con el apoyo del hacendista Cabarrús, lleva a cabo una intensa actividad reformadora. Al subir al trono Carlos IV, comienza para nuestro autor una dura etapa de hostilidad oficial. Se le destierra a su ciudad, donde funda el Instituto Asturiano para impartir una instrucción que posibilite la prosperidad. Se reconcilia luego con el poder y es nombrado ministro de Gracia y Justicia, pero sus ideas provocan una rápida caída. No cesan los ataques, hasta que es encarcelado. Cuando recupera la libertad en 1808, se niega a apoyar a José Bonaparte y lucha contra el invasor. Se ve perseguido por su ideología liberal hasta que muere en 1811.

Su conflictiva peripecia revela al reformista preocupado por el bienestar colectivo, el perfeccionamiento intelectual y el progreso, que lucha contra la reacción y busca un acercamiento a Europa. No es, sin embargo, un revolucionario. Para comprender su vida y su obra, es fundamental la lectura de los *Diarios*, en que da noticia de toda la labor que desarrolló.

La preocupación por los problemas de España es el tema de sus obras más notables. *Memoria sobre la policía de los espectáculos y diversiones públicas* (1790; versión definitiva en 1796) es un informe que pidió la Academia de la Historia con el fin de reformar la legislación vigente. Jovellanos lleva a cabo un estudio histórico y analiza unos y otras de acuerdo con su mentalidad ilustrada. Considera un inconveniente el exceso de reglamentos y prohibiciones. Critica las corridas de toros, aboga por la reforma del teatro. Frente a la dramaturgia barroca, sostiene los principios de la neoclásica: el respeto a las reglas, la intención didáctica y los límites morales a la libertad de creación.

En *Informe en el expediente de la Ley agraria* (1795) estudia los obstáculos que impiden el resurgimiento de la agri-

317

cultura española y propone soluciones al problema. En *Plan general de instrucción pública* señala como condición indispensable para el progreso la formación cultural, que solo puede conseguirse con una educación racionalista.

Descripción del castillo de Bellver, cuya redacción inicia en 1802 cuando es recluido en esa fortaleza, contiene interesantes observaciones sobre sus tesoros artísticos, el panorama que se divisa desde sus torres, la fauna, la flora y la geografía de la zona, el proceso de construcción que tuvo lugar en la Edad Media... El edificio aparece formando un todo indisoluble con el marco natural que lo rodea.

Memoria en defensa de la Junta central, escrita en 1811 tras producirse la caída de esta, es la más clara expresión del patriotismo a ultranza de Jovellanos y de su ideario liberal.

Su prosa pasa por ser la más elegante del siglo XVIII. Destaca por su sobriedad y ausencia de galicismos, tan propios de la época, así como por la capacidad de hacer accesibles al lector temas de escasa amenidad. Es exacto y conciso y argumenta muy hábilmente para demostrar sus puntos de vista.

PRENSA E ILUSTRACIÓN. El siglo XVIII, entre otras muchas cosas, es el del nacimiento de las publicaciones periódicas, que se convertirán en el medio más eficaz de difusión de las noticias y el pensamiento.

Se acostumbra a señalar como inicio de este proceso la creación de la *Gaceta de Madrid* en 1661, a la que seguirá casi de inmediato la *Gaceta de México* (1667). Es probable que en Lima se publicaran también algunas hojas noticieras en el siglo XVII. En la centuria siguiente estas publicaciones o sus sucesoras (en muchos casos cambian de nombre sin variar su contenido) se afirman como canales de difusión de la política gubernamental. Así, en 1743 tenemos testimonio de una efímera *Gaceta* limeña, pronto sustituida por la *Gaceta del gobierno de Lima*, más explícita en su rotulación.

Junto a la política, la literatura y el pensamiento son los puntos de interés de las publicaciones dieciochescas. Ejemplo de estas preocupaciones es el *Diario de los literatos de Espa-*

ña, que ve la luz en Madrid entre 1737 y 1742; difunde las ideas ilustradas y lucha por imponer la estética neoclásica. En una dirección similar, aunque no siempre coincidente en todos los aspectos, se mueve el *Mercurio noticioso, curioso-erudito y comercial, público y económico* (1758), que abrevió tan largo título en *Diario de Madrid* y pervivió hasta 1918. Lo funda el inquieto FRANCISCO MARIANO NIFO (1719-1803), creador de otras publicaciones de menor enjundia. Un poco más tarde aparece *El pensador* (1762-1767), por obra del canario JOSÉ CLAVIJO Y FAJARDO (1726-1806). Cada uno de sus números o *pensamientos* es un ensayo que aborda un tema de actualidad; unas veces ofrece un cuadro costumbrista y satírico sobre la vida cotidiana de la época, otras un comentario sobre libros y literatura. Desde sus páginas Clavijo, defensor de la estética ilustrada, combatió el teatro barroco y presionó hasta conseguir la supresión de los autos sacramentales.

El ejemplo de este periódico madrileño es seguido en América. Así surge *El pensador* de La Habana (1764). Años más tarde, ya en plena etapa insurgente, verá la luz *El pensador mexicano* (1812-1814) de JOSÉ JOAQUÍN FERNÁNDEZ LIZARDI (1776-1827).

La presencia ilustrada, con las violentas polémicas contra el escolasticismo y a favor de la nueva ciencia experimental, se acentúa en *El censor* (1781-1787), que ponen en circulación en Madrid LUIS MARÍA GARCÍA DEL CAÑUELO y LUIS MARCELINO PEREIRA. En él colaboran los más ilustres representantes del pensamiento ilustrado. A causa de sus críticas antieclesiásticas y antinobiliarias, se ve perguido por la Inquisición. Continúa su labor *El corresponsal del Censor* de SANTOS MANUEL RUBÍN DE CELIS.

Los tonos de disidencia de *El censor* se trasladan a América. La crítica acerada contra el estado cultural y social prepara el camino de la insurgencia. En esa dirección actúan tres periódicos fundados en 1791: *Primicias de la cultura de Quito*, obra de FRANCISCO EUGENIO DE SANTA CRUZ Y ESPEJO (1747-1795); *El Mercurio peruano,* dirigido por JOSÉ HIPÓLITO UNANUE (1755-1833), donde colabora Pablo de Olavi-

de; y el *Papel periódico de Santa Fe de Bogotá*, del cubano
MANUEL DEL SOCORRO RODRÍGUEZ, que cuenta con colaboradores como Francisco Antonio Zea y el botánico José Celestino Mutis.

Posterior es el *Diario de México* (1805-1814), donde se
publican la *Carta a los españoles americanos* de Viscardo y
duras críticas al despotismo ilustrado.

Como puede verse en esta muestra, la prensa, sobre todo
en el último tercio del siglo XVIII, se convierte en la avanza-
dilla ideológica del racionalismo y el liberalismo. En América los ataques a la monarquía absoluta van ligados a los movimientos de independencia.

LA POLÉMICA SOBRE LA CIENCIA ESPAÑOLA. Considerable
repercusión tiene la virulenta polémica sobre la ciencia española que se suscita cuando en 1782 N. Masson de Morvi-
lliers publica en París, en la *Enciclopedia metódica* de Charles Panckoucke, un artículo titulado *Espagne*, en el que, tras
plantear la célebre pregunta «Pero... ¿qué se debe a España?», concluye que no ha aportado nada útil al desarrollo
científico y cultural de Europa, y critica la ociosidad e ignorancia del pueblo español.

JUAN PABLO FORNER (1756-1797) publica, por encargo
del conde de Floridablanca, una *Oración apologética por
España y su mérito literario* (1786) que no se limita a rebatir, en tono agresivo, las afirmaciones del francés y a hacer
un análisis histórico que pruebe la aportación española, sino
que arremete contra la ciencia extranjera y la filosofía de la
Ilustración.

Desde *El censor*, la minoría ilustrada contesta con artículos que ridiculizan la vieja escolástica que Forner opone al
racionalismo empírico de los nuevos tiempos. Entre esas réplicas se cuentan la irónica parodia *Oración apologética por
África y su mérito literario* y un cuentecillo alegórico de
LUIS MARÍA GARCÍA DEL CAÑUELO que lleva por título *La
congoja de no poder hacerme entender de aquellos bárbaros*
(1787). Forner se dedicará a rebatir estas y otras críticas.

320

Unos años más tarde, la crítica reformista se vuelve más radical y decididamente revolucionaria, como puede verse en la sarcástica *Oración apologética en defensa del estado floreciente de España* (1793?) de LEÓN DEL ARROYAL.

LA PROSA ACADÉMICA Y CIENTÍFICA. Existe una amplia literatura destinada al conocimiento y divulgación de la realidad física y cultural. Sin duda, lo más relevante fueron las expediciones científicas al Nuevo Mundo (La Condamine, Humboldt, Mutis...), a las que ya hemos aludido en 5.1. Esa tarea se completó con los esfuerzos para sintetizar la historia de las ciudades, regiones, virreinatos e incluso del conjunto de la América española. Además de la ya citada de Clavijero sobre México, contamos con *Llave del Nuevo Mundo* de JOSÉ MARTÍN FÉLIX DE ARRATE Y ACOSTA (La Habana, 1697-1766), completa crónica en torno a su ciudad natal; con el amplio *Diccionario geográfico-histórico de las Indias Occidentales o América* (1786-1789) de ANTONIO ALCEDO Y BEJARANO (Quito, 1736-Madrid, 1812); con la *Guía política, eclesiástica y militar del virreinato del Perú* (1793-1797) de JOSÉ HIPÓLITO UNANUE (Arica, 1755 - Lima, 1833), etc., etc.

En la metrópoli se desarrolla una prosa erudita entre cuyos representantes cabe señalar a GREGORIO MAYÁNS Y SISCAR (1699-1781), autor de la primera *Vida de Cervantes* (1737); al PADRE ENRIQUE FLÓREZ (1702-1773), autor de la monumental *España sagrada* (1747?), historia de la iglesia; o a TOMÁS ANTONIO SÁNCHEZ (1725-1802), editor de la literatura medieval española.

Más modesta que las expediciones americanas, pero de excelente resultado literario, fue la que emprendió ANTONIO PONZ (1725-1792), plasmada en el *Viaje de España* (1772-1794, 18 vols.). Su propósito era describir y catalogar los tesoros artísticos, pero la curiosidad ilustrada del viajero le llevó a interesarse por otros muchos aspectos: situación social, estado de los caminos y ventas, actividades agrícolas e industriales, costumbres e ideas de las gentes... Es, en suma, un espléndido fresco de la vida del siglo XVIII.

COSTUMBRISMO. La prensa tuvo especial interés en reflejar aspectos de la vida cotidiana de las ciudades a las que servía, casi siempre con un acento crítico y a veces caricaturesco.

En España destaca la obra de JOSÉ CLAVIJO Y FAJARDO, cuyos apuntes de costumbres anuncian los artículos de Larra.

Entre los muchos americanos que se ocuparon de su entorno inmediato, destacaremos al ecuatoriano FRANCISCO EUGENIO DE SANTA CRUZ Y ESPEJO. Puso en la picota la vida social de su ciudad en *El nuevo Luciano de Quito* o *Despertador de los ingenios quiteños, en nueve conversaciones eruditas para el estímulo de la literatura* (1779). Años más tarde, compensó sus mordaces sátiras con un elogioso *Discurso dirigido a la muy ilustre ciudad de Quito* (1786).

5.4. LA LITERATURA DRAMÁTICA

LA VIDA TEATRAL. Las diversas trabas que sufrió la actividad escénica (prohibiciones, censura), sobre todo a principios de siglo, no impidieron que se desarrollara vigorosamente, al compás del crecimiento económico y demográfico. Tenemos una falsa impresión de la pobreza del teatro dieciochesco inducida por la falta de una literatura dramática de calidad equiparable a la del siglo anterior. Se produjo, sin embargo, un notable desarrollo del arte escénico, principalmente en la segunda mitad del siglo. Los viejos corrales, víctimas muchas veces de los incendios, se trasformaron en salas a la italiana, coliseos cerrados que disponían de maquinaria, tramoya, decorados y luz artificial de candilejas.

Ese cambio se dio tanto en la península como en América. En Madrid, el corral de la Cruz se convirtió en coliseo en 1736 y el del Príncipe en 1744. En Lima hubo que reconstruir el viejo teatro en 1749 y en México se hizo lo propio en 1753.

Muchas de las grandes ciudades americanas, llamadas a ser las capitales de las futuras repúblicas, construyeron sus locales en el último tercio del siglo: La Habana (1776), Buenos Aires (1783), Caracas (1784), Montevideo y Bogotá (1793), Guatemala (1794), La Paz (1796), Santiago de Chile (1802)...

La creación de estas salas estables fue paralela a la lenta postergación del teatro religioso, circunscrito a las grandes festividades litúrgicas, y supuso también la paulatina absorción del teatro palaciego.

En este punto todos los territorios de la corona caminaron en la misma dirección y casi al unísono.

Esta época es también la del éxito popular de actrices y actores. Si en Lima se convierte en mito Micaela Vargas, *La Perricholi*, amante del virrey Manuel Amat, en la corte madrileña triunfan María Ladvenant; María del Rosario Fernández, *La Tirana*; María Antonia Fernández, *La Caramba*; Rita Luna...

El fervor popular por el arte escénico lleva a enfrentamientos entre los partidarios de distintos locales o actores, como ocurre en Madrid entre los «chorizos», afectos al teatro del Príncipe, y «los polacos», que prefieren el de la Cruz.

Se desarrolla el gusto por la ópera italiana, a la que se dedica en Madrid un teatro específico: el de los Caños del Peral, en un solar que más tarde ocupará el Teatro Real.

Y, además, hay una viva polémica intelectual entre los defensores del drama barroco y los que desean imponer la estética neoclásica. El debate opone, por un lado, las obras de Calderón y sus continuadores, considerados por algunos glorias nacionales, y los intentos ilustrados de adoptar las rígidas normas del clasicismo francés; por otro, se enfrentan un teatro popular (las comedias de magia, las piezas militares y de aventuras, todas caracterizadas por el aparato escénico) y los esfuerzos por crear un teatro oficial y elitista con pretensiones educativas y morales. La facción ilustrada goza de la protección del conde de Aranda en Madrid y de Olavide en Sevilla; pero sus proyectos no alcanzan a verse realizados más que ocasionalmente.

EL DRAMA POSBARROCO. En la primera mitad del siglo un amplio sector del público sigue prefiriendo las fórmulas de la etapa anterior, aunque se trata de un filón agotado después de la obra portentosa de Calderón. Faltan dramaturgos con capacidad creativa y originalidad. Para paliar esas deficiencias, se complica la intriga y se cargan las tintas en los recursos escénicos.

El más destacado representante es ANTONIO ZAMORA (Madrid, 1664?-1728), que, aunque carece de impulso renovador, domina la técnica teatral y la versificación. Escribe diversos tipos de comedias, pero su obra más célebre es *No hay deuda que no se pague y Convidado de piedra* (1722), versión personal del mito de don Juan.

En la América española el nombre más notable es PEDRO DE PERALTA Y BARNUEVO (Lima, 1664-1743). Cultiva el tema mitológico en la zarzuela *Triunfos de amor y poder* (1711), de compleja escenografía, próxima a la de los espectáculos palaciegos, y la comedia de enredo en *Afectos vencen finezas* (1720). La pieza que ha despertado mayor interés es *Rodoguna* (h. 1719), adaptación de la tragedia *Rodogune* (1645) de Corneille para ajustarla a los gustos barrocos.

ENTREMESES Y SAINETES. El reflejo de la vida popular se vaciará en los moldes tradicionales del teatro breve. Tanto el entremés como el sainete son piezas cortas que sirven para amenizar los descansos de la obra central y que muchas veces se convierten en lo más sabroso del espectáculo. El retrato de tipos y costumbres es simple y superficial, con un repertorio de gracias que se repiten, pero que arrancan indefectiblemente la risa del público.

En América esta veta popular la encarna el peruano FRAY FRANCISCO DEL CASTILLO ANDRACA (1716-1770), que responde al sobrenombre de «El ciego de la Merced». En la mejor tradición del género se sitúan los entremeses *El viejo y el niño* y *Justicia y litigantes*. Es autor también de una comedia histórico-legendaria, *Mitrídates, rey del Ponto*, y de *La conquista del Perú*, que se pone en escena en 1748 para celebrar la coronación de Fernando VI.

En España la plenitud del sainete está representada por RAMÓN DE LA CRUZ (Madrid, 1731-1794), que llega a convertirse en director de los teatros de la Cruz y el Príncipe. Su fecunda pluma le permite componer gran cantidad de piezas breves y otras extensas; entre ellas hay más de trescientos cincuenta sainetes. Parte de esa producción se publica en diez volúmenes entre 1786 y 1791.

El autor afirma que sus sainetes se inspiran directamente en la realidad. Presentan diversas modalidades. Posiblemente los más característicos son los de costumbres y ambientes madrileños: *El sarao* (1764), *El Prado por la noche* (1765), *La pradera de San Isidro* (1766), *El Rastro por la mañana* (1770), *Las castañeras picadas* (1787)... No menos chispeantes resultan los que se centran en la risueña y burlona observación de tipos populares: *El petimetre* (1764), *El fandango del candil* (1768)... También hay algunos que siguen de cerca la polémica literaria, como el *Manolo, tragedia para reír o sainete para llorar* (1769), divertida parodia de la tragedia neoclásica.

El teatro argentino nace con un sainete de ambiente rural, *El amor de la estanciera* (h. 1790), atribuido a JUAN BAUTISTA MACIEL. La levísima trama (la competencia amorosa entre un criollo y un portugués) da pie para siluetear el ambiente campesino de la época y para marcar algunos rasgos que revelan las actitudes autóctonas ante la presunción de los peninsulares:

> CANCHO. Mujer, aquestos de España
> son todos medio bellacos;
> más vale un paisano nuestro
> aunque tenga cuatro trapos.

También en México la expresión dramática de la vida popular se vale del sainete. JOSÉ AGUSTÍN DE CASTRO (1730-1814) compone *El charro* (1797), monólogo del campesino deslumbrado por la ciudad, y *Los remendones* (1801), un vivo diálogo entre miembros de las clases bajas urbanas.

LA TRAGEDIA NEOCLÁSICA. Es un intento frustrado de crear un teatro grave, trascendente, ejemplar, que se ciña a los preceptos seudoaristotélicos, en especial a las unidades de tiempo, lugar, acción y estilo. No bastó el favor de algunos ministros reformistas para que el público aceptara este tipo de obras. Fue un teatro de ensayo que se limitó a las cámaras palaciegas.

Se recrearon historias y leyendas bíblicas (*Jahel* de JUAN JOSÉ LÓPEZ DE SEDANO), clásicas (*Lucrecia* de NICOLÁS FERNÁNDEZ DE MORATÍN) y, sobre todo, españolas (*Pelayo* de JOVELLANOS, *Sancho García* de CADALSO, *Numancia destruida* de IGNACIO LÓPEZ DE AYALA). Con estas últimas se aspiraba a captar el favor de un público que había mostrado particular sensibilidad para las versiones dramáticas de su pasado heroico. Sin embargo, no se consiguió la deseada comunión entre auditorio y escena.

La única obra que sobresale dentro de la mediocridad del conjunto es *Raquel* (1772) de VICENTE GARCÍA DE LA HUERTA (Zafra, Badajoz, 1734-Madrid, 1787), que constituye el mayor acontecimiento teatral del siglo XVIII. Tiene una estructura perfectamente clásica que respeta las tres unidades. Toda ella está compuesta en romance endecasílabo. Trata de los trágicos amores de Alfonso VIII y una hermosa judía, cuya muerte procuran los nobles castellanos, que no están dispuestos a aceptar la cesión de poderes que el rey le ha hecho.

La pieza tiene una intención política clara: la denuncia del absolutismo y de sus acólitos ilustrados y la defensa de un régimen aristocrático en que los grandes de España tengan un papel de mayor relieve. Por eso sufre las iras de la censura que, antes de permitir su representación, exige que se corte cerca de una cuarta parte del texto. Por encima de esa tesis ideológica, el público apreciaría el patetismo sentimental de sus situaciones dramáticas, la dulzura de su versificación y las imágenes inspiradas en la tradición que va de Garcilaso a Lope de Vega.

En América tenemos un ensayo aislado de tragedia neoclásica: *Siripo* (1789) de MANUEL JOSÉ DE LAVARDÉN (Buenos Aires, 1754-h.1810), de la que solo se conservan fragmentos. Se inspira en un asunto autóctono: el rapto de Lucía Miranda por un cacique indio y la muerte de la heroína y de su esposo.

LEANDRO FERNÁNDEZ DE MORATÍN Y LA COMEDIA NEOCLÁSICA. También este género es un ensayo fallido de los escritores neoclásicos, más cercanos al libro y la especulación teórica que a las tablas.

Las primeras tentativas son poco afortunadas y faltas de proyección pública. A *La petimetra* (1762) de NICOLÁS FERNÁNDEZ DE MORATÍN siguen tres obras de TOMÁS DE IRIARTE: *Hacer que hacemos* (1770), *El señorito mimado* y *La señorita malcriada* (ambas de 1788), y una comedia lacrimosa (social y sentimental) de JOVELLANOS: *El delincuente honrado* (1774).

Sin embargo, a diferencia de la tragedia, cuenta con un dramaturgo capaz de encontrar una fórmula atractiva para el público: Leandro Fernández de Moratín. Crea una comedia de costumbres burguesas, con una discreta sátira social y abundantes toques sentimentales, que respeta, claro está, las tres unidades y busca por encima de todo la verosimilitud y el didactismo. Su triunfo es tardío y se prolongará en los primeros años del siglo XIX.

LEANDRO FERNÁNDEZ DE MORATÍN, hijo de Nicolás, nace en Madrid en 1760. Pertenece a la minoría ilustrada. Es un personaje tímido e introvertido. Mantiene una actitud distante e independiente que le permite juzgar a la sociedad de forma desapasionada. Su mentalidad progresista le lleva a apoyar la causa francesa, en la que ve una esperanza de renovación. Durante la guerra de 1808, se pone al lado de José Bonaparte; ocupa el cargo de bibliotecario mayor. Al ser expulsados los franceses, comienza para él una etapa muy difícil. Tiene que marcharse a Barcelona y, más tarde, a Francia. Muere en París en 1828.

El teatro es la faceta más interesante de su producción. Sus piezas persiguen una utilidad moral. El tema predilecto es la crítica irónica de la inautenticidad de la vida social, que se manifiesta sobre todo en la educación errónea que se da a los jóvenes, a quienes se les enseña a fingir y disimular. También son reprobables los matrimonios de interés, impuestos por los padres, que hacen infelices a los esposos. Moratín sabe combinar con acierto la vena sentimental y la sátira.

Solo escribe cinco comedias. *El viejo y la niña* y *El barón* tocan el tema del matrimonio interesado. *La mojigata* contrapone dos tipos femeninos: la hipócrita y la muchacha espontánea y auténtica; la primera es fruto de una educación excesivamente severa; la segunda, de unos criterios más razonables y abiertos. *La comedia nueva o el café*, en prosa, ridiculiza con dureza los disparatados dramas populares de finales del XVIII.

Su obra maestra es *El sí de las niñas*, que se estrena con un éxito sin precedentes en el teatro de la Cruz de Madrid en 1806; ya estaba escrita en 1801. Se mantuvo en escena veintiséis días consecutivos, una auténtica hazaña en la época. La trama es muy sencilla. Doña Irene dispone para su hija Francisca, que acaba de salir de un convento de monjas donde la han educado, un matrimonio ventajoso con don Diego, mucho mayor que ella. La joven, aunque no lo ama, no se atreve a decir nada porque le han enseñado a no ser sincera. En realidad, está enamorada de Carlos, sobrino y protegido de su pretendiente. Al final se descubre la verdad y don Diego renuncia a sus aspiraciones.

Como *La comedia nueva*, *El sí de las niñas* está escrita en prosa, frente a una larga tradición que solo concebía la expresión dramática en verso. El diálogo se desarrolla con sorprendente naturalidad; cada personaje queda caracterizado por su forma de hablar. La sujeción a las tres unidades no violenta la acción, sino que le da verosimilitud y contribuye a mantener un ritmo vivo y mesurado. Con ella se abre una nueva etapa en la escena española. La comedia moratiniana será el género por excelencia del teatro burgués.

EL TEATRO MUSICAL. Los espectáculos musicales, de gran lujo y aparatosidad, triunfan plenamente en el siglo XVIII. Llegan a España de la mano de las compañías italianas, que se adueñan de la escena. La primera compañía de ópera procedente de Italia se encuentra en Madrid en 1703, pero el género no alcanza estabilidad hasta 1719. Progresa notablemente en los años cuarenta, gracias a la protección de la reina Isabel de Farnesio. Se traducen al español muchas óperas italianas.

La zarzuela no era entonces el género popular que hoy conocemos, sino un espectáculo refinado y cortesano que protagonizaban héroes mitológicos. A finales de siglo fue adquiriendo el tono costumbrista que luego la caracterizó. RAMÓN DE LA CRUZ, el conocido sainetero, tuvo particular importancia en la conversión de las fiestas palaciegas en sainetes líricos: *Las segadoras de Vallecas, El filósofo aldeano...*

Junto a esto, hay que señalar el cultivo de la tonadilla, que empezó siendo una canción de ritmo y carácter popular y creció hasta convertirse en una minúscula pieza dramático-musical.

5.5. LA POESÍA

LA LÍRICA POSBARROCA. Lo mismo que en el teatro, hallamos una primera generación de poetas que aún miran los modelos del Barroco, en especial a Góngora y Quevedo, objeto de imitación servil. La veta quevedesca se ve prolongada en los sonetos morales de DIEGO DE TORRES VILLARROEL y en los poemas burlescos de EUGENIO GERARDO LOBO (Cuerva, Toledo, 1679-Barcelona, 1750), sobre todo en sus décimas *A don Luis de Narváez, su teniente coronel,* jocosa descripción de los pueblos en que tuvo que alojarse con su tropa durante un tiempo. Es una caricatura esperpéntica pero sin amargura: puro juego, una burla tan ingeniosa como despreocupada.

No faltan tampoco cultivadores de la poesía amorosa petrarquesca y de la fábula mitológica, como el CONDE DE TORREPALMA, autor de *Deucalión* (1770), en torno al mito ovidiano que narra el diluvio universal, y JOSÉ ANTONIO PORCEL Y SALABLANCA, con *Adonis* (1741) y *Alfeo y Aretusa*, en los que brilla una sensualidad poética atenta sobre todo a los efectos plásticos.

LA LÍRICA ILUSTRADA: ENTRE EL NEOCLASICISMO Y EL ROCOCÓ. Hasta el reinado de Carlos III no se cultiva con regularidad una poesía neoclásica con pretensiones morales y filosóficas que canta los ideales de la Ilustración. El vehículo expresivo son la canción pindárica y la oda horaciana. La primera se compone de largas y solemnes estancias, plagadas de alusiones mitológicas, que ensalzan los progresos obtenidos en el campo de la educación, las artes y la técnica y a sus impulsores. La segunda, aprendida en fray Luis, da cabida en sus liras a la reflexión religiosa y predica la filantropía dieciochesca Abundan los poemas de circunstancias y también los de carácter didáctico, fruto de una concepción utilitaria de la literatura.

Juegan un papel decisivo en el desarrollo de la poesía neoclásica los cenáculos y academias que se crean en algunas ciudades españolas, como la Academia del Buen Gusto o la famosa tertulia de la fonda de San Sebastián en Madrid.

Muy célebre es NICOLÁS FERNÁNDEZ DE MORATÍN (Madrid, 1737-1780), animador de la última de las tertulias citadas. Cultivó todos los géneros al uso, pero debe su fama a dos poemas de tema taurino brillantes y coloristas: *Fiesta de toros en Madrid*, en quintillas, y la oda pindárica *Canción a Pedro Romero, torero insigne*.

En Salamanca se desarrolla una brillante escuela poética. Elemento aglutinador del grupo es JOSÉ CADALSO, que se traslada a esta ciudad por razones de servicio e impulsa el cultivo de la poesía bucólica. Ejerce un influjo decisivo en el triunfo de un género característico del momento: la anacreóntica, que en versos cortos y con tono amable y desenfadado y un ingenuo bucolismo exalta los placeres epicúreos de la mesa, el vino y los amores. Responde a la búsqueda de la gracia y el tono menor propios del arte rococó. Tiene un cultivador de excepción en JUAN MELÉNDEZ VALDÉS (Ribera del Fresno, Badajoz, 1754-Montpellier, 1817), miembro destacado de la escuela salmantina, poeta de fina sensibilidad tendente a un epicureísmo dulzón y sensual. Buena muestra son poemas como *A Dorila, Los hoyitos, El amor mariposa, La flor del Zurguén...*

Como contrapunto a esta poesía delicada y sensual, señalaremos la inclinación de los ilustrados a los versos prostibularios e irreverentes que, como es lógico, no pueden publicarse en una época presidida por una rígida censura. A NICOLÁS FERNÁNDEZ DE MORATÍN se debe un jocoso poema didáctico titulado *El arte de las putas*, y a FÉLIX MARÍA DE SAMANIEGO unas divertidas fábulas procaces y anticlericales que se han reunido bajo el título de *El jardín de Venus*. Es otra cara íntima de la Ilustración.

LA POESÍA DIDÁCTICA. En perfecta consonancia con la intención educativa y moralizante que impera en la poesía dieciochesca está la fábula esópica, protagonizada por animales y con moraleja final. Tiene dos grandes cultivadores. FÉLIX MARÍA DE SAMANIEGO (Laguardia, Álava, 1745-1801) recoge lecciones de moral práctica, con un estilo tan claro y sencillo que cae en el prosaísmo. A él se deben recreaciones como *La lechera, La cigarra y la hormiga, La zorra y las uvas...*, que han formado a generaciones enteras de escolares. En cambio, TOMÁS DE IRIARTE (Puerto de la Cruz de Orotava, Tenerife, 1750-Madrid, 1791) compone fábulas de tema literario en las que defiende las reglas neoclásicas. A pesar de ello, el retrato de vicios y virtudes tiene un alcance más general. Muy conocidas son *El burro flautista, Los dos conejos...*

También se escribieron poemas extensos de carácter técnico y docente. Hoy sorprende que José de Viera y Clavijo pusiera su mejor empeño en meter en cláusulas métricas un tratado de química (*Los aires fijos*) o que Tomás de Iriarte hiciera lo propio con un curso de solfeo y estética musical (*La música*). Son, sin embargo, dos frutos representativos de una época y una peculiar concepción de la poesía.

Hacia el Romanticismo. A finales de siglo encontramos un grupo de poetas llamados prerrománticos que ocupan un espacio de transición. Se hallan ligados aún a los moldes dieciochescos, pero dos elementos los separan del mundo ordenado y optimista del Neoclasicismo: el gusto por lo sentimental y macabro, y la ideología abiertamente liberal que aflora en estos poemas escritos al calor de las revoluciones que se suceden en la transición del siglo XVIII al XIX.

Representativos de la poesía melancólica y efusiva que hemos dado en llamar prerromántica son Nicasio Álvarez Cienfuegos (*Mi paseo solitario en primavera, La escuela del sepulcro*) y Juan Nicasio Gallego (*A la muerte de la duquesa de Frías, El dos de mayo*). Quizá los mejores poemas, de corte neoclásico pero impregnados de la nueva sensibilidad, se los debemos a Leandro Fernández de Moratín, en especial *Elegía a las musas*, en que vuelve la mirada añorante y entristecida a una existencia, la suya, sacudida por los terribles avatares históricos de que ha sido testigo. También la epístola *A don Simón Rodríguez* rompe en los últimos momentos su factura neoclásica para dar paso a la nota sentimental y aludir al mundo de ultratumba. Además, en fechas anteriores, escribió poemas de circunstancias, sátiras y epístolas de inspiración horaciana.

El camino americano del Barroco al Neoclasicismo. La poesía hispanoamericana sigue una evolución paralela a la de la metrópoli. Más apegada en las primeras décadas a los modelos previos, acelera el paso a medida que se acerca el momento de la independencia.

Entre los numerosos epígonos barrocos, figuran los ecuatorianos JOSÉ OROZCO (1733-1786), autor del poema heroico *La conquista de Menorca*, y RAMÓN VIESCAS, con *Sueño sobre el sepulcro del Dante*; los mexicanos FRANCISCO RUIZ DE LEÓN (1683), que sigue las huellas de Góngora en *La Hernandía, triunfos de la fe y gloria de las armas españolas* (1755), y CAYETANO CABRERA Y QUINTERO († 1775), cuyo estilo culterano resplandece en *San Francisco predica a las aves...*

Es digna de destacarse la figura de JUAN BAUTISTA AGUIRRE (Daule, Ecuador, 1725-Tívoli, 1786), uno de los jesuitas expulsados, en quien se aprecia claramente la trayectoria que lleva de la poesía barroca, a cuyos temas y recursos se acoge, a la rococó. Dentro de su producción, no muy nutrida, sobresalen composiciones como *Rasgo épico a la concepción de Nuestra Señora, Canto a la rebeldía y caída de Luzbel y sus secuaces, Llanto de la naturaleza humana después de su caída por Adán...* Muestra aptitudes para la sátira quevedesca.

Entre el Rococó y el Neoclasicismo madura la poesía del franciscano FRAY JOSÉ MANUEL NAVARRETE (Zamora, México, 1768-1809), que anuncia también acentos prerrománticos; es, por tanto, claro exponente de la sucesión de tendencias diversas. Su obra aparece en el *Diario de México* entre 1806 y 1810. Alejandro Valdés la publica en 1823, bajo el título de *Entretenimientos poéticos*; se completa en 1929 con el volumen de inéditos que da a la luz la Sociedad de Bibliófilos Mexicanos. Al Rococó lo vinculan, sobre todo, sus anacreónticas y algunos sonetos amorosos; mientras que sus composiciones religiosas, morales y filosóficas se inscriben en la estética neoclásica. La veta sentimental se anuncia en *Noche* y *Ratos tristes*.

El Neoclasicismo, con sus principios racionalistas, llega tardíamente a la lírica hispanoamericana. Se adscriben a esta corriente algunos de los autores a que nos hemos referido al tratar de la prosa, como Alonso Carrió de la Vandera, Pablo de Olavide o Francisco Eugenio de Santa Cruz y Espejo.

Mayor relieve alcanza el argentino MANUEL JOSÉ DE LAVAR-DÉN. En su escasa producción destacan una *Sátira* (1786) contra la ciudad de Lima, contrapunto de la capital porteña, y la *Oda al Paraná* (1801), que recoge el sentir del pueblo hacia su río emblemático, sin perder de vista los aspectos utilitarios.

6

Siglo XIX

6.1. CONTEXTO HISTÓRICO Y CULTURAL

LAS GUERRAS NAPOLEÓNICAS Y LA INDEPENDENCIA AMERICANA. La crisis con que se cierra el siglo XVIII alcanza de lleno a la corona española en los primeros años del XIX, cuando se ve obligada a entrar en la confrontación que mantienen Francia e Inglaterra. En este contexto, se produce en 1806 el fracasado intento revolucionario de Francisco Miranda, que, con apoyo de la armada británica, desembarca en Coro (Venezuela) y es derrotado por las tropas realistas. Al año siguiente, los ingleses son rechazados en Buenos Aires, pero logran ocupar Montevideo. Para hacer frente a esta invasión, la audiencia de Buenos Aires asume el poder, que luego traspasa a Santiago de Liniers, confirmado como virrey del Río de la Plata.

En España es época de bandazos políticos, cuyo último episodio es la alianza con Napoleón, la ocupación de la península por un ejército francés destinado a tomar Portugal y la sublevación popular del 2 de mayo de 1808 contra los aliados considerados ahora invasores.

Tanto Carlos IV como su hijo Fernando VII, que había accedido al trono como consecuencia del motín de Aranjuez (17-19 de marzo de 1808), dejaron la corona en manos de Napoleón, que nombró rey de España a su hermano José. Esta abdicación solo fue aceptada por una minoría ilustrada, los «afrancesados». La mayor parte de los grupos con voz en los asuntos públicos la rechazaron y en América ni se planteó la posible legitimidad de ese gobierno.

Una cruel guerra, cuya barbarie inmortalizó Goya en sus lienzos y aguafuertes, enfrentó sobre el suelo peninsular los ejércitos británicos, mandados por Wellington, y los napoleónicos. Como peones de esta lucha, españoles de muy diversa ideología (liberales ilustrados, absolutistas, fanáticos religiosos) combatieron a las tropas francesas.

En medio de la contienda, se reunieron en Cádiz las cortes (1812). De allí salió una constitución liberal que legalizaba las aspiraciones básicas de la burguesía revolucionaria: igualdad ante la ley, libertad de comercio y de imprenta, abolición de la tortura, soberanía nacional, separación de poderes...

En América, el vacío en el vértice del estado fue ocasión para que germinaran las ideas independentistas, aunque este proceso resultó lento y sinuoso. Ante la ocupación napoleónica de la metrópoli, los territorios americanos organizaron sus propias juntas de gobierno y defensa, a imitación y con la misma legitimidad que las surgidas en España con idéntico fin. No se propuso inicialmente una ruptura sino una equiparación a las demás provincias hermanas en el rechazo del rey intruso. Hacia 1810 la América española se dividió entre los territorios que proclamaban su autonomía de la península, casi siempre con expreso reconocimiento de Fernando VII como rey, y los que se mantenían apegados al antiguo régimen colonial. *Grosso modo*, ya que sería impertinente seguir aquí los mil vaivenes de esta agitada época, puede decirse que en los primitivos virreinatos (Perú y México) triunfaron los partidarios de la dependencia, mientras en los más recientes (Río de la Plata y Nueva Granada) se hicieron con el poder los independentistas.

No podemos dejar de citar un episodio mítico en este confuso proceso: el *Grito de Dolores* (1810). Manuel Hidalgo, cura de esta ciudad mexicana, se subleva —una vez más— contra el mal gobierno, con las consabidas protestas de fidelidad a la corona encarnada en Fernando VII. El movimiento adquirirá enseguida aires revolucionarios y adoptará consignas independentistas. Esto alarmará a las clases biempensantes. Con su apoyo, las tropas realistas derrotan y fusilan a Hidalgo (1811) y, más tarde, a su discípulo y sucesor José María Morelos (1815).

LA REACCIÓN FERNANDINA Y LA DEFINITIVA DESINTEGRACIÓN DEL IMPERIO. El regreso al trono de Fernando VII (1814) acaba con los proyectos liberales de la constitución gaditana. Un golpe de estado reinstaura el absolutismo, que a esas alturas de la historia no tiene el sentido progresista que vimos en el siglo XVIII.

Como en la península, en América se intenta volver a la situación anterior a 1808. Largas guerras entre los realistas y los independentistas acaban por decantarse a favor de los últimos cuando en 1820 las tropas que han de partir desde España para reprimir los movimientos secesionistas se sublevan, al mando del coronel Riego, regresan a Madrid y reinstauran la constitución de Cádiz. Se inicia el Trienio Liberal, al que los absolutistas motejan como los «tres mal llamados años». En 1823, con la ayuda francesa (los «Cien mil hijos de San Luis»), Fernando VII restablece el absolutismo. Los liberales, sometidos a una durísima persecución, han de exiliarse.

En América fracasaron algunos bienintencionados esfuerzos para conjugar la independencia con el mantenimiento de una monarquía hispánica o diversas coronas emparentadas que garantizaran cuanto de benéfico pudieran tener las relaciones entre los territorios del imperio. Fernando VII, que confiaba ilusoriamente en recuperar el poder, se opuso tajantemente a esta posibilidad confederal; tampoco los liberales fueron muy proclives a esta salida que, probablemente, hubiera dado cierta estabilidad al conjunto y hubiera facilitado las relaciones entre los nuevos países hispánicos.

Los libertadores, en especial José de San Martín y Simón Bolívar, han ido cerrando el cerco en torno al virreinato de Perú, desde el que habían partido en 1814 los intentos de restauración monárquica al invadir Chile, independiente *de facto* desde 1810. La resistencia realista acaba con la batalla de Ayacucho (1824). En México la independencia se proclama en 1821. En el conjunto de Hispanoamérica el proceso está salpicado de mil guerras intestinas. Durante unos años alientan los proyectos de mantener unidos grandes territorios, más o menos coincidentes con los viejos virreinatos. México intenta incorporar Centroamérica. Se constituye la Gran Colombia (Colombia, Venezuela, Ecuador), Perú y Bolivia forman una confederación. Buenos Aires se esfuerza por mantener las Provincias Unidas del Río de la Plata que, en teoría, deberían incluir a Paraguay y Uruguay, independientes *de facto* desde 1813 y 1830, respectivamente.

En la década de 1830, todas estas unidades regionales se disuelven. En 1830 desaparece la Gran Colombia; en 1838 se disgregan las Provincias Unidas de Centroamérica; en 1839 la Confederación Peruano-Boliviana...

La nueva configuración territorial sigue el trazado de unidades menores que los virreinatos de la colonia. Las audiencias y las capitanías generales vienen a marcar la pauta de la segmentación del imperio.

La América independiente sufrió varios fenómenos que resultaron nefastos para la estabilidad y el desarrollo: la desintegración en dieciséis nuevos estados, muy desiguales y con permanentes conflictos de límites; los enfrentamientos entre unitarios y federalistas; las luchas entre liberales y conservadores (con el apoyo de la iglesia). Las constituciones se sucedieron a ritmos vertiginosos, se impusieron en la mayor parte de los casos y países sin el consenso necesario; el sistema presidencialista se convirtió en una forma de caudillismo y el golpe de estado, con conatos de guerra civil o con guerra civil abierta, fue la forma habitual de acceso al poder.

Para poner las cosas en su justa proporción, hay que recordar que este mecanismo no es exclusivo de Hispanoamérica. En España, son jefes militares, los «espadones», los que se suceden al frente del gobierno: Espartero, Narváez, O'Donnell... En Europa Central y en Francia los movimientos revolucionarios y los golpes de estado reaccionarios determinan la formación de los gobiernos.

Quizá la única excepción en el mundo de lengua española fue Chile, que fijó en 1833 una constitución conservadora que estuvo vigente hasta 1925, lo que no evitó etapas autoritarias.

Durante décadas, la monarquía española consideró ilegítimo el proceso emancipador. De acuerdo con esta doctrina, el reconocimiento de la independencia y, con él, el establecimiento de relaciones diplomáticas, culturales y comerciales, fue tardío y estuvo salpicado de conatos de resucitar violentamente las viejas prerrogativas sobre los nuevos países. En 1861 un ejército expedicionario español intervino, junto a Francia, en la política interna mexicana. En 1863-1866 España declaró la guerra a Chile y Perú y bombardeó ciudades costeras en una operación de prestigio que, vista en la perspectiva del tiempo, se nos revela absurda.

El proceso de independencia no alcanzó a las islas del Caribe: Cuba y Puerto Rico permanecieron junto a España, y Santo Domingo se incorporó fugazmente a la corona (1861-1865). Sin duda, la oligarquía isleña, partidaria del mantenimiento del sistema esclavista, creyó que sus intereses estarían mejor salvaguardados junto a la Madre Patria. Los movimientos emancipadores no llegarían hasta el último tercio del siglo con dos conflictos de gran envergadura: en 1868-1878 (guerra de los Diez Años) y en 1895-1898, con la intervención de los Estados Unidos y la segregación de los últimos territorios americanos.

LAS REFORMAS LIBERALES. La independencia, además de la separación de la metrópoli, implicaba, al menos en teoría, importantes reformas políticas y sociales, que se aplicaron lentamente y fueron unidas a conflictos y guerras civiles.

La implantación de una política y una economía liberales chocó con la dura realidad de la organización social. Desaparecieron los estamentos del antiguo régimen, pero no la división en castas, grupos sociales configurados en función de la raza, que se perpetúa hasta hoy.

Los historiadores discrepan frontalmente sobre si la independencia resultó beneficiosa o perjuicial para los indígenas. Cada cual hace sus cómputos según sus prejuicios. Algo parece claro: para el liberalismo modernizador, el sistema colectivista de las comunidades indias era una antigualla que debía erradicarse. Las tierras sobre las que vivían pasaron a ser propiedad del estado, que las vendió al mejor postor, es decir, a la misma oligarquía que había decretado la desamortización. Hubo intentos de suprimir los impuestos que gravaban a los indígenas en el antiguo regimen y librarlos de la adscripción feudal a la tierra; pero, abandonados a su suerte frente a la pujante burguesía terrateniente, su destino inexorable era volver a una situación no muy distante de la que se pretendía abolir. Con todo, en algunos casos excepcionales, indios y mestizos llegaron a ocupar puestos relevantes en la sociedad, incluso alcanzaron la jefatura del estado. Es el caso de Benito Juárez en México.

Pese a la retórica indigenista que florecía en algunas de las nuevas naciones, el indio quedaba al margen de los proyectos de construcción de la sociedad liberal. Era la *barbarie* que había de desaparecer ante la *civilización* soñada por los progresistas.

La abolición de la esclavitud, una de las premisas de los teóricos del independentismo, chocaba con los intereses de los criollos latifundistas; pero se fue materializando a lo largo del siglo. El caso más temprano fue Chile en 1823. Después vendrían Nueva Granada (1851), Ecuador (1852), Perú (1854)… A Puerto Rico, bajo dominio español, la abolición no llegó hasta 1873, y a Cuba hasta 1886, solo dos años antes de que se decretara en Brasil, el último país oficialmente esclavista.

El otro gran capítulo de la revolución liberal fue la desamortización de los bienes eclesiásticos y comunales. Temiendo esta iniciativa, la iglesia estuvo mayoritariamente al lado de los realistas. Una vez consumada la independencia, el proceso se llevó a cabo en varias fases. Paraguay fue pionero: en 1824 aprobó la *Ley de reforma de regulares*, que cerraba los conventos e incautaba sus bienes; dos años más tarde declara propiedad estatal amplios territorios del Chaco y de la Región Oriental. La desamortización estuvo en la raíz sociológica de conflictos de amplio calado, tanto en América (la guerra de la Reforma mexicana, 1857-1861), como en España (las guerras carlistas, 1833-1839, 1848-1849 y 1872-1876).

Las nuevas repúblicas quisieron conservar las regalías de la monarquía española frente a la iglesia. En 1824 la Gran Colombia establece la *Ley de patronazgo eclesiástico* con el objetivo de garantizar la supremacía del poder civil. En México el pontificado se resiste al derecho de presentación de obispos con tal tenacidad que en 1829 no quedará ninguno en el territorio.

Aunque derrotada, y en clara oposición al curso de la historia, la iglesia católica mantendría un extraordinario influjo social a lo largo de todo el siglo.

LA ESTABILIDAD CONSERVADORA. Hacia la mitad del siglo en la América hispana, con excepciones que ya se han señalado, disminuyó la inestabilidad y se inició un proceso de crecimiento que se sustentaba en la recuperación de la agricultura y la ganadería. Los monocultivos (azúcar, cacao, café...) y la cría extensiva de ganado bovino y ovino permitían la exportación hacia la nueva metrópoli comercial y financiera, e indirectamente política: Inglaterra.

El desarrollo industrial fue escaso; no existían los capitales necesarios y el establecimiento de las comunicaciones entre tan inmensos territorios resultó lento y difícil.

Curiosamente, el mayor crecimiento se produjo en la Cuba aún dependiente de España. La importancia económica del azúcar justificó que entre 1830 y 1850 se tendieran 500 kilómetros de ferrocarril, antes de que en la metrópoli se pusieran en funcionamiento los dos primeros y limitados tramos (Barcelona-Mataró, 1848, y Madrid-Aranjuez, 1851). En el resto del continente americano la mejora de las comunicaciones terrestres por medio del tren se dio a partir de 1870 y llevó aparejadas fuertes inversiones extranjeras con intereses en la producción de materias primas para la exportación. El desarrollo económico estuvo unido a esta dependencia del exterior, que la literatura refleja en multitud de ocasiones como fuente de conflictos y terribles injusticias.

La mayor estabilidad de los sistemas políticos hispanoamericanos posibilita una industrialización relativa y un crecimiento económico, debido en parte al flujo de capitales extranjeros. Es el momento en que Porfirio Díaz se hace fuerte en México y establece una dictadura presidencialista (1871-1911, con breves intervalos en que ejerce el poder por persona interpuesta); se acaban las revueltas caudillistas en Argentina (la última en 1874) y se produce el despegue económico; Chile ve fortalecida su posición tras las guerras con Perú...

Se inicia el ciclo de políticas muy favorables a la emigración. Gobiernos y parlamentos establecen las medidas para que gentes de todo el mundo, pero especialmente europeos (españoles, italianos, alemanes...), se incorporen para trabajar en la colonización de amplios territorios semisalvajes, de los que, en muchos casos, se despoja a las tribus indígenas. La llegada masiva de estos emigrantes «blanquea» la población de muchos países. Esta europeización biológica se compagina a la perfección con las doctrinas racistas defendidas por la vulgarización del positivismo.

EL CASO ESPAÑOL. Aunque las circunstancias, densidad de población y posibilidades económicas son muy otras, no difiere sustancialmente la evolución de la antigua metrópoli. Una etapa de agitación romántica marca el paso del reinado de Fernando VII (1814-1833) al de su hija Isabel II (1833-1868), con las guerras carlistas y encarnizadas luchas entre liberales progresistas y moderados. A partir de 1844 se alza con el poder una oligarquía burguesa conservadora que se mantiene durante largos periodos (1844-1854 y 1856-1868), con un breve intermedio progresista (1854-1856).

Una crisis económica provoca la revolución de 1868. Con esta se abre un periodo en que las fuerzas progresistas ensayan diversas formas de reajuste constitucional: monarquía de Amadeo de Saboya, I República y regencia del general Serrano. Probablemente, el error de sus dirigentes, al margen de la sempiterna falta de unidad, fue creer que existía un interés generalizado por desarrollar una sociedad liberal. En realidad, lo único que había tras el alzamiento era el hartazgo que provocaban entre la burguesía oligárquica ciertas veleidades excesivamente reaccionarias de los gobiernos moderados y de la camarilla regia.

La revolución del 68 se coció en su propia salsa y en 1874, con el retorno de la monarquía borbónica en la persona de Alfonso XII, se inició una nueva etapa de estabilidad conservadora: la Restauración (hasta 1931), que permitiría un amplio desarrollo económico, social y cultural. Este periodo, muy criticado por sus perversas formas de control político (el caciquismo) y sus irregularidades electorales («el pucherazo»), es también conocido como Edad de Plata, por el despegue de la universidad española y del arte, especialmente de la literatura.

La pervivencia de la unidad cultural. La lengua. Tras el proceso independentista, dadas la política de resistencia de la metrópoli a reconocer el nuevo *statu quo* y la propaganda antiespañola que se empleó para afirmar las nuevas nacionalidades, cabría esperar una desarticulación de la vida cultural hispánica. La realidad es, a menudo, más tozuda que los políticos e ideólogos. Ni las acciones más insensatas (leyes de expulsión de los españoles, como la de México de 1829; bombardeo del Callao por la armada española) lograron destruir los vínculos culturales entre las dos orillas del Atlántico. La lengua española se ha mantenido hasta hoy con una sorprendente unidad que garantiza, por encima de las decisiones coyunturales de los políticos, la cohesión de todos los pueblos hispánicos.

Algunos intelectuales (Juan Bautista Alberdi, Juan María Gutiérrez, Domingo Faustino Sarmiento) apostaron, más en la teoría que en la práctica, por que ese «vínculo fuerte y estrecho del idioma» se fuera aflojando. La admiración por los países avanzados de Europa (Francia, Inglaterra, más tarde Alemania) alentó en una exigua minoría la quimera de crear idiomas nacionales o una lengua hispanoamericana que se separara de la española. El curso de la historia demostró que eran fórmulas retóricas para expresar el sentimiento de independencia o para dar salida al enojo contra la política de la monarquía.

Durante el siglo XIX las mejores y más sensatas aportaciones para la conservación y esplendor de nuestra lengua se dieron en América. ANDRÉS BELLO (Caracas, 1781-Santiago de Chile, 1865) aplicó la racionalidad empírica al estudio del lenguaje en sus diversas facetas. Particular y justificado éxito acompañó a su *Gramática de la lengua castellana destinada al uso de los americanos* (1847), obra clásica en su género, que ha conocido ya una centena de ediciones. Su propósito fue mantener un purismo «no exagerado» que permitiera «ensanchar el lenguaje […] sin adulterarlo, sin viciar sus construcciones, sin hacer violencia a su genio», tal y como dejó dicho en un discurso de 1843. La finalidad de ese equilibrado purismo es contraria a la de los retóricos iconoclastas: evitar la disgregación de la lengua española. Desde su aparición, la *Gramática* de Bello ha sido guía para cuantos se han ocupado de este tipo de estudios y para los hablantes cultos en general.

Propuso también Bello una razonable reforma ortográfica que simplificara e hiciera más racional la académica y que garantizara la unidad de la lengua. Por eso defendió la supresión de la *h* (*ache*), la eliminación de la *u* muda de *qu* (*qeso*) o usar *q* en vez de *c* (*qosa*); pero mantuvo la distinción entre *s/z*, ya que, aunque minoritarios, la practicaban y siguen practicando millones de hablantes. Erróneamente, conservó también la oposición *b/v*, creyendo que existían hablantes que la mantenían. Esta reforma ortográfica nunca llegó a aplicarse. Solo algunos de sus aspectos se tuvieron en cuenta en Chile, hasta que en 1927 se reintegró plenamente a la ortografía académica.

Entre los muchos filólogos hispanoamericanos que siguieron la labor de Bello en su preocupación por la pureza, ensanchamiento y unidad de la lengua, destacan los eximios colombianos MIGUEL ANTONIO CARO (Bogotá, 1843-1909) y RUFINO JOSÉ CUERVO (Bogotá, 1844-París, 1911). Ambos coincidían en su fervorosa defensa de la comunidad lingüística hispanoamericana. Caro fue un divulgador de conceptos básicos en torno al lenguaje, como la necesidad de la norma y los modelos literarios para neutralizar «la acción disolvente del uso». Cuervo anotó cumplidamente la *Gramática* de Bello, con tal acierto que sus comentarios se han incorporado en casi todas las ediciones posteriores. Trabajó incansablemente en el ambicioso *Diccionario de construcción y régimen de la lengua castellana,* del que solo aparecieron en vida del autor los dos primeros tomos (1886 y 1893). En *Apuntaciones críticas sobre el lenguaje bogotano* ofreció sus ideas sobre lo que significa la lengua en la vida colectiva y su firme criterio, semejante al de Caro, de que «el uso respetable, general y actual» debe ser la pauta y guía para los hablantes del español en cualquier latitud o hemisferio.

Curiosamente, o no tan curiosamente, estas ideas, tachadas por algunos de academicistas, responden al sentir popular y han permitido que la comunicación siga viva y eficaz en la comunidad hispánica.

Las nuevas repúblicas, a pesar de los resentimientos con la antigua metrópoli, consideraron la lengua española elemento esencial de la nacionalidad. Durante los siglos anteriores la instrucción de los indios, confiada a la labor evangelizadora de las órdenes religiosas, se había realizado en las lenguas autóctonas. A partir de la independencia, el estado puso particular empeño en la extensión del español entre los indígenas. A veces, con medidas severas y que hoy parecen excesivas, como las adoptadas en Paraguay: prohibición del uso del guaraní en las escuelas y obligación de sustituir los apellidos indígenas por otros de raíz española. A pesar de tan radicales procedimientos, el guaraní siguió vivo y hoy es lengua oficial del país que lo proscribió.

345

En general, la política educativa consiguió la uniformidad lingüística que hoy se observa en Hispanoamérica, aunque perviven bolsas de población, en algunos casos muy importantes, que solo conocen sus lenguas originarias.

EL NEOCLASICISMO Y LA REVOLUCIÓN. Los movimientos históricos y los artísticos se mueven a compás, pero no siempre de forma rigurosamente sincronizada. No debe extrañarnos que el arte oficial de la Ilustración y del absolutismo sea el molde en que se expresan las emociones revolucionarias e independentistas.

El Neoclasicismo proyecta su sombra a lo largo de todo el primer tercio del siglo XIX, tanto en España como en el conjunto de Hispanoamérica. Muchos artistas e intelectuales de vida radicalmente romántica, marcada por las guerras, los exilios y la lucha contra la reacción fernandina, son, en cambio, practicantes y defensores del arte neoclásico, racionalista y pedagógico. Así, el liberal JOSÉ JOAQUÍN DE MORA (Cádiz, 1783-1864) arremete en 1814 contra las tesis de Schlegel en torno al teatro de Calderón, trasladadas a España por Nicolás Böhl de Faber. En ellas ve, no la estética que va a ser característica de la sociedad liberal emergente, sino el reaccionarismo político de quienes aparecen como sus abanderados.

Paradójicamente, los partidarios de las libertades cívicas se mantienen durante más de tres décadas enfrentados con los que proclaman el derecho del artista a librarse de los corsés seudoclásicos.

Los textos más representativos de la América independiente y de la España que se alza en armas contra Napoleón y adopta la consigna liberal, son canciones pindáricas, odas horacianas y tragedias respetuosas con las tres unidades. Eso sí, cada vez más, el fervor retórico revolucionario o el patetismo de la expresión va distanciando estas muestras de las de sus hermanos dieciochescos.

EL ROMANTICISMO: RASGOS RELEVANTES. Como hemos indicado en el capítulo anterior, elementos que retrospectiva-

346

mente consideramos propios del Romanticismo aparecen en la literatura europea desde mediados del XVIII. El irracionalismo sentimental crece en el seno del siglo racionalista por excelencia. Rousseau, uno de los primeros en usar la palabra *romántico*, había minado los sustentos teóricos de la Ilustración. En los últimos años del Siglo de las Luces, las connotaciones negativas de *romántico* (novelesco, irreal, fantástico, pintoresco...) van adquiriendo un valor positivo. Primero las literaturas germánicas (Inglaterra y Alemania), más tarde la francesa y, unas décadas después, la española y la italiana descubren cómo la nueva estética expresa cabalmente la sociedad que se está creando.

Victor Hugo en el prólogo de *Cromwell* (1827) mantiene que «el Romanticismo [...] no es más que el liberalismo en literatura». Con ello parece excluir la posibilidad de un arte romántico tradicionalista o absolutista; pero ya hemos visto cómo los introductores de esta corriente en España están bien lejos del espíritu revolucionario. Este es el caso de Böhl de Faber y de los editores catalanes del semanario *El europeo* (1823), Buenaventura Carlos Aribau y Ramón López Soler. El Romanticismo es, en efecto, el arte característico de la época de implantación del liberalismo; pero hay amplias corrientes liberales (todo el independentismo americano) ajenas a ese estilo. Además, el Romanticismo se abre en dos frentes contrapuestos de parecida importancia: uno liberal y otro reaccionario. Existe un *Romanticismo contemporáneo*, de barricada, comprometido en la lucha política, y otro, el *Romanticismo de las ruinas*, nostálgico, evasivo, encariñado con un pasado de tradiciones piadosas y sociedades patriarcales.

Aunque sean muchas veces contradictorios, no resulta difícil enumerar los rasgos dominantes del arte romántico. Sus propios partidarios se encargaron de definirlo a través de mil manifiestos. La creación es expresión de la subjetividad del artista y ha de presentar como marcas esenciales la sinceridad, la espontaneidad, la confusión del yo poético con el yo civil. Consecuencia de este principio es la primacía de la inspiración individual frente a la autoridad de las reglas. La obra aspira a ser singular (nunca hubo singularidades tan reiterativas), fruto del genio que el propio artista no puede controlar. Al desdeñar lo que hay de artesano en la obra de arte, no es raro encontrar piezas faltas de coherencia interna o inconclusas. El *fragmentarismo* no es un accidente, sino algo consustancial a la nueva estética.

Los esfuerzos para captar la realidad en su variedad y sus contradicciones determinan la superación de los moldes preexistentes (uso conjunto del verso y la prosa, polimetría, combinación de elementos líricos, narrativos y dramáticos) y la mezcla de lo excepcional y sublime con lo cotidiano y ridículo. La emoción patética se antepone a la persecución de la belleza.

El sentimiento nacionalista, exacerbado por las guerras napoleónicas y más tarde por la rebelión griega contra los turcos (1829), se alía con el fervor por el pasado. A la Edad Media van a buscar los poetas, si no las raíces, sí los símbolos del mundo en que viven. En esos siglos oscuros encuentran el ideal heroico que la vida moderna ha arrasado. Para los tradicionalistas, encarnan la sociedad impregnada por la piedad cristiana, vagamente colectivista y, en suma, ajena a la angustia que ha traído al mundo la revolución. Para los liberales, la Edad Media es un universo mítico en que el esfuerzo individual y la libertad aún no están constreñidos por las trabas que opone la sociedad actual. Para unos y otros, recrear los tiempos pretéricos significa forjar con la imaginación el reino de la libertad, dar vida a las quimeras del sueño.

Sin embargo, el mismo nacionalismo despertará el deseo de reflejar la realidad concreta y próxima, y permitirá el desarrollo del costumbrimo y las *fisiologías* (retratos y análisis de tipos y situaciones). Cuando el relato costumbrista cobre vuelo y amplitud y muestre las interacciones de las figuras, estaremos en el camino de la novela realista, tempranamente anunciada en la obra de Balzac.

El mismo sentido evasivo que señalábamos en la obsesión por el pasado histórico se encuentra en el exotismo y el orientalismo; el lujo, la sensualidad, el colorido son el antídoto frente a una realidad prosaica y burguesa, tejida de frustraciones.

La generación romántica o las generaciones románticas (ya que la cadencia cronológica no es la misma en todos los países) convierten en emblema de la nueva época el sentimiento trágico de la existencia. Las crisis históricas que efectivamente viven, y las que imaginan, dan como fruto envenenado la angustia. La libertad engendra la inseguridad y el miedo. Obras señeras de la revolución romántica como *Las cuitas del joven Werther* de Goethe enseñan el camino del suicidio, que se convierte en moda entre la grey literaria. En otros textos y autores la angustia engendra la melancolía, el deseo de disolverse en la naturaleza, el culto a la noche...

El placer del dolor (lo que más tarde se llamará masoquismo) es uno de los hallazgos estéticos del Romanticismo: la complacencia en lo macabro, lo nauseabundo, lo ultraterreno y terrorífico. El miedo, que siempre ha estado en las raíces de ciertas manifestaciones artísticas, se postula ahora como ingrediente nuclear de muchas obras genuinamente románticas. Edgar Allan Poe (1809-1849) es el primer genio universal del terror.

Este conjunto de tensiones anímicas tienen relación con la historia y la sociedad, pero trascienden las coordenadas de lo tangible. El desnortado idealismo, siempre frustrante, aloja en su seno un sentimiento de intensa religiosidad que unas veces busca el bálsamo de la piedad tradicional (la misericordia divina que acoge a los pecadores) y otras se vacía en el satanismo, la queja blasfema contra un mundo al que la providencia parece haber vuelto la espalda.

La consecuencia estética del satanismo es la forja de un arte expresionista que se complace en recrear lo que de monstruoso hay en el mundo. El ideal clásico de belleza pierde sentido para la sensibilidad que no busca formas en equilibrio sino conmociones anímicas.

El Romanticismo trae a primer plano la moral del rebelde, la lucha titánica contra los poderes superiores, la atracción de sucumbir frente a ellos. En el titanismo se amalgaman el deseo de íntima depuración a través del dolor y la lucha, la fe en el progreso que ha de dar al hombre el poder de los dioses y el anhelo de una libertad ilimitada que sacuda el yugo de la moral y afirme al individuo frente al mundo.

En suma, a pesar de las ocasionales caídas en la ingenua caricatura, el Romanticismo traía la sensibilidad del hombre moderno, de la que, en sustancia, nos nutrimos aún en los albores del siglo XXI.

EL ROMANTICISMO EN ESPAÑA E HISPANOAMÉRICA. El Romanticismo llega a España en fecha tardía. Hemos señalado anuncios durante el reinado de Fernando VII: los artículos de Böhl de Faber sobre Calderón y la publicación de *El europeo* en Barcelona. A estos podría añadirse la labor filológica de Agustín Durán, editor del romancero (1828-1832) y defensor del teatro del Siglo de Oro. Sin embargo, hasta la vuelta de los liberales exiliados en 1833, tras la muerte de Fernando VII, no hay creaciones románticas o no aparecen en público. En 1834 se estrena en Madrid *La conjuración de Venecia* de Francisco Martínez de la Rosa y un año más tarde *Don Álvaro o la fuerza del sino* del duque de Rivas. En fechas inmediatas se agolpan los dramas legendarios, las novelas históricas, las leyendas y canciones y el aluvión costumbrista, en los que se sustancia la literatura romántica española.

Hacia 1844 (estreno de *Don Juan Tenorio* de Zorrilla) se disuelve la capacidad creativa de la generación romántica. Han muerto muy jóvenes algunos de sus más eximios representantes (Larra, Espronceda); otros se han pasado con armas y bagajes al conservadurismo (el duque de Rivas) y los más, sencillamente, solo son capaces de repetirse.

Sin embargo, las marcas de estilo del Romanticismo, su retórica y sus preocupaciones ideológicas pervivirán a lo largo del siglo XIX. La burguesía conservadora de la segunda mitad verá complacida cómo la ópera recrea los tópicos forjados durante la revolución liberal.

A partir de 1850, en España se abrirá paso la novela de costumbres, hija de la época romántica pero anunciadora del Realismo.

El panorama hispanoamericano es mucho más complejo. La pervivencia de los moldes neoclásicos es más prolongada, pero conviene no olvidar que fray José Servando Teresa de Mier ha traducido *Atala* de Chateaubriand en 1801, el mismo año de su edición francesa. José María Heredia, a raíz de su paso por Estados Unidos (1823-1825), se familiariza con algunos de los modelos centrales de la poesía romántica (Ossián) y escribe el *Himno del desterrado*, en ritmos propios de esta escuela como es la octava aguda (decasílaba en este poema). En Argentina, muy abierta al contagio europeo, aparecen muestras de acabado romanticismo en fechas tempranas: *Elvira o la novia del Plata* (1832) de Esteban Echeverría.

Lo expuesto demuestra que en algunos casos el Romanticismo llega a Hispanoamérica en fechas anteriores y por vías que no pasan necesariamente por España. Sin embargo, en otros lugares no aflora sino como eco de las obras de Espronceda, el duque de Rivas, García Gutiérrez o Zorrilla. Y pervive hasta cerca de finales del siglo XIX, sin que la estética del Realismo llegue a reemplazarlo.

EL REALISMO Y SU ÉPOCA. La aspiración al realismo está presente en multitud de movimientos artísticos en Occidente. La mayor parte de las nuevas corrientes estéticas (hay algunas excepciones) se proponen captar con mayor fidelidad el mundo exterior y trasladarlo a la conciencia de los receptores. El Romanticismo, que ha pasado a nuestros manuales como la expresión arrebatada de la fantasía, tiene entre sus presupuestos el deseo de crear «una literatura nueva […] toda de verdad […] sin más maestros que la naturaleza», según dictaminó Mariano José de Larra. De ahí surge el Realismo por excelencia: el creado en Europa durante el siglo XIX: Flaubert, Eça de Queiroz, Zola, Tólstoy, Dostoievski, Pérez Galdós…

La aparición de esa tendencia coincide con la ocupación del poder por la burguesía y el abandono de los ideales revolucionarios que alentó a principios de siglo.

351

El Realismo está ligado al desarrollo del positivismo filosófico. Ambos renuncian a indagar en lo que pueda existir más allá de lo que perciben los sentidos. Ambos crean un método con el que se intenta depurar el discurso de adherencias personales y que en último término aspira a la objetividad. Sin embargo, en la creación literaria la absoluta objetividad es una pretensión imposible. El uso de la palabra implica siempre manejar los valores sociales y las connotaciones afectivas que son inherentes al lenguaje. El Realismo empeña sus mejores talentos en trasmitir a los lectores la impresión de que el autor no interviene en la ficción, de que el mundo creado por la palabra tiene sus leyes propias, semejantes a las de la realidad cotidiana.

La novela será el único género literario en que esos ideales encontrarán la posibilidad de materializarse. Sus dimensiones permiten reflejar un mundo complejo, presentar historias que, siendo artificiosamente unitarias y manteniendo una sólida estructura, aparezcan a los ojos del lector inocente como representación creíble y verosímil del caos que constituye el mundo exterior. En la novela los objetos y paisajes tienen cabida y constituyen un marco relevante para la acción de los personajes. El artificio del *narrador omnisciente*, que contradice las pretensiones de objetividad, trae a la narración todos los elementos con los que el lector cree tener ante sí la apariencia externa de la realidad, sus interioridades e incluso las especulaciones e hipótesis que constantemente elaboramos sobre la vida que nos rodea.

Frente a la novela, los demás géneros no consiguen una genuina expresión realista. El teatro se sustenta siempre sobre convenciones inexcusables: la manifiesta selección de los fenómenos que han de constituir la peripecia (las digresiones matan la tensión dramática); la representación, a pesar de la técnica de la cuarta pared, es siempre un juego en que el espectador no olvida, salvo casos de enajenación, que está ante una ficción; la realidad objetual tiene difícil cabida en el libreto dramático, a pesar del detalle de las acotaciones... Aun así, hay un excelente teatro realista, es decir, contagiado de algunos de los principios capitales de la novela: Henri Becque, Ibsen, Tólstoy, Chéjov…

Más difícil resulta pensar en una lírica o una épica realistas en sentido estricto. Son géneros en los que el estilo, la palabra que llama la atención sobre sí misma, es la clave creativa. Sin embargo, se puede hablar de una lírica realista, cuando menos por contraste con la de otras escuelas más atentas a lo subjetivo o a lo quimérico. En cualquier caso, aun desdeñando el calificativo de *realista* para la lírica, habrá que tratar de una poesía de la época del Realismo, más o menos contagiada de los ideales estéticos y filosóficos de su tiempo.

Los autores, y en especial los novelistas, de la segunda mitad del siglo XIX aspiran a reflejar la realidad contemporánea en toda su complejidad, a partir de datos tomados del natural. Descubren las inmensas posibilidades de la vida corriente. Dirigen su interés hacia el grupo social que mejor conocen ellos y el público lector: la clase media. Frente a la aristocracia parasitaria, se alza la figura del burgués progresista, enriquecido por su propio esfuerzo, que aspira a reformar las estructuras sociales. Este personaje contrasta muy a menudo con un sector ineficaz de la clase media o pequeña burguesía, que vive de apariencias en un eterno «quiero y no puedo».

La vida urbana simboliza el progreso frente al oscurantismo reaccionario de los medios rurales. Sin embargo, algunos autores cultivan una novela regional y vuelven sus ojos con nostalgia a los valores arcaicos cuya destrucción se avecina.

La acción está protagonizada por un cierto número de personajes que, igual que los seres de carne y hueso, tienen una psicología más o menos compleja que va evolucionando al compás de las circunstancias. A su lado aparecen cantidad de comparsas, caracterizados por un solo rasgo o un número muy limitado de ellos.

Sin duda, el mayor de los logros de la nueva novela es el hallazgo de un lenguaje que pretende —y en muchos casos lo consigue— ser puntual reflejo del habla real. El uso constante del diálogo es capital ya que rompe la monotonía de una

353

sola voz narradora y, sobre todo, permite un contacto más directo con los personajes.

EL NATURALISMO. Como prolongación y perfeccionamiento del Realismo, surge en Francia en los años sesenta y setenta la «novela experimental», representada por Émile Zola y los hermanos Goncourt. Aspiran a dar al relato el rigor que caracteriza a las ciencias. El novelista debe ser un paciente observador de la conducta humana como el naturalista lo es del mundo animal. Frente al idealismo romántico, ha de explicar las reacciones de los personajes como interacción de causas materiales, especialmente la herencia biológica y el medio social. Frente a la exaltación de la libertad del individuo, se impone un determinismo ambiental y fisiológico. El autor, convertido en un observador científico, no trata de embellecer la realidad. Al contrario, se complace en mostrar los aspectos que la buena sociedad considera morbosos, sombríos y repugnantes. Las enfermedades, los desarreglos fisiológicos, el instinto de conservación, el apetito sexual…, aliados a la educación y a las condiciones económicas en que se desarrolla la existencia, determinan el comportamiento. Estas obras están plagadas de enfermos, tarados, psicópatas, neuróticos y viciosos. A eso se añade la mugre y miseria que reinan en los ambientes bajos. El lenguaje está en consonancia con esa imagen degradada de la realidad; se vuelve más bronco y desgarrado e incluso soez. En teoría, las masas sociales deberían ser protagonistas únicas de la creación literaria, como para el naturalista lo son las razas y especies animales. En parte es así. Zola, por ejemplo, pretende dar la visión de un complejo proceso histórico a través de la vida de una familia francesa.

El resultado debería ser la pura objetividad científica; pero la literatura tiene también una herencia que la condiciona. El más acendrado Naturalismo no es capaz de prescindir de los elementos melodramáticos, que dan emoción al relato, ni de la prédica política, que le da sentido social.

La gran aportación del Naturalismo fue arrumbar cierta superficialidad idealista que lastraba muchas creaciones del

Realismo anterior, descubrir para la novela los condicionamientos que presionan sobre la vida humana; es decir, no limitarse a reflejar en el relato los objetos y circunstancias que
rodean la acción, sino evidenciar cómo el cuerpo con sus instintos y la superestructura social (educación, moral, propaganda, organización política, producción económica...) mol-
dean el comportamiento de los individuos y de las masas.

Esta lección no será cabalmente aprendida por sus inven-
tores (Zola, hoy, nos parece trasnochado por su desmesura
patética), sino por un conjunto de geniales recreadores, ya
citados, que supieron ahondar en la entraña de los personajes
y del medio en que viven gracias a los principios «científicos» que trae el Naturalismo. Tanto es así que podemos afirmar que no hay más novela realista, *sensu estricto*, que la
naturalista.

EL NATURALISMO EN EL MUNDO HISPÁNICO. En España los
principios del Naturalismo literario se discuten en la década
de 1880. Provocan un cambio trascendental en la concepción
de la novela, que gana en complejidad y se aleja del idealismo
y del relato de tesis. Será la irrupción de este movimiento el
que engendrará las obras maestras de la época: las «Novelas
contemporáneas» de Pérez Galdós y *La Regenta* de Clarín.

Siempre se ha dicho —y es verdad— que en España las
doctrinas zolescas se ven atenuadas por la religiosidad de la
mayor parte de los autores que van a practicarlas. Esta postura los aleja de la filosofía positivista y materialista en que
se sustenta el movimiento; se niegan a aceptar el determinismo ambiental y hereditario como principio inamovible. Ni
siquiera se someten a ello los narradores de creencias menos
firmes. Esta observación, que sería también exacta en el caso
de los narradores rusos, quizá no tenga el valor negativo que
comúnmente se le atribuye. Es precisamente la combinación
de la observación naturalista con el interés por las esferas del
sentimiento, la intimidad y, en definitiva, la espiritualidad lo
que engendra obras que se alejan de la truculencia y del maniqueísmo.

355

No fue tan afortunado el Naturalismo en su traslación a la América española. Probablemente porque al ejemplo de Zola no se le opuso una personalidad relevante capaz de trasformarlo y enriquecerlo.

LOS INICIOS DEL MODERNISMO. No aludiremos aquí al movimiento modernista, que se desarrolla entre siglos, aunque el azar, en forma de muerte temprana, determinara que algunos de sus mayores creadores (José Martí, Julián del Casal, Manuel Gutiérrez Nájera y José Asunción Silva, a los que cabría agregar el español Ángel Ganivet) no vieran las luces del nuevo siglo. Dejamos para el próximo capítulo su caracterización y estudio. Bástenos señalar en este momento que en las décadas finales del siglo XIX se encuentran, no en germen sino de forma plena, los rasgos estéticos (impresionismo expresivo, renovación de la imagen, experimentación métrica…) y filosóficos (simbolismo, irracionalismo, atención al mundo interior…) que son característicos del Modernismo.

6.2. LA POESÍA

6.2.1. EL NEOCLASICISMO REVOLUCIONARIO

Hubo representantes de esta tendencia a ambos lados del Atlántico. En España la figura más notable es MANUEL JOSÉ QUINTANA (Madrid, 1772-1857), famoso por sus odas filantrópicas: *A la invención de la imprenta, A la expedición española para propagar la vacuna en América bajo la dirección de don Francisco Balmis...*, y sus entusiastas poemas cívicos y patrióticos: *A Juan de Padilla, A Guzmán el Bueno, A España después de la revolución de marzo...* Asimismo destaca ALBERTO LISTA (Sevilla, 1775-1848), cuya extensa producción recoge todos los géneros dominantes en la época: poesía sagrada (*La concepción de Nuestra Señora*); lírica profana, dedicada a acontecimientos notables (*La victoria de Bailén, A la muerte de don Juan Meléndez Valdés*) o a la paráfrasis de Horacio (*Al sueño*); poesía filosófica, en la que expone su ideario (*La felicidad pública, El triunfo de la tolerancia*); poesía amorosa, en la que a veces la expresión de los estados afectivos se combina con la admonición moral (*La entrada del invierno, Los celos…*), romances, idilios, epigramas…

Discípulo de Quintana puede considerarse al ecuatoriano JOSÉ JOAQUÍN DE OLMEDO (1780-1847), exaltador de la lucha independentista. Su fama descansa sobre todo en el poema patriótico *La victoria de Junín. Canto a Bolívar* (1825), de aliento épico y tono solemne, donde enlaza el triunfo del inca Huaina Cápac con la gesta de Ayacucho, profetizada por él. *Al general Flores, vencedor en Miñarica* canta un episodio de la guerra civil. A esto se añaden una serie de poemas menores: versiones de Horacio, anacreónticas al estilo de Meléndez Valdés…

ANDRÉS BELLO, el eminente gramático y educador, es también poeta clasicista de inquietudes ilustradas. A los años venezolanos de su juventud pertenecen su poesía exaltadora de la ciencia (*A la vacuna*) y las recreaciones de tópicos clásicos (*A la nave*). En su etapa londinense, primero como diplomático y luego como exiliado, concibe la idea de crear un magno poema, *América*, del que solo aparecieron dos partes: *Alocución a la poesía* (1823) y *Silva a la agricultura de la zona tórrida* (1826). En la primera invita a la poesía a dejar la vieja Europa y dirigirse al Nuevo Mundo, donde reencontrará los paisajes arcádicos en que nació. La segunda evoca la naturaleza americana e incita a las naciones recién formadas a hacerla productiva en la paz que debería haber seguido a la independencia. El modelo elegido en esta ocasión son las *Geórgicas* virgilianas, perfectamente acordes con los principios fisiocráticos de la Ilustración.

Otro poeta cívico es el argentino JUAN CRUZ VARELA (1794-1839), que, tras una fase de inspiración neoclásica, canta el triunfo de Maipú (batalla en que el general San Martín libera a Chile), la liberación de Lima, un episodio de la guerra contra Brasil (*Canto a Ituzaingó*)… Desde su exilio en

Montevideo dirige un duro ataque a la dictadura de Rosas en *El 25 de mayo de 1838 en Buenos Aires*, cuyos acentos elegíacos abren paso a la sensibilidad romántica. Cultiva el género dramático en dos tragedias de corte clásico: *Dido* y *Argia*.

A esa misma etapa de transición pertenece JOSÉ MARÍA HEREDIA (Santiago de Cuba, 1803-México, 1839). Vivió gran parte de su vida en tierras mexicanas, primero tras los destinos de su padre, funcionario colonial, y a partir de 1823 como exiliado, perseguido por sus actividades en pro del liberalismo y la independencia.

Su poesía sigue los pasos del Neoclasicismo español. Cultiva la lírica erotica, artificiosa y sentimental a lo Meléndez Valdés (los versos inspirados por *Lesbia*) y las odas a lo Quintana: *España libre, Himno patriótico al restablecimiento de la constitución*, canto a Fernando VII, restaurador de las libertades (lo que no deja de ser una ironía de la historia), *El dos de mayo...*

Más fama le han dado los poemas de exaltación americana, donde bajo los ropajes neoclásicos se adivina la sensibilidad prerromántica e independentista. Es el caso de *En el teocalli de Cholula*, escrito en México en 1820. La contemplación de la pirámide azteca, en medio de un paisaje crepuscular, presidido por los majestuosos volcanes, da pie a una evocación del pasado teñida de melancolía.

En su peregrinar de exiliado reside un tiempo en Estados Unidos; allí traduce textos de Ossián y visita las cataratas, a las que dedica el celebrado poema *Al Niágara* (1824), en que la descripción extasiada de los fenómenos de la naturaleza se une al sentimiento nostálgico de la patria perdida.

6.2.2. LA POESÍA ROMÁNTICA EN ESPAÑA

El lento proceso de acercamiento al Romanticismo se da en los poetas peninsulares en condiciones muy similares a las que hemos señalado en José María Heredia. Por ejemplo, ÁN-

GEL DE SAAVEDRA (Córdoba, 1791-Madrid, 1865), más tarde DUQUE DE RIVAS, tiene una larga etapa neoclásica y conoce las nuevas corrientes estéticas durante el exilio en Londres o París en tiempos de la reacción fernandina. Al volver a España escribe poemas históricos de indudable sabor romántico: *El moro expósito* (1834), *Romances históricos* (1841).

JOSÉ DE ESPRONCEDA. El más representativo de los poetas románticos españoles nace en Almendralejo (Badajoz) en 1808, en el seno de una familia de buena posición. Vive en Madrid desde 1820. Con dieciséis años pertenece a la secta secreta y revolucionaria de *Los numantinos*. A causa de ello se ve obligado a marcharse a Lisboa y a Londres, donde conoce a Teresa Mancha; sus amores son un mito romántico cuyos perfiles reales están muy desdibujados. Recorre varios países europeos; participa en la revolución parisina de 1830. La amnistía que Fernando VII concede en 1832 le permite regresar a España. Sigue en el sector exaltado del liberalismo, avanzando hacia posturas republicanas. Llega a ser diputado. Muere repentinamente de una enfermedad en la garganta en 1842.

Su obra lírica es muy breve: unos cincuenta poemas. Circula en copias manuscritas, se difunde a través de lecturas públicas y se imprime en periódicos y revistas. En 1840 sus amigos publican un volumen titulado *Poesías*.

En sus años jóvenes escribe poemas que siguen las directrices del clasicismo dieciochesco. En el exilio entra en contacto con la nueva corriente romántica. Dentro de esta línea nos ha dejado abundantes composiciones, entre las que destacan dos fundamentales. *Himno al sol* es un poema de tono arrebatado y ampuloso en que el autor, como mortal efímero que es, canta su envidia y admiración por el astro rey, pero le advierte que también a él le llegará su fin. La *Canción del pirata* inicia la serie de composiciones en que exalta los comportamientos antisociales. El corsario fanfarrón, con su vida aventurera y llena de peligros, aparece a nuestros ojos como símbolo de la libertad, de una existencia plena, al margen de las cortapisas que todos sufrimos.

Menor interés tienen *El reo de muerte*, *El mendigo* y *El verdugo*, cuyos protagonistas son seres marginados que expresan su odio y su desdén hacia la sociedad. También compone poemas políticos, fiel reflejo de su liberalismo exaltado. El más célebre es *El dos de mayo*.

Ocupan un lugar de honor en su producción dos poemas extensos. *El estudiante de Salamanca* se publica en la prensa a partir de 1836. Funde dos viejas leyendas muy del gusto romántico: la del burlador y la del pecador que presencia su propio entierro. El protagonista es Félix de Montemar, un estudiante apuesto, cínico y pendenciero que abandona a Elvira, su enamorada, que muere de pena, y mata luego al hermano de ella, que va a pedirle cuentas. Culmina la obra con la escena en que Montemar, mientras está persiguiendo por la calle del Ataúd a una misteriosa tapada, ve pasar un entierro que dicen que es el suyo. Cuando, por fin, alcanza a la dama, esta resulta ser un espantoso espectro, el de Elvira, que lo besa y abraza. Félix muere tras esta boda macabra.

De este poema ha llamado la atención el manejo del tiempo narrativo: se inicia con la muerte del protagonista, que en el momento de su agonía vive fantasmagóricamente la aventura de sacrílego donjuán. La técnica de descomposición de la acción, elipsis, sugerencias imprecisas... anuncia formas del arte moderno. La polimetría y las escalas métricas acompañan al ritmo alucinado del argumento.

El estudiante de Salamanca es paradigma del Romanticismo en su novedad estructural, en sus abundantes descuidos expresivos (el genio no puede detenerse en la lima que exigen los preceptistas) y en la moral, más allá del bien y del mal, del protagonista, cínico, destructivo, encarnación de la rebelión titánica contra el orden humano y divino.

El diablo mundo (1840-1842) es un ambicioso poema simbólico inconcluso, del que se conservan casi seis mil versos polimétricos. Su protagonista es Adán, un anciano que por arte de magia ha recobrado la juventud. Sin conocer su identidad, se ve arrojado a un mundo donde «andar desnudo es ser ya delincuente». Asistimos al proceso por el que la sociedad pervierte su inocencia y lo conduce a la marginalidad. La acción se sitúa en el Madrid contemporáneo (la cárcel, la taberna del Avapiés, el palacio al que acuden a robar los compañeros de Adán). Más que ante un poema épico, estamos ante una extraña novela en verso, de estructura abierta, en la que el hilo narrativo se ve interrumpido por las reflexiones y comentarios del autor.

La variedad de tonos, violentamente contrastados, marca el sentido del texto. Pasajes patéticos, sentimentales, simbólicos o trascendentes se alternan con apostillas burlescas, parodias de los tópicos literarios y morales, situaciones grotescas, pasajes humorísticos e irónicos, alusiones a la vida cotidiana del Madrid de «este siglo que llaman positivo», referencias a acontecimientos de actualidad... Las oscilaciones estilísticas (desde la exaltación al extrañamiento cómico, desde lo lírico a lo prosaico y vulgar) convierten al poema en la más original creación de nuestra literatura romántica.

En el canto II, sin que guarde relación alguna con el resto del poema, Espronceda incluye el *Canto a Teresa*, en el que, en tono patético, llora la amarga muerte de su amada que pone fin a una vida llena de sinsabores y fracasos. El desbordamiento expresivo, la gesticulación teatral y el sarcasmo sacrílego dan su peculiar tono a esta elegía amorosa.

Espronceda también rindió culto a la moda de la novela histórica con *Sancho Saldaña o El castellano de Cuéllar* (1834), un extenso y trágico relato rico en peripecias, en torno a la figura del violento protagonista que, por conseguir el amor de Leonor, es capaz de las mayores atrocidades.

Cultivó el teatro de forma ocasional. Solo nos ha dejado tres piezas. La más valiosa es *Blanca de Borbón*, que dramatiza el asesinato de la joven reina a manos de su marido, Pedro I el Cruel.

OTROS POETAS. Junto a Espronceda, destacan poetas como el padre JUAN AROLAS (Barcelona, 1805-Valencia, 1849), autor de unas *Poesías caballerescas y orientales* (1840), coloristas, sensuales, a veces de encendido erotismo.

361

ENRIQUE GIL CARRASCO (1815-1840) cultivó una poesía melancólica, lenta, de matices crepusculares: *Una gota de rocío, La violeta, La caída de las hojas...*

JOSÉ ZORRILLA (1817-1893) fue, además de dramaturgo (véase 6.3.2), fácil y prolífico poeta, que alcanzó la celebridad al leer una patética elegía en el entierro de Larra: «Ese vago clamor que puebla el viento...». Escribió piezas líricas de acento romántico (*A un torreón, Desde el mirador de la sultana...*) y, más tarde, de aires prosaicos y realistas: «Somos dos millones de españoles / que no sabemos leer. ¡Dato inaudito!» (*La ignorancia*). Lo más celebrado de su producción son las leyendas. El verso fácil, las descripciones ágiles y certeras, el colorido se ponen al servicio de la tradición piadosa y milagrera (*A buen juez, mejor testigo, Margarita la tornera*) o de la recreación del pasado histórico (*El montero de Espinosa, Las justicias del rey don Pedro*), de los mitos titánicos, con arrepentimiento y conversión final (*El capitán Montoya*), o del orientalismo nazarí (*Granada*).

6.2.3. LA POESÍA ROMÁNTICA HISPANOAMERICANA

LOS PROSCRITOS. Los opositores activos a la dictadura de Juan Manuel Rosas (1835-1852), conocidos en la historia literaria como el «Grupo de los proscritos», dieron un impulso considerable al nuevo movimiento. Probablemente el primer poeta romántico en lengua española es uno de ellos: ESTEBAN ECHEVERRÍA (Buenos Aires, 1805-1851). Tras su estancia en París (1826-1830) como becario, escribe *Elvira o la novia del Plata* (1832), poema de casi setecientos versos que trata de unos amores trágicos. El reconocimiento le llega con *Los consuelos* (1834), libro típicamente romántico, rebosante de melancolía, con reminiscencias de Lamartine. Su obra cumbre es *Rimas* (1837), de la que forma parte *La cautiva*, poema en nueve cantos que despertó gran entusiasmo; combina la trágica historia de dos amantes, perdidos en el desierto, con la descripción del paisaje de la Pampa. Es un texto emblemático en el que se exalta el espíritu nacional argentino, ligado a una naturaleza salvaje.

Su militancia política le lleva a escribir una singular novela, *El matadero* (véase 6.4.3) y le obliga al exilio desde 1841 a 1851. En Montevideo compone nuevos poemas extensos y ambiciosos (*La guitarra*, 1849, y *El ángel caído*, ed. póstuma) y otros de carácter político (*Avellaneda, Insurrección del Sud*).

JOSÉ MÁRMOL (1817-1871) pasa a convertirse en la voz de los proscritos cuando en 1843 dedica al dictador el poema *A Rosas*. Sus versos se reúnen en *Cantos del peregrino* (1847), nacidos a raíz del accidentado viaje a Brasil y Chile que emprende en 1844, bajo el influjo de lord Byron, Espronceda y Zorrilla, y en *Armonías* (1851), de encendido tono patriótico, donde prodiga los denuestos contra el dictador.

Junto a Echeverría y Mármol, cabe destacar a JUAN MARÍA GUTIÉRREZ (1809-1878), que ofrece en *Poesías* (1869) una obra muy ligada a su circunstancia histórico-política y a la realidad americana, y al general BARTOLOMÉ MITRE (1821-1906), que reúne en el volumen *Rimas* (1854) sus versos de carácter patriótico, pertenecientes a la etapa de juventud.

EL ROMANTICISMO EN OTRAS LATITUDES. Todo indica que el resto de América recibe el influjo romántico con cierto retraso, ya en la segunda mitad del siglo. Sin embargo, hay excepciones notables. El mexicano FERNANDO CALDERÓN (1809-1845), amigo de Heredia, sigue a Espronceda, cuya huella es evidente en su poesía de carácter cívico: *El soldado de la libertad, La vuelta del desterrado*. El también mexicano IGNACIO RODRÍGUEZ GALVÁN (1816-1842) es autor de *Profecía de Guatimoc*, poema extenso que constituye una de las cimas de esta corriente en su país. El uruguayo ADOLFO BERRO (1819-1841), discípulo de Echeverría, compone poemas que exaltan las figuras desdeñadas por la sociedad: *La ramera, El mendigo, El esclavo...*

LA LÍRICA ROMÁNTICA EN CUBA. GERTRUDIS GÓMEZ DE AVELLANEDA. La isla de Cuba tuvo un temprano Romanticismo, dentro del contexto hispánico, probablemente debido a su dependencia de la metrópoli y a la riqueza procedente del azúcar, que permitió el despliegue de la vida cultural. Figuras de esos albores son el mulato GABRIEL DE LA CONCEPCIÓN VALDÉS, «PLÁCIDO» (1809-1844), poeta fácil, creador de ágiles romances (*Jicotencal*), de letrillas, sonetos y leyendas de aire caballeresco (*El hijo de maldición*), y JOSÉ JACINTO MILANÉS (1814-1863), que evolucionó desde una poesía delicada y melancólica, de reminiscencias rococó, a la exaltación de tipos marginales: *El verdugo, La ramera, El reo de muerte*... Entre una y otra ha mediado el ejemplo de Espronceda. Compuso también leyendas piadosas al modo de Zorrilla: *La promesa del bandido*.

GERTRUDIS GÓMEZ DE AVELLANEDA (Puerto Príncipe, 1814-Madrid, 1873) es la figura más conocida del Romanticismo cubano. Vive la mayor parte de su vida adulta en España, adonde se traslada en 1836. Cultiva la lírica, la novela y el teatro. En 1841 publica sus *Poesías* y reúne sus *Obras literarias dramáticas y poéticas* entre 1866 y 1871.

Su lírica se caracteriza por el tono apasionado y vehemente y por la inmediatez con que traslada su agitada vida sentimental a los versos. En dos poemas titulados *A él* recrea con aire fatalista sus amores con Ignacio Cepeda, uno en el momento de plenitud y otro en el desencanto de la ruptura. A la poetisa le gusta exhibirse en lucha consigo misma, arrastrada por la fuerza del amor indomeñable, como se puede ver en *Amor y orgullo*. La muerte de su primer marido le ofrece la ocasión de recrear su dolor en dos elegías, una patética y grandilocuente, otra más serena que busca el consuelo de la religión.

Junto al amor humano, el de Dios es el otro gran tema: *Dedicatoria de la lira a Dios, Dios y el hombre*...

Versificadora fácil, escribe numerosos poemas de circunstancias, unas literarias (*A la muerte del joven y distinguido poeta don José de Espronceda*), otras personales (*Al partir [de Cuba], La vuelta a la patria*), otras políticas (*Hermanos como españoles*, para celebrar el final de la guerra carlista).

El estilo de Gómez de Avellaneda tiende a la grandilo-cuencia, al abuso de los signos de admiración, a las interro-gaciones retóricas... Es fiel reflejo de un talante y de una época. La crítica ha llamado la atención sobre la variedad métrica, las innovaciones versificatorias, el ágil manejo de la polimetría, en lo que se ha visto un anuncio de la renovación modernista.

6.2.4. LA POESÍA GAUCHESCA. JOSÉ HERNÁNDEZ

A lo largo del siglo XIX se desarrolla en la cuenca del Plata un tipo de poesía exaltadora de la figura del gaucho, campesino nómada, habitante de la Pampa, excelente jinete, duro soldado primero en la lucha contra los ingleses durante la etapa virreinal, más tarde en las guerras de la independen-cia y por último en las contiendas políticas de las nuevas re-públicas. El gaucho, de vida irregular y agitada, a veces pró-xima a la delincuencia, se convierte pronto en símbolo de las naciones emergentes y encarnación de la edad heroica, de la sabiduría popular, del genuino sentido de la vida y el arte. Se cruza con el *payador* o cantor, poeta de improviso que se acompaña de su guitarra y que a menudo crea en diálogo y competencia con otro.

La poesía gauchesca, aunque esencialmente narrativa, contiene en sí todos los géneros, pues desde los primeros tiempos recurre al diálogo dramático, incluye excursos líri-cos y descriptivos y no carece de pasajes sentenciosos que expresan una elemental y sana filosofía moral.

La lengua mayoritariamente empleada refleja los usos populares del grupo social que protagoniza los poemas. Hay en los textos abundantes arcaísmos, localismos y tecnicismos agrícolas y ganaderos de la zona, así como contracciones, al-teraciones fonéticas, anacolutos... Existe, sin embargo, una variante de relieve en razón de la lengua empleada. La crítica viene considerando como genuina poesía gauchesca la escrita en el habla dialectal y vulgar. En ella oímos directamente las voces de los héroes. Existe, no obstante, una poesía de materia gauchesca que emplea el español normativo, con los vocablos locales precisos para marcar la idiosincrasia de los personajes y el medio en que se desarrolla la acción.

Las formas métricas usadas en ambos casos son las tradicionales en Hispanoamérica: décimas, redondillas, romances, sextillas..., prácticamente siempre en verso octosilábico.

Se han buscado las raíces de la poesía gauchesca en tiempos de la colonia en un poema menor de JUAN BALTASAR MAZIEL (1727-1788), titulado significativamente *Canta un guaso en estilo campestre los triunfos del excelentísimo señor don Pedro de Cevallos*. Ya en la república, siguió el poema *Corro*, hoy perdido, del argentino JUAN GUALBERTO GODOY (1793-1864) y los del uruguayo BARTOLOMÉ HIDALGO (1788-1822), en cuyos *Cielitos* (nombre tomado de un baile de moda) y *Diálogos*, compuestos en 1811-1818 y 1821-1822, respectivamente, se erige en protagonista la legendaria figura que da vida a esta modalidad literaria. Hidalgo utiliza sus versos en favor de la causa independentista y para dar consejos cívicos a las nuevas repúblicas.

La misma finalidad política, pero aplicada a las guerras civiles argentinas, tiene la obra de HILARIO ASCASUBI (Córdoba, 1807-Buenos Aires, 1875). Enemigo de Rosas, exiliado, escribe contra el dictador dos poemas gauchescos reunidos en *Paulino Lucero* (editado en 1853). Más tarde, contra Urquiza, que había derrotado a Rosas en la batalla de Caseros, compone *Aniceto el Gallo* (impreso en 1872). Por último, *Santos Vega o Los mellizos de la flor* (1850; segunda redacción, 1872) es una mitificación del gaucho a través de dos hermanos que simbolizan lo malo y lo bueno de la vida.

Las formas popularizantes fijadas por Hidalgo resurgen en las décadas de 1860 y 1870. ESTANISLAO DEL CAMPO (Buenos Aires, 1834-1880), militar y político, además de otras obras, publicadas en *Poesías* (1870), compone el curioso poema *Fausto. Impresiones del gaucho Anastasio el Pollo en la representación de esta ópera* (1866). Como apunta el título, oímos las impresiones de un campesino ante un drama lírico de Gounod, en diálogo con su aparcero. Las peripecias teatrales cobran nueva vida y sentido al contemplarse desde una perspectiva más ingenua y también más atenta a la plasticidad de las situaciones.

El sentido político y social reaparece en la obra de ANTONIO LUSSICH (Montevideo, 1848-1928). Participa en la sublevación de Timoteo Aparicio y en esa etapa militar conoce de cerca a los protagonistas de sus poemas. Tras la firma de la paz, escribe *Los tres gauchos orientales* (1872), en que tres excombatientes debaten sobre el resultado del armisticio. Poco después aparece *El matrero Luciano Santos* (1873). El ciclo se cierra con *Cantalicio Quirós y Miterio Campos en un baile del Club Uruguay*. La decisión de cultivar la poesía gauchesca nace en Lussich, según confesión propia, de una conversación con José Hernández, lo que ha dado origen a una polémica sobre los influjos mutuos. Todo indica que los dos autores se inclinaron por este género en las mismas fechas y crearon sus obras simultáneamente.

JOSÉ HERNÁNDEZ. Nació en San Martín (provincia de Buenos Aires) en 1834. Conoció directamente a los gauchos que habían de protagonizar sus versos y trabajó en las labores agrícolas y ganaderas en la estancia que regentaba su padre.

Participó en las guerras civiles, primero al lado de Rosas y más tarde de Urquiza, siempre a favor de la causa confederada. Derrotados los suyos sucesivamente en Rincón de San Gregorio (1853), Pavón (1863) y Naembé (1870), se vio obligado a exiliarse en Brasil. Al volver a su patria, escribió su obra inmortal, *Martín Fierro*, y llegó a ser diputado y senador. Murió en 1886.

José Hernández estuvo enfrente de la minoría intelectual de su tiempo. Combatió a Sarmiento y más tarde a Mitre. En los programas de ambos, proclives a la modernización del campo y a la emigración, el gaucho quedaba marginado. Desde los periódicos en que colaboró (*El nacional argentino*, *El argentino* y *El Río de la Plata*) atacó las leyes que perjudicaban a los campesinos autóctonos.

A este propósito responde *El gaucho Martín Fierro*, uno de los más famosos poemas de la lengua española.

La primera parte (1872), con veintitrés cantos, llamada comúnmente «La ida», cuenta la evolución del héroe, modesto propietario de un rancho, hasta hacerse forajido. La causa está en una de las leyes contra las que luchó Hernández: Martín Fierro es reclutado a la fuerza para combatir en la frontera. Al cabo de tres años, deserta; pero, al volver, su casa ya no existe, su familia se ha dispersado. El protagonista se convierte en un matrero o forajido. Mata en una reyerta a un negro. Se ve perseguido. Cae en una emboscada, pero logra huir en compañía del sargento Cruz, que ha comprendido sus razones. Ambos se exilian a tierra de indios.

La vuelta de Martín Fierro (1879) constituye la segunda parte del poema. Se escribió a impulsos de la demanda popular, entusiasmada con «La ida». Narra las aventuras de Fierro y Cruz entre los indios. Allí muere el sargento y el gaucho escapa y regresa a la civilización. Se reencuentra con sus hijos y con el hijo de Cruz, que relatan sus peripecias. Topa también con un hermano del moreno al que mató en «La ida». El enfrentamiento se resuelve en una payada o competencia poética. Tras los consejos a sus hijos, se separan.

Hernández se propone dejar de lado el pintoresquismo que venía acompañando a la figura del gaucho, para profundizar en su manera de sentir, de pensar y de expresarse, con todos los arranques de su altivez, inmoderados hasta el crimen, y con todos los impulsos y arrebatos, hijos de una naturaleza que la educación no ha pulido y suavizado. Su obra implica una toma de conciencia social y ofrece una visión amarga de la vida. Alza su grito de protesta a través de este tipo paradigmático, objeto de idealización poética, al que la injusticia y los abusos obligan a rebelarse contra el orden establecido y a situarse en la marginalidad. Frente a la violencia, se defiende un ideal pacifista, que hunde sus raíces en los valores espirituales del medio rural. En el grandioso marco de la Pampa, es un canto elegíaco a un mundo condenado a desaparecer.

En *La vuelta...* se aprecian cambios sustanciales. Asistimos al retorno del protagonista a la civilización, después de su dura experiencia con los indios. El retrato de la barbarie de los indígenas, en los que los fugitivos esperaban encontrar más humanidad, guarda relación con las campañas de exterminio que en ese mismo año emprendía el general y más tarde presidente Julio Roca.

Frente a la tentación de la libertad, *La vuelta...* supone el reconocimiento por parte del gaucho (en cuya voz oímos la del poeta) de la necesidad de aceptar un orden social. Si en la primera parte dominaba la acción y la enérgica denuncia, aquí se deja paso a la reflexión; la explícita intención didáctica rebaja la viveza y espontaneidad del relato.

El *Martín Fierro*, elevado por algunos a la categoría de gesta nacional, es una obra de acentos épicos, pero que no puede considerarse propiamente una epopeya. Está muy apegada a la vida real y se ajusta a los dictados del realismo-naturalismo y su concepción determinista. El habla gauchesca, con su léxico y fonología peculiares, adquiere dignidad literaria. Hernández no se limita a imitar mecánicamente ese lenguaje, sino que lo hace propio y le confiere una extraordinaria riqueza expresiva, dentro de una absoluta coherencia estilística. Se hace eco de la tendencia popular a lo sentencioso y prodiga con acierto imágenes y metáforas vinculadas al mundo que recrea.

EPÍGONOS. LA MATERIA GAUCHESCA EN LA POESÍA CULTA. El éxito del *Martín Fierro* convirtió la materia gauchesca en bien mostrenco, que recogió la poesía menor recreadora de motivos criollos (el mate, el asado, el palenque...). Tuvo como cauce algunas revistas porteñas (*La nativa*) o montevideanas (*El fogón*). Ya en el siglo XX, el español JOSÉ ANTONIO TRELLES, conocido con el apodo de EL VIEJO PANCHO (1857-1924), escribió el postrer poema de esta serie: *Paja brava* (1915).

Poco antes la materia gauchesca había pasado a integrar la literatura culta, gracias a la pluma de dos destacados miembros de la aristocracia porteña. Ricardo Gutiérrez (Arrecifes, 1836-Buenos Aires, 1896) publicó *La fibra salvaje* (1860) y *Lázaro* (1869), dos poemas extensos que convierten en héroes románticos a los gauchos terruñeros. Más se acercó al símbolo nacional Rafael Obligado (Buenos Aires, 1851-1930). En sus *Poesías* (1835) incluyó versos inspirados en el ambiente rural que, como hijo de un rico hacendado, conoció de niño: *El hogar paterno, Al Paraná, La vuelta de Obligado*... En el mismo año apareció como folleto *Santos Vega*, en tres cantos, al que añadió un cuarto, *La muerte del payador*, en 1906. Es un poema evocativo y simbólico, escrito en décimas regulares. El gaucho aparece idealizado, como encarnación del alma argentina. El último canto presenta una payada entre Santos Vega y el diablo Juan Sin Tierra, símbolo trasparente del emigrante que venía a acabar con la vida campesina autóctona. En el pulso poético vence el diablo y el viejo gaucho desaparece fulminado.

6.2.5. El intimismo. Bécquer. Rosalía de Castro

En los años posteriores a la mitad del siglo se desarrolla en el mundo hispánico una corriente poética que participa de algunos supuestos románticos, sobre todo la importancia que concede al sentimiento y la predilección por lo lúgubre y misterioso. Difiere, sin embargo, del Romanticismo en la renuncia al tono grandilocuente y retórico y a las imágenes deslumbrantes.

Es una poesía más auténtica y personal, de tono difuminado y etéreo, toda contención y sugerencia. Su fuente de inspiración son los *lieder* (canciones) de Henry Heine, traducidos del alemán por vez primera en 1857 por Eulogio Florentino Sanz, y los cantares populares que venían recopilándose desde finales del siglo XVIII, con muestras como *El libro de los cantares* (1852) de Antonio de Trueba, en el que encontramos un sentimentalismo dulzón expresado con un estilo sin pretensiones.

En este camino de depuración encontramos interesantes poetas como Augusto Ferrán (*La soledad*, 1861; *La pereza*, 1871) o Arístides Pongilioni (*Ráfagas poéticas*, 1865), precursores de los hallazgos que cristalizan definitivamente en los versos de Bécquer.

Gustavo Adolfo Bécquer. Gustavo Adolfo Domínguez Bastida —este es su verdadero nombre— nació en Sevilla en 1836. Su vida estuvo marcada por una serie de desdichas y contrariedades: se quedó huérfano siendo niño, no parece que tuviera fortuna en sus amores ni en su matrimonio, contrajo la sífilis y en sus últimos años tuvo que luchar contra la enfermedad, de la que murió en 1870.

Quizá estas circunstancias expliquen su carácter melancólico y su extremado idealismo. Fue tradicionalista. En su obra se trasluce el fervor religioso y el gusto por el misterio.

Reunió sus poesías, publicadas en revistas desde 1857, en un manuscrito al que puso el título de *Libro de los gorriones*, hoy conservado en la Biblioteca Nacional de España. Muerto el poeta, en 1871 sus amigos las publicaron, junto al resto de su obra, con el título de *Rimas*.

El orden establecido en esta edición póstuma, que probablemente no se debe al autor, permite vislumbrar una evolución temática. En las once primeras rimas brinda interesantes sugerencias sobre qué es la poesía. La que encabeza la serie («Yo sé un himno gigante y extraño....») habla de la insuficiencia del lenguaje humano para aprehender la emoción, el sentimiento y la belleza. La III («Sacudimiento extraño...») gira en torno a la lucha del genio por aunar inspiración y razón. En la IV («No digáis que agotado su tesoro....») expone su tesis sobre la existencia de la poesía en el mundo externo que sirve de inspiración al creador.

De la XII a la XXI presenta los encantos de la mujer y la cara risueña del amor. Tiende a concebirlo como una aspiración ideal, rodeado de misterio, inalcanzable. Presenta claras reminiscencias neoplatónicas. La belleza de la amada es objeto de un canto sentimental y delicadísimo en la célebre rima XIII («Tu pupila es azul y cuando ríes…») y en la XIX («Cuando sobre el pecho inclinas…»).

Existen, sin duda, raíces autobiográficas en el cambio de tono que se produce en las últimas rimas. Frente a lo nebuloso y difuminado de las anteriores, estas tienden más a lo concreto y preciso. El tono sarcástico configura un nuevo estilo. El amor ha perdido su idealidad y el poeta refleja su actitud mediante imágenes descendentes: «Nuestra pasión fue un trágico sainete…» (XXXI). El mejor Bécquer lo vamos a encontrar cuando nos pinta la amarga experiencia del desengaño, sin alzar la voz, mordiendo los sarcasmos. En ese sentido, es magnífica la rima XLII («Cuando me lo contaron, sentí el frío…»).

En otras se acentúa más el tono desgarrado, bronco, dolorido. Hay una obsesión por el envejecimiento prematuro (LVII). El desamparo es también nota dominante. El poeta ve el mundo como un desierto y la realidad le resulta insufriblemente monótona. Expresa su sentimiento de fracaso vital. Asistimos por último a una desesperada búsqueda de la muerte: «Olas gigantes que os rompéis bramando…» (LII). Sobrecogedora es la imagen de la muerte como desamparo que nos brinda la rima LXXIII («Cerraron sus ojos…»), que repite el estribillo «¡Dios mío, qué solos / se quedan los muertos!».

Los rasgos que mejor definen la poesía de Bécquer son la sencillez y la naturalidad. La expresión se ha puesto al servicio del sentimiento. Sus versos buscan la sugerencia vaga, los perfiles difuminados, no la expresión rotunda. Manifiesta una clara predilección por la asonancia.

No debe confundirse esta voluntad de desnudez con el descuido. Utiliza abundantes recursos estilísticos, cuyo mayor encanto consiste en enriquecer el poema sin que se advierta apenas su presencia; felizmente ocultos, disimulados, trasmiten al lector una sutil emoción.

Bécquer aparece hoy a nuestros ojos como un anunciador del Simbolismo, como un representante del camino que lleva desde el Romanticismo a la poesía de fin de siglo.

Su obra en prosa cuenta más en la evolución del lenguaje poético que en la de la ficción o la preceptiva retórica.

En sus leyendas rinde culto a la pasión romántica por el misterio y por la evocación de esa mítica Edad Media en la que se busca la huida de la realidad cotidiana y la resurrección de un mundo grandioso y heroico regido por un sistema de valores arcaico.

Da un importante paso en la creación de la prosa poética. Su estilo está muy trabajado. La adjetivación es muy rica, al contrario de lo que ocurre en las *Rimas*, y abundan los recursos estilísticos que dan mayor realce a esa atmósfera cargada de emociones y sensaciones sugestivas.

El lenguaje lírico alterna con otros fragmentos de estilo coloquial y directo, puestos en boca de las gentes del pueblo que dan al autor noticia de las leyendas.

Son varios los temas que se repiten: la mujer fatal que con sus exigencias arrastra a su enamorado a la locura o la muerte (*La ajorca de oro, El monte de las ánimas*), la búsqueda obsesiva de un ensueño maléfico (*Los ojos verdes*) o simplemente inalcanzable (*El rayo de luna*), la música de ultratumba (*Maese Pérez, el organista, El miserere*), el mal caballero (*La cruz del diablo, La promesa*), la historia de un amor segado por una trágica muerte (*La venta de los gatos, La rosa de pasión*).

Digna de elogio es la espléndida evocación que hace el poeta de los ambientes medievales, de las calles, plazas y templos de ciudades como Toledo.

Las *Cartas desde mi celda* (1864) fueron escritas durante su estancia en el monasterio zaragozano de Veruela. Desde el silencio de su retiro, rememora con nostalgia sus días en Madrid, el ambiente literario y periodístico. No obstante, le va ganando la paz del lugar, que deja su alma «tan serena como el agua inmóvil y profunda». Renuncia a las ilusiones juveniles que abrigaba cuando aún estaba en Sevilla y busca el amparo en la espiritualidad. Habla también de las tradiciones y leyendas populares y del atractivo que para él tienen las edades pasadas.

En *Cartas literarias a una mujer* expone de forma sencilla su estética, sustentada en el sentimiento, en la sensibilidad, más que en los artificios del lenguaje.

ROSALÍA DE CASTRO. Esta poetisa gallega (Santiago de
Compostela, 1837-Iria, 1885) profundiza en el lenguaje lírico
intenso y directo del intimismo y lo ajusta a la expresión de
sus doloridas vivencias. Sus versos, escritos en buena parte en
gallego, están muy influidos por Bécquer y revelan también la
huella de la poesía popular, que imita en muchas ocasiones.

Procura en todo momento exaltar las bellezas de su tierra y
poner sobre el tapete sus graves problemas. Conmueve la ternura
con que habla del dolor de las pobres gentes condenadas al hambre y el desarraigo. Es una poesía social teñida de los sentimientos íntimos de la autora. Otro tema clave es la expresión de su
angustia y soledad, de su desasosiego. En sus versos, sencillos e
inmediatos, campean una eterna *saudade* y un pesimismo sin
fondo. Los recursos están supeditados siempre a la expresión de
su sentir. Utiliza mucho la comparación para hacer comprender
mejor las sensaciones que trasmite. Prefiere la rima asonante y
las estrofas más populares: romances, soleares, coplas...

Su primera obra importante es *Cantares gallegos* (1863),
escrita en su lengua nativa. Son poesías de sabor popular,
cuyo mayor encanto reside en su delicadeza y su dulce morriña («Adiós, ríos; adiós, fontes...»). *Follas novas* (1880), también en gallego, nos presenta una visión de la vida más personal y subjetiva y también más desesperanzada. El dolor de la
gente, en especial de los emigrantes y sus familias, está expresado de forma desgarradora. *En las orillas del Sar* (1884), en
castellano, vuelve a reflejar tanto las penas propias como las
ajenas, en un tono que resulta sobrecogedor: «¡Morir! Esto es
lo cierto / y todo lo demás mentira y humo...».

6.2.6. EL PROSAÍSMO Y LA POESÍA RETÓRICA

Tras los fervores románticos, surge una corriente que pretende despojar a la poesía del énfasis retórico y dotarla de la

precisión de la prosa. Sus motivos serán detalles de la vida cotidiana o reflexiones morales dentro de un escepticismo burlón
y aburguesado.

Su más genuino representante es RAMÓN DE CAMPOAMOR
(Navia, Asturias, 1817-Madrid, 1901). Opone la ironía a la exaltación romántica, el prosaísmo a la imaginería tópica, el pensamiento al aparato legendario y maravilloso. Se complace en reba-
jar los afectos e ilusiones a la esfera de lo vulgar, en trivializarlo
todo. No carece, sin embargo, de aciertos expresivos. Estas ideas,
firmemente asumidas, se plasman en su *Poética* (1883).

Los libros más relevantes son *Doloras* (1846), en el que
predomina un cierto sentimiento de melancolía y desengaño, no
carente de afectación, en composiciones de carácter lírico-na-
rrativo-dramático, con moraleja incluida; *Pequeños poemas*
(1872), donde se propone dar cuerpo narrativo a la esquemática
«dolora», en un intento de trasladar la vida contemporánea a sus
versos (véase *El tren expreso*), y *Humoradas* (1886), primera
muestra de una variedad que luego prodigará: poesía lapidaria,
sintética, que reduce las ocurrencias a un dístico o una cuarteta.

Seguidor de esta escuela es JOAQUÍN MARÍA BARTRINA
(Reus, Tarragona, 1850-1880), que en *Algo* (1876) lleva a sorprendentes extremos el prosaísmo rimado, hasta el punto de
introducir fórmulas matemáticas y términos técnicos en sus
peculiares estrofas.

GASPAR NÚÑEZ DE ARCE (Valladolid, 1832-Madrid, 1903)
tiene como preocupación central los valores de la burguesía reaccionaria: el orden, la propiedad... Enhebra tópicos antirrevolu-
cionarios en versos rotundos, rítmicamente perfectos. Estas inquietudes se reflejan en *Gritos del combate* (1875), en tercetos
encadenados. Luego deriva hacia poemas narrativos y descriptivos que oscilan entre la precisión realista en la pintura de ambientes y objetos y el simbolismo seudorromántico.

6.2.7. EL POSROMANTICISMO EN AMÉRICA

Hay una segunda generación de poetas románticos con
los que se liquida el movimiento. Sin abandonar esa línea,

anticipan a veces algunas formas futuras. Destaquemos algunos entre los muchos que merecen ser recordados.

El chileno GUILLERMO BLEST GANA (1829-1904), también novelista, en un primer momento, siguiendo la huella de Musset, se acoge a los estereotipos de la moda, de los que se desprende en su madurez para expresar una melancolía y un desencanto íntimamente sentidos. Su obra se reúne en *Versos* (1854), *Armonías* (1884), *Sonetos y fragmentos*...

El cubano JUAN CLEMENTE ZENEA (1832-1871), poeta de tono elegíaco e intimista, cuya nota dominante es la melancolía, recoge su producción lírica en *Cantos de la tarde* (1860), donde destaca el famoso romance *Fidelia*, inspirado en Musset.

El colombiano RAFAEL POMBO (1833-1912) pasa, en sucesivas etapas, por el influjo de Byron y de Lamartine, y de una poesía de acentos nacionales a otra de alcance más universal, para terminar su larga trayectoria haciéndose eco de las novedades parnasianas y simbolistas.

El argentino OLEGARIO VÍCTOR ANDRADE (1841-1882), considerado en sus últimos años poeta nacional por excelencia, es enfático y grandilocuente en su faceta más representativa, admirador de Victor Hugo. Entre sus composiciones más célebres se cuentan *Nido de cóndores* (1877), escrita en honor de San Martín cuando sus restos iban a ser trasladados a Buenos Aires, y *La Atlántida* (1881), que exalta el progreso y el futuro prometedor de la América española.

El venezolano JUAN ANTONIO PÉREZ BONALDE (1846-1892) es traductor y seguidor de Heine. Sus versos (recogidos en *Estrofas*, 1877, y *Ritmos*, 1890) son de factura cuidada y sencilla, tienden a la tristeza y la melancolía y se adelantan a las prácticas modernistas en el uso de formas métricas poco usuales.

En las últimas décadas decimonónicas llega a América un doble influjo: el de la poesía narrativa, objetiva y retórica, tal como la había cultivado en España Gaspar Núñez de Arce, y el del Parnasianismo francés. Con este último se abre el camino hacia el Modernismo, que dará sus mejores frutos en el siglo XX. Sin embargo, su presencia es manifiesta en varios poetas que se ubican antes de la eclosión modernista. Es el caso del ecuatoriano CÉSAR BARJA (1852-1910), creador de su propia obra (*Flores tardías*) y traductor de los grandes poetas del Parnasianismo francés (*Joyas ajenas*).

La muestra más representativa de esta tendencia es *Tabaré* (1888) de JUAN ZORRILLA SAN MARTÍN (Montevideo, 1855-1931), periodista, diplomático y político. Se trata de una leyenda de raíces románticas pero con elaboración más cuidada, casi preciosista, donde el lirismo puede más que la tensión narrativa. Cuenta la historia de un mestizo (hijo de un charrúa y una española) que, ya adolescente, es capturado por los españoles y se prenda de Blanca. Devuelto a la selva, libera a su amada, a la que ha secuestrado el cacique Yamandú. Cuando se propone entregarla a su familia, el hermano, creyendo que Tabaré ha sido el secuestrador, lo mata. Para construir esta narración en verso, Zorrilla San Martín eligió el serventesio imparisílabo asonante, al modo becqueriano. La estrofa prácticamente determina que lo lírico y lo descriptivo se impongan sobre lo narrativo.

Junto a *Tabaré*, hay que señalar otras composiciones similares (entre Bécquer y Núñez de Arce): *Notas de un himno* (1877), *La leyenda patria* (1879) y *Stella maris* (recuperada póstumamente en 1951), de carácter religioso.

6.3. LA LITERATURA DRAMÁTICA

6.3.1. LA VIDA TEATRAL

Aunque la situación de los distintos países de lengua española era muy diferente, puede afirmarse con carácter general que la afición y el gusto por el teatro crecieron en el siglo XIX. Era la más importante de las diversiones ciudadanas, cuando no la única. En la primera mitad, a causa de las crisis de la revolución e independencia y de las guerras civiles subsecuentes, no se crearon nuevas salas; pero una vez estabilizada en el poder la burguesía, el crecimiento fue rápido y notable.

En Madrid se mantuvieron durante las primeras décadas los teatros tradicionales: el del Príncipe (reconstruido tras un incendio en 1802) y el de la Cruz. En la misma mitad del siglo, el conde de San Luis, ministro de la Gobernación, reorganizó la vida teatral madrileña y cambió la denominación de los locales. El Príncipe pasó a llamarse Español y el de la Cruz, del Drama (demolido en 1859). Se crearon el teatro Real (1850), el de la Zarzuela (1856), el Novedades (1857), el Lara (1874), el de la Comedia (1875), el de la Princesa (1885) y otros menores.

En la debida proporción, el resto de las ciudades ampliaron su infraestructura teatral. Barcelona contaba con tres teatros: el Principal, el del Liceo (reconstruido en 1862 tras un incendio) y el Romea (1867).

El panorama hispanoamericano no desdice del descrito hasta aquí. A las numerosas salas abiertas a finales del siglo XVIII se sumaron las construidas en los primeros años de independencia. En México, el Ruiz de Alarcón de San Luis de Potosí (1826), el Coliseo de Morelia (1828), el teatro de Toro de Campeche (1834)...; en Argentina, el Victoria de Buenos Aires (1838); en Caracas, el Cardozo (1822); en San Juan de Puerto Rico, el Municipal (1832), más tarde Tapia; en Santiago de Chile, el del Óvalo (1838), más tarde Nacional; en La Habana, el Tacón (1838), hoy García Lorca...

Este crecimiento es poca cosa si se compara con el que se produjo en la segunda mitad. Solo en Buenos Aires se abrieron el Porvenir (1856), el Colón (1857, reconstruido en distinto lugar a principios del XX), el Recreo (1865), el Alcázar (1870), la Ópera (1872), el Politeama (1879), el Nacional (1880), el San Martín (1887)... En México, el Iturbide (1856), el Hidalgo (1879), el Nacional (1884)... En La Habana, el Circo (1847), el Cervantes (1857), el Variedades (1860)...

Aunque en este siglo se empiezan a formar actores y autores criollos, en términos generales puede afirmarse que para sus diversiones el mundo hispanoamericano depende todavía de Europa, y muy especialmente de España. Las compañías españolas acostumbran a «hacer las Américas», unas veces con fortuna y otras sin ella.

El modelo de representación cambia a lo largo de la centuria. La escenografía tiene una especial importancia. En la etapa romántica se busca el realismo ilusionista. Es habitual que los espectadores y críticos aplaudan o censuren decorados al subir el telón. A finales de siglo se va implantando una ambientación detallista, minuciosa, con elementos practicables, no pintados sino con cuerpo y volumen, que responden a los principios del Naturalismo.

También la interpretación pasa lentamente del recitado ampuloso, retórico, gesticulante... a la pretendida naturalidad e incluso se adopta, en algunos casos, el concepto de la cuarta pared, de modo que el actor se comporta como si el público no existiera.

El auge de la vida teatral se corresponde con la proliferación de la literatura dramática. Cientos, miles de autores prueban fortuna en el teatro. Sin embargo, no dispone nuestra lengua en todo este siglo de dramaturgos de relieve internacional. Solo algunos románticos españoles logran notoriedad a través de las versiones operísticas de sus obras.

6.3.2. EL DRAMA HISTÓRICO. JOSÉ ZORRILLA

Tras un tercio de siglo en que pervive la tragedia neoclásica, triunfa, entre polémicas, el drama histórico romántico. Quedan abolidas las unidades de tiempo y lugar, se mezclan el verso y la prosa, lo trágico y lo cómico. La acción se fragmenta en una serie de cuadros que requieren abundantes cambios de escenografía. Los argumentos son muy complejos y se buscan recursos efectistas.

El número de comparsas que aparecen en escena es muy elevado. Sobre ellos destaca la figura del protagonista, que se caracteriza por sus orígenes misteriosos, su nobleza y generosidad y su amor apasionado, que le hace afrontar toda serie de obstáculos. Sufre un destino aciago que lo arrastra a un final trágico. La mujer, por lo general, desempeña un papel pasivo. La caracterización de los personajes es simplista y estereotipada.

Domina el tono angustioso y violento. Las noches de tormenta son el marco idóneo; por doquier aparecen rayos, truenos y relámpagos, así como escenas de ultratumba con sombras ensangrentadas, cadáveres y otras figuras macabras. El lenguaje es patético y exaltado.

Los dramas que gozaron de mayor éxito y asentaron definitivamente el género fueron *La conjuración de Venecia* (estrenado en Cádiz en 1832 y en Madrid en 1834) de FRANCISCO MARTÍNEZ DE LA ROSA, *Don Álvaro o la fuerza del sino* (1835) de ÁNGEL SAAVEDRA, DUQUE DE RIVAS, *El trovador* (1836) de ANTONIO GARCÍA GUTIÉRREZ, *Los amantes de Teruel* (1837) de JUAN EUGENIO HARTZENBUSCH...

Don Álvaro o la fuerza del sino del DUQUE DE RIVAS viene considerándose el paradigma del drama romántico. Se escribió en 1832 en Tours (Francia) cuando su autor permanecía exiliado. La acción se desarrolla a finales del siglo XVIII, todavía bajo el régimen estamental. Presenta la vida aciaga del protagonista, rico indiano de origen oscuro: sus padres han sido ajusticiados por alentar un movimiento independentista. En Sevilla don Álvaro se enamora de doña Leonor. La familia de la dama se opone a ese matrimonio y aquí nacen todas las desdichas. Accidentalmente don Álvaro quita la vida al padre de su enamorada; los hermanos lo persiguen para matarlo en desafío; se retira a un convento, pero hasta allí llega el afán vengativo. Una cadena de muertes y el suicidio del protagonista cierran el drama, entre truenos y relámpagos.

El tema que alienta bajo la metáfora argumental es la revolución del liberalismo: el choque entre la vieja aristocracia y los nuevos ricos, adornados por el valor personal. La cerrazón de la sociedad estamental provoca de forma gratuita e injustificada la desesperación, el nihilismo, la angustia. No puede sorprendernos que Verdi pusiera música a este drama para ofrecer a la burguesía conservadora de la segunda mitad del siglo el recuerdo de su pasado heroico.

José Zorrilla. Nació en Valladolid en 1817. Fue el hijo díscolo y siempre arrepentido de un relevante funcionario absolutista. Llevó una vida irregular y bohemia. Alcanzó fama muy joven al leer una elegía en el entierro de Larra (1837). Obtuvo éxito en el teatro. Entre 1854 y 1866 vivió en México, protegido por Maximiliano de Austria. Murió en Madrid en 1893.

Su poesía es representativa del Romanticismo tradicionalista y religioso, al que ya nos hemos referido en 6.1. Su inventiva fácil y su versificación ágil lo hacen especialmente dotado para la producción dramática. Por lo general, los valores de sus obras hay que buscarlos en la musicalidad de los versos, las escenas coloristas y brillantes, las apariciones fantásticas, el dominio de la estructura...

Aunque eclipsados por la fama del *Tenorio*, Zorrilla tiene en su haber otros títulos significativos, como las dos partes de *El zapatero y el rey* (1840 y 1842), sobre Pedro I el Cruel, *El puñal del godo* (1843) y, principalmente, *Traidor, inconfeso y mártir* (1849), en torno a la legendaria figura del pastelero de Madrigal.

Su pieza más relevante, cuya vigencia se mantiene viva hasta hoy, es *Don Juan Tenorio*, estrenada en 1844, cuando la moda romántica está ya expirando. Se trata de una feliz recreación de dos viejos mitos, el del burlador y el del convidado de piedra, sabiamente combinados, como en *El burlador de Sevilla* de Tirso de Molina, su más ilustre precedente. Los materiales de procedencia ajena se insertan en una estructura completamente nueva, producto de su genial intuición.

El drama se divide en dos partes que, manteniendo la unidad de tiempo, recogen dos momentos distintos de la vida del protagonista, en el escenario único de Sevilla; cada una de ellas desarrolla uno de los mitos. Se crea entre ambas un vivo contraste: pasamos de los desaforados lances amorosos a las apariciones de ultratumba; de un don Juan joven, impetuoso y arrollador, al galán maduro, aunque todavía apuesto y pendenciero, que, a su vuelta de Italia, arrastra el peso de la nostalgia. Frente al bullicio de las primeras escenas, el sosiego del panteón en

381

que Tenorio contempla las estatuas de sus víctimas; frente a la desbordante vitalidad de antaño, el vértigo de la muerte, precedida del arrepentimiento que abre las puertas de la salvación eterna. Con una extraordinaria concentración de tiempo y espacio se nos ofrece un amplio panorama de esa agitada existencia, presentando tan solo en escena hechos cruciales.

Zorrilla no ha forjado una criatura compleja; la tradición de que parte le ahorra esfuerzos caracterizadores. El público acepta la esencial superficialidad del héroe, sus interminables listas de muertes y seducciones, la osadía con que sigue los impulsos más elementales. A esa depravación se contrapone su entrega al amor de doña Inés y no dejamos de lamentar el aciago destino que le obliga a quitar la vida al padre de su amada precisamente cuando estaba dispuesto a regenerarse. Así aparece ante nuestros ojos como un joven rebelde e individualista que no llega a sentar la cabeza por la intransigencia de don Gonzalo de Ulloa. A diferencia del don Juan de Tirso, cuya agresividad destructiva merece unánime rechazo, este cuenta con nuestra simpatía, no se le descalifica moralmente, de forma que se abre la puerta al amor salvador. Su satanismo es superficial; por eso puede concebir un sentimiento puro y ganar la gloria.

Se han señalado algunas imperfecciones en esta pieza, pero su valía queda fuera de toda duda, como lo demuestra el hecho de que haya pervivido a despecho del tiempo. Cualquier posible yerro queda compensado por la musicalidad de los versos y la espléndida estructura dramática.

EL DRAMA NEORROMÁNTICO. En la segunda mitad del XIX pervive el drama histórico, en unos autores como excusa para la reflexión poética y moral (ADELADO LÓPEZ DE AYALA, por ejemplo) y en otros como expresión de una teatralidad desmesurada, gesticulante y grandilocuente (JOSÉ ECHEGARAY). La más interesante de las piezas españolas del momento es *Un drama nuevo* (1867) de MANUEL TAMAYO Y BAUS, que se desarrolla en el teatro del Globo en tiempos de Shakespeare. Una pareja de jóvenes enamorados han de representar en escena el mismo conflicto de amor adúltero que están viviendo en la realidad. La vida y el teatro se superponen y la muerte real del protagonista es interpretada por los espectadores como un lance más de la función.

TEATRO HISTÓRICO EN HISPANOAMÉRICA. Las primeras muestras del drama histórico se producen con poca diferencia respecto a Europa. En 1838 el dominicano FRANCISCO JAVIER FOXÁ (1816-h. 1865) estrena en Cuba *Don Pedro de Castilla* y el cubano JOSÉ JACINTO MILANÉS Y FUENTES (1814-1863), *El conde Alarcos*. En la misma fecha el mexicano IGNACIO RODRÍGUEZ GALVÁN (1816-1842) escribe *Muñoz, visitador de México*, sobre la conjura del marqués del Valle para independizar el virreinato de Nueva España. Poco después, FERNANDO CALDERÓN (Guadalajara, 1809-Ojocaliente, 1845) ofrece *El torneo* (1839), *Ana Bolena* (1842), *Hernán o la vuelta del cruzado* (1842)...

Los tópicos del drama romántico se han instalado en América. La cubana, residente en la metrópoli, GERTRUDIS GÓMEZ DE AVELLANEDA (1814-1873) estrena, entre otras obras, *Munio Alfonso* (1844) y los dramas bíblicos *Saúl* (1846) y *Baltasar* (1856), un retrato algo esquemático y ramplón de una civilización en decadencia.

El teatro histórico pervivirá a lo largo del siglo XIX. Entre la multitud de autores y obras destaquemos, a título de ejemplo, las del mexicano JOSÉ PEÓN Y CONTRERAS (Mérida, 1843-México, 1907?): *Gil González de Ávila*, de nuevo sobre la conjura del marqués del Valle, y *La hija del rey*, en torno a una imaginaria hija natural de Felipe II, estrenadas ambas en 1876; y el drama *Camoens* (1868) del puertorriqueño ALEJANDRO TAPIA Y RIVERA (1827-1882).

6.3.3. DE LA COMEDIA MORATINIANA A LA ALTA COMEDIA

LA FÓRMULA CÓMICA DEL ROMANTICISMO. El sentimiento trágico consustancial al Romanticismo impide que en esta etapa florezca ningún género cómico con fuerza renovadora.

La fórmula que mantiene su vigencia es la comedia moratiniana, con las características propias de su creador. A ella se
acogen una serie de autores, entre los que destaca el mexicano Manuel Eduardo Gorostiza (Veracruz, 1789-Tacuba-
ya, 1851). Buena parte de su vida discurre en Madrid. Es un
espíritu liberal e inquieto que se expresa con vehemencia y
deja oír su voz en las principales tribunas de la época. Desterrado por Fernando VII, recorre algunas ciudades europeas y
se instala en Londres. Vuelve a México, donde, a partir de
1833, desempeña diversos cargos, entre ellos varios ministe-
rios. Prosigue su lucha en favor de la libertad y su actividad
dramática; incluso se convierte en empresario teatral.

Directo seguidor de Moratín, labra su fortuna en las tablas españolas en el primer tercio del siglo y logra que sus
obras se mantengan en pie durante mucho tiempo. Llega a
convertirse en uno de los autores más aplaudidos. Pero su teatro ha perdido vigencia; entre otras razones, porque su carpintería escénica es demasiado burda. Logra, eso sí, divertir
al público y no se le puede negar habilidad en la versificación y en el diálogo, que hace gala de un lenguaje castizo y
una gracia chispeante.

Indulgencia para todos (1818) pasa por ser la mejor de
sus comedias en verso. La moraleja es excesivamente pueril.
Doña Tomasa de Peralta quiere casarse con el vizcaíno don
Severo de Mendoza, cuyo único defecto es no tener ninguno
y ser un prototipo de rectitud y austeridad. Los demás personajes urden una serie de intrigas en las que acaba cayendo el
protagonista, que a la postre se convierte en modelo de indulgencia y tolerancia.

La más célebre de las comedias escritas en prosa es *Contigo pan y cebolla* (1833). En ella asistimos a las fantasías
románticas de Matilde, que, alienada por la lectura de novelas, solo concibe un amor abocado a grandes riesgos y capaz
de hacer frente a cualquier obstáculo; no quiere saber nada
de las necesidades materiales ni de las riquezas, que le re-
pugnan. Incluso llega a despreciar a don Eduardo de Contreras, que la ama sinceramente, porque sabe que es rico. Para

conquistarla, el pretendiente finge haber sido desheredado. La caprichosa protagonista siente renacer su pasión y se escapa con su amado. Al casarse, viven con tantas estrecheces que ella acaba cambiando de opinión. Entonces se descubre el enredo y todo vuelve a su cauce.

El mismo tipo de arte cultiva el español MANUEL BRETÓN DE LOS HERREROS (Quel, Logroño, 1796-Madrid, 1873), que aspira sobre todo a divertir al público con una comicidad bienhumorada, con sus ribetes de sátira benevolente. Los personajes están puestos al servicio de un juego escénico en el que se mantienen el equilibrio y las buenas formas. La construcción es sencilla. Buena muestra de estas características son *Marcela o ¿A cuál de los tres?* (1831), *Muérete ¡y verás!* (1837) o *El pelo de la dehesa* (1840), la más valorada de todas.

La dramaturgia del Perú independiente aprovecha también el modelo de la comedia burguesa de costumbres. FELIPE PARDO Y ALIAGA (Lima, 1806-1868) critica vicios y actitudes en *Frutos de la educación* (1830), contra los bailes populares; en *Don Leocadio o El triunfo de Ayacucho* (1833), contra las reformas liberales; en *Una huérfana en Chorrillos* (1833), contra el afrancesamiento de la sociedad.

LA ALTA COMEDIA Y EL DRAMA DE TESIS. La comedia moratiniana va evolucionando hacia la *alta comedia* que, con sus diálogos de salón, su ambiente refinado y su sátira social, es reflejo más o menos realista de los problemas domésticos de las clases acomodadas. La acción sirve de soporte a una tesis o lección moral que los dramaturgos presentan a menudo de forma poco sutil. Se inicia con las producciones de Ventura de la Vega (Buenos Aires, 1807-Madrid, 1865), que tiene en su haber una de las muestras más felices: *El hombre de mundo*, estrenada en 1845.

Seguirán esta corriente MANUEL TAMAYO Y BAUS (Madrid, 1829-1898), con su teatro de tesis: *La bola de nieve* (1856), sobre las consecuencias funestas de los celos; *Lo positivo* (1862), en que demuestra los infortunios a que puede arrastrar el anteponer el dinero a otros intereses más altos...; y ADELARDO LÓPEZ DE AYALA (Guadalcanal, Badajoz, 1828-Madrid, 1879): *El tejado de vidrio*, sobre el tipo del seductor, y *El tanto por ciento* (1861), que dirige sus dardos contra la codicia y la ambición.

JOSÉ ECHEGARAY (Madrid, 1832-1916) abandona el tono comedido de sus predecesores para inyectar a la alta comedia una fuerte dosis de pasión romántica. Cae así en el efectismo y la truculencia, siempre con el afán de conmocionar al público. Obtuvo un éxito memorable con *El gran galeoto* (1881).

Un notable intento de superar la fórmula imperante de la alta comedia es el de BENITO PÉREZ GALDÓS (véase 6.4.5).

En América pueden considerarse dentro de esta tendencia los dramas de tesis del puertorriqueño ALEJANDRO TAPIA Y RIVERA (1827-1882): *La cuarterona* (1867), sobre los prejuicios raciales y el ascenso burgués, y *La parte del león* (1878), en torno a la injusta situación de la mujer en la vida conyugal.

6.3.4. EL COSTUMBRISMO EN ESCENA: EL SAINETE Y EL GÉNERO CHICO

Nunca decayó el interés por el sainete como cauce para reflejar teatralmente la vida popular, de forma amable y con apuntes de sátira superficial. A veces los autores dilatan los estrechos límites del género para construir una comedia costumbrista de las mismas características.

El peruano MANUEL ASCENSIO SEGURA (Lima, 1805-1871) lleva a las tablas la vida cotidiana de la Lima contemporánea: *El sargento Canuto* (1839), sátira o parodia del militar; *Ña Catita* (1845), recreación del tipo de la alcahueta hipocritona e interesada; *Las tres viudas* (1862), ridícula parodia del donjuán... Frente a la áspera censura de Pardo y Aliaga, Segura se complace en las costumbres, actitudes y formas de hablar de sus paisanos.

La misma función cumple en Colombia José María Samper (1828-1888), que en sus comedias *Un alcalde a la antigua y dos primos a la moderna* (1856) o *Los aguinaldos* (1857) satiriza con suavidad los hábitos, los malos hábitos, de sus coterráneos y los tipos característicos: la manía de apostar, las ridículas autoridades rurales...

En la España decimonónica la zarzuela, que había nacido en el XVII como espectáculo cortesano, va derivando hacia las tramas de ambiente nacional y la música de inspiración popular.

Entre los primeros logros se cuentan *Pan y toros* (1864) o *El barberillo de Lavapiés* (1876), ambas con música de Francisco Asenjo Barbieri, y letra de José Picón y Luis Mariano de Larra, respectivamente.

A raíz de la crisis económica producida por la revolución de 1868, se crea el teatro por horas, que permite presentar varias sesiones de tiempo limitado. Así se consigue abaratar los precios y ofrecer a los espectadores la posibilidad de elegir el horario más apropiado. Se da el nombre de «género chico» a las piezas creadas para este singular sistema de representación. La variante más característica es el sainete, cuadro de costumbres populares, de argumento muy simple y convencional, protagonizado por personajes típicos del Madrid castizo o de otras regiones españolas. Con su lengua empedrada de vulgarismos y voces de capricho, supone una reducción del tono de la zarzuela. Muy célebres son *La verbena de la Paloma* (1894) de Ricardo de la Vega, con música de Tomás Bretón; *La Revoltosa* (1897) de Carlos Fernández-Shaw y José López Silva, con música de Ruperto Chapí, y *Agua, azucarillos y aguardiente* (1897) de Miguel Ramos Carrión, con música de Federico Chueca.

Dentro del género chico hay que incluir a la revista lírica, con personajes alegóricos que encarnan lugares, edificios, inventos, vicios o virtudes. *La Gran Vía* (1886), sátira bienhumorada contra un proyecto urbanístico del ayuntamiento madrileño, fue el mayor éxito del género. El libreto lo escribió Felipe Pérez y González y lo musicó Federico Chueca.

387

Tanto los sainetes como las revistas líricas se caracterizan por el abuso del equívoco como recurso cómico. Su crítica es siempre superficial y complaciente. Sin embargo, la unión de la música y la letra ha logrado algunas piezas de gran interés, como las citadas.

En Cuba JOSÉ JACINTO MILANÉS Y FUENTES escribe doce cuadros de costumbres dialogados en los que interviene el «Mirón cubano», trasunto del autor, y una pieza cómica popular: *Ojo a la finca*. También JOSÉ AGUSTÍN MILLÁN, comediógrafo costumbrista, tiene sus mejores logros en sainetes como *Función de toros sin toros, El novio de mi mujer...* A finales de siglo se extiende el género chico criollo, con zarzuelas y sainetes en que predominan la parodia y las escenas bufas. Nace en paralelo al español, a raíz de la crisis de 1868, con *Los negros catedráticos* de FRANCISCO FERNÁNDEZ VILLARÓS. La lucha independentista se vale de estas fórmulas y crea el *teatro mambí*, de crítica y protesta.

En Puerto Rico RAMÓN MÉNDEZ QUIÑONES (1847-1889) inicia el sainete jíbaro, teatro breve de costumbres campesinas, con *Un jíbaro* (1878), *Una jíbara* (1882), *Los jíbaros progresistas* (1882)..., recreación de figuras entrañables, pintorescas y cómicas que emplean la lengua popular y encarnan ciertos valores colectivos.

6.3.5. EL TEATRO GAUCHESCO. EL DRAMA RURAL Y SOCIAL

Desde sus orígenes (*El amor de la estanciera*), el teatro autóctono rioplatense ha privilegiado el marco rural; pero el verdadero arranque llega después del éxito de la poesía gauchesca. Primero con la pantomima *Juan Moreira* (1884), sobre la novela de EDUARDO GUTIÉRREZ, y más tarde (1886) con un espectáculo hablado sobre el mismo asunto. De aquí parten escenificaciones de poemas y relatos gauchescos: *Julián Jiménez* de ABDÓN ARÓSTEGUI, *Juan soldao* de OROS-

MÁN MORATORIO, *Martín Fierro* de ELÍAS REGULES…, textos menores pero que van configurando una concepción del teatro y permiten que se fragüe una generación de intérpretes y de dramaturgos.

El drama gauchesco no olvida sus orígenes épicos. Incluso su pieza culminante, *Calandria* (1896) de MARTINIANO LEGUIZAMÓN, presenta la estructura episódica, acumulativa, del relato. Más tarde, a principios del siglo XX, deriva hacia el drama rural, cultivado por figuras como Florencio Sánchez (véase 7.5.3).

Por las mismas fechas se desarrolla en España una tendencia al drama pasional, bronco y de final trágico, situado en ambientes campesinos. Es manifestación de un naturalismo que tiene su mejor expresión en *La Dolores* (1892) del barcelonés JOSÉ FELÍU Y CODINA.

El drama social presenta la novedad de introducir en escena individuos de la clase trabajadora («gente de alpargata»). Se mueve dentro de unas coordenadas idealistas y la lucha de clases queda enmascarada bajo el conflicto pasional: desarrolla asuntos individuales, que solo indirectamente se vinculan a una problemática colectiva. Su iniciador es JOAQUÍN DICENTA (Calatayud, Zaragoza, 1862-Alicante, 1917), al que se debe una pieza emblemática: *Juan José* (1895).

6.4. LA NOVELA

6.4.1. FERNÁNDEZ DE LIZARDI: EL NACIMIENTO DE LA NOVELA HISPANOAMERICANA

JOSÉ JOAQUÍN FERNÁNDEZ DE LIZARDI (México, 1776-1827) lleva a cabo una intensa actividad periodística, comprometida ideológicamente con el reformismo ilustrado, con la lucha por las libertades y con la causa independentista, lo que le acarrea numerosos problemas. Buena muestra de su actitud combativa son los escritos satíricos que publica en *El pensa-*

dor mexicano (1812-1814), uno de los diarios que fundó, cuyo título adoptaría como sobrenombre. Aunque el periodismo es su principal ocupación, cultiva otros géneros literarios.

El Periquillo Sarniento, unánimemente considerada la primera novela hispanoamericana moderna, se publicó por entregas en 1816; el último de los cuatro volúmenes previstos fue prohibido por la censura. Hubo una edición completa, póstuma, en cinco tomos, en 1830. Es una actualización del género picaresco, con la mirada puesta en *Periquillo el de las gallineras* (1668) de Francisco Santos y en Torres Villarroel y Lesage.

Aunque recurre a moldes del pasado, este *Periquillo* mexicano guarda una estrecha vinculación con su entorno. Fruto del compromiso social que alienta en su creador, pone al descubierto las malas costumbres que hay que combatir; este propósito reformista pesa mucho en la conformación de la obra. Nuestro personaje, más que un pecador consumado, es un ser débil, incapaz de ajustarse a normas de conducta racionales, que se deja llevar por las malas influencias. Tras el consabido arrepentimiento, hace oír sus enseñanzas en una incontinente prédica moralizante, empedrada de citas eruditas, que puede resultar farragosa. Como contrapunto, la presencia del lenguaje y los tipos populares, los cuadros costumbristas, los rasgos cómicos.

En *Vida y hechos de don Catrín de la Fachenda* (1832) Lizardi libra al relato de tan prolija carga digresiva. El narrador-protagonista es una caricatura del tipo del español, fanfarrón y parasitario, que sin el menor recato se enorgullece de su poco ejemplar comportamiento.

Poco después del *Periquillo* había publicado *La educación de las mujeres o la Quijotita y su prima. Historia muy cierta con apariencia de novela* (1818-1819), obra de menor interés puesta al servicio de una tesis pedagógica.

Si las producciones hasta ahora citadas se hacen eco del racionalismo dieciochesco, Lizardi avanza hacia posturas prerrománticas en *Noches tristes* (1818), donde tiene presente las *Noches lúgubres* de José Cadalso y las *Noches* de Edward Young, a la hora de manifestar sus inquietudes religiosas.

6.4.2. DE LA NOVELA HISTÓRICA AL COSTUMBRISMO REALISTA EN ESPAÑA

En torno a 1830 triunfa el género más genuinamente romántico: la novela histórica, que recrea un pasado mítico y legendario, poblado de apuestos y valerosos galanes y virtuosas doncellas de belleza sin par, donde privan los valores caballerescos, la devoción exaltada y el amor. El gran modelo extranjero es, sin duda, el escocés Walter Scott, dos de cuyas obras, *Ivanhoe* y *El talismán*, traduce José Joaquín de Mora en 1825.

Entre el aluvión de novelas que se publicaron, destaca *El señor de Bembibre* (1844) de ENRIQUE GIL CARRASCO (Villafranca del Bierzo, León, 1815-Berlín, 1846), que desarrolla una historia de amor frustrado por la incomprensión y el odio; este plano narrativo discurre en perfecto paralelismo con lo referente a la caída de los poderosos caballeros del Temple. El libro está impregnado de lirismo.

Otras obras significativas son *Los bandos de Castilla o El caballero del Cisne* (1830) de Ramón López Soler, *Sancho Saldaña o El castellano de Cuéllar* (1834) de José de Espronceda, *El doncel de don Enrique el Doliente* (1834) de Mariano José de Larra, *Ni rey ni Roque* (1835) de Patricio de la Escosura...

Hacia 1836 comienzan a divulgarse en España los ideales del socialismo utópico y surge una nueva inquietud que desemboca en la novela social, con la que se pretende crear una conciencia colectiva y mejorar las condiciones del proletariado. Son obras sentimentaloides, llenas de patetismo y calamidades. Influirán en la creación de la novela realista. Figura destacada es WENCESLAO AYGUALS DE IZCO (1801-1875), con su celebérrima *María o La hija de un jornalero* (1845-1846), que tiene todos los ingredientes del típico folletín melodramático.

Junto a las modalidades descritas, hallamos novelas que pueden calificarse de prerrealistas pues, aunque se quedan,

391

por lo general, en lo puramente costumbrista, intentan ofrecer una pintura más o menos fiel de la realidad. La evolución de los personajes se va haciendo algo más compleja y elaborada. El primer relato costumbrista que tiene mayor consistencia y que suele considerarse como punto de partida de la moderna novela realista es *La Gaviota* (1849) de CECILIA BÖHL DE FABER (Morgues, Berna, 1796-Sevilla, 1877), conocida por el seudónimo de FERNÁN CABALLERO. Lo más interesante es la descripción del ambiente, la evocación del mundo popular y del aristocrático y el reflejo de la realidad española cotidiana. Abundan las digresiones: sermones moralizantes, cuentos folclóricos, canciones... Algo parecido ocurre en otras obras de la autora: *La familia de Alvareda* (1849), *Clemencia* (1852), *Un verano en Bornos* (1853)...

6.4.3. LA NOVELA ROMÁNTICA EN HISPANOAMÉRICA

La narrativa romántica, que en Hispanoamérica se dilata hasta bien entrada la mitad del siglo, presenta los mismos ingredientes que vemos en Europa. Los asuntos históricos se mezclan con los motivos sentimentales, el costumbrismo y siempre, siempre la intencionalidad política. Su nacimiento depende fundamentalmente de los modelos franceses (Chateaubriand, Saint-Pierre...) e ingleses y estadounidenses (Walter Scott, Fenimore Cooper...); solo en una etapa más avanzada se tienen en cuenta también las obras del Romanticismo español.

LOS PROSCRITOS. La novela que inaugura la serie es *El matadero* de ESTEBAN ECHEVERRÍA (1805-1851), escrita en torno a 1840 pero publicada póstumamente en 1874. Encierra una durísima diatriba contra el régimen dictatorial de Rosas y la sociedad corrupta en que sustenta su poder. El espacio simbólico en que se desarrolla la trama, captado en toda su crudeza, viene a representar la barbarie colectiva que todo lo invade. El relato es, por un lado, un cuadro de costumbres expresionista, detallista y truculento cuando pinta el matadero y los personajes que pululan en torno a él, empezando por el realísimo y simbólico Matasiete. Frente a este mundo abyecto, en contraste maniqueo muy propio del Romanticismo, aparece la figura del joven unitario (opuesto a los federales de Rosas), culto, ilustrado, que será salvajemente sacrificado por la chusma. Es un retrato y una condena de la violencia civil, y no se trata de un relato histórico sino estrictamente contemporáneo.

Del mismo sector sociológico y político saldrá JOSÉ MÁRMOL (Buenos Aires, 1817-1871). Encarcelado en 1839 por Rosas, se exilia a Montevideo. Allí compone y estrena dos dramas en 1842: *El poeta* y *El cruzado*. Fiel a su compromiso, escribe versos políticos (véase 6.2.3). En 1851 inicia la publicación de *Amalia*, obra muy destacada dentro de esta modalidad, como folletín del periódico *La semana*. Tras la batalla de Caseros (1852), en que los unitarios derrotan al dictador, regresa a Buenos Aires y desempeña cargos políticos y diplomáticos. Muere en 1871.

Amalia, cuya primera edición completa aparece en 1855 en la capital argentina, es testimonio apasionado de la participación que tuvo Mármol en un momento particularmente difícil de la historia de su país. Recoge experiencias personales, que se reparten entre el protagonista, Eduardo Belgrano, y su amigo Daniel Bello. En un escenario minuciosamente descrito (la ciudad de Buenos Aires y sus alrededores), los sucesos reales, que a menudo se justifican con apoyo documental, se mezclan con una ficción de tintes folletinescos. En el centro, el amor apasionado de Eduardo y Amalia, sometidos siempre al acoso de las fuerzas represivas, hasta que son brutalmente asesinados.

La obra se presenta como una novela histórica; el autor se sitúa como si la materia narrada perteneciera a tiempos pretéritos. Sin embargo, como se subraya en el prólogo, algunos de los personajes que intervienen viven todavía, empezando por el propio dictador, su hija Manuela y su hermana María Josefa. En la peripecia se recrean numerosos detalles autobiográficos. Sobre cualquier otra intención prevalece la denuncia política. De ahí que Mármol insista en mostrar episodios truculentos que puedan dar idea del terror que genera la dictadura rosista. Tanto la técnica narrativa como el lenguaje parten de supuestos próximos al realismo, sin perder por ello los genuinos rasgos románticos: sentimentalismo, presencia del paisaje, caracterización maniquea de los personajes...

GERTRUDIS GÓMEZ DE AVELLANEDA. La celebrada poetisa y dramaturga cubana (1814-1873) escribió muy tempranamente una primera novela titulada *Sab* (1841). No se publicó hasta después de la abolición de la esclavitud y la autora no la incluyó entre sus obras completas. La acción se desarrolla en Puerto Príncipe, su tierra natal. Relata el amor callado, sacrificado y sublime de un esclavo negro por la hija de su amo. La abnegada entrega llega hasta el punto de facilitar el matrimonio, aportando secretamente una cantidad que le ha tocado en la lotería. El buen amante muere de dolor ese mismo día. Su amada solo sabrá de su sacrificio años más tarde, cuando lea una carta que Sab escribió en su agonía para confesarle su amor. El melodrama se alía al planteamiento de una cuestión social entonces muy debatida en la sociedad cubana, y a la descripción del paisaje nativo.

La Avellaneda dio a la luz otras novelas: *Espatolino* (1844), *El cacique de Turmequé* (1854), *Los cuatro cinco de junio* (1861)... Ha llamado la atención de la crítica el relato histórico *Guatimozín, el último emperador de México* (1846), que obviamente trata de la conquista, desde una perspectiva que quiere ser equilibrada y respetuosa con los dos bandos. El alma de la narración es también aquí un amor imposible: el de la india Tecuixpa por el español Velázquez de León.

JORGE ISAACS. Este escritor colombiano (Cali, 1837-Ibagué, 1895) fue soldado, inspector de caminos en la selva, político, explorador... Su obra literaria comprende poemas (*La visión del castillo, Río Moro, Canto a mi patria, Heloísa o noches en el océano...*), ensayos e informes y una novela, a la que debe toda su fama: *María* (1867). Pertenece al género sentimental. Tiene precedentes tan ilustres como *Pablo y Virginia* de Bernardin de Saint-Pierre y *Atala* de Chateaubriand (que se hace sentir sobre todo en una narración intercalada: la de Nay y Sinar). Cuenta la historia de unos amores desgraciados que terminan con la muerte de la protagonista, gravemente enferma. Después de haber hecho frente a toda clase de obstáculos, la huérfana María y su amado Efraín, en cuya casa vive protegida por la familia, abrigan cierta esperanza; pero cuando él vuelve de un viaje, ya está enterrada.

El telón de fondo de esas intensas vivencias es la exuberante naturaleza, primitiva y salvaje, del valle del Cauca, a la que se reserva un papel de primera magnitud. Así pues, a pesar de los modelos foráneos, la obra se halla estrechamente vinculada a la tierra americana. La exaltación del amor, las zozobras y amarguras de los protagonistas y el trágico final configuran un producto típicamente romántico, con acentos folletinescos y muestras de una delicada sensibilidad, en el que se contrapesan la ternura y la pasión. Pero también cuenta, y mucho, el componente costumbrista, indigenista, que nos permite conocer la estructura social en que se enmarca la trama y los caracteres raciales de los que en ella intervienen: criollos, mestizos, negros..., así como los episodios y prácticas corrientes de la vida cotidiana. No hay que pasar por alto la delectación miniaturista con que se recrean algunos detalles y la riqueza de matices sensoriales. El autor inserta en su relato muchos elementos autobiográficos que han sido bien identificados.

Es un mundo presidido por las relaciones entre amos y criados, en el que sigue vigente la esclavitud. Pero Isaacs renuncia a plantear ese conflicto y crea una atmósfera idílica, en la que no faltan algunas notas discordantes, que no llegan a desviar nuestra atención del asunto central.

Se reproducen los rasgos del habla popular, que contrasta con la más academicista del ámbito señorial, y se hace acopio de buen número de variedades dialectales.

Con independencia de su mayor o menor sumisión a los modelos, asunto harto discutido, el valor y originalidad de *María* hay que buscarlos en la descripción del entorno humano y paisajístico, que le dan un sello propio.

LA PERVIVENCIA DE LA NOVELA ROMÁNTICA. El gusto por lo patético, la predilección por los motivos históricos, el planteamiento de los conflictos sociales desde una perspectiva sentimental siguen vivos en la narrativa hispanoamericana hasta finales de siglo.

El ecuatoriano JUAN LEÓN DE MERA (Ambato, 1832-Atocha, 1894), perteneciente a una familia distinguida, miembro fundador de la Academia de la Lengua, que llegó a ser presidente del senado y del congreso, abre en su país el camino de la narrativa con *Cumandá* (1879), que, aunque tardía, se ajusta, con las limitaciones que eso conlleva, a los esquemas característicos del Romanticismo. El mundo de los indígenas de la selva americana, representado idealmente por la protagonista, Cumandá, se contrapone al de los colonizadores, contra los que se alzan aquellos para sacudir el yugo de la opresión. El autor plantea un conflicto, enconado por el odio mutuo entre las razas, que se sitúa en los albores del siglo XX. Frente a él nace el amor de Cumandá y Carlos, amor imposible porque resulta que los enamorados son hermanos separados por los motines y disturbios de años anteriores. Ahora el destino los une para volver a separarlos y destruirlos. Tan endeble argumento se compensa con la descripción poética de una naturaleza grandiosa, idílica en sus orígenes, en la que el proceso colonizador introduce la semilla de la crueldad y la discordia. Sin embargo, el autor no ve más remedio a esos males que la religión cristiana, capaz de hermanar a indígenas y colonizadores.

El resto de la producción de Mera se inserta en la corriente del realismo costumbrista y regional, cultivado en España por algunos escritores muy admirados por él. Sirvan de muestra *Novelitas ecuatorianas* (1909), *Entre dos tías y un tío, Un matrimonio inconveniente, Una mañana en los Andes*...

El mexicano IGNACIO MANUEL ALTAMIRANO (Tixtla, 1834-San Remo, Italia, 1893) representa el caso singular de un hijo de una humilde familia indígena que llega a ocupar altos cargos políticos y diplomáticos después de participar en las guerras que afligieron a su país.

Cultiva en *Clemencia* (1869) la novela histórico-política de sucesos actuales, impregnada de un sentimentalismo típicamente romántico. Es una mezcla de sinsabores amorosos y actuaciones heroicas que se sitúa en el momento en que, siendo presidente de la república Benito Juárez, se inicia la intervención francesa. En fecha muy tardía, cuando el movimiento romántico está absolutamente liquidado, Altamirano ofrece su mejor aportación en este campo: *El Zarco*, concluida en 1888 y publicada en 1901. Se remonta unos años atrás, 1861-1863, en medio del bandidaje que asola las regiones del sur, una vez terminada la guerra civil. En esa ambientación histórica se ubica la trama ficticia, con personajes muy extremados en su caracterización; vemos cómo el protagonista, un bárbaro forajido, ejerce su poder seductor sobre Manuela, una muchacha que se siente atraída por la violencia, el lujo, el desprecio a la ley. Las novelas de Altamirano son obras de tesis en defensa de las conductas honradas y cívicamente correctas.

Escribió también novelas cortas (*La Navidad en las montañas*, 1871) y relatos (*Cuentos de invierno*).

El dominicano MANUEL DE JESÚS GALVÁN (1834-1911) aportó una nueva novela histórica, *Enriquillo* (1882), situada en los primeros años de la colonización. El protagonista, descendiente de un caudillo indígena, es adoptado por uno de los conquistadores. Ya en la edad adulta, se ve atropellado por la arbitrariedad de los blancos. Se alza en armas y, después de trece años de resistencia, se entrega a las autoridades. Es un relato idealizante y maniqueo que ha perdido interés con el tiempo.

Siguiendo la línea de *María* de Jorge Isaacs, el mexicano PEDRO CASTERA (1838-1906) publica una novela sentimental, *Carmen, memorias de un corazón* (1882), cuyo protagonista se enamora de una joven de quince años, a la que lleva veinte.

El boliviano NATANIEL AGUIRRE (Cochabamba, 1843-Montevideo, 1888) tiene en su haber, además de otras obras de menor relieve, la novela *Juan de la Rosa* (1885), cuyo protagonista evoca episodios de su niñez acontecidos en Cochabamba entre 1810 y 1812, en medio de la lucha por la independencia. A través de su personaje, el autor manifiesta una actitud crítica frente a la acción de los colonizadores. Los recursos románticos y folletinescos apenas dejan entrever, en la descripción del paisaje y el pueblo boliviano, el germen del realismo.

Citemos, por último a JOSÉ MILLA Y VIDAURRE (Guatemala, 1822-1882), autor de novelas históricas (*La hija del adelantado*, 1866; *Los nazarenos,* 1867; *El visitador*, 1867) y de otras de costumbres (*Memorias de un abogado*, 1876; *Historia de un pepe*, 1882; *El esclavo de don dinero*, 1881).

6.4.4. LA NOVELA REALISTA EN ESPAÑA

La lenta evolución desde el arrebato romántico a la objetividad realista se puede observar en numerosos autores españoles, entre los que destaca PEDRO ANTONIO DE ALARCÓN (Guadix, Granada, 1833-Valdemoro, Madrid, 1891). Muchas de sus obras tienen todavía la vehemencia y los personajes apasionados y violentos propios del Romanticismo. Buena prueba de ello son *El escándalo* (1875), *El Niño de la bola* (1880), *La pródiga* (1881)... Lo más logrado de su pluma hay que buscarlo en los relatos de tono realista y costumbrista, entre los que destaca *El sombrero de tres picos* (1874), graciosísima novela corta que desarrolla una anécdota de origen popular. Muy valiosas son también sus colecciones de cuentos, en los que usa un lenguaje ágil, llano y sencillo e imita a las mil maravillas el habla coloquial: *Cuentos amatorios* (1881), *Historietas nacionales* (1881), *Narraciones inverosímiles* (1882)... Se encuentran en ellas piezas tan logradas como *El clavo* o *El carbonero alcalde*.

JUAN VALERA. Perteneciente a una familia aristocrática, nace en Cabra (Córdoba) en 1824. Recibe una amplia formación humanística. Sigue la carrera diplomática. Es diputado y académico. Tras la revolución de 1868, desempeña importantes cargos. Con la caída de Amadeo de Saboya termina para él la actividad política y se dedica a escribir. En sus últimos años sufre una ceguera casi total. Muere en Madrid en 1905.

Aunque su dedicación a la novela es tardía (a partir de los cincuenta años), con anterioridad, además de poesías y ensayos, había cultivado el género epistolar, donde emplea una prosa ágil, culta, incisiva... que será el instrumento de su creación novelesca.

En sus narraciones evoca el ambiente andaluz que le rodeó en su infancia. Se deleita en recordar las casas, las fuentes, las tertulias, los dulces y chacinas... Adopta una actitud distante y en ocasiones burlona respecto a sus criaturas, pero las mira con afecto. Se siente especialmente atraído por los caracteres femeninos. Sus novelas están pobladas de mujeres bellas, distinguidas y sensibles. Concibe la literatura como un entretenimiento que debe dejar de lado las preocupaciones. No huye de la realidad, pero evita los aspectos desagradables y la embellece y exalta con un toque de idealismo. Se manifiesta contrario a la corriente naturalista, por su morbosa complacencia en lo repulsivo. Aunque suele incluirse a Valera entre los representantes del Realismo, quizá sería más propio calificar sus obras de «ideorrealistas».

Su primera novela, *Pepita Jiménez* (1874), es considerada la mejor. Muestra con sutileza el dilema que se le plantea al joven seminarista Luis de Vargas entre el amor humano y el divino, al conocer a una encantadora viudita con la que aspira a casarse su padre. La lucha que se entabla en su interior queda reflejada en las cartas que escribe a su tío, un sacerdote que conoce muy bien el corazón humano.

El relato juega irónicamente con los cambios psicológicos del protagonista. El fervor religioso que alienta en sus primeras cartas se va disolviendo y se sustituye por el amor a las criaturas concretas y próximas, a pesar de sus esfuerzos para reprimir ese cambio. El autor y los lectores miran con humor y cariñosa distancia las contradicciones íntimas de don Luis y «la victoria del amor sobre el juvenil afán de notoriedad que se disfraza de misticismo».

Donde mejor se refleja el amor de Valera por las cosas es en *Juanita la Larga* (1895), una deliciosa novela en la que la trama amorosa y el delicado análisis psicológico se integran en un cuadro de costumbres. Entre sus títulos se cuentan *Las ilusiones del doctor Faustino* (1875), *Pasarse de listo* (1877), *Doña Luz* (1878), *Genio y figura* (1897)...

Escribió también excelentes relatos, a veces muy breves, en los que dominan los rasgos de humor, como los que aparecen bajo el título de *Cuentos y chascarrillos andaluces* (1896). Muy bellos son algunos que podríamos considerar cuentos de hadas: *El pájaro verde* (1860) y *El espejo de Matsuyama* (1887), ambos de ambientación oriental.

JOSÉ MARÍA DE PEREDA. Natural de la Montaña santanderina (Polanco, 1833-Santander, 1906), militó en el partido carlista. Estuvo siempre muy ligado a su tierra cántabra y sus gentes. Compaginaba la actividad política y literaria, en la que se inició a través del periodismo. Al final de su vida ingresó en la Real Academia.

En su obra narrativa, fiel reflejo de su conservadurismo, exalta la sociedad rural de régimen patriarcal y dirige furibundos ataques contra el progreso burgués y la industrialización. Prodiga las alusiones despectivas a la vida de la corte: asimismo ridiculiza a la sociedad provinciana santanderina, que aspira a mirarse en el espejo de Madrid.

Su punto de partida es el costumbrismo, que no abandonará nunca. En su obra se da una fructífera contradicción entre el amor a la realidad descrita (las gentes y paisajes de su Cantabria natal) y la dureza con que ahonda en los aspectos más sórdidos de la vida social. A lo largo del tiempo, los sarcasmos iniciales se irán suavizando hasta llegar a una cierta exaltación idílica de costumbres y ambientes en la que nunca faltan rasgos de ironía.

Comienza con una serie de bocetos en los que domina la veta caricaturesca: *Escenas montañesas* (1964), *Tipos y paisajes* (1871). Evoluciona después hacia la novela. Esta presenta a menudo un argumento muy tenue en el que se engarzan una serie de cuadros populares cuyo predominio sobre la acción es evidente.

Tras publicar algunas novelas de tesis (*El buey suelto*, 1878; *De tal palo, tal astilla*, 1880), ofrece las muestras más representativas de su concepción del género: *Sotileza* (1885), que refleja descarnadamente la vida de los pescadores, y *Peñas arriba* (1895), de registros similares pero dedicada a la gente de la Montaña, de la que ya se había ocupado en *El sabor de la tierruca* (1882) y *La puchera* (1889).

En *Pedro Sánchez* (1883), que alcanza un éxito apoteósico, dirige su mirada crítica contra la vida madrileña, en un intento de replicar a doña Emilia Pardo Bazán, que había lamentado la estrechez de sus horizontes narrativos. Repite la experiencia en *La Montálvez* (1888), que no goza de pareja fortuna.

6.4.5. BENITO PÉREZ GALDÓS

VIDA Y PERSONALIDAD. Nació en Las Palmas de Gran Canaria en 1843. Terminado el bachillerato, se trasladó a Madrid para estudiar derecho. Permanecería en la capital el resto de su vida. Pronto abandonó las leyes para dedicarse al periodismo y la literatura. Intervino en la política nacional, primero como diputado liberal y más tarde en el partido republicano. En 1889 fue elegido académico de la Lengua. Presidió, junto a Pablo Iglesias, el comité de la conjunción republicano-socialista. Desde 1910 fue perdiendo la visión. En 1912 se le propuso para el Nobel de literatura, pero no contó con el apoyo de algunas instituciones ni de los sectores reaccionarios. Murió en 1920.

Su biografía carece de sucesos relevantes. Siempre fue tímido y retraído y no conocemos bien su vida íntima. Permaneció soltero, pero se sabe de algunas de sus relaciones amorosas. Era hombre de costumbres sobrias y aspecto un tanto desaliñado. En abierto contraste con su apariencia externa apocada, poseía una férrea voluntad. Trabajaba con disciplina y constancia infatigables. Era tolerante y comprensivo. A lo largo de su vida sufrió una dura persecución por parte de los sectores ultracatólicos y reaccionarios.

Sentía una profunda inquietud religiosa, como lo demuestra el hecho de que este tema aparezca constantemente en sus obras; dirige sus dardos contra el clero y las actitudes oscurantistas. Su religiosidad, personal e íntima, se sitúa al margen de la ortodoxia oficial.

RASGOS GENERALES DE SU OBRA. En su discurso de ingreso en la Academia, *La sociedad presente como materia novelable*, leído en 1897, Pérez Galdós define las directrices esenciales de su narrativa. Aspira a retratar al conjunto de la sociedad, tanto en los rasgos individuales de los seres que la forman, elevados a la categoría de tipos característicos, como en su comportamiento colectivo. Su interés se centra en la clase media madrileña, que es la gran protagonista de sus novelas, aunque da cabida también a individuos de las altas esferas y del bajo pueblo. En un principio exalta a la pequeña burguesía, que viene a representar la lucha por el progreso. Son varias las obras en que el burgués de ideas avanzadas se opone al reaccionario que se ampara en una falsa religiosidad. Sin embargo, a medida que esa clase social se hace más conservadora, arrecia sus ataques contra ella; la vemos vivir de cara a la galería, tiranizada por el afán de aparentar. En sus últimos años, perdida su fe en el ideal positivista, Pérez Galdós deriva hacia el espiritualismo.

Es un auténtico maestro en la técnica del diálogo. La voz narradora se ve interrumpida a cada paso por la de los personajes y también encontramos interesantes monólogos en los que las criaturas ficticias hurgan en los rincones de su intimidad.

Es habitual que los personajes de unas novelas reaparezcan en otras. De ese modo se crea la sensación de que se mueven en un mundo real, en el que hay la misma continuidad que en la vida.

Sazona sus obras con buenas dosis de humor, que a menudo deriva hacia la ironía y la caricatura.

No supedita nunca la expresión de sus ideas a los primores del estilo. Por eso se le ha acusado a veces de un cierto descuido. Uno de sus mayores logros es haber sabido llevar a sus páginas la lengua coloquial, tal como se habla en la calle. Esa naturalidad es fruto de una observación atenta. Aparecen en sus obras palabras castizas y populares y un variado repertorio de frases hechas.

Es un creador extremadamente fecundo, que nos ha dejado la nada despreciable cantidad de treinta y una novelas (algunas en dos o más tomos), a las que hay que añadir los cuarenta y seis relatos de *Episodios nacionales*, veinticuatro piezas dramáticas y un número considerable de artículos, narraciones y crónicas.

Los *Episodios nacionales*. Pérez Galdós se propuso dar a conocer al pueblo español la historia de su tiempo. Para ello noveló los acontecimientos más importantes del siglo XIX, de forma que pudieran resultar amenos al lector. Comienza con la derrota de *Trafalgar* (1805) y termina con la Restauración borbónica (1874). Son en total cinco series, de diez relatos cada una. La última quedó sin terminar. Se publicaron en 1873-1875, 1875-1879, 1898-1900, 1902-1907 y 1907-1912.

Están a medio camino entre la novela y la historia. Los personajes ficticios alternan con los reales. El autor inventa un protagonista (Gabriel Araceli en la primera serie; Salvador Monsalud en la segunda...) para dar más unidad a la acción. Actúa como testigo de todo lo que cuenta.

La obra encierra una lección de tolerancia: hay que olvidar los enfrentamientos y trabajar por la paz, la libertad y el progreso.

La primera serie se ha hecho muy popular; a ella pertenecen los episodios más conocidos: *Trafalgar, Bailén, Gerona, Zaragoza...* Probablemente se deba al interés que ha despertado siempre la guerra de la Independencia.

EVOLUCIÓN DE LA NARRATIVA GALDOSIANA. Cabe distinguir dos etapas fundamentales:

NOVELAS DE LA PRIMERA ÉPOCA. Un grupo importante lo constituyen las que giran en torno a la intransigencia religiosa y tienen como tema fundamental el enfrentamiento ideológico entre reaccionarios y progresistas. Son novelas de tesis, que vienen a demostrar cómo la intolerancia destruye al ser humano. Así se ejemplifica en *Doña Perfecta* (1876), *Gloria* (1977) y *La familia de León Roch* (1878). Al margen de este asunto, destaca *Marianela* (1878), un relato sentimental y patético que se ha hecho célebre.

«NOVELAS CONTEMPORÁNEAS». Dejados atrás los resabios románticos, Pérez Galdós aplica esa denominación al resto de sus obras, escritas en el momento de plenitud de su carrera. Ofrecen una riquísima panorámica de la sociedad madrileña, en especial de la clase media. A esta etapa pertenecen los títulos más relevantes: *La desheredada* (1881), *Tormento* (1884), *Lo prohibido* (1884-1885), *Fortunata y Jacinta* (1886-1887)...

Sigue después un proceso de interiorización, ya anunciado en *Fortunata y Jacinta*, y se adentra cada vez más en la intimidad de sus criaturas: *Miau* (1888), *Realidad* (1889), el ciclo de Torquemada (1889-1895), *Ángel Guerra* (1890-1891), *Tristana* (1892)..., hasta desembocar en un periodo espiritualista, en el que sus personajes aparecen dominados por un misticismo que los lleva a la renuncia de los bienes terrenales y a la entrega al prójimo: *Nazarín* (1895), *Misericordia* (1897)...

LA DESHEREDADA. Constituye la primera aproximación de Pérez Galdós al Naturalismo. Sus personajes aparecen asfixiados en su vulgar existencia. La protagonista, Isidora Rufete, padece un delirio quijotesco que la lleva a considerarse víctima de un error del destino. Aunque pertenece a la clase baja, dice poseer unos documentos que la acreditan como hija ilegítima de la marquesa de Aransis. Basa toda su vida en su presunta nobleza, de la que se cree injustamente despojada, y gasta mucho más de lo que le permite su situación real, hasta que acaba prostituyéndose.

El autor se recrea en la plasmación de un mundo sórdido que empuja a Isidora a la degradación. Como novela documental que es, *La desheredada* presenta diversos cuadros que inciden en los aspectos más desagradables de la realidad, empezando por la cruda descripción del manicomio de Leganés que abre sus páginas para mostrarnos en su encierro al padre de la protagonista. Toda la obra es una penosa peregrinación a través del dolor y la miseria. En ella se contrastan continuamente el vano ensueño de Isidora y la sordidez cotidiana. Su drama personal se pone en paralelo con el marasmo en que se halla sumida la nación.

FORTUNATA Y JACINTA. Es considerada por todos la mejor novela de Pérez Galdós. Gira en torno a las relaciones amorosas que mantiene Juanito Santa Cruz, joven burgués, con su esposa Jacinta, perteneciente a su misma clase social, y con Fortunata, una mujer del bajo pueblo con la que llega a tener dos hijos. Los vaivenes del protagonista tienen en vilo a una y otra; aunque enfrentadas, están unidas en el sufrimiento.

La obra es muy extensa y su trama mezcla dos historias distintas que se entrecruzan: el matrimonio de Juanito y Jacinta, y el de Fortunata y Maxi, un pobre muchacho enfermizo por quien su mujer no siente más que lástima y que acaba enloqueciendo de celos. Se retratan con vivísimos trazos todos los ambientes del Madrid de la época: la alta burguesía de los Santa Cruz y su círculo de relaciones, la clase media a la que pertenece la familia de Maxi, el bajo pueblo de Fortunata. Con técnica naturalista se muestran los aspectos más degradados de la realidad y se reproduce el lenguaje barriobajero.

La caracterización psicológica de las tres figuras centrales es soberbia, especialmente la de las dos mujeres. Fortunata es dócil y sumisa, pero está dispuesta a todo para gozar de su amor. Jacinta es la esposa virtuosa y pasiva, muy enamorada de su marido, que siempre acaba perdonando. Su gran frustración, que la lleva a caer en la histeria, es no tener hijos. Cuando al final se queda con el de Fortunata, tras la

405

muerte de esta, desplaza hacia la criatura el amor que antes sentía por su marido. Juan, visto con menos simpatía por el autor, es un típico hijo de casa bien.

En torno a este trío se mueve una riquísima galería de tipos humanos, como en todas las novelas galdosianas. Como marco, la vida política y social del país. La acción se inicia en diciembre de 1869 y finaliza en 1876, pero hay alusiones a un periodo de tiempo mucho más amplio que permiten seguir la evolución de la vida española.

OTRAS NOVELAS RELEVANTES. Al mismo grupo que las anteriores pertenece *Tormento* (1884), en la que asistimos a las zozobras de Amparo, protegida de los Bringas, cuya boda con Agustín, un rico indiano sinceramente enamorado de ella, se ve obstaculizada por sus pasadas relaciones con el sacerdote Pedro Polo, que no está dispuesto a soltar su presa. El sentimiento de culpabilidad por haberse dejado seducir se convierte para esta criatura medrosa y apocada en un auténtico calvario. A la postre Agustín, hombre que se ha hecho a sí mismo por medio del trabajo, se sobrepone al falso sentido de la honra que rige en su entorno y se une a su prometida fuera del matrimonio. Su figura se contrapone a la de su prima Rosalía Pipaón de Bringas, que viene a encarnar los aspectos más mezquinos de la clase media. La turbulenta historia íntima de la protagonista se acompaña de una espléndida pintura de los últimos tiempos del reinado de Isabel II.

Prolongación de la novela anterior es *La de Bringas* (1884), en la que el protagonismo recae sobre Rosalía; pasa a primer plano su desmedido afán de figurar, que llega a extremos patológicos. Dado que sus limitaciones económicas le impiden satisfacer su apetencia por los signos externos de riqueza, acabará desprendiéndose de toda cortapisa moral. La conmoción que sufre la casa de los Bringas discurre paralelamente a la que llevará al país al estallido de «La Gloriosa» y a la caída de la dinastía borbónica.

El «naturalismo espiritual» que se abre paso en *Fortunata y Jacinta* (así se titula el capítulo VI de la tercera parte) avanza en novelas posteriores. Buena prueba de ese buceo en el ámbito de la conciencia es *Miau* (1888). Cuenta la dramática experiencia de Ramón Villaamil, probo funcionario que, después de dedicar su vida a la administración pública, queda cesante cuando solo le faltan dos meses para jubilarse y poder recibir una merecida paga. Toda la trama gira en torno a las estrecheces económicas de la familia y a la angustiosa necesidad que tiene el anciano de conseguir un destino. Poco a poco va enloqueciendo a causa de esta obsesión. Humillado, perdida la propia dignidad, llega a una situación límite en la que no encuentra más salida que el suicidio. En esta novela sobrecogedora, la sociedad se presenta como un mecanismo destructivo e injusto, de cuyos rigores no pueden defenderse los débiles.

Ya en la etapa espiritualista, presidida por una nueva concepción vital, nuestro autor ofrece en *Nazarín* (1895) el retrato de un cura que es viva antítesis de los otros muchos que desfilan por sus páginas, captados siempre con mirada crítica. Este personaje, inmerso en un mundo hostil, vive en la más absoluta miseria, indiferente a las injurias y humillaciones, preocupado tan solo por llevar la bienaventuranza a todos sus semejantes. Como otros héroes galdosianos de este periodo final, aspira a trasformar la sociedad, a abrir nuevos horizontes más allá del materialismo. Aparece a los ojos de los demás como un loco idealista, inofensivo en sí, pero al que es necesario encerrar para que no lleve a cabo una acción disolvente de los principios por los que se rige el corpus social.

EL TEATRO. LA NARRATIVA BREVE. Pérez Galdós aspira a renovar el teatro. Pretende aproximar la escena y la realidad, llevar a las tablas los conflictos de la vida contemporánea; pero escribe con óptica de novelista, no siempre es capaz de plegarse a las exigencias de un género que se rige por los principios de intensidad y economía. Hay en sus textos demoras y fallos de ritmo que limitan la capacidad de llegar al público desde un escenario.

Por lo común, se erige en defensor de una determinada tesis. Exalta la virtud burguesa del trabajo y arremete contra las mentalidades arcaicas, contra la intolerancia y el fanatismo. Logra así sus mayores éxitos en obras como *Electra* (su estreno en 1901 levantó gran polvareda), *Casandra* o *El abuelo*, quizá la más importante, estrenada en 1904.

Cultiva también la narrativa breve, pero se queda en este campo muy por debajo de sus novelas. Probablemente se deba a sus dificultades para imponerse límites. La descripción realista de la vida cotidiana se ve desplazada por la fantasía. Abundan los elementos alegóricos y oníricos; algunos cuentos son puramente fantásticos. Domina el tono jocoso, sin que falten momentos de mayor sobriedad. Sirvan de ejemplo algunos títulos: *Tropiquillos, La conjuración de las palabras, La novela en el tranvía...*

6.4.6. El Naturalismo español

Las doctrinas positivistas de Zola llegan a España relativamente pronto. En la década de 1880, novelistas como Pereda o Pérez Galdos incorporan algunas de las técnicas de la novela experimental. Una promoción algo más joven se hará abanderada de la nueva estética.

Emilia Pardo Bazán. Doña Emilia (La Coruña, 1851-Madrid, 1921), miembro de una familia aristocrática, católica practicante, reúne dos condiciones que se consideraban incompatibles con las anteriores: difusora y defensora de las tesis naturalistas en literatura (*La cuestión palpitante*, 1882-1883) y decidida feminista que luchó por la igualdad de los sexos. Por ser mujer, se le negó el acceso a la Academia, pero alcanzó la cátedra de literaturas neolatinas de la Universidad Central.

Ofrece en sus obras un profundo análisis de la sociedad española, que se centra principalmente en el ámbito gallego, atendiendo tanto a la capital coruñesa (Marineda) como al mundo rural, en particular a las tierras orensanas, condenadas al inmovilismo. No falta tampoco alguna incursión en la vida madrileña. Busca una fórmula conciliadora que le permita incorporar los hallazgos de Zola sin menoscabo de su ortodoxia católica. De ahí que a la aplicación de los métodos positivistas añada un notable interés por la espiritualidad de la criatura humana.

Tras haber escrito alguna novela realista, se advierte la transición hacia el Naturalismo en *Un viaje de novios* (1881). Obra de plenitud de esta etapa es *Los pazos de Ulloa* (1886), historia turbulenta que plantea un enfrentamiento entre dos formas de vida opuestas: las costumbres bárbaras que reinan en el ámbito rural y la civilización urbana, representadas, respectivamente, por don Pedro Moscoso, un auténtico señor feudal que pertenece a la aristocracia decadente, y por su esposa Nucha, que tiene como valedor al joven e ingenuo sacerdote don Julián. Tema fundamental de la novela es el poderoso influjo del medio ambiente sobre la conducta humana. La exuberante naturaleza juega un papel fundamental en la vida de los pazos. Tanto es así, que la continuación de esta novela se titula precisamente *La madre naturaleza* (1887). Es de calidad inferior.

La misma línea naturalista siguen *Insolación* (1889), *Morriña* (1889) y *La piedra angular* (1891). En su última fase abandona ese influjo y deriva hacia la novela de tesis espiritualista en *Una cristiana* y *La prueba*, publicadas ambas en 1890.

Doña Emilia escribió también buen número de novelas cortas y más de quinientos cuentos. Algunos son brevísimos. Los temas y tonos adquieren gran variedad; junto al realismo y el naturalismo hace acto de presencia el mundo de los símbolos. La mayoría se agrupan en colecciones: *Cuentos de Marineda* (1892), *Cuentos nuevos* (1894), *Cuentos de amor* (1898), *Cuentos sacro-profanos* (1899), *Cuentos trágicos* (1912), *Cuentos de la tierra...*

OTROS AUTORES. Entre los novelistas de la promoción del Naturalismo se puede recordar a JACINTO OCTAVIO PICÓN (Madrid, 1851?-1923), autor de *Dulce y sabrosa* (1891), que, protagonizada por una variante burguesa del mítico don Juan, ejemplifica la pasión por lo prohibido y defiende la libertad amorosa frente a las convenciones sociales; y al jesuita LUIS COLOMA (Jerez de la Frontera, 1851-Madrid, 1914), creador de *Pequeñeces* (1890-1891), una violenta y cruda sátira contra la aristocracia de la Restauración desde posiciones intransigentes y próximas al integrismo religioso.

Más distante de los postulados naturalistas está ARMANDO PALACIO VALDÉS (Entralgo, Asturias, 1853-Madrid, 1938), excelente pintor de su tierra en *La aldea perdida* (1903) y *Sinfonía pastoral* (1931), aunque su obra más famosa es *La hermana San Sulpicio* (1889), de ambiente andaluz y tonalidades rosáceas.

6.4.7. LEOPOLDO ALAS, «CLARÍN»

VIDA Y PERSONALIDAD. Leopoldo Alas Ureña nació en Zamora en 1852. La familia se trasladó a Oviedo en 1863. Estudió derecho, fue periodista de prestigio y catedrático de la universidad. Murió en 1901.

Aunque de carácter retraído, en el ejercicio de la actividad periodística solía mostrarse tajante en sus juicios. Se acreditó como uno de los más agudos críticos literarios de su época. Fue liberal y republicano, en la oposición, por tanto, al régimen monárquico restaurado en 1874. En su obra puede verse su actitud anticlerical.

LA REGENTA. Publicada en dos tomos en 1884 y 1885, se la considera una de las obras maestras de la literatura española. No escapó a los ojos de nadie que bajo el nombre de Vetusta, ciudad en que se desarrolla la acción, era Oviedo la que aparecía retratada, aunque el ambiente que se refleja pudiera ser el de cualquier otra ciudad provinciana. Se organizó un auténtico escándalo. Hubo críticas elogiosas y ataques furibundos. La novela sufrió durísimos embates por parte de los sectores más afectos al clero, el principal blanco de la sátira. El obispo la condenó y la ciudad en general se consideró injustamente vituperada. Se convirtió en la comidilla de todas las tertulias literarias. Poco a poco, acabó por sumirse en el olvido. Ha pasado inadvertida hasta tiempos muy recientes.

Empieza la obra describiendo minuciosamente la ciudad de Vetusta, dominada por el clero y la «necia rutina». Presiden la acción tres interesantes personajes, cuyos perfiles psicológicos están trazados con detalle: Ana Ozores, don Fermín de Pas y Álvaro Mesía.

Ana es una joven sensible, romántica y sensual; sabemos a través de un sueño que su infancia y adolescencia estuvieron marcadas por la falta de afecto. Está casada con don Víctor Quintanar, antiguo regente de Vetusta, ya entrado en años, que la trata con un cariño paternal. Se siente insatisfecha y concibe su convivencia con un marido viejo e impotente como un sacrificio lleno de grandeza; pero sufre periódicas crisis nerviosas durante las cuales no puede soportar esa carga. A pesar de su frustración, mantiene una conducta intachable. La virtud y la honestidad de Anita irritan a aquellos que se entregan a sus debilidades y, en el fondo, todos están deseando que caiga.

En esas circunstancias, no resulta extraño que se sienta atraída por el galanteo de don Álvaro Mesía, jefe del partido liberal y presidente del casino, que la asedia sin descanso. Es un tenorio local en fase de decadencia, que ha de rematar su carrera con la más difícil de las conquistas. Ana lucha entre sus inclinaciones y el cumplimiento del deber. Busca el apoyo de la religión para defender su castidad, pero despierta el deseo de su padre espiritual, don Fermín, magistral de Vetusta. Es un hombre culto, elegante, inteligente, astuto y orgulloso, poseído por la ambición, atado a una vida sacerdotal que jamás ha sentido sinceramente. Todas sus pretensiones se resumen en dominar y conquistar. Se considera dueño y señor de la ciudad; pero, a pesar de su despotismo, está insatisfecho porque necesita saciarse en víctimas de más categoría. Cuando conoce a Ana, sus ansias de hermandad espiri-

411

tual, de dominar esa alma delicada, tienen una raíz carnal que él prefiere ocultarse a sí mismo, pero que no puede sofocar y llega a trastornarlo y a hacerle concebir una pasión absorbente y despótica.

A la postre, la caída de la Regenta en brazos del libertino ocasiona la muerte de don Víctor, que lo desafía a batirse en duelo, y desata los celos del sacerdote. Mesía huye a Madrid y la protagonista se queda sola, en medio de la ciudad hipócrita, atormentada por los remordimientos.

Reinan en Vetusta la mezquindad, la ociosidad y la reacción, sobre todo entre las clases pudientes. La tolerancia es una flor rara en esos individuos, que se nos muestran ridículos, frívolos, anodinos, dormidos en su cómoda e inútil existencia.

Desde el primer momento quedan perfilados los distintos grupos sociales: la aristocracia, apegada a los viejos esquemas; la alta burguesía, que aspira a elevar su rango comprando matrimonios con título; la clase media del «quiero y no puedo», apenas descrita; los obreros, pequeños comerciantes, vendedores, oficinistas y criados, que salen adelante con fatiga y viven totalmente al margen.

Clarín dirige duros ataques contra el clero, que se aferra a las comodidades que le proporciona su contacto con las altas esferas y participa en sus rencillas. Se insiste mucho en las lacras morales de unos clérigos ajenos al auténtico espíritu cristiano, que viven entregados en cuerpo y alma a las relaciones mundanas y a la satisfacción de sus apetitos sexuales.

Cabe preguntarse hasta qué punto nuestra novela supone el triunfo del determinismo naturalista. En el proceso que describe vemos cómo se genera en el ambiente una presión sutil y poderosa; conocemos las pulsiones sexuales de los personajes. Pero también nos adentramos en los recovecos de su alma, en sus inseguridades, en su necesidad de afecto, en su orgullo... El sexo se ha pervertido para convertirse en símbolo del poder. Los instintos que mueven a los protagonistas son mucho más complejos que los meramente fisiológicos.

OTRAS OBRAS. Además de *La Regenta*, Clarín escribió otras dos novelas: *Su único hijo* (1891) y *Cuesta abajo* (1890-1891). Tiene también en su haber más de sesenta cuentos, entre los que hay verdaderas obras maestras del género. Desfila por ellos una galería de pobres gentes en las que vuelca su ternura. Se interesa por los seres desvalidos: niños, viejos, enfermos... e incluso por los animales. Su tono es cordial y a veces lírico. Los títulos más celebrados son *¡Adiós, Cordera!*, *Pipá*, *Avecilla*, *Dos sabios*, *Zurita*...

Añádase a esto la novela corta *Doña Berta*, una narración poética protagonizada por una anciana de familia hidalga que dedica sus últimos días a la persecución de un ideal: comprar un cuadro en el que cree ver retratado a un hijo que tuvo y que le arrebataron para ocultar su deshonra.

Ya hemos hablado de la relevancia que alcanzó nuestro autor en el campo del periodismo. Colaboró a lo largo de toda su vida en las publicaciones más prestigiosas: *Madrid cómico, La España moderna, El imparcial, Revista de España...* Se hicieron célebres una serie de artículos llamados «paliques», particularmente incisivos. Muchos de los trabajos que aparecieron sueltos en la prensa se agruparon después en forma de libro. *Solos de Clarín* (1881) fue el que obtuvo más éxito. *Palique* (1893) recoge, entre otras cosas, los escritos que responden a esa denominación.

6.4.8. LA NOVELA REALISTA EN HISPANOAMÉRICA

El Realismo llega a la América española en fecha tardía, aunque casi al mismo tiempo que en la antigua metrópoli. Quizá la diferencia sustancial entre un ámbito y otro radique en el vigor que conservan en el Nuevo Mundo los moldes románticos, en especial la novela histórica con resabios indigenistas (véase 6.4.3).

Desde poco después de la mitad del siglo, podemos hablar de novela realista en un sentido próximo al que se aplica a Balzac o a las primeras obras de Pérez Galdós.

ALBERTO BLEST GANA. Nace en Santiago de Chile en 1830. Estudia en París y durante esa estancia puede conocer la evolución de la novela francesa, en especial las obras de Balzac y Stendhal, que influirán notablemente en su creación. Su etapa de mayor fertilidad y fortuna literaria son los primeros años de la década de 1860. Después ocupa diversos cargos oficiales y diplomáticos que lo llevan a Washington, Londres y París. En la capital francesa permanecerá hasta su muerte en 1920.

Sus obras más tempranas (*Una escena social*, 1853; *Engaños y desengaños*, 1855; *La fascinación*, 1858...) se enmarcan dentro de los esquemas de la narrativa romántica. La primera de relieve es *La aritmética del amor* (1860), premiada por la universidad de Chile; se la considera pionera en la descripción de ambientes y personajes con la intención de convencernos de su realidad. Hereda de sus predecesoras el interés por los engaños y desengaños amorosos. Hasta tres sufre el protagonista (que responde al significativo nombre de Fortunato Esperanzado), lo que le permite al autor llevarlo de Santiago a una ciudad de provincias y devolverlo a la capital. Al compás de su vida sentimental, vamos conociendo el medio social en que se desenvuelve.

Esta concepción literaria que combina el relato de las relaciones amorosas con la pintura de la vida capitalina reaparece en *Martín Rivas* (1862). Su protagonista es un joven provinciano que llega a Santiago recomendado a una familia de la alta sociedad. Leonor, la hija de su protector, se enamora de él, pero se resiste a confesarlo. Aunque el amor es mutuo, las barreras económicas y sociales los separan. Se añade a esto la pasión de Edelmira, una joven burguesa, por Martín. Una situación límite (es apresado por su apoyo a una revuelta antigubernamental) allana el camino para que los enamorados se sinceren y se casen.

Este argumento, que se aderaza con múltiples historias secundarias, da cauce al análisis de la psicología de los protagonistas y sus contradicciones íntimas. Y también propicia el reflejo costumbrista de la vida chilena del momento, la falta de ideales de la generación que ocupa el poder, los intentos de cambiar el *statu quo* por vía revolucionaria...

El ascenso de Martín Rivas no difiere del que acarician otros personajes de la novela que va del Romanticismo al Realismo, en especial el Julián Sorel de *Rojo y negro* de Stendhal; pero Blest Gana opta por el final feliz, que algunos críticos han juzgado contradictorio con el propósito de denuncia que alienta en parte del relato.

La fórmula de *Martín Rivas* se revalida en *El ideal de un calavera* (1863), rememoración de la vida de un oficial quemada entre amores, abandonos y despechos.

Tras un paréntesis de treinta y cuatro años, al final del siglo saca a la luz *Durante la reconquista* (1897), relato de historia próxima, más para el autor que para sus lectores. La acción se sitúa en torno a 1814, cuando las tropas realistas procedentes de Perú ocupan Chile y anulan el proceso de independencia. Las peripecias de un joven patriota, Abel Malsira, sirven para pintar un cuadro social de la época y enfrentar caracteres contrapuestos, en particular el del protagonista y el del capitán realista San Bruno, cuya brutalidad sanguinaria se equilibra con su rectitud de soldado dispuesto al sacrificio por su rey.

Ya en el siglo XX, Blest Gana ofreció nuevos relatos al público: *Los trasplantados* (1904), *El loco Estero* (1909) y *Gladys Fairfield* (1912).

La crítica valora en este introductor del Realismo sus aptitudes para crear personajes y mostrar al lector cómo se van haciendo interiormente. También su capacidad para la observación y traslación al papel de ambientes y grupos sociales. En suma, es un creador de ficciones. Sin embargo, es prácticamente unánime deplorar el descuido, la falta de corrección y lima de sus textos. Probablemente, encandilado por el mundo que crea, le falta interés para cuidar las palabras con que lo expresa.

EL GRUPO ARGENTINO DE LOS OCHENTA. El crecimiento de Buenos Aires, la inmigración masiva y los contactos cada vez más intensos con Europa engendran una generación de escritores muy influidos por Zola y atentos a la realidad en meta-

morfosis que les ofrece la gran urbe. Entre ellos destaca EUGE-
NIO CAMBECERES (Buenos Aires, 1843-París, 1888). Tras dos
novelas primerizas (*Pot Pourri*, 1881, y *Música sentimental*,
1884), escribe *Sin rumbo* (1885), un relato agrio, angustiado,
espeluznante en alguno de sus pasajes, que cuenta la vida disipada y sin sentido de un adinerado porteño. Como remedio a
su íntima desazón, busca a la hija que tuvo con una muchacha
de su hacienda, pero la niña también muere y el protagonista
se suicida. Su obra se cierra con *En la sangre* (1887), crítica y
retrato de la inmigración, italiana en este caso, ejemplo de
arribismo y corrupción.

LUCIO VICENTE LÓPEZ (Montevideo, 1848-Buenos Aires,
1894) alcanzó notable fama con *La gran aldea*, retrato de
Buenos Aires en dos tiempos: 1860 y 1880. A través de la visión infantil, vemos a la ciudad sacudida por las banderías de
federales y unitarios; el adulto nos permite conocer la gran aldea inmoral y corrupta, representada por la segunda mujer de
su viejo tío.

El mismo motivo, el crecimiento de la ciudad y la crisis
moral que lo acompaña, es el alma de otras varias novelas rea-
listas como *La bolsa* (1891) de JULIÁN MARTEL, seudónimo de
JOSÉ MIRÓ (1867-1898), *Quilito* (1891) de CARLOS MARÍA
OCANTOS (1860-1949), *Alma de niña* (1889) de MANUEL T.
PODESTÁ (1853-1918)...

FEDERICO GAMBOA Y EL REALISMO MEXICANO. El tardío
realismo mexicano tiene su figura más eminente en Federico
Gamboa (México, 1864-1939), fervoroso naturalista y admirador de Zola en un tiempo y más tarde conservador y católico. Sus mejores obras tienen la marca zolesca: determinismo
ambiental, presencia del sexo, de la prostitución... Tras varias novelas menores, marcadas por estos estigmas (*Apariencias*, 1892; *Suprema ley*, 1896...), culmina su trayectoria
con *Santa* (1903), la patética historia de una muchacha ex-
pulsada de su casa por estar embarazada, que va cayendo,
abandonada por sus sucesivos amantes. Solo el músico ciego

que trabaja en el burdel se mantiene fiel a un amor imposible. Como su maestro Zola, Gamboa combina descripciones puntuales de los rincones degradantes de la ciudad con escenas melodramáticas.

Otros realistas mexicanos son RAFAEL DELGADO (1853-1916), autor de *La Calandria* (1890), *Angelina* (1893), *Los parientes ricos* (1903)...; EMILIO RABASA (1856-1930), a quien debemos *La bola* (1887), *La gran ciencia* (1887), *El cuarto poder* (1888) y *Moneda falsa* (1888), y JOSÉ LÓPEZ PORTILLO Y ROJAS (1850-1923), creador de *La parcela*.

OTROS AUTORES. Singular fama ha acompañado a la novelista peruana CLORINDA MATTO DE TURNER (Cuzco, 1852-1908), que en *Aves sin nido* (1889) planteó el viejo problema de la situación del indio, desvalido frente al poder de la iglesia y las autoridades civiles. La buena intención de la autora caló en el público de su tiempo, pero no nos compensa de una trama folletinesca y maniquea, y de un lenguaje engolado y retórico.

En Puerto Rico, MANUEL ZENO GANDÍA (Arecibo, 1855-1930) compone *La charca* (1894), novela de tesis en defensa del progreso frente a la degradación de las clases bajas y el anquilosamiento de las altas. Una trama pródiga en violencias y excesos varios da ocasión a la prédica.

Citemos, por último, al uruguayo EDUARDO ACEVEDO DÍAZ (La Unión, 1851-Buenos Aires, 1921), creador de una tetralogía histórica (*Ismael*, 1888; *Nativa*, 1890; *Grito de gloria*, 1893, y *Lanza y sable*, 1914), que presenta las luchas independentistas y civiles de su país.

6.5. EL ENSAYO. EL COSTUMBRISMO

6.5.1. EL PENSAMIENTO POLÍTICO Y SOCIAL EN HISPANOAMÉRICA

ENSAYO Y ORATORIA REVOLUCIONARIOS. El proceso que llevó a la independencia dio lugar a una amplia literatura, en parte ya señalada en 5.1. Entre los que crearon su obra en el siglo XIX destacaremos a FRAY JOSÉ SERVANDO TERESA DE MIER (Monterrey, 1765-México, 1827), de vida zarandeada por las difíciles circunstancias históricas: exiliado en París y en Roma; capellán castrense en la guerra de la Independencia española; de nuevo exiliado en Londres, a raíz del golpe de estado absolutista de 1814; colaborador con José María Blanco White en la redacción de *El español*; expedicionario en una de las intentonas independentistas; refugiado en Estados Unidos; opositor en el México dominado por Iturbide... Su novelesca vida es más apasionante que sus escritos, con no ser estos despreciables. Tienen interés *Apología* (1812) y *Manifiesto apologético* (1820), redactados para defender su inocencia frente a las acusaciones inquisitoriales y editados conjuntamente con el rótulo de *Memorias*. En su labor de propagandista de la independencia hay que anotar sus *Cartas de un americano a «El español»*, publicadas en Londres (1811-1812), y una *Historia de la revolución de la Nueva España* (1813), firmadas con el seudónimo de *José Guerra*.

El libertador SIMÓN BOLÍVAR (Caracas, 1783-Santa Marta, Colombia, 1830) fue escritor de razonable valía, pero su obra literaria es insuficiente al lado de su proyección histórica. Su prosa, sentenciosa y grandilocuente, a mitad de camino entre la retórica neoclásica y la exaltación romántica, está al servicio de su labor política. Así ocurre con *Mirada a América*, escrita desde el destierro, en la que expone su proyecto político, o con la *Carta de Jamaica* (1815) o el *Discurso de Angostura* (1819), a raíz de la unión de Nueva Granada y Venezuela en un solo estado, o con su extenso, apasionante y desigual epistolario.

TRAS LA INDEPENDENCIA. Como ya sabemos, la mayoría de los nuevos países se enfrentaron en sus primeras décadas a guerras intestinas y tiranías militares bien alejadas de los ideales ilustrados que alentaron el proceso de independencia. Una minoría cultivada sostuvo los principios liberales y civilizadores. Como en otros campos, tuvo especial importancia

418

el «Grupo de los proscritos» argentinos bajo la dictadura de Rosas. Son políticos románticos que escriben desde una actitud combativa. La historia les permitió desbancar al tirano, llegar, desunidos, al poder y poner en práctica algunas de las doctrinas que habían explicado antes en el papel.

Domingo Faustino Sarmiento. Nació en San Juan, en el todavía virreinato del Río de la Plata, en 1811. Sin medios económicos, su formación fue en buena medida autodidacta. Por dos veces (1831-1836 y 1840-1855) se vio forzado al exilio en Chile. Vuelto a Argentina, fue presidente entre 1868 y 1874. Tras dejar la presidencia, mantuvo el tono polémico de sus escritos. Murió en Asunción en 1888.

Durante su estancia en Chile entró en controversia con Andrés Bello y sus concepciones clasicistas, erigiéndose en apasionado defensor del Romanticismo (del que está más próximo en lo ideológico que en lo estético) y de la independencia de la lengua y la cultura hispanoamericanas. Su obra, política y literaria, es una encarnizada lucha por la libertad y el progreso, por imponer la civilización frente a la barbarie y buscar la identidad americana a espaldas de la antigua metrópoli. El conjunto de su producción, que publicó en 1889-1909 su nieto, Augusto Belín Sarmiento, alcanza la nada despreciable suma de cincuenta y dos volúmenes.

Su obra cumbre lleva el significativo título de *Civilización y barbarie. Vida de Juan Facundo Quiroga*. Aparece como folletín entre mayo y junio de 1845 en *El progreso* de Santiago. Poco después se publica como libro en la capital chilena. El texto íntegro y definitivo se recoge en la edición parisina de 1874.

Se trata de un libro heterogéneo en su contenido, difícil de clasificar, que no puede etiquetarse como histórico, político, biográfico o narrativo, aunque es, en buena medida, una biografía novelada, a la que no cabe exigir un rigor científico. Ofrece, ante todo, la visión de un país que el autor quiere trasformar.

En la primera parte describe las peculiaridades geográficas y sociológicas de Argentina. Asocia a los caudillos gauchescos con la irrupción de la barbarie, que arranca de las inmensas llanuras del interior; a ella hay que oponer una acción civilizadora, que se encomienda a la burguesía ciudadana.

Viene luego la biografía del caudillo, parte eminentemente narrativa, que incide en los aspectos más primitivos y denigrantes de su personalidad, elevándolo a la categoría de símbolo, de criatura literaria, más allá de lo que fue en su existencia real el temerario personaje que mereció el sobrenombre de «El tigre de los llanos». No es más que un pretexto para arremeter contra el régimen de Rosas, encarnación de la barbarie, como antes lo fue Juan Facundo Quiroga. Muerto el uno, hay que derrocar al otro.

Por último, Sarmiento se dedica a exponer sus proyectos para el futuro. Aunque es imprescindible, no basta con derribar al tirano. Hay que combatir el individualismo que encarna la figura del protagonista, consolidar las instituciones democráticas y acometer un proyecto de reconstrucción nacional, basado en la educación y el progreso técnico y económico.

Facundo es fruto, espontáneo y desigual pero de indudables valores estéticos, de un impulso vehemente; el mismo que guio al autor en sus actuaciones políticas. No se detiene en las galas del estilo, pero alcanza en sus mejores momentos una vibrante majestuosidad. Como en tantas obras a las que nos venimos refiriendo, la descripción del medio físico, del paisaje, es un componente de primera magnitud. En estas páginas cobra auténtica vida el vasto territorio de la Pampa, que Sarmiento no conocía. También ocupa un primer plano la legendaria figura del gaucho, cuya pintura no deja de tener cierto atractivo, a pesar de las connotaciones negativas de que se reviste.

Menos vigorosas y de menor trascendencia son otras dos biografías de caudillos «de la barbarie»: *Apuntes biográficos del general Félix Aldao* (1845) y *El Chacho, el último caudillo de la montonera de los Llanos* (1866).

En el exilio chileno compuso dos escritos autobiográficos en los que expone sus ideas: *Mi defensa* (1843) y *Recuerdos de provincia* (1850), y al final de sus días una biografía de su hijo, muerto en la guerra con Paraguay: *Vida de Dominguillo* (1886). Además de sus libros de viajes (*Viajes en Europa, África y América*, 1849-1851), en la vejez dejó un polémico e inconcluso tratado próximo al racismo positivista: *Conflictos y armonías de las razas en América* (1883).

Juan Bautista Alberdi. Nacido en San Miguel de Tucumán (1810), formó parte del círculo intelectual de Echeverría y se exilió en Montevideo y Valparaíso. Tras la derrota de Rosas, se enfrentó a Sarmiento y a Mitre. Murió, en una suerte de destierro voluntario, en París en 1884.

Una faceta temprana que pronto abandona es la costumbrista, en la que sigue las huellas de Larra, aunque no participa de su radical pesimismo; de ella dan testimonio los artículos publicados en *La moda*, periódico de apariencia frívola que funda en 1837 con otros compañeros. Luego va a centrar su atención en los estudios sociales, políticos y jurídicos, dedicados al análisis de los problemas argentinos e hispanoamericanos en general. Le preocupa sobre todo la inmensa extensión de los territorios y la necesidad de repoblarlos.

Algunos títulos destacados son *Bases y puntos de partida para la organización política de la República argentina* (1852), asumido en sus líneas fundamentales por la Constitución de 1853; *Cartas quillotanas* (1853), escritas en defensa del gobierno de Urquiza, que fue atacado por Sarmiento; *El crimen de la guerra* (1866), que critica la posición del presidente Mitre en relación con Paraguay.

Lugar aparte ocupa la curiosa *Peregrinación de Luz del día o Viaje y aventuras de la Verdad en el Nuevo Mundo* (1878, fechada en 1871), creación fantástica de trasfondo político y filosófico, en que asistimos al viaje de la Verdad a las repúblicas hispanoamericanas, esperando encontrar una realidad muy distinta a la europea, dominada por la mentira. Pero no es así. Las corruptelas políticas se describen con humor sarcástico y amargo. Llama la atención la burla de la democracia que encierra el episodio titulado *Quijotaina*.

421

OTROS PROSISTAS POLÍTICOS. En Chile es figura notable JOSÉ VICTORINO LASTARRIA (Rancagua, 1817-Valparaíso, 1888), propagandista de la ideología liberal y progresista expuesta en la *Historia constitucional del medio siglo* (1853). En *La América* reflexiona sobre la situación del Nuevo Mundo, presionado por las potencias europeas y necesitado de reaccionar contra la nefasta herencia española.

Más radical fue FRANCISCO BILBAO (Santiago de Chile, 1823-Buenos Aires, 1865). En 1844 publicó, con el apoyo de Lastarria, *Sociabilidad chilena*, un tratado crítico sobre el conservadurismo imperante. Más tarde dio a la luz *La América en peligro* (1862), a raíz de la invasión francesa de México, y *El evangelio americano* (1864), que vuelve a cargar contra la herencia colonial.

También hay que incluir entre las notoriedades de la caterva de escritores injertos en políticos y pedagogos a JUAN VICENTE GONZÁLEZ (Caracas, 1811?-1866), prosista apasionado y violento, que pasó del liberalismo radical al extremo conservadurismo. Nos dejó, además de su obra dispersa de periodista, un retrato exaltado de un héroe de la independencia: *Biografía del general José Félix Ribas* (1865).

EN LA ÚLTIMA PARTE DEL SIGLO. Destacaremos tres pensadores, de muy distinto calado: Montalvo, Hostos y Varona.

El ecuatoriano JUAN MONTALVO (Ambato, 1832-París, 1889) ha quedado en la historia literaria con fama de extravagante, encarnizado adversario de dictadores como García Moreno e Ignacio Veintemilla, y prosista en extremo original, vivo y complejo. Creó varios periódicos de redactor único (*El cosmopolita*, 1866; *El regenerador*, 1876, y *El espectador*, 1886), que son en realidad series de ensayos libres, de ideas sorprendentes y no siempre claras. Esta fórmula se desarrollará en su obra más célebre: *Siete tratados* (1882-1883), en la que siete temas, reseñados en los rótulos correspondientes (la nobleza, la belleza, la religión, el genio, la emancipación americana, los banquetes y el *Quijote*), sirven para ir engarzando asuntos y ocurrencias expuestas con su peculiar prosa. En *Capítulos que*

se le olvidaron a Cervantes (ed. póstuma, 1895) resucita los
personajes del relato quijotesco y les hace vivir más aventuras.

El puertorriqueño EUGENIO MARÍA DE HOSTOS (Maya-
güez, 1839-Santo Domingo, 1903) fue un activista por la independencia de su país, primero frente a España y más tarde
frente a Estados Unidos. A ese propósito responde su novela
simbólico-política *La peregrinación de Bayoán* (1863). Fundó la *Revista cubana* (1885-1895) e impulsó el nacimiento
de las nuevas corrientes filosóficas en Cuba introduciendo
una profunda reforma pedagógica.

El cubano JOSÉ ENRIQUE VARONA (Camagüey, 1849-
1933), también luchador por la independencia y vicepresi-
dente de la nueva república, contribuyó a la difusión del
pensamiento positivista con sus *Conferencias filosóficas*
(1881 y 1888) y sus *Estudios literarios y filosóficos* (1883).
Redactó el manifiesto político *Cuba contra España* y más
tarde ofreció sus reflexiones en *De la colonia a la república*
(1919). Su último libro, *Con el eslabón* (1927), es una colección de aforismos sarcásticos que, no sin humor, disuelven
las convicciones expresadas en obras más tempranas.

LA REMEMORACIÓN AUTOBIOGRÁFICA. En torno a 1880
surge en Argentina una generación de prosistas fáciles, ele-
gantes, que recogen en sus obras experiencias personales, recuerdos de viajes, evocaciones de la infancia y la juventud...
Constituyen, en cierto sentido, la sustitución de lo trascendente político, que había reinado hasta ese momento en Hispanoamérica, por las vivencias individuales.

Obras representativas de esta corriente son *Juvenilia* (1884)
de MIGUEL CANÉ (1851-1905), *Mis montañas* (1889) de JOA-
QUÍN V. GONZÁLEZ (1863-1923), *Aguas abajo* (1914) de
EDUARDO WILDE (1844-1913) o *Relatos y recuerdos* (1894) y
Memorias de LUCIO VÍCTOR MANSILLA (1831-1913). A este último se le debe una interesante *Excursión a los indios
ranqueles*, memorias de una expedición para conocer de cerca
la vida de los indígenas y, de paso, defender a estos frente a los
brutales proyectos civilizadores dictados desde Buenos Aires.

423

6.5.2. EL COSTUMBRISMO

EL COSTUMBRISMO EN ESPAÑA. El costumbrismo tiene un desarrollo extraordinario durante la época romántica. La observación minuciosa y atenta de la vida cotidiana está en la base de su pintura de tipos y ambientes. El cuadro de costumbres no suele tener una trama compleja ni una estructura cerrada. Con frecuencia domina la visión caricaturesca e hiperbólica. A veces adopta una actitud crítica respecto a la actualidad política y social.

Una de las colecciones costumbristas más interesantes es *Los españoles pintados por sí mismos* (1843 y 1844). En cada cuadro encontramos la descripción de un tipo social. Ofrecen una extraordinaria variedad que abarca tanto los ambientes urbanos como los rurales, aunque faltan representantes de la aristocracia, la alta burguesía y la jerarquía eclesiástica y militar.

Especialísimo relieve adquiere RAMÓN DE MESONERO ROMANOS (Madrid, 1803-1882), «El curioso parlante», que centra su atención en la vida de la corte, llevada a *Panorama matritense* (1835) y *Escenas matritenses* (1842). Son cuadros esencialmente descriptivos que nos dan una visión apacible y risueña del mundo. Se ocupa sobre todo de la clase media. Su prosa es ágil, elegante y natural, sin exageraciones.

Igualmente célebre es SERAFÍN ESTÉBANEZ CALDERÓN (Málaga, 1799-Madrid, 1867), el costumbrista andaluz por excelencia, entusiasta de lo castizo y popular. Su principal obra es *Escenas andaluzas* (1846), un conjunto de cuadros pintorescos y chispeantes, llenos de colorido, de estilo barroco y retorcido.

MARIANO JOSÉ DE LARRA. Nace en Madrid en 1809. Su padre es un médico afrancesado que se ve en la necesidad de exiliarse. Por ese motivo, nuestro autor se educa en Francia. La amnistía de 1818 les permite volver. Estudia leyes en Valladolid, pero no llega a licenciarse. Se traslada a Madrid en

1827, donde inicia su vida literaria. Su carrera lleva una marcha ascendente. Sin embargo, una serie de desengaños de orden político (lucha entre las facciones liberales) y personal (ruptura de su matrimonio; abandono de su amante, Dolores Armijo) lo sumen en un profundo abatimiento. Se suicida en 1837, disparándose un tiro en la sien frente al espejo.

Se introduce en el mundo de la prensa en 1828 publicando por su cuenta *El duende satírico del día*, que solo dura desde febrero a diciembre. Ahí figuran algunos de sus artículos fundamentales. En agosto de 1832 emprende una nueva tentativa con la publicación de *El pobrecito hablador*, que se mantendrá hasta marzo del año siguiente. Inventa un álter ego: el bachiller don Juan Pérez de Munguía, «el pobrecito hablador»; vive en las Batuecas, lugar que, por su aridez cultural y cerrazón, representa a España. Luego colabora en las publicaciones más prestigiosas de la época: *Revista española, El observador, El español, El mundo...* y hace célebre el seudónimo de *Fígaro*.

Aunque todos sus artículos tienen rasgos estilísticos comunes, pueden distinguirse tres grupos, según la materia que tratan. Los más interesantes son los de costumbres, en los que observa la realidad social con mirada crítica. Salen a relucir la falta de educación, la hipocresía, la vanidad y otros muchos vicios habituales. Aunque su tono es humorístico y llega a menudo a la caricatura, en el fondo late una tremenda desolación. Son títulos destacados *Vuelva usted mañana*, contra la ineficacia del funcionariado; *El casarse pronto y mal*, sobre los matrimonios prematuros y la formación «moderna» y despreocupada; *El castellano viejo*, que ridiculiza la falta de buenos modales y educación en algunos individuos... Expresión de la amargura de sus últimos tiempos son *El día de difuntos de 1836* y *La Nochebuena de 1836*, que reflejan un escepticismo radical y una visión sarcástica del entorno.

La faceta de Larra como periodista político comienza con la muerte de Fernando VII en 1833. En estos artículos arremete violentamente contra los carlistas y los liberales moderados: *Nadie pase sin hablar con el portero o Los via-*

425

jeros en Vitoria, La planta nueva o El faccioso, La junta de Castel-o-Branco... Son de gran interés para reconstruir un agitado periodo de la vida española.

Los artículos literarios no tienen la agresividad de los anteriores. Los dedica a comentar obras (es crítico teatral) y a exponer sus sombrías ideas sobre el panorama de las letras españolas. Por su tono caricaturesco es excepcional *Yo quiero ser cómico*, donde se burla de la mala formación de los actores.

En los artículos de *Fígaro* son esenciales el humor, la ironía y la caricatura, que envuelven las más duras críticas. Abundan las descripciones grotescas e incluso las animalizaciones e imágenes descendentes.

Larra prueba también fortuna con la novela histórica, tan en boga en la época. Alcanza gran éxito *El doncel de don Enrique el Doliente* (1834), sobre la mítica figura del trovador Macías, que murió a manos del marido de su amada. También cultiva el teatro. Su drama *Macías* (1834) insiste en el mismo tema. Su producción poética no tiene demasiado interés. Los mejores versos son los satíricos. En conjunto, todas estas facetas quedan muy por debajo de su labor periodística.

EL COSTUMBRISMO HISPANOAMERICANO. Ligeramente posterior al español, todo indica que es su heredero y continuador. En algunos países se hicieron recopilaciones del tipo de *Los cubanos pintados por sí mismos* (1852) o *Los mexicanos pintados por sí mismos* (1855), y no hay lugar en que no florezcan entre 1840 y 1870 los cuadros, retratos y fisiologías. El costumbrismo aparecía como un instrumento ideal, tanto para los afanes reformadores como para la creación de una conciencia nacional. Es más frecuente encontrar la cara risueña y nostálgica que la sarcástica y pesimista, aunque de todo hay en la viña del Señor.

En la primera hornada destacan escritores como el chileno JOSÉ JOAQUÍN VALLEJO, que publicó con el seudónimo de «JOTABECHE» (1811-1858), el cubano JOSÉ VICTORIANO BETANCOURT (1813-1875), el venezolano DANIEL MENDOZA (1823-1867), el colombiano JUAN DE DIOS RESTREPO, «EMIRO KASTOS» (1827-1894)...

Después vendría una nueva generación con el peruano ABELARDO M. GAMARRA, «EL TUNANTE» (1852?-1924), el mexicano LUIS GONZÁLEZ OBREGÓN (1865-1938)…

Entre estos y otros que no caben en estas páginas, destacan dos figuras de mayor magnitud: el peruano Ricardo Palma y el argentino «Fray Mocho».

La veta romántica es el punto de partida de RICARDO PALMA (Lima, 1833-Miraflores, 1919), pero sus mayores logros los alcanzará con el cultivo de las llamadas *tradiciones*, en las que recoge costumbres, anécdotas, consejas, curiosidades… de carácter popular. Tienen muchos elementos narrativos, pero la trama es a veces mínima e intervienen otros ingredientes. Estas viñetas reconstruyen con rápidas pinceladas el ambiente de una época. El autor plasma en ellas el espíritu de la sociedad peruana y penetra en su verdadera historia, valiéndose del humor y la ironía, incluso a veces con un poco de picante. Utiliza recursos de la trasmisión oral. Suelen ser breves, escritas con ligereza. El lenguaje recoge los giros y vocablos propios del habla coloquial, con una cierta tendencia arcaizante. Desde que en 1872 apareció la primera serie, se sucedieron con éxito otras muchas (más de una docena), hasta que se cerró el ciclo con *Apéndice a mis últimas tradiciones peruanas y cachivachería* (1910). La fortuna con que Ricardo Palma se aplicó a esta faceta hace palidecer su producción poética: *Poesías* (1855), *Armonías* (1865), *Pasionarias* (1870)…

JOSÉ SIXTO ÁLVAREZ, «FRAY MOCHO» (Gualeguay, Entrerríos, 1858-Buenos Aires, 1903) conoció en la infancia el campo argentino y de adulto la vida de la gran cosmópolis porteña. Fundó la revista *Caras y caretas* (1898). Fruto de una excursión a su tierra natal fue *Viaje al país de los matreros* (1897), en el que describe el paisaje, el paisanaje y las escenas de la vida cotidiana desde la simpatía evocadora. La vida de Buenos Aires se refleja en los *Cuentos de Fray Mocho* (recopilación póstuma de sus artículos en *Caras y caretas*, 1906), en especial el lenguaje popular de los urbanitas, gracioso y afectado, con el que comentan su propia realidad social.

427

6.5.3. La prosa didáctica

Estudios lingüísticos y literarios. Además de la obra singular de Andrés Bello, Miguel Antonio Caro y Rufino José Cuervo, a la que ya hemos aludido en 6.1, conviene recordar aquí la ingente labor del chileno José Toribio Medina (Santiago de Chile, 1875-1930). A él se deben amplias series documentales (*Biblioteca hispanoamericana* y *Colección de documentos inéditos para la historia de Chile*). Abordó la *Historia de la Inquisición* en numerosas ciudades del Nuevo Mundo, y preparó tipobibliografías de Chile, el Río de la Plata, Lima, México...

No menos valiosa fue en España la obra de Marcelino Menéndez Pelayo (Santander, 1856-1912), insigne polígrafo de amplísimos conocimientos, adalid del pensamiento católico conservador, que se interesa por los aspectos estéticos de la obra literaria y por la determinación de las fuentes. Títulos clave de su extensa bibliografía son *Historia de los heterodoxos españoles* (1880-1882), en la que traza la semblanza de algunos herejes célebres; *Historia de las ideas estéticas en España* (1883-1891), obra cardinal que ofrece un formidable recorrido por los escritos que han conformado nuestro pensamiento estético, no solo literario; *Orígenes de la novela*, donde analiza minuciosamente el proceso de formación del género a través de los cuentos orientales, las novelas clásicas, los textos medievales, las traducciones y adaptaciones italianas... Otra importante tarea de madurez fue la edición de las *Obras* de Lope de Vega (1892-1902), que no llegó a ultimar.

Estudios históricos. Los estudios históricos adquieren extraordinaria fuerza en los países más firmemente asentados en la segunda mitad del siglo XIX.

En México tenemos a Lucas Alamán (1792-1853): *Disertaciones sobre la historia de México*; José María Mora (1794-1850): *México y sus revoluciones*; Manuel Orozco y

BERRA (1818-1881): *Historia antigua y de la conquista de México*; FRANCISCO BULNES (1847-1924)...

Del círculo de los proscritos saldrán dos de los grandes historiadores argentinos, cuya obra se publicará ya en el último cuarto del siglo XIX. VICENTE FIDEL LÓPEZ (Buenos Aires, 1815-1903) es autor de *Historia de la revolución argentina* (1881) y de una extensa *Historia de la República Argentina* (1883-1893), en las que había empezado a trabajar durante el destierro. BARTOLOMÉ MITRE (Buenos Aires, 1821-1906), presidente de la república de 1862 a 1868, ofreció en su madurez la *Historia de Belgrano y de la independencia argentina* y la *Historia de San Martín y de la emancipación americana* (ambas de 1877). Además, fundó el que durante muchos años fue el más importante diario en lengua española: *La nación* (1870).

En Chile se desarrolla la labor de DIEGO BARROS ARANA (1830-1907): *Historia de la independencia de Chile*; BENJAMÍN VICUÑA MACKENNA (1831-1886): *Chile. Relaciones históricas*; MIGUEL LUIS DE AMUNÁTEGUI (1828): *Los precursores de la independencia de Chile*...

De especial interés resulta el cubano JOSÉ ANTONIO SACO (Bayamo, 1797-Barcelona, España, 1879), autor de una amplia *Historia de la esclavitud* (1875-1892).

En España el historiador más notable es JOSÉ AMADOR DE LOS RÍOS (Baena, Córdoba, 1818-Madrid, 1878), autor de una extensa *Historia de los judíos en España y Portugal* (1875-1876) y de una excelente *Historia crítica de la literatura española* (1861-1865), que solo alcanza hasta el reinado de los Reyes Católicos.

7
Siglo XX

7.1. CONTEXTO HISTÓRICO Y CULTURAL

EL ASCENSO DE UN NUEVO IMPERIO. El siglo XIX se cerró con la secesión de los últimos vestigios del imperio español: Cuba, Puerto Rico y Filipinas. La insurrección cubana había tenido su episodio más largo en la llamada Guerra de los Diez Años (1868-1878), que acabó con la paz de El Zanjón. Sin embargo, en 1895 volvieron las hostilidades. El nuevo enfrentamiento se remató con la intervención de Estados Unidos, el hundimiento de la armada española y el tratado de París (1898), por el que se proclamó la independencia de Cuba, sobre la que Estados Unidos se atribuía una tutela que podía llegar a la intervención armada, y la cesión a la soberanía estadounidense de Puerto Rico y Filipinas.

Estos acontecimientos desataron reacciones contradictorias en el mundo hispánico. Las repúblicas americanas no podían dejar de mirar con simpatía la lucha independentista, que había sido la suya un siglo antes; pero tenían que inquietarse ante la descarada injerencia y los métodos expeditivos y poco ortodoxos de la que empezaba a alzarse como nueva superpotencia.

El dominio comercial y económico de Inglaterra durante el siglo XIX, que movía los gobiernos desde fuera, estaba siendo sustituido por la presencia más inmediata y agobiante de Estados Unidos. Tras su intervención en Cuba, actúa en la crisis venezolana de 1902. Frente a los propósitos ingleses, alemanes e italianos de cobrar lo que les adeuda Venezuela, el vecino del norte hace saber que en lo sucesivo se considera único juez y gendarme de la zona. Con matices que van desde la política de «gran garrote» a la del «buen vecino», Estados Unidos ha mantenido hasta hoy esa actitud intervencionista en la América hispana. La forma diplomática de presentar esta situación fue la creación de las conferencias panamericanas, con un indudable tufo imperialista, cantado con entusiasmo de poeta a sueldo por Rubén Darío en un poema brillante pero poco feliz.

La actuación de Estados Unidos, con escasos matices, ha defendido intereses y no ideas ni principios. Así, en ocasiones ha propiciado golpes contra gobiernos legítimos y, en otras, ha justificado su intervención en la falta de democracia. La literatura ha acusado el cinismo y la inmoral actitud del gran hermano del norte, en algunos casos en obras maestras de alcance universal.

LA DIFÍCIL SUSTITUCIÓN DEL RÉGIMEN OLIGÁRQUICO. Con las variantes que son lógicas en un territorio tan amplio, puede afirmarse que al empezar el siglo XX todos los países de lengua española mantienen una oligarquía en el poder. En unos casos, mediante el voto restringido a las clases poderosas. En todos, a través del control ilegal de la libertad de los electores o por medio del fraude. Una red de jefes políticos locales, a los que en España se da el nombre de caciques, manipulan las elecciones de modo que las gana con sospechosa regularidad el partido gobernante.

En algunos países, la España de la Restauración por ejemplo, la oligarquía se ha organizado en dos partidos (liberal y conservador), que se turnan en el poder. En otros, como el México de Porfirio Díaz, un caudillo se sucede a sí mismo a lo largo de varias décadas y teje un entramado clientelar que solo podrá destruir la fuerza de una revolución.

Estos regímenes crean una estabilidad que propicia el desarrollo económico, a costa casi siempre del expolio de los grupos menos favorecidos. El porfirismo enriquece a una clase alta de terratenientes con la expulsión de los indígenas de sus tierras y mediante el mantenimiento de las ínfimas condiciones de vida de peones y braceros.

Las protestas y huelgas obreras, organizadas por los sindicatos socialistas (más tarde con la escisión comunista) y anarquistas, son tratadas como meros problemas de orden público y reprimidas con dureza y, a veces, brutalidad.

Pero no solo los grupos claramente desfavorecidos tienen una cuenta pendiente en el estado oligárquico. La pequeña burguesía vive con inquietud su marginación en las decisiones colectivas. De este grupo saldrán la mayor parte de los intelectuales y artistas. En su obra de creación y en sus propuestas políticas se aunarán la crisis de los valores burgueses, el deseo de cambio en las estructuras de poder y la exigencia de un mayor protagonismo en la vida social.

En algunas ocasiones el propio estado oligárquico se apresuró a satisfacer ciertas demandas de la intelectualidad mesocrática a cambio de aplazar *sine die* otras. Así, Porfirio Díaz contó entre sus ministros con Justo Sierra (1848-1912), figura clave en la extensión y el perfeccionamiento de la educación de su país, que luchó para conseguir la gratuidad y generalización de la enseñanza primaria y creó la Universidad Autónoma de México.

En España, el régimen de la Restauración integró a los representantes del Regeneracionismo, críticos con las prácticas oligárquicas. Desde puestos de responsabilidad, personalidades como Rafael Altamira, el premio Nobel de biología Santiago Ramón y Cajal, Alberto Jiménez Fraud, José Castillejo... contribuyeron a la modernización de la educación: regulación del profesorado de enseñanza primaria, que pasó a depender del estado desde 1901, creación de la Junta para la Ampliación de Estudios y de la Residencia de Estudiantes, fundación de importantes centros investigadores, etcétera.

Estos logros parciales no ocultaban las insuficiencias del sistema. América se enfrentaba, en especial, a la imposibilidad de integración de los indígenas a partir de los supuestos del liberalismo conservador. Este conflicto, nunca resuelto, es la fuente de inspiración de la novela indigenista.

La sustitución de los regímenes decimonónicos se planteó desde dos perspectivas contrapuestas: el reformismo y la revolución.

El reformismo, la voluntad de cambios paulatinos que facilitaran la transición sin rupturas, se ensayó con cierto éxito pero escasa continuidad en los países del Cono Sur, más europeizados y con un mayor desarrollo económico. Así ocurrió en las presidencias de José Batlle y Ordóñez en Uruguay (1903-1907 y 1911-1915), de Hipólito Yrigoyen en Argentina (1916-1922 y 1928-1930) y de Arturo Alessandri Palma en Chile (1920-1924). Los dos últimos acabaron expulsados de la alta magistratura por sendos pronunciamientos militares en 1930 y 1925, respectivamente.

En el caso mexicano se impuso la opción revolucionaria, en un complejo y sangriento proceso que duró dos décadas. Se inició con la rebelión de Francisco Madero, representante de la alta burguesía terrateniente, contraria a la reelección de Porfirio Díaz por las habituales vías fraudulentas. El dictador se vio obligado a exiliarse, no sin dejar una patética profecía: «Han soltado un tigre». En efecto, el proceso costó la pérdida de un millón de habitantes. En 1911 Madero accedió a la presidencia. En 1913 el general Emiliano Huerta lo asesinó y ocupó el poder hasta 1914. En esta última fecha Estados Unidos invadió temporalmente Veracruz. Resuelto este conflicto con la mediación internacional, el tirano Huerta fue sustituido por Venustiano Carranza, que poco después entró en guerra con sus antiguos aliados revolucionarios, encabezados por las figuras míticas de Emiliano Zapata y «Pancho Villa». Como metáfora de la violencia revolucionaria, sus dirigentes (Madero, Carranza, Obregón, Zapata, Pancho Villa y otros muchos) murieron asesinados.

Los gobiernos de Carranza y Álvaro Obregón incorporaron algunas de las propuestas de sus adversarios y emprendieron una reforma agraria que, entre 1915 y 1930, intentó paliar los efectos devastadores de la depredación porfirista.

434

La constitución de 1917 acogía principios como el derecho al trabajo, el papel del estado en la educación y la seguridad del ciudadano y la posibilidad de la expropiación de tierras y bienes.

Todavía la revolución tuvo que enfrentarse a la llamada guerra Cristera (1926-1929), promovida por la iglesia con el apoyo de un campesinado poco satisfecho con el alcance de la reforma agraria.

En 1928 se consolidó la sociedad emergente con la fundación del Partido Revolucionario Institucional (PRI), pronto convertido en una nueva oligarquía bajo la que vivirá México hasta el final del siglo.

Una iniciativa intermedia entre el reformismo y la revolución es la representada por la Alianza Popular Revolucionaria Americana (APRA), creada en 1924 por el peruano Víctor Raúl Haya de la Torre, heredero espiritual de Manuel González Prada y José Carlos Mariátegui. Las propuestas políticas sintetizan principios del socialismo y del nacionalismo. Las aspiraciones sociales se combinan con la resistencia antiimperialista frente al control extranjero, en especial de Estados Unidos. El devenir histórico no permitirá que estos proyectos se realicen.

En otros países la situación es distinta, aunque dentro del marco general que hemos descrito. En Venezuela, por ejemplo, el dominio oligárquico se dilata a través de la dictadura de Juan Vicente López entre 1908 y 1935. Los movimientos contrarios al dictador cristalizan en las revueltas estudiantiles de la Generación del 28, que dará sus frutos años más tarde con la fundación en 1941 del Partido de Acción Democrática de Rómulo Betancourt y su acceso al poder en 1945.

El caso español, muy diferenciado por desarrollarse en otro marco socioeconómico, coincide con el resto de los países de nuestra lengua en la lenta y costosa sustitución de las oligarquías. Las revueltas obreras (la «Semana Trágica» de Barcelona, 1909; la huelga general revolucionaria de 1917; el pistolerismo barcelonés entre 1919 y 1922) indican las dificultades del parlamentarismo formal para integrar las nue-

435

vas situaciones. En 1923 el golpe de estado del general Primo de Rivera da paso a una dictadura que se mantiene hasta que la crisis de 1929 acaba con ella y, poco después, con la monarquía que la ha amparado. En 1931 se instaura la II República, con lo que se puede creer consumada la caída del estado oligárquico, que volverá, con otros perfiles, tras la guerra civil de 1936.

EL CRECIMIENTO ECONÓMICO Y DEMOGRÁFICO. Todo el conjunto hispánico experimenta en el primer tercio del siglo XX un considerable crecimiento. En unos países (Argentina, Uruguay, Cuba, Venezuela, Colombia) se extienden los monocultivos agrícolas para la exportación (café, azúcar, cereales) y la ganadería que, gracias a la inversión en grandes frigoríficos, atiende también al comercio exterior. En otros (México, Perú, Chile, Bolivia) las explotaciones mineras tradicionales tienen el mismo fin. A estas se unirá el petróleo venezolano y mexicano.

Esa economía exportadora se veía alentada por las necesidades de una Europa que creció considerablemente en la primera década del siglo, que se enzarzó en una guerra continental de 1914 a 1918, y que volvió a un vertiginoso consumo en los felices años veinte. Parte de los ingresos del sector exportador sirvieron para un incipiente desarrollo industrial alentado por la demanda interna.

El crecimiento de la población, que casi se duplicó en el primer tercio del siglo, fue acompañado de la concentración urbana, fenómeno que no cesará en toda la centuria. Pero, a pesar de esta tendencia, el mundo hispanoamericano seguía siendo una sociedad fundamentalmente agraria, basada en la relación conflictiva entre latifundios y pequeñas fincas, cedidas a veces a los braceros de la hacienda como pago por su trabajo. Aunque formalmente todos los países eran estados liberales, el régimen de estos campesinos distaba poco de la servidumbre. No se establecía esta por vía legal, sino mediante la protección del patrono y las deudas contraídas por los suministros que les proporcionaba en tiendas y comercios de su propiedad. El trabajador quedaba en la práctica adscrito a la tierra en condiciones miserables, como denuncia con técnica expresionista la literatura de la época.

La situación española es distinta porque carece de las potencialidades económicas de muchos de los países americanos. No obstante, participa del crecimiento económico. Contra lo que a veces se dice y se cree, el Desastre, la derrota ante Estados Unidos y la pérdida de Cuba, Puerto Rico y Filipinas, no va acompañado de la crisis económica. Al contrario: el cese de los gastos militares, la repatriación de capitales y las nuevas inversiones extranjeras propician la consolidación del sector bancario, que pervive hasta hoy, así como el incremento de la actividad industrial, localizada fundamentalmente en Barcelona y Bilbao, y la lenta concentración poblacional en las ciudades. Cuando Rubén Darío (*España contemporánea*) o Pío Baroja (*El árbol de la ciencia*) retratan la España de 1898 como una sociedad en ruinas, amargada por el peso de la derrota, no están describiendo la realidad sino utilizándola como metáfora de una crisis de valores morales que no guarda relación con las cuentas de las economías domésticas y estatales.

Sin embargo, subsiste una sociedad dual: razonablemente desarrollada y libre en las ciudades y pobre y sojuzgada en el campo.

La neutralidad en la guerra europea proporciona ganancias no bien empleadas para prevenir la contracción posterior a la contienda; pero el bajón se ve rápidamente superado durante los años veinte.

EL MODERNISMO. En el marco que acabamos de siluetear, nace el primer movimiento artístico en que Hispanoamérica adquiere protagonismo. No se trata, sin embargo, de una creación autóctona. Como bien señaló Federico de Onís, el Modernismo es expresión de la «crisis universal de las letras y del espíritu, que inicia hacia 1885 la disolución del XIX». Ese «hondo cambio histórico» nace en las sociedades industrializadas europeas: Parnasianismo y Simbolismo franceses,

437

Jugendsti alemán y austriaco, Prerrafaelismo inglés, la vuelta a la naturaleza predicada por John Ruskin... Todo ello supone la reacción frente al pragmatismo positivista, el rechazo de la burguesía conservadora, el desencanto ante el fracaso moral de la industrialización, la aversión a las vulgaridades del arte realista...

Surge el interés por el reino interior del hombre, el mundo del subconsciente, la atracción evasiva por los imperios decadentes, el irracionalismo filosófico, la preocupación existencial... Y una nueva forma de expresión que niega moderadamente las estructuras lógicas del lenguaje y repudia los intentos de trasladar a la obra de arte una realidad de cuya esencia se duda. Se crea una estética impresionista (que más tarde derivará hacia el expresionismo), por la que el artista trata de captar, no las cosas, sino las sensaciones que provocan en el receptor. De ahí la frase suelta y sugerente, la pasión colorista, la aliteración, la sinestesia...

En cierta medida, regresa un mundo de raíces románticas. Poe (el terror y el misterio), Wagner (el medievalismo, el mito y el fervor místico), Baudelaire (las drogas, el esoterismo, la complacencia en la degradación urbana) son tres de los maestros que unen a los creadores de fin de siglo con sus fuentes. Sin embargo, frente al descuido romántico, la inspiración espontánea e irregular, la inconclusión y la dejadez formal, el nuevo arte aprende la lección de rigor del Parnasianismo. De ahí la experimentación métrica, el estudio de la frase, la adjetivación cuidada, la sorpresa final en los relatos y en los poemas...

Trasmutando las pretensiones científicas en complacencia morbosa, toma del Naturalismo la afición a los comportamientos patológicos y la sensualidad perversa.

Estos elementos, algunos de ellos contradictorios entre sí, se han fraguado en la Europa finisecular y encuentran un temprano eco en la América española. Antes de que acabe el siglo XIX, casi al mismo tiempo que surge la generación europea que se autodenomina simbolista (Jean Moréas, Georges Rodenbach, Émile Verhaeren, Maurice Maeterlinck,

Paul Fort, Gabriele D'Annunzio...), se manifiestan José Martí, Rubén Darío, José Asunción Silva, Julián del Casal, Manuel Gutiérrez Nájera... Unos y otros se proclaman herederos de Verlaine y Baudelaire, admiradores de Wagner, irracionalistas, impresionistas, decadentes y amantes del misterio y lo esotérico.

Hay en los primeros pasos del Modernismo un ingenuo y afectado galicismo. La peregrinación al París suburbial de un Verlaine agonizante entre los vapores del alcohol, de un Wilde en el destierro, es experiencia común a muchos jóvenes escritores hispanoamericanos.

Desde los tempranos escritos de Martí en la década de 1870 está anunciado el estilo modernista. Después vendrá Darío con *Azul...* (1888) y *Prosas profanas* (1896) y la eclosión del movimiento. Por primera vez la renovación estética llega a España desde América. El ejemplo directo de los poetas hispanoamericanos pone a muchos jóvenes españoles en la corriente de la literatura moderna. Otros (sobre todo los prosistas: Unamuno, Azorín, Baroja) quizá no presentan una dependencia tan inmediata. Lectores de los filósofos irracionalistas (Nietzsche, Schopenhauer, Kierkegaard...), fraguan su estilo en coincidencia con sus hermanos americanos pero de forma independiente.

EL MODERNISMO ESPAÑOL: LA GENERACIÓN DEL 98. En 1913 Azorín reunió en el libro *Clásicos y modernos* una serie de artículos sobre la promoción literaria española que apareció a finales del siglo XIX. Propuso llamarla Generación del 98. El rótulo ha hecho fortuna y algunos críticos lo han usado como expresión de una tendencia distinta e incluso radicalmente contraria al Modernismo. Según esta concepción, la Generación del 98 se caracterizaría por una preocupación política, el Regeneracionismo, opuesto al sistema parlamentario de la Restauración, y por unas inquietudes filosóficas de carácter existencial.

La Generación del 98 imaginada por Azorín incluía por igual a poetas y prosistas y a los escritores evasivos y a los comprometidos con ciertas reivindicaciones políticas; sin embargo, críticos posteriores redujeron la nómina a los prosistas: Unamuno, Azorín, Baroja, Maeztu, a los que más tarde se añadió a Antonio Machado, por su poemario *Campos de Castilla*, en el que abundan las reflexiones regeneracionistas, y a Valle-Inclán, por sus obras de sátira política de la última etapa. Pedro Salinas habló de «un conflicto entre dos espíritus»: los pensadores (el 98) y los estetas (el Modernismo).

En rigor, esa división que se ha querido establecer para los escritores españoles es común a todo el mundo hispánico. ¿Quién duda de que Martí es un pensador político? ¿Quién no ve que en Darío se entreveran el esteta decadente (*Divagaciones*) y el poeta cívico (*Oda a Roosevelt*)?

En España y América, el Modernismo, la Generación del 98, o como quiera que se llame, presenta múltiples facetas. Fue un movimiento renovador en la forma y el espíritu, en la preocupación por la intimidad y en la proyección social, en el verso y en la prosa. Sus creaciones son la respuesta a la crisis de la sociedad burguesa decimonónica en su filosofía, su organización social, sus creencias morales y su expresión artística.

El Posmodernismo. La transición a las Vanguardias. Existe una promoción de creadores literarios que se sitúa entre la Generación de fin de siglo y las manifestaciones vanguardistas. Cecil Bowra llamó a un grupo de escritores europeos (Paul Valéry, Rainer Maria Rilke, Stefan George, Aleksandr Blok y William B. Yeats, a los que se podría añadir a Marcel Proust, Thomas Mann y otros) «Herederos del Simbolismo» y, en efecto, lo son. Aunque muchos de ellos cultivan precozmente las fórmulas del Decadentismo o el Simbolismo, sus creaciones más genuinas aparecen a partir de la segunda década del siglo y constituyen la depuración o la selección de algunas de las tendencias finiseculares.

En España Eugenio d'Ors propuso llamar a esta corriente Novecentismo y otros han sugerido el nombre de Generación de 1914. En América se ha hablado de los «centenaristas», por alusión a las celebraciones patrias, en torno a 1910, por los cien años de independencia; también de los «mundo-novistas», por su atención a las cuestiones vinculadas a la realidad social y a la política inmediata.

No es fácil reducir a unos rasgos determinados las empresas literarias de esta promoción. Los creadores que nacen en torno a 1880, que participan tempranamente en la instauración del Modernismo y que se apartan de él para emprender nuevos rumbos, presentan un abanico amplio y contradictorio de opciones estéticas. Intentemos perfilar algunas de las variantes.

LA DEPURACIÓN DEL MODERNISMO. Una parte relevante del lirismo novecentista o posmodernista discurre hacia la simplificación de la retórica del Modernismo. Esta operación camina en dos direcciones opuestas. Una aspira a traer al mundo poemático la realidad inmediata, bien a través de la representación de lo cotidiano y familiar (Baldomero Fernández, Alonso Quesada), donde no falta ironía; bien por el acercamiento a la intimidad, a la ternura (las poetisas). Otra corriente persigue la pureza poética, intelectualizada, desprovista de adherencias sentimentales y anecdóticas. Se construye así una lírica reflexiva, metafísica en cierto sentido, sobre la condición cambiante del ser (Juan Ramón Jiménez), y una poesía gráfica, dominada por las imágenes sorprendentes, repentinas (los *haikus* de José Juan Tablada, las *greguerías* de Ramón Gómez de la Serna). Esta poesía depurada, bien por la vía intelectual o por la plástica, es el anuncio y la raíz de una parte de las manifestaciones de la Vanguardia.

LA LITERATURA INTELECTUAL Y EXPERIMENTAL. Azorín señalaba en 1912 la existencia de una generación española emergente, más culta, más disciplinada, mejor formada que la de fin de siglo. Fue, en muchos sentidos, una promoción de intelectules. El ensayo cobró importancia: José Ortega y Gasset, Gregorio Marañón, Manuel Azaña...

La novela destiló las esencias del subjetivismo melancólico del Modernismo (Gabriel Miró), cultivó el perspectivismo y la representación irónica de la realidad, empedrando el relato de excursos ensayísticos (Ramón Pérez de Ayala) o se lanzó a la experimentación juguetona, despreocupada, paró-

441

dica, donde la ocurrencia imaginativa es de más relieve que la trabazón argumental y la coherencia de los personajes (Ramón Gómez de la Serna).

El fenómeno de la intelectualización de la novela es común a la América más europeizada, aunque no siempre camine por la senda de la lógica. Macedonio Fernández crea una narrativa enloquecidamente experimental, que constituirá la raíz de la espléndida floración de la Vanguardia.

LA LLAMADA DE LA TIERRA. En contraste con la narrativa urbana e intelectual, se desarrolla en Hispanoamérica un renovado interés por lo autóctono, que alcanza a los poetas del Modernismo, metidos a cantores geórgicos de los ganados y las mieses, con ocasión de los fastos centenaristas. Frente a la influencia europea, nace la literatura de la tierra, pegada a la tradición local, al paisaje, a lo telúrico. Alcanza esta tendencia a la poesía (*Alma América* de Santos Chocano), pero tiene su más rica y variada expresión en la narrativa. Surge la fascinación de la selva, un mundo realísimo y, al mismo tiempo, poblado de seres misteriosos y acontecimientos fantásticos. Ante su fuerza, de poco sirven los recursos intelectuales del hombre europeo. La selva se convierte en seña de identidad, en expresión de lo genuino hispanoamericano.

También nace de esta promoción posmodernista la narración comprometida con la situación de los indígenas. La idealización indianista del siglo XIX es sustituida por un realismo más bronco y cercano, vehículo de una tesis social que, a menudo, resulta demasiado evidente. Con sus limitaciones, escritores como el boliviano Alcides Arguedas están creando los elementos temáticos que poco después desarrollarán con nuevas técnicas expresionistas, que profundizan y se alejan del realismo, los escritores de la Vanguardia.

El interés por lo próximo e inmediato se manifestará con singular fuerza en la novela de la Revolución Mexicana. Los relatos, en los que se entremezclan apuntes y notas propios de los libros de memorias, recrean acontecimientos próximos, brutales episodios que muchos de sus primeros lectores habían conocido como víctimas, verdugos o amedrentados testigos.

A esta promoción novecentista corresponde también la estilización definitiva del gaucho. Con técnica que bascula entre el impresionismo y la descomposición cubista de la realidad, Ricardo Güiraldes crea un símbolo de la nación argentina en *Don Segundo Sombra*.

LA CRISIS DE 1929 Y SUS CONSECUENCIAS. La etapa de rápido crecimiento de los felices años veinte se frenó en seco en 1929. El comercio mundial se contrajo violentamente hasta reducirse al 50% de los años anteriores. La producción se detuvo. Creció el desempleo y con él la inestabilidad social en todo Occidente. Estos fenómenos afectaron de forma distinta, pero igualmente perniciosa, a los diversos países de lengua española. Sin duda, las consecuencias más trágicas las sufrió España. La crisis permitió desbancar la dictadura de Primo de Rivera e iniciar un nuevo ensayo democrático: la II República (1931-1936); pero la necesidad de enfrentar simultáneamente una conyuntura económica desfavorable y unas reformas estructurales que parecían inaplazables propició la radicalización de las posturas políticas y la quiebra del sistema liberal.

Frente a la República estuvieron los grupos privilegiados (la aristocracia terrateniente, la iglesia y el ejército) y también una amplia clase media que se sentía amenazada por las demandas obreras y que corrió hacia una forma peculiar de fascismo encarnada en la Falange Española, que se autodefinía como nacional-sindicalista. Las viejas fuerzas oligárquicas volvían por sus fueros.

Para explicar lo ocurrido no basta la detección de estos enemigos externos; hay que subrayar también que la República no contó con el apoyo sincero de los grupos de izquierdas (socialistas, comunistas y anarquistas), para los que las instituciones de la democracia liberal eran un mero tránsito para llegar a la revolución social y de la propiedad. El sexenio republicano discurrió entre pronunciamientos e intentos de golpe de estado (1932, rebelión del general Sanjurjo; 1934, revolución de Asturias), hasta que uno de ellos, el del

443

18 de julio de 1936, derivó en una cruenta guerra civil (1936-1939), campo de ensayo para la inminente Guerra Mundial (1939-1945).

En América la crisis desata fenómenos contrapuestos. En Argentina un golpe militar acaba en 1930 con las experiencias radicales encabezadas por Hipólito Yrigoyen. Sigue una etapa conservadora hasta 1943. En Chile, una época de inestabilidad se cierra con la elección de Arturo Alessandri (1932), que abre una amplia etapa democrática en la que llega a gobernar el Frente Popular (1938). En Colombia se inicia la República Liberal (1930-1946). En México, la consolidación del Partido Revolucionario Institucional permite al presidente Lázaro Cárdenas (1934-1940) emprender notables reformas agrícolas, nacionalizar el petróleo (1938), impulsar el mundo de la cultura y acoger a una parte importante del exilio español.

En otros países se inician procesos revolucionarios como el de Farabundo Martí en El Salvador (1930) o el de Augusto César Sandino en Nicaragua (1932), sofocados violentamente, y se funda el Partido Comunista en diversos países, se crea el APRA en Bolivia (1924) y en Venezuela se legaliza el Partido de Acción Democrática (1941).

Con las excepciones que se han señalado, ni la democracia ni la revolución triunfan en Hispanoamérica. En Cuba, a raíz de los conatos de sublevación de 1933, aparece la figura de Fulgencio Batista, que va a ejercer directamente el poder hasta 1958; en Nicaragua, Anastasio Somoza instaura una dictadura hereditaria que no desaparecerá hasta 1979. En Argentina el coronel Juan Domingo Perón impone un estado populista, vagamente simpatizante con el fascismo, que se mantiene hasta que sus compañeros de armas deciden derrocarlo.

LAS VANGUARDIAS. Como señaló Arnold Hauser, el arte vanguardista representa un corte profundo en la evolución estética de Occidente: el abandono radical de la mimesis, la negación del realismo, que siempre había estado en el trasfondo de los movimientos de renovación. La Vanguardia surge en medio de la guerra europea del 14, crece al calor de los años de desarrollo económico que siguen y desemboca en la crisis posterior a 1929. En veinte o veinticinco años (1915-1940, aproximadamente) se suceden multitud de *ismos*, movimientos artísticos de carácter experimental: Futurismo, Cubismo, Dadaísmo, Expresionismo, Ultraísmo, Superrealismo, Purismo, Creacionismo... Muchos de los *ismos* no tienen más expresión que el manifiesto con que se dan a conocer; en cambio, otros constituyen la clave de una nueva concepción del arte. Así, el Cubismo en las artes plásticas, o el Surrealismo en las plásticas, literarias y cinematográficas.

La Vanguardia, al compás de los acontecimientos históricos, va evolucionando desde las audacias despreocupadas y los caprichos de la primera época hasta la literatura de propaganda y compromiso político de la última. Existe una notable diferencia entre los países de tradición casi exclusivamente europea (la propia España, Argentina, Uruguay, Chile) y los que tienen una amplia población mestiza e indígena. En los primeros, los problemas políticos están estrechamente ligados a la lucha de clases y a los acontecimientos de la Europa que camina de la Guerra del 14 a la II Guerra Mundial, con el prólogo terrible de la guerra civil española de 1936. En los países con población amerindia el conflicto central será en todo momento la marginación brutal de ese colectivo. El indigenismo, que ya tenía larga tradición desde finales del siglo XIX, adquiere nuevo vigor al adoptar fórmulas narrativas que van más allá de los esquemas realistas. El expresionismo, la inserción de elementos mágicos, la incorporación de rasgos lindantes con lo surreal ensanchan los límites tradicionales del género.

LOS ISMOS EN EL ÁMBITO HISPÁNICO. Los movimientos europeos de Vanguardia (Futurismo, Cubismo, Dadaísmo...) llegan a la literatura hispánica de forma tangencial. Más que instalarse en ella, sirven de elemento liberador. Estos influjos externos engendran un movimiento autóctono al que se da el nombre ambiguo de Ultraísmo, que algunos críticos han interpretado como contracción de *Ultramodernismo*.

445

Ciertos supuestos del movimiento (la imaginería atrevida y caprichosa, el paulatino alejamiento de la mimesis para crear con palabras en libertad) estaban anunciados por poetas modernistas como Leopoldo Lugones, Julio Herrera y Reissig o el chileno Pedro Prado. La incorporación de los *haikus* en la obra de José Juan Tablada y las greguerías de Ramón Gómez de la Serna abren el camino.

En medio de la guerra europea del 14, el chileno Vicente Huidobro entabla relaciones de amistad y colaboracion con poetas del Cubismo como Guillaume Apollinaire o Pierre Reverdy. Poco después, en 1918, viaja a Madrid y, junto a Rafael Cansinos-Asséns, promueve la aparición del Ultraísmo, que resume varias de las tendencias europeas más activas en aquellos años. Por un lado, se acerca a una poesía de imágenes atrevidas, en apariencia caprichosas, que se sostienen sobre la elipsis de los pasos intermedios. Así, cuando Borges en *Fervor de Buenos Aires* (1923) habla de «Patio, cielo encauzado», está comprimiendo en un verso un proceso imaginario cuyo significado lógico sería: «para el que está en el patio el cielo aparece limitado por las paredes» o «el patio es el cauce por el que el cielo llega hasta la casa». Por otro lado, el Ultraísmo pone de moda los caligramas, la poesía visual que combina la imagen poética con la sugerencia plástica:

> Y de mi corazón
>   una
>   a
>   una
>   van
>   cayendo
>   todas
>   las hojas.

(Gerardo Diego)

Por último, se acerca a la estética arbitraria del Dadaísmo, al menos en algunos aspectos de los manifiestos que aparecen en la revista *Ultra*: «Los poemas ultraístas se confeccionan arrojando las palabras al azar sobre la multitud cósmica».

El Ultraísmo tuvo cierta vigencia en España, Argentina y Chile. Caló menos o de forma más indirecta en el resto de los países de nuestra lengua.

Sus medios de expresión fueron revistas efímeras como las españolas *Grecia, Ultra, Cervantes, Mediodía, Reflector, Horizonte, Tableros...*; las argentinas *Martín Fierro, Nosotros, Proa, Inicial, Síntesis, Prisma...*, o la chilena *Atenea*.

Vicente Huidobro, quizá tratando de huir de la amalgama de incitaciones vanguardistas en que iba derivando el Ultraísmo, quiso fijar sus aspiraciones en un nuevo movimiento: el Creacionismo. La poesía se presenta como creadora de nuevas realidades: «hacer un poema como la naturaleza hace un árbol». Propugna el rechazo de cualquier género de mimesis, de lo verosímil y esperable, y la representación poética de lo imposible: «Horizonte cuadrado. Un hecho nuevo inventado por mí, creado por mí, que no podría existir sin mí».

El Creacionismo, en que se refugian los espíritus más vigorosos del Ultraísmo (Huidobro, Gerardo Diego, Juan Larrea), linda mucha veces con su predecesor, pero en otros momentos se acerca a los procedimientos irracionales del Surrealismo.

Este es el otro movimiento vanguardista que caló en los artistas hispánicos, especialmente en los poetas líricos y los pintores. Mucho se ha discutido la vinculación del Surrealismo hispánico al francés. No hay duda de que la obra y las doctrinas de André Breton y Louis Aragon eran conocidas en la España de los años veinte y treinta, pero la corriente hispánica se mantuvo alejada de la ortodoxia francesa. La escritura automática es un fenómeno inhabitual. Octavio Paz sintetizará en 1954 una opinión que parece compartida por otros muchos: «Como experiencia [la escritura automática] me parece irrealizable, al menos en forma absoluta. Y más que método, la considero una meta». Al alcanzar el estado de inocencia que requiere la escritura automática, sobra la escritura.

447

Lo que llega a nuestra literatura es un Surrealismo instrumental, es decir, el aprovechamiento de las visiones oníricas, de la expresión del mundo subconsciente en la construcción del poema.

Existen creadores próximos a la esencia del movimiento en algunas de sus obras (los españoles José María Hinojosa y Juan Larrea, los peruanos César Vallejo y César Moro...), pero la mayoría (Luis Cernuda, Federico García Lorca, Rafael Alberti, Octavio Paz...) emplean las técnicas del Surrealismo para ensanchar el alcance de la poesía de la Vanguardia ultraísta y de la heredada de una tradición en la que no faltan las asociaciones ilógicas y las oscuras premoniciones (canción popular, romancero...).

Los ecos de la tradición. Las revoluciones vanguardistas coinciden, paradójicamente, con movimientos de recuperación de la tradición en sus dos vertientes: popular y culta. El cancionero tradicional hispánico, recreado por los grandes poetas del Barroco, en especial Lope de Vega, revive en la producción de Alberti, García Lorca o Nicolás Guillén. No deja de ser sorprendente que la revista más notable de la Vanguardia argentina lleve el título de *Martín Fierro*.

Curiosamente, en la poesía popular se podían encontrar componentes característicos de la Vanguardia, más que en el Modernismo o en la poesía decimonónica. En ella están presentes desde la plasticidad sugerente de algunas seguidillas (nuestro *haiku*) hasta las imágenes oscuras e irracionales que recuerdan los procedimientos surrealistas.

Al mismo tiempo, la Vanguardia fija su atención en la más difícil poesía del Barroco. Góngora, execrado por la crítica de los siglos XVIII y XIX, es recuperado por el grupo poético español al que, en su honor, se bautiza como Generación del 27, fecha del tercer centenario de su muerte.

Pero no fue solo Góngora; poco más tarde esos mismos poetas descubren la lírica culta de Lope y, por último, a Quevedo y Villamediana. Desde el fervor por el cultismo aséptico, intelectual, por el arte deshumanizado y el «álgebra de la metáfora», que creyeron ver representados por el Góngora del *Polifemo* y las *Soledades*, avanzan hacia una poesía apasionada (Lope) y violenta en la expresión y el sentimiento (Quevedo).

DE LA INDIFERENCIA SOCIAL AL COMPROMISO POLÍTICO. El arte externo, objetivo, enamorado de la velocidad y el vértigo, de la experimentación formal, se desentiende en los años veinte de los problemas y conflictos sociales. Sin embargo, a raíz de la crisis de 1929, a medida que las condiciones de vida se endurecen y se prepara la catástrofre de la II Guerra Mundial, la literatura deriva hacia el compromiso político. En el panorama español surge la novela social, que vuelve a las fórmulas del realismo, sin renunciar a algunas experiencias de la Vanguardia, para llevar al lector a tomar partido en la lucha de clases.

De calidad y complejidad muy superior es la novela hispanoamericana nacida del indigenismo, pero enriquecida con las técnicas vanguardistas y con el ahondamiento en lo «real maravilloso», el «realismo mágico» y otras variantes del empeño de describir un mundo alucinado, violento, cuya realidad excede a la fantasía más enloquecida. El fruto resultante es un combinado en el que se superponen expresionismo, grotesco, terrores y deseos oníricos, delirios, la presencia constante de una naturaleza ingobernable y la historia de la destrucción brutal de la vida.

También la poesía se sumó con obras y autores de reconocida altura (Neruda, Alberti, Nicolás Guillén) a las luchas políticas del momento. Los poetas promovieron con entusiasmo el apoyo internacional a la España republicana, aunque, naturalmente, hubo muchos que hoy consideramos de menor entidad que estuvieron junto al bando franquista.

EL EXILIO ESPAÑOL. Uno de los elementos capitales en la fragua de la cultura hispánica ha sido la presencia en América de multitud de artistas e intelectuales forzados al exilio tras la guerra civil española. Esta experiencia trágica se atemperó gracias a la generosa acogida que dispensaron a los «trasterrados» los países hispanoamericanos, unas veces encabezados por sus gobiernos (Lázaro Cárdenas en México, Pedro Aguirre Cerdá en Chile, Eduardo Santos en Colombia...) y otras por iniciativa espontánea de una población entre la que había familiares, amigos, correligionarios de los que entonces se veían expulsados de su país. Este último fue el caso de Argentina, donde el gobierno, simpatizante con las potencias del Eje Berlín-Roma-Tokio, no colaboró en la incorporación de los republicanos españoles; pero —todo hay que decirlo— tampoco se opuso con la firmeza con que pudiera haberlo hecho.

El exilio español llevó a las tierras americanas creadores literarios de excepción (Francisco Ayala, Juan Ramón Jiménez, Rafael Alberti, Paulino Masip, Max Aub, Ramon J. Sender, Pedro Salinas, Luis Cernuda, Manuel Altolaguirre, Emilio Prados...), investigadores, científicos, profesionales de la industria cultural... Su colaboración permitió el desarrollo de iniciativas aún vivas, como la Casa de España, trasformada poco después en el Colegio de México, máxima institución de investigación humanística. Nacieron editoriales como Losada en Buenos Aires, Séneca, Grijalbo o el Fondo de Cultura Económica en México..., que dominaron durante años el panorama editorial en lengua española. La prestigiosa Espasa-Calpe se refugió durante unas décadas en su filial argentina y creó otra en México.

Esta forzosa emigración tuvo la virtud de cambiar la imagen de España en el Nuevo Mundo. Los discípulos de los profesores exiliados, los lectores de sus obras, los colaboradores en sus empresas —lo dijo Octavio Paz— no podían reconocer en aquellos hombres al conquistador bárbaro y sanguinario. Los bárbaros, en esta ocasión, se habían quedado en la antigua metrópoli.

TRAS LA CRISIS. LA POSGUERRA. Durante la Guerra Mundial (1939-1945) los países hispanoamericanos, bajo la presión de Estados Unidos, fueron declarándose enemigos de las potencias del Eje. Con todo, su participación en las actividades bélicas fue escasa y, muchas veces, meramente nominal. Argentina declaró la guerra a la Alemania hitleriana unos días antes del armisticio. La España franquista, comprometida por el apoyo de Hitler y Mussolini durante la guerra civil, se mantuvo también en un segundo plano y solo participó con un cuerpo expedicionario (la División Azul) a favor del bloque fascista.

En todos los casos, el resultado es una pérdida de peso político y económico de los países de lengua española, que contrasta con ciertas manifestaciones de la cultura que logran atraer la atención universal.

El espectacular desarrollo de Europa, que renace de los escombros bélicos, contrasta con el escaso crecimiento hispanoamericano. Las políticas de bienestar social que ponen en marcha los países llamados a formar el primer mundo, tienen un paralelo, mucho mas inestable e ineficaz, en los programas populistas que desarrollan gobiernos como los de Cárdenas en México (1934-1940), Perón en Argentina (1946-1955), Betancourt en Venezuela (1959-1964) y los posteriores de Juan Velasco Alvarado en Perú (1968-1975) o de Carlos Andrés Pérez en Venezuela (1974-1979). Todos ellos, a pesar del intachable aval democrático de algunos, han padecido el mal del caudillismo (incluido el caso mexicano, con el extraño fenómeno del caudillismo institucional).

En términos generales, los estados hispanoamericanos se han visto dominados por la inestabilidad, han sufrido numerosos golpes militares, no han logrado acortar las distancias entre los grupos sociales ni han conseguido a través de los intentos de reforma agraria los objetivos de equilibrar la población y arraigarla. Esta ha crecido considerablemente gracias a las mejoras médicas y la disminución de la mortalidad infantil. En 1970 rondaba los 200 millones, que se han duplicado a fines del siglo XX. Como en otras partes del mundo, se ha producido una concentración urbana, con el surgimiento de villas miseria, poblados marginales donde sobreviven los excedentes humanos del campo.

A pesar de que algunos países (Venezuela y México) tuvieron ingresos extraordinarios procedentes del petróleo, no se alcanzó más que un modesto desarrollo industrial que naufragó en las crisis de los años ochenta, en que todo el continente sufrió un retroceso en la producción y el consumo, que no acaba de enmendarse en los albores del siglo XXI.

La única revolución triunfante y duradera ha sido la que en 1958 depuso al dictador cubano Fulgencio Batista y llevó al poder a Fidel Castro. Las esperanzas puestas en ella han resultado a la postre baldías. Tras una radical reforma agraria, tras alcanzar ciertos logros en la educación y la sanidad, se ha hundido en una estéril burocracia, en un control ideológico interno y en el aislamiento económico a que la ha sometido el que, por obvias razones geográficas, tenía que ser su mayor socio comercial: los Estados Unidos de Norteamérica. Al acabar el siglo, el régimen castrista agoniza, sin que se entrevea la salida pacífica hacia la democracia y el desarrollo económico.

Tampoco se logró el intento de trasformación pacífica de la sociedad encabezado en Chile por Salvador Allende y su gobierno de Unidad Popular en 1970. Contra él se unieron la derecha oligárquica, los inversores extranjeros, especialmente estadounidenses, y finalmente una clase media, asustada ante algunos proyectos socializantes. La CIA norteamericana orquestó el golpe militar que llevó al poder al general Augusto Pinochet en 1973. Una sangrienta represión acabó con la más estable de las democracias hispanoamericanas. El mismo trágico destino azotó a otros países del área: Argentina, Uruguay, Bolivia, Perú...

Sorprendentemente, el país mejor librado en la coyuntura histórica de la segunda mitad del siglo XX ha sido España. Tras una dura posguerra (miles de juicios sumarísimos que acabaron en fusilamientos, exilio de los mejores cerebros, hambre y racionamiento, bloqueo de los aliados), el régimen de Franco firmó en 1953 un tratado de amistad y cooperación con Estados Unidos y se sumó tardíamente al desarrollo europeo. El turismo, la emigración masiva a los países próximos industrializados (sobre todo Francia y Alemania) y la consolidación de bolsas desarrolladas (Madrid, Barcelona y Bilbao) permitieron un espectacular ascenso del nivel de vida en los años sesenta, que parece consolidarse, tras la crisis petrolera de 1973 y la transición a la democracia, en los albores del siglo XXI.

Por primera vez en la historia, España se convirtió en receptora de emigración hispanoamericana. Argentinos, chilenos, uruguayos que huían de las sangrientas dictaduras instauradas en los años setenta y de las crisis económicas, se instalaron en la vieja Europa. Esta situación trágica quizá tuviera un único aspecto positivo: el estrechamiento de los lazos, especialmente culturales, entre los distintos países hispánicos.

LAS TENDENCIAS LITERARIAS TRAS LA CRISIS BÉLICA. No es fácil reducir a unidad la marcha de la literatura a uno y otro lado del Atlántico, tras las aventuras de la Vanguardia. En España, después de un fugaz y anacrónico neoclasicismo impuesto por los vencedores en la guerra civil, se siguen con cierto retraso algunas de las tendencias dominantes en otros países europeos. Así, surge el Tremendismo, una variante extrema del realismo expresionista que se complace en las situaciones violentas y grotescas. En los años cincuenta, como reacción contra el régimen, aparece la literatura comprometida, también de signo realista, con tesis y mensajes explícitos, a veces demasiado explícitos. En este realismo social o crítico se insertan elementos procedentes del existencialismo francés de posguerra. En los años sesenta, sin renunciar a esa voluntad de denuncia, se abandonan las técnicas del realismo y se inicia una etapa de experimentación formal: monólogo interior, alteraciones de la secuencia temporal, utilización de varias voces narrativas...

En la América española no faltan los poetas sociales, de lenguaje directo y sencillo, irónico a ratos, que tratan de denunciar las estructuras vigentes, pero la lección de las Vanguardias no se ve radicalmente truncada como en España. La liberación del realismo tiene como consecuencia la creación

453

de un nuevo mundo imaginativo, que se desparrama en varias direcciones.

Se construye una narrativa irónica y reflexiva, simbólica y en cierto sentido esotérica. Por otro lado, se adoptan las novedades estilísticas de la novela norteamericana (Faulkner, sobre todo) o de Joyce: desde el perspectivismo a la ruptura de la linealidad, el monólogo interior, los pasajes líricos, la contraposición de estilos y registros narrativos... En los países más europeizados (Argentina, Chile, Uruguay) estas estructuras se aplican a retratar las miserias de la vida burguesa; en otras latitudes, se afirma el llamado «realismo mágico», concreto y alucinado, que ya habían cultivado los maestros de la Vanguardia.

La amalgama de estas tendencias da origen al *boom* hispanoamericano, que proyecta la literatura a escala internacional. Aunque el *boom* fuera en su origen un fenómeno comercial, nacido en la Barcelona de los años sesenta, al calor de la editorial Seix Barral, la capacidad creativa de sus miembros, extremadamente originales y distintos entre sí, ha permitido que se afirme a lo largo del tiempo, hasta el punto de que ha oscurecido a las promociones que le han seguido.

7.2. LOS POETAS DEL MODERNISMO

7.2.1. UNA REVOLUCIÓN POÉTICA

A finales del siglo XIX se produce una extraordinaria renovación de la lírica hispánica que discurre paralelamente a uno y otro lado del océano, de la mano del nicaragüense Rubén Darío, que recoge el influjo del Simbolismo francés y de los poetas malditos.

Los modernistas reaccionan contra la vulgaridad de la literatura realista. Sus versos están exquisitamente elaborados desde el punto de vista formal; cuidan su estructura para conseguir efectos rítmicos y sonoros de particular expresividad.

Se ponen en circulación variedades métricas poco usadas hasta entonces. El alejandrino (solo cultivado por los poetas medievales y por algunos románticos) se convierte en el verso de moda y queda definitivamente incorporado a la poesía hispánica moderna. También se emplean el dodecasílabo, el eneasílabo, el endecasílabo dactílico o de gaita gallega (con acentos en 1.ª, 4.ª, 7.ª y 10.ª)... Darío, como antes José Asunción Silva, intenta asimismo imitar la métrica cuantitativa grecolatina, que se basa en la combinación de sílabas largas y breves, alternancia que en español se consigue combinando sílabas tónicas y átonas.

Los modernistas no explotan solo la brillantez sonora. A veces destruyen la rotundidad rítmica del verso para dotarlo de mayor expresividad. Para eso utilizan rimas átonas («Pierrot y Arlequín, / mirándose sin / rencores...») o rompen las cesuras habituales y recurren al encabalgamiento. Este deseo de desdibujar el ritmo los llevará al ensayo del verso libre.

Una de las combinaciones métricas propias de la época es la silva arromanzada (versos endecasílabos y heptasílabos combinados libremente, con rima asonante en los pares). Es forma predilecta de Antonio Machado y la cultivan también Rubén Darío, Manuel Machado, Unamuno y otros.

El Modernismo enriquece notablemente la lengua poética. Crea brillantes neologismos: *hipsipila* (mariposa), *liróforo* (poeta), *bulbules* (ruiseñores)... Utiliza numerosos cultismos: *púber, ínclitas, ubérrimas, pífano, náyade, áptera, efebo*... Proliferan el léxico suntuario (*ágatas, gemas, marfil, armiño, góndola, porcelanas, bálsamos*...), los tecnicismos artísticos (*pizzicati, trémolos, minué, madrigales*...) y las voces exóticas (*bayaderas, rajáhs, ambrosía*...). No se detienen aquí las novedades; se incorpora también un vocabulario descendente y extrapoético. Aparecen palabras de *argot* (*chulo, juerga, caló, chupatintas*...), barbarismos (*declasé, sportman, maquereau, surmenage*...) y neologismos satíricos o burlescos (*canallocracia, nefelibata*...).

Hay en esta poesía una doble dirección ascendente y degradadora. En el primer caso, expresa su repulsa a la sociedad burguesa a través de la huida hacia un mundo de ensueño y fantasía: la antigua Grecia, la Edad Media, el siglo XVIII francés... Los versos están poblados de princesas, cisnes, lagos, jardines... Simultáneamente se pone de moda el ambiente miserable de las ciudades: prostíbulos, buhardillas, hospitales..., donde se refugian los malditos de la fortuna. En los grandes poetas (Rubén Darío, los hermanos Machado) estos tópicos literarios dejan paso a la expresión íntima y sincera de sus angustias y emociones personales.

7.2.2. José Martí

VIDA Y PERSONALIDAD. José Martí nace en La Habana en 1853. Es hijo de unos emigrantes españoles de modesta condición. Pone su vida y su obra al servicio de la lucha por las libertades y por la independencia de su país. Conoce el sufrimiento en propia carne ya que se le acusa de haber participado en una conspiración y es condenado a seis años de trabajos forzados; se le conmuta la pena por el destierro. Su protesta contra el trato injusto recibido en prisión se contiene en el ensayo *El presidio político de Cuba*. Al exiliarse pasa por España (1871-1874), México y Guatemala.

Regresa a Cuba cuando el general Martínez Campos concede una amnistía. Se vincula directamente con la revolución y en 1879 es desterrado de nuevo. Tras una breve estancia en España, se va a Estados Unidos, donde vive un largo exilio (con el paréntesis de su viaje a Venezuela en 1881). Colabora en diversos periódicos y escribe una parte importante de su obra poética. Regresa finalmente a Cuba y participa en la guerra contra España. Muere en una escaramuza militar en 1895.

Martí se ha convertido en mito. Su temprana muerte impidió que el luchador idealista se trasformara en un político enfrentado a las luces y sombras de la vida cotidiana. Es difícil trazar el perfil de su personalidad sin caer en la hagiografía. Fue —no hay duda— un hombre consecuente con sus ideas. Sufrió penalidades sin cuento y las sobrellevó con abnegación, humildad, generosidad. Un sentido estoico de la moral presidió su existencia. El dolor y las adversidades aparecen como forja de su personalidad. Como contrapeso, una afectuosa entrega a las relaciones de amor y amistad. Tuvo un espíritu idealista y una preocupación religiosa en pugna con la actitud de la iglesia y su atrincheramiento junto al gobierno español.

Su actitud anticolonial (no antiespañola, como se preocupó de subrayar mil veces) le llevó tambien a denunciar las pretensiones de sus aliados norteamericanos. Su programa político, moderadamente progresista, liberador, socializante, tiene muchos rasgos idealistas y pone especial énfasis en los aspectos éticos. La igualdad entre los hombres, la democracia esencial, el rechazo del caudillismo... son los elementos nucleares de su doctrina. La historia no le dio la oportunidad de aplicarla.

EL POETA. Debido a su compromiso político, Martí rechaza el puro esteticismo. No busca la evasión y huida a paraísos artificiales, ni se siente atraído por la refinada sensualidad y los ambientes exóticos que tanto gustan a los modernistas. Sus versos están enraizados en la realidad política y social de su pueblo.

Concibe la creación poética como un desahogo espontáneo, como una expresión de sus emociones. Esto no le impide ocuparse de los aspectos formales. Ensayó nuevos ritmos y contribuyó a la renovación modernista, a pesar de que siempre creyó que la inspiración estaba en la naturaleza. Admirador del intimismo becqueriano, lo desarrolló con las novedades que le ofrecía la lírica simbolista.

Su producción lírica se recoge en cuatro poemarios. *Ismaelillo* (1882) es uno de los puntos de arranque de la poesía modernista hispánica, aunque en una línea distinta a la de *Azul...* de Darío. Martí escribe los quince poemas que componen el libro durante su estancia en Nueva York. El motivo

457

de inspiración son el hogar abandonado y el hijo ausente, realidades que desembocan en el miedo a la soledad; recurre a la vía simbólica para desarrollar sus ideas y sentimientos. Utiliza metros tradicionales breves, sobre todo octosílabos. Vibra en este libro un romanticismo intimista. Sus imágenes, muy originales, anticipan en algunos momentos el irracionalismo que definirá a la poesía del siglo XX.

Versos libres también fue escrito en buena parte en Nueva York en 1882; se publicó póstumamente en 1913. Las formas métricas populares han dejado paso al endecasílabo blanco. Recogen el testimonio directo de la actitud personal del autor y su visión del mundo. En medio de la lucha cotidiana afloran una inquietud espiritual y trascendente y el imperativo ético y político al que ha de ajustarse la vida. Martí reflexiona también sobre el sentido de sus versos, cuya raíz ha de estar en la emoción y la libertad expresiva.

Versos sencillos (1891) sigue la misma línea. Refleja los sentimientos del poeta en contacto con la naturaleza, frente al mundo artificial y engañoso de la civilización. Da cabida a una serena y doliente meditación existencial, a los temas amorosos... Haciendo honor a su título, son poemas sencillos, populares, en octosílabos, algunos tan célebres como estos: «Yo soy un hombre sincero / de donde crece la palma, / y antes de morirme quiero / echar mis versos del alma».

Flores del destierro, también póstumo, se compuso en 1887-1888. Junto a las vivencias íntimas expresa, dentro de la misma tónica de sencillez y naturalidad, la nostalgia del desterrado que se sabe víctima de la injusticia.

EL PROSISTA. A Martí se le considera, además, creador de la prosa modernista. Igual que en sus versos, domina el acento lírico y apasionado.

Nos ha dejado numerosísimos artículos que, desde edad muy temprana, publicó en los principales periódicos americanos: *La nación* de Buenos Aires, *La opinión nacional* de Caracas... Durante su estancia en España ejerció como crítico de arte. A ello se añaden sus vibrantes discursos patrióticos y su epistolario, en buena parte perdido o inédito.

Su narrativa se acoge a la corriente esteticista. Además de los relatos infantiles publicados en *La edad de oro* con fines formativos, compuso una única novela: *Amistad funesta* (1885), que publicó por entregas bajo el seudónimo de *Adelaida Ral*; más tarde volvió a editarla con el título de *Lucía Jerez*. Es una historia de amor, de inspiración romántica pero con lenguaje simbólico e ingredientes modernistas. Su protagonista, incapaz de controlar sus celos, enfermizos e infundados, acaba cometiendo un crimen. Las inquietudes del intelectual finisecular —que son las del autor— se reflejan a través del álter ego Juan Jerez, abogado defensor de los pobres que se vuelca en la lucha política.

Su corpus creativo se completa con cuatro piezas teatrales que ocupan un lugar secundario: tres en verso (*Abdala, Amor con amor se paga, Patria y libertad*) y una en prosa (*Adúltera*). En ellas se deslizan temas y motivos presentes en el resto de su obra.

7.2.3. OTROS INICIADORES DEL MODERNISMO

SALVADOR DÍAZ MIRÓN. Nació en Veracruz (México) en 1853. Apasionado y pendenciero, por su temperamento se ha visto en él un espíritu romántico. Siguió la carrera política. En 1892 se produjo un suceso decisivo en su vida: mató a un adversario que le había agredido en una campaña electoral; fue a la cárcel y perdió la condición de diputado. Esta experiencia determinaría un cambio de tono en su obra. Murió en 1928.

En un primer momento —*Poesías* (1896), escritas mucho antes—, se inspiraba en Byron y Victor Hugo. Expresa sus ideales románticos con una retórica altisonante que peca de superficial.

Da un giro absoluto en *Lascas* (1901), poemario nacido de la dolorosa experiencia a que antes nos referíamos. Con bri-

459

llantez y exquisita sensibilidad, encamina sus pasos hacia el Modernismo; sus versos se caracterizan por la perfección formal y el estilo preciosista. Queda atrás el enfático optimismo de sus poemas anteriores. Las tonalidades se han ensombrecido; la noche, la prisión, la muerte... hacen continuo acto de presencia. Eros y Thánatos son polos recurrentes. Da a menudo en una estética feísta, tendente a lo grotesco, en su afán por descender a las realidades más degradadas.

MANUEL GUTIÉRREZ NÁJERA. Nació en México en 1859. Desde muy joven, y con una formación autodidacta, empezó a trabajar como periodista. En 1888 fue elegido diputado. En 1894 fundó la *Revista azul*, portavoz del Modernismo hispanoamericano. Murió en 1895, al parecer a causa de una hemorragia (era hemofílico).

A su muerte, su obra quedó dispersa. Justo Sierra y otros intelectuales mexicanos se encargaron de reunirla.

La prensa fue la ocupación central de Gutiérrez Nájera. Para ella escribió cuentos (*El vestido blanco, Historia de una corista...*), cuadros de costumbres (*Memorias de un vago, Una escena de Nochebuena...*) y multitud de crónicas, notas impresionistas de crítica literaria y artículos satíricos, que se reunieron con el título de *Plato del día*. En estos escritos emplea una prosa ágil, creativa, sinestésica, que caracteriza al Modernismo. Normalmente los firma con seudónimos, entre los que destaca el de *El duque Job*.

Desde fechas tempranas había manifestado su inclinación estética en algunas creaciones en prosa: *Cuentos frágiles* (1833), a los que hay que añadir la colección póstuma *Cuentos color de humo* (1898). Con estas obras se inicia en español el cuento galante, lírico, al modo parisién, con ocasionales galicismos que le dan sabor de época. Algunos títulos se han hecho célebres: *La novela de un tranvía, Historia de un peso falso...*

Como poeta, es un temprano renovador de las formas métricas y de la sensibilidad lírica. Desde su *Revista azul* encabeza la reacción contra el academicismo prosaico que domina la poesía española de la época. Ensaya versos entonces poco frecuentes, como los dodecasílabos, los decasílabos y los alejandrinos.

Muy apegado a los moldes franceses, su principal fuente de inspiración es Verlaine. Sus versos son refinados, sugestivos, coloristas, rebosantes de emoción y melancolía. Es un poeta de sugerencias. Aun tratando motivos propios de la retórica romántica (*Tristissima nox, Ondas muertas, Hamlet a Ofelia...*), les confiere un aire elegíaco, de evocación y abandono. Escribe también poesía religiosa, de sabor preexistencialista: *Luz y sombra, La duda...*

Su fama está ligada a los poemas eróticos (*Deseo, Del libro azul...*) y en especial a *La duquesa Job* (1884), retrato galante, despreocupado, salpicado de barbarismos y giros de moda, de la mujer soñada por el poeta.

JULIÁN DEL CASAL. Nace en La Habana en 1863 dentro de una familia de buena posición. Estudia con los jesuitas. Siendo joven, tras la muerte de su padre en 1885, la fortuna familiar se pierde y el poeta ha de buscar acomodo como funcionario. Colabora en los periódicos de la época. Viaja a París; pero, por falta de recursos, ha de volver a Cuba, tras pasar por España. En 1882 conoce a Rubén Darío en La Habana. Su salud se deteriora y en 1893 muere al reventársele un aneurisma.

Julián del Casal cultivó la imagen del dandi, entre romántico y simbolista, a la manera de Baudelaire. Parece que fue de carácter tímido; padeció una salud frágil y adoptó una pose desengañada y algo desdeñosa. No participó en los movimientos independentistas ni se interesó por la política. Su rebeldía romántica tuvo una dimensión puramente íntima.

Los primeros modelos poéticos de Casal son los románticos españoles y franceses: Victor Hugo, Espronceda, Zorrilla, quizá Arolas... Sobre esta base incorpora el influjo de los poetas parnasianos franceses y de los padres del Simbolismo, en especial Baudelaire, con unas gotas de decadentismo culturalista. Introduce en sus versos mundos exóticos y reflejos

461

de pasadas civilizaciones: Versalles, la Italia renacentista, Venecia... Es una poesía evasiva, colorista, musical, suntuaria, cincelada, que expresa, como en otros contemporáneos, el hastío ante la realidad burguesa y el prosaísmo de su tiempo. Junto a ello, los paraísos artificiales (*Canción a la morfina*), las perversiones sádicas y el satanismo.

Tres poemarios marcan la evolución desde los aires románticos (*Hojas al viento*, 1880) hasta la afirmación del Modernismo (*Nieve*, 1892, y *Bustos y brisas*, 1893). Su vocación pictórica y evocativa se revela en las secciones de su libro central, *Nieve*. Allí encontramos *Bocetos antiguos, Mi museo ideal, Cromos españoles* y *Marfiles viejos*. El arte de Casal atiende a un exquisito manejo de las sensaciones, al empleo simbólico y obsesivo del color, los contrastes de luz y sombra, las imágenes acústicas y las sinestesias. La estructura de los poemas, típicamente parnasiana, tiende al cierre sorprendente y de apagada rotundidad.

Colaboró en revistas como *La Habana elegante*, donde ofreció una serie de retratos en prosa y de cuadros costumbristas, a veces de tono satírico como *El general Sabás y familia* (1888), que le costó un juicio por injurias. Los cuentos se mueven en la esfera del naturalismo decadentista francés a lo Guy de Maupassant. Las colecciones de mayor interés son *Historias amargas* (1890), *Seres enigmáticos, Bocetos sangrientos*... A estos relatos ficticios hay que añadir crónicas como *Recuerdos de Madrid, La joven Cuba*...

En la prosa, como en la poesía, la obra de Casal es una manifestación temprana y plena del estilo y de los tópicos modernistas.

JOSÉ ASUNCIÓN SILVA. Nació en Bogotá en 1866 (hay dudas respecto a la fecha) en el seno de una familia acomodada de comerciantes. A los dieciocho años visitó París, Londres y otras ciudades europeas. En ese periplo se puso en contacto con la modernidad literaria. La ruina familiar le obligó a desplazarse a Venezuela, donde colaboró en la revista *Cosmópolis*. De regreso a su patria, se suicidó en 1896.

Fue un personaje exquisito, tímido y distinguido, al parecer poco hábil para los asuntos de la vida cotidiana. Se le atribuyen ciertos comportamientos psicopáticos, que en su obra literaria se expresan como un permanente sentimiento de angustia.

Su breve producción poética está impregnada de reminiscencias románticas (Poe, Hugo, Longfellow), que se atemperan con el dandismo pesimista de Baudelaire, el intimismo becqueriano y la fe, muy fin de siglo, en la cuidada elaboración del poema, de raíces parnasianas.

Silva no reunió sus obras. Póstumamente se publicaron dos colecciones: *Libro de versos* y *Gotas amargas*, a lo que se añadió un cuaderno juvenil, *Intimidades*.

El único poemario preparado por el autor fue *Libro de versos*. En él destacan los tres nocturnos: «A veces, cuando en la alta noche tranquila...», «Poeta, di paso...» y «Una noche, / una noche...». Es particularmente célebre este último por su ensayo de combinación de versos anisosilábicos, con ritmo basado en pies tetrasílabos (ooóo), por el empleo de paralelismos y la mórbida fusión del amor y la muerte. En estos versos asonantados se anuncia la libertad métrica que traía el Modernismo.

Junto a los «Nocturnos», hay poemas de evocación infantil (*Los maderos de San Juan*), odas entre neoclásicas y parnasianas (*Al pie de la estatua*), cantos de un panteísmo gris y cotidiano (*La voz de las cosas, Vejeces...*), etc., etc.

Gotas amargas son trece poemas voluntariamente prosaicos, irónicos y satíricos en que pasa revista a los tópicos de la civilización, entre el positivismo decimonónico y el irracionalismo finisecular: *El mal del siglo, Psicoterapéutica, Égalité...*

Menos originales, más próximos a los esquemas posrománticos, son los demás poemas rescatados del naufragio (no es metáfora: el poeta sufrió uno en que se perdió buena parte de su obra).

Silva escribió, además, una novela: *De sobremesa* (publicación póstuma en 1925). Es en cierta forma una autobiografía espiritual de los artistas finiseculares en persecución del amor y la belleza.

Conservamos, asimismo, breves apuntes de estética (*La protesta de la musa*), descripciones (*Al carbón* y *Al pastel*) o escenas costumbristas (*El paraguas del padre León*). También aquí practica el arte de la sugerencia, del impresionismo literario, presente en su poesía.

7.2.4. RUBÉN DARÍO

VIDA Y PERSONALIDAD. Rubén Darío, cuyo verdadero nombre es Félix Rubén García Sarmiento, nace en Metapa (Nicaragua) en 1867. Reside en Chile y en Argentina. Como embajador de su país, viene a España por vez primera con ocasión del cuarto centenario del descubrimiento de América; entra en contacto con nuestros poetas y deja en ellos una profunda huella. Compagina sus tareas oficiales con la vida bohemia. Llega a alcoholizarse y su salud es cada vez más precaria. Intenta, en vano, recuperarse en Mallorca. Al estallar la I Guerra Mundial en 1914 se encuentra en París; vuelve a Nicaragua, donde muere en 1916.

Darío titubea entre adoptar el papel de poeta cívico, enraizado en la realidad social de su entorno, o el de poeta galante y solitario. Vive como un conflicto íntimo el enfrentamiento entre la búsqueda desaforada del placer y el anhelo de espiritualidad. Su inestabilidad afectiva se revela en las dos caras de su creación artística: una, expansiva y entusiasta, que anhela un mundo de ensueño, y otra, depresiva y neorromántica, que canta en clave fatalista el trágico destino del hombre.

RASGOS GENERALES Y EVOLUCIÓN POÉTICA. Rubén Darío lleva a cabo una profunda renovación formal. Trae a la lírica hispánica un sentido del ritmo y de la sonoridad que pocos han tenido tan afinado y perfecto. Restablece con fortuna el uso del alejandrino. Introduce una imaginería innovadora y sensual y un vocabulario exótico, sonoro y expresivo.

Su concepción de la vida y el arte empieza siendo cosmopolita y parisina, interesada por los jardines versallescos, las porcelanas y los ambientes aristocráticos, galantes y refinados. Pero, con el paso del tiempo, su universo poético se torna más íntimo y, a la vez, más amargo y dolorido. Las imágenes se vuelven más hirientes. Busca incluso un cierto prosaísmo para dotar a sus versos de mayor expresividad. Junto a los poemas rimbombantes y despreocupados de sus años de juventud, encontramos otros en que desdibuja el ritmo y trata de las realidades cotidianas (*Epístola a la señora de Leopoldo Lugones*, por ejemplo). También refleja su preocupación cívica en las obras de tema americano.

PRIMERA ETAPA. La figura de Rubén Darío se revela en *Azul...* (1888). Sorprende que en la primera obra del que había de ser gran poeta lírico predomine la prosa. Es fundamentalmente un libro de relatos. Siguen el modelo del *cuento parisiense*, con la mirada puesta en Catulle Mendès. El tema central es la lucha y los anhelos del artista frente a la sociedad insensible y positivista. A veces adquieren acentos patéticos; en otras ocasiones se dulcifican o se funden con el sueño y la alucinación. Predomina el tono idealizante. Uno de los más logrados es *Palomas blancas y garzas morenas*, luminosa descripción autobiográfica del despertar del erotismo en la adolescencia.

Los versos que forman parte de ese conjunto han sido considerados tradicionalmente como punto de partida de la revolución modernista, aunque quizá sería más propio calificarlos de obra de transición, en la que hay elementos decimonónicos junto a indiscutibles novedades. Ya se aprecian aquí la sensualidad, el lujo verbal y la precisión rítmica que caracterizarán al autor en su madurez.

Sigue luego *Prosas profanas*, del que hay dos ediciones sustancialmente distintas: una bonaerense de 1896 y otra parisina de 1901, con veintiún poemas más. En las *Palabras preliminares* proclama los principios del Modernismo: la evasión como fundamento del arte, la prioridad del ritmo, el influjo francés, el elitismo...

Mantiene el libro una profunda coherencia interna. Sus composiciones pueden agruparse en tres tipos: las de inspiración amorosa y ambiente irreal, las de carácter reflexivo y las que tratan sobre poesía. Estamos ante un auténtico alarde de virtuosismo formal. La musicalidad del verso se halla primorosamente conseguida. El autor hace gala de un esteticismo exacerbado y decadente y gusta de evocar ambientes refinados. Son célebres poemas como «Era un aire suave...», *Sonatina*, *El reino interior* o *El coloquio de los centauros*. El más apasionante es, sin duda, *Responso a Verlaine*, pieza clave de la lírica modernista, donde el homenajeado encarna simbólicamente a todos los poetas y a la poesía en lo que tiene de misterioso, sacro y mágico.

CANTOS DE VIDA Y ESPERANZA. En 1905 aparece el libro más denso y rico de Rubén, auténtica cima de su lírica. En el *Prefacio* expone de nuevo algunos de sus principios estéticos y presenta una novedad esencial: el reconocimiento de la colectividad. Ofrece una doble vertiente: hay poemas en que los efectos rítmicos son lo más importante, como *Marcha triunfal*, digno de *Prosas profanas*; pero otros muchos se hacen eco de inquietudes más trascendentes. Así, en los dos *Nocturnos* expresa la angustia del fracaso, de la juventud perdida tras un ideal inalcanzable y falso; sus imágenes poéticas rezuman la amargura del desencanto.

Frente al pesimismo que domina en la intelectualidad española tras la derrota de 1898, Darío entona un cántico de esperanza y de entusiasmo por lo hispánico en *La salutación del optimista*, en hexámetros («Ínclitas razas ubérrimas, sangre de Hispania fecunda...»). En *Letanías de Nuestro Señor Don Quijote* abandona la brillantez y busca un deliberado prosaísmo sarcástico, para dar cabida a lo mezquino, lo vulgar, lo rastrero y lo deshumanizado. La criatura cervantina aparece como símbolo del hombre de bien que se enfrenta y sufre cuanto hay de inhumano y escarnecedor. Es, al mismo tiempo, un poema que expresa la desazón íntima ante el mundo y un poema para la colectividad.

También contiene composiciones filosóficas y elegíacas de tono romántico, como *Lo fatal,* broche de oro del volumen, en que se plantea el misterio de la existencia y de la muerte, y *Canción de otoño en primavera.*

OTROS POEMARIOS DE MADUREZ. *El canto errante* (1907) es su obra más melancólica y lúgubre. Se trata de un libro desigual, que revela precipitación a la hora de estructurarlo. Supone cierto descenso respecto al anterior. No faltan, sin embargo, composiciones de primerísimo rango. En *A Colón,* escrito en 1892, pone el dedo en la dolorosa llaga de las guerras y convulsiones de la América española. Lo mejor son los versos de inspiración personal, íntima. La *Epístola a la señora de Leopoldo Lugones* es un poema insólito, una carta escrita en tono coloquial con profusión de barbarismos, neologismos y voces de *argot.* Darío habla de sus problemas económicos, describe su vida en Mallorca... El uso constante del encabalgamiento rompe la rígida sucesión de pareados alejandrinos. El paso por la isla inspira también la pasión neorromántica de *La canción de los pinos* y el breve y sentido *Vesper.*

Menor relieve tienen *El poema de otoño y otros poemas* (1900) y *Canto a la Argentina y otros poemas* (1914). Dentro de este último merecen ser recordados *La cartuja,* escrito durante su segunda estancia en Mallorca (1913-1914), y *Los motivos del lobo.*

LA PROSA. Cada día estamos más convencidos de la importancia de Darío, con Martí, como renovador de la prosa en lengua española. Su ejemplo sirvió para darle agilidad, soltura, gracia poética y expresiva y romper la larga frase seudocervantina que imperó en el siglo XIX. Sin embargo, el poeta capaz de cambiar el estilo no tuvo nunca interés ni aliento para sostener un mundo de ficción complejo ni para los grandes ensayos.

Lo mejor de su producción (lo único prácticamente) son los excelentes cuentos en que alterna el relato lírico-fantástico (*La pesca, El caso de la señorita Amelia...*), la narración macabra y de misterio (*Thanatopeia, La farra, La extraña muerte de fray Pedro...*) y el cuadro realista (*Betún y sangre*), y los artículos periodísticos, breves ensayos y crónicas. Algunos de estos trabajos destinados a los papeles efímeros se reunieron en colección: *Los raros* (1896), retratos de los padres del Modernismo; *España contemporánea* (1901), impresiones después de la derrota de 1898; *Peregrinaciones* (1901), *Tierras solares* (1904), *El viaje a Nicaragua* (1909)... Sus ensayos inconclusos de novela (*El oro de Mallorca* y *El hombre de oro*) tienen un interés menor.

7.2.5. POETAS DEL MODERNISMO HISPANOAMERICANO

La multitud de poetas estimables que florecen en toda América en los primeros años del siglo XX nos obliga a espigar solo aquellos que alcanzaron una notoriedad más allá de las fronteras patrias.

LEOPOLDO LUGONES. Nace en Villa María de Río Seco, en la provincia de Córdoba (Argentina), en 1874. Inicia muy pronto su actividad literaria en la prensa periódica de tendencia liberal y socialista. En 1897 publica su primer poemario.

Hace varios viajes a Europa. En París dirige la *Revue Sud-Américaine*. Se siente atraído por las doctrinas teosóficas y ocultistas. Pertenece a una logia masónica. Su actividad política sigue una trayectoria sorprendente: se inicia en el ideario socialista, pero, decepcionado, evoluciona hasta aproximarse al fascismo. En 1930 participa en la sublevación que lleva al poder al general Uriburu. Por esas fechas vuelve a la fe cristiana que había abandonado en su juventud. En 1938 se suicida tomando cianuro, por causas que no son bien conocidas.

Lugones se convierte muy pronto en el principal representante del Modernismo argentino. Es un poeta preocupado por la perfección formal, que hace gala de un extraordinario dominio técnico y estilístico y de un léxico exuberante.

En pleno auge modernista publica *Las montañas de oro* (1897). Partiendo de sus orígenes románticos, se acoge de lleno a las nuevas tendencias. Por su verbo grandilocuente, recuerda a Victor Hugo. Es un poemario que se define por su preciosismo, al que se ha censurado el excesivo afán de originalidad.

Luego irá asimilando el influjo simbolista: *Los crepúsculos del jardín* (1905), libro rico en matices y colorido, de exquisita factura, impregnado de melancolía y con aspiraciones de trascendencia.

Lunario sentimental (1909) puede considerarse una cima en la trayectoria que ha seguido el autor, un auténtico alarde de facultades. Es muy original en su imaginería y ofrece una extraordinaria variedad de ritmos y formas estróficas. Domina un humor irónico y burlón, que recurre a menudo a la expresión prosaica y al lenguaje familiar. Algunos poemas anticipan la libertad creadora de la Vanguardia. Junto al verso, da cabida a la prosa poética (fragmentos que rematan cuatro de las cinco partes del libro), en la que luce habilidades similares. Como *leit motiv*, la seductora presencia de la luna. Es un puro juego de pirotecnia.

La poesía de Lugones, a partir de este momento, sin renunciar a sus orientaciones estéticas básicas, deja paso a inquietudes más personales y apegadas a lo real. En *Odas seculares* (1910) da cabida a los temas nacionales y a la exaltación de la patria, con un acento épico y triunfalista.

El tono es más íntimo y recogido en *El libro fiel* (1912), un canto al matrimonio y la familia, que se revelan como inagotable fuente de satisfacciones para el poeta. En *El libro de los paisajes* (1917), que rebosa amor al terruño, se vuelca en la contemplación de una naturaleza benefactora. Detiene su mirada en las pequeñas realidades que componen ese cuadro apacible. En *Las horas doradas* (1922) se repliega de

469

nuevo en el recinto de la intimidad. Incluye reflexiones filosóficas sobre temas existenciales, unidas a estampas puramente estetizantes.

En los últimos libros van a predominar las formas populares. Sigue imbuido del fervor nacionalista que reflejan las creaciones de la etapa anterior. *Romancero* (1924) tiene como tema dominante el amor, con un regusto de amargura y frustración; *Poemas solariegos* (1927) es un nuevo panegírico de la tierra, los hombres y el paisaje; *Romances de Río Seco* (1938), canto a su pueblo natal, nos trasmite una imagen idealizada del mundo rural argentino.

Lugones tiene también en su haber una cuantiosa producción prosística. Una parte pertenece al terreno de la creación literaria. Así, sus colecciones de relatos: *La guerra gaucha* (1905), con la lucha por la independencia como telón de fondo; *Las fuerzas extrañas* (1906) y *Cuentos fatales* (1924), de carácter fantástico... En la novela *El ángel de la sombra* (1924) manifiesta sus preocupaciones teosóficas.

Sus ensayos se ocupan de asuntos históricos (*El imperio jesuítico*, 1904), políticos, tanto nacionales (*La patria fuerte*, 1930; *Política revolucionaria*, 1931; *El estado equitativo*, 1932) como internacionales (*Mi beligerancia*, 1917; *La organización de la paz*, 1925), científicos (*El tamaño del espacio*, 1921), filosóficos (*Filosofícula*, 1924), de crítica literaria (*El payador*, 1916)... Compuso tres biografías de distinta naturaleza: *Historia de Sarmiento* (1911), *Elogio de Ameghino* (1915) y *Roca* (1938), inconclusa. Publicó, además, gran cantidad de artículos periodísticos, buena parte de ellos en *La nación*.

Julio Herrera y Reissig. Nació en Montevideo en 1875, dentro de una familia de elevada posición (un tío suyo fue presidente de la república). El poeta vivió como un dandi, ajeno a los problemas de la vida cotidiana, interesado por el espiritismo, confraternizando con los escritores que se reunían en una sala de su casa a la que bautizó como la Torre de los panoramas, y cuidando de una dolencia cardíaca congénita, de la que murió en 1910.

En la poesía de Herrera y Reissig, antologada al final de su vida en *Los peregrinos de la piedra* (1909), se acostumbra a distinguir una primera etapa de acentos bucólicos (*Los éxtasis de las montañas, Los parques abandonados*) y otra de carácter hermético e irracionalista, caprichosa y oscura (*La torre de las esfinges, Las clepsidras, Desolación absurda*).

Las dos etapas tienen en común la fertilísima y brillante imaginación, lo rebuscado e insólito de las imágenes. En el primer poemario citado domina la descripción impresionista y el acabado parnasiano, la evocación distante y fría de mundos inexistentes. *Los parques abandonados* apuesta por la angustia y el patetismo. La progresión hacia el juego, el capricho, el disparate, la articulación arbitraria de las palabras (eso sí, enconsertadas en estrofas perfectamente tradicionales) se da en las últimas entregas poéticas.

RICARDO JAIMES FREYRE. Nació en el consulado boliviano de Tacna (Perú) en 1868. Educado en Lima, se instaló en 1894 en Buenos Aires y más tarde en Tucumán, donde desarrolló la mayor parte de su producción intelectual y artística, y donde murió en 1933.

Su obra poética se compendia en dos volúmenes: *Castalia bárbara. País de sueño. País de sombra* (1899) y *Los sueños son vida* (1917).

El primero incorpora a la lírica en lengua española una de las claves y de las pasiones modernistas: la mitología germánica pasada por el tamiz wagneriano. Para expresar ese mundo de exótica grandeza (refinada y decadente reelaboración de una quimérica edad heroica), ensayó versos largos e imparisílabos, formados por pies rítmicos, y asonantados, que se consideran precedentes del verso libre. *Los sueños son vida* sigue el estilo colorista, impresionista de *Castalia bárbara*; pero la inspiración simbolista-parnasiana de los dioses nórdicos se sustituye por la meditación sobre el amor y los problemas sociales (uno de los poemas se titula *Rusia*).

Además de lírico, Jaimes fue dramaturgo (*Los conquistadores*, 1928) e historiador (*Tucumán en 1810, Historia de la República de Tucumán...*) y preceptista literario (*Leyes de versificación castellana*).

JOSÉ SANTOS CHOCANO. Este poeta (Lima, 1875-Santiago de Chile, 1934), de vida agitada e irregular, vehemente y apasionado hasta el extremo en sus actitudes, representa la vertiente más retórica y colorista del Modernismo hispanoamericano. Tras unos primeros libros de aliento épico, retóricos y altisonantes (*En la aldea*, 1892; *Iras santas*, 1896; *La epopeya del Morro*, 1899), se centra en la realidad de su país. Da los primeros pasos en esta dirección con *La selva virgen* (1900) y *Cantos del Pacífico* (1904).

Es el cantor de los temas indígenas. Su poesía es expresión de un exaltado nacionalismo. Se ocupa del paisaje, la fauna, la flora... y le atraen las leyendas, que se mezclan con los episodios históricos. Gusta de experimentar nuevas formas métricas. Sus versos son sonoros, preciosistas, repletos de matices sensoriales.

Alcanza su momento culminante en *Alma América* (1906), que aparece precedido por un poema de Rubén Darío y un prólogo de Unamuno (lo publicó durante un viaje a España). Es quintaesencia de los rasgos que lo caracterizan, con los riesgos que conlleva una exuberancia que se desborda. No se le puede negar, no obstante, el empuje de la fantasía, la fuerza de las imágenes... e incluso la emoción de sus momentos más inspirados. Tiene más excesos que defectos. En la misma línea discurren *¡Fiat lux!* (1908), *Primicias de Oro de Indias* (1934) y *Oro de Indias* (1939-1941).

GUILLERMO VALENCIA. Este autor colombiano (Popayán, 1873-1943) desempeñó importantes cargos políticos y fue candidato a la presidencia de la república. Como diplomático viajó a Europa y mantuvo contacto con algunas figuras del arte finisecular.

Su obra poética original se reduce a *Ritos* (1899; nueva edición ampliada, 1914). El poemario se abre con un significativo *Leyendo a Silva*, punto de partida de Valencia, sobre todo en el interés por la experimentación métrica; pero nuestro poeta se inclina más a la recreación de cuadros míticos al modo parnasiano. No son ajenos a esta maestría formal los trabajos de traducción incluidos como una segunda parte de *Ritos* y en el volumen *Catay* (1929), versiones de la poesía oriental a través del francés.

AMADO NERVO. Nació en Tepic (México) en 1870. Fue poeta precoz. Se incorporó a la actividad periodística, que cambió más tarde por la docencia y la diplomacia. Vivió en Madrid, Buenos Aires y Montevideo, donde murió en 1919.

Poeta de amplia obra, se acostumbra a distinguir en ella dos fases: una inicial (1898-1905) de adscripción puntual al Modernismo, y otra de madurez (1909-1919), en la que adquiere acentos más personales en una poesía transida de religiosidad y misticismo. Aunque no se puede establecer una rígida barrera temática entre las dos etapas (uno de sus primeros libros es *Místicas*, 1898), sí se observa una paulatina desnudez expresiva y la lenta poda de los motivos externos para centrarse en la meditación.

El poeta juvenil es ante todo un dominador de las formas, un parnasiano al que —en contraste con el resto de la escuela— le interesa particularmente el sentimiento. Esa estética anima *Poemas* (1901), *El éxodo y las flores del camino* (1902), *Las voces* (1904) o *Los jardines interiores* (1905), aunque no falta poesía patriótica (*Lira heroica*, 1902) y pedagógica (*Cantos escolares*, 1903, más tarde ampliado). El poeta de madurez, que habla de la muerte y la experiencia mística, da a la luz *En voz baja* (1909), *Serenidad* (1914), *Elevación* (1917), *Plenitud* (1919), *El estanque de los lotos* (1919). Póstumamente aparecen *La amada inmóvil* (1920) y *El arquero divino* (1922).

Nervo fue siempre un poeta fácil, blando, sentimental y pegadizo. Estos rasgos que le valieron la fama en vida, lo han ido alejando, quizá injustamente, de la sensibilidad posterior. Es precisa una relectura antológica de sus versos.

También fue un prolífico escritor en prosa. Se le deben multitud de cuentos, en general breves, aptos para su publicación en las revistas de la época. Parte de ellos se recopilaron en *Cuentos de juventud* (1894) y en *Cuentos misteriosos*. Sus novelas más características tienen también como marca el gusto por el misterio, la parapsicología, lo imaginario e irreal: *El donador de almas* (1899), *El diablo desinteresado, El sexto sentido...*

Su obra se completa con numerosas crónicas periodísticas, notas de viajes, críticas literarias y teatrales y ensayos, como el dedicado a sor Juana Inés de la Cruz: *Juana de Asbaje* (1910).

OTROS POETAS. Junto a los poetas reseñados, cabe citar a muchos otros. Por ejemplo, a los argentinos LEOPOLDO DÍAZ (1862-1947), autor de *Fuegos fatuos* (1885), *Atlántida conquistada* (1904) y unas *Baladas en prosa* a la manera de Baudelaire; EVARISTO CARRIEGO (1883-1912), poeta del mundo suburbano (*Misas herejes*, 1908); y BONIFACIO PALACIO, «ALMAFUERTE» (1854-1917), lírico popular y moralizante: *Lamentaciones* (1906), *Evangélicas*. El mexicano LUIS G. URBINA (1868-1934) es heredero del sentimentalismo romántico adaptado a la nueva estética: *Puestas de sol* (1910), *Lámparas de agonía* (1914); depura su poesía en *El glosario de la vida vulgar* (1916), *El corazón juglar* (1920)... El crítico venezolano RUFINO BLANCO FOMBONA (1874-1944) también cultivó la poesía: *Trovadores y trovas* (1899), *Cantos de la prisión y del destierro* (1911)...

7.2.6. POETAS MODERNISTAS EN ESPAÑA

Junto a Manuel Machado, los más relevantes poetas del Modernismo español son su hermano Antonio, Miguel de Unamuno y Juan Ramón Jiménez. De ellos trataremos en otros apartados, por el relieve de otros aspectos de su obra y la importancia de su evolución posterior.

474

LOS PRECURSORES. No es tan afortunada como en Hispanoamérica la nómina de los escritores que a fines del siglo XIX anuncian tímidamente la renovación modernista. Entre ellos se cuentan MANUEL REINA (Puente Genil, Córdoba, 1856-1905), que tiene el punto de partida en Núñez de Arce y el de llegada en Rubén Darío, y se adelanta a la renovación formal en *La vida inquieta* (1894), brillante libro de síntesis de la transición al Modernismo, en el que se hace eco de la estética suntuaria y decadente que este trae consigo; y RICARDO GIL (Madrid, 1853-1907), autor de *La caja de música* (1898), cuyos versos se impregnan de sentimentalismo y ternura.

Particularmente destacada es la figura de SALVADOR RUEDA (Málaga, 1857-1933), prolífico poeta de orígenes románticos que muestra una marcada tendencia colorista y sensual, con profusa adjetivación y abundantes imágenes, a veces sorprendentes. El reflejo pintoresquista y superficial de tipos y paisajes andaluces es una de las claves de sus versos y de su prosa. Se mezcla con un panteísmo filosófico que da lugar al entusiasmo por la naturaleza y al erotismo exacerbado.

Pone mucho ahínco en renovar el instrumental métrico para aumentar los estrechos cauces heredados. Aunque sus innovaciones resultan a veces un tanto artificiosas, no puede negarse que prepara el terreno por el que transitará con mayor desenvoltura Rubén Darío. Entre sus poemarios se cuentan *Sinfonía del año* (1888), *Himno a la carne* (1890), *En tropel* (1893)...

MANUEL MACHADO. Nace en Sevilla en 1874 y se traslada pronto a Madrid. Cuando en 1899 va a París con su hermano, conoce a los poetas simbolistas. De vuelta a España, publica sus primeros libros. El 18 de julio de 1936 se encuentra en Burgos y, pese a su vieja ideología liberal, tiene que sumarse a la sublevación militar. Muere en Madrid en 1947.

Buena parte de los registros de su lírica están condensados en su primer libro: *Alma* (1902). Lo más notable en él es la poesía simbolista, representada por la primera sección (*El reino interior*); pero también hay recreaciones parnasianas de técnica impresionista (*Castilla*) y espíritu decadente (*Felipe IV*).

475

No faltan composiciones de aliento romántico afectadamente fatalistas (*Adelfos*).

El impresionismo descriptivo reaparecerá en *Apolo. Teatro pictórico* (1911) y en *La fiesta nacional. Rojo y negro* (1906). La impronta simbolista llega hasta *Ars moriendi* (1921).

El mal poema (1909) es un afortunado intento de hacer poesía a partir de la degradada realidad urbana. En este libro, que resulta bronco y cínico en apariencia, predominan el desencanto y los temas prostibularios. El léxico y la expresión se nutren del *argot* ciudadano. Las imágenes descendentes dan la dimensión exacta de ese inframundo, a través de unos versos que rehúyen la musicalidad. Los poemas más significativos son *Chouette* y *La canción del alba*.

La afición del poeta al flamenco (su padre era un conocido folclorista) se refleja en *Los cantares* (1907) y *Cante hondo* (1912), dos libros en que, junto a los elogios de las distintas modalidades de este arte popular, aparecen «soleares», «seguidillas»... tan expresivas y logradas que se han difundido como anónimas.

Manuel Machado es un poeta voluntariamente limitado. Sus mejores versos se caracterizan por la concisión, ya sea en su variante del recogimiento elegante o en la del desgarro popular. Pertenecen al arte de la sugerencia, de la evocación, de la nota precisa de color o del difumino impresionista. Tras una etapa de injusto menosprecio, vuelve a ser considerado entre los líricos finiseculares con mayor proyección.

OTROS MODERNISTAS. La moda decadente tuvo largo parto de poetas extremadamente desiguales. Destaquemos a FRANCISCO VILLAESPESA (1877-1936), entre cuya extensa obra sobresale el más sobrio y contenido de sus poemarios: *Tristitiæ rerum* (1906); al parnasiano ANTONIO DE ZAYAS (1871-1945), autor de *Joyeles bizantinos* (1902), *Retratos antiguos* (1902) y *Paisajes* (1903); y a EDUARDO MARQUINA (1879-1946), dramaturgo de éxito y poeta de resonancias clásicas: *Las vendimias* (1901), *Églogas* (1901), *Mi huerto en la ladera* (1936).

En los aledaños del Modernismo se encuentra la poesía

dialectal, que tuvo un amplio desarrollo. VICENTE MEDINA (Archena, Murcia, 1866-Rosario, Argentina, 1937) configuró un género poético en el que lo lírico se funde con la narración y el drama, en un argumento que tiende a lo melodramático. Buena muestra es *Aires murcianos* (1898). Le sigue JOSÉ MARÍA GABRIEL Y GALÁN (Frades de la Sierra, Salamanca, 1870-Guijo de Granadilla, Cáceres, 1905), con *Extremeñas* (1902), *Castellanas* (1902) y *Nuevas castellanas* (1905), donde se deja sentir, lo mismo que en la poesía de Vicente Medina, el influjo del regeneracionismo ambiental.

7.2.7. ANTONIO MACHADO

VIDA Y PERSONALIDAD. Antonio Machado Ruiz nace en Sevilla en 1875. A los ocho años se traslada a Madrid con su familia. Es alumno de la Institución Libre de Enseñanza. En 1899 se marcha a trabajar a París, en compañía de su hermano Manuel.

En 1906 gana la cátedra de francés del instituto de Soria. Allí conoce a la joven Leonor, con la que se casa tres años más tarde. Cuando ella muere en 1912, pide traslado a Baeza (Jaén). Luego tiene nuevos destinos en Segovia y Madrid. Al estallar la guerra civil, se encuentra en la capital y se pone al servicio de la República. Poco antes de acabar la contienda, pasa a Francia. Muere en Colliure el 22 de febrero de 1939.

La imagen que tenemos del sevillano es la de un hombre sencillo, sin ambiciones, de ideología progresista, de aspecto un tanto desaliñado, que dedica toda su vida a la poesía y la enseñanza. Su paso por Soria aviva su amor a Castilla, compartido por todos los hombres de su generación. Es melancólico, reflexivo e introvertido; gusta de la meditación a solas y de la vida apacible. Es, «en el buen sentido de la palabra, bueno», como él mismo dice.

TRAYECTORIA POÉTICA Y RASGOS GENERALES. Respecto a la unidad de la lírica machadiana, las opiniones se dividen entre

477

los que subrayan la íntima coherencia del conjunto y los que ponen el acento en las trasformaciones que en ella se operan.

Podría sintetizarse su evolución diciendo que empieza como poeta *simbolista* (1899-1907), especialmente atento a la expresión del mundo íntimo, y luego busca establecer un diálogo con el prójimo y con el entorno, se vuelca hacia el exterior en una actitud *regeneracionista* (1907-1917). En su última etapa ensaya una poesía *filosófica* (1917-1926), preocupada por el problema de la existencia, del ser en el tiempo, y se siente impulsado a dar el paso hacia el apócrifo, es decir, la invención de un poeta con vida e inspiración propias, próximo a su creador pero distinto de él.

En la obra machadiana encontramos algunos elementos siempre presentes que revelan sus preocupaciones más hondas. Su visión intimista, incluso cuando trata de realidades colectivas, aflora en motivos como el sueño, el espejo, el laberinto interior del hombre... La recuperación del tiempo es tema dominante.

Su estilo se define por la deliberada desnudez y sobriedad. Aunque admirador fervoroso de Darío, su obra poética no busca la brillantez expresiva. Hay en ella un cierto tono gris, muy característico, y un pronunciado antibarroquismo. Tiende a la concisión, a trasmitir su pensamiento de forma condensada. Utiliza las técnicas descriptivas propias del Impresionismo, a base de trazos aislados que sugieren una imagen de conjunto. El mundo externo (paisajes, anécdotas, figuras...) se trasforma en sustancia íntima, en materia lírica. La descripción o la narración se impregnan de contenido sentimental. Su combinación métrica predilecta es la silva arromanzada.

SOLEDADES, GALERÍAS, OTROS POEMAS. La edición príncipe de *Soledades* apareció en 1903 en un pequeño volumen. En 1907 rehace el libro y lo titula *Soledades, galerías, otros poemas*.

Estamos ante un poemario muy influido por el Simbolismo francés y, en particular, por Paul Verlaine; en él no encontramos, por tanto, realidades rotundamente definidas, sino trazos impresionistas, tonalidades ambiguas y difuminadas, sugerencias... Lo anecdótico queda proscrito; el poeta sabe callar a tiempo y elevar la situación que se apunta (el canto de unos niños, un encuentro con la amada, el adentrarse en una galería de la mano de una desconocida...) a la categoría de símbolo.

Es poesía intimista, un canto al ensimismamiento y a la angustia que provoca en el sujeto. Cuando Machado describe un paisaje, cosa que hace con mucha frecuencia, se convierte en reflejo de su mundo interior. Se repiten continuamente motivos como la fuente, el parque abandonado, las galerías interiores, la plaza, la tarde... La evocación del pasado es fórmula predilecta para escrutar el tejido íntimo de la personalidad. En estos versos se rememoran obsesivamente estampas y escenas de una infancia volcada en la ensoñación. El existir queda reducido al recordar. También el sueño, que tiende a confundirse con el recuerdo, es una vía esencial de exploración.

Destacan dentro de ese conjunto *Recuerdo infantil*, *Cante hondo*, «Las ascuas de un crepúsculo morado...», *Las encinas*, «Anoche cuando dormía...», «Algunos lienzos del recuerdo tienen...».

Campos de Castilla. La primera edición de *Campos de Castilla* aparece en 1912. Trasladado a Baeza tras la muerte de Leonor, añade nuevas composiciones que se incorporan a la edición definitiva, incluida en las primeras *Poesías completas* (1917).

El paisaje de Soria proporciona al poeta los elementos para una lírica de proyección colectiva, en la que se interesa por las tierras y las gentes que hay a su alrededor. Sin embargo, las descripciones son esencialmente líricas: sirven de soporte a la expresión de la intimidad y, en muchos casos, son el vehículo del sentimiento amoroso o elegíaco del autor.

Algunos poemas (*El mañana efímero*) se sitúan en la órbita del Regeneracionismo; asoma la preocupación por España, el deseo de que despierte del sueño milenario que la adormece y se abra al trabajo y al progreso. Machado expresa su dolor al ver cómo esa «Castilla miserable, ayer dominadora, / envuelta en sus andrajos desprecia cuanto ignora» (*Orillas del Duero*).

Entre las composiciones más relevantes figuran también *A José María Palacio*, *A un olmo seco* o el satírico *Llanto de las virtudes y coplas por la muerte de don Guido* (escrito en Baeza y añadido en 1917). *La tierra de Álvar González* es una leyenda en romances que cuenta la historia de un parricidio; viene a convertirse en símbolo del gran vicio nacional: la envidia.

ÚLTIMOS POEMARIOS. *Nuevas canciones* (1924) es muy breve y heterogéneo; hay cancioncillas populares, aforismos, recreaciones mitológicas y literarias, sonetos amorosos y metafísicos... Muy interesantes son las sentencias y aforismos que se agrupan bajo el título de *Proverbios y cantares*.

De un cancionero apócrifo (1926) es un libro en prosa con versos intercalados. Si en *Nuevas canciones* teníamos poesía filosófica, aquí hay filosofía poética. Los temas predilectos son la reflexión sobre el erotismo y sobre la existencia. Machado finge que es obra de Abel Martín y su discípulo Juan de Mairena, dos personajes ficticios, cuyos datos biográficos y bibliográficos, así como su poética, quedan puntualmente reseñados. Se recoge aquí una de las creaciones más apasionantes del autor: *Recuerdos de sueño, fiebre y duermivela*, descripción de una pesadilla en la que se mezclan motivos autobiográficos, históricos y fantásticos.

PROSA. Machado cultiva un tipo de ensayo que tiene poco que ver con el artículo científico y mucho con los aforismos y las divagaciones líricas. Estos textos están puestos en boca de varios autores ficticios a los que atribuye sus escritos; los más importantes son Abel Martín y Juan de Mairena. Son obras filosóficas en las que plantea una metafísica existencialista. El hombre está entendido como «ser en el tiempo», impensable sin su dimensión temporal. La poesía, como expresión del ser humano, es «palabra en el tiempo».

Junto a *De un cancionero apócrifo*, contamos con *Juan de Mairena. Sentencias, donaires, apuntes y recuerdos de un profesor apócrifo* (1936), ingeniosos y agudos comentarios sobre arte, literatura, filosofía, erotismo, política... de este profesor de gimnasia, apasionado por la retórica y la metafísica. Aprovecha Machado la voz de este álter ego para rechazar la complicación superflua del lenguaje literario que había reaparecido con las Vanguardias.

Los complementarios no es un libro preparado para la imprenta, sino una serie de apuntes que unas veces sirvieron para elaborar obras posteriores y otras se quedaron en esa redacción inicial.

TEATRO. En colaboración con su hermano Manuel, escribe varias piezas dramáticas, cuyo principal interés es ser obra de tan ilustres poetas. Su carrera teatral se inicia en 1926. El modelo elegido es el teatro poético del Modernismo, al que aportan una más honda preocupación por la psicología y un ágil diálogo en verso. El título más interesante es *Las adelfas* (1928). El de mayor éxito, *La Lola se va a los puertos* (1929).

7.3. NOVELA Y ENSAYO EN LA ÉPOCA MODERNISTA

Como ya hemos señalado, la renovación de la prosa en la Generación de fin de siglo fue tan intensa como la de la poesía. Se pasó del gusto por el periodo largo y complejo, seudociceroniano, a la expresión ágil, suelta, impresionista; de los distingos y considerandos positivistas a la expresión espontánea y directa del pensamiento irracionalista e intuitivo. Esta revolución expresiva estaba anunciada en autores como Montalvo y se consumó con José Martí. La llamada Generación del 98 española (el Modernismo en prosa) contribuyó con una obra sólida. Sus representantes fundamentales (Unamuno, Valle-Inclán, Baroja, Azorín...) se proyectaron sobre todo el orbe hispánico y merecen ser tratados con cierto detenimiento.

481

7.3.1. MIGUEL DE UNAMUNO

VIDA Y PERSONALIDAD. Nace en Bilbao en 1864. Estudia filosofía y letras en Madrid. Es catedrático de griego y rector de la universidad de Salamanca durante muchos años. Bajo la dictadura de Primo de Rivera es destituido de su cátedra y del vicerrectorado y se le condena al destierro, experiencia muy dolorosa que discurre en Fuerteventura, París y Hendaya, aun después de haber recibido el indulto. No regresa a España hasta 1930. Cuando estalla la guerra, apoya a los sublevados, pero un incidente con el general Millán Astray provoca una nueva destitución de sus cargos y el arresto domiciliario. Muere de repente el 31 de diciembre de 1936.

La biografía espiritual de Unamuno es muy compleja. Está marcada por una sucesión de crisis religiosas. Desgarrado por la angustia existencial y la pérdida de la fe, sus batallas íntimas lo abocan a una perpetua agonía. Su temperamento ardiente y apasionado y su espíritu batallador lo arrastran a actitudes extremas. Con razón se ha dicho que es un hombre singular que tiene, además, afán de singularizarse.

En su filosofía irracional y existencial los anhelos y sentimientos del ser humano (sobre todo el hambre de inmortalidad) cuentan más que la razón.

Sus posturas ideológicas son contradictorias y zigzagueantes, con vaivenes espectaculares. Si en un principio ve como única solución posible europeizar España, más tarde propone españolizar Europa. Se entrega primero a la militancia socialista, aunque con rasgos peculiares, como todo en él; luego se desvía de la ortodoxia marxista. Se opone a Primo de Rivera; después a la República, a la que había acogido con todos los beneplácitos; y por último, a los militares sublevados el 18 de julio de 1936, a los que se había adherido en los primeros momentos.

RASGOS GENERALES DE SU OBRA LITERARIA. La obra de Unamuno es proyección de su personalidad, de su manera de ser. Primero el tema de España y luego los conflictos existenciales y religiosos son el común denominador de todos sus escritos. Se caracterizan por su vehemencia y apasionamiento. El estilo es sobrio y prieto, denso de ideas y parco de palabras. Está al servicio de la expresión subjetiva y personal. En todos los géneros se impregna de lirismo.

Para nuestro autor la lengua es la sangre del espíritu y hay que renovarla y alimentarla. Amplía el vocabulario incluyendo dialectalismos (*anidiar, yeldar, brizar, mejer, remejer*...), viejos vocablos castizos que van cayendo en el olvido y neologismos (*aislotamiento, congojoso, desnacer, recordación, ultracuna*...). Gusta de desentrañar el valor de las palabras recurriendo a sus orígenes etimológicos.

Su prosa puede resultar a veces algo descuidada. Le falta una decidida voluntad de estilo y eso se debe a que no quiere que sus lectores vean en él al escritor sino al hombre.

EL ENSAYO. Este género es el vehículo más directo de las inquietudes unamunianas. En etapas sucesivas, se centra en dos grandes temas. Desde el lugar destacado que ocupa dentro de la corriente regeneracionista, se interesa primero por el tema de España. *En torno al casticismo* (1895) da cabida a las ideas que forjan el espíritu de los hombres del 98. En busca del ser de España, se sumerge en la intrahistoria, es decir, en la corriente continua y silenciosa de pequeños hechos que constituyen la auténtica existencia de un pueblo, en contraposición a la historia (parte superficial y externa de la vida social). Aboga por la necesidad de adoptar hábitos y costumbres europeos y desechar el temor a perder la propia identidad.

En *Vida de don Quijote y Sancho* (1904) se manifiesta la exaltada profesión de quijotismo que hizo el autor durante buena parte de su vida. Al hilo de los comentarios de la novela, va dando rienda suelta a sus angustias personales. El libro encierra también una reflexión sobre lo español. *Por tierras de España y Portugal* (1911) contiene una serie de cuadros y reflexiones sobre paisajes de la península. También aquí la esencia es la búsqueda de la España real, el sentimiento del paisaje y del paisanaje.

En una segunda fase van a ser los conflictos religiosos y existenciales los que ocupen toda su atención. Para Unamuno el problema crucial del hombre es la tensión entre el ser y la nada. La criatura humana tiene necesidad de sobrevivirse, de ser inmortal; solo existe en cuanto es consciente de su existencia. *Del sentimiento trágico de la vida* (1913) es la obra en la que alcanza su expresión más intensa y apasionada la obsesión del autor por su inmortalidad personal.

La agonía del cristianismo (1931) viene a ser una deshilvanada historia interna del sentir cristiano, en la que expresa, como en otras ocasiones, su fe en la vivencia íntima, mística, de la religión.

LA NOVELA. *Paz en la guerra* (1897), su primera novela, impresionista y casi autobiográfica, está próxima aún a los modelos tradicionales. Recoge recuerdos infantiles en el Bilbao sitiado por los carlistas.

Luego huye del realismo decimonónico e inventa un nuevo género narrativo al que da el nombre de «nivola» (para subrayar su peculiaridad); en él confluyen novela y filosofía. Se construye a base de numerosos diálogos dramáticos y reflexiones líricas. La acción se interioriza, se prescinde de la pintura del entorno para centrarse en la intimidad de las criaturas. Es también vehículo de expresión de las inquietudes del autor.

El primer intento, que no llega a cuajar plenamente, lo encontramos en *Amor y pedagogía* (1902), burla cruel del cientifismo positivista, que se alza contra la pretensión de regir la conducta humana por leyes racionales y de clasificarlo y catalogarlo todo.

El nuevo género queda definitivamente perfilado en *Niebla*, una apasionante «nivola» que, aunque está terminada en 1907, no se publica hasta 1914. Aborda el problema de la existencia y la personalidad de Augusto Pérez, un joven burgués desocupado, con ciertas anomalías psíquicas, que sufre un grave desengaño amoroso y decide suicidarse; pero antes de hacerlo desea hablar con Miguel de Unamuno, el rector salmantino que ha publicado varios escritos sobre el ansia de inmortalidad y el sentido del existir.

El diálogo entre el creador y su criatura, de extraordinaria originalidad, plantea viejas obsesiones unamunianas. El autor le hace saber que no es más que un ente de ficción, sujeto en todo a su voluntad, y que, por tanto, no puede quitarse la vida cuando quiera; pero a la postre decide matarlo. Entonces Augusto se rebela; ya no quiere morir, y le recuerda que también él, como ser humano, se encuentra en idéntica dependencia respecto a Dios. Se traza, pues, un perfecto paralelismo entre los hombres y los entes de ficción. Unos y otros son aniquilados en el momento en que quien los creó deja de soñarlos.

Otras novelas unamunianas son *Abel Sánchez* (1917), la historia de una pasión: la envidia, estrechamente ligada al mito cainita; *La tía Tula* (1921), retrato de una mujer que actúa como madre de sus sobrinos, a través de la cual se plantea el tema de la paternidad espiritual; y *San Manuel Bueno, mártir* (1931), que presenta la figura de un párroco de pueblo que ha perdido la fe, pero que sigue actuando como sacerdote porque no quiere privar a sus feligreses del consuelo de creer.

LA LÍRICA. Unamuno pretende escribir una poesía con densidad filosófica. Concibe este género como una realidad trascendente que intenta penetrar en el alma de las cosas, más allá de la concreción que la palabra tiene en la lengua común. Rinde culto al irracionalismo y gusta del manejo de paradojas, juegos conceptistas...

Busca la desnudez y desprecia los elementos formales del verso; proclama su aversión a la brillantez y la musicalidad. Utiliza los metros tradicionales e incorpora algunas combinaciones poco frecuentes: la estrofa sáfica, el endecasílabo blanco, las silvas de pentasílabos, heptasílabos y endecasílabos...

Abundan en su obra los poemas religiosos y metafísicos, fieles testimonios de las «tormentas de lo eterno» que sacuden su alma. También se ocupa de paisajes y ambientes españoles, asunto que casi siempre deriva hacia la meditación existencial.

Su primer libro, *Poesías*, aparece en 1907. Aquí está ya el germen de toda su lírica: el misterio de la existencia, el hambre de inmortalidad, la atormentada búsqueda de Dios, los temas españoles, los recuerdos de la infancia, la paz del hogar... Siguen después *Rosario de sonetos líricos* (1911), que recoge sensaciones de un momento concreto y vuelve a los temas del volumen anterior (véase el interesante poema simbólico *A mi buitre*), y el celebérrimo y extenso (2539 versos) *El Cristo de Velázquez* (1920), en endecasílabos blancos, cuyas diversas partes vienen a ser variaciones sobre un mismo tema: la descripción de la figura del crucificado, doliente y gloriosa a la vez, que da pie a la expresión lírica de la religiosidad unamuniana.

Después de dos poemarios intimistas (*Rimas de dentro*, 1923, y *Teresa*, 1924), vienen los versos del exilio: *De Fuerteventura a París* (1925), *Romancero del destierro* (1928) y *Cancionero (Diario poético),* escrito en 1928-1936, pero que no se publicó hasta 1945.

EL TEATRO. Los dramas de Unamuno, como las nivolas, se apartan de las características habituales del género. Aspira a conseguir un teatro desnudo que desarrolle tragedias íntimas, escuetas. Este esquematismo ha sido considerado excesivo por buena parte del público y la crítica. Como el resto de sus obras, los dramas son vehículo de expresión de sus conflictos religiosos y existenciales.

Su pieza más lograda y permanente es *Fedra*, escrita en 1910 y estrenada ocho años después. Se trata de una versión libre, trasladada al tiempo contemporáneo, del mito clásico de la madrastra que se enamora del hijo de su marido, tomado del *Hipólito* de Eurípides. Es una tragedia directa, desnuda, que responde perfectamente a la fórmula que persigue el autor.

7.3.2. RAMÓN DEL VALLE-INCLÁN

VIDA Y PERSONALIDAD. Nace en Villanueva de Arosa (Pontevedra) en 1866. En su juventud viaja a México y desde 1897 se instala en Madrid. Es profesor de estética de la Academia de Bellas Artes de San Fernando. Muere en Santiago de Compostela en enero de 1936.

Valle es un típico representante de la vida bohemia, famoso en el Madrid de principios de siglo por sus extravagancias en el vestir y en el actuar. Se muestra agresivo y mordaz, especialmente al abordar determinados aspectos de la sociedad de la Restauración.

Como cabe suponer en personaje tan singular, su evolución ideológica es contraria a la de sus compañeros. En su juventud es carlista, probablemente por reacción frente al medio (quizá también como pose estética), y luego se siente atraído por el anarquismo y el comunismo.

EVOLUCIÓN ESTÉTICA Y ESTILO. Valle-Inclán es uno de los autores más interesantes del grupo modernista. Su obra, tanto narrativa como lírica y dramática, experimenta una evolución conjunta que va desde el impresionismo estetizante y decadente de sus primeras producciones hasta el expresionismo de su época de madurez, en la que recurre a la caricatura y la visión degradadora.

En su etapa modernista inicial cuida el ritmo y la sonoridad de la frase, tanto en prosa como en verso. El vocabulario está escrupulosamente seleccionado para que concuerde con el mundo decadente que refleja. Se acumulan los adjetivos, que a menudo forman sinestesias.

En su segunda fase Valle deforma la realidad. Encontramos imágenes descendentes y animalizaciones: «la beata [...] pega a la reja su perfil de *lechuza*». Esta técnica culmina con la creación del *esperpento*. Para reflejar con todo su horror el mundo absurdo y monstruoso en que le ha tocado vivir, el artista no tiene más remedio que distorsionarlo y caricaturizarlo. Valle aplica el término *esperpento* a sus obras dramáticas posteriores a 1920, pero también escribe novelas y poemas de esa naturaleza.

LA NARRATIVA. Después de haber publicado una colección de cuentos lascivos y galantes, *Femeninas. Seis histo-*

rias amorosas (1895), en 1902 el autor gallego nos ofrece ya una obra maestra: *Sonata de otoño*, que supone el despegue definitivo de su carrera literaria. Las otras tres que completan la serie aparecen en años sucesivos: *Sonata de estío* (1903), *Sonata de primavera* (1904) y *Sonata de invierno* (1905). Se nos presentan como un libro de memorias del marqués de Bradomín, un don Juan excéntrico y decadente con perfiles satánicos, que desde la vejez evoca cuatro de sus aventuras eróticas, vividas con mujeres distintas y en lugares (Galicia, México, Liguria, Navarra) y tiempos diversos. Cada relato tiene una ambientación geográfica, temporal y rítmica precisa. Los valores formales alcanzan su punto más alto en esta prosa sensual y sonora que refleja un mundo refinado y perverso en el que lo galante y lo erótico juegan un papel trascendental. No falta quien las considere demasiado perfectas y artificiosas: es un arte que se sale de la vida.

El corpus prosístico de esta primera etapa se completa con la trilogía de *La guerra carlista* (1908-1909), integrada por *Los cruzados de la causa*, *El resplandor de la hoguera* y *Gerifaltes de antaño*. Constituyen un ciclo de transición entre el esteticismo de las *Sonatas* y la técnica expresionista de los últimos años. Tanto los cruzados legitimistas como los liberales son objeto de una visión irónica y degradadora. Aun así, es evidente que las simpatías de Valle están con los voluntarios carlistas, cuya causa presenta como un ideal redentor.

En *Tirano Banderas* (1926) se ha visto la culminación del ciclo esperpéntico. Cuenta la historia del dictador hispanoamericano Santos Banderas y del mundo corrupto que se mueve a su alrededor. Todo ello aparece a nuestros ojos como una grotesca farsa. La ironía sangrante da una peculiar fisonomía a la obra. Se nos ofrece una visión deforme y despiadada de una realidad que, por su mismo carácter, no admite otra presentación. Como es habitual en él, el autor no muestra apego alguno hacia las criaturas que ha forjado. Tan solo el indio, como personaje colectivo, merece su simpatía y solidaridad.

El ruedo ibérico (1927-1932) es un proyecto muy ambicioso que se vio truncado por la muerte del autor. Surgió como parodia burlesca de los *Episodios nacionales* galdosianos. Solo llegó a escribir tres novelas: *La corte de los milagros*, *Viva mi dueño* y *Baza de espadas* (inconclusa). No hay en este conjunto una acción única, sino que se suceden una serie de estampas, entre las que se da una clara unidad temática, estilística e intencional. Están compuestas con la más acabada técnica degradadora. Se ceban en la figura de la reina y de sus más inmediatos colaboradores. Este abigarrado retablo pone al descubierto, con acerada sátira, los graves problemas políticos y sociales que atravesaba la España de la época.

LA POESÍA LÍRICA. Toda la obra poética de Valle-Inclán, no muy extensa, se reúne en *Claves líricas* (1930). El volumen se compone de tres libros en los que puede apreciarse la evolución de que hemos hablado.

Aromas de leyenda (1907) presenta el mundo idílico de una Galicia mítica. Sus poemas aspiran a alcanzar un tono de ingenuidad virginal semejante a la que el autor cree percibir en las miniaturas medievales. En casi todos ellos hay una nota mística y trascendente.

El pasajero (1920) tiene un tono más íntimo. La vida es un peregrinar; el poeta, el pasajero a que alude el título. El mundo galaico y primitivo se ha sustituido por las alusiones a la teosofía y la magia. Los temas dominantes son el pecado y la muerte.

La pipa de kif (1919) es un libro caricaturesco y crítico, de tono esperpéntico. Los versos se descoyuntan, pierden su habitual gravedad y se vuelven juguetones y deliberadamente prosaicos y ripiosos.

EL TEATRO. Valle-Inclán, que no llegó a ver sobre las tablas la mayor y mejor parte de sus obras, es hoy reconocido como uno de los grandes renovadores de la dramaturgia universal.

Quiso sacar al drama de los corsés del realismo, la verosimilitud y el psicologismo. La estilización, la desrealización, enaltecedora o degradante, son la clave de todo su arte y también de su teatro.

489

Su trayectoria es clara pero no rectilínea. Ensaya varios caminos que van a coincidir en la creación del esperpento. Como en la novela y la poesía, parte del decadentismo de fin de siglo y de la técnica impresionista. Francisco Ruiz Ramón señala tres ciclos dramáticos: el poético, el galaico y el de las farsas. El primero quedará ahogado ante la pujanza de los hallazgos estilísticos que aportan los otros dos. Valle avanza hacia el expresionismo a través del inframundo de marionetas que presenta en las farsas y del universo degradado y violento del ciclo galaico. Todo eso viene a fundirse en 1920 en el esperpento.

TEATRO POÉTICO. Es la vía muerta de la dramaturgia de Valle. Sus dos primeras piezas, *Cenizas* (1899), que luego se refundió con el título de *El yermo de las almas* (1908), y *El marqués de Bradomín* (1906), estrechamente vinculada a la *Sonata de otoño*, están dentro del esteticismo decadente e hipersensible hasta lo morboso. Tras estos primeros ensayos, escribió dos obras en verso: *Cuento de abril* (1909) y *Voces de gesta* (1911).

CICLO GALAICO. Estas piezas se sitúan en una Galicia mítica y feudal en la que rigen los instintos y las costumbres más primitivas. En el medio rural, el autor adelanta lo que más tarde será el esperpento.

La evolución de Valle hacia el expresionismo se inicia con la trilogía de las *Comedias bárbaras*: *Cara de plata* (1923), *Águila de blasón* (1907) y *Romance de lobos* (1907). Tiene como protagonista a don Juan Manuel de Montenegro, un hidalgo lujurioso, soberbio, sacrílego y tiránico. Su única virtud, la generosidad, presta singular grandeza a sus actos. Muere a manos de sus propios hijos, después de una vida en la que ha trasgredido las leyes humanas y divinas. El enfrentamiento familiar al que asistimos es el último estadio de la descomposición de la raza de hidalgos en un mundo en que ya no tienen cabida las costumbres medievales que regían la existencia.

Divinas palabras (1920), culminación del ciclo galaico, es un texto espeluznante en el que Valle muestra una realidad cruel y grotesca. Asistimos al enfrentamiento entre Mari Gaila y su cuñada, Marica del Reino, que se disputan la tutela de su sobrino, un pobre niño hidrocéfalo que se ha quedado huérfano, para exhibirlo en ferias y romerías. Esa fuente de riqueza se agota cuando la monstruosa criatura muere de una borrachera de aguardiente. Es un retrato soberbio de la España negra; una mezcla estallante de ambiente festivo y miseria. El dramaturgo no se detiene ante los aspectos más repulsivos y truculentos; pero, aun en medio de la desmedida crueldad de muchas escenas, asoma un ramalazo de piedad, de conmiseración, que agranda la significación de esta singular pieza dramática.

CICLO DE LAS FARSAS. Este es el otro camino por el que Valle se acerca al esperpento, al trazar una caricatura maliciosa de ambientes y figuras. Tras varias piezas menores (*Farsa infantil de la cabeza del dragón, La enamorada del rey* y *La marquesa Rosalinda*), en 1920 publica *Farsa y licencia de la reina castiza*. Vemos la corte de Isabel II convertida en un retablo de personajillos sin dignidad que el autor degrada y distorsiona. En cierta medida, esta obra gira en torno a los desafueros sexuales de la reina, que aparece vista a una luz muy poco favorecedora. La animalización domina en todos los retratos, tanto los de personajes ilustres como los de la gente del bronce que se mueve en torno a ellos.

EL ESPERPENTO. La base de este nuevo género dramático está en la distanciación, en el extrañamiento. El autor se coloca fuera y por encima de sus criaturas. Se trata de la deformación de una realidad que, por absurda, no es susceptible de ser reflejada racionalmente. Valle recoge los hechos objetivos y los desintegra para mostrarlos con más exactitud. Compara su creación a un espejo cóncavo, que nos devuelve una imagen trasformada, distorsionada. Descubre las irregularidades y desórdenes, las violencias y crueldades que encierra el orden regular.

El primero de estos esperpentos es *Luces de bohemia* (1920; nueva redacción en 1924), que muestra el último día de la vida de Max Estrella, un poeta ciego abandonado a su suerte, «en un Madrid absurdo, brillante y hambriento». Como contrapunto de este bohemio orgulloso y lúcido, el reptílico don Latino, que le acompaña en su periplo y no vacila en robar la cartera al cadáver. En torno a ellos, una nutrida representación de la fauna madrileña, a la que el dramaturgo aplica su estética deformadora sin distinguir entre pobres y ricos, obreros y patronos, tenderos y poetas... Es un drama itinerante, que traslada la acción de un punto a otro de la ciudad, para mostrar a España como un subproducto cruel y bárbaro de la civilización occidental.

La trilogía *Martes de carnaval* dirige su sátira contra el estamento militar. El título encierra ya un burlesco juego de palabras: Martes (militares, por Marte, el dios de la guerra) de carnaval (de pacotilla, sin valor ni esencia, pura máscara). Se compone de *Los cuernos de don Friolera* (1921), una parodia de los dramas de honor; *Las galas del difunto* (1926), esperpentización del mito de don Juan y de la guerra de Cuba; y *La hija del capitán* (1927), caricatura bufa del golpe de estado de Primo de Rivera.

Retablo de la avaricia, la lujuria y la muerte incluye, además de *El embrujado* (1913), una obra menor del ciclo galaico, cuatro piezas breves de tono esperpéntico. Dos de ellas se denominan «melodramas para marionetas»: *La rosa de papel* y *La cabeza del Bautista*, publicadas ambas en 1924; las otras son «autos para siluetas»: *Ligazón* (1926) y *Sacrilegio* (1927). Aunque se sitúan en distintas épocas, la unidad del conjunto viene dada por lo escabroso de los motivos dramáticos (necrofilia, brujería, sacrilegio...), por el tratamiento que reciben los protagonistas, fantoches crueles y violentos, y por la degradación sistemática del lenguaje y las situaciones.

7.3.3. LA NOVELA FINISECULAR EN ESPAÑA. BAROJA Y AZORÍN

EPÍGONOS DEL REALISMO. Entre los novelistas de la época modernista se encuentran algunos cuya obra puede considerarse prolongación de la novela decimonónica. Oscilan entre el naturalismo, aplicado fundamentalmente a los temas eróticos y teñido a menudo de decadentismo modernista, y un realismo ya desusado, que se queda en el cuadro de costumbres o deriva hacia la crítica social.

Epígono del Realismo es el prolífico VICENTE BLASCO IBÁÑEZ (Valencia, 1867-Menton, Francia, 1928), que alcanza un considerable éxito de público. Se le ha reprochado a menudo que sus novelas son vulgares y superficiales: se quedan en lo puramente anecdótico; pero nadie le niega sus grandes dotes descriptivas y de observador, aunque no se plasmen en un estilo demasiado cuidado.

Después de unos comienzos folletinescos irrelevantes, encuentra su verdadero lugar en la novela de ambiente valenciano, que desarrolla entre 1894 y 1902. En ella ofrece una crónica detallada y puntual de la vida y costumbres de la época, con una amplia panorámica social que abarca a la burguesía mercantil, los huertanos, los pescadores de la albufera... Son títulos destacados *Arroz y tartana* (1894), *La barraca* (1898), *Entre naranjos* (1900), *Cañas y barro* (1902)... Luego evoluciona hacia la novela de tesis (*La catedral*, 1903; *La bodega*, 1904-1905) y psicológica (*Sangre y arena*, 1908), para acabar en la de guerra (*Mare nostrum*, 1918), histórica y de aventuras (*El Papa del mar*, 1925). Dentro de esta última serie, caracterizada por un mayor movimiento, destaca *Los cuatro jinetes del Apocalipsis* (1916), punto de partida de su difusión internacional.

En ALEJANDRO SAWA (Sevilla, 1862-Madrid, 1909) el naturalismo se tiñe de decadentismo. Sus obras están pobladas de psicópatas, desequilibrados y seres monstruosos que son objeto de un profundo análisis; los dominan oscuras inclinaciones heredadas que les empujan incluso al crimen. La presencia del sexo es constante. Manifiesta una actitud antirreligiosa y anticlerical y denuncia la corrupción de las clases altas.

Su producción se reduce a cuatro novelas (*La mujer de todo el mundo*, 1885; *Crimen legal*, 1886; *Declaración de un vencido*, 1887; *Noche*, 1888), dos novelas cortas (*Criade-*

ro de curas, 1888; *La sima de Igúzquiza*, 1888) y algunos cuentos. Póstumamente publica el diario *Iluminaciones en la sombra* (1910).

Una de las parcelas más importantes dentro de la prolongación de la estética naturalista es, sin duda, la novela erótica, que encuentra gran aceptación entre el público y se mueve a veces por estímulos estrictamente comerciales. No es ese el caso de FELIPE TRIGO (Villanueva de la Serena, Badajoz, 1864-Madrid, 1916), que pasa por ser el creador del género. La acusación de pornográfico y sádico que ha pesado sobre él es sencillamente ridícula. Su denuncia se centra en el ámbito rural, víctima del caciquismo, que trae consigo el atraso y la ignorancia. Le preocupa sobre todo la desventajosa situación de la mujer, a la que a menudo le toca el papel de víctima. Culpa de todos los males a la absurda educación represiva. Sigue las técnicas propias de la novela decimonónica, con un estilo algo difícil pero de gran eficacia narrativa.

Representativas de la postura crítica que caracteriza al extremeño son *Jarrapellejos* (1914), su obra cumbre, profundamente pesimista a la hora de plantear la lucha entre el progreso y la reacción, y *El médico rural* (1912). Otros títulos se decantan más hacia los componentes eróticos: *Las ingenuas* (1901), *La sed de amar* (1903), *Alma en los labios* (1905)…

AUTORES DE INQUIETUDES REGENERACIONISTAS. Juan Bautista Amorós (Madrid, 1856-1912) se dio a conocer con el seudónimo de SILVERIO LANZA. En sus obras aflora una y otra vez la preocupación por el estado de la vida española, hasta el punto de que la mayor parte de sus relatos y novelas son una alegoría más o menos directa de la situación del país. Su obsesión es el caciquismo; coincide en este punto con las tesis de los regeneracionistas y en particular con Joaquín Costa. Destaca por la originalidad de sus creaciones, que rompen la estructura tradicional de la novela. Su estilo no es atildado, sino directo y expresivo. Buena muestra es *La rendición de Santiago* (1907), trazada con rasgos esperpénticos.

Cabe citar asimismo a Ciro Bayo (Madrid, 1859-1939), autor de dos interesantes viajes novelescos, próximos a la técnica y contenido de la picaresca: *El peregrino entretenido. Viaje romancesco* (1910) y *Lazarillo español. Guía de vagos en tierras de España por un peregrino industrioso* (1911).

También escribieron novelas otros autores que se dedicaron fundamentalmente a la prosa ensayística, como Joaquín Costa o Ángel Ganivet (véase 7.3.5).

Pío Baroja. Nace en San Sebastián en 1872. Estudia medicina, pero la abandona y se dedica exclusivamente a escribir. Se establece en Madrid. En 1936 huye a Francia, tras un desagradable encontronazo con los requetés. Regresa en 1937. Muere en 1956.

Fue anarquista en su juventud, pero su insolidaridad, desconfianza y radical pesimismo, fomentado por la lectura de Schopenhauer, lo arrastraron hacia posiciones conservadoras y decididamente individualistas.

La timidez, que a veces deriva hacia la agresividad, oculta una inclinación al sentimentalismo y la compasión.

Baroja concibe la novela como un género abierto, «un saco donde cabe todo». Sus relatos son una especie de apuntes fragmentarios que, con técnica impresionista, seleccionan los aspectos más representativos de la realidad.

Sus personajes se nos muestran inquietos y andariegos. Parece que el único objetivo de su permanente deambular es entrar en contacto con diversos ambientes e individuos. El protagonista es casi siempre un álter ego del autor, portavoz de muchas de sus ideas. Acostumbra a ser un inadaptado, que critica a la sociedad y que intenta imponerse a ella, pero que sucumbe al fin por falta de voluntad. En torno a esta figura central pululan gran cantidad de tipos sacados del mundo real. Baroja los observa desde fuera, sin profundizar en su psicología. Más que penetrar en ellos, lo que hace es presentar sus vivencias como manifestaciones de su temperamento.

Son temas dominantes el afán de aventura y acción, el poder de la voluntad frente a la abulia, la supervivencia del

495

individuo en un medio hostil... Por su constante reflexión sobre la vida humana, Baroja se sitúa en la línea de la novela existencialista. Hay también atisbos de narrativa social, aunque no le mueven unos presupuestos ideológicos concretos.

El aparente desaliño del estilo barojiano es fruto de su peculiar concepción estética. Intenta liberar a la lengua literaria de la tradición retórica decimonónica. No busca adornos ni florituras. Evita el alambicamiento y crea una prosa llana, precisa y sencilla. Es la suya una retórica de tono menor, hecha de frases cortas, casi telegráficas, apuntes impresionistas, imágenes sugerentes.

Baroja tiene por costumbre agrupar sus novelas en trilogías. A veces se advierte una clara continuidad (argumental o de ambiente) entre los textos que las componen; otras, el lazo común resulta mucho más difuso. Entre ellas se cuentan *Tierra vasca*, *La vida fantástica*, *La lucha por la vida*, *La raza*, *Las ciudades*... Citaremos a continuación algunas de las novelas de mayor relieve.

Aventuras, inventos y mixtificaciones de Silvestre Paradox (1901) es una de las novelas más divertidas y amenas de Baroja. Tiene como protagonista a un extravagante científico y explorador al que da un tratamiento caricaturesco. Con técnica expresionista, va mostrando los inútiles artefactos que da a luz este forofo de la mecánica y las ciencias físicas. En ella encontramos una pintoresca galería de tipos raros, aprendidos probablemente en Dickens y pasados por el tamiz de Pérez Galdós.

En *Camino de perfección* (1902) la caricatura deja paso a un existencialismo impregnado de inquietudes místicas y a una visión regeneracionista de la vida española. Es fiel reflejo de las inquietudes de los autores de fin de siglo. Muestra el alma confusa y atormentada de Fernando Ossorio. Insatisfecho y presa de una tremenda ansiedad, emprende una peregrinación desde Madrid a Levante para superar sus desequilibrios anímicos y su indolencia, orientarse hacia la voluntad y la acción y recuperar el perdido contacto con la naturaleza. Con tono amargo y pesimista, se presenta la vida adormecida y estancada de los pueblos y ciudades de España.

496

A la trilogía de *La lucha por la vida* pertenece una de las novelas más famosas de Baroja: *La busca* (1903); vuelve a publicarse en 1904, junto con *Mala hierba* y *Aurora roja*, que siguen la misma línea argumental, pero no igualan su calidad. Cuentan las andanzas de Manuel, un muchacho de pueblo que va a parar entre los golfos de los barrios bajos madrileños. Son novelas de aprendizaje, de carácter itinerante, en las que el protagonista sirve de hilo conductor para movernos entre una amplia galería de tipos humanos y entrar en contacto con otras historias. Se contrapone a él la figura de su hermano Juan, cuya lucha por un ideal revolucionario desemboca en el fracaso.

Zalacaín el aventurero (1909) es un interesante relato de acción, de estructura abierta, que refleja el ambiente de la última guerra carlista.

César o nada (1910) es la novela más extensa del conjunto y una de las principales. Está presidida por la figura de César Moncada, en el que se ha visto una manifestación de lo que podría calificarse de prefascismo. Abriga el propósito de cambiar la sociedad imponiendo una dictadura que acabe con el caciquismo, la propiedad, la teocracia y el poder de los ricos, y que reparta la tierra entre los campesinos. Tras conseguir importantes éxitos, se viene abajo; empieza a dudar de sí mismo y de la capacidad del pueblo para redimirse.

El árbol de la ciencia (1911) es fiel expresión del espíritu barojiano y del Regeneracionismo noventayochista. Gira en torno a Andrés Hurtado, un personaje —álter ego del autor— que vive en una constante angustia. Sus andanzas, que se desarrollan en torno a la fecha emblemática de 1898, justifican ataques feroces contra el caciquismo, la patriotería y otros males del país.

Al amplio corpus narrativo de Baroja hay que sumar las *Memorias de un hombre de acción* (1913-1935), una larga serie de veintidós volúmenes en torno a la vida de Eugenio Aviraneta, tío segundo de su madre, conspirador y aventurero. A través de este personaje, asistimos a los hechos de relieve histórico que se producen en el agitado periodo en que vivió (1792-1872).

497

Además de las novelas, Baroja tiene en su haber algunos libros de relatos, como el espléndido *Vidas sombrías* (1900), su primera obra, un conjunto de cuentos, cuadros de costumbres, estampas humorísticas... En estas páginas se halla el germen de la narrativa barojiana. Contiene auténticos poemas en prosa, bellísimos relatos simbólicos y de misterio, pinturas de tipos humanos...

Nos ha dejado también colecciones de ensayos de extraordinario interés para acercarnos a su pensamiento y su credo estético: *El tablado de Arlequín* (1904), *Nuevo tablado de Arlequín* (1917) y, de forma más sistemática, *La caverna del humorismo* (1919).

Asimismo cultivó el teatro y la poesía. La «farsa villanesca» *El horroroso crimen de Peñaranda del Campo* (1926) presenta, por su tono desgarrado y macabro, evidentes puntos de contacto con los esperpentos de Valle-Inclán y es una muestra más de la España negra. Su único libro de versos es *Poesías. Canciones del suburbio* (1944), de expresión deliberadamente prosaica y humorística.

AZORÍN. José Martínez Ruiz, *Azorín*, nace en Monóvar (Alicante) en 1873. Estudia leyes en Valencia. En 1896 se traslada a Madrid. Dedica toda su vida al periodismo y la actividad literaria. En 1907 es diputado conservador. Cuando estalla la guerra de 1936, se marcha a París, de donde no regresa hasta 1941. Muere en 1968.

En su juventud fue anarquista. Con Pío Baroja y Ramiro de Maeztu formó el «Grupo de los tres», núcleo inicial de la Generación del 98. Pronto evolucionó hacia el conservadurismo, al igual que sus compañeros.

De carácter tímido, muchas de sus extravagancias juveniles son un intento de disfrazar esta manera de ser. Era extraordinariamente sensitivo.

La captación del paso del tiempo es tema obsesivo en sus escritos. Lucha contra la fugacidad de la vida humana, perpetuando lo momentáneo y refugiándose en la evocación para recuperar el pasado. Expresa como nadie el encanto de lo cotidiano con sus mil detalles. La aproximación literaria a los objetos, que cobran vida propia, nos trasmite la dimensión misteriosa de las cosas simples. Ortega y Gasset definió con acertadísima frase esta peculiaridad azoriniana: «primores de lo vulgar». A ello se une la delectación en el paisaje, descrito con depurada técnica impresionista.

Su estilo se atiene a una estricta economía lingüística. Muestra una decidida voluntad de limitarse a los elementos mínimos: sintaxis simple, periodos cortos. El vocabulario, en cambio, es amplísimo y preciso. Usa la palabra justa para referirse a cada sensación u objeto. Su prosa tiene una calidad poemática determinada por su carácter rítmico y por el empleo constante de imágenes.

Azorín publicó en la prensa diaria muchos trabajos que luego se agruparon para formar libros. Tanto en sus artículos periodísticos como en sus ensayos, toca temas muy diversos, de acuerdo con los principios estéticos que hemos enumerado.

En sus escritos literarios recoge las impresiones de un hombre culto y sensible. La obra de los grandes autores españoles está siempre presente en sus páginas. No suele abordar el análisis de forma sistemática, sino que se limita a comunicarnos una serie de apreciaciones subjetivas. Su crítica impresionista resulta iluminadora; nos hace reparar en aspectos que habían pasado inadvertidos ante nosotros y nos proporciona una visión más honda y sugerente del texto, en la que adquieren extraordinaria importancia ciertos detalles que encierran todo un mundo expresivo. Buena muestra de estas cualidades son libros como *Lecturas españolas* (1912), *Clásicos y modernos* (1913), *Al margen de los clásicos* (1915), *Los dos Luises y otros ensayos* (1921), *Lope en silueta* (1935)...

Gracias a su peculiar estilo, Azorín es uno de los más afortunados paisajistas de nuestra literatura. Sus libros sobre pueblos y ambientes españoles son interesantísimos. *Los pueblos* (1905) es un conjunto de crónicas de la realidad española, en la que intenta penetrar a través de los pequeños detalles de la vida diaria; en la reedición de 1914 incluye *La Andalucía trágica*.

La ruta de don Quijote (1905) no es un comentario de la novela, sino el retrato de los pueblos manchegos y la evocación de su pasado. *Castilla* (1912) es el mejor de estos conjuntos de estampas. El afán rememorativo del autor alcanza sus momentos más afortunados en esta recreación primorosa, cargada de nostalgia, pero bellísima, que logra trasmitirnos con más intensidad que ninguna otra el dolor del paso del tiempo.

Los artículos políticos, de menor interés estético, son en su mayoría crónicas parlamentarias (*Parlamentarismo español*, 1916) y defensa de sus actitudes (*Entre España y Francia*, 1917, donde hace alarde de su francofilia).

Como novelista, Azorín crea un género narrativo que se aparta de los cauces tradicionales. Se trata de un relato impresionista, en el que lo esencial es la recreación de la realidad, de los detalles más nimios. No se pretende plasmar un mundo completo, sino solo retazos. De ahí resulta una estructura fragmentaria y discontinua, a base de cuadros o escenas sueltas, con muy poca acción. Los temas dominantes son la meditación sobre la existencia, la muerte o el paso del tiempo, la antítesis entre entre vida activa y contemplativa, la disolución de la voluntad... Se desdibujan los límites entre la narración, el ensayo y el poema en prosa.

Muy valiosa es la trilogía autobiográfica protagonizada por su álter ego Antonio Azorín, al que vemos evolucionar desde el pesimismo de Schopenhauer a la rebeldía nietzscheana para culminar en una resignación melancólica y escéptica aprendida en Montaigne. Los títulos que integran este conjunto son *La voluntad* (1902), que supone la culminación de la narrativa del alicantino, *Antonio Azorín* (1903) y *Las confesiones de un pequeño filósofo* (1904).

Sigue cultivando la novela a lo largo de toda su vida. Otros títulos relevantes son *Tomás Rueda* (1915), versión de *El licenciado Vidriera* cervantino, *Don Juan* (1922), *Doña Inés* (1925), *El libro de Levante* (1929)...

Coincidiendo con la crisis del drama naturalista, Azorín aspira a revitalizar nuestro teatro con las nuevas corrientes que triunfan en otros países europeos. Rechaza el realismo y se acoge a un simbolismo lindante con los movimientos de Vanguardia. Tiene ideas innovadoras y lúcidas sobre el hecho escénico, pero no acierta a recogerlas en sus dramas. Les faltan acción y vida. Los temas obsesivos son, como siempre, el tiempo y la muerte. El misterio le atrae poderosamente.

Lo más logrado es la trilogía *Lo invisible* (1927), compuesta por *La arañita en el espejo*, *El segador* y *Dr. Death de 3 a 5*, tres piezas que tienen como denominador común la presencia de la muerte simbolizada de distintas formas.

7.3.4. LA NOVELA HISPANOAMERICANA

La narrativa en Hispanoamérica, que se prepara para dar el gran salto que la convertirá en una de las más importantes de nuestra contemporaneidad, no llega a ofrecer en la transición del siglo XIX al XX obras y autores de proyección universal. Sus narradores se dividen entre los que siguen los principios del Naturalismo decimonónico y los afectos a un Modernismo evasivo, historicista o indigenista y superficial.

LOS EPÍGONOS DEL REALISMO. Puede iniciarse este cómputo con la figura de TOMÁS CARRASQUILLA (Santo Domingo, Colombia, 1858-Medellín, 1940), que se muestra contrario a la moda modernista, pero que, como señaló Federico de Onís, no deja de pertenecer a esta época. Si, por un lado, pone especial énfasis en reproducir el habla popular y el ambiente regional, por otro, sus relatos presentan numerosas innovaciones técnicas de interés, como el empleo del estilo indirecto libre: esos monólogos en 3.ª persona en los que el narrador omnisciente se mete en la piel de su personaje. Dos novelas sustentan la fama de Carrasquilla: *Frutos de mi tierra* (1896), de ambiente contemporáneo, y *La marquesa de Yolombó* (1928), cuya acción se desarrolla a fines del siglo XVIII. En ambas el argumento central relata el engaño que sufre una mujer, ya entrada en años, que se enamora de un joven aventurero. El proceso psicológico se acompaña de la presencia de la vida social y de las

501

relaciones de explotación en la sociedad. Además de una tercera novela, *Hace tiempos* (1936), hay que reseñar sus cuentos y novelas cortas, en especial *Salve, Regina* (1903).

El chileno LUIS ORREGO LUCO (Santiago, 1866-1948) es discípulo lejano de Pérez Galdós o de Balzac, cuyos modelos sigue en dos series complementarias: «Escenas de la vida en Chile» (*Un idilio nuevo*, 1900; *Casa grande*, 1908) y «Episodios nacionales de la independencia de Chile» (*Memorias de un voluntario de la Patria Vieja*, 1905; *Al través de la tempestad*, 1914; *Playa negra*, 1947).

El también chileno BALDOMERO LILLO (Santiago, 1867-1923) es cuentista, retratista de costumbres y denunciador de las condiciones en que vive el proletariado, en especial los mineros. Sus cuentos se reúnen en las colecciones *Sub terra* (1904) y *Sub sole* (1907).

LA ESTÉTICA DEL MODERNISMO EN LA NARRATIVA. Aunque hoy estén relegados al olvido, probablemente con razón, son numerosos los narradores que siguieron los postulados modernistas, aunque no es extraño que sus obras conserven muchas «impurezas» románticas y posrománticas.

El más conocido de estos autores es el argentino ENRIQUE LARRETA (Buenos Aires, 1873-1961). De origen español, fue diplomático, historiador y ensayista (*Las dos fundaciones de Buenos Aires*, 1933; *Tiempos iluminados*, 1940), poeta (*La calle de la vida y de la muerte*, 1941), autor dramático ocasional y guionista cinematográfico. Se inicia en la novela histórica con *Artemis* (1896), ambientada en la Grecia clásica, a la que siguió *La gloria de don Ramiro* (publicada en 1908). Desarrolla esta la inverosímil y simbólica peripecia del protagonista, hijo de un caballero musulmán y una aristócrata cristiana. Novela de aventuras, escrita en un estilo preciosista que no es propio del género, nos lleva por la España y la América del Siglo de Oro y nos acerca al imaginado mundo de sensualidad y gozo de los árabes, a un proceso inquisitorial, a la vida eremítica, a la violencia bandoleril, al arrepentimiento final que salva a don Ramiro.

De lo histórico pasa a lo contemporáneo en *Zogoibi* (1926), que trata sobre las vivencias de un joven argentino con el corazón escindido entre el amor a su tierra y la atracción de una Europa deslumbrante. El mismo desgarrón, entre la sensualidad y la pureza, ya desarrollado en *La gloria de don Ramiro*, reaparece en *A orillas del Ebro* (1949) y *El Gerardo o la torre de las damas* (1956). En todas, luce una prosa trabajada, ampulosa, tópicamente modernista.

El uruguayo CARLOS REYLES (Montevideo, 1868-1938) pasó del naturalismo zolesco (*Beba*, 1894) al decadentismo de los tres relatos alegóricos reunidos en *Las academias* (1896-1898); los combinó en *La raza de Caín* (1900); cultivó la novela de tesis, a favor del poder y la fuerza del dinero (*La muerte del cisne*, 1910), y acabó en la exaltación folclórica y regional: *El terruño* (1916), *El embrujo de Sevilla* (1922) y *El gaucho florido* (1935).

Autores menores, que en su día gozaron de cierta fama, son el colombiano JOSÉ MARÍA VARGAS VILA (1860-1933), el chileno AUGUSTO D'HALMAR (1882-1950), el venezolano MANUEL DÍAZ RODRÍGUEZ (1868-1927), el curioso y esotérico peruano CLEMENTE PALMA (1872-1946), hijo del celebrado autor de las *tradiciones*, etc., etc.

7.3.5. EL ENSAYO EN ESPAÑA

EL REGENERACIONISMO ESPAÑOL. Años antes de la derrota de 1898, se había abierto entre las minorías intelectuales españolas el debate sobre la regeneración de la vida social y política. Es una polémica que nace entre economistas y juristas (Lucas Mallada: *Los males de España*, 1890) y que adquiere importancia literaria gracias a las obras juveniles de Miguel de Unamuno y Ángel Ganivet.

ÁNGEL GANIVET (Granada, 1865-Riga, Finlandia, 1898) es un ensayista lúcido y paradójico, imbuido del estoicismo senequista y del irracionalismo finisecular.

Nos ha dejado un interesante epistolario (1893-1895) en el que plantea muchas ideas que luego pasarán a los libros. *Ideárium español* (1897) es uno de los textos capitales del Regeneracionismo, en el que se ponen de manifiesto las contradicciones y ambigüedades de esta corriente. El autor se dedica a especular sobre las raíces del ser de España, a tratar de las servidumbres que tuvo la expansión por Europa y América y de la situación general de nuestra política internacional, para acabar diagnosticando el grave mal de los españoles: la abulia. *El porvenir de España* (1898) recoge, meses antes del suicidio de su autor, las cartas abiertas que cruzó con Unamuno en *El defensor de Granada*. En esta amistosa polémica defiende los mismos principios que en *Ideárium español*, con idéntico irracionalismo y gusto por la paradoja.

Su pensamiento se vierte también en dos novelas con muchos elementos autobiográficos, cuya estructura apenas permite considerarlas como tales: *La conquista del reino de Maya por el último conquistador español Pío Cid* (1897) y *Los trabajos del infatigable creador Pío Cid* (1898). Desarrollan una utopía que da pie a la crítica de las colonizaciones europeas en África y retrata con enfoque caricaturesco el tinglado político de la Restauración.

Tras la pérdida de los últimos restos del imperio, las manifestaciones del disgusto intelectual crecieron. JOAQUÍN COSTA (Monzón, Huesca, 1846-Graus, Huesca, 1911) simbolizó la oposición al régimen y la exigencia de cambio, que rechaza el parlamentarismo y llega a pedir un «cirujano de hierro», una dictadura tulelar, como medida coyuntural y pasajera.

Su objetivo sería europeizar España, mejorar las formas de vida, elevar el nivel intelectual y entrar en contacto con el progreso extranjero. La trasformación por él exigida contempla en primer plano el problema de la agricultura (*Colectivismo agrario en España*, 1898). Defiende la importancia decisiva de la escuela en ese momento de crisis y su tarea de formar hombres para que cambien la sociedad. Es célebre su lema «Escuela, despensa y siete llaves al sepulcro del Cid», que invita a afrontar el futuro. Obra clave es *Oligarquía y caciquismo como la forma actual de gobierno de España: urgencia y modo de cambiarla* (1901), una memoria dirigida a los representantes de la política y la intelectualidad que contiene la más radical y virulenta repulsa contra el sistema imperante. A idénticas preocupaciones responden sus proyectos narrativos inconclusos: *Novelas nacionales, Justo de Valdediós* y *Último día del paganismo y primero de... lo mismo.*

Miembro de la nueva generación literaria, componente, con Azorín y Baroja, del «Grupo de los tres», fue RAMIRO DE MAEZTU (Vitoria, 1874-Aravaca, Madrid, 1936). En su evolución pasa del socialismo radical de sus primeros años a alinearse en las filas del fascismo y la tradición, adoptando como puntales de su pensamiento el catolicismo y la hispanidad. Jamás le abandona la inquietud social ni se desprende por completo del influjo de Nietzsche que le anima en un principio.

El más alto exponente del pensamiento de Maeztu en su etapa revolucionaria es *Hacia otra España* (1899), donde se ocupa de la decadencia española, la guerra colonial, el Desastre y el proyecto de regeneración. Ya en plena militancia tradicionalista, escribe *Don Quijote, don Juan y la Celestina. Ensayos de empatía* (1926), su obra de mayor valor literario, en la que muestra a estos tres grandes mitos, que para él representan la falta de ideales de la sociedad española, como encarnación del amor, el poder y la sabiduría, respectivamente. *Defensa de la hispanidad* (1934) es un «libro de amor y combate» en el que se definen y exaltan los valores tradicionales católicos. Fracasados el capitalismo y el socialismo, la salvación está en un nuevo humanismo español que se base en la igualdad esencial de todos los hombres.

LOS ESTUDIOS HISTÓRICOS Y FILOLÓGICOS. La larga paz de la Restauración permitió el desarrollo de la universidad española. En ella influyeron de manera muy notable los hombres ligados a la Institución Libre de Enseñanza, fundada por Francisco Giner de los Ríos (1939-1915), con la finalidad de difundir un sistema educativo laico y progresista. También tuvo notable relieve el ejemplo de Marcelino Menéndez Pelayo, que, desde otra posición ideológica, impulsó los estudios de historia literaria.

Son multitud los discípulos directos o indirectos de don Marcelino que realizaron una notable labor de documentación y bibliografía: CRISTÓBAL PÉREZ PASTOR (1833-1908), FRANCISCO RODRÍGUEZ MARÍN (1855-1943), EMILIO COTARELO (1857-1936), ADOLFO BONILLA SAN MARTÍN (1875-1926)...

El resurgir de los estudios humanísticos llegó también al arabismo (JULIÁN RIBERA, 1858-1934; MIGUEL ASÍN PALACIOS, 1871-1944), a los estudios históricos (EDUARDO HINOJOSA, 1852-1919), a la arqueología (MANUEL GÓMEZ MORENO, 1870-1970), a la historia del arte (MANUEL BARTOLOMÉ COSSÍO, 1858-1935)...

Los estudios literarios se renovaron con la incorporación de las técnicas filológicas. Su introductor en España es RAMÓN MENÉNDEZ PIDAL (La Coruña, 1869-Madrid, 1968). Su sólida formación lingüística le permite penetrar a fondo en la evolución de las lenguas romances, fijar con rigor los textos medievales e incluso llegar a reconstruirlos. Pilares básicos de su pensamiento son la teoría tradicionalista y, ligado a ella, el concepto de estado latente.

Imposible dar cuenta aquí de sus muchas publicaciones, entre las que destacan las de carácter lingüístico (*Manual de gramática histórica española*, 1904; *Orígenes del español*, 1926) y las que versan sobre la épica y el romancero (*Poesía juglaresca y juglares*, 1924, corregido y aumentado en 1957 con el título de *Poesía juglaresca y orígenes de las literaturas románicas*; *La «Chanson de Roland» y el neotradicionalismo*, 1959). También aborda otros campos: *La primitiva poesía lírica española* (1919), *De Cervantes y Lope de Vega* (1940)... A todo ello hay que añadir sus numerosas ediciones de textos medievales: *Cantar de Mio Cid*, *Auto de los Reyes Magos*, *Primera crónica general de España*...

7.3.6. EL ENSAYO HISPANOAMERICANO. GONZÁLEZ PRADA. RODÓ

MANUEL GONZÁLEZ PRADA. Este peruano (Lima, 1848-1918) fue un ideólogo y político radical. A raíz de la derrota de su país frente a Chile, inició una campaña cultural y política contra la vieja generación encarnada por Ricardo Palma, a la que responsabilizaba de los males colectivos. Fundó la Unión Nacional. Sus ideas se vertieron en dos únicos volúmenes de excelente prosa: *Páginas libres* (1894) y *Horas de lucha* (1908), completados póstumamente con otras recolecciones de ensayos y artículos. Atacó a las clases privilegiadas, al ejército, a la iglesia. Prodiga las imágenes incendiarias y las expresiones directas y atrevidas en una prosa de frase breve, vehemente, cortante y nerviosa.

No estamos seguros de que las radicalidades de González Prada tuvieran eficacia política (como no la tuvieron las de sus homólogos españoles); pero sirvieron, probablemente, como fermento para la renovación de la cultura y las ideas en Perú y en toda América.

Además de sus ensayos, hay que hablar de su obra poética, de la que llegó a publicar tres libros: *Minúsculas* (1901), *Presbiterianas* (1909) y *Exóticas* (1911), a los que se añaden otras ediciones póstumas: *Baladas peruanas, Grafitos, Baladas, Adoración, Libertarias* y *Trozos de vida*. Unos encierran poesía netamente modernista: de registro parnasiano, de experimentación métrica, impresionista. En otros versos predominan la preocupación social y la tesis política. Si *Presbiterianas* arremete contra los privilegios y el perverso influjo de la iglesia, *Baladas peruanas* habla del indio y sus problemas y *Libertarias* es poesía de propaganda social y política. Su biografía sentimental aparece en *Adoración* y *Trozos de vida*.

JOSÉ ENRIQUE RODÓ. Nace en Montevideo en 1871. Hijo de una familia de clase media, no sigue estudios regulares. Por breve tiempo se consagra a la política, pero la mayor parte de su vida está dedicada a la labor intelectual. Muere en 1917 en Palermo (Italia), durante un viaje a Europa.

Sus mejores escritos surgen en un breve lapso de tiempo: primero un enjundioso estudio sobre *Rubén Darío. Su personalidad literaria, su última obra* (1899); enseguida *Ariel* (1900), el ensayo que lo hizo famoso, y más tarde *Motivos de Proteo* (1909) y *El mirador de Próspero* (1913).

En todos ellos el lenguaje no es meramente instrumental. Cada frase está trabajada en la organización sintáctica y en su ritmo musical. Estamos ante una suerte de ensayo poemático.

Las ideas expuestas en sus obras, menos atentas a la lucha social inmediata que las que vemos en otros contemporáneos, casan bien con la elegancia discursiva.

Ariel es un alegato elitista que defiende en sustancia el derecho de las minorías intelectuales a dirigir la vida social. En el discurso puesto en boca de Próspero, un maestro que se dirige a sus discípulos, se enfrentan los símbolos del idealismo, Ariel, y del materialismo, Calibán. Se desgranan los ideales morales, cívicos y estéticos que deben conformar la nueva generación. Rodó advierte de los peligros de la democracia: el utilitarismo y la vulgaridad, que, en parte, se encarnan en la cultura estadounidense, por lo que incita a los pueblos hispánicos a buscar sus raíces espirituales en su propia tradición.

Ariel venía, quiméricamente, a levantar los ánimos de una comunidad que había vivido la guerra de Cuba más como una humillación y una amenaza que como una liberación. La sombra de Estados Unidos, cuyo poderío material no cabía discutir después de la última demostración de fuerza, obliga a Rodó a una exaltación de las excelencias espirituales. Este repliegue tuvo eco porque, sin duda, daba expresión balsámica a inquietudes de las minorías lectoras.

De la vida social a la íntima. De *Ariel* a *Motivos de Proteo*, un tratado idealista de moral y psicología. El cambio es la clave de la personalidad y la existencia plena implica la capacidad de ajuste sin perder la individualidad.

El mirador de Próspero reúne críticas literarias y notas históricas y sociales.

LOS ARIELISTAS. El moralismo político-social de Rodó tuvo amplio reflejo en algunos escritores durante una década. Era, sin duda, un sentir que estaba en el ambiente; tanto es así que algunas de sus implicaciones aparecen adelantadas por el venezolano CÉSAR ZUMETA (1860-1955) en *El continente enfermo* (1899). La reflexión subsecuente tiene como hitos fundamentales *Idola fori* (*Los ídolos del foro*, 1910) del colombiano CARLOS ARTURO TORRES (1867-1911), *El porvenir de la América española* (1911) del argentino MANUEL UGARTE (1857-1951) y *La creación de un continente* (1913) del chileno FRANCISCO GARCÍA CALDERÓN (1883-1953).

ENRIQUE GÓMEZ CARRILLO. Nació este curioso personaje en Guatemala en 1873. Pasó su vida en un continuo viaje. Residió en España, El Salvador, París… y visitó Rusia, Japón, Egipto, Tierra Santa… Fue periodista precoz. Dirigió en París *El nuevo Mercurio*; en Madrid, *El liberal* y *Cosmópolis,* y colaboró en los periódicos más relevantes de la época. Fue un dandi profesional, más teatral que sus congéneres y enteramente ajeno a la misantropía. Son numerosas las anécdotas en torno a su variada e irregular vida amorosa. Murió en París en 1927.

Probablemente, el personaje es más atractivo que el escritor. Con afectada pose y amanerada elegancia, Gómez Carrillo se consagró a la literatura ligera e intrascendente. Su obra narrativa (*Tres novelas inmorales*, 1919; *El evangelio del amor*, 1922) es breve, tardía y de escaso calado. Más interesantes son sus memorias parciales (hasta 1903), que aparecieron con el título de *Treinta años de mi vida* (1918-1921).

Su obra más genuina la forman colecciones de artículos y crónicas: *Entre encajes* (1905), *Psicología de la moda* (1907), *En el reino de la frivolidad* (1923)… y sus libros de viajes: *La Rusia actual* (1906), *El Japón heroico y galante* (1912), *La sonrisa de la esfinge. Sensaciones de Egipto* (1913), *Jerusalén y Tierra Santa* (1914)…

Contribuyó a la difusión de la estética modernista con volúmenes como *Esquisses* (1892), *Sensaciones de arte* (1893), *El modernismo* (1905)…

Se acusó a Gómez Carrillo de ser afectadamente galicista. Él negó el adjetivo, pero mal pudo rechazar el adverbio, que define a la perfección su estilo.

OTROS CRÍTICOS Y ENSAYISTAS LITERARIOS. La revolución modernista vino acompañada de la aparición de críticos entusiastas que vieron en ella la expresión de su generación literaria. Mientras que en España la vieja guardia, con la excepción siempre benévola e irónica de Juan Valera, arremetió contra las novedades estéticas, en América el Modernismo tuvo valedores desde el primer momento. Bien mirado, constituía la auténtica emancipación artística.

Entre los que contribuyeron a difundir el nuevo credo, señalemos al colombiano BALDOMERO SANÍN CANO (1961-1957), al peruano, nacido en París, VENTURA GARCÍA CALDERÓN (1886-1959), al venezolano JESÚS SEMPRÚN (1882-1931), al uruguayo VÍCTOR PÉREZ PETIT (1871-1947) y al venezolano, con largos años de residencia y trabajo en España, RUFINO BLANCO FOMBONA (1874-1944).

7.4. EL POSMODERNISMO. LA TRANSICIÓN A LAS VANGUARDIAS

Son numerosos los escritores, y algunos de capital importancia, que se inician en el Modernismo y evolucionan a lo largo de su vida hacia fórmulas literarias que anuncian o entran de lleno en las técnicas y las concepciones de la Vanguardia. Ya hemos perfilado trasformaciones como la de Valle-Inclán, que arranca como impresionista y decadente y remata en un expresionismo que no repara en la utilización de técnicas cubistas.

Hay toda una generación de poetas, narradores, ensayistas que alcanzan su propia voz pasado el año de 1916, fecha de la muerte de Darío. Para ellos se han propuesto nombres diversos: novececentistas, centenaristas, posmodernistas, mundonovistas, precursores de la Vanguardia... Este saco acoge experiencias literarias muy distintas: desde la novela intelectual española a la novela de la tierra o de la Revolución Mexicana, desde la poesía pura al prosaísmo y cotidianismo de los poetas posmodernistas.

7.4.1. JUAN RAMÓN JIMÉNEZ

VIDA Y PERSONALIDAD. Nace en Moguer (Huelva) en 1881. Su delicada salud le impide seguir la carrera de derecho. Se traslada a Madrid en 1900 para participar en la revolución modernista y publica sus primeros libros. Pasa mucho tiempo recluido en diversos sanatorios, pero sin dejar de escribir. En 1916 se casa con Zenobia Camprubí, que será para él una ayuda indispensable. Juntos traducen al castellano la obra de Rabindranath Tagore. Poco después de estallar la guerra civil, aprovechando una invitación de la universidad de Puerto Rico, abandona el país. También da clases y conferencias en Cuba y Estados Unidos. En 1956 se le concede el premio Nobel; tres días después, muere su mujer. Juan Ramón fallece en 1958.

Fue siempre un ser enfermizo, hipersensible y egocéntrico, afectado por frecuentes crisis nerviosas. Consciente de su inteligencia y valía, era de natural altivo. Se encerró cada vez más en una torre de marfil inexpugnable. Este aislamiento generó en él una agresividad que se evidencia en algunos escritos mordaces. Era un esteta, perseguidor de la belleza y la perfección, que escribía para una minoría selecta. En América tuvo una intensa vida social que le cambió algo el carácter y le hizo más abierto y comunicativo.

EVOLUCIÓN POÉTICA. La evolución juanramoniana fue tan notable y, al mismo tiempo, tan coherente, que podemos hablar, sin faltar a la verdad, tanto de varios poetas sucesivos, de estilos no ya variados sino contrapuestos, como de una voz única que se va trasformando paulatina e incansablemente a lo largo de los años. Persiguió el ideal de la poesía pura, desnuda, desprovista de anécdotas innecesarias y adornos superfluos.

Juan Ramón dejó reiterada constancia de los cambios operados en su poesía. El más repetido de estos testimonios es el célebre poema de *Eternidades* (1918): «Vino, primero, pura...», en el que describe a su poesía como una muchacha, inicialmente «vestida de inocencia»; más tarde, adornada con galas superfluas, y, por último, desnuda. Así pues, se perfilan etapas sucesivas de sencillez e ingenuidad, ampulosidad y complicación, y desnudez y pureza.

PRIMERA ETAPA DE SENCILLEZ. Influido por Bécquer, por la poesía popular y por el simbolismo verleniano, compone una serie de libros de acento romántico, impregnados de melancolía. Afloran el sentimiento de soledad y el ansia de fundirse con la naturaleza. Los paisajes, otoñales, crepusculares, son difuminados e imprecisos. El alma del poeta se nos revela invadida por el misterio y las vagas ensoñaciones. Todo invita a la inacción, mientras la vida pasa a lo lejos. Es una poesía intimista, natural, sugerente, que sigue las técnicas del impresionismo. Puede decirse que la indeterminación marca la estilística de esta época. Aparecen ya los tonos dorados, que serán una constante en la lírica juanramoniana. Desde el punto de vista métrico, predominan el romance y la rima asonante.

Lo más destacado de esta etapa es la trilogía formada por *Arias tristes* (1903), *Jardines lejanos* (1904) y *Pastorales* (también de 1904, pero no se publicó hasta 1911), en el que se percibe el influjo de Francis Jammes.

POESÍA BRILLANTE Y SONORA. Los versos de Juan Ramón se han ido cubriendo de adornos. Resulta así una poesía muy elaborada, rica en imágenes y adjetivos, cuajada de impresiones sensoriales. Los sentimientos son similares a los de la etapa anterior: nostalgia, incertidumbre, presencia de la naturaleza... El tono, en cambio, es muy distinto; el cromatismo, mucho más vivo; el ritmo, más pomposo; las imágenes, más brillantes... Abundan los términos suntuarios. La expre-

512

sión está cuidada hasta el límite. El metro preferido es el alejandrino, por su ritmo solemne y pausado.

Obras maestras de esta nueva concepción estética son
Elegías, distribuidas en tres volúmenes: *Elegías puras*
(1908), *Elegías intermedias* (1909), *Elegías lamentables*
(1910); *La soledad sonora* (1911), *Laberinto* (1913)...

TRANSICIÓN HACIA LA POESÍA PURA. Juan Ramón inicia el
camino de vuelta hacia la sencillez. Sus versos se van despojando de sus galas. Curiosamente, la espontaneidad de que
habla reiteradamente el autor en sus poéticas es fruto de una
difícil y concienzuda labor intelectual. Al margen de los permanentes contrastes y paralelismos, persigue una imaginería
más exacta, original, novedosa.

Representativos de esta etapa intermedia, en que se percibe el influjo de Paul Valéry, son *Estío* (1916) y *Sonetos espirituales* (1917), la única vez que emplea esta forma métrica, con singular fortuna y precisión.

POESÍA PURA. El hallazgo de la poesía pura supone la culminación de los ideales estéticos del autor. Es una mera reflexión lírica, sin anécdotas ni excusas. Esta etapa está marcada
por un libro fundamental que él siempre apreció mucho: *Diario de un poeta recién casado* (1917), prolongación y superación de las formas de *Estío*. Lo compuso durante la travesía
que hizo a América para casarse. En gran parte del volumen
domina la presencia del mar. Es literalmente un diario, escrito
de forma unitaria, de un tirón. Cada texto está encabezado por
la oportuna referencia topográfica y cronológica. La división
externa de este poemario variopinto e irregular en seis secciones responde a las etapas efectivas del viaje de ida y vuelta.
La impresión negativa que le produce Nueva York se recoge
en los fragmentos en prosa. Reapareció en 1948 con el rótulo
de *Diario de poeta y mar*, que no ha prevalecido.

Además de los valores del libro en sí, hay que tener en cuenta
lo que representó en el devenir de la lírica en lengua española. De
la mano de estas silvas en verso blanco, conceptuosas y herméti-

cas, aparece en nuestro ámbito estético la poesía abstracta, intelectual, un ideal de pureza poética que se trasmitirá mezclado con otros influjos, en especial el de Valéry, a la generación siguiente.

A partir de entonces, sus versos buscan cada vez más la esencia de las cosas: *Eternidades* (1918), *Piedra y cielo* (1918), *Poesía* (1923), *Belleza* (1923).

Frente a la soledad angustiada y melancólica de la primera etapa, se manifiesta ahora una soledad autosatisfecha que da vueltas en torno a la obsesión de la muerte, constante en los versos de Juan Ramón, y se mira una y otra vez en la obra conseguida.

ETAPA FINAL. Nuestro autor remata su trayectoria con poemas que recogen sus meditaciones trascendentales y metafísicas. Pieza clave es *Dios deseado y deseante* (1957), cuya primera parte incluye las composiciones de un libro anterior: *Animal de fondo* (1948). Este conjunto último gira de forma casi exclusiva en torno a la divinidad, en un intento de definir su naturaleza y sus relaciones con el hombre. Por otra parte, hay una reflexión obsesiva sobre la conciencia de la belleza que ilumina y da sentido al mundo. Viene a ser en cierta medida una autobiografía espiritual, una síntesis del camino hacia la belleza esencial que el poeta cree haber seguido en su obra.

LA PROSA POÉTICA. Juan Ramón no es solo un gran poeta en verso. También buena parte de su prosa tiene calidades poéticas. Particularmente célebre y afortunado es su libro *Platero y yo* (1917; en 1914 había aparecido una «edición menor»), «elegía andaluza» que, erróneamente, se ha considerado obra para niños. Se trata de una lírica quintaesenciada que puede gustar por igual a lectores de distintas edades.

Contiene estampas de la vida de un pueblo (Moguer). Se compone de una serie de monólogos fragmentarios (dirigidos a un interlocutor mudo), enhebrados por una finísima ficción narrativa. La trabazón se consigue gracias a la presencia constante de los dos personajes que aparecen en el título: el poeta y el burro que lo acompaña en su deambular solitario.

Afloran en sus páginas el amor a los animales y un sentimiento de ternura hacia los seres inocentes. El autor evoca
con nostalgia el mundo de su niñez, que inevitablemente iba
a perderse con el proceso de modernización. La vida del
campo aparece retratada en las faenas agrícolas y los menudos incidentes cotidianos, sin que falten los episodios patéticos. Los personajes son entrañables si se exceptúa el antipá-
tico cura, iracundo y poco caritativo. Se ha sabido captar el
habla dialectal sin caer en el pintoresquismo andalucista.

7.4.2. Caminos de la lírica posmodernista

Entre la renuncia y la exacerbación de la retórica
modernista. Al exprimir las últimas esencias al Modernismo, se pasa con facilidad de la poesía grandilocuente y de
grandes temas a otra prosaica y cotidiana, y no es raro que se
fundan los dos aspectos en un solo poeta o un solo poema.
Son muchos los líricos que transitan por estos territorios.

Enrique González Martínez (Guadalajara, México,
1871-1952) tuvo una primera etapa plenamente modernista,
con cuadros parnasianos y experimentos métricos (*Preludios*,
1903; *Lirismos*, 1907; *Silenter*, 1909), y otra en la que abomi-
na de las devociones del pasado y escribe el famoso soneto
«Tuércele el cuello al cisne de engañoso / plumaje...». Aquí
ya se anuncia la lírica de pretensiones filosóficas y desnudeces
formales, dentro de las convenciones tradicionales, presente
en *Los senderos ocultos* (1915), *La muerte del cisne* (1915),
La palabra del viento (1921), *Segundo despertar* (1945)...

El peruano José María Eguren (1882-1942) es un poeta
refinado y original que depura los usos modernistas, sin perder la esencia. Para trasmitir su visión del mundo, recurre a las
correspondencias simbólicas, con lo que se inserta en una de
las más valiosas corrientes finiseculares. Por otra parte, camina hacia la Vanguardia, en concreto hacia el Surrealismo.
Gusta del léxico exótico y las imágenes sorprendentes. Busca

nuevas técnicas y formas de expresión. Son títulos significativos *Simbólicas* (1911), *La canción de las figuras* (1916), *Sombra* (1920), *Rondinelas* (1929)... Póstumamente se publica una recopilación de artículos: *Motivos estéticos* (1959).

El prosaísmo y el encanto poético de la vida cotidiana, elementos característicos de la lírica posmodernista, tienen un singular representante en el argentino BALDOMERO FERNÁNDEZ MORENO (Buenos Aires, 1886-1950). Oriundo de la Montaña española, sus afectos se dividen entre su tierra americana (*Intermedio provinciano*, 1916; *Campo argentino*, 1919; *Buenos Aires, ciudad, pueblo, campo*, 1925) y la evocación del mundo de su niñez (*Aldea española*, 1925).

RAMÓN LÓPEZ VELARDE (1888-1921) prosigue un camino iniciado por los modernistas más caracterizados: la rebusca metafórica, la sorpresa en los juegos de imágenes y el prosaísmo poético, que en este caso se combina con la ironía y la inclinación hacia lo macabro. Estas notas pueden verificarse en sus tres poemarios: *La sangre devota* (1916), *Zozobras* (1919) y *El son del corazón* (póstumo, 1932).

ENRIQUE BANCHS (Buenos Aires 1888-1968) es autor de una breve obra poética publicada en los años juveniles: *Las barcas* (1907), *El libro de los elogios* (1908), *El cascabel del halcón* (1909), *Oda a los padres de la patria* (1910) y *La urna* (1911). En ella se perciben las huellas de los clásicos y de los simbolistas, de los que fue continuador discreto, delicado.

El colombiano MIGUEL ÁNGEL OSORIO, que usó el seudónimo de PORFIRIO BARBA JACOB (Santa Rosa de Oso, Antioquia, 1883-México, 1942), nos dejó *Canciones y elegías* (1932), *Rosas negras* (1933), *El corazón iluminado* (1942) y *Poemas interiores* (póstumo, 1942). Confundiendo el yo civil con el poético, homosexual y extravagante, se ha dicho de este poeta que tiene un aire grandilocuente; pero lo cierto es que sus mejores versos más parecen inclinarse hacia el intimismo neorromántico y la reflexión existencial.

Un notable grupo de autores chilenos son también representativos del Posmodernismo. Citemos a dos de los más ilustres. MANUEL MAGALLANES MOURE (1878-1924) cultiva una lírica de contención y sentimiento que ha recordado a algún crítico el ejemplo de Antonio Machado. Es un poeta evocador de la experiencia en unos versos sencillos, con giros coloquiales e imágenes trasparentes. Publicó *Facetas* (1902), *Matices* (1904), *La jornada* (1910), *La casa junto al mar* (1918)... PEDRO PRADO (1886-1952) sigue una larga trayectoria que lo lleva desde *Flores de cardo* (1908) a la lírica religiosa y metafísica de *Nada más que una rosa* (1949). Poeta reflexivo, desnudo y, a veces, conceptuoso, al querer expresar lo inefable de forma extremadamente sencilla. A este autor le debemos dos interesantes novelas: *La reina de Rapanuy* (1914), un relato sentimental ambientado en el mundo exótico, turbador, mítico de la Isla de Pascua, y *Alsino* (1920), una tentativa de novela simbólica en la que el protagonista consigue el sueño de su vida, poder volar, y con él la soledad y la destrucción para integrarse en el cosmos permanentemente renovado. El mundo de Ícaro adquiere en esta última narración un sesgo moderno y panteísta.

En las primeras décadas de nuestro siglo se desarrolla en las islas Canarias un importante movimiento posmodernista, cuyos rasgos dominantes son el sentimentalismo intimista y nostálgico y la presencia del mar como principal motivo de evocación simbólica. Sus figuras más relevantes son TOMÁS MORALES (Moya, Gran Canaria, 1884-Las Palmas, 1921), autor de un único poemario, *Las rosas de Hércules*, que tiene su germen en los *Poemas de la gloria, del amor y del mar* (1908), y no llegó a rematarse; y ALONSO QUESADA (Las Palmas de Gran Canaria, 1886-1925), con *El lino de los sueños* (1915) y *Los caminos dispersos*, publicado póstumamente en 1944.

LAS POETISAS. El Posmodernismo trae un auge desconocido de la poesía femenina en la América española. Varias de sus representantes han pasado a nuestro canon literario.

Esta presencia se inicia con la uruguaya MARÍA EUGENIA VAZ FERREIRA (1875-1924), celebrada poetisa primero, olvidada más tarde, autora de versos intimistas, neorrománticos, unos

517

marcados por el orgulloso desdén de la época de éxito y otros por la amargura de la soledad. Su hermano Carlos reunió sus obras en una edición póstuma: *La isla de los cánticos* (1924).

La también uruguaya DELMIRA AGUSTINI (1886-1914) publicó tres poemarios: *Libro blanco* (1907), *Cantos de la mañana* (1910) y *Los cálices vacíos* (1913), en los que se puede observar el proceso de interiorización que es común a su promoción literaria. Toda su obra gira en torno a la experiencia amorosa y desde su aparición lectores y críticos han creído ver en ella una inmediatez, espontaneidad, exaltación pasional y sensualidad que han atribuido a su condición femenina.

La chilena Lucía Godoy, que firmó sus escritos con el seudónimo de GABRIELA MISTRAL (Coquimbo, 1889-Santiago, 1957), obtuvo en 1945 el premio Nobel. Autodidacta, maestra, diplomática, participó en la política educativa de su país.

Su poesía busca, por encima de todo, la sencillez y la claridad; es fruto de un arrebato espontáneo; no en vano sería la promotora del movimiento literario denominado Sencillismo. Se inspira en el canto a las cosas humildes, a la naturaleza, a los niños. Reivindica la hermandad americana.

Se da a conocer con *Sonetos de la muerte* (1914), nacidos de un trágico episodio personal: el suicidio del hombre al que amaba, que ya la había abandonado hacía tiempo. Estos textos se integrarían en su primer libro: *Desolación* (1922), que expresa un sentimiento amoroso transido de dolor. Aflora la tristeza de la mujer que no ha llegado a ser madre.

Ternura (1924), su segundo poemario, recorta las aristas de la pasión y dirige su amor hacia los niños y la naturaleza. La espiritualidad, la religiosidad sustituyen a la vehemencia anterior.

En los libros que siguen, *Tala* (1938) y *Lagar* (1954), se ahonda en estos sentimientos poéticos. En el primero, junto a otros motivos ya conocidos, expresa su sufrimiento y soledad tras la muerte de su madre. El último está presidido por el presentimiento de la muerte y la conciencia de la vejez.

Su obra lírica viene a ser una serie de variaciones, al compás de los tiempos, sobre un único tema: el amor y la vida. Es un exponente, sencillo y accesible a amplias capas de lectores, del proceso de interiorización del Posmodernismo.

La argentina ALFONSINA STORNI (1892-1938) nació en el Tesino (Italia) y se crio y vivió en Buenos Aires, donde se dedicó al magisterio. Su obra poética evoluciona desde el intimismo próximo a Bécquer hasta un simbolismo más hermético. Sus libros iniciales (*La inquietud del rosal*, 1916; *El dulce daño*, 1918; *Irremediablemente*, 1919; *Languidez*, 1920) siguen la estela de la sencillez expresiva y la vida sentimental como único tema. Más tarde (*Ocre*, 1925; *Poema de amor*, 1926; *Mundo de siete pozos*, 1934; *Mascarilla y trébol*, 1938) los textos se vuelven más difíciles y asoman preocupaciones religiosas, próximas al esoterismo. Siempre planea sobre su sentir poético la sombra de la fatalidad. El suicidio de la poetisa acabó por dar cumplimiento a su destino.

La uruguaya JUANA DE IBARBOUROU (1895-1979) alternó los libros de versos (*Lenguas de diamante*, 1919; *Raíz salvaje*, 1922; *La rosa de los vientos*, 1930; *Perdida*, 1950; *Azor*, 1953; *Mensajes de escriba*, 1953; *Dualismo*, 1953; *Oro y tormenta* 1956; *Elegía*, 1967; *La pasajera*, 1967) con las prosas poéticas (*El cántaro fresco*, 1920; *Estampas de la Biblia*, 1934; *Diario de una isleña*, 1967) y las narraciones líricas (*Chico Carlo*, 1944; *Juan Soldado*, 1971).

En tan extensa obra, que no es posible comentar con detalle, se puede observar una natural y lógica evolución. Los primeros poemarios tienen un acento sensual, de entusiasmo por la naturaleza y por el propio ser. La poetisa se extasía ante las maravillas del mundo y las utiliza como marco y metáfora de su propia vitalidad amorosa y oferente: «Flui / para ti. / Bébeme. El cristal / envidia lo claro de mi manantial»; «Te doy mi alma desnuda...». En los libros de madurez y vejez ese hedonismo exultante se atempera, se impregna de religiosidad y de un epicureísmo melancólico pero no amargo. Sobre la belleza del mundo planea la sombra liberadora de la muerte.

ANUNCIOS DE LA VANGUARDIA. Son varios los poetas que inauguran o quieren inaugurar técnicas vanguardistas.

En Puerto Rico LUIS LLORÉNS TORRES (1878-1944) inventó dos curiosas teorías: el *pancalismo* («todo es belleza») y el *panedismo* («todo es poema», niega la existencia de la prosa). Quiso aplicarlas a su obra en *Visiones de mi musa* (1913) y *Sonetos sinfónicos* (1914). Sus últimas composiciones vuelven a la tradición, en parte para cantar a la realidad americana: *Mare Nostrum* (1935), *Alturas de América* (1940)...

El mexicano JOSÉ JUAN TABLADA (1871-1915) fue un rico comerciante afecto a la dictadura de Porfirio Díaz, exiliado a raíz de la Revolución Mexicana y recuperado más tarde como diplomático al servicio de su país. Su poesía fue recreadora de los tópicos modernistas (*El florilegio*, 1899; *Al sol y bajo la luna*, 1918); pero el contacto con la poesía japonesa lo llevó hacia la Vanguardia. Incorporó el *haiku* en *Poesía sintética* (1919), *Li-Po y otros poemas* (1920), *El jarro de flores (disociaciones líricas)* (1920), y sustituyó el mundo sentimental y mórbido a lo Baudelaire por la imagen sorprendente, la lírica deshumanizada, la condensación metafórica.

Es autor, además, de un estudio de historia y arte y de una «novela mexicana»: *La resurrección de los ídolos* (1924).

En España, en el camino de transición del Posmodernismo a la Vanguardia nos encontramos con la figura singular de JOSÉ MORENO VILLA (Málaga, 1887-México, 1955), siempre receptivo a todo lo nuevo. Se convertirá en uno de los líderes de la poesía de los años veinte manteniendo sus vínculos con la generación anterior. Tras un primer periodo dentro de la estética finisecular (*El pasajero*, 1914), se abre a la experimentación vanguardista, que culmina en *Jacinta la pelirroja* (1929). Sin abandonar la inspiración surrealista y el humor irónico, avanza hacia la rehumanización en *Puentes que no acaban* (1933) y *Salón sin muros* (1936). Después de algunos poemas de guerra, viene una etapa final, marcada por la nostalgia del exilio y la experiencia de la paternidad, en la que domina el tono reflexivo: *Puerta severa* (1941) y *La noche del Verbo* (1942).

Peculiar es la trayectoria de LEÓN FELIPE (Tábara, Zamora, 1884-México, 1968). Parte de un concepto trascendente del hecho poético y asume hasta las últimas consecuencias su compromiso ético y político-social. Uno de sus temas principales —obsesivo, diríamos— es España. Los conflictos religiosos y existenciales ocupan también un lugar muy importante. Desde su postura heterodoxa, se sitúa frente a la iglesia, pero toda su obra se impregna de religiosidad. Su primer libro, *Versos y oraciones de caminante* (1920), es intimista, deliberadamente sencillo. Llega a las lindes del Surrealismo con *Drop a star* (ed. definitiva, 1933). A raíz de la guerra de 1936, tras su dolorido poemario de derrota, *Español del éxodo y del llanto* (1939), desarrolla una poesía combativa e imprecatoria. Aunque desdeña las galas ornamentales, el tono es grandilocuente. Apela continuamente al lector para provocar en él una reacción activa. Representativo de esta etapa de plena madurez es *Ganarás la luz* (1943). Luego, dominado por el escepticismo, desemboca en una actitud nihilista: *¡Oh, este viejo y roto violín!* (1965).

7.4.3. LA NARRATIVA ESPAÑOLA DEL NOVECENTISMO

La novela española de la promoción que aparece en la segunda década del siglo es un excelente muestrario de las tendencias que pugnan en el panorama posmodernista. Los tres autores de más relieve sintetizan las tres direcciones capitales: sensualismo evocador (Gabriel Miró), intelectualismo (Ramón Pérez de Ayala), capricho, juego, innovación vanguardista (Ramón Gómez de la Serna).

GABRIEL MIRÓ (Alicante, 1879-Madrid, 1930) es un seguidor de Azorín, estrechamente vinculado, sobre todo en su primera época, al esteticismo modernista, de cuyos rasgos participa: sensualidad, decadentismo, delectación morbosa ante la muerte, plasticidad... Su visión del mundo nace más de lo emotivo que de lo racional. Se sustenta en un intenso misticismo, que no es de signo religioso, y en la fusión con la naturaleza. En su obra domina lo sensorial, halaga los sentidos. Concede más interés a la descripción del ambiente, sobre todo de los paisajes pletóricos de luz y color, que a la acción. Es la suya una prosa poética, no solo por su sonoridad y armonía, sino también por su lirismo e intensidad emotiva. Sus relatos, de carácter intimista, discurren en un *tempo lento*. Utiliza una técnica impresionista. Prefiere las vagas sugerencias a los perfiles rotundos. La reflexión sobre la temporalidad es un tema obsesivo.

El cenit de la narrativa mironiana lo constituyen las novelas de Oleza (trasunto de la ciudad de Orihuela, donde el autor pasó su infancia): *Nuestro padre San Daniel* (1921) y *El obispo leproso* (1926). Reflejan la asfixiante atmósfera provinciana, en medio de la cual algunas criaturas sensibles e insatisfechas ven su vida desperdiciada. El clero es objeto de duros ataques. De gran calidad literaria son algunas colecciones de estampas como *Figuras de la Pasión del Señor* (1916-1917) y *Años y leguas* (1928).

Ramón Pérez de Ayala (Oviedo, 1881-Madrid, 1962) empieza a escribir dentro de los cánones del Modernismo y va evolucionando hacia una narrativa intelectual. Rompe los moldes tradicionales para crear una novela en libertad, mezcla de ensayo, lírica, drama... El relato está trazado con técnica perspectivista. El narrador se distancia de la acción y con mucha frecuencia la caricaturiza. El humor y la ironía juegan un papel fundamental; surgen a menudo como fruto de un pesimismo tolerante que comprende las imperfecciones del ser humano. Intercala en la trama digresiones de carácter filosófico y artístico. Su lengua literaria es culta, ampulosa, sonora. Se sirve continuamente de estructuras bimembres, trimembres y polimembres, a veces contrapuestas, de abundante adjetivación y de otros recursos que refuerzan el ritmo.

Cabe destacar entre sus obras una tetralogía autobiográfica en la que interviene el álter ego Alberto Díaz de Guzmán, intelectual abúlico, pesimista, hipersensible e hipercrítico: *Tinieblas en las cumbres* (1907), *A.M.D.G.* (1910), cuya acción es anterior ya que se remonta a los años de aprendizaje del personaje en un colegio de los jesuitas (fue prohibida por su feroz anticlericalismo), *La pata de la raposa* (1912) y *Troteras y danzaderas* (1913); las llamadas «Novelas poemáticas de la vida española» y, en su última etapa, *Belarmino y Apolonio*, magnífica contraposición de las visiones distintas del mundo que sustentan dos zapateros, filósofo uno y autor dramático el otro, y *Tigre Juan* y *El curandero de su honra*, ambas de 1926, en las que se parodian dos tópicos de la literatura nacional: el donjuanismo y el concepto del honor conyugal.

RAMÓN GÓMEZ DE LA SERNA (Madrid, 1888-Buenos Aires, 1963), original creador de excéntrico comportamiento, fundador de la famosa tertulia de Pombo, desempeñará un papel fundamental como introductor de la Vanguardia. La más genuina expresión del universo ramoniano son las greguerías, frases a veces brevísimas en las que se recoge una metáfora ingeniosa, una imagen insólita, un pensamiento juguetón y atrevido, poniendo en relación realidades aparentemente dispares: «Soda: agua con hipo», «El cocodrilo es un zapato desclavado»...

Sus novelas son, en buena medida, una acumulación de greguerías: *El incongruente* (1922), *El novelista* (1923), *El torero Caracho* (1926), *El caballero del hongo gris* (1928), *¡Rebeca!* (1936)... También abundan estas imágenes en sus agudas biografías: *Don Ramón María del Valle-Inclán* (1944), *Lope viviente* (1944)... y en otras piezas misceláneas: *El Rastro* (1915), que revela su amor por los objetos, *Senos* (1917), *El circo* (1917)... Muy interesante es *El doctor inverosímil* (1914; nueva versión en 1921), con un repertorio de «casos desesperados y oscuros» en los que interviene un extraño médico que cura las dolencias del cuerpo y del alma.

Ramón escribió también algunas piezas teatrales, igualmente originales y sorprendentes pero con escasa consistencia y dominio técnico. Su mayor valor es el intento de renovación que las anima. Destaca en particular *Los medios seres* (1929), de sello vanguardista.

OTROS NARRADORES. Aunque no surgen en esta generación creadores de primerísima fila, sí hay una buena cosecha de escritores estimables, entre los que cabe destacar a WEN-

CESLAO FERNÁNDEZ FLÓREZ (La Coruña, 1879-Madrid, 1964), un escritor de masas que gozó en sus días de enorme éxito y popularidad. Como explica en su discurso de ingreso en la Academia, titulado *El humor en la literatura española* (1945), el humor es para él una posición ante la vida que nace del descontento, de la disconformidad. Dirige sus dardos satíricos contra las costumbres, instituciones y actitudes del corpus social. Frecuentemente encontramos en sus novelas individuos vulgares, débiles, abúlicos, incapaces de manejar el rumbo de su vida, que desembocan en el fracaso. También se perciben inquietudes metafísicas. La presencia de Galicia es una constante en su obra. De pluma ágil, su prosa no rompe con los esquemas tradicionales.

Entre sus títulos más célebres se cuentan *Volvoreta* (1917), *El secreto de Barba Azul* (1923), *El malvado Carabel* (1931), *El hombre que compró un automóvil* (1932) y *El bosque animado* (1943), una espléndida fabulación mágica.

Interesante es la obra literaria del pintor JOSÉ GUTIÉRREZ SOLANA (Madrid, 1886-1945), que manifiesta en sus escritos su actitud crítica a través de una técnica esperpéntica. Se siente fascinado por el pueblo castizo. Sus estampas son eminentemente descriptivas, con predominio de las tonalidades sombrías. Se sirve de un lenguaje expresivo y directo, coloquial, en el que da cabida a los vulgarismos callejeros. La cima del expresionismo solanesco es *La España negra* (1920); en la pintura de esos lugares, castellanos en su mayoría, se agudiza la sensibilidad depresiva del autor.

En el camino hacia la Vanguardia nos encontramos con la inquieta personalidad de Andrés García de la Barga, que se da a conocer como CORPUS BARGA (Madrid, 1887-Lima, 1975). Rompe con los moldes de la novela tradicional e introduce constantes novedades, tanto técnicas como estilísticas. Se deja sentir el influjo de Valle-Inclán en muchos pasajes que recuerdan el lenguaje de sus acotaciones escénicas. Abundan las imágenes de filiación vanguardista y las enumeraciones caóticas.

A partir de 1910, cuando publica *La vida rota*, da a la luz numerosos relatos, tanto en España como en el exilio poste-

rior a la guerra civil; pero el interés de la crítica se ha centra-
do en sus memorias noveladas, a las que titula *Los pasos
contados*. Llama sobre todo la atención el volumen *Los gal-
gos verdugos* (1973), que nos permite entrar en contacto con
los problemas del campo en la zona en que lindan Andalucía
y Extremadura, en un momento en que las familias de terratenientes están en franca decadencia.

7.4.4. LA NARRATIVA «DE LA TIERRA»

La promoción posmodernista da un nuevo impulso al
viejo deseo de reflejar en la creación literaria la realidad inmediata, con cierto afán reivindicativo y cierto deseo de
oponer el mundo autóctono a las tradiciones foráneas (europeas y estadounidenses).

Surgen relatos en que el paisaje cobra aliento de protagonista y se erige en verdadero centro de la acción. Paisajes simbólicos, emblemáticos, personificados, que se rebelan contra las in-
tromisiones del hombre y lo destruyen cuando, en un desatinado
empeño civilizador, se introduce en el reino de la naturaleza.

Dentro de la novela regional hay que establecer muy variados matices. Tenemos buenos ejemplos de un cierto costumbrismo que, al lado del paisaje, aspira a retratar el paisanaje, en
un esfuerzo que oscila entre el nacionalismo y el sentimiento
de comunidad hispanoamericana. Estos relatos ponen especial
interés en reflejar el entorno objetual de la acción (aperos, trajes, atalajes, herramientas), las labores cotidianas, las fiestas y
ritos, la estructura familiar y social y los usos lingüísticos peculiares, que intentan reproducir con cierta fidelidad, dentro de
las posibilidades que ofrece la escritura convencional. El léxico terruñero se plasma en los diálogos de los personajes y se
anota en glosarios *ad hoc* que cierran los volúmenes.

Este costumbrismo localista, atento a los pequeños detalles y a las grandes pasiones, a veces melodramáticas, se enfrenta y se equilibra con la imagen grandiosa de la selva, la
Pampa, los Andes, representaciones de la naturaleza del

Nuevo Mundo. El pulso entre civilización y barbarie se prolonga, entre el realismo y la alucinación simbólica que anuncia el realismo mágico.

Veamos cinco autores, cinco variantes de esta fecunda corriente.

HORACIO QUIROGA. Nació en Salto (Uruguay) en 1878. Su vida discurrió entre su país y Argentina (Córdoba, El Chaco, Buenos Aires) con una salida a París. Un sino trágico parece haber perseguido a este autor: en su entorno familiar se produjeron varios suicidios, mató involuntariamente a su amigo Federico Ferrando y acabó suicidándose en 1937 en un hospital de Buenos Aires.

Se inició en el más fervoroso Modernismo, representado por el volumen misceláneo (versos y prosas líricas, tres relatos) *Los arrecifes de coral* (1901), de acento decadentista. Pronto los cuentos se convertirán en el alma de su obra. Los reunidos en *El crimen del otro* (1905) siguen las huellas de Poe y sus relatos de terror.

En 1906 este escritor cosmopolita participó en una excursión a Misiones. Allí conoció la selva y quedó fascinado por ella. En lo sucesivo, la vida natural va a ser asunto dominante de su narrativa breve, reunida en colecciones como *Cuentos de amor, de locura y de muerte* (1917), *Cuentos de la selva* (1918), *El salvaje* (1920), *Anaconda* (1921), *El desierto* (1924) y *Los desterrados* (1926). En estos relatos el estilista del Modernismo ha cedido ante un narrador menos exquisito pero mucho más eficaz. El tema central es el pulso del hombre con una naturaleza que se revela poderosa, imprevisible, vital y destructiva. La técnica va más allá del realismo. Es cierto que hay minuciosas descripciones y observaciones puntuales; pero pervive la idea impresionista de la literatura como trasposición nebulosa de sensaciones. A veces el punto de vista se acerca al del objetivismo: una única perspectiva desde la que percibir el mundo. En ese contexto aparece, por un lado, la realidad selvática, que para el hombre de la ciudad entra en el terreno de lo monstruoso, sorprendente e irreal; por otro, se abre el camino de la fantasía, que se complace en un motivo característico del panteísmo modernista: la conciencia de los animales y las cosas, que ven al hombre como invasor o, sencillamente, contemplan cómo sucumbe ante un medio hostil para el que su preparación moral y técnica son insuficientes.

En estos relatos selváticos la América hispana creyó oír una voz propia y genuina, a pesar de los modelos foráneos, nunca negados por Quiroga: Maupassant, Kipling...

Además, escribió novelas cortas (*Las fieras cómplices, El mono que asesinó, El hombre artificial, El devorador de hombres, El remate del imperio romano* y *Una cacería humana en África,* publicadas en *Caras y caretas* y *Fray Moncho* de 1908 a 1913) y novelas (*Pasado amor*, 1929).

ALCIDES ARGUEDAS. Este diplomático, historiador y pensador boliviano (La Paz, 1879-Chulumani, 1946) tuvo preocupaciones semejantes a las del Regeneracionismo español, aunque trasplantadas al mundo harto más problemático de su Bolivia natal. De ahí nace su reflexión *Pueblo enfermo* (1909).

Su primer ensayo novelesco es *Pisagua* (1903), en que una fábula de amores desdichados se sitúa en el contexto histórico de la caída del dictador Melgarejo. Al año siguiente publica *Wuata-Wuara*, que reelaborará en su novela más célebre: *Raza de bronce* (1919). El tema es el maltrato brutal que recibe la protagonista, Wuata-Wuara, que muere en una bárbara violación colectiva. Este terrible atropello es alegoría de las desigualdades sangrantes entre blancos e indígenas y da ocasión para que el narrador esboce sus doctrinas sobre la regeneración de Bolivia.

RÓMULO GALLEGOS (Caracas, 1884-1969). Fue hombre consagrado a la pedagogía y con una importante actividad política. Ocupó el ministerio de Instrucción Pública en 1935 y alcanzó la presidencia de la república en 1947, aunque un golpe militar lo destituyó meses después y se vio obligado a exiliarse.

Su actividad intelectual está marcada por la preocupación educativa, en la que ve la llave del futuro nacional y regional.

527

Sus novelas, que en cierto sentido son obras de tesis, revelan este tipo de inquietudes pedagógicas y sociales.

La visión interna de la Venezuela de su tiempo se completa con estancias voluntarias o forzadas en Estados Unidos, España, Cuba y México.

Publicó varios libros de relatos: *Los aventureros* (1913), *La rebelión y otros cuentos* (1946)... y un conjunto de novelas entre las que unánimemente se destaca una trilogía de la tierra formada por *Doña Bárbara* (1929), *Cantaclaro* (1934) y *Canaima* (1935).

Doña Bárbara tiene como escenario los llanos de Apure y, según confesión del autor en la edición definitiva (1954), algunos de sus personajes y circunstancias se inspiran en la realidad. Reproduce el esquema que enfrenta al representante de la civilización y el progreso, Santos Luzardo, y a doña Bárbara, expresión del mundo irracional, regresivo, caciquil, pero enérgico, vigoroso y decidido. Los personajes que los rodean tienen también un valor simbólico y están caracterizados de forma simple y eficaz.

La novela relata el triunfo del progreso sobre los impulsos retardatarios. Algunos lectores y comentaristas han sugerido que el aparente maniqueísmo hay que entenderlo en clave dialéctica y ver un cierto mensaje de integración de la civilización nueva con las energías telúricas, lo intelectual reforzado con lo vital.

Cantaclaro reproduce en otro registro el encuentro del mundo civilizado y el ancestral. Aquí no se presenta la barbarie sino el saber, el arte y la sensibilidad del pueblo, a través de la figura del cantor de los llanos, que se eleva a la categoría de mito. La historia central, la aproximación del intelectual, Martín Salcedo, y el hombre del llano, Florentino, se enlaza con otras muchas en que se va presentando la realidad íntima del campo venezolano.

Canaima es la novela de la selva. Un relato trágico en que el protagonista, forzado a exiliarse a ese territorio inhóspito y mágico, es destruido por las fuerzas de la naturaleza. Queda un hijo mestizo que podría ser un símbolo de esperanza. El realismo costumbrista se combina en este relato con elementos míticos e irracionales, lo que, unido a la ambigüedad del mensaje, convierte a la novela en la más compleja de las creaciones de Rómulo Gallegos.

Junto a la trilogía central hay que recordar otras creaciones de relieve que completan la visión del universo venezolano: *Reinaldo Solar* (1920), *La trepadora* (1925), *Pobre negro* (1937), *El forastero* (1942), *Sobre la misma tierra* (1943)... y dos novelas que reflejan el mundo de los países en que estuvo exiliado: *La brizna de paja en el viento* (1952) y *Tierra bajo los pies* (1971).

JOSÉ EUSTASIO RIVERA. Natural de Neiva, en el departamento colombiano de Huila, vio la luz en 1888. Vivió sus primeros años en el campo, al que regresó tras su formación universitaria en Bogotá. Sus dos libros capitales, el poemario posmodernista *Tierra de promisión* (1921) y su novela *La vorágine* (ed. definitiva, 1928), se inspiran en el mundo de los llanos y la selva de su país. Tras algunas incursiones en la política, se trasladó a Nueva York, donde murió en 1928.

La fama de Rivera está ligada a *La vorágine*, un complejo relato inspirado en circunstancias de la vida de los caucheros en la selva colombiana. El argumento presenta las aventuras del poeta Arturo Cova y su amigo Tranco, cuyas enamoradas se han adentrado en la selva seducidas o forzadas por Barrera, un desalmado contratista de la industria del caucho. El grueso del relato se ocupa de la alucinante búsqueda de los fugitivos y de la venganza que se cumple con la muerte de Barrera a manos de Cova.

Poco revela la síntesis argumental acerca de la complejidad narrativa. Rivera ofrece el texto como una suma de documentos reales escritos por el propio protagonista a diversos destinatarios y una serie de relatos intercalados en boca de otros personajes.

La ficción documental se completaba con la inclusión de fotos de caucheros que se ofrecían como retratos de sus protagonistas, hasta el extremo de que algunos lectores creyeron de buena fe en la verdad histórica de lo narrado.

529

La voz dominante es la de Arturo Cova, que emplea un lenguaje retórico, cultista, con ciertos resabios modernistas, lenguaje que arrastra también en su vorágine al lector.

Estamos ante una novela caótica, en la que se amalgaman las sensaciones, se recrea la pérdida de la conciencia y la racionalidad y se penetra en el territorio de lo mágico e irreal.

Su originalidad quizá radique en la mezcla de la retórica modernista con las técnicas narrativas autobiográficas y el reflejo de un universo brutal, misterioso y alucinante.

RICARDO GÜIRALDES. Hijo de una rica familia, nace en Buenos Aires en 1886. Sus contactos con el mundo del campo en la hacienda paterna contrastan con sus viajes por todo el mundo, incluidos los países de Extremo Oriente, de donde procede su interés por el hinduísmo, que inspira dos poemarios póstumos: *El sendero* y *Poesías místicas*.

Protegió a los creadores de la Vanguardia argentina. Roberto Arlt fue su secretario y con Borges, Brandán Caraffa y Rojas Paz fundó la revista *Proa*.

Murió en 1926, poco después de dar a la luz su obra maestra: *Don Segundo Sombra*, que se convirtió desde el primer momento en un símbolo del alma argentina.

Previamente había publicado un volumen de relatos: *Cantos de muerte y de sangre* (1915), que no tuvo eco alguno entre el público; dos novelas: *Raucho* (1917), que constituye una suerte de autobiografía espiritual, y *Xamaica* (1919), de tonos místicos y quietistas; y un poemario: *El cencerro de cristal* (1915).

El argumento de *Don Segundo Sombra* es en extremo simple: Fabio Cáceres, hijo ilegítimo de un rico hacendado, vive en un pueblo junto a dos tías solteronas, teóricamente ocupadas en su formación. El muchacho entabla amistad con don Segundo Sombra, un gaucho, y decide fugarse. Junto a él conoce los secretos de las labores campestres. Durante cinco años permanece a su lado y va formando su personalidad. La etapa de aprendizaje se cierra cuando Fabio se entera de la muerte de su padre, de que ha sido reconocido por él y de que ha de abandonar a don Segundo para iniciar una nueva vida. Deja atrás un trozo de sí mismo: «Me fui, como quien se desangra».

Novela simbólica y de recuerdos, está escrita en primera persona, con tres partes claramente definidas: la vida anterior al encuentro con el gaucho (caps. I-IX), la experiencia junto a don Segundo (caps. X-XXIV), la adquisición de nuevas responsabilidades (caps. XXV-XXVIII).

El gaucho es la encarnación nostálgica de un tiempo irremediablemente ido, en el que se encuentra la esencia de un país que camina hacia la modernización. Don Segundo viene a encarnar una edad heroica que ha perdido su dimensión épica, de rebelión contra la injusticia, y ha quedado limitada, o ensanchada según se mire, al ejemplo moral, al impacto sobre la vida íntima. Dos aspectos se conjugan en el protagonista: el de símbolo, «más una idea que un ser», y la criatura concreta y entrañable que vive en un medio determinado y reacciona con aceptable verosimilitud ante los estímulos que se le presentan.

Don Segundo Sombra entra en la categoría de novelas que reflejan la educación sentimental y humana de un joven. Fabio Cáceres, ahijado del gaucho, se forma junto a él y frente al medio: la Pampa, benéfica y amenazante, a la que hay que querer, entender y superar con el esfuerzo.

Güiraldes evoca el mundo del campo y sus gentes, reproduciendo su peculiar lenguaje y el vocabulario rural. Sobre estos ecos de la realidad se impone un estilo natural, impresionista, de frase breve, construcciones nominales y adjetivación a menudo sinestésica.

El valor simbólico y el lenguaje ágil, preciso, han convertido a *Don Segundo Sombra* en una de las primeras novelas auténticamente clásicas de Hispanoamérica.

7.4.5. MARIANO AZUELA Y LA NOVELA DE LA REVOLUCIÓN MEXICANA

El impacto del trágico periodo que siguió a la dictadura de Porfirio Díaz dejó honda huella en la literatura. Aunque las técnicas empleadas no difieren de las propias de la tradición realista, la fuerza del mundo reflejado permite que estos relatos, a veces entre la novela y el libro de memorias, se conviertan en una de las expresiones más significativas del arte hispanoamericano.

MARIANO AZUELA. Nace en 1873 en Lagos de Moreno, pequeña población del estado de Jalisco, en el seno de una familia de comerciantes. En Guadalajara se licencia en medicina. Apoya la revolución maderista y se opone a Porfirio Díaz. Cuando Madero llega al poder, es nombrado jefe político de Lagos; renuncia a los dos meses, al ver decepcionados sus ideales. Después del golpe militar y el asesinato de Madero, lucha por la Revolución al lado del general villista Julián Medina. Tras la derrota de Pancho Villa, emigra a El Paso (Texas), donde escribe en 1915 su célebre novela *Los de abajo*.

Logra volver a su patria y en 1917 se instala en la ciudad de México, donde ejerce como médico. En la década de los veinte *Los de abajo* suscita el interés general (en 1927 se publica en España, donde ya era conocida) y la figura de Azuela empieza a ser valorada. Cuando se retira de su actividad profesional, piensa dedicarse por entero a las letras, pero ya no escribe más novelas. Sí nos deja en esa última etapa unas *Páginas autobiográficas* y varios artículos y estudios literarios. Muere en 1952.

Inicia su andadura con un tipo de novela romántica que avanza decididamente hacia el realismo, con un levísimo influjo modernista: *María Luisa* (1907), *Los fracasados* (1908), *Sin amor* (1912). *Mala yerba* (1909), al denunciar un caso de corrupción de la justicia, anuncia la línea de compromiso que seguirá Azuela.

Andrés Pérez, maderista (1911) es la primera novela nacida en torno al tema de la Revolución Mexicana, que tanto juego dará. A través de sus personajes el autor refleja el conflicto entre sus convicciones políticas y la realidad del nuevo régimen, ahogado por la persistencia de residuos porfiristas.

Con *Los de abajo* Azuela inicia la serie de «Cuadros y escenas de la Revolución Mexicana»; se publica en 1915 como folletín de *El Paso del Norte* y al año siguiente en formato de libro. Es una epopeya nacional, en la que el autor presenta una realidad de la que tiene conocimiento directo. Está protagonizada por Demetrio Macías, el héroe popular, el caudillo por excelencia, cuyos rasgos se inspiran en parte en los del general Medina. Lo que define su personalidad es que, lejos de plegarse a la arbitrariedad, se ajusta siempre a un código de valores coherente, y no participa de la barbarie que domina en su entorno.

Al comenzar la novela, Demetrio no es más que un modesto ranchero que se declara en rebeldía a causa de los abusos de que es objeto por parte del cacique del lugar. Reúne en torno a sí a un conjunto de descontentos, evadidos en la sierra, con los que forma una guerrilla para luchar contra los federales, que incendiaron su casa (él hará lo mismo con la del cacique, pero se negará a saquearla). Se suman luego a las fuerzas del general Natera, de modo que, desde su condición de proscritos que luchan aisladamente, pasan a formar la oficialidad del ejército revolucionario.

El desarrollo de la trama nos lleva desde el triunfo de esa improvisada tropa, a la derrota, tras ser vencido Pancho Villa en Celaya. Los personajes tipo que se mueven en torno al protagonista constituyen una significativa muestra de los móviles y aspiraciones que guían a buena parte de los que intervienen en la Revolución. Son, al mismo tiempo, víctimas de la opresión y generadores de nuevos crímenes. Envanecidos por la victoria, se entregan a toda clase de excesos, siempre dispuestos al saqueo y la violencia. El ideal queda muy lejos y llega un momento en que ya no saben por qué luchan, y lo único que les atrae es esa vida montaraz, libres del yugo del trabajo y del orden. En las tropas revolucionarias reina el caos, la gente ya no los recibe con afecto... Todo anuncia la inevitable derrota.

Macías regresa a su casa, de la que tuvo que huir dos años antes (así empieza la novela), y cae en una emboscada muy parecida a la que él tendió en aquel entonces a los federales. El círculo se ha cerrado.

533

La obra se estructura en una serie de cuadros que se refuerzan unos a otros, de forma que va tomando cuerpo la parcela de vida de que se quiere dar testimonio. Se acoge, en principio, a los postulados del realismo, pero con la particularidad de que el gusto por las descripciones prolijas ha dejado paso a un ritmo ágil y dinámico y una forma de narrar extraordinariamente económica, en la que solo se ofrecen los episodios esenciales de la historia y se recurre con frecuencia a las pinceladas impresionistas. A base de procedimientos elípticos, se suprimen los nexos de unión entre unas escenas y otras. Estos rasgos, unidos a la falta de una estricta sucesión cronológica, acercan nuestra obra a los postulados de la narrativa moderna.

El lenguaje es de gran eficacia expresiva y, a la vez, conciso, recortado. La veta popular luce todas sus galas en un léxico rico en voces coloquiales, modismos, refranes... Los diálogos son rápidos. Todo contribuye a dar la impresión de un mundo vivo, en permanente movimiento.

Desde el escepticismo a que le ha abocado el desarrollo del proceso, Azuela nos muestra las luces y las sombras, la grandeza y los horrores de un movimiento histórico en el que tuvo arte y parte. Viene a mostrarnos que lo que empezó siendo una rebelión contra la tiranía de Porfirio Díaz derivó en turbios intereses personales. Como él mismo afirma, nunca fue capaz de «glorificar pillos ni enaltecer bellaquerías», en aras de unos supuestos ideales. A esta actitud responde su novela.

El proyecto de los «Cuadros y escenas...» se prolonga en 1918 en *Las moscas* y *Domitilo quiere ser diputado*, y se clausura con *Las tribulaciones de una familia decente*. En ellas asistimos a las repercusiones políticas y sociales que tiene la Revolución.

En obras posteriores muestra la evolución política y social de su país desde una perspectiva crítica, en la que se ha querido ver una postura contrarrevolucionaria: *El camarada Pantoja* (1928), *San Gabriel de Valdivias* (1938), *Regina Landa* (1939), *Avanzada* (1940), *Nueva burguesía* (1941)...

OTROS NARRADORES. MARTÍN LUIS GUZMÁN (Chihuahua, 1887-México, 1974) intervino activamente en las guerras revolucionarias. Más tarde se vio obligado a exiliarse por las discrepancias con sus antiguos correligionarios: primero Venustiano Carranza y después Álvaro Obregón y Plutarco Elías Calles. Regresó en 1936 con el gobierno de Lázaro Cárdenas.

Su obra tiene un fuerte componente autobiográfico. *El águila y la serpiente* (1928) es el relato de las peripecias en la lucha contra Victoriano Huerta. Guzmán va retratando con penetrante agudeza a las figuras políticas de la Revolución, sus rencillas y odios, la ferocidad de sus reacciones, la crueldad sin límites de una guerra sin cuartel. La idea que se trasmite es la distancia entre los ideales revolucionarios y su utilización por unos cabecillas interesados solo en su poder personal. Para alcanzar su objetivo, se valen de la barbarie de los improvisados militares que integran el ejército de Pancho Villa.

Más novelesca, pero trasparente en su correspondencia con la realidad histórica, es *La sombra del caudillo* (1929). En el anónimo y tiránico protagonista se ha visto una trasposición del presidente Calles. El argumento relata la traición en que se ve envuelto un candidato a la presidencia que osa enfrentarse al candidato oficialista. Simbólicamente, Guzmán ha querido expresar cómo en el México contemporáneo, y en tantos otros lugares y tiempos, la sombra del poder maneja los resortes de la sociedad, doblega voluntades, modela la realidad.

Tras esta experiencia, Guzmán, presionado por los intereses de la clase política dominante, abandonó los temas posrevolucionarios. Abordó, en cambio, un ambicioso proyecto titulado *Memorias de Pancho Villa* (1938-1941), de técnica autobiográfica.

MAURICIO MAGDALENO (1906-1986), creador de novelas, guiones de cine, dramas y ensayos políticos, debe su fama a una novela indigenista situada en los tiempos de la Revolución y en sus inmediatas consecuencias: *El resplandor* (1937). Del enfrentamiento cerril de dos pueblos (San Andrés de la Cal y San Felipe) pasamos a episodios revolucionarios (el asesinato del cacique, la vuelta del indio Olegario con su hijo mestizo) y de aquí a la época posrevolucionaria, en que el niño, Saturnino Herrera, regresa al pueblo convertido en un influyente político. Entre promesas de bienestar pone en marcha un «campo de experimentación» que se revela como una nueva forma de explotación económica y una epifanía de la corrupción política.

Otras novelas con propósitos similares de crítica y denuncia dio a la luz Magdaleno: *Sonata* (1941), sobre la vida en la gran urbe; *Tierra grande* (1949), sobre los problemas agrícolas...

Junto a las figuras de Azuela, Guzmán y Magdaleno, la novela revolucionaria contó con muchos otros cultivadores: GREGORIO LÓPEZ Y FUENTES (1897-1966), autor de *Campamento* (1931), *¡Mi general!* (1934), *El indio* (1935)...; RAFAEL FELIPE MUÑOZ (1899), al que se debe *¡Vámonos con Pancho Villa!* (1931) y *Se llevaron el cañón de Bachimba* (1941); JOSÉ MANCISIDOR (1894-1956), creador de *Frontera junto al mar* (1953); JOSÉ RUBÉN ROMERO (1890-1952), NELLIE CAMPOBELLO (1903), etc., etc.

7.4.6. UN PRECURSOR DE LA VANGUARDIA ARGENTINA

Desde que Jorge Luis Borges lo reconoció como su maestro, MACEDONIO FERNÁNDEZ (Buenos Aires, 1874-1952) se ha convertido para la crítica en una de las figuras clave en la transición del Modernismo a la Vanguardia.

Este excéntrico narrador porteño se graduó en derecho. Fue a ejercer su carrera a Asunción y, entre otras aventuras, fundó una colonia anarquista. Desde que regresó a su ciudad en 1920, cultivó la veta desmitificadora y paradójica. Empezó a publicar, tardíamente, en 1924. En torno a su figura se creó una leyenda de vida bohemia. Parte de su obra permaneció inédita.

Entabló amistad con Borges y, juntos, fundaron en 1922 la revista ultraísta *Proa*. Es un escritor antirrealista, muy original, que rompe con las convenciones y hace de la novela campo de experimentación, recurriendo a los más diversos procedimientos; se anticipa a muchas de las técnicas modernas que luego hallarán difusión. Toda su obra es un juego con el lector, un juego plenamente consciente, que intenta iluminar la realidad. Su humorismo metafísico desafía los principios de verosimilitud. Gusta de negar la causalidad y recurre a la demencia como principio ordenador, partiendo de la idea de que «lo inconexo y absurdo es la verosimilitud de la demencia». Quiere «convencer por arte, no por verdad». No es extraño que Joaquín Marco, al comentar *Adriana Buenos Aires (Última novela mala)* (escrita en 1922, publicada en 1998), afirme que es «un difícil *tour de force* creativo, un arriesgado salto sin paracaídas».

Entre sus títulos más representativos se cuentan *No toda es vigilia la de los ojos abiertos* (1928), *Papeles de recienvenido* (1929), *Una novela que comienza* (1941), *Museo de la novela eterna* (1967)... También nos dejó muestras de una poesía que tiende a lo reflexivo y a la densidad de pensamiento; ese breve corpus disperso se reunió póstumamente en un volumen en 1991.

7.4.7. UNA PROMOCIÓN DE ENSAYISTAS

Tanto en la América española como en España la promoción novecentista, constituida por intelectuales universitarios que asumen el papel de formadores de la sociedad, se consagra especialmente al ensayo, género muy adecuado para dar cabida a sus inquietudes. Constituyen la prolongación de las reflexiones finiseculares (Generación del 98 española, Rodó y sus discípulos en América), pero se observa en ellos un esfuerzo por racionalizar y hacer más eficaz su meditación sobre la vida social y la cultura.

JOSÉ ORTEGA Y GASSET (Madrid, 1883-1955). Formado como filósofo en Alemania, catedrático de metafísica en la universidad de Madrid, sus escritos no se limitan a su especialidad académica. Aspira a ejercer un cierto liderazgo social e intelectual. Para ello funda en 1917 el diario *El sol* y en 1923 la *Revista de Occidente* y la editorial del mismo nombre. En el exilio argentino, a raíz de la guerra civil, impulsa la conocida colección «Austral».

Parte de una ideología liberal y de una concepción elitista que defiende el papel rector de las minorías selectas sobre la masa.

Tras recibir en sus años juveniles el influjo del idealismo neokantiano, en su etapa de plenitud rechaza tanto el racionalismo como el vitalismo, para integrarlos en una razón vital, opuesta a la razón pura: el raciovitalismo, pilar básico de toda su filosofía. Se condensa en la célebre frase «Yo soy yo y mi circunstancia». Para Ortega pensar es dialogar con las circunstancias; no se puede separar el yo pensante del mundo en el que piensa. La vida humana, «mi vida», entendida como interacción del yo con la circunstancia, es la realidad fundamental para la consideración filosófica.

En *Meditaciones del «Quijote»* (1914) hallamos la primera formulación cabal de su doctrina raciovitalista. *El espectador* (1916-1934) es una colección de artículos sobre temas muy variados. En *España invertebrada* (1921) diagnostica el preocupante estado de disolución de una sociedad que se ha ido descomponiendo en una serie de compartimentos estancos por falta de empresas incitadoras. *La deshumanización del arte* (1925) analiza las Vanguardias y señala como rasgos distintivos su tendencia a «deshumanizar el arte», a distanciarse de la realidad y de la expresión directa de los sentimientos, su concepción del arte como puro juego y, por consiguiente, la intrascendencia. *Ideas sobre la novela* (1925) sostiene el principio de que el novelista debe ser capaz de crear una realidad imaginaria, un ámbito cerrado, propio de la obra artística, que se comunique lo menos posible con el mundo real. *La rebelión de las masas* (1930) trata sobre el predominio que han adquirido las muchedumbres en la vida contemporánea, en detrimento de las minorías selectas que deben regir el destino de la colectividad.

Desde el punto de vista estilístico, defiende un ideal de claridad y precisión, para que resplandezca la luz del conocimiento sin complicaciones gratuitas que la oculten.

OTROS ENSAYISTAS ESPAÑOLES. Junto a Ortega, cabe distinguir a las siguientes figuras:

EUGENIO D'ORS, XÈNIUS (Barcelona, 1882-1954), desarrolla una constante «lucha por las luces», lo que él llama pomposamente «heliomaquia». Intenta dotar al pueblo español de un nuevo talante vital, en el que desempeña un papel trascendente la educación estética. Desde su credo clasicista, busca un ideal de armonía, equilibrio y medida. Su principal creación literaria es la glosa. Estas píldoras de prosa epigramática se reúnen en el *Glosari*, publicado en catalán desde 1906, y luego en el *Nuevo glosario* y el *Novísimo glosario*, en castellano. Fiel expresión de ese ideal estético es su novela *La ben plantada* (1911), traducida al castellano por Rafael Marquina.

SALVADOR DE MADARIAGA (La Coruña, 1886-Locarno, Suiza, 1978) es un psicólogo de los pueblos, que se dedica al estudio comparativo de los caracteres nacionales europeos, cuya síntesis constituye el ser de Europa. Este tema omnipresente aparece tratado en *Ingleses, franceses, españoles. Ensayo de psicología colectiva comparada* (1928) y *Bosquejo de Europa* (1951). *Retrato de un hombre de pie* (1964) refleja su concepción liberal del mundo. Nos ha dejado también una apreciable obra narrativa, en la que destaca el ambicioso proyecto *Esquiveles y Manriques*, sobre la vida en América de dos familias españolas a lo largo de tres siglos. La pieza más valiosa de ese inacabado conjunto es *El corazón de piedra verde* (1943), que se sitúa en los tiempos de la conquista de México.

MANUEL AZAÑA (Alcalá de Henares, Madrid, 1880-Montauban, Francia, 1940), último presidente de la República Española, es por encima de todo un intelectual lúcido y reflexivo, formado en la tradición liberal progresista. En su producción escrita coexisten los trabajos de carácter político y literario: *Estudios de política francesa: política militar* (1918), *El «Ideárium» de Ganivet* (1921), *Cervantes y la invención del «Quijote»* (1930)... También prueba fortuna con los géneros de ficción. Destacan dos novelas: *El jardín de los frailes* (1927), en la que evoca, con mirada crítica, sus años de estudio en el colegio de los agustinos en El Escorial, y *La velada en Benicarló* (1937), escrita en Barcelona en plena guerra civil para expresar su pensamiento a través de un diálogo entre once interlocutores, representativos de corrientes de opinión mayoritarias, que se encuentran casualmente una noche en un albergue.

GREGORIO MARAÑÓN (Madrid, 1887-1960), endocrinólogo, revela en sus escritos una preocupación por los problemas de España y una actitud crítica afines a los autores del 98. Además de científico, es insigne humanista, que se sirve de sus conocimientos de biología para analizar temas históricos. Le interesan sobre todo los personajes que se sitúan bajo el signo de la anormalidad. Excelentes análisis de las manifestaciones patológicas de la personalidad tenemos en *Ensayo biológico sobre Enrique IV de Castilla y su tiempo* (1930) y *El conde-duque de Olivares (La pasión de mandar)* (1936). Muy interesante es también su libro *Don Juan. Ensayos sobre el origen de su leyenda* (1940), cuyas tesis son tan famosas como discutidas. Sostiene que el conquistador no es un arquetipo de virilidad, como comúnmente se cree, sino que, por el contrario, se halla en el estado de intersexualidad propio de la adolescencia, es decir, con una sexualidad indiferenciada.

LA CRÍTICA Y LOS ESTUDIOS LITERARIOS E HISTÓRICOS. La crítica literaria cuenta con las aportaciones de ENRIQUE DÍEZ-CANEDO (1879-1944), puntual seguidor día a día de las novedades de las letras españolas, cuyos artículos se reunieron póstumamente en *Estudios de poesía española contemporánea* (1965) y *Artículos de crítica teatral. El teatro español de 1914 a 1936* (1968, 4 vols.); y RAFAEL CANSINOS-ASSÉNS

(1883-1964), con sus comentarios subjetivos y sugerentes, dispersos en la prensa diaria o reunidos en libros como *La nueva literatura* (1917-1927), *Poetas y prosistas del novecientos (España y América)* (1919), sus interesantes memorias que llevan por título *La novela de un literato (Hombres-Ideas-Escenas-Efemérides-Anécdotas)* (inédita hasta 1982), y algunas novelas entre las que destaca *El movimiento V. P.* (1921), irónica parábola en clave de la tendencia ultraísta.

Américo Castro (1885-1972) comienza su carrera como investigador positivista adscrito a la escuela de Menéndez Pidal, pero pronto supera ese estadio para adentrarse en el terreno de las ideas y las actitudes vitales. Muy importantes son sus trabajos cervantinos: *El pensamiento de Cervantes* (1925; nueva edición en 1972), *Hacia Cervantes* (1957), *Cervantes y los casticismos españoles* (1966)…, a los que se suman otros muchos estudios (*Vida de Lope de Vega*, 1919, en colaboración con Hugo A. Rennert) y ediciones de Lope de Vega, Tirso de Molina, Quevedo…

Su libro definitivo en torno al ser nacional es *España en su historia. Cristianos, moros y judíos* (1948), que fue ampliado y refundido en 1954 con el título de *La realidad histórica de España*. Muy agria fue la confrontación con Claudio Sánchez-Albornoz (1893-1984), también discípulo de Menéndez Pidal, que le replicó en *España, un enigma histórico* (1956). A las ideas contrapuestas de ambos nos hemos referido en 1.1.

El ensayo hispanoamericano. Las preocupaciones en torno al carácter y destino de la comunidad hispanoamericana, tan presentes en la generación modernista, se extienden a los ensayos de la promoción que le sigue. Desde perspectivas culturales o políticas, todos intentan dar respuesta a esta cuestión crucial. Así, Ricardo Rojas (1882-1957), además de su extensa *Historia de la literatura argentina* (1921), publicó ensayos como *Argentinidad* (1916) y *Eurindia* (1924), en los que explica la realidad de su país como fusión de esencias indígenas y europeas. El político Raúl Haya de la Torre

(1895-1981) publicó, entre otros ensayos, *¿Adónde va Indo-américa?* (1935), en que propone esta denominación para el subcontinente, a fin de rescatar el componente indígena, de tanto peso en Perú. José Vasconcelos (1881-1959), reformador del sistema educativo mexicano, en sus ensayos *La raza cósmica* (1925) e *Indología* (1926) predicó el futuro predominio del mestizaje sobre las «razas puras». José Carlos Mariátegui (1895-1930) expuso sus teorías en *Siete ensayos de interpretación de la realidad peruana* (1928). Ezequiel Martínez Estrada (1895-1964) nos ofreció, con los mismos propósitos de interpretación del alma colectiva, *Radiografía de la Pampa* (1933).

Desde los campos de la filología y la historia literaria, pero no confinados a ella exclusivamente, aportan su obra ensayística Pedro Henríquez Ureña y Alfonso Reyes.

El dominicano Pedro Henríquez Ureña (1884-1946) se formó en México, España (en el Centro de Estudios Históricos, dirigido por Menéndez Pidal) y Estados Unidos. En 1905 reunió sus *Ensayos críticos*, a los que siguieron numerosos estudios sobre la literatura española e hispanoamericana: *La versificación irregular en la poesía castellana* (1920), *Seis ensayos en busca de nuestra expresión* (1928)... En 1945 vio la luz, en inglés, *Las corrientes literarias en la América española*. Con carácter póstumo, aparecieron *Historia de la cultura en la América hispánica* (1947), *Plenitud de España*... Henríquez Ureña es uno de los más decididos defensores de la unidad esencial de la cultura hispánica y una guía imprescindible para todos los que tratamos de explicarla y divulgarla.

El mexicano Alfonso Reyes (1889-1959), también con larga permanencia en el Centro de Estudios Históricos de Madrid, editó y estudió a los grandes clásicos españoles, en especial a Lope (*Silueta de Lope de Vega*, 1919) y Góngora (*Cuestiones gongorinas*, 1927; ed. de *Fábula de Polifemo y Galatea*, 1923). Se ocupó también de otros muchos asuntos: *Cuestiones estéticas* (1910), *La experiencia literaria* (1942)... A la vida y sentido de Hispanoamérica dedicó el ensayo *La última Tule* (1942) y otros escritos dispersos, en los que expone las condiciones que, a su juicio, reúne la intelectualidad hispanoamericana para poder esperar un futuro esplendoroso.

Alfonso Reyes fue, además, un buen poeta de corte clasicista, diestro en el manejo del lenguaje y la versificación: *Huellas* (1922), *Yerbas de Tarahumara* (1934), *Cantata en la tumba de Federico García Lorca* (1937), *Algunos poemas* (1941)...

Citemos, para cerrar este capítulo, al cubano FERNANDO ORTIZ (1881-1969), cuyos estudios histórico-sociológicos (*Los negros brujos*, 1905; *Los negros esclavos*, 1916; *Contrapunteo cubano del tabaco y del azúcar*, 1965...) y folclóricos (*La africanía en la música folklórica de Cuba*, 1950; *Los bailes y el teatro de los negros en el folklore de Cuba*, 1951; *Los instrumentos de la música afrocubana*, 1952-55) contribuyeron decisivamente a la dignificación del arte popular y propiciaron su influjo sobre la generación poética de las Vanguardias.

7.5. EL TEATRO: DEL FIN DE SIGLO A LA ÉPOCA DE LAS VANGUARDIAS

7.5.1. LA VIDA TEATRAL

En los primeros años del siglo XX la vida teatral de los países hispánicos conoce un momento de auge que se sostiene en esencia sobre la infraestructura creada en el XIX. Enseguida sobrevendrá una crisis provocada por la aparición de nuevos espectáculos de masas: el cine, el *music-hall* y los deportes.

Se inauguran algunas salas pero pocas logran consolidarse. En Madrid, por ejemplo, de las que abren sus puertas en las décadas iniciales, no han llegado a nosotros el Salón Nacional (1910), el Buen Retiro (1913), el Paraíso (1915)...

543

Unas han sido víctimas de la piqueta y otras se han destinado —se siguen destinando— al cine. Hay, naturalmente, excepciones. El Odeón, creado en 1917, pervive con el nombre cambiado en homenaje a Calderón. El Reina Victoria (1916) también se mantiene hasta hoy.

En Buenos Aires en 1906, en plena edad de oro de su dramaturgia y su vida teatral, hay diez salas en funcionamiento: Apolo, Nacional, Comedia, el viejo Colón, Politeama, San Martín, Victoria, Mayo, Argentino y Rivadavia, a las que se pueden añadir otras dedicadas a las variedades, el circo y el cine: Casino, Circo Anselmi y Salón Nacional. Poco después se levantan dos de las salas más prestigiosas de todo el orbe hispánico. En 1908 se construye el actual teatro Colón, uno de los grandes coliseos operísticos internacionales. En 1921 se crea el teatro Cervantes, que sigue siendo a principios del tercer milenio centro de la actividad dramática en América.

En el conjunto de Hispanoamérica, las salas ya construidas y otras nuevas de existencia más o menos efímera se nutren durante los primeros años del siglo de compañías españolas (muchas de ellas consagradas a la zarzuela y el género chico) e italianas (dedicadas a la ópera) y de la lenta creación de grupos autóctonos profesionales. Como ejemplo de esto, sirva señalar que en Chile se viene considerando que la primera compañía nacional que merece tal nombre es la de Enrique Báguena y Arturo Bürhle, que no se crea hasta 1918.

La vida teatral rioplatense constituye una excepción por su vigor y fuerza; pero no lo es en lo que respecta a la presencia de la dramaturgia nacional. De los trece teatros porteños antes enumerados, solo dos (el Apolo y el Nacional, ambos regentados por la familia Podestá) se dedican a ofrecer textos autóctonos.

Los demás países hispanoamericanos dependen enteramente de las aportaciones foráneas. Sin embargo, prueba de la consolidación de la dramaturgia local es la tardía pero constante fundación de las sociedades de autores de las distintas naciones: la colombiana en 1911, la chilena en 1915, la venezolana en 1921...

No es fácil calibrar la actividad escénica de los diversos lugares. Los datos que se nos ofrecen están tasados con criterios muy diferentes. Así, cuando se afirma que en Caracas, en 1925, había diez teatros, se incluyen en la lista las salas de prestigio (Municipal, Nacional), las dedicadas a los géneros menores, algunas más cercanas al circo que al teatro (Capitol, Candelaria, Olimpia, Calcaño, Pastora y Rialto), e incluso los cosos taurinos (Metropolitano y Nuevo Circo) que ocasionalmente ofrecían espectáculos más o menos teatrales.

En términos generales, más que en otros campos, Hispanoamérica siguió colonizada en el terreno del teatro, fundamentalmente por compañías españolas que hacían regularmente las Américas: las de María Guerrero, Enrique Borrás, Irene López Heredia, Francisco Fuentes, Margarita Xirgu, Ernesto Vilches… Hasta el extremo de que hasta fechas muy tardías en muchos países las compañías autóctonas recitaban de acuerdo con la pronunciación del centro peninsular, incluso en el caso de obras de carácter costumbrista y local. En México ese hábito perduró hasta 1923. El estreno de *La agonía* de Ricardo Parada León, director y empresario de la compañía, además de dramaturgo, fue la primera ocasión en que un teatro formal utilizó el acento y tono comunes en México.

El hábito de pronunciar según la norma común en cada país surgió en Argentina, donde pronto se crearon agrupaciones en condiciones de darles la réplica a las españolas y hacer campaña en la vieja metrópoli. La de Camila Quiroga viajó por diversos países de América y extendió el repertorio rioplatense y ciertos usos escénicos, como el que acabamos de comentar.

Probablemente, la más importante de estas compañías fue la de Lola Membrives, que actuaba alternativamente a uno y otro lado del Atlántico. Por eso mantuvo ciertos rasgos de la pronunciación peninsular frente al impulso nacionalizador de sus compatriotas.

Buenos Aires, empujada por el auge económico, se convirtió en una verdadera metrópoli del teatro en lengua española. No solo afirmó una dramaturgia propia, sino que atrajo a muchos autores de otras latitudes. Sobre sus escenarios alcanzaron fama algunas de las obras maestras de la literatura dramática española. *Bodas de sangre* de García Lorca, por ejemplo, se había estrenado en marzo de 1933 en Barcelona, pero su verdadero éxito tuvo lugar en julio del mismo año en Buenos Aires de la mano de Lola Membrives.

Junto al teatro comercial y profesional, aparecen diversos ensayos de «teatro de arte», preocupados por dos cuestiones complementarias: ofrecer al público los grandes textos y renovar las técnicas para superar el convencionalismo de la escena decimonónica.

En España se contó con el director Cipriano Rivas Cherif (Madrid, 1891-Guatemala, 1967), discípulo de Gordon Craig, que coloboró con compañías vocacionales o de camára como «El mirlo blanco» o «El cántaro roto», con los hermanos Baroja y con Valle-Inclán; fundó «El caracol» y renovó la pedagogía teatral en el TEA (Teatro Escuela de Arte). Al acabar la guerra, tuvo que exiliarse en América, donde continuó su labor.

Dos experiencias alentadas por el gobierno de la República se han hecho famosas: «La barraca», dirigida por Eduardo Ugarte y Federico García Lorca, y las «Misiones pedagógicas», que estuvieron a cargo del dramaturgo Alejandro Casona.

Quizá el país en el que este tipo de teatro tuvo mayor incidencia fue México. Allí se crean el «Teatro sintético mexicano» y el «Teatro del murciélago», y se desarrollan dos iniciativas de particular trascendencia: el «Teatro de Ulises», fundado en 1928, y el «Teatro de orientación» (1932-34 y 1938-39). Con ellas se consiguió incorporar el repertorio internacional a una escena depauperada tras el porfirismo y la Revolución. En esta empresa colaboraron figuras notables de la dramaturgia como Xavier Villaurrutia, Celestino Gorostiza y Rodolfo Usigli.

Por las mismas fechas, Juan Bustillo Oro creó el «Teatro de ahora», preocupado por los problemas y conflictos sociales del momento.

En 1931 el Ateneo de Caracas emprendió también la tarea de dignificación del arte escénico. Lo propio hicieron en

Cuba el «Teatro de arte la Cueva», fundado en 1936, y el «Teatro cubano de selección», de 1938.

En Buenos Aires aparecieron, entre otros, «Teatro libre» (1927), dirigido por Octavio Palazzolo, «La mosca blanca» (1929) de Daniel Eichelbaum...

En algunos puntos esta labor corrió a cargo de actores o compañías profesionales. Así, en Buenos Aires Leónidas Barletta fundó en 1930 el «Teatro del pueblo» en un local cedido por el municipio. Otros grupos vocacionales siguieron la línea de interés social iniciada por esta compañía: «Juan B. Justo» (1935), «La máscara» (1937)...

En 1935 nacía una institución oficial, el «Teatro oficial de comedia», que tuvo como sede el Cervantes de Buenos Aires. Se abría la etapa de los teatros públicos subvencionados.

A pesar de la diversidad de casos, es claro el proceso vivido en el conjunto hispánico y aun en el mundo: el teatro comercial de fines del XIX va languideciendo por la competencia de los nuevos espectáculos; al mismo tiempo, surgen intentos de renovación artística, experiencias minoritarias que finalmente encuentran una vía de financiación en el erario público.

7.5.2. LA LITERATURA DRAMÁTICA ESPAÑOLA. JACINTO BENAVENTE

LOS AUTORES LITERARIOS Y EL TEATRO. En la literatura dramática anterior a la guerra civil hay que contar con la obra de algunos escritores que cultivaron además otros géneros literarios: Unamuno, Azorín, Valle-Inclán, García Lorca... Los primeros no consiguieron en su tiempo el aplauso del público, aunque hoy consideremos a Valle-Inclán uno de los dramaturgos más importantes del siglo XX. En cambio, García Lorca sí fue un autor de éxito comercial y estuvo ligado a importantes empresas teatrales de su época. Su caso no difiere, en este aspecto, del de Jacinto Benavente, un dramaturgo culto que supo captar la atención de un amplio sector de público de clase media y ocupó una posición dominante durante cerca de medio siglo.

JACINTO BENAVENTE. Miembro de la Generación de fin de siglo (Madrid, 1866-1954), fue un pequeñoburgués crítico. Su teatro, de diálogos ágiles e intrascendentes, agudos y levemente satíricos, trajo una cierta naturalidad a la escena española tras la elocuencia y el desgarro de José Echegaray, al que sucedió en el favor de los públicos y en el premio Nobel, que se le concedió en 1922.

La producción dramática de Benavente sobrepasa los ciento cincuenta títulos. Se pueden agrupar en varias tendencias:

COMEDIA DE SALÓN. La alta comedia benaventina se desarrolla en interiores burgueses. Frente a la retórica y la prédica moralizante del drama decimonónico, se caracteriza por la ironía y el tono conversacional y ligero, el suave cuchicheo con que los miembros de la buena sociedad se despellejan mutuamente. Su tema es la denuncia de la hipocresía, la frivolidad y otras lacras de las clases acomodadas. El público opuso al principio cierta resistencia a unas obras en que «no ocurría nada»; pero acabó haciendo suya la fórmula y consagrando a su autor. Esta fecunda veta dramática se inicia con *El nido ajeno* (1894) y triunfa con *La comida de las fieras* (1898), *Rosas de otoño* (1905)... Aunque la mayoría de las comedias son de ambiente capitalino, algunas se desarrollan en Moraleda, símbolo de la pobreza espiritual de España. La más célebre de estas últimas es *Pepa Doncel* (1928), denuncia de la rígida moral provinciana que sabe, eso sí, doblegarse a las conveniencias.

TEATRO DE AMBIENTE COSMOPOLITA. La acción tiene lugar en escenarios europeos lujosos y sofisticados: yates, casinos, palacios..., donde conviven aristócratas, artistas, hombres de negocios... Junto a los personajes cínicos e indiferentes, hallamos otros apasionados que persiguen incansablemente un ideal. A este grupo pertenece una de las piezas más sugerentes: *La noche del sábado* (1903), que discurre en una estación de invierno de moda de un país imaginario, en la que se reúnen una serie de personajes errantes e insatisfechos. Por su decadentismo, es una de las piezas más típicamente modernistas del autor; en ella se funden la realidad, con todas sus servidumbres y miserias, y el ensueño. De características similares son *La mariposa que voló sobre el mar* (1926), *Mater imperatrix* (1950)...

TEATRO UTÓPICO Y FANTÁSTICO. Se sitúa fuera del tiempo y del espacio. Es, en realidad, teatro poético en prosa, de intención satírica a veces y otras puramente simbólico. La pieza clave es *Los intereses creados* (1907), que ha tenido dentro y fuera de España más difusión que ninguna otra. Está construida con los personajes de la *commedia dell'arte* italiana. Los protagonistas, Leandro y Crispín, encarnan, respectivamente, el idealismo y el materialismo. Es una farsa escéptica e irónica sobre el juego de mezquindades que rige la vida social. Tiene una prolongación poco feliz en *La ciudad alegre y confiada* (1916).

DRAMA RURAL. Nuestro autor lima las aristas de este género, lo dota de mayor finura psicológica y de cierto aliento poético. Como es obligado, el campo, visto desde la ciudad, aparece como lugar ideal para que se desaten las pasiones y los instintos. Se inicia la serie con *Señora ama* (1908), en torno al tipo de la mujer que sufre con resignación, y aun con orgullo, las continuas infidelidades de su marido.

Muy superior es la calidad dramática de *La Malquerida* (1913), una tragedia de corte clásico que trata del incesto entre Esteban y su hijastra Acacia. Aunque el argumento es muy efectista, los personajes son más densos y complejos que en otras obras del autor, tienen vida propia, y la trama está construida con una notable habilidad. Magnífico es el papel de Raimunda, tan enamorada de su marido que no se percata de lo que ocurre hasta el último momento.

La infanzona (1945) es un intento frustrado de repetir, muchos años después, el éxito de *La Malquerida*.

LA HERENCIA DEL SAINETE. La vertiente cómica popular sigue la fórmula creada en el siglo XIX por el género chico.

CARLOS ARNICHES (Alicante, 1866-Madrid, 1943) es su mejor representante. En sus primeras obras, muchas de ellas escritas en colaboración, maneja leves y tópicas tramas argumentales que le permiten presentar tipos humanos caracterizados por un lenguaje gracioso, disparatado y particularmente expresivo, en el que se mezclan vulgarismos y cultismos deformados o mal empleados: «Seré *lacónito*» ('lacónico'). Recurre constantemente a equívocos y juegos de palabras: «Sus traigo lo que sustraigo» ('Os traigo lo que robo'), lo que da una peculiar fisonomía a sus creaciones.

Los sainetes más célebres son *El santo de la Isidra* (1898) y *La fiesta de San Antón* (1898), con música de Tomás López Torregrosa; *El amigo Melquíades* (1914), con música de Quinito Valverde y José Serrano; *Serafín el Pinturero o Contra el querer no hay razones* (1916), con música de los maestros Foglietti y Roig... También compuso comedias de tono sainetesco como *El señor Adrián el primo o ¡Qué malo es ser bueno!* (1927).

La crisis del sainete lleva a Arniches al cultivo de obras largas, que se abren a temas, situaciones y conflictos más amplios. El tono caricaturesco, ya ensayado en los cuadros populares, va a alcanzar su máxima expresión en este nuevo género, al que denominará *tragedia grotesca*. Se trata de una farsa tragicómica, que mueve a risa y a compasión o a ira, con personajes ridículos y esperpénticos. Entre estos dramas destacan *Es mi hombre* (1921) y *La señorita de Trevélez* (1916), que, aunque lleva el rótulo de «farsa cómica», pertenece al mismo género. Es una pequeña obra maestra. En Villanea, símbolo de las ciudades de provincia españolas, los miembros del Guasa-Club gastan una broma a Florita, una vieja solterona, y le hacen creer que ha despertado el amor de un joven galán. El ágil desarrollo, el aire grotesco dan singular fuerza a la acción, aunque el final es en exceso moralizante. Otras farsas dignas de atención son *Los caciques* (1920) y *La heroica villa* (1921), crítica benévola del atraso y los malos hábitos político-sociales de la España de su tiempo.

550

Dentro del teatro popular destacan los hermanos SERAFÍN Y JOAQUÍN ÁLVAREZ QUINTERO (1871-1938 y 1873-1944, respectivamente), en especial por sus piezas breves de ambiente andaluz (*El ojito derecho, Sangre gorda, El patio*) y por algunas comedias sentimentales (*Las de Caín, Malvaloca, El amor que pasa*), y PEDRO MUÑOZ SECA (1881-1936), creador del *astracán*, farsa disparatada que se basa en insulsos juegos de palabras, y de una extraordinaria parodia del teatro poético: *La venganza de don Mendo* (1918).

OTROS GÉNEROS Y AUTORES. El Modernismo puso de moda el teatro en verso, cultivado por EDUARDO MARQUINA (*Las hijas del Cid, En Flandes se ha puesto el sol, La ermita, la fuente y el río*), FRANCISCO VILLAESPESA (*El alcázar de las perlas*), los hermanos Machado, etc. Es sumamente irregular. Han sido muy denostadas sus convencionales obras de carácter histórico, engoladas e histriónicas, pero algunos dramas rurales como *La ermita, la fuente y el río* son piezas estimables.

JACINTO GRAU (Barcelona, 1877-Buenos Aires, 1958) intentó crear un nuevo teatro de corte intelectual que no ha logrado atraer la atención del público. Sus títulos más célebres son *El conde Alarcos* (1917) y *El señor de Pigmaleón* (1928).

ENRIQUE JARDIEL PONCELA. El teatro de humor produce una de las figuras más innovadoras —no siempre bien comprendida— del momento: ENRIQUE JARDIEL PONCELA (Madrid, 1901-1952), que funde rasgos del arte de Vanguardia (fantasía desbocada, piruetas mentales, imágenes chocantes...) y de la comedia convencional. Su rasgo más característico es la búsqueda de lo inverosímil, de situaciones sorprendentes y disparatadas que rompen los esquemas habituales. La vis cómica de sus comedias reside en el tratamiento lógico de lo absurdo. Están pobladas de personajes excéntricos que continuamente justifican sus extrañas actuaciones. Precisamente se le ha reprochado a Jardiel el poner excesivo empeño en explicar de forma racional en el último acto la caótica situación que se ha ido desarrollando en escena. Con todo, algunas de sus obras son un auténtico derroche de ingenio y habilidad escénica.

Dentro de esa tónica dominante, su producción puede clasificarse en: comedias de intriga sentimental (*Una noche de primavera sin sueño*, 1927), de intriga policiaca (*Los ladrones somos gente honrada*, 1941), parodias literarias (*Usted tiene ojos de mujer fatal*, 1933; *Angelina o el honor de un brigadier*, 1934) y piezas fantásticas e inverosímiles (*Cuatro corazones con freno y marcha atrás*, 1936; *Un marido de ida y vuelta*, 1939). Felicísima mezcla de la intriga sentimental y la policiaca es *Eloísa está debajo de un almendro* (1940), cuyo punto de arranque fue, según explicó el autor, la idea de la mujer que se siente atraída por un hombre cuando sospecha que ha cometido varios asesinatos.

También cultivó la narrativa. En sus novelas domina el erotismo, tratado desde una perspectiva humorística: *Amor se escribe sin hache* (1929), *¡Espérame en Siberia, vida mía!* (1930), *Pero... ¿hubo alguna vez once mil vírgenes?* (1931)...

ALEJANDRO CASONA. Dentro del grupo de artistas renovadores merece especial atención ALEJANDRO CASONA (Besullo, Asturias, 1903-Madrid, 1965), que mezcla realidad y fantasía en una prosa de indudable valor poético; cuida con esmero el lenguaje sin caer en lo artificioso. Quiere dar a su teatro una proyección universal, planteando conflictos eternos que no pueden ceñirse a un tiempo y un espacio concretos. Salvo en algunos casos, no hay una denuncia expresa de las lacras morales de la sociedad, pero sí está implícito en todo momento el rechazo del materialismo que la sustenta. Domina en sus piezas un intenso idealismo, que en algunos momentos menos afortunados puede derivar hacia lo sentimentaloide y melifluo. Aunque la mayor parte de su obra ve la luz en la posguerra, cuando marcha al exilio y se establece en Buenos Aires, es ya un autor célebre y de personalidad claramente definida que no experimentará cambios esenciales en su trayectoria.

Son títulos destacados *Nuestra Natacha* (1936), *Prohibido suicidarse en primavera* (1937), *La dama del alba* (1944), *La barca sin pescador* (1945), *Los árboles mueren de pie* (1949), *La tercera palabra* (1953), *La casa de los siete balcones* (1957)...

7.5.3. LA DRAMATURGIA RIOPLATENSE DE LA «DÉCADA DORADA». FLORENCIO SÁNCHEZ

Los primeros diez años del siglo determinan la mayoría de edad de la dramaturgia rioplatense, el paso de los circos a los teatros a la italiana, el conocimiento del realismo y el seudorrealismo a través de las representaciones de Ibsen, de Echegaray y de los dramas rurales que forman el repertorio de las compañías españolas.

De este humus nace la obra de MARTÍN CORONADO (1850-1919), que se inicia muy joven con dramas neorrománticos «pensados a la española» para compañías peninsulares, como *La rosa blanca* (1874), y alcanza su madurez con *La piedra de escándalo* (1902), un drama de tesis en verso de ambiente rural, en el que todavía hay reminiscencias del movimiento y la violencia del teatro gauchesco, a pesar de la concentración espacial y temporal.

El éxito de esta obra animó a la presentación de otros textos nacionales, como la comedia, también con su tesis sentimental y patriótica, *¡Al campo!* de NICOLÁS GRANADA (1840-1915).

Inmediatamente siguen los éxitos de GREGORIO LAFERRÈRE (1867-1913). Este dramaturgo, de padre francés y madre criolla, realiza el obligado viaje de formación a Francia, participa en la vida política y, al parecer como fruto de una apuesta entre amigos, se inicia en el teatro con *Jettatore* (1904), comedia de costumbres, ligera, ágil, en la que el público vio reflejado su mundo cotidiano. Tiene una leve trama, en la que un viejo ridículo, don Lucas, compite con el joven Carlos por el amor de Lucía. La pareja de enamorados convence a todo el mundo, incluido el interesado, de que el viejo es un *jettatore*

(*Malasombra* se tituló la pieza en España), que trae irremediablemente la mala suerte a los que lo rodean.

El éxito animó a Laferrère a componer comedias ligeras
(*Locos de verano*, 1905; *Los invisibles*, 1911), dramas de tesis (*Bajo la garra*, *El cuarto de hora o Los dos derechos*,
ambas de 1906) y una de las más célebres piezas en torno a
la clase media porteña: *Las de Barranco* (1908). La acción,
en un interior burgués «guarangamente amueblado», muestra
el quiero y no puedo, los esfuerzos de doña María por mantener en pie las apariencias, y la rebelión de sus hijas, hartas
de ese mundo falso y sin sentido.

Otros dramaturgos coetáneos de los citados y de Florencio Sánchez son ROBERTO J. PAYRÓ (1867-1928), autor de un
drama de evocación histórica (*Canción trágica*, 1902), de
una nueva consideración del problema gauchesco (*Sobre las
ruinas*, 1904), de dramas de tesis (*Marco Severí*, 1905)...

Otros muchos nombres integran el panorama de esta década bonaerense: ENRIQUE GARCÍA VELLOSO (1880-1938),
JOSÉ MATURANA (1884-1917), RODOLFO GONZÁLEZ PACHECO
(1881-1949)...

FLORENCIO SÁNCHEZ. Nació en Montevideo en 1875. Vivió
su juventud entre su país natal y Argentina. Dedicado al periodismo, participó en la campaña revolucionaria contra el partido
colorado. Mantuvo relaciones con los anarquistas y llevó una
vida bohemia e irregular, apremiado en algunos momentos por
las deudas. Sin embargo, ganó dinero con su tarea de periodista
y dramaturgo. En 1909 inició un viaje para conocer Europa. En
el trascurso del mismo murió, en Milán en 1910.

Nos dejó veintiuna piezas teatrales: tres dramas, siete comedias, ocho sainetes y tres zarzuelas. En ellas se renuevan
los géneros heredados gracias a la incorporación de un realismo intuitivo que permite dar vida escénica a tipos y situaciones, claramente vinculados con algunos de los problemas
de la sociedad de su época.

Se le viene considerando el introductor del Naturalismo
en la escena hispanoamericana. En sus dramas se amalga-

man tesis atrevidas sobre las costumbres sociales con recursos sentimentales que, en algunas obras, adquieren extraordinaria fuerza debido a la sobriedad con que se utilizan.

Su primer éxito fue *M'hijo el dotor* (1903). Vemos la frivolidad de un muchacho, hijo de unos estancieros, educado en la ciudad, que abandona a su enamorada campesina, de la que espera un hijo. El padre, hombre poco cultivado pero de sólidas convicciones morales, se disgusta con el proceder de su vástago. Pero, al fin, triunfa el mundo feliz de la comedia: el joven díscolo vuelve para cumplir con su deber.

En 1904 Sánchez ofrece varias piezas de carácter costumbrista: *Canillita*, *Cédulas de San Juan*, *La pobre gente* y *La gringa*, drama feliz en el que plantea un conflicto entre el criollo asentado y el emigrante italiano, resuelto con la boda de sus hijos.

Viene luego la obra maestra de Sánchez: *Barranca abajo* (1906), que reduce el drama gauchesco a las contingencias naturalistas. Estamos ante el acoso injusto al hombre del campo, don Zoilo, honesto, con escasa formación, víctima de los turbios manejos de legistas y burgueses adinerados. Perdido el apoyo y el respeto de su propia familia, el protagonista se suicidaba en la primera versión del dramas; pero la presión del público obligó a cambiar ese final y salvar *in extremis* al viejo gaucho derrotado.

El lenguaje directo, sencillo, fiel reflejo del habla campesina, se une a la contenida fuerza dramática de las situaciones para convertir *Barranca abajo* en uno de los escasos dramas clásicos de la literatura hispanoamericana.

Poco después, en el mismo año de 1906, estrenó *Los muertos*, un drama urbano sobre la degradación de la vida matrimonial y el alcoholismo, dos motivos predilectos de la corriente naturalista.

Menor relieve, aunque no carecen de interés, tienen los sainetes (*Los curdas*, *La Tigra*, *Moneda falsa*), las zarzuelas (*El conventillo*, *El cacique Pichuela*) y varias comedias (*Nuestros hijos*, *Los derechos de la salud*, *Marta Gruni*, *Un buen negocio*).

EL TEATRO URUGUAYO. Además de Florencio Sánchez, Uruguay dio algunos otros dramaturgos de importancia. Destaca entre ellos ERNESTO HERRERA (Montevideo, 1889-1917), de vida bohemia y muerte prematura. Se inició en el teatro con el melodrama *En el estanque* (1910) y con el drama de tesis *La moral de Misia Paca* (1911). Su obra maestra es *El león ciego* (1911), una patética visión de las guerras civiles entre blancos y colorados, simbolizados por dos viejos compadres, Gumersindo y Gervasio, comandantes de las tropas de los dos partidos, utilizados por los «dotores», los políticos profesionales. La acción se mueve entre el realismo rural y el simbolismo. El «león ciego» es la imagen que describe a los viejos guerreros ya cansados e inservibles (Gumersindo, en efecto, ha perdido la vista). La violencia se proyecta sobre las nuevas generaciones, encarnadas por el nieto de los dos veteranos, Machito. La obra se cierra con la negativa de la madre a que su hijo siga la senda de destrucción y muerte mitificada por sus mayores.

Junto a Ernesto Herrera, contribuyen al desarrollo de la dramaturgia uruguaya YAMANDÚ RODRÍGUEZ (1889-1957), que cultiva el drama histórico de acentos románticos (*Fray Aldao*); JUSTINO ZAVALA MUÑIZ (1898-1968), creador de dramas rurales (*La cruz de los caminos*), y FERNÁN SILVA VALDÉS (1887-1975), que ofrece un teatro poético-simbólico en *Santos Vega*, próximo al realismo mágico, o en *El burlador de la Pampa*.

DEL SAINETE RIOPLATENSE AL «GROTESCO CRIOLLO». Desde España llegó y arraigó en Buenos Aires el sainete desgarrado, humorístico y popular, caracterizado por una lengua caprichosa y a ratos absurda que, como ocurría con el madrileño castizo de Arniches, permitía a los porteños sentirse al mismo tiempo identificados y distantes de las criaturas que aparecen en escena. CARLOS MAURICIO PACHECO (Montevideo, 1881-1924) fue uno de los más felices cultivadores de este costumbrismo pintoresquista en *Los difrazados, Pájaros de presa, La vida inútil...*

Del sainete porteño surge el «grotesco criollo», farsa con ribetes sociales que aspira a provocar una risa triste al presentar la «faz ridícula de las tragedias humanas». Es el teatro de las frustraciones cotidianas. Cada obra se remata con un punto de moralina y buenos consejos. ARMANDO DISCÉPOLO (1887-1971) escribe con este patrón *Mateo* (1923), nombre de un caballo arrinconado por el automóvil; *Estéfano* (1928), sobre un músico expulsado de la orquesta en que trabajaba, y *Relojero* (1934), en torno al conflicto insoluble entre el amor, la honradez y el dinero. Con su hermano, ENRIQUE SANTOS DISCÉPOLO (1901-1951), compone *El organito*, otro sainete sentimental y social.

FRANCISCO T. DEFILIPPIS NOVOA (1889-1930) cultivó también el «grotesco criollo» en *He visto a Dios* (1930), una fábula sobre un relojero italiano que, angustiado por su situación y desgracias familiares, se deja engañar por un farsante que dice hablar con Dios. Cuando en una de las sesiones otro personaje enciende la luz y descubre el engaño, el viejo relojero reacciona contra el que ha roto la mentira en que quería creer.

OTROS AUTORES. SAMUEL EICHELBAUM (Entre Ríos, 1894-1967) fue un dramaturgo precoz, al estrenar en 1919 *En la quietud del pueblo*. Pronto se especializó en un teatro atormentado, que se inspira en Ibsen y que algunos críticos han comparado con el mundo trágico de García Lorca. Obtuvo su primer éxito con *La mala sed* (1920), al que siguieron *Señorita* (1930), *El gato y la selva* (1936), *El pájaro de barro* (1940), *Dos brasas* (1955), *Subsuelo* (1967)… Sus obras más relevantes son *Un guapo del novecientos* (1940) y *Un tal Servando Gómez* (1942). La última es un drama de ambiente rural cuyo protagonista, un modesto carrero, acoge a una infeliz malcasada, amenazada por su marido borracho. El hijo de esta, protegido por Servando, será el que haga comprender a su padre biológico la necesidad de amistarse con el que lo ha criado y es en verdad su auténtico padre. La pieza, aunque de un patetismo excesivo, es entrañable y se ha venido considerando un cabal retrato del alma criolla.

557

En la misma promoción teatral argentina figura CONRA-
DO NALÉ ROXLO (1898-1971), creador de obras dominadas
por el humor, la irrealidad y cierta dosis de poesía: *La cola
de la sirena* (1941), *Una viuda difícil* (1944), *El pacto de
Cristina* (1945), *Judit o las rosas* (1956)...

7.5.4. EL NACIMIENTO DE LA DRAMATURGIA CHILENA

A principios de siglo, empieza a surgir una dramaturgia
autóctona en Chile, que no se afirma hasta las décadas de
1920 y 1930. Se estrenan numerosas obras como *Lo que niega
la vida* (1914) del novelista EDUARDO BARRIOS (1884-1963) o
el drama rural *La viuda de Apablaza* (1928) de GERMÁN LUCO
CRUCHAGA (1884-1936).

Pero los dos primeros dramaturgos profesionales son
ANTONIO ACEVEDO HERNÁNDEZ (1886-1962) y ARMANDO
MOOK (1894-1942). El primero se caracteriza por la preocupación social expresada en dramas de tesis anarquista como
Almas perdidas (1917), *Carcoma, Espina y flor* o *El árbol
caído* (1928). Mook, por el contrario, se ocupa, desde la
simpatía, de los asuntos menores de la vida cotidiana, de las
pequeñas tragedias ocultas tras el humor y la sonrisa. Es un
costumbrista que sabe conectar con el público. En 1920 se
traslada a Argentina, donde también goza del éxito. Su obra
se inicia con *Crisis económica* (1914) e *Isabel Sandoval,
modista* (1915). Seguirá el drama *La serpiente* (1920), que
retrata las relaciones entre un escritor y su amante, exigente
y devoradora; después de triunfar en Argentina y España, el
cine estadounidense se apoderó de la trama y la llevó a la
pantalla con el título de *Cobra*. Vendrán luego sus obras más
significativas: *Pueblecito* (1920), *Mocosita o la luna en el
pozo* (1929) y *Rigoberto* (1935). Todas ellas presentan una
excelente carpintería dramática, crean sin esfuerzo para el
espectador una acción tierna y sentimental y unas figuras entrañables que son el alma de este teatro popular. A lo largo
de una ingente producción que se acerca a los 400 títulos,

mantiene esta exitosa tónica en piezas como *Del brazo y por la calle* (1940) y *Algo triste que llaman amor* (1941).

7.5.5. EL TEATRO MEXICANO

El teatro de interés literario surge en México en la etapa de estabilidad que sigue a la Revolución. La renovación es preparada por el llamado «Grupo de los siete autores»: JOSÉ JOAQUÍN GAMBOA (1878-1931), VÍCTOR MANUEL DÍEZ BARROSO (1890-1930), FRANCISCO MONTERDE (1894-1985), CARLOS NORIEGA HOPE (1896-1934), RICARDO PARADA LEÓN (1902-1972) y los hermanos LÁZARO (1899-1973) y CARLOS LOZANO (1902). Ofrecen dramas y comedias que van desde el Naturalismo decimonónico y el Modernismo hasta ensayos próximos a la Vanguardia, en especial ligados a la renovación pirandelliana.

Su labor, y la de JULIO JIMÉNEZ RUEDA (1898-1960), MIGUEL N. LIRA (1905-1961), MARÍA LUISA OCAMPO (1907) y CONCEPCIÓN SADA, logra crear una literatura autóctona para el teatro, dentro de los moldes de la convención escénica europea del momento.

JUAN BUSTILLO ORO (1904-1982), con su trilogía *San Miguel de las Espinas* (1933), y MAURICIO MAGDALENO (1906-1986), con *Pánuco 137, Emiliano Zapata* y *Trópico*, crean un drama de reflexión histórica y social en torno al México contemporáneo. Ambos impulsan la compañía «Teatro de ahora», encargada de escenificar estas piezas.

Varios escritores unen sus esfuerzos a través del grupo «Ulises» y del «Teatro de orientación»; se imponen la tarea de dar a conocer la gran dramaturgia internacional y de crear una literatura dramática propia. Tres figuras, ligadas a la revista *Contemporáneos*, destacan en este conjunto: XAVIER VILLAURRUTIA, a cuyas piezas teatrales se alude al hablar de su obra lírica, CELESTINO GOROSTIZA y RODOLFO USIGLI, a los que hay que añadir al también poeta SALVADOR NOVO, como catalizador de la vida escénica y renovador de la formación teatral.

CELESTINO GOROSTIZA (Villahermosa, Tabasco, 1904-México, 1967). Impulsó la actividad dramática desde puestos de responsabilidad política y también como director y profesor. Creó la Academia de Cinematografía Mexicana, tradujo obras de O'Neill, Achard y Lenormand y escribió dramas preocupados por los problemas sociales de México: *El nuevo paraíso* (1930), *La escuela del amor* (1933), *Ser o no ser* (1934), *Escombros del sueño* (1938) y *Columna social* (1955). La más afamada de sus piezas es *El color de nuestra piel* (1952), que presenta con técnica realista los complejos raciales de la sociedad mexicana, el mestizaje no enteramente asumido. Se vale para plasmar dramáticamente su tesis de una familia de la clase alta (el padre, blanco; la madre, mestiza), envuelta en el mundo de los negocios y arrastrada por sus turbios manejos. La obra se cierra con una lección de entereza moral de los protagonistas y con el suicidio del menor de sus hijos, el más querido del padre, por su piel más clara, vencido por el remordimiento de haber vendido fármacos caducados. Tras estos asuntos contemporáneos, Gorostiza recreó el ambiente de la conquista en un drama histórico de éxito: *La Malinche* (1958).

RODOLFO USIGLI (México, 1905-1980) es, quizá, el más relevante dramaturgo mexicano de los tiempos modernos. Traductor y adaptador de Bernard Shaw, Chéjov, T. S. Elliot, Schnitzler, O'Neill…, cultiva un drama de ideas y conflictos de interés social, próximo a la sátira moral. Tras una fase de iniciación, cuyas piezas culminantes son *El apóstol* (1930), *Falso drama* (1932), *La última puerta* (1935), *Estado secreto* (1935), *Alcestes* (1936), entra en una etapa de plenitud.

El gesticulador (1937; estr., 1947), adecuadamente subtitulada «pieza para demagogos», es una sátira pirandelliana de los manejos políticos y los señuelos por los que se guían las muchedumbres. Un profesor fracasado decide suplantar a un revolucionario homónimo que ha sido asesinado. También el farsante muere violentamente, pero el mismo general que ordenó el asesinato lo eleva a los altares laicos de la patria. Aunque su hijo trata de desvelar la verdad, es impotente ante la fe popular. La parábola satiriza, con agudeza, los problemas centrales de México y el secuestro de su Revolución por una retórica que tapa corruptelas y corrupciones. Al estrenarse suscitó vivas polémicas y dio ciertos problemas a su autor, pero al poco tiempo se convirtió en uno de los textos clásicos del teatro de su país.

Corona de sombra (1943), «pieza antihistórica», es un drama que evoca, desde un doble plano de realidad y fantasía, la figura del emperador Maximiliano de Austria. *Jano es una muchacha* (1952) presenta la turbadora historia de una prostituta a la que un cliente encuentra, días después de contratar sus servicios, convertida en la hija de una familia bien. La fábula sirve para discutir sobre las tensiones entre la vida social y la libertad en la actividad sexual de los individuos.

Otras obras de este original creador dramático son *El niño y la niebla* (1936), *La familia no cena en casa* (1942), *La función de despedida* (1949), *El gran circo del mundo* (1969), *¡Buenos días, señor presidente!* (1972)…

Además escribió algunos tratados sobre historia y teoría teatrales: *México en el teatro* (1932), *Caminos del teatro en México* (1933), *Itinerario del autor dramático* (1941) y *Anatomía del teatro* (1967).

7.5.6. OTROS DRAMATURGOS HISPANOAMERICANOS

Perú contó entre sus dramaturgos a LEÓNIDAS YEROVI (1881-1917), cultivador del costumbrismo satírico: *La de a cuatro mil* (1903), *Salsa roja* (1914), *La casa de tantos* (1917), estrenada póstumamente; y a FELIPE SASSONE (1884-1959), casado con la actriz sevillana María Palóu y vinculado a la escena española, que compone un teatro de técnica realista, al modo benaventino, de aire sentimental y ambiente burgués, ejemplarmente representado en su drama *Calla, corazón* (1923).

En Colombia destaca LUIS ENRIQUE OSORIO (1896-1966), autor de una amplia obra escindida en dos periodos.

Al primero pertenecen *La ciudad alegre y coreográfica* (1920), *Sed de justicia* (1921), *La culpable* (1923), *El loco modo* (1924)... En el segundo, más atento a la realidad social de su país, estrena *Nudo ciego* (1943), *El doctor Manzanillo* (1943), *Manzanillo en el poder* (1944)...

En Bolivia tenemos a Antonio Díaz Villamil (1897-1948), dramaturgo popular, autor de *La hoguera, La voz de la guerra, El traje del señor diputado*...

En Puerto Rico Luis Lloréns Torres (1878-1944) intenta llevar la historia patria a la escena en *El grito de Lares* (1914).

Los dramaturgos ocasionales. Junto a los autores cuya obra es esencialmente dramática, abundan los que escriben algunas piezas a lo largo de su vida como ensayo o experiencia que no llega a tener continuidad. En ese caso se encuentran José Martí, Ricardo Jaimes Freyre, Alfonsina Storni, autora de *Cimbelina en 1900 y pico* y *Polixena y la cocinerita* (1931), el historiador Ricardo Rojas (1882-1957), que recreó el pasado en *Elelín* (1929) y *Ollantay* (1939), Miguel Ángel Asturias, Vicente Huidobro, con sus obras *Gilles Räis* (1939), en francés, y *En la luna* (1934), o Leopoldo Marechal, con *Antígona Vélez* (1951).

Algunos famosos cultivadores de otros géneros consagraron grandes esfuerzos a la literatura dramática. Además de los poetas mexicanos del grupo de *Contemporáneos*, a los que ya nos hemos referido, destaca el novelista argentino Roberto Arlt.

7.6. LOS PROSISTAS DE LA ÉPOCA DE LAS VANGUARDIAS

7.6.1. Jorge Luis Borges

Síntesis biográfica. Nació en Buenos Aires el 24 de agosto de 1899 en el seno de una familia de buena posición.

Entre sus antepasados se contaban algunos políticos y militares que desempeñaron papeles de cierto relieve en la historia argentina. De ahí nace, presumiblemente, su nunca negada admiración por el mundo militar, que le acarreará no pocas incomprensiones e inquinas.

Su infancia fue bilingüe: su abuela era inglesa y el inglés fue, según confesión del poeta, la lengua que le sirvió para adentrarse en el mundo literario.

Viajó a Europa en 1914 y estudió el bachillerato en Ginebra. Poco después, a partir de 1919, residió unos años en España, donde animó la aventura ultraísta. De regreso a Argentina, fundó con Macedonio Fernández la revista *Proa* (1922-1925) y colaboró en otras vinculadas a la Vanguardia: *Prisma, Martín Fierro, Síntesis*. Aunque atacado e incomprendido en los primeros momentos, fue cimentando su fama.

Se mantuvo en la oposición al peronismo y sufrió sus ataques y humillaciones. Recibió homenajes en desagravio y presidió la Sociedad Argentina de Escritores entre 1950 y 1953. A la caída del régimen populista, se le nombró director de la Biblioteca Nacional en 1955. Sarcásticamente, este cargo coincidió con la progresiva pérdida de la vista. Se mantuvo en su trabajo de bibliotecario hasta 1973. Al volver Perón al poder, Borges optó por el retiro. Fue profesor de literatura inglesa de la universidad de Buenos Aires.

Pronto alcanzó fama internacional y empezó a ser traducido a las distintas lenguas cultas. En 1961 se le otorgó el premio Formentor, que compartió con Beckett, lo que supuso una primera consagración. Propuesto en varias ocasiones para el Nobel, no llegó a alcanzarlo, según dicen sus apasionados, para vergüenza de la Academia Sueca. Probablemente, sus opiniones políticas, proclives a la indulgencia con algunos regímenes militares, le restaron simpatías en muchos núcleos progresistas. A pesar de todo, se convirtió en vida en un clásico admirado por la inmensa minoría. En 1980 se le concedió el premio Cervantes, compartido con Gerardo Diego. Murió en Ginebra el 14 de junio de 1986.

Tempranamente, en 1953, la editorial Emecé inició la publicación de sus *Obras completas*. Desde entonces, se han ido ofreciendo sucesivas reediciones, debidamente incrementadas con las nuevas aportaciones, pero siempre faltas de numerosas notas periodísticas, cuentos perdidos y poemas olvidados.

ACTITUD Y ESTILO. La obra de Borges se organiza en tres brazos interrelacionados y complementarios: la lírica, el ensayo y el cuento. Desde el primer momento, sorprendieron a sus lectores ciertas paradojas de su estilo y su actitud: el atildamiento en el representante de un movimiento iconoclasta y el cosmopolitismo en un escritor netamente argentino. Su tendencia a la abstracción, su vocación metafísica, está tejida muchas veces de detalles menores de la vida próxima, tratados siempre con distancia y una afectada asepsia. Enrique Anderson Imbert sintetizó en una frase algo que es verdad, aunque no sea toda la verdad de Borges: «Es un escritor para escritores, especializado en sorpresas». Muchos críticos le han acusado de vivir en una torre de marfil, magnificando trivialidades y de espaldas a la realidad social de su tiempo.

Frente a esta opinión, se abre paso la imagen de un escritor metafísico que desvela misterios esenciales del hombre: la obsesión por el fluir temporal, la vida como laberinto incorpóreo o la irrealidad de un mundo que se presenta como ejercicio imaginativo de un demiurgo, dentro de una tradición que desde Oriente atraviesa nuestra literatura. Se descubre así a un Borges cuya fría escritura es signo del escepticismo, la lucidez y la ironía. Frente a la desesperación romántica o existencialista, el escritor se enfrenta a la inanidad de la realidad y al vacuo espejismo del lenguaje como un juego, un crucigrama infinito que entretiene mansamente el aburrimiento de los sabios. Claro que, por debajo de la impasibilidad del estilo, se adivina la sombra de la angustia, lo que ha permitido a algunos críticos colocarlo en serie con Kierkegaard y Kafka.

El escepticismo borgiano juega con las formas de la lógica. Un ramalazo sofístico recorre toda su obra. La pulcritud de sus asertos, lo meticuloso de sus argumentos, sus estructuras de aparente rigor matemático parece que se proponen dejar al descubierto la radical falsedad de todas las razones. Un cierto nihilismo intelectual preside su labor. El orden del universo, si es que existe, no es de este mundo. Del desorden que el hombre percibe y sufre solo nos consuela la falsa ordenación que nos proporcionan el arte y otros artificios. Pero el poeta, que no ve más salvación que el consuelo de esas ficciones humanas (el lenguaje, la biblioteca, la filosofía idealista...), se complace al mismo tiempo en mostrar impasible su radical inconsistencia y lo ridículo de la fe que él mismo profesa.

El resultado de esta duda metódica, que se exhibe paradójicamente como certidumbre lógica que estalla sin ruido en sus contradicciones, es el solipsismo y la soledad, el aislamiento reflexivo y el vital.

El arte de Borges tiene algo del girar obsesivo de la noria. Un número extremadamente reducido de temas y motivos se reiteran incansables. Su escritura es reescritura. Su obra, un palimpsesto en el que el lector atento entrevé redacciones anteriores, propias o ajenas. Su literatura es metaliteratura. Puede aplicársele, sin ánimo peyorativo, el comentario que él dedicó a Quevedo: «es el literato de los literatos». Su grandeza es verbal. Su obra suena a deliberados y admirables ejercicios. Y en uno y otro hallamos la inquietud desasosegante del ser para la nada o de la nada del ser. Borges escribió que «el hombre olvida que es un muerto que conversa con muertos», frase que hubiera firmado el señor de la Torre de Juan Abad. Divergen, en cambio, en el estilo y la actitud. Quevedo creyó encontrar el cauce para sus perplejidades en la vehemencia y la hipérbole. Borges, en la contención y en la búsqueda «no [de] la sencillez, que no es nada, sino [de] la modesta y secreta complejidad», como él mismo afirma.

LA DIFÍCIL CLASIFICACIÓN DE LA OBRA BORGIANA. A pesar del carácter gregario que conlleva irrumpir en la literatura como miembro de la comunidad ultraísta, Borges encontró muy pronto una voz propia, un sello estilístico muy personal, una concepción del texto literario que lo identifica. En rigor, nunca se deshizo ni quiso deshacerse de algunos de los postulados del Ultraísmo que él mismo sintetizó: estilo casi telegráfico («tachadura de las frases medianeras»); abolición de lo ornamental, de la confesión autobiográfica, de la nebulosidad; inclinación por la metáfora, no por lo que puede tener de evasión de lo real, sino por la precisión, la nitidez de la imagen.

Era el Ultraísmo un movimiento en esencia poético. Borges fue su mejor intérprete y, además, hizo fecundar sus principios al aplicarlos al relato y al ensayo. Sus biógrafos y exégetas recuerdan su peculiar modo de escritura, frase a frase, corrigiendo cada fragmento, tal como se acostumbra a hacer en el verso, y sin lanzarse a redactar un párrafo de una atacada. Esa meticulosidad de poeta, constreñido por el ritmo, ese sopesar cada palabra, se trasfiere a la construcción del argumento y los personajes y a los razonamientos ensayísticos.

Si añadimos a ello la irónica debilidad por la erudición (citas, alusiones librescas, referencias metaliterarias), nos encontramos con que poemas, ficciones y ensayos acaban pareciéndose de forma inquietante. A pesar de las semejanzas, no es difícil aislar los versos, ya que Borges siempre fue muy sensible a su regularidad rítmica (la mayor parte de su poesía está académicamente medida y rimada); pero las lindes que separan cuentos y especulaciones críticas («inquisiciones», según la nomenclatura del autor) no siempre están claras. Incluso cuando las consideramos contundentemente precisas, la cuestión sigue sin resolverse ya que asuntos, temas, inquietudes e incluso estructuras son los mismos. Algunos de sus volúmenes, según confesión propia, son «silvas de varia lección», notas heterogéneas que oscilan entre la ficción y el apunte de lectura de libros existentes o inventados.

Con estas salvedades y por obvias razones de claridad expositiva, intentaremos describir los tres brazos en que se divide el agua del río creativo de Borges.

Los POEMARIOS. La producción lírica conoce dos etapas separadas por el tiempo y también por la actitud poética. La obra juvenil se resume en tres libros: *Fervor de Buenos Aires* (1923), *Luna de enfrente* (1925) y *Cuaderno San Martín* (1929), a los que podría añadirse una entrega de 1943, *Muertes de Buenos Aires*, reordenada, subsumida y eliminada como unidad independiente en las *Obras completas*.

Estos poemarios tienen un asunto común: la ciudad de Buenos Aires. Como se encargó de explicar el autor, citando a Berkeley, se presenta aquí una ciudad cuya imagen y sabor no existen fuera de la percepión que de ellos tiene el poeta y, en segunda instancia, el lector. Recreación, por tanto, de la realidad urbana (recordemos la pasión objetual de las Vanguardias). Borges tenía ante sus ojos el ejemplo de Evaristo Carriego, «el primer espectador de nuestros barrios pobres». La operación estética que emprende es sustituir el pintoresquismo de la mugre, tan caro a los modernistas, por la descripcion ultraísta de lo humilde, apartado y recoleto. *Fervor de Buenos Aires* es, en parte, poesía evocativa en que el mero nombrar las experiencias y las cosas ha de hacer brotar el sentimiento lírico, tal y como se nos dice en *El Sur* y como se practica en el resto de las composiciones: *Arrabal, Llaneza, Caminata, La noche de San Juan...*

En *Luna de enfrente* perviven el mundo de sensaciones de la ciudad amada y las reflexiones que suscita (*Calle con almacén rosado, Versos de catorce*) y aparecen poemas de recreación y exaltación histórica (*El general Quiroga va en coche al muere, Al coronel Francisco Borges*) y meditaciones filosóficas en torno al mito del eterno retorno (*Manuscrito hallado en un libro de Joseph Conrad*).

Cuaderno San Martín intensifica la vinculación de la ciudad y el poeta, como se ve en el texto que abre el volumen: *Fundación mítica de Buenos Aires*. Es una colección elegíaca, de rememoración nostálgica, donde se canta la presencia de la muerte. Su descubrimiento se refleja en *Isidro Acevedo*, en torno a la muerte de su abuelo: «Yo era chico, yo no sabía entonces de la muerte, yo era inmortal; / yo lo busqué por muchos días por los cuartos sin luz».

En los tres volúmenes primeros predomina el verso libre («Como todo poeta joven, yo creí alguna vez que el verso li-

567

bre es más fácil que el verso regular») y hay algunas estrofas asonantadas. En su segunda etapa, desde *El hacedor* (1960) y *El otro, el mismo* (1964), imperarán los metros rimados, especialmente en una modalidad calcada del soneto shakespeariano (tres cuartetos o serventesios y un pareado final), aunque no faltan endecasílabos blancos y algunos poemas compuestos por versículos e incluso una colección de *haikus*.

Además de los libros citados, forman esta etapa final *Para las seis cuerdas* (1965), milongas y canciones populares, *Elogio de la sombra* (1969), *El oro de los tigres* (1972), *La rosa profunda* (1975), *La moneda de hierro* (1976), *Historia de la noche* (1977), *La cifra* (1981), *Atlas* (1984) y *Los conjurados* (1985).

Aunque el poeta sea el mismo, este segundo Borges se aparta del primero. Buenos Aires solo aparecerá ocasionalmente en estos poemas de senectud. Ahora las inquietudes dominantes son otras, repetidas y variadas. Frente a la unidad temática de los primeros libros, estos finales diversifican sus campos de atención, aunque reiteran asuntos y motivos. Los textos que los componen son intercambiables, con alguna excepción. Prueba de ello es que el propio autor repitió poemas en distintos volúmenes y no tuvo empacho en duplicar títulos, imágenes e ideas.

Al frente de *El oro de los tigres* escribía el poeta: «si me obligaran a declarar de dónde proceden mis versos, diría que del Modernismo». Es obvio que la última poesía borgiana no es modernista; pero sí encontramos en ella el eco depurado de algunas inquietudes de aquella «gran libertad, que renovó las muchas literaturas cuyo instrumento común es el castellano y que llegó, por cierto, hasta España».

Muchos poemas de la segunda etapa responden al acendramiento de la veta parnasiana de fin de siglo. Por un lado, tenemos el género de los elogios en homenaje a los autores queridos (*A Luis de Camoens, Ariosto y los bárbaros, A un viejo poeta*, alusivo a Quevedo, *Una rosa y Milton, Edgar Allan Poe, Rafael Cansinos Asséns, James Joyce, Ricardo Güiraldes, Sueña Alonso Quijano, A un poeta sajón, Metáforas de Las mil y una noches, Rubaiyat, Baruch Spinoza…*) o denostados (*Baltasar Gracián, Góngora*). A diferencia de los *medallones* modernistas, aquí no hay ganga circunstancial. Es poesía objetiva (puesto que nace de un claro estímulo externo), pero quintaesenciada e íntima, formada por las emociones de la lectura, que indefectiblemente nos lleva a las obsesiones borgianas.

Tiene que ver esta poesía de la lectura con los sarcásticos y resignados versos del *Poema de los dones*, con que, en *El hacedor*, se reinicia la lírica de Borges: «la maestría / de Dios, que con magnífica ironía / me dio a la vez los libros y la noche», en alusión a su precoz ceguera y a su cargo de director de la Biblioteca Nacional.

La misma estirpe y la misma depuración hay que atribuir a las múltiples estampas históricas, casi siempre ligadas a la nostalgia épica, al quimérico sueño de la edad heroica desde el gabinete de un hombre de letras: *A la efigie de un capitán de los ejércitos de Cromwell, Espadas, Tamerlán, La tentación* (vuelve al asesinato de Quiroga), *La suerte de la espada, César…*

Y también pertenecen a esa poesía de semilla exterior y raíces íntimas las notas líricas de viaje (unas en prosa, otras en verso) que salpican todos los poemarios y vertebran el titulado *Atlas: Venecia, Piedras y Chile, Ronda, México…*

Con otra vertiente del Modernismo enlazan la preocupación filosófica por el fluir temporal, que Borges reitera en *Heráclito* («El río me arrebata y soy ese río. / De una materia deleznable fui hecho, de misterioso tiempo»), *Correr o ser, Arte poética* («Mirar el río hecho de tiempo y agua / y recordar que el tiempo es otro río») y *El hacedor* (en *La cifra*), y la imagen del eterno retorno: *La noche cíclica* («Vuelve a mi carne humana la eternidad constante…»). Sin olvidar la obsesiva presencia del espejo (*Al espejo*) y el sueño (*El sueño, Un sueño, Alguien sueña, Alguien soñará, Sueño soñado en Edimburgo, Todos los ayeres, un sueño*).

FICCIONES. Borges es conocido universalmente por sus cuentos. No resulta difícil detectar los rasgos que parecen nucleares en su arte narrativo. En primer lugar, su carácter fantástico: una imaginación desbordada que por lo general se presenta en un juego paródico como mera constatación de hechos reales tan minuciosa como falazmente documentados (con intervención muchas veces de personajes de cuya existencia el lector tiene constancia). El mundo aparece en sus relatos como un caos, un absurdo kafkiano, trascrito al papel con parsimonia funcionarial. El narrador juega con el tiempo y nos introduce en espacios y culturas solo existentes en su fantasía de empedernido lector. Con sus cuentos se propone «conquistar lo aposible», parcelas de la imaginación que están al margen de las leyes de la verosimilitud, a pesar de la insistencia en persuadir irónicamente al lector de su veracidad. En muchos de estos relatos se nos propone un absurdo intelectual, fruto de desquiciar los límites convencionales que hacen posible el lenguaje y la representación de la realidad.

La crítica suele afirmar que la imaginación borgiana nos descubre parcelas ignotas de la realidad. No creemos que sea así: más bien revela, mediante la parodia, el carácter meramente ilusorio y literario de cualquier verdad.

Siendo estos ingredientes de relieve, lo que más admiran los lectores de Borges es la facilidad con que se estructuran sus relatos, la mecánica perfecta que descubre en el momento preciso la sorpresa, la economía con que se construye la fábula, en aparente contradicción con el fárrago erudito que acostumbra a recubrirla.

Desde los primeros relatos, contenidos en *Historia universal de la infamia* (1935), se revela el narrador poderoso, sorprendente y eficaz que siempre fue. *El atroz redentor Lazarus Morell* (1933) ya presenta esa puntualidad de atestado policiaco salpimentado de ironía y humor negro, en torno a un ingenioso y brutal mafioso que negocia a cuenta de la falsa liberación de los esclavos. En ese mismo volumen se encuentran *Hombre de la esquina rosada, El espejo de tinta, El impostor inverosímil Tom Castro, El tintorero enmascarado Hákim de Merv...*

En 1944, *Ficciones* acoge algunos de los relatos que más fama han dado a su autor: *Pierre Menard, autor del «Quijote»*

570

(1939), donde subyace una teoría tan sorprendente como verdadera y bien conocida: el cambio que experimentan las palabras en cada nueva lectura. Así, el texto de ese apócrifo creador del *Quijote* coincide punto por punto, sílaba a sílaba, con
el de Cervantes, pero la distinta perspectiva hace de él una
obra enteramente nueva.

De la misma fecha es *Tlön, Uqbar, Orbis Tertium*, una
delirante y lógica fábula de búsquedas bibliográficas que de-
paran el hallazgo de un mundo distinto al habitual, en el que
el pasado «no es menos plástico y dúctil que el porvenir», un
universo de un orden perfecto y humano, cuyo conocimiento
trastorna, naturalmente, la estructura del orbe conocido hasta
1940.

En *El Aleph* (1949) se encuentran algunos de los más celebrados cuentos borgianos: el que da título al volumen
(1945), *El muerto* (1946), *El Zahir* (1947), *La otra muerte*
(1949)... Entre ellos, destacamos *La casa de Asterión*
(1947), una página memorable sobre la autosugestión y la
tristeza invencible de la soledad.

Los cuentos de *El hacedor* (1960) tienen como marca su
extrema brevedad, pareja a la de los poemas que los acompañan. Buen ejemplo es el que encabeza el libro, en el que
vamos entrando en cuatro párrafos en la ceguera y la esperanza del poeta ('el hacedor') por excelencia: Homero.

En *El informe de Brodie* (1970) quiso Borges reunir un
conjunto de cuentos que calificó de «realistas» y «directos».
Con estos adjetivos alude al paisaje familiar en que se desarrollan la mayoría de ellos (*La intrusa, El indigno, Juan Mu-
raña, La señora mayor...*) y a la falta de sorpresas o abarro-
camientos constructivos.

El libro de arena (1975) supone la vuelta al relato fantástico, sobre invenciones aposibles, que tiene su mejor ejemplo
en el que da título al volumen, cuyo asunto es un misterioso
libro infinito al que nunca se ve el fin ni el principio.

Por último, en las *Obras completas* (ed. de 1989) se reunieron tres nuevos cuentos bajo el título de *Las memorias de
Shakespeare*. Además, escribió dos libros en colaboración con

Adolfo Bioy Casares, que firmó con el seudónimo de H. Bustos Domecq: *Seis problemas para don Isidro Parodi* (1942) y *Crónicas de Bustos Domecq* (1967).

Como ya se ha señalado, algunos de sus ensayos o «inquisiciones» tienen un aire similar a los relatos librescos y eruditos. Lo mismo ocurre con sus aportaciones al *Manual de zoología fantástica* (1957) escrito con Margarita Guerrero y ampliado con el título de *El libro de los seres imaginarios* (1967).

INQUISICIONES. De esta voz se sirvió Borges para rotular dos de sus mejores libros de ensayos: *Inquisiciones* (1925) y *Otras inquisiciones* (1952). Varios volúmenes más tienen en común con estos reunir notas, comentarios y análisis sobre asuntos predominantemente literarios, aunque no de forma exclusiva: *El tamaño de mi esperanza* (1926), *El idioma de los argentinos* (1928), *Evaristo Carriego* (1930), *Discusión* (1932), *Historia de la eternidad* (936), *Aspectos de la literatura gauchesca* (1950), *Macedonio Fernández* (1961), *Prólogos* (1975), *Borges oral* (1979), *Siete noches* (1980) y *Nueve ensayos dantescos* (1982).

La «inquisición» borgiana mezcla la impresión de lectura, las referencias eruditas (a menudo más vistosas que pertinentes) y la creación de una imagen de escritores y obras que no siempre coincide con la que se ha trazado con el instrumental académico. Como crítico profesional quizá sea prescindible; como lector original y sorprendente es impagable.

7.6.2. LA VANGUARDIA ARGENTINA. ARLT. MARECHAL. MALLEA

En esta edad de oro de la narrativa argentina, que se desarrolla en los años veinte y treinta, destacan junto a Borges otros autores de particular importancia.

ROBERTO ARLT (Buenos Aires, 1900-1942). En realidad se llamaba Roberto Godofredo Christophersen Arlt. Era hijo de un militar prusiano. Escritor autodidacto, se formó en la lectura y en las redacciones de los periódicos. Fue cronista policial del diario *Crítica*, lo que le permitió adquirir experiencias que llevaría a sus obras. En 1935 fue enviado a España y Chile por el diario *El mundo*. A pesar del éxito que tuvieron sus crónicas periodísticas, se vio prácticamente ignorado. Los sectores comprometidos hicieron de él un símbolo que se contrapuso a la figura de Borges.

La literatura de Arlt nace del contacto directo con la vida, en especial con los sectores marginales, de los que extrae una inquietante galería de personajes; asimismo conoce bien a la clase media y al proletariado urbano. Refleja el sentimiento generalizado de frustración que advierte en la sociedad argentina. Desde una visión apocalíptica, nos muestra un mundo caótico, corrupto, y una humanidad degradada. Sus obras están pobladas de gentes de mal vivir y de situaciones escabrosas. Viene a mostrarnos cómo la gran urbe, opuesta al orden natural, destruye al individuo. Sigue la línea del realismo social, influido por autores como Dostoievski o Gorki, pero experimenta y aporta innovaciones en técnicas y formas expresivas. Se aleja de lo vulgar, por el camino de la imaginación y la extravagancia. Recoge la lengua viva de la ciudad, a menudo con tonalidades broncas.

El juguete rabioso (1926), su primera novela, está protagonizada por un complejo personaje, Silvio Astier, que tras una infancia marcada por la pobreza, no encuentra otra salida a su vida vacía y sin sentido que dar rienda suelta a las fantasías de bandidos y criminales que encuentra en sus lecturas y sumirse en la delincuencia. Le aterra la idea de verse como un ser gris y anodino, y el recuerdo de las humillaciones sufridas en otro tiempo lo impulsa a rebelarse contra el sistema para convertirse en un héroe. Buena muestra de la bancarrota moral reinante que tanto mortifica al autor es el hecho de que el protagonista escapa del castigo gracias a un acto de traición.

Ideas y contenidos similares aparecen en su novela en dos partes: *Los siete locos* (1929) y *Los lanzallamas* (1931).

573

La trama se fragmenta en una sucesión de episodios que tienen también como marco un entorno urbano que hace aflorar lo peor de cada individuo. De nuevo nos encontramos con un protagonista inadaptado (al que rodean otros personajes de iguales características), que reta a la sociedad y elude la responsabilidad moral; deriva hacia la militancia revolucionaria y acaba en suicida. La serie se completa con *El amor brujo* (1932). Sigue después *Saverio el cruel* (1936).

En el mismo tenor, tiene algunas colecciones de relatos: *El jorobadito* (1933), *El criador de gorilas* (1942)... Las mejores páginas publicadas en *El mundo* fueron seleccionadas en *Aguafuertes porteñas* (1933).

A partir de 1933 se dedicó casi en exclusiva al género dramático y vio representadas algunas de sus obras en el «Teatro del pueblo», dirigido por Leónidas Barletta. Son títulos significativos *El humillado* (1930), *300 millones* (1933), *El fabricante de fantasmas* (1936)...

EDUARDO MALLEA. Nace en Bahía Blanca en 1903. En su tierra natal, poblada de inmigrantes, entabla contacto con otras culturas, en medio de una formación políglota. Se traslada luego a Buenos Aires. Más que los estudios de derecho, le interesan las tertulias de café, donde conoce a los escritores de la nueva generación. Desde que sale a la palestra en 1926, desarrolla una rica trayectoria innovadora. Muere en 1982.

Gran conocedor de las corrientes culturales y filosóficas del momento, asienta su obra sobre una sólida base intelectual. Concibe la novela como un método de conocimiento, inseparable de la experiencia creativa; el pensamiento ha de ser en ella tan activo como la propia acción. Se trata de trasmitir unos principios ideológicos, una visión del mundo, buscando como cauce expresivo las peripecias de la trama. Se acoge a la premisa de «narrar definiendo».

La suya es una narrativa de indagación psicológica y temática existencial, que busca la esencia y sentido de la vida humana. No le interesa la realidad aparente, sino la que subyace en la intimidad de las criaturas. Nos hace percibir las mil perturbaciones a que se ve sometido el destino del hombre. Ligado a estas inquietudes está su afán por penetrar en el verdadero ser argentino, despreciando lo puramente externo. Su obra responde, pues, a un decidido propósito de interiorización, dentro de unas coordenadas racionales. En ella quedan superados la tradición realista y el Modernismo finisecular.

Se da a conocer con *Cuentos para una inglesa desesperada* (1926). Su etapa de plenitud, que arranca de *La ciudad junto al río inmóvil* (1936), sigue con *Historia de una pasión argentina* (1938), *La bahía del silencio* (1940), *Todo verdor perecerá* (1941)... Son novelas existencialistas, más cerca de Unamuno que de Sartre, en las que vemos las infinitas posibilidades que se abren ante el hombre, que va creando su propia vida mediante una serie de elecciones que truncan otras muchas opciones. La dimensión trágica alcanza sus más altas cotas en *Los enemigos del alma* (1950). Siguen *La torre* (1951), *La sala de espera* (1953), *Chaves* (1953)... En todas ellas se percibe, con mayor intensidad aún que en sus primeras obras, el drama de la vida humana.

LEOPOLDO MARECHAL (1900-1970). Nos ofrece un interesante experimento narrativo en su primera novela: *Adán Buenosayres* (1948), muy original en su lenguaje. A la muerte del joven poeta al que alude el título, su amigo L. M. quiere editar su obra. Antes de los poemas, nos da a conocer cuarenta y ocho horas de la vida del protagonista, inmerso en un Buenos Aires caótico. Representa este personaje la idiosincrasia argentina. El captar la vida que bulle a su alrededor y los tipos humanos y episodios que le van saliendo al paso en su periplo, permite al novelista ofrecer una perspectiva múltiple de la gran urbe y darnos su visión de la realidad. Hay evidentes reminiscencias clásicas, sobre todo de la epopeya griega y de *La divina comedia* de Dante. Es un producto intelectual, con un enfoque alegórico, en el que la reflexión metafísica se sitúa en primer plano.

La narración se divide en tres partes. A lo largo de la primera, Adán vive varias experiencias en las calles de la capital y entabla con distintos personajes un diálogo, que puede calificarse de socrático, sobre cuestiones filosóficas, literarias... En la segunda accedemos a su intimidad a través de un diario. Una figura femenina, Solveig, encarna para él, como Beatriz para Dante, el ideal de perfección. En la última parte, el protagonista, guiado por Schulze, desciende al infierno de Cacodelphia, en cuyos círculos se encuentran los habitantes de Buenos Aires. Marechal satiriza aquí al poder oligárquico, cuyos integrantes aparecen entre los condenados: El gran oracionista, Potenciales (que podrían haber hecho algo que no hicieron)...

Años más tarde, ofrece otras dos novelas en una línea similar, aunque no alcanzan la fortuna de la primera. *El banquete de Severo Arcángelo* (1965) reanuda, en torno al lecho de muerte del protagonista, los diálogos socráticos de la novela anterior. *Megafón o la guerra* (1970) acentúa la nota patética, envuelta por un humorismo irónico, en la figura de un joven que se enfrenta a quienes considera responsables de los males de la humanidad; es descuartizado y sus restos se dispersan por la ciudad.

Marechal fue también poeta ultraísta que pronto derivó hacia las formas clásicas. Entre sus libros se cuentan *Días con flechas* (1925), *Odas para el hombre y la mujer* (1925), *Sonetos a Sofía* (1940), *Heptamerón* (1966)…

OTROS AUTORES. Frente a los narradores preocupados por la renovación formal de la Vanguardia, agrupados en torno a las revistas ultraístas y conocidos como el grupo de «Florida», otros escritores, a los que se llamó «Grupo de Boedo», ponen mayor énfasis en la dimensión social y política del arte. Nombres significativos de esta tendencia son ELÍAS CASTELNUOVO (1893-1983), con sus novelas *Tinieblas* (1923) y *Entre los muertos* (1925); ÁLVARO YUNQUE (1889-1982), con *Barcos de papel* y *Zancadillas* (ambas de 1926) y *La tierra de Jauja* (1928), y el hombre de teatro LEÓNIDAS BARLETTA (1902-1975), que ensayó la narración en *María*

Fernanda y *Vidas perdidas* (ambas de 1926). En una dirección que roza el absurdo se mueve JUAN FILLOY (1894) en su relato *Op Oloop* (1934).

7.6.3. LA VANGUARDIA ESPAÑOLA

Los prosistas, y en concreto los narradores, de la llamada Generación del 27, salvo muy escasas ocasiones, se han visto relegados a un segundo plano frente a la enorme fama que han adquirido los poetas. Sin embargo, forman un grupo unitario, movido por idéntico afán renovador.

LA NOVELA EXPERIMENTAL. A la cabeza de estos novelistas figura BENJAMÍN JARNÉS (Codo, Zaragoza, 1888-Madrid, 1949), que comparte la actitud elitista de Ortega y Gasset y sus discípulos. Rechaza el realismo superficial, el sentimentalismo y lo dramático, en busca de un arte puro, libre de todo compromiso. Lo que importa en sus relatos no es el argumento sino el desarrollo del proceso vital del individuo. Hay poca acción e interviene un número reducido de personajes que, por lo general, no están claramente definidos. Abundan las situaciones inverosímiles y los componentes oníricos, así como los rasgos de humor propios del arte nuevo. Jarnés concede una importancia primordial al estilo. Busca formas de expresión que se alejen del lenguaje cotidiano. Esta originalidad la consigue fundamentalmente por medio de la imagen.

El punto culminante de su narrativa es *Locura y muerte de Nadie* (1929), obra de gran complejidad y perfección técnica, que muestra el drama del hombre que ha perdido su personalidad y se siente confundido entre la masa. Se convierte en un fanático perseguidor de su propia esencia, en medio de una sociedad alienante que aparece simbolizada por el Banco Agrícola. Su muerte, arrollado por un camión, es digno final de una vida vulgar y anónima. El grado máximo de experimentación lo hallamos en *Teoría del zumbel* (1930), fantasía surrealista de estructura dispersa.

Muchos otros escritores estimables siguieron las técnicas del «fragmentarismo deshumanizado» y dieron a la luz obras originales en extremo, que no han conseguido encontrar eco amplio entre los lectores. Ese es el caso de ANTONIO ESPINA (1894-1972), autor de *Pájaro pinto* (1927) y *Luna de copas* (1929); MIGUEL VILLALONGA (1899-1947), con *Miss Giacomini* (1927); SAMUEL ROS (1904-1945), con *El ventrílocuo y la muda*; ANTONIO OBREGÓN (1910-1985), con *Hermes en la vía pública* (1934), o ANTONIO BOTÍN POLANCO (1898-1956), con *Logaritmo* (1933).

De particular interés es la figura de AGUSTÍN ESPINOSA (1897-1939) como introductor del Surrealismo en la narrativa española a través de *Crimen* (1934), relato en primera persona de un viejo impotente que mata por celos a su mujer.

LA NOVELA SOCIAL. Como contrapartida al arte minoritario y aséptico de la Vanguardia, surge una corriente de narrativa comprometida. Sus representantes pretenden devolver la novela a la realidad política y social. Quieren acabar con el orden burgués establecido y reivindican los derechos de obreros y campesinos. Frente al esteticismo formalista, centran su interés en los problemas del hombre. Lo individual cede paso a lo colectivo; el artificio gratuito, a los sentimientos. La protagonista es la clase trabajadora, tanto en la ciudad como en el campo. Desde el punto de vista estético, no renuncian a los hallazgos de su tiempo. Se consideran vanguardistas, pero el deseo de llegar a todo el mundo los inclina hacia el realismo.

JOSÉ DÍAZ FERNÁNDEZ (Aldea del Obispo, Salamanca, 1898-Toulouse, 1940) es una figura clave. *El nuevo romanticismo* (1930) desempeñó un papel muy importante en la superación de las Vanguardias. Fruto de plena madurez que obtuvo un éxito extraordinario fue *El blocao* (1928), que refleja la experiencia personal del autor y su actitud crítica frente a la guerra de Marruecos, cuyo carácter destructivo y deshumanizador queda bien patente. Lleva a cabo una profunda desmitificación de la retórica patriotera y heroico-militar. Se sirve de una estructura fragmentaria, a modo de reportajes que se ponen en boca de un narrador-protagonista que a menudo es solo testigo de los hechos. *La Venus mecánica* (1929) plantea el tema de la liberación de la mujer y su papel en la lucha social.

CÉSAR M. ARCONADA (Astudillo, Palencia, 1898-Moscú, 1964) tiene una formación vanguardista, pero la presión de los acontecimientos determina en él un cambio. Se ocupa de los problemas del campo. Su obra más famosa es *La turbina* (1930), que muestra, en un pueblo castellano, el enfrentamiento entre el progreso, simbolizado por la luz eléctrica, y la vida atrasada y primitiva del medio rural. Más propiamente combativas son *Los pobres contra los ricos* (1933) y *Reparto de tierras* (1934).

ANDRÉS CARRANQUE DE RÍOS (Madrid, 1902-1936) es novelista de raigambre barojiana. Al igual que su maestro, huye de la retórica. Escribe novelas de estilo ágil y sencillo, que dan una impresión de espontaneidad. Los personajes son presos, anarquistas..., pobres gentes que parecen sacadas de un libro de Dostoievski. Surgen y se esfuman rápidamente en interminable desfile. No hay una rígida trabazón entre los distintos episodios. *Uno* (1934) es la historia de un obrero cualquiera contada en primera persona. *La vida difícil* (1935) se presenta también como un relato autobiográfico fragmentario. En *Cinematógrafo* (1936) la sátira rebasa los estrechos límites del mundo del celuloide para proyectarse sobre una sociedad inhumana que aplasta al débil.

Junto a los citados, otros dos autores alimentan este «nuevo romanticismo» de raíz social: JOAQUÍN ARDERÍUS (1890-1969), con *Campesinos* (1931), y MANUEL D. BENAVIDES (1895-1947), con *Un hombre de treinta años* (1933).

7.6.4. DE LA VANGUARDIA AL EXILIO. SENDER. AUB. AYALA

Una parte importante de los narradores de la Vanguardia española tuvieron que salir para el exilio tras la guerra de 1936. Su obra se divide entre las experiencias literarias juveniles de los años veinte y treinta y las creaciones de madurez humana y técnica en que reflexionan, tras la terrible convulsión bélica, sobre el pasado y la situación de desarraigo en que se encuentran.

RAMÓN J. SENDER (Alcolea de Cinca, Huesca, 1901-San Diego, California, 1982). Empezó su trayectoria de acuerdo con los dictados del realismo social. Su primera novela, *Imán* (1930), es lo mejor que se ha escrito en torno a la guerra de Marruecos. De esa década data también *Mister Witt en el Cantón* (1836), en torno a la revolución cantonal de Cartagena.

Su producción de posguerra es amplísima. *Crónica del alba* (1942), que inicia un ciclo del mismo título que se prolongará en obras posteriores, es una autobiografía en la que el novelista se oculta tras la persona de José Garcés; lo más logrado son los recuerdos infantiles, llenos de ingenuidad, ternura y lirismo. *Epitalamio del prieto Trinidad* (1942) narra la rebelión de una isla-presidio del Caribe; logra sus mejores páginas cuando describe ambientes, personajes y situaciones. *Réquiem por un campesino español* (1960) es una pequeña obra maestra, un relato sencillo y conmovedor que reconstruye la vida de Paco el del Molino en un pueblecito aragonés, hasta el momento en que es fusilado en los comienzos de la guerra civil, por haberse convertido en líder de la lucha social de los campesinos. *La tesis de Nancy* (1962) muestra con gracia la visión que tiene de la vida española una joven estudiante norteamericana que pasa una temporada en nuestro país; va de sorpresa en sorpresa ante ese mundo tan distinto del suyo. *La aventura equinoccial de Lope de Aguirre* (1964) recrea la figura terrible y enloquecida del conquistador español en una «antiepopeya» protagonizada por un héroe negativo, en el que se amalgaman el resentimiento, la ambición, la paranoia y cierta grandeza trágica. La prosa senderiana se caracteriza por una sobriedad expresiva que se va acentuando con el tiempo.

MAX AUB (París, 1903-México, 1972) inicia su andadura en el seno de la Vanguardia (*Geografía*, 1929; *Fábula verde*, 1930). Luego emprende el camino de la rehumanización. El punto de partida es *Luis Álvarez Petreña* (1934), novela epistolar de inspiración wertheriana que retomará años más tarde. En la fase de madurez su narrativa gira obsesivamente en torno a la guerra civil y sus consecuencias. Fruto de esta inquietud es un espléndido y denso ciclo de aliento épico que lleva por título *El laberinto mágico* (1938-1939), que llegó a tener seis entregas: *Campo cerrado, Campo abierto, Campo de sangre, Campo francés, Campo del Moro* y *Campo de los almendros*. Obedece a un impulso similar al que dio vida a los *Episodios nacionales* galdosianos: reelaborar literariamente la historia para ofrecerla al pueblo y que le sea útil. Lejos de una estructura unitaria, el relato se descompone en múltiples acciones, en las que intervienen infinidad de personajes. La impronta de Pérez Galdós se deja sentir también en *Las buenas intenciones* (1953), la más genuinamente novelesca de sus obras, que se centra en la vida de unos personajes concretos. En *La calle de Valverde* (1961) vuelve a una forma laberíntica, en la que se entrecruzan múltiples historias, que en este caso giran en torno a una casa de vecinos de clase media.

Max Aub cultiva también el género dramático. Tras sus primeros intentos simbólico-poéticos de carácter innovador (*Espejo de la avaricia*, 1925; versión ampliada, 1949) y el teatro de urgencia concebido como arma de combate durante la guerra civil, viene su «Teatro mayor», con dramas históricos que toman su materia de la propia realidad. Ofrece un vasto y dolorido reflejo de la historia moderna de Europa, con la imperiosa advertencia de hacer frente a la invasión nazi, propiciada por la indiferencia colectiva. Recurre a técnicas realistas y se sirve con acierto de la construcción perspectivista, procedente del cine. Forman un conjunto unitario *San Juan* (1943), *El rapto de Europa* (1946; escrita tres años antes) y *Morir por cerrar los ojos* (1944). Muy valiosas son también algunas piezas breves de este mismo periodo, que dan cabida a idénticas inquietudes: *Tres monólogos y uno solo verdadero* (1939-1950), *Los trasterrados* (1943-1944), *Comedia que no acaba* (1947)... Recordemos, por último, el drama psicológico *Deseada* (1948), variante del mito de Fedra e Hipólito.

FRANCISCO AYALA (Granada, 1906). Nos ofrece una lúcida visión del mundo en la que todo está pasado por el tamiz de la crítica. Adopta un tono satírico cuyo ingrediente fundamental es el humor, la comicidad, en una variada gama de matices que van de la ironía a la burla, de la sonrisa compasiva a lo despiadado y grotesco, rasgo característico de su estética de madurez. La elaboración intelectual corre parejas con la estilística. Su prosa, de factura clásica y regusto arcaizante, tiene empaque retórico y ritmo solemne. Toma a Cervantes como modelo. Presenta una gran variedad de registros para adecuarse a las exigencias expresivas y la ambientación del relato.

En una primera etapa cultiva el arte de la Vanguardia: *El boxeador y un ángel* (1929), *Cazador en el alba, Erika ante el invierno*, publicadas ambas en 1930. Mucho tiempo después, viene la magnífica colección de relatos *Los usurpadores* (1949), que parte de la idea de que «el poder ejercido por el hombre sobre su prójimo es siempre una usurpación». Es una obra maestra del lenguaje, un alarde de prosa exuberante contenida en moldes clásicos. Siguen otras dos colecciones no menos valiosas: *La cabeza del cordero* (1949) e *Historia de macacos* (1955). Los asépticos ejercicios juveniles han dejado paso al tono grave, preñado de tensión dramática y patetismo, de las dos primeras, y a la comicidad burlesca y desengañada de la tercera.

En ese periodo de plenitud ofrece sus dos novelas americanas. *Muertes de perro* (1958), su más genial creación, se inscribe en la serie de sátiras de las dictaduras hispanoamericanas; se sirve de una técnica que ofrece un riquísimo abanico de perspectivas para narrar con tonalidades esperpénticas unos sucesos que nos hacen descender a lo más bajo de la abyección humana. *El fondo del vaso* (1962) es una réplica a la novela anterior, cuya versión de los hechos desmiente el narrador.

En su última etapa se dedica solo a la narrativa breve. El libro más interesante es *El jardín de las delicias* (1971), que se caracteriza por su estructura heterogénea y la diversidad de tonos.

OTROS AUTORES. Junto a las tres figuras citadas, de producción amplia y variada, hay que reseñar la obra de otros creadores de excelente calidad.

ROSA CHACEL (Valladolid, 1898-Madrid, 1994) desarrolla una novela de ideas, con un discurso mental complejo y una honda meditación existencial, en la línea del raciovitalismo orteguiano. Es una narrativa de tempo lento, basada en la interiorización, en la que la trama queda relegada a un segundo plano. Prevalece sobre ella el análisis de los procesos intelectuales y psicológicos. La piedra angular es la memoria, que se identifica con la vida y el pensamiento. Son títulos destacados *Estación. Ida y vuelta* (1930), *Memorias de Leticia Valle* (1954), *La sinrazón* (1960), que es la más densa y rica de estas autobiografías ficticias, *Barrio de Maravillas* (1976)...

PAULINO MASIP (Granadella, Lérida, 1899-México, 1963) es un narrador injustamente olvidado, quizá a causa de su dedicación, *pane lucrando*, a los guiones de escasa calidad y aire popular al servicio de la industria cinematográfica mexicana. Sin embargo, hay en él un prosista de excepción, tanto en los cuentos que aparecen en *De quince me llevo una* (1949) y *La trampa* (1955), como en las narraciones más extensas. Además de *La aventura de Marta Abril* (1953), publicó una novela excepcional que no ha tenido la atención que merece: *El diario de Hamlet García* (1944). El protagonista es un «profesor ambulante de metafísica», cuya vida se ve zarandeada por los aconteceres externos. Como indica el título, la obra se organiza a modo de diario, que abarca un periodo crítico de la vida española: desde el 1 de enero de 1935 hasta el 30 de octubre de 1936. Es un luminoso reflejo, entre simbólico y realista, de toda una generación de intelectuales que tuvieron que enfrentarse a una violencia para la que no estaban preparados y tomar partido.

Otras figuras sobresalientes son ARTURO BAREA (Badajoz, 1897-Faringdon, Inglaterra, 1957), que se consagra con la trilogía autobiográfica *La forja de un rebelde* (1941-1944), que nos permite seguir las peripecias vitales de su creador y ofrece un apasionante retrato de la vida española desde principios de siglo hasta el final de la guerra civil; ESTEBAN SALAZAR CHAPELA (Málaga, 1900-Londres, 1965), autor de *Perico en Londres* (1947), que refleja la situación de los refugiados españoles en la capital inglesa, y de la novela fantástica *Después de la bomba* (1966); MARÍA TERESA LEÓN (Logroño, 1903-Majadahonda, Madrid, 1988), excelente cuentista, con *Rosa-fría, patinadora de la luna* (1934), *Cuentos de la España actual* (1935), *Morirás lejos* (1942), *Fábulas del tiempo amargo* (1962)...; JOSÉ RAMÓN ARANA (Zaragoza, 1906-1974), cuya obra más célebre es la novela corta *El cura de Almuniaced* (1950), y MANUEL ANDÚJAR (La Carolina, Jaén, 1913-Madrid, 1994), narrador de estirpe galdosiana que aúna en sus obras el análisis introspectivo con la profundización en los problemas españoles, y alcanza su punto culminante en la trilogía *Vísperas* (1947-1959).

7.6.5. LA NUEVA NOVELA INDIGENISTA. ICAZA. ALEGRÍA

La novela indigenista se reaviva en los años treinta con técnicas que, a través del expresionismo, ahondan en la realidad. Ecuador y Perú llevan la voz cantante en este rebrotar de la preocupación por la vida miserable de las poblaciones indígenas.

JORGE ICAZA. Natural de Quito (1906-1978), forma parte de la generación del Treinta, con hondas preocupaciones sociales. Deja pronto los estudios de medicina para dedicarse al teatro (*El intruso*, *¿Cuál es?*, 1931; *Flagelo*, 1936...) y otras actividades relacionadas con la cultura y el libro. En los años cuarenta alcanza fama internacional y desempeña importantes cargos diplomáticos.

Como narrador se inicia con un libro de relatos, *Barro de la sierra* (1933), que quiere conciliar la denuncia política y social con los artificios estilísticos de la Vanguardia, pero con la presencia ya clara de un realismo violento que preludia lo que serían sus mejores logros narrativos.

584

La novela que lo lanza a la fama y que constituye una de las claves de la corriente indigenista es *Huasipungo* (1936). Es un relato ágil, suelto, en el que Alfonso Pereira, cercado por las deudas, se ve en la necesidad de partir hacia su hacienda para abrir en ella una carretera por cuenta de una sociedad cuyo patrón es el gringo Mr. Chapy. Esta empresa da ocasión para recorrer el universo miserable en que malviven, humillados y ofendidos, los indígenas. Con técnica expresionista (cosificación de personas y animales, descomposición en algunos de sus elementos más llamativos, hipérbole...) va pintando escenas en que el dolor cobra tintes degradados y esperpénticos. La feroz tensión entre la indiada hambrienta y el patrón, que aspira a salir de sus apuros integrándose en los negocios de los gringos, culmina cuando hay que expulsar a los miserables indígenas de sus *huasipungos*, terrenos que se les ceden para instalar sus chozas y mantener pequeños cultivos. Una violentísima represión trata de ahogar a sangre y fuego los gritos de rebeldía.

Tras este vigoroso relato indigenista, Icaza volvió los ojos a la ciudad y retrató en un conjunto de narraciones breves y novelas la situación de los cholos o mestizos, sumidos en la angustia de olvidar y hacer olvidar sus raíces indígenas y obsesionados por la necesidad del ascenso social que les permita incorporarse al grupo dominante. De esta serie forman parte *En las calles* (1935), *Cholos* (1938) y *Media vida deslumbrados* (1942). Culmina con *El chulla Romero y Flores* (1958), la historia de un funcionario, cholo y chulla (persona de clase media que trata de aparentar que pertenece a grupos superiores). Asistimos a un recorrido esperpéntico por los recovecos de la corrupción administrativa y de la vida de los personajes, construida sobre falsedades. El chulla protagonista se ve arrastrado por esa marea de delincuencia apenas solapada, primero en ascenso y más tarde en desgracia, y es perseguido por los depositarios del poder. En esta adversa fortuna siente la protección de los cholos, el grupo social del que trataba de separarse. Sus amores con Rosario, que acaban trágicamente cuando ella muere al tener su primer hijo, son otro crisol en que se regenera el alma corrupta del chulla.

Los dos temas, el indigenista y el del cholo, se combinan en su novela *Huairapamushcas* (*Hijos del viento*, 1948).

En los últimos años de su vida ofrece una trilogía auto-biográfica: *Atrapados* (*El juramento, En la ficción, En la realidad*, 1972), en la que, además, ensaya nuevas fórmulas narrativas.

Icaza da, desde sus primeros relatos, con una prosa eficaz, penetrante, con un estilo característico (incisos, imágenes expresionistas, distancia y humor, reproducción del lenguaje coloquial, monólogos entrecortados) que fijan en la mente del lector una imagen de la realidad alejada del objetivismo o del pormenor realista, y enraizada en la caricatura esperpéntica.

EL INDIGENISMO ECUATORIANO Y SU PROYECCIÓN POSTERIOR. Junto a la figura de Icaza, la época de las Vanguardias dio en Ecuador un excelente puñado de narradores ligados a los temas y motivos indigenistas. FERNANDO CHAVES es el iniciador de las novelas de este género con *Plata y bronce* (1927). Pronto surgió el «Grupo de Guayaquil», que desarrolló con eficacia e intuición los presupuestos temáticos, políticos (denuncia de la situación de los indígenas) y estilísticos (realismo con gotas expresionistas, que derivará hacia ciertos rasgos de realismo mágico). Cinco escritores forman el núcleo de este grupo: JOAQUÍN GALLEGOS LARA (1909-1947), ENRIQUE GIL GILBERT (1912-1973), JOSÉ DE LA CUADRA (1903-1941), DEMETRIO AGUILERA MATA (1909-1981) y ALFREDO PAREJA DIEZCANSECO (1908-1993). A los tres primeros se debe una colección de relatos emblemáticos: *Los que se van* (1930). Todos ellos cultivan con fortuna la narración breve. Sus aportaciones a la novela tienen particular relieve en la transición desde el reflejo bronco y puntual de las condiciones de vida de los indígenas, montuvios (descendientes de indios, negros y blancos) y cholos, a las incursiones en el mundo de la imaginación popular, de lo fabuloso, que quie-

586

bran y ensachan las posibilidades y pretensiones del realismo. Así, *Nuestro pan* (1940) de Enrique Gil Gilbert es obra de protagonista colectivo (los montuvios arroceros) y de denuncia social; pero *Los Sangurimas* (1934) de José de la Cuadra parece anunciar el tipo de novela amplia, tejida de narraciones fabulosas, de imaginarios episodios en los que el testimonio directo se entrevera con las fantasías populares. Algo parecido ocurre en *Don Goyo* (1933) de Demetrio Aguilera Mata.

Mirado desde nuestra perspectiva, puede decirse que hubo una curiosa regresión: de la combinación de realidad y fantasía de los años treinta al más ortodoxo realismo crítico de los cuarenta. Décadas más tarde volverían por sus fueros el irracionalismo y la libertad formal de la época de las Vanguardias, presentes en la *La isla virgen* (1942) de Aguilera Mata y continuados ya con el ejemplo de ilustres encarnaciones del realismo mágico: *Siete lunas y siete serpientes* (1970), o con la exacerbación expresionista de *El secuestro del general* (1977), del mismo autor.

Aguilera Mata cultivó también el teatro: *Lázaro* (1941), *Sangre azul* (1946), *El pirata fantasma* (1955) y *Dientes blancos* (1955).

CIRO ALEGRÍA. Nacido en Sartibamba, provincia de Humacucho (Perú), en 1908 ó 1909, vivió su infancia en varias haciendas, donde conoció directamente el mundo indígena. En los años veinte y treinta militó en la oposición política. Fue detenido, torturado y, finalmente (1934), desterrado a Chile. Durante varias décadas no pudo regresar a su país. Vivió en Estados Unidos, Puerto Rico y Cuba. En los sesenta volvió a Perú, donde murió en 1967.

Se inició precozmente con una narración menor: *Idilio andino* (1924), a la que siguió *La marimorena* (1930). Su obra sustantiva se desarrolla en el exilio. Son tres novelas, que a veces se han incluido en la corriente indigenista. En rigor, las dos primeras, *La serpiente de oro* (1935) y *Los perros hambrientos* (1938), forman parte de la serie que narra el choque entre la naturaleza indomeñable y los esfuerzos titánicos del hombre por sobrevivir en ese medio hostil. *La serpiente de oro* es metáfora, desde el título, del río Marañón. Es una novela de la selva y de los balseros que viven de y para el río. Está presidida por un sentimiento fatalista que afecta tanto a las quiméricas empresas de explotación económica como a los amores de los protagonistas.

Los perros hambrientos es una nueva metáfora de la lucha por la vida frente a la naturaleza cambiante, pródiga o avara según marcan sus ciclos. Los indios de la cordillera, pastores de ovejas, sufren los vaivenes de las épocas fértiles de lluvias, en que sus perros son dóciles y eficaces, y las de sequía, en las que el hambre los trastorna y convierte en fieras montaraces que no reconocen ni dominios ni afectos.

El enfrentamiento, no con el medio natural sino con el hombre blanco, es el tema de la obra maestra de Ciro Alegría: *El mundo es ancho y ajeno* (1941). Estamos ante una novela-río, en la que se engarzan los episodios sobre una visión épica de la comunidad de Rumi ('piedra' en quechua), que ha de enfrentarse al blanco depredador, don Álvaro de Amenábar. El complejo tejido del relato se organiza en tres partes en que asistimos al choque entre los indígenas y la civilización que los explota y arrincona; a los esfuerzos de la comunidad para sobrevivir en las tierras altas, mientras su líder, el alcalde Rosendo Maqui, muere en la cárcel; y a los nuevos intentos de reacción frente al despojo y la represión brutal.

Ciro Alegría emplea en sus novelas capitales las técnicas del realismo decimonónico: narrador omnisciente, demostración de una tesis subyacente, reproducción puntual de la realidad, reflejo del habla coloquial, cierta inclinación costumbrista a pintar ritos, hábitos, fiestas…

Con ellas culmina una nueva manera de entender la novela y su relación con la realidad. Al escribir *El mundo es ancho y ajeno*, nuestro autor pudo considerar acabado un ciclo, un mundo narrativo. Desde 1941 no volvió a ofrecer ninguna novela. Solo un libro de cuentos: *Duelo de caballe-*

ros (1963). Póstumamente su viuda, la escritora cubana Dora Varona, reunió relatos inéditos en tres nuevas colecciones: *Siete cuentos quirománticos*, *El sol de los jaguares* y *El dilema de Krause*.

OTROS AUTORES. Junto al grupo ecuatoriano de Guayaquil, el desarrollo de la novela indigenista conoce un momento de esplendor en Perú. No es raro que la vinculación a esta corriente se relacione con la filiación al partido comunista. Tal es el caso del poeta CÉSAR VALLEJO, autor de *Tungsteno* (1931), y de CÉSAR FALCÓN (1892-1970), que publicó la colección de cuentos *Plantel de inválidos* (1921) y la novela *Pueblo sin Dios*.

En Bolivia, la novela indigenista aparece ligada a la guerra del Chaco con Paraguay (1932-1935). La denuncia de las atrocidades bélicas se une al retrato crítico de las terribles condiciones en que viven el campesino y el minero indígenas. Así, ÓSCAR CERRUTO (1912-1981) noveló precozmente en *Aluvión de fuego* (1935) la doble injusticia de que era víctima el indio: carne de cañón para la guerra y minero explotado en la retaguardia. JESÚS LARA (1898-1980), pasada la guerra, se ocupó de la vida de los quechuas, despojados de sus medios de subsistencia, enfrentados a la reacción (el ejército, la iglesia, la judicatura), al borde del estallido revolucionario, al que sigue la dura, inexorable, represión: *Surumi* (1943), *Yanacuna* (1958) y *Yawarninchij* (1959).

AUGUSTO CÉSPEDES (1904) aportó la más conocida colección de cuentos en torno a la guerra del Chaco: *Sangre de mestizos* (1936), y una novela sobre la explotación del estaño: *Metal del diablo* (1946).

7.6.6. MIGUEL ÁNGEL ASTURIAS

SÍNTESIS BIOGRÁFICA. Nace en Guatemala, capital, en 1899. Estudia derecho y, más tarde, antropología en París.

A partir de 1923 pasa diez años en Europa, sobre todo en la capital francesa, y entra en contacto con la estética de Vanguardia. En sus últimos años es embajador en París. Obtiene el premio Nobel en 1967. Muere en Madrid en 1974.

RASGOS DE SU NARRATIVA. Asturias crea su propio mundo literario, extraordinariamente complejo y rico, en el que destaca ante todo un lenguaje que en ocasiones llega al expresionismo. Tiene también una gran fuerza plástica. Algunas escenas reciben un tratamiento alucinante. Para plasmar su visión del mundo, recurre al realismo mágico, verdadera seña de identidad de la moderna narrativa hispanoamericana.

La presencia de los problemas sociales guatemaltecos es una constante en su obra. Mantiene su actitud comprometida sin renunciar, por ello, a los objetivos estéticos. Se ocupa en exclusiva de los temas americanos y de la defensa de la libertad y dignidad del ser humano.

PRIMEROS RELATOS. *SEÑOR PRESIDENTE*. Comienza su trayectoria con unas magníficas *Leyendas de Guatemala* (1930), que recrean poéticamente los mitos precolombinos, a los que tiene una enorme afición. Suponen la exaltación de la cultura indígena.

Su primera novela, importantísima, es *Señor presidente* (1946), una de las más significativas de la narrativa hispanoamericana. La había terminado en 1932. El autor reelabora sus recuerdos de infancia y adolescencia bajo los regímenes de Estrada Cabrera y Ubuco. Es un duro alegato contra las dictaduras y su cadena de atrocidades. La obra se inicia con el asesinato del coronel Parrales por un idiota. Este homicidio sirve de disculpa al dictador para caer sobre los que él considera sus enemigos: el general Eusebio Canales y el licenciado Abel Carvajal. En la persecución del primero interviene Miguel Cara de Ángel, favorito del presidente, que se enamora de la hija de Canales y se casa con ella, cayendo así en desgracia. El último capítulo narra su muerte en un campo de concentración.

Presenta la novela el mundo del terror, dominado por la figura omnipresente del tirano. Este efecto se consigue plenamente, a pesar de que solo aparece seis veces en el relato. Su locura demoníaca trastorna todas las relaciones humanas; la mera proyección de su sombra basta para que la vida resulte imposible. El ámbito horroroso de la ciudad, dominada por el presidente, se contrapone al mundo idílico de la naturaleza, donde Camila Canales y Cara de Ángel pasan su luna de miel. El tono caricaturesco, próximo al esperpento, y la técnica expresionista, de gran impacto, prestan al relato una incontenible fuerza y agresividad. Hay escenas espeluznantes, en que la violencia adquiere los más negros tintes.

Esta obra, de compleja estructura y elaborado estilo, presenta novedades técnicas (alternancia de puntos de vista, simultaneidad, predominio del tiempo subjetivo, monólogo interior…) que marcan el camino de la «nueva novela».

OTRAS NOVELAS. *Hombres de maíz* (1949) es una rica alegoría de las consecuencias devastadoras de la desintegración de las formas tradicionales de cultura. Denuncia la invasión de las tierras comunales de los indios por colonos blancos, con la consiguiente destrucción de su sistema de vida. Impotentes para defenderse, solo pueden recurrir a la mitología y la magia, de cuyas manifestaciones se nos ofrece una amplia muestra. En la obra se contrasta la vida de los indios, acorde con la naturaleza, dedicada al cultivo del maíz para poder subsistir, con el materialismo de los blancos, que solo piensan en enriquecerse. La adaptación del indígena al mundo civilizado se revela como un imposible. Al mismo tiempo que se constata esta dura realidad, se lamenta la pérdida del paraíso. El relato presenta una estructura fragmentaria, discontinua, en la que cada episodio tiene autonomía, sin dejar de estar integrado en el conjunto. Nuestro autor ha logrado compaginar la actitud de protesta y las tonalidades líricas.

Algunos de sus libros tienen un marcado carácter anti imperialista. Denuncian la explotación del individuo por el capital. Ese es el caso de la *Trilogía bananera*, integrada por *Viento fuerte* (1949), *El Papa Verde* (1950) y *Los ojos de los enterrados* (1960). En ella se ponen de manifiesto los abusos que trae consigo la implantación de la Tropical Platanera S. A., bajo el poder avasallador de su máximo dirigente, el Papa Verde, que expulsa a los indígenas de sus territorios para ampliar las zonas de cultivo; aunque con el coste de varias vidas, una huelga general obliga a la compañía a replegarse. Asturias concluye con estas obras el decidido compromiso político que asumió al escribir *Señor presidente*. Antes había publicado un relato que pertenece a ese ciclo: *Weekend en Guatemala* (1956), versión novelada de la invasión del país por mercenarios y la caída del gobierno de Arbenz.

Tras el paréntesis surrealista de *El alhajadito* (1961), en *Mulata de Tal* (1963) se desborda el componente mágico; crea un universo mítico, pero lo maravilloso se separa de lo real. Tampoco *Viernes de dolores* (1972) alcanza el altísimo nivel de su producción anterior.

POESÍA Y TEATRO. Aunque su creación poética queda en segundo plano, es también digna de aprecio. Sigue sobre todo la ruta marcada por Santos Chocano, pero con una mayor depuración estética. Con ella se aproxima al ser de su tierra, a sus problemas, a sus creencias míticas. Penetra en las entrañas del mundo maya, a cuyo fabuloso pasado se siente ligado. Expresión suma de esta adhesión será el poema *Clarivigilia primaveral* (1965). Recoge buena parte de su producción lírica en *Sien de alondra* (1949), cuyo contenido se acrecentará en la edición de las *Obras escogidas* (1954). Ajenos a su más genuino mundo lírico son *Ejercicios poéticos en forma de soneto sobre temas de Horacio* (1951), *Sonetos de Italia* (1965) y *Sonetos venecianos* (1973).

Miguel Ángel Asturias lleva también al teatro los temas sociales y americanistas que aborda en su narrativa: *Soluna* (1955), *La audiencia de los confines* (1957), *Las Casas, obispo de Dios...*

7.6.7. ALEJO CARPENTIER

SÍNTESIS BIOGRÁFICA. Nace en La Habana en 1904. Es hijo de un arquitecto francés y una profesora rusa. Su formación cultural es esencialmente europea. En los años veinte participa activamente en la política, motivo por el cual es encarcelado en 1928. Se exilia de su patria y no regresará hasta que triunfe la Revolución de Fidel Castro. En París estudia musicología, carrera a la que se dedica profesionalmente; de ahí la frecuencia con que se habla de la música en sus novelas. Vive mucho tiempo en la capital francesa, así como en Caracas. Se dedica también al periodismo, la arquitectura y la diplomacia. Obtiene el premio Cervantes en 1977. Muere en 1980.

RASGOS DE SU NARRATIVA. Sus novelas, de cuidada elaboración técnica y estilística, ofrecen una compleja visión del mundo, que se apoya continuamente en la alegoría: el viaje, la búsqueda, el retorno a los orígenes... Aunque están perfectamente delineados, sus personajes no encarnan individualidades sino que vienen a ser arquetipos humanos. Las suyas no son historias particulares; insertas en un engranaje histórico, forman parte de un proceso colectivo que el novelista intenta clarificar. La panorámica temporal y espacial que se abre ante nuestros ojos es inmensa; en ella tienen cabida también la magia y el mito, que enriquecen la perspectiva. Se nos obliga a plantearnos continuamente cuáles son las claves de nuestro mundo civilizado y a contraponerlo al orden natural, en el que el hombre acaba encontrando su razón de ser, más allá del mecanismo corrupto que le brinda el corpus social en que se halla inmerso.

Algunos asuntos y temas obsesivos imprimen carácter a sus relatos: América y Europa en contraste, una nueva e irónica reflexión sobre la barbarie y la civilización, la música, el ritmo, el juego del tiempo y la realidad vital de los individuos.

TRAYECTORIA. Inicia su carrera literaria en 1933 con *Ecué-Yamba-O*, que gira en torno al mundo afrocubano. Indaga con ella en las raíces espirituales de su país, cuya situación política y social critica con dureza. Pasan a primer término el sexo y la violencia. Es patente ya el extraordinario dominio del instrumento lingüístico de que hará gala en toda su obra.

Después de un periodo en que escribe poco, nos ofrece un curioso y extenso relato, *Viaje a la semilla*, en el que asistimos a la peripecia biográfica de un personaje, un latifundista cubano, siguiendo un orden cronológico inverso, desde su muerte a su nacimiento y aún más allá, hasta retrotraerse a los orígenes de su concepción. Discurre en una atmósfera mágica e irreal. Años más tarde, se incluirá en *Guerra del tiempo* (1958), un volumen de tres relatos en los que la fantasía trata de suprimir los límites existentes entre pasado, presente y futuro.

El reino de este mundo (1949) se traslada a Haití, adonde había viajado Carpentier en 1943. La acción nos lleva desde finales del siglo XVIII (antes de la Revolución Francesa) a las primeras décadas del XIX. Trata de la revuelta de esclavos que termina con la dominación colonial de Francia y de la subida al poder y posterior caída de Henri Christophe, el primer rey negro del continente, que pasa de la esclavitud a convertirse en dictador (explota también a sus súbditos negros) y a imitar servilmente a la antigua metrópoli. Los hechos nos llegan a través del tiempo desde la perspectiva del negro Ti Noël, esclavo de una familia europea, que está siempre presente en el relato y nos permite entrar en contacto con los dos mundos en litigio: el europeo y el africano. En su relato se infiltran rasgos surreales. Asistimos, pues, al fracaso de los sueños de libertad, pero prevalece la idea de que es preciso actuar y de que el hombre debe buscar su justificación en «el reino de este mundo». No es una novela histórica al uso ya que juega un papel muy importante la dimensión mágica y mítica, ligada a la religión.

Los pasos perdidos (1953), momento culminante de la visión alegórica con que suele operar nuestro autor, es un reencuentro del hombre con sus raíces vitales, con la madre naturaleza, con la tierra. A través de la persona de un músico cubano residente en Estados Unidos, que va a la selva venezolana para estudiar los instrumentos primitivos, se contrapone el vacío de esa sofisticada civilización a la extraordinaria vitalidad del mundo natural, donde todo adquiere un ritmo distinto.

En su viaje el protagonista recobra su propio ser y renuncia a la civilización, apoyado en el amor de Rosario. Pero la fábula no tiene un final feliz. Sufre la tentación de volver momentáneamente a su vida norteamericana y, cuando unos meses después regresa a la selva, la exuberante naturaleza, imposible de domeñar, le impide encontrar el camino que le lleva a su amada. Cuando al fin lo descubre, se entera de que ella se ha casado con otro. Subyugan en esta espléndida obra las descripciones del mundo natural y la riqueza del lenguaje.

El acoso (1956) refleja el ambiente de represión y violencia creado por el régimen de Batista en la Cuba de los años cincuenta, donde las tensiones están a flor de piel. Se perciben los ecos de la actividad política del novelista en sus años estudiantiles. Como es habitual en él, no se limita a documentar una realidad, sino que inserta su testimonio en un entramado de riquísima elaboración estética.

El siglo de las luces (1964) pasa por ser su mejor novela, la más compleja. El punto de partida es la Revolución Francesa (empieza con una descripción de la guillotina, que es trasportada al Nuevo Mundo). La acción nos sitúa primero en el escenario de las Antillas, adonde llegan sus efectos y se produce la rebelión de los esclavos negros. Sigue en Francia. Allí somos testigos de cómo la revolución devora a los mismos que la engendraron: deriva en el autoritarismo y en un inoperante aparato burocrático. El resultado —al menos desde el punto de vista de la voz narradora— dista mucho de la pretendida utopía. Termina en España, con la jornada heroica del 2 de mayo.

Los avatares históricos aparecen ligados a las peripecias de Carlos, Sofía y Esteban, hijos y sobrino, respectivamente, de un comerciante cubano, ansiosos de acción. Viajan por Europa y viven intensamente los nuevos aires de libertad, bajo la tutela del masón haitiano Víctor Hughes, el verdadero protagonista del relato, que descubre a los jóvenes un universo intelectual distinto. En París entra en contacto con Robespierre y asume el compromiso de exportar la revolución al Caribe. A través de este personaje, Carpentier nos muestra, una vez más, la corrupción en que degeneran los procesos revolucionarios. Al volver a las Antillas para desempeñar el cargo de gobernador, se convierte en un tirano dedicado a la piratería. Junto a él, Esteban experimenta un progresivo desencanto: solo el contacto con la todopoderosa naturaleza, relacionada en este caso con la vida marítima, le permite recobrar el equilibrio interior.

Es una brillantísima novela, de lúcida penetración crítica, que nos ofrece un interesante cuadro histórico conectado con el momento actual, presentando una extraordinaria diversidad de personajes y episodios que convergen hacia una única línea de interpretación. Técnica y estilísticamente es un logro espléndido.

Tras esta obra maestra, Carpentier escribió cuatro novelas. En *El recurso del método* (1974) recrea la azarosa vida de una república hispanoamericana, en contraste con el mundo francés de los primeros momentos de la II Guerra Mundial; cada capítulo viene precedido de una cita cartesiana sarcásticamente glosada por la acción. *Concierto barroco* (1974) es una novela corta o cuento largo en que el choque de civilizaciones se traslada a la Venecia de 1709, en la que un indiano y su esclavo negro asisten a las representaciones del Ospedale de la Pietà, donde Vivaldi estrena su ópera *Montezuma*. Juega el narrador con los ritmos musicales y con el tiempo. El relato acaba con un nuevo concierto barroco: el de la trompeta de Louis Armstrong. *La consagración de la primavera* (1978) vuelve a las relaciones del tiempo y la música (ahora Stravinski), de América y Europa, en una coyuntura histórica más cercana: el ascenso de Hitler, la dictadura cubana con Batista al fondo, la guerra civil española... *El arpa y la sombra* (1979) es pieza más ligera, rozando la caricatura esperpéntica, protagonizada por Cristóbal Colón, cuya canonización se tramita en la Roma de Pío IX, y centrada en la sorpresa y maravilla del descubrimiento de un mundo que era, en efecto, nuevo.

7.6.8. OTROS NARRADORES RELEVANTES

FELISBERTO HERNÁNDEZ (Montevideo, 1902-1964). Fue músico famoso antes que escritor. Cultiva la narrativa breve dentro de una línea fantástica, muy original, que se acoge a la ruptura de las convenciones propia de la Vanguardia. Contrario al progreso y las ciencias positivas, se refugia en el misterio y la ensoñación y convierte lo imaginario en la única realidad por la que se rige su universo literario. Sus personajes, representativos de la clase media urugaya, son sometidos a un análisis que los desarticula en una cadena de gestos y actitudes y sobre todo de sensaciones. Lo que realmente importa es la percepción del mundo por parte del individuo y su capacidad de evocación en un ininterrumpido ejercicio de la memoria, piedra angular de sus relatos.

Todo, hasta la propia literatura, aparece desacralizado, en un proceso de extrañamiento que puede llegar al absurdo. Domina un talante lúdico, humorístico, desenfadado. Sin embargo, la idea que subyace es la del hombre perdido en un ámbito que desconoce, por el que deambula solitario, enajenado, perdido en sus galerías interiores, con la conciencia escindida, incapaz de comunicarse con «el otro». Estos «locos inteligentes», que dirigen sobre las cosas una mirada oblicua, se enfrentan continuamente a situaciones insólitas, insertas en un cosmos difícilmente definible.

Los episodios aislados, que se generan a partir de imágenes, predominan sobre la acción prolongada; el fragmentarismo es rasgo esencial de su obra. Los diálogos no se rigen por coordenadas lógicas. Abundan las metáforas, alegorías y toda clase de recursos propios de la lírica. No es de extrañar en una producción que discurre bajo el signo de la más extrema subjetividad.

Su conjunto de cuentos más logrado es *Nadie encendía las lámparas* (1947). Otros títulos relevantes son *Por los tiempos de Clemente Colling* (1942), *El caballo perdido* (1943), *La casa inundada* (1960)... A su muerte, dejó una serie de textos escritos con un sistema taquigráfico de su invención, cuyas claves aún no se han descubierto.

ARTURO USLAR PIETRI (Caracas, 1906-2001). Prestigioso intelectual de vasta cultura, orador y pedagogo, alterna la cátedra con el cultivo de las letras y el periodismo: director de *El Nacional*, columnista de una importante cadena de diarios, colaborador en televisión... Desempeña diversos cargos políticos: ministro, senador, secretario de la presidencia, delegado en la UNESCO, candidato a presidente...

Es un ensayista de primera magnitud, que se afana en difundir la cultura en su país: *Las visiones del camino* (1945), *Letras y hombres de Venezuela* (1948), *De una y otra Venezuela* (1949), *Apuntes para retratos* (1952), *Breve historia de la novela hispanoamericana* (1954)... También es poeta reflexivo y filosófico.

Contribuye a la revitalización de la narrativa hispanoamericana con una prosa impresionista, de aliento poético, rica en imágenes y matices sensoriales.

Tras su paso por París, donde se impregna de las nuevas corrientes, publica *Barrabás y otros relatos* (1928), que llama la atención por la originalidad de sus planteamientos. Huye del costumbrismo pintoresquista para dar cabida al influjo de la Vanguardia, en particular del Surrealismo, que se revela en los motivos relacionados con la locura, el sueño o lo enigmático, pero no en el lenguaje, de impronta modernista. Es un antecedente del realismo mágico. En sucesivas colecciones (*Red*, 1936; *Treinta hombres y sus sombras*, 1949; *Pasos y pasajeros*, 1966; *Los ganadores*, 1980; *Cuentos de la realidad mágica*, 1992; *Un mundo de humo y otros cuentos*, 2000) progresa en profundidad y pericia técnica, al tiempo que forja un estilo propio, ofreciendo siempre la riqueza de estímulos sensoriales y la sugerente mezcla de realidad e imaginación que ya apuntaba en sus primeros relatos. En *Moscas, árboles y hombres* (1973) tenemos una selección de su narrativa breve.

La materia para sus novelas la busca en la historia más o menos próxima. *Las lanzas coloradas* (1931) se basa en las guerras independentistas de principios del XIX, cuyos episodios describe con toda crudeza. Traza auténticos aguafuertes al evocar ese mundo colonial de esclavos y hacendados. Mezcla de fábula y epopeya, ofrece importantes claves para la comprensión de la realidad americana. En *El Dorado* (1947) se atiene más a los hechos históricos para narrar la andadura del mítico Lope de Aguirre, que, arrastrado por sus ambiciones, se despeña hacia la locura y la muerte. *Oficio de difuntos* (1976) es una prototípica novela sobre la dictadura, en torno al caudillo criollo Peláez. *La visita en el tiempo* (1990) se centra en la figura de don Juan de Austria, marcada por el estigma de la bastardía y la ambición insatisfecha.

AUTORES VARIOS. Pueden citarse otros muchos narradores de interés entre los que publican en esta época. Algunos están próximos al mundo del sentimiento y las emociones que tanto interesó a modernistas y posmodernistas. El chileno EDUARDO BARRIOS (1884-1963) analiza en sus novelas la vida íntima de los personajes (*El niño que enloqueció de amor,* 1915; *Un perdido,* 1917; *Los hombres del hombre,* 1950); sin embargo, su obra más célebre, *Gran señor y rajadiablos* (1949), es un fresco histórico del Chile decimonónico. La venezolana TERESA DE LA PARRA (1891-1936) es autora de dos novelas de evocación, influidas por Proust: *Ifigenia* (1924) y *Memorias de la Mamá Blanca* (1929). El poeta y narrador guatemalteco RAFAEL ARÉVALO (1884-1975) sigue las direcciones de la lírica modernista, pero tiende, como es común en su generación, a hacer más sencilla la expresión y a acercarse a los problemas íntimos del hombre en *Las rosas de Engaddi* (1927), *Llama* (1934) y *Por un caminito así* (1947). Como narrador cultiva el relato fantástico en *El hombre que parecía un caballo* (1918), protagonizado por el poeta Porfirio Barba Jacob, *Las noches en el palacio de la nunciatura* (1927), *El mundo de Marachías* (1938), *Viaje a Ipanda* (1939)...

Ligado a las formas y técnicas de la Vanguardia se encuentra el chileno JUAN EMAR, seudónimo de Álvaro Yáñez Bianchi (1893-1964), atrevido narrador en sus tres novelas de 1935: *Miltín 1934, Un año, Ayer*, y en el libro de relatos *Diez* (1937), a lo que hay que añadir la novela *Umbral* (ed. póstuma, 1977). El mexicano ARQUELES VELA (1899-1977) da a la luz *El café de nadie* (1926), libro de cuentos dentro de la estética caprichosa y futurista del momento. El ecuatoriano PABLO PALACIO (1906-1947) rompe con los moldes preexistentes en sus cuentos (*Un hombre muerto a puntapiés*, 1927) y novelas (*Débora*, 1927; *Vida del ahorcado*, 1932), que giran en torno a seres desequilibrados y se estructuran en una narración discontinua, desarticulada, en la que el argumento se rompe o sencillamente no existe. El colombiano EDUARDO ZALAMEA BORDA (1907-1963) cultiva una narrativa absurda y angustiada en *Cuatro años al borde de mí mismo* (1934). La chilena MARÍA LUISA BOMBAL (1910-1980) indaga en el mundo del subconsciente, sobre todo en el alma femenina. Inicia el camino del relato surreal con *La última niebla* (1934), que funde sueño y realidad, y *La amortajada* (1938), en medio de una atmósfera de misterio.

7.6.9. EL ENSAYO

Los ensayistas hispanoamericanos más relevantes de este momento (Haya de la Torre, Mariátegui, Martínez Estrada...) se mueven por la preocupación social y política; ya han sido citados y enumeradas sus obras más significativas en 7.4.7. La relación de los ensayos de otros (Borges, Uslar Pietri...) aparece junto al estudio del resto de su obra. En este capítulo nos ocuparemos de algunos autores españoles muy influidos por el estilo experimental y de ruptura de la Vanguardia.

José Bergamín (Madrid, 1895-San Sebastián, 1983), fundador de la revista *Cruz y raya* (1933), nos ofrece una modalidad nueva del ensayo y la crítica literaria, que aparecen impregnados de trascendencia poética y religiosa. A él se debe un incisivo análisis del ser español y una originalísima visión de nuestros clásicos, guía de sus reflexiones sobre España. Su estilo es netamente conceptista, tanto en los aforismos (*El cohete y la estrella*, 1923) como en los ensayos: *El arte de birlibirloque* (1930), defensa de los valores estéticos y metafísicos del toreo, y *Mangas y capirotes* (1933), original reflexión sobre la dramaturgia áurea, que Bergamín considera como una popularización poética de la España eterna...

Su lírica meditativa y existencial tiene acentos quevedescos, unamunianos y machadianos, pero con un indudable sello personal. Algunos poemarios, entre los que hay una clara unidad de temas, tonos y estilos, son *Rimas y sonetos rezagados* (1962), *La claridad desierta* (1973), *Del Otoño y los mirlos* (1975), *Apartada orilla* (1976), *Velado desvelo* (1978)...

Célebre protagonista de la Vanguardia española fue Ernesto Giménez Caballero (1899-1988), un escritor intuitivo, con imaginación, de acento vehemente, que gusta de engarzar imágenes y expresiones caprichosas en *Yo, inspector de alcantarillas* (1928), una muestra de arte surrealista; *Julepe de menta* (1928), conjunto de artículos heterogéneos, y *Hércules jugando a los dados* (1928), una exaltación del superhombre, encarnado en el atleta.

En el terreno de la crítica literaria destaca la figura de Juan Chabás (1900-1954), autor de *Literatura española contemporánea (1898-1950)* (1952), extenso manual elaborado desde una óptica subjetiva. También escribió poemas que publicaba en las revistas ultraístas, y algunas novelas eminentemente líricas: *Sin velas, desvelada* (1927), *Puerto de sombra* (1928), *Agor sin fin* (1930)...

Dentro del periodismo político destaca Luis Araquistáin (1886-1959), cuya capacidad dialéctica se evidencia en

El pensamiento español contemporáneo, obra comenzada en 1937. Otras veces se ocupa de temas literarios; así en *La batalla teatral* (1930), donde intenta analizar las causas de la crisis del arte escénico.

7.7. LOS LÍRICOS DE LA ÉPOCA DE LAS VANGUARDIAS

7.7.1. POETAS ESPAÑOLES DE LA GENERACIÓN DEL 27

La fecha de 1927, tercer centenario de la muerte de Góngora, ha servido para bautizar a un destacado grupo de poetas españoles, algunos de ellos, además, eminentes profesores. Discípulos de Juan Ramón Jiménez, con el que acabarían en guerra abierta, parten de la poesía pura, encarnada por el maestro, incorporan algunas de las experiencias de la Vanguardia feliz (Ultraísmo, Futurismo, Cubismo, Creacionismo) y se adentran en el Surrealismo y en la poesía propagandística de carácter político y social. Simultáneamente desarrollan una interesante lírica neopopular y asimilan el influjo clásico y barroco de Góngora, Lope y Quevedo. Constituyen, sin duda, una de las promociones más abiertas, polifacéticas y creativas de la lírica de todos los tiempos. Veamos a sus representantes más notables.

PEDRO SALINAS (Madrid, 1891-Boston, 1951). Catedrático de literatura de la universidad de Sevilla, se inicia tardíamente en las letras. El exilio lo lleva a ejercer la docencia en diversas universidades americanas. Su producción de finales de los años veinte se sitúa en la órbita de las Vanguardias: *Seguro azar* (1929), *Fábula y signo* (1931).

Su auténtica voz poética hay que buscarla en tres libros de madurez: *La voz a ti debida* (1933), *Razón de amor* (1936) y *Largo lamento* (1957). Salinas se nos muestra como un extraordinario poeta erótico que lleva a sus versos las luces y las sombras de las relaciones de los amantes.

Despojados de anécdotas y circunstancias, los designa siempre con los pronombres *tú* y *yo*, sin rasgos que los identifiquen al margen de su propia esencia. La amada está vista solo a través del poeta; no tiene más vida que la que él le da. La fugacidad de la dicha suscita reflexiones melancólicas y angustiosas. Es una poesía reducida al puro concepto, sin adornos, no sensitiva sino intelectual, de lenguaje sencillo y escueto. En armonía con esa estética, Salinas prefiere el verso corto y prescinde casi siempre de la rima.

Ya en el exilio, el poeta sale de su intimidad, solo compartida con el *tú*, para reflexionar sobre los problemas de los hombres de su tiempo en una actitud solidaria: *El contemplado* (1946) y *Todo más claro* (1949). En este último libro se incluye el célebre poema *Cero*, que protesta contra la amenaza atómica.

Nuestro autor fue también un estimable crítico literario y ensayista de gran cultura y sensibilidad: *Jorge Manrique o tradición y originalidad* (1947), *La poesía de Ruben Darío. Ensayo sobre el tema y los temas del poeta* (1948)... Lo más interesante de su prosa narrativa es *La bomba increíble* (1950), fabulación fantástica en la que subyace una honda inquietud. A ello hay que añadir catorce piezas teatrales, casi todas breves, en las que lo real se mezcla con lo fantástico y sobrenatural.

JORGE GUILLÉN (Valladolid, 1893-Málaga, 1984). Catedrático en las universidades de Murcia y Sevilla, después de la guerra prosiguió su carrera docente en Estados Unidos. Se caracterizó siempre por su vitalidad y optimismo, no empañados por la amarga experiencia del exilio y la vejez. Agrupa su poesía en tres grandes ciclos.

El ciclo de *Cántico* (1.ª ed.: 1928, con ampliaciones posteriores), poesía pura, intelectual, abstracta, pone de manifiesto el entusiasmo del poeta ante la contemplación de la armonía y la belleza del planeta. Su optimismo se desborda en versos llenos de júbilo en los que repite una y otra vez que «el mundo está bien hecho». El lenguaje es conciso, reducido a la mínima esencia. Abundan las oraciones nominales y las frases exclamativas e interrogativas, que condensan la expresión.

En el ciclo de *Clamor* (1.ª ed.: 1959, con ampliaciones posteriores) ya no canta las maravillas del universo. Hacen acto de presencia el dolor, el desorden, la angustia; ha tomado conciencia de los aspectos negativos y quiere analizarlos serenamente. El paso del tiempo lo llena de zozobra. El estilo sigue siendo el mismo en sustancia.

El tercer ciclo poético está representado por *Homenaje* (1967), libro en que nos habla de diversas figuras del arte y las letras de todos los tiempos.

GERARDO DIEGO (Santander, 1896-Madrid, 1987). Fue toda su vida catedrático de instituto. Se le eligió para la Real Academia en 1947. Obtuvo el premio Cervantes en 1979. Si tuviéramos que definirlo con un rasgo distintivo, sería la variedad de registros. Es uno de los autores del grupo más afecto al arte de las Vanguardias y, a la vez, el mejor poeta de corte clásico.

En un primer momento se deja prender por el Ultraísmo. Busca entonces imágenes insólitas y sorprendentes. Los principales frutos son *Imagen* (1922) y *Manual de espumas* (1924).

Sin abandonar el culto a la imagen, que le acompañará siempre, inicia una nueva vertiente de poesía humanizada en que deja de lado el puro alarde estilístico para expresar sentimientos más personales. Frente al verso libre de antaño, prefiere las estrofas clásicas, en especial sonetos, romances y décimas. *Soria. Galería de estampas y efusiones* (1923) es un canto a esa tierra a la que siempre quiso entrañablemente (ejerció allí su labor docente) y que reaparece una y otra vez en sus libros. Hay aquí excelentes muestras de lírica de estilo tradicional, como el célebre *Romance del Duero*. El corpus soriano se prolongará en *Soria* (1948) y *Soria sucedida* (1977; ed. definitiva, 1980).

Un libro crucial dentro de este nuevo enfoque es *Versos humanos* (1925), galardonado con el premio nacional de literatura, *ex æquo* con Alberti. En él hallamos poemas de amor, reflexiones personales, nuevos cantos a Soria... La obra más célebre, perfecta en su ejecución, es el soneto *El ciprés de Silos*, en el que expresa sus ansias de espiritualidad. Cultiva también una veta menos frecuente en el grupo del 27: la poesía religiosa (*Viacrucis*, *Versos divinos*).

Ángeles de Compostela (1940; ed. definitiva, 1961) es su segundo gran libro. Se inspira en el Pórtico de la Gloria de la catedral de Santiago de Compostela y, en particular, en los ángeles que tocan la trompeta del juicio final. Es, a la vez, un canto a la vida futura y a la tierra gallega.

Otro de sus mejores poemarios es *Alondra de verdad* (1941), colección de cuarenta y dos sonetos de gran intensidad y belleza. Aspira a crear una poesía «directa, concreta, siempre vivida y elaborada solo en primer grado». Destaca el espléndido soneto amoroso *Insomnio*.

En su etapa final, aborda el tema taurino: *La suerte o la muerte. Poema del toreo* (1963), que describe momentos y lances de la corrida y exalta a las grandes figuras de su tiempo. Compone también muchos poemas amorosos: *Glosa a Villamediana* (1961) y *Sonetos a Violante* (1962) son dos conjuntos de sumo interés.

Ofrece asimismo una apreciable faceta de crítico literario. Algunos de sus trabajos más notables se reunieron en *Creación y poesía* (1984).

VICENTE ALEIXANDRE (Sevilla, 1898-Madrid, 1984). Desempeñó un papel clave en la poesía española de posguerra, tanto por la enorme influencia que ejercieron sus libros como por la ayuda que prestó a los jóvenes artistas. Obtuvo el premio Nobel en 1977.

A diferencia de sus compañeros de grupo, ha prescindido de las estrofas clásicas para cultivar el versículo. Su obra discurre dentro de los cauces del Surrealismo. Abundan las imágenes oníricas e irracionales.

Ámbito (1928) está dominado por el panteísmo, el anhelo de fundirse con el universo, de integrarse en la naturaleza y recuperar el paraíso perdido. Son poemas de dimensiones cósmicas, telúricas, preñados de angustia y desasosiego. Se nos revela como un excelente poeta erótico en *Espadas como labios* (1932), *La destrucción o el amor* (1935), *Mundo a solas* (escrito en 1934-1936 y publicado en 1950), *Sombra del paraíso* (1944)...

Con el paso del tiempo, Aleixandre halla cierto alicio a sus males en la solidaridad con los demás hombres, que comparten sus mismas angustias. La expresión se hace más clara, en un intento de comunicarse, fundirse con todos sus hermanos: *Historia del corazón* (1954), *Poemas de la consumación* (1968), *Diálogos del conocimiento* (1974).

LUIS CERNUDA (Sevilla, 1902-México, 1963). Sigue la carrera docente y, al terminar la guerra, se exilia a Inglaterra, donde permanece varios años impartiendo clases. Pasa luego a Estados Unidos y México. Era tímido, introvertido e hipersensible. Su desarraigo vital se expresa con tonos angustiosos.

Reúne el conjunto de su obra lírica por vez primera en 1936 (nuevas ediciones aumentadas en 1940, 1958 y 1965), bajo el título de *La realidad y el deseo*, que refleja a las mil maravillas la esencia última de sus versos, las tensiones que sufre entre la frustrante realidad que lo rodea y el mundo ideal al que aspira. De este desequilibrio surge el desencanto y la desolación. Su amor homosexual se expresa de forma dolorida.

En sus comienzos adopta formas clásicas. Domina el tono melancólico. Sus modelos son Garcilaso de la Vega y Bécquer. Escribe en ese periodo *Perfil del aire* (1927) y *Égloga, elegía, oda* (1927-1928).

Su estancia en Toulouse como lector de español le permite entrar en contacto muy directo con el Surrealismo, tan apropiado para la liberación de los fantasmas que lo torturan. Lo incorpora en *Un río, un amor* (1929) y *Los placeres prohibidos* (1931).

Sin abandonar el Surrealismo, empieza a escribir una poesía de tono intimista, cuyo modelo supremo es Bécquer. Expresa su desencanto y la apetencia de la muerte como única forma de liberación: *Donde habite el olvido* (1934), título tomado del autor de las *Rimas*, *Invocaciones a las gracias del mundo*, compuesto en 1934-1935...

Tras la guerra, sus frustraciones personales se ven agravadas por el fracaso de la causa que había defendido. Los libros más destacados son *Como quien espera el alba* (1941-1944), *Vivir sin estar viviendo* (1944-1949), *Con las horas contadas* (1950-1956) y, sobre todo, *Desolación de la quimera* (1956-1962). En este último Cernuda, que se sabe próximo a la muerte, muestra su más radical rebeldía.

Tiene también una apreciable producción prosística, entre la que destaca *Ocnos* (1942; ediciones aumentadas en 1949 y 1963), conjunto de poemas en prosa en los que evoca experiencias personales con técnica narrativa. Es fundamental en él la conciencia trágica de la temporalidad.

RAFAEL ALBERTI (El Puerto de Santa María, Cádiz, 1902-1999). Se aficionó en sus primeros años a la pintura, pero el reposo exigido por una grave enfermedad pulmonar le dio pie a interesarse por la poesía. A los veinticinco años sufrió una profunda crisis que hizo cambiar su actitud vital. Afiliado al partido comunista y defensor de la república, cuando terminó la guerra, tuvo que exiliarse. Estuvo primero en París y luego en Argentina y Roma. Regresó tras la muerte de Franco. Obtuvo el Cervantes en 1983. El propio Alberti ofreció un recuento de sus experiencias vitales en *La arboleda perdida* (1948; nueva ed., 1959).

Los rasgos más relevantes de su personalidad poética son la agilidad, la expresividad, el sentido del ritmo y la gracia.

Comienza su trayectoria en el campo de la poesía neopopular. Se da a conocer cuando en 1925 obtiene el premio nacional de literatura, compartido con Gerardo Diego, con *Marinero en tierra* (1924). Expresa la nostalgia que siente en Madrid de su mar gaditano. Son poemas sencillos, cortos, con el tono y ritmo propios de la lírica tradicional. En la misma línea se sitúan *La amante* (1925), que recoge los recuerdos de un viaje por tierras de Castilla, y *El alba del alhelí* (1927).

Como todos su compañeros de grupo, Alberti se deja seducir por el arte de Góngora. Empieza a escribir una poesía barroca, de compleja elaboración, influida también por las Vanguardias: *Cal y canto* (1929).

Coincidiendo con la crisis personal a que hemos aludido, elige el Surrealismo y el verso libre como forma de expresión de esas tensiones que lo atormentan en *Sobre los ángeles* (1929). A través de estos espíritus simboliza la lucha que se da en el interior del hombre entre las fuerzas del bien y del mal. *Yo era un tonto y lo que he visto me ha hecho dos tontos* (1929), en homenaje a los grandes cómicos del cine mudo, muestra la vertiente lúdica y disparatada del Surrealismo.

Empieza luego a escribir una poesía política comprometida, concebida como arma de combate. Abandona las oscuridades estilísticas para volver a su primitiva sencillez. Títulos fundamentales son *El poeta en la calle*, escrito entre 1931 y 1935, *De un momento a otro*, de 1934-1938...

La experiencia amarga del exilio conforma muchas de sus creaciones, como *Entre el clavel y la espada* (1941). Canta su dolor y el de su patria, esa «lenta piel de toro desollado, / sola, descuartizada». El mejor libro de esta serie es *Retornos de lo vivo lejano* (1952), de carácter evocativo. De gran interés son también algunos poemarios de muy distinta naturaleza: *A la pintura* (1948; nuevas eds. aumentadas, 1953, 1968, 1978), un alarde de virtuosismo que se inspira en los grandes maestros de este arte; *Coplas de Juan Panadero* (1949), sátira política puesta en boca de un álter ego que representa la voz del pueblo, y *Roma, peligro para caminantes* (1968), serie de composiciones burlescas y humorísticas de cuidada elaboración que, en vez de mostrar la ciudad monumental, se fijan en los barrios más degradados.

Ya de vuelta a España, ha publicado nuevos poemarios, en los que domina la veta erótica: *Amor en vilo*, amplio corpus compuesto entre 1977 y 1980, *Fustigada luz* (1980), *Golfo de sombras* (1986), *Canciones para Altair* (1989)...

Alberti cultivó también el arte dramático. Esta parcela de su producción merece ser tenida en cuenta por el aliento renovador que la anima y por el continuado esfuerzo de creación a lo largo de tantos años: *El adefesio* (1944), *Noche de guerra en el Museo del Prado* (1956)...

OTROS POETAS. Son numerosos los autores de este grupo que merecen el interés del lector sensible. FERNANDO VILLALÓN (1881-1930) es poeta neopopular inspirado en el romancero y en el campo andaluz, cuya imagen mítica preside sus poemarios: *Andalucía la Baja (Poemas en verso)* (1926), *La toriada* (1928), silvas neogongorinas, y *Romances del 800* (1929). MAURICIO BACARISSE (1895-1931) se inicia en la poesía posmodernista (*El esfuerzo*, 1917; *El paraíso desdeñado*, 1928) y más tarde se incorpora al arte de Vanguardia, tanto en su obra lírica (*Mitos*, 1930) como novelesca (*Los terribles amores de Agliberto y Celedonia*, 1931). JUAN JOSÉ DOMENCHINA (1898-1959) cultiva primero la poesía pura y más tarde se impregna de inquietudes surrealistas: *El tacto fervoroso* (1930), *Dédalo* (1932). La vivencia del exilio imprime un giro a su obra, que llega a un máximo de intensidad lírica. El dolor de la separación lo va a llenar todo: *Destierro* (1942), *Pasión de sombra* (1944), *La sombra desterrada* (1949), *El extrañado* (1958)...

Dentro del grupo de poetas ultraístas destacan ADRIANO DEL VALLE (1895-1957), autor de *Primavera portátil* (1934) y *Los gozos del río* (1940), y PEDRO GARFIAS (1901-1967), que ofrece una apreciable muestra de la escuela en *El ala del Sur* (1926), pero luego se distancia de ella y deriva hacia una actitud comprometida: *Poesías de la guerra* (1937), *Héroes del Sur* (1938), *Poesías de la guerra española* (1941), para terminar con los temas y actitudes propios del exilio: *Primavera en Eaton Hastings (Poema bucólico con intermedios de llanto)* (1941).

Figura preclara dentro del Surrealismo es JUAN LARREA (1895-1980), con una primera etapa netamente creacionista, efímera, en la que sigue las huellas del chileno Vicente Huidobro, del que luego se distancia. A raíz de una crisis existencial, la búsqueda de una expresión trascendente lo lleva a los dominios del Surrealismo; la creación poética se convierte para él en una experiencia mística, un camino de autotrasformación y salvación personal. A partir de 1926, compone la mayor parte de sus poesías en francés. Deja de escribir versos desde 1932. Recoge una amplia selección de su obra en *Versión celeste*, que no pudo publicarse, a causa de la guerra, hasta 1969.

JOSÉ MARÍA HINOJOSA (1904-1936) es uno de los primeros en adoptar una postura vital y literaria acorde con el Surrealismo. *Poesía de perfil* (1926) presagia ya la plena evolución hacia el Surrealismo, aunque todavía presenta formas y ritmos tradicionales. En esa dirección avanza *La rosa de los vientos* (1929). Una de las más valiosas muestras de la prosa surrealista es *La flor de California* (1928), con siete relatos que nos adentran en el mundo onírico. Se reiteran las imágenes que generan angustia y ansiedad. La sangre lo inunda todo y abundan los cuerpos mutilados. Siguen luego *Orillas de la luz* (1928) y *La sangre en libertad* (1931).

MIGUEL HERNÁNDEZ (Orihuela, Alicante, 1910-Alicante, 1942) es un poeta puente entre la Generación del 27 y la del 36. De origen humilde (fue pastor en su juventud), tiene una formación autodidacta. Al acabar la guerra, se le condena a muerte. Le conmutan la pena, pero muere poco después en la cárcel.

Su primer libro, *Perito en lunas* (1933), es un claro exponente del barroquismo gongorino característico del grupo del 27. Vienen luego los veinticinco sonetos amorosos, traspasados de dolor y melancolía, de *El silbo vulnerado*, la mayoría de los cuales se integran en *El rayo que no cesa* (1936), su primer libro importante. El modelo para la expresión del sentimiento es Quevedo. Al final incluye la *Elegía a Ramón Sijé*, en la que canta con voz desgarrada la muerte de su amigo y maestro.

Al estallar la guerra, asume su compromiso, más social que político, y convierte su poesía en arma de combate. *Viento del pueblo* (1937) es un libro rabioso en el que intenta exacerbar los ánimos del pueblo en armas. Algunas de sus composiciones son célebres y muy interesantes: «Vientos del pueblo me llevan...», *El niño yuntero*, «Andaluces de Jaén...», *Canción del esposo soldado, Al soldado internacional caído en España...*

Ese tono encendido va dejando paso al dolor y la angustia. La expresión se torna más sobria y escueta. *El hombre acecha*, escrito en 1937-1938 (la primera edición completa no apareció hasta 1981), tiene acentos de desesperación al contemplar la tragedia del ser humano, al ser testigo de tantas muertes.

Ya en su última etapa, encontramos un libro sobrecogedor: *Cancionero y romancero de ausencias*, escrito en prisión en 1938-1939. Es un desahogo íntimo en el que el poeta desnuda su alma llena de amargura. El dolor humano, que tan cerca veía en la cárcel, inspira estos poemas breves. El tema de la ausencia aparece en muchos de ellos: el hijo muerto, la esposa lejana, una fotografía... Hay versos amorosos (dedicados a su mujer), elegíacos (a su hijo), canciones sobre la guerra, sobre el odio, la soledad, la cárcel...

A esto se añade un corpus de *Poemas últimos*, que para algunos estudiosos forman unidad con el *Cancionero...* Las estremecedoras *Nanas de la cebolla* surgieron cuando recibió una carta de su mujer en que le decía que ella y su hijo no tenían para comer más que pan y cebolla. *Hijo de la luz y de la sombra* está dedicado a su niño muerto.

La valoración de Miguel Hernández como dramaturgo ha quedado, con toda justicia, muy por debajo de la que merece como poeta. Los aciertos líricos de sus piezas (*Quién te ha visto y quién te ve y sombra de lo que eras*, 1933; *Los hijos de la piedra*, 1935; *El labrador de más aire*, 1937) no bastan para ocultar sus grandes limitaciones en lo que a la técnica dramática se refiere: falla la concepción de los caracteres y de las situaciones escénicas.

7.7.2. FEDERICO GARCÍA LORCA

SÍNTESIS BIOGRÁFICA. Nace en Fuente Vaqueros (Granada) en 1898. Estudia filosofía y letras y derecho. En 1919 se instala en la Residencia de Estudiantes de Madrid, donde traba amistad con los jóvenes artistas de su tiempo: Alberti, Dalí, Buñuel... En 1929 viaja a Nueva Yok y Cuba. Cuatro años después, está en Buenos Aires como director de la compañía de Margarita Xirgu, su actriz predilecta. En 1932 el Ministerio de Educación le encarga que dirija «La barraca», compañía de teatro ambulante que lleva las obras de nuestros clásicos por los pueblos de España. Al comienzo de la guerra civil es fusilado en Granada por los sublevados.

García Lorca era, según el testimonio de quienes lo conocieron, una persona con «duende», simpático y extravertido, animador de fiestas y reuniones. Sin embargo, sus versos y, sobre todo, su teatro revelan la existencia de conflictos íntimos.

RASGOS GENERALES DE SU POESÍA. La lírica de García Lorca es una felicísima mezcla de poesía popular y renovación. Los temas y ritmos tradicionales conviven con imágenes atrevidas y sugerentes de cuño vanguardista. Sus versos nos trasportan a un mundo dominado por misteriosas fuerzas atávicas, instintos ancestrales, viejos motivos de raíz popular y religiosa que adquieren una proyección mítica. Su visión de Andalucía trasciende el localismo costumbrista para convertirla en un escenario mágico y simbólico. El universo poético de Lorca, presidido por la muerte, que acecha a cada paso, es trágico y violento. Las pasiones se desencadenan con intensidad y abocan al individuo a un destino fatal. El amor y el sexo se presentan como un impulso dionisíaco al que no cabe resistirse, una fuerza vital que se entrelaza inevitablemente con la muerte.

Suelen distinguirse dos fases en la adhesión de García Lorca a la corriente surrealista: primero es algo vago que se circunscribe a la atmósfera onírica de muchos de sus poemas. A partir de *Poeta en Nueva York* (1929-1930), crece la presencia de los componentes irracionales, pero el autor no pierde nunca la conciencia artística; es el suyo un surrealismo instrumental.

Tuvo la vitud de crear un lenguaje poético propio, ya maduro desde sus primeras manifestaciones. Tanto en los poemas como en las piezas dramáticas se repiten imágenes que deben interpretarse a la luz de su particular código simbólico. Así, la luna y el color verde representan la muerte, a la que se asocia también lo metálico en sus diversas variantes; hay una presencia obsesiva de objetos punzantes como cuchillos, navajas, puñales... El toro tiene una clara significación trágica y violenta, el caballo encierra connotaciones eróticas...

EVOLUCIÓN POÉTICA. García Lorca se inicia en el cauce de la poesía neopopular. Sus obras tempranas contienen en germen lo que será su mundo poético. Todas las peculiaridades descritas están presentes ya en uno de sus primeros libros: *Canciones* (1927), compuesto en 1921-1924, y en *Poema del cante jondo*, escrito en 1921 y publicado con adiciones y correcciones en 1931. Es un tributo al folclore andaluz, que tan profundamente conocía y amaba. A través de esos ritmos populares (siguiriyas, soleares, saetas, peteneras...) intenta expresar el dolor de su tierra.

La fusión de imágenes surreales con la vena popular logra sus mejores momentos en *Romancero gitano* (1928). Los dieciocho romances que lo integran nos ofrecen sendos cuadros de ese mundo mítico. El poeta se ocupa de una raza marginada y manifiesta sus simpatías hacia ella; toma partido frente a la represión institucionalizada que representa la guardia civil. Pero también le interesan las posibilidades estéticas del tema, la exaltación de las pasiones y el halo de misterio que rodea a esos seres. Intenta fundir el romance narrativo y el lírico, a los que incorpora a veces una técnica dramática. Recrea y estiliza los elementos que le brinda la tradición y forja una obra de dimensiones cósmicas, cargada de símbolos, que trasciende el marco localista sin renunciar a la anécdota vital.

A raíz de una crisis íntima, García Lorca viaja a Estados Unidos. El resultado es *Poeta en Nueva York* (1929-1930; ed. póstuma en 1940), denuncia de una sociedad materialista que oprime al débil y margina al negro; trabajará en esta obra hasta el final de su vida. Utiliza el verso libre y se vale de las imágenes oníricas, irracionales, para trasmitir la angustia que le produce esa ciudad monstruosa e inhumana, donde todos los días se matan «cuatro millones de patos, / cinco millones de cerdos, / dos mil palomas para el gusto de los agonizantes». Alza su voz contra la técnica que domina al hombre y contra el dinero que destruye a los seres indefensos.

En su etapa final compone más teatro que poesía, pero nos ha dejado magníficos versos. *Diván del Tamarit*, escrito a partir de 1931, es una colección de doce «gacelas» y nueve «casidas» con vagas resonancias árabes en la atmósfera y el léxico; tema central de estos versos estremecidos son el amor atormentado y la muerte, dos vivencias inseparables. *Seis poemas galegos* (1935) es un curioso intento de escribir en una lengua que no conocía bien; estamos ante otra muestra afortunada del neopopularismo lorquiano, en la que se refleja, una vez más, su dominio de los ritmos tradicionales. *Llanto por la muerte de Ignacio Sánchez Mejías* (1935), uno de los mejores cantos elegíacos escritos en español, expresa el dolor por la muerte del torero amigo con violentas imágenes surrealistas. También en 1935 empezó a componer los *Sonetos del amor oscuro* que solo conocíamos fragmentariamente hasta 1984. En ellos se somete a la contención de las formas clásicas para dar salida a sus intensas pulsiones eróticas de signo homosexual. El acento doliente y desgarrado de estos poemas contrasta con su construcción manierista, extremadamente perfecta.

OBRA DRAMÁTICA. García Lorca es el único autor del 27 que cultivó el teatro de forma continuada y que alcanzó con él un éxito comparable al que le dio su obra lírica. Sus piezas dramáticas presentan un mundo poético y trágico muy similar al de sus versos. También el lenguaje es el mismo: las mismas imágenes, idéntico tono. La expresión de los conflictos íntimos (deseos, apetencias, obsesiones…) se magnifica y se plasma más a través de soliloquios líricos que de conflictos entre fuerzas dramáticas. No se puede negar, sin embargo, que a lo largo de su vida va depurando ese componente poético de su dramaturgia.

Francisco Ruiz Ramón ha visto en todo el teatro lorquiano el choque entre dos fuerzas que bautiza con los nombres de *principio de libertad* y *de autoridad*. Efectivamente es así, pero hay que señalar que ese conflicto siempre se plantea en los estratos íntimos de la persona, en su lucha por el derecho a la afectividad y a la satisfacción sexual. De ahí que se haya destacado como tema nuclear el amor imposible, la frustración erótica.

Atendiendo a sus características formales, cabe dividir el teatro lorquiano en tres grandes ciclos: menor (farsas para títeres), de ensayo (dramas vanguardistas) y mayor (dramas y tragedias en tres actos).

TEATRO MENOR. García Lorca fue siempre muy aficionado al teatro de títeres. Con esta técnica escribió, después de estrenar su primera obra (*El artificio de la mariposa*, 1920), *Los títeres de cachiporra. Tragicomedia de don Cristóbal y la señá Rosita* (1922) y *Retablillo de don Cristóbal* (1931), dos versiones de un mismo asunto: la historia de la infeliz Rosita, a la que obligan a casarse con un viejo rico. Además de estas farsas para muñecos, compuso otras para personas. *La zapatera prodigiosa* (1930) presenta a un matrimonio de edad desigual que no pueden vivir juntos por el carácter belicoso de la joven desposada. *Amor de don Perlimplín con Belisa en su jardín* (1933) vuelve al tema de la mujer que se casa sin amor.

TEATRO DE ENSAYO. El granadino escribió algunas piezas surrealistas a modo de ensayo. Las tres primeras (*El paseo de Buster Keaton, La doncella, el marinero y el estudiante* y *Quimera*), escritas a partir de 1925, son breves diálogos que nos trasmiten una sensación de desolado pesimismo.

Ruiz Ramón incluye bajo el rótulo de *criptodramas* dos obras simbólicas y surreales, de las que, al parecer, García Lorca estaba muy orgulloso; las razones de esa denominación hay que buscarlas en su hermetismo y complejidad. *Así que pasen cinco años*, fechada en 1931 (estreno, 1954), tiene como tema obsesivo la vivencia de la temporalidad, ligada a la muerte. *El público* no se pudo conocer íntegramente hasta 1976 (estreno, 1986); la versión definitiva la leyó el autor a

615

mediados de julio de 1936, pero luego se perdió el original. Con su entramado de signos plurivalentes, sus juegos de máscaras y los continuos desdoblamientos de personalidad, se viene considerando pieza clave de la dramaturgia lorquiana. En 1976 Marie Laffranque dio a conocer el único acto que se ha encontrado de *Comedia sin título*, estrechamente relacionada con la anterior.

TEATRO MAYOR. Lo constituyen cinco dramas de distinto calado. En ellos el conflicto irresoluble entre la libertad íntima y las presiones externas adquiere su más amplio desarrollo. La muerte va a ser la salida más habitual. El sexo, en sus distintas vertientes, se eleva a la categoría de regente supremo de la vida humana. La frustración erótica de la mujer es el denominador común. El drama está concebido desde la perspectiva femenina; el varón es una sombra, cuyas profundas motivaciones no llegamos a conocer. Incluso puede suceder que no aparezca en escena, como ocurre en *La casa de Bernarda Alba*.

Mariana Pineda (1925) se escribe a raíz del golpe de estado de Primo de Rivera. Es una obra de tono romántico en la que se mezclan las razones políticas (la fe en el liberalismo) con las eróticas (el amor de Mariana al jefe de los liberales, que apenas tiene existencia escénica). De esta obra primeriza solo se salvan algunos fragmentos líricos como la descripción de una corrida de toros en Ronda o el monólogo final de la protagonista. *Doña Rosita la soltera o el lenguaje de las flores* (1935), de corte romántico y sentimental, desarrolla el drama de una mujer que se marchita esperando al novio que se fue a América y no es capaz de asumir la realidad.

Lo más apreciado han sido siempre las tres tragedias de tono trascendente y lírico, en las que el drama rural cobra una dimensión simbólica. *Bodas de sangre* (1933) despliega un universo trágico presidido por el sexo y la muerte, que viene anunciada desde un principio. Asistimos a un enfrentamiento tribal entre las familias del Novio y de Leonardo, que rapta a la Novia el mismo día de la boda. La obra está escrita en prosa y verso, que corresponden, en líneas generales, al mundo cotidiano y al mundo mítico y surreal en que intervienen fuerzas cósmicas.

Yerma (1934) es el drama de la mujer sin hijos, que se siente vacía, inútil, humillada. Su angustiosa obsesión la lleva a matar a su marido, que con su indiferencia es el culpable de sus males. Los monólogos, en verso y prosa, de la protagonista son, sin duda, lo mejor de la obra. Más que un argumento, nos muestra un carácter: el de la mujer en quien la maternidad es *conditio sine qua non* para realizarse como persona.

La casa de Bernarda Alba (1936; estreno póstumo en Buenos Aires, 1945) se desarrolla en un ambiente en que reina una represión extrema, ejercida por una mujer despótica e inhumana que obliga a sus hijas a guardar un luto riguroso de ocho años por la muerte de su padre. Las tensiones de esas mujeres encerradas a cal y canto, que ven esfumarse en vano su juventud, dan pie para enfrentar trágicamente el deseo sexual y el poder establecido. Bernarda es a un tiempo la autoridad y el elemento que impide la realización personal de sus hijas. Lo afectivo y vital (Eros) aparece decididamente contrapuesto a lo impositivo y letal (Thánatos). La madre autoritaria y castrante se identifica a todos los efectos con este último polo de la realidad. Escrita en prosa, es la menos lírica, la más desnuda y la mejor elaborada dramáticamente de las tragedias lorquianas.

7.7.3. LA LÍRICA HISPANOAMERICANA DE LA ÉPOCA VANGUARDISTA

La lírica de Vanguardia tiene en la América española un vigor singular. Aparecen figuras de proyección universal (Borges, Neruda, Vallejo…) y un sinfín de poetas que renuevan la tradición que procedía del Modernismo.

VICENTE HUIDOBRO (Santiago de Chile, 1893-1948). Difunde por Europa su teoría poética, especialmente en París, adonde llega en 1916; se convierte en centro de la atención general y funda algunas revistas (*Création, Nord-Sud*). En

617

1921 colabora en España en las empresas del Ultraísmo. De vuelta a Chile en 1925, interviene en la lucha contra la dictadura. Más tarde, tras una nueva estancia en la capital francesa, se adscribe a la oposición izquierdista del Frente Popular. Participa en la guerra civil española en apoyo de la República. Actúa como corresponsal de guerra en el ejército francés que lucha contra Alemania. Una vez terminada la contienda, regresa a Chile, donde permanece el resto de sus días, convertido en maestro de las jóvenes generaciones.

Huidobro capitanea el movimiento que recibe el nombre de Creacionismo. Se adelanta a las innovaciones de Pierre Reverdy y Guillaume Apollinaire. Ya en su primer libro, *Ecos del alma* (1911), encontramos poemas con una particular disposición tipográfica, próximos a los caligramas.

Es famosa su definición del poema creacionista, más explícita que ninguna otra: «Es un poema en el que cada partícula por sí y todas juntas representan un hecho nuevo, independiente del mundo exterior y desprendido de toda otra realidad [...], semejante poema no puede existir más que en la mente del poeta». El Creacionismo parte de un lema: «El poeta es un pequeño Dios», que no imita a la naturaleza, sino que crea algo nuevo que se añade a ella. No menos significativa es la afirmación hecha por Huidobro en una conferencia en el Ateneo de Buenos Aires: «La primera condición de un poeta es crear; la segunda, crear, y la tercera, crear».

Tras algunas composiciones modernistas y otras en francés, su segunda lengua, escribe los libros creacionistas, en los que encontramos componentes cubistas y surrealistas. Particular relieve tienen *Horizon carré* (1917), *Poemas árticos* (1918), *Ecuatorial* (1918)... En 1919 empieza a componer *Altazor o el viaje en paracaídas*, en siete cantos, núcleo esencial de su producción, que no se publicará hasta 1931. Es un poemario experimental en la forma, simbólico y trascendente en su contenido, que discurre por el camino de la irracionalidad y en el que no faltan rasgos de humor. Siguiendo la línea de las obras precedentes, en él brilla con esplendor y osadía lo que será instrumento esencial del Creacionismo: la metáfo-

618

ra. Sus versos discurren en libertad, inmersos muchas veces en el caos. Responde perfectamente al principio, mantenido por el autor, de que «la poesía es un desafío a la razón».

También en 1931 aparece otro volumen muy representativo, esta vez en prosa: *Temblor de cielo*.

EL ULTRAÍSMO ARGENTINO. El Buenos Aires de los años veinte y treinta fue un hervidero. La sólida aportación de los grandes poetas modernistas (Lugones sobre todo) propició la aparición de una Vanguardia vigorosa, capaz de romper con los clichés previos, pero tendente a mantener en todo momento una cierta contención clásica, con la excepción de Oliverio Girondo, siempre fiel a sus postulados de ruptura. Del movimiento ultraísta participaron Güiraldes, Borges, Marechal... y otros escritores de singular relieve en diversos géneros. Entre los que se decantaron preferentemente por la lírica destacan los que siguen.

OLIVERIO GIRONDO (1891-1967). Discípulo de Macedonio Fernández e impulsor de la Vanguardia en Argentina, proclamó sus principios estéticos iconoclastas desde la revista *Martín Fierro*. Contagiado de la fiebre de modernidad de la época, publicó en 1923 *Veinte poemas para ser leídos en el tranvía*, lírica humorística, sorprendente, caprichosa, en la línea de la ocurrencia despreocupada de las greguerías. Esa tendencia se mantiene en *Calcomanías* (1925). Progresa en el juego con el absurdo y el grotesco en la prosa poética de *Espantapájaros* (1932) e *Interlunio* (1937).

Cambia de tono, pero no de actitud poética, en *Persuasión de los días* (1942), un poemario desolado, construido sobre imágenes de terror y de angustia, de un fondo trágico y existencial que se acompasa con el devenir biográfico y la historia externa.

Cierra su obra *En la masmédula* (1954, ampliado en 1956 y en la ed. de las *Obras completas* de 1968), que el poeta considera lo único valioso de su producción; afirma que los poemarios precedentes son «balbuceos de neófito». *En la masmédula* presenta el torrente léxico, la acumulación

619

en apariencia caótica de voces que recuerda el flujo de conciencia novelesco, pero más libre y más absurdo en su sentido, y más atado y preciso en sus ritmos.

RICARDO E. MOLINARI (1898-1996), aunque pertenece al grupo ultraísta, entronca con la más pura tradición clásica española. Su visión desolada del mundo, que busca consuelo en la muerte, se expresa con imágenes de extremada modernidad, en una poesía muy atenta a los aspectos formales. El poeta vuelca en ella su estado de ánimo: «Quisiera cantar una larga tristeza que no olvido...»; no hay desgarro sino dolor contenido. Se muestra en íntima comunión con el paisaje, que interioriza en sus versos. Son títulos fundamentales *El imaginero* (1927), *Mundos de la madrugada* (1943), *Esta rosa oscura del aire* (1949), *Unida noche* (1957)... Él mismo ofrece una selección de su obra en *Un día, el tiempo, las nubes* (1964).

EDUARDO GONZÁLEZ LANUZA (1900-1984), con *Prisma* (1924) y *Oda a la alegría y otros poemas* (1949), y FRANCISCO LUIS BERNÁRDEZ (1900), con *Kindergarten* (1924), *Alcándara* (1925), *El buque* (1935), *La ciudad sin Laura* (1938), *Poemas de carne y hueso* (1943), *La flor* (1951)... son, junto a Marechal, dos de las aportaciones argentinas a la Vanguardia lírica, que derivan pronto hacia el más escrupuloso clasicismo.

LA VANGUARDIA LÍRICA MEXICANA. En México la Vanguardia tuvo también sus epifanías llamativas e iconoclastas. MANUEL MAPLES ARCE (1898-1931) publicó en 1921 el *Comprimido estridentista*, manifiesto que tomaba elementos futuristas, cubistas y de otros ismos. Sin embargo, el grupo más representativo de esta época es el que se reúne en torno a la revista *Contemporáneos* (1928-1931). No forman una grey compacta: más bien pueden ser considerados, en palabras de uno de sus miembros, José Gorostiza, como una suma de «individualidades irreductibles». Nacen a la poesía bajo el signo del Modernismo, pero enseguida derivan hacia una actitud de rechazo. Hombres de su tiempo, manifiestan gran interés y curiosidad por las nuevas tendencias. No buscan tanto una expresión específicamente mexicana cuanto la incorporación a un movimiento renovador general. Nos detendremos en algunas de sus figuras punteras.

CARLOS PELLICER (Tabasco, 1899-1977) tiene una veta lírica exuberante, musical y colorista, que fluye con extrema agilidad. Utiliza vistosas imágenes. Canta a la naturaleza como reflejo de la divinidad, como paraíso incontaminado; gusta en particular de plasmar la vitalidad de los trópicos. Esa brillantez plástica no está reñida con un intenso lirismo. El predominio de la vida sobre la muerte, rasgo que lo diferencia de otros compañeros de grupo, no le impide detenerse en melancólicas reflexiones existenciales sobre el paso del tiempo.

Algunas de sus obras son *Colores en el mar* (1921), *Piedra de sacrificios* (1924), *Camino* (1929), *Hora de junio* (1937)... Buena parte de su creación se reúne en *Material poético* (1956).

JOSÉ GOROSTIZA (México, 1901-1973), representante de la poesía pura, es, como él mismo afirma, uno de esos creadores que persiguen «hasta el insomnio la palabra precisa, la frase dura y transparente como el cristal». Nos ha dejado una obra de singular perfección técnica que califica de «escasa y semidesnuda». Solo escribió tres libros, probablemente porque dedicó la mayor parte de su vida a su carrera diplomática.

Los poemas de *Canciones para cantar en las barcas* (1925) desarrollan, con ritmo mesurado y tonalidades difusas, una serie de motivos marinos que llevan a la melancólica reflexión sobre un tema dominante en sus versos: la muerte. En 1964 recogerá en sus obras completas, en la sección *Del poema frustrado*, varias composiciones que datan de 1925-1939.

Su obra maestra es *Muerte sin fin* (1939), extenso poema que se ha relacionado con *Primero sueño* de sor Juana Inés de la Cruz. Su compleja arquitectura se divide en diez partes que forman un conjunto absolutamente simétrico. Es una poesía de oscuro simbolismo, que se eleva a la esfera de las esencias metafísicas para plantear la dialéctica entre lo transitorio y lo permanente, entre la vida y la muerte; creación literaria que intenta trascender los límites de las palabras para sugerir a la inteligencia del lector «ya no lo que dicen, sino lo que callan».

XAVIER VILLAURRUTIA (México, 1903-1950), formado en la lectura de Baudelaire, muestra escaso interés por los aspectos formales; cultiva tanto el verso libre como los metros heredados de la tradición. Su voz adquiere una resonancia universal ya que cree que la poesía ha de servir para conocer al hombre y expresar su verdadero drama. Sigue para ello una vía más intelectual y filosófica que intuitiva. Sus versos, de excelente factura, están presididos por la obsesión de la muerte y la angustia existencial. Aunque no se adscribe a ninguna tendencia concreta, no desdeña los logros de la nueva poesía; antes bien al contrario, ve el Surrealismo como una posibilidad de expresión, a la que él mismo se acoge sin proponérselo. Son títulos fundamentales *Reflejos* (1926), *Nocturnos* (1933) y *Nostalgia de la muerte* (1938), a los que se añaden *Décima muerte y otros poemas no coleccionados* (1941) y *Canto a la primavera y otros poemas* (1948).

Se dedica asiduamente al arte dramático. Con otros miembros de *Contemporáneos*, es uno de los fundadores del grupo «Ulises», interesado por la experimentación escénica. Como su poesía, su teatro, de inspiración pirandelliana, es netamente intelectual y está dominado por las mismas obsesiones metafísicas. Es de una perfección matemática. De él se ha dicho que nos interesa pero no toca nuestras fibras sensibles. Después de algunas piezas en un acto, se lanza a la obra larga con *La hiedra*, una original versión del mito de Fedra estrenada con éxito en 1941. Otras de sus principales creaciones son *Invitación a la muerte* (1944), *Juego peligroso* (1949), *La tragedia de las equivocaciones* (1950)...

SALVADOR NOVO (1904-1974) es un autor de ámbitos urbanos, con los signos propios de la modernidad. El influjo de la Vanguardia lo empuja al verso libre. Ofrece en un primer momento una veta de poesía satírica, en la que es pieza clave la ironía, que dejará rastro a lo largo de toda su trayectoria. Evoluciona luego hacia una lírica más grave e intimista, con una peculiar musicalidad.

Son títulos representativos *XX poemas* (1925), la autobiografía poética *Espejo* (1933), *Nuevo amor* (1933), *Poemas proletarios* (1934), *Dueño mío* (1944), *Florido laude* (1945), *Poesía* (1961)...

En el campo del teatro nos ha dejado algunas muestras de aguda sátira como *La culta dama* (1951) o *A ocho columnas* (1956). En *Ha vuelto Ulises* (1962) se dedica a desmitificar al héroe.

También pertenece a este grupo JAIME TORRES BODET (1902-1974), creador de una poesía que toca las fibras más sensibles. Le preocupan los problemas de la propia identidad, del ser y la nada, del paso del tiempo... En una primera etapa (*Fervor*, 1918; *El corazón delirante*, 1922; *Canciones*, 1922) su verso es sencillo y elegante, de línea melódica, mesurado; luego se torna más complejo e introspectivo y da cabida al mundo subconsciente de los sueños (*Destierro*, 1930; *Cripta*, 1937; *Frontera*, 1954). También tiene en su haber una apreciable obra narrativa: *Proserpina rescatada* (1931), *Sombras* (1937), *Nacimiento de Venus y otros relatos* (1941)...

JORGE CARRERA ANDRADE (Sangolquí, Ecuador, 1903-Quito, 1979). Se inició tempranamente en las lides periodísticas y fue fundador y dirigente del Partido Socialista Ecuatoriano. Cursó estudios en Francia, Alemania y España; en 1929-1933 se instaló en Barcelona. Poco después reanudaría sus viajes con misiones diplomáticas que lo llevaron por todo el mundo. Fue también traductor y ensayista, que estudió exhaustivamente la historia de su país en una serie de libros publicados entre 1955 y 1959: *La tierra siempre verde, El camino del sol, El fabuloso reino de Quito*...

Inicia su trayectoria bajo el signo de Francis Jammes, con *El estanque inefable* (1922), libro que ya revela la perfección formal que caracterizará siempre a nuestro poeta. En esta primera etapa se inspira en la vida rural. Compone una lírica de registros sentimentales, melancólica, que canta los goces de la vida familiar y de las cosas sencillas.

En su viaje a Europa entra en contacto con la obra de Baudelaire y con el Ultraísmo, del que tomará el culto a la

623

imagen. Fruto de estas experiencias es *La guirnalda del silencio* (1926), de orientación similar a la de su primer poemario, pero que revela ya el interés por los aspectos visuales y el culto a la imagen, integrada en fórmulas epigramáticas próximas al *haiku* o la greguería. Para designar a estos poemas sintéticos, inventa el nombre de *microgramas*; la primera colección de ellos —habrá otras muchas— aparece en *Boletines de mar y tierra* (1930), un libro regocijado que recoge sus impresiones de viajero.

En una nueva etapa, que se inicia con *El tiempo manual* (1935), nuestro autor abre sus versos a la solidaridad y la preocupación política y social, en un momento en que ha sido testigo de los avatares europeos y, en particular, de los de la República Española. Pieza importante de ese periodo es *Registro del mundo* (1940), donde aspira a dar testimonio de lo que ve. Es esta una pretensión de «realismo» que debe tomarse en un sentido amplio del término, ya que se trata de trasformar la experiencia visual en realidad poética por obra y gracia de la metáfora. Estas revelaciones personales del mundo externo, de gran riqueza sensorial, son lo más característico de su obra. Carrera Andrade renuncia a ocuparse de los aspectos más inquietantes, con el propósito de hacer de la poesía una tabla de salvación.

En obras posteriores la realidad física cederá terreno a la espiritual con acentos más subjetivos; la sensación de soledad se adueña cada vez más de sus versos. Son títulos relevantes *País secreto* (1940), *Lugar de origen* (1945), *Familia de la noche* (1952)...

OTROS MOVIMIENTOS Y TENDENCIAS. En cada país hispanoamericano aparece una promoción vanguardista. A título de ejemplo, recordemos el vigor que adquiere en Perú —dejemos para después a César Vallejo— la revista *Amauta* (1926-1930), creada por Mariátegui, que acoge la obra lírica de XAVIER ABRIL, CARLOS OQUENDO AMAT y otros autores. Entre ellos destaca CÉSAR MORO, seudónimo de Alfredo Quíspez Asín (Lima, 1906-1956), que residió en París de 1925 a 1933 y escribió buena parte de su obra en francés, dentro de los supuestos y convenciones del Surrealismo ortodoxo. En vida no llegó a publicar más que dos breves poemarios franceses. Póstumamente aparecieron sus versos en español con el título de *La tortuga ecuestre* (1957), y en el mismo volumen las prosas automáticas de *Los anteojos de azufre*. Poesía desgarrada, violenta, de un exacerbado erotismo, plasmada en un «alfabeto enloquecido» y alucinado.

El venezolano JOSÉ ANTONIO RAMOS SUCRE (1890-1930) viene siendo considerado surrealista «avant la lettre».

Surrealista precoz fue también el peruano EMILIO ADOLFO WESPHALEN (1911), preocupado por cuestiones metafísicas, en las que aparecen en curioso sincretismo ecos de la tradición clásica. Los primeros poemarios son *Las ínsulas extrañas* (1933) y *Abolición de la muerte* (1935). El conjunto de su obra se reúne en *Bajo zarpas de la quimera* (1991).

El chileno PABLO DE ROKHA, seudónimo de Carlos Díaz Loyola (1894-1968), fue primero poeta neorromántico (*Gemidos*, 1922), más tarde propagandista político (*Cinco cantos rojos*, 1938) y, por último, cantor telúrico y criollista (*Los poemas continentales* y *Canto del Macho Anciano*, 1965).

También hay que recordar al grupo colombiano «LOS NUEVOS», con LEÓN DE GREIFF, RAFAEL MAYA y GERMÁN PARDO GARCÍA, al que siguen los «piedracielistas», continuadores de la poesía de Juan Ramón Jiménez, con JORGE ROJAS y EDUARDO CARRANZA, entre otros.

Caso distinto, por su apego a la tradición modernista, es el del venezolano ANDRÉS ELOY BLANCO (1897-1955), autor del célebre bolero *Angelitos negros*, practicante de una lírica de sabor clásico y popular: *Poda. Saldo de poemas, Giraluna, Juambimbada...*

7.7.4. LA POESÍA ANTILLANA. NICOLÁS GUILLÉN

En la poesía cubana no faltan representantes del Posmodernismo o de cierto clasicismo, influido también por la poesía pura, como Mariano Brull (1891-1956) o la premio Cervantes de 1992 Dulce María Loynaz (1903-1997).

Una de las variantes más interesantes y productivas del neopopularismo es la poesía vinculada al mundo negro que surge en el Caribe en los años treinta. El camino había sido preparado por folcloristas como el benemérito Fernando Ortiz. Esa lírica, además de buscar una nueva sonoridad, una gracia *naïf*, solo explotada hasta entonces como motivo cómico en los sainetes, es manifestación de un compromiso ético y político con los grupos marginados. Tres poetas, de distinto calado, encarnan esta corriente lírica: Nicolás Guillén, Luis Palés Matos y Emilio Ballagas.

Nicolás Guillén. Nace en Camagüey (Cuba) en 1902. Su padre, destacada figura del Partido Liberal Nacional, es asesinado por las tropas del gobierno. Para sacar adelante a la familia, el futuro poeta tiene que ejercer el oficio de tipógrafo, lo que no le impide terminar el bachillerato y entregarse a su temprana vocación. Dirige la efímera revista *Lis* e ingresa en la redacción de *El camagüeyano*. Por un tiempo, deja de lado la poesía y se dedica al periodismo. A partir de su llegada a La Habana en 1925, retoma su quehacer literario. Sus obras aparecen en diversas publicaciones. Con *Motivos de son* (1930) consigue un lugar de privilegio en las letras cubanas. Tras su viaje a España en 1937, en el que apoya a la causa republicana, ingresa en el partido comunista. En 1953-1958, bajo el régimen de Fulgencio Batista, se ve forzado a exiliarse. El triunfo de la Revolución en 1959 le permite regresar a Cuba, donde sigue intensamente dedicado a la literatura y la política. Muere en La Habana en 1990.

La faceta más interesante de Guillén, que corresponde a su primera etapa, es la de cultivador de la poesía negra antillana, indigenista, que le atrae tanto por sus valores rítmicos como por su carácter social de protesta frente al opresor. La exaltación del mundo negro es piedra angular de su obra.

Rasgos esenciales de sus versos son la musicalidad y el uso de onomatopeyas y jitanjáforas, voces afronegroides o seudonegras carentes de significado, con una funcionalidad meramente acústica, que dan un peculiar sabor al poema. Utiliza también vocablos indígenas, muchos de los cuales forman parte del habla coloquial cubana.

Como es propio de toda poesía popular, recurre continuamente, con un propósito intensificador y rítmico, a la repetición de versos, palabras y fonemas. El paralelismo y la bimembración son recursos constantes, así como la presencia del estribillo.

En estos poemas hay crítica antiimperialista y denuncia de la injusticia, pero junto a los motivos sociales y raciales, en los que se ha hecho especial hincapié, abundan otros muchos de carácter tradicional.

Motivos de son, un conjunto de ocho poemas publicados en la hoja dominical del *Diario de la marina* en 1930, a los que luego se añadieron otros tres, es recreación literaria de un viejo ritmo cubano: el son. Atrajo poderosamente la atención sobre su autor, por la feliz expresión que alcanza esa veta folclórica, en su doble vertiente étnica y cultural.

Por el mismo camino sigue *Sóngoro Cosongo. Poemas mulatos* (1931), que incorpora las once composiciones anteriores. En el prólogo Guillén reivindica la inexcusable presencia de lo negro en la poesía de un país en que el mestizaje constituye una seña de identidad.

En *West Indies, Ltd.* (1934) adquiere más peso el mensaje político y social. Incluye la célebre *Balada de los dos abuelos*, en la que el poeta habla de las dos sangres que corren mezcladas por sus venas. *Cantos para soldados y sones para turistas* (1937) intensifica la línea iniciada en el libro anterior, que dominará en lo sucesivo. La guerra civil española inspira *España. Poema en cuatro angustias y una esperanza* (1937), un canto a la libertad y una profesión de fe en el futuro de nuestra nación; la «angustia cuarta» recoge la dolorosa impresión que produce al autor la muerte de García Lorca, al que había conocido en La Habana.

En 1947 recoge en *El son entero. Suma poética 1929-1946* el conjunto de la obra creada hasta la fecha. Habrá composiciones posteriores como *Elegías antillanas* (1955) y

627

La paloma de vuelo popular (1958), que reflejan la experiencia del exilio a que le obliga la dictadura de Batista; el tono es cada vez más amargo y nostálgico, aunque no renuncia a la sátira y la ironía.

Tras su retorno a Cuba, a raíz del triunfo de Fidel Castro, publica varios poemarios al servicio de la Revolución: *Tengo* (1964), libro optimista aunque crítico; *El gran zoo* (1967), ridiculización de Estados Unidos; *El diario que a diario* (1972), bosquejo de la historia de Cuba desde la época colonial... Recurre con frecuencia a un tono combativo. Quintaesencia de toda la producción de Nicolás Guillén es el volumen *Sóngoro Cosongo y otros poemas* (1981).

OTROS POETAS. El puertorriqueño LUIS PALÉS MATOS (Guayama, 1898-1959) se vincula en edad temprana al Modernismo (*Azaleas*, 1915), siguiendo los pasos de Lugones y Herrera y Reissig.

Busca después una voz propia y la halla, a partir de 1926, en su aproximación al mundo negro, parcela en la que se adelanta a Nicolás Guillén, aunque su libro *Tuntún de pasa y grifería. Poemas afroantillanos* (1937) aparece más tarde. Esta poesía, de gran brillantez rítmica y metafórica, recurre a las danzas negras, a los mitos y leyendas y a voces tribales y onomatopéyicas. Palés lleva a sus versos el habla popular de Puerto Rico. No faltan apuntes irónicos y humorísticos. Además de cantar las excelencias de la raza negra y su cultura, denuncia la situación de desamparo en que se encuentra. Asimismo se hace eco de las bellezas de la naturaleza tropical.

Posteriormente deriva hacia una expresividad más intimista y recogida (*Puerta al tiempo en tres voces*), sin renunciar por ello al culto a la imagen, que va adquiriendo una profundidad simbólica, y a un refinado barroquismo. Son versos teñidos de melancolía y angustia existencial. Reúne el conjunto de su producción en *Poesía* (1957).

El cubano EMILIO BALLAGAS (Camagüey, 1908-1954) debe sobre todo su fama a su poesía negrista, en la que ritmo y espiritualidad llegan a una feliz fusión; sin embargo, cultiva otras modalidades. Se inicia como poeta «puro», tardovanguardista, con *Júbilo y fuga* (1931). Viene después el cultivo del folclore negro: *Cuaderno de poesía negra* (1934). Sigue una etapa que se ha calificado de «neorromántica», caracterizada por el tono doliente y las tensiones que genera su homosexualidad; da como fruto *Elegía sin nombre* (1936) y *Sabor eterno* (1939), poemario amoroso y elegíaco. Finalmente desemboca en una orientación neoclásica, cauce expresivo de su religiosidad católica: *Nuestra Señora del Mar* (1943), *Cielo en rehenes* (1951). Póstumamente aparecen sus *Obras poéticas* (1955).

En su labor de antólogo nos ha dejado trabajos fundamentales como *Antología de la poesía negra hispanoamericana* (1944) y *Mapa de la poesía negra americana* (1946).

De la misma tendencia participa el dominicano MANUEL DEL CABRAL (1907), con *Doce poemas negros* (1932), *Trópico negro* (1942) y *Compadre Moon* (1943), que derivó hacia los versos de carácter existencial: *Los huéspedes secretos* (1951), *Pedrada planetaria* (1958)...

EUGENIO FLORIT. Este poeta cubano nace en Madrid en 1903 y pasa sus años de infancia en España. Ya en Cuba, pertenece al grupo de la *Revista de avance*. Recoge en sus formas clásicas el influjo de la poesía del Siglo de Oro, al que se suma el de Juan Ramón Jiménez y la Vanguardia. En su larga trayectoria, pasa de la aventura esteticista a una poesía más llana y directa que pone los ojos en el hombre y sus circunstancias.

Sale a la luz con *Treinta y dos poemas breves* (1927), a medio camino entre el Posmodernismo y la renovación vanguardista. Su primer fruto importante es *Trópico* (1930), un libro breve, en décimas (doce dedicadas al campo cubano y doce a la montaña), inspirado formalmente en el barroquismo gongorino y, en lo relativo al espíritu, en la lírica de fray Luis de León, con la pureza y la estilización como objetivos poéticos. Este proceso de madurez se reafirma en *Doble acento* (1937), en cuyos poemas encontramos, en palabras del autor, «cosas fijas, claras, de mármol —lo clásico, en fin—» y otras «desorbitadas, sin medida, oscuras». Apunta, pues, hacia una doble vertiente: poesía pura y surrealismo. Junto a la serenidad y las formas equilibradas, de pureza casi aséptica, de algunas composiciones, el libre discurrir de la imagen en el amplio versículo de otras. En *Reino* (1938), bajo el creciente influjo juanramoniano, se depura la veta surrealista en aras de la contención y la densidad de pensamiento. Se acentúa la tendencia reflexiva. La producción de esos años aparecerá reunida en *Poema mío, 1920-1944* (1947).

En obras posteriores Florit abandona toda veleidad estetizante. Su poesía se definirá por la expresión de una religiosidad de ribetes místicos, el lenguaje familiar, el interés por lo inmediato, la anécdota cotidiana. Siente la necesidad de volcarse en las inquietudes de la criatura humana. Representativos de esta nueva tendencia son *Conversación a mi padre* (1949) y *Asonante final y otros poemas* (1955).

Bastante tiempo después publica, también en moldes sencillos, *Hábito de esperanza* (1965), un canto al amor, a los valores espirituales, tabla de salvación del hombre en medio del desvalimiento y la soledad que lo acechan.

7.7.5. CÉSAR VALLEJO

SÍNTESIS BIOGRÁFICA. Nació en Chuco (Perú) en 1892. Era mestizo y pertenecía a una familia pobre. Tras sus estudios de enseñanza media, tuvo que trabajar en las minas y en otros oficios. Luego estudió letras y ejerció como maestro. Intervino en revueltas populares y asumió siempre la defensa de los oprimidos. Fue perseguido por su ideas políticas. Se marchó a Europa; vivió en París y en Madrid, donde entró en contacto con los autores del 27. Murió en la capital francesa en 1938, en medio de la más absoluta miseria.

TRAYECTORIA POÉTICA. Su poesía refleja un sentimiento trágico, torturado, de la existencia. Todo se impregna de tristeza y desesperación. Pese a su filiación vanguardista, no cabe en él una actitud deshumanizada. Se vuelca en la solidaridad con el hombre. Encuentra su auténtica voz en el seno de la Vanguardia, penetrando en las oscuras simas del subconsciente.

Inicia su labor poética en el ámbito del Modernismo, con *Los heraldos negros* (1918), impregnado de ecos parnasianos. En algunos momentos abandona la actitud esteticista para mostrarse más íntimo y humano. Es especialmente interesante una parte del libro titulada *Nostalgias imperiales*, en la que lleva a cabo una reconstrucción histórica idealizada, a base de temas indios. Aunque no estamos todavía ante el poeta hondo que será en su madurez, esta veta se anuncia ya en *Canciones del hogar*, donde recuerda con nostalgia a su familia.

Su actitud de rebeldía se refleja en *Trilce* (1922), libro clave que nace de la mezcla de *triste* y *dulce*, que es la base misma de la vida. Rompe por completo con las fórmulas literarias precedentes para buscar nuevas formas de expresión. Es un libro puramente experimental. Dicha ruptura se da en todos los planos: léxico, sintaxis, métrica, imágenes, puntuación, ortografía... Supone una renovación del ritmo del verso libre. En su acumulación de irregularidades gramaticales, de sonidos onomatopéyicos y difíciles neologismos, llega a veces al hermetismo. Pero en medio de esa complicada red formal, se advierte su visión personal sobre temas como la soledad. Recurre a una curiosa simbología de números: el uno es la soledad individual; el dos, la pareja; el tres, la trinidad, la perfeccción; el cuatro, las paredes de la celda... Intenta reflejar las violentas antítesis que componen la realidad. Expresa el sufrimiento y angustia del ser humano, que son los suyos propios. En sus versos planea la sombra de la muerte.

Póstumamente, en 1939, ve la luz *Poemas humanos*, su libro más personal y representativo, en el que cultiva un surrealismo instrumental. Responde a un momento de su trayectoria en que quiere ponerse al servicio de la revolución. Se centra en el tema del dolor, que siempre le ha preocupado. Su angustia y sufrimiento se plasman a través de sugerentes imágenes surrealistas. Estamos ante el César Vallejo agónico y solidario, que contempla la muerte frente a frente. Una de las secciones más interesantes es la titulada *España, aparta de mí este cáliz*,

631

compuesta en 1937-1938, con quince poemas inspirados en la guerra civil. Sus horrores quedan vivísimamente patentes y se ponen en paralelo con la Pasión de Cristo. El problema bélico se convierte en una angustiosa obsesión. Las víctimas inocentes encarnan un heroísmo sencillo, sin alharacas; el poeta profundiza en la realidad humana de esos seres sacrificados.

OTRAS OBRAS. Es autor también de una amarga novela, *Tungsteno* (1931), que discurre en una línea similar a la de la poesía. Se completa su producción con otras prosas: *Fabla salvaje* (1923), *Hacia el reino de los Sciris* (1944), con relatos: *Escalas* (1923), *Paco Yunque* (1951), y también con algunos ensayos teatrales que combinan la experimentación formal y el mensaje político: *Lock out* (1930), *Colacho hermanos* (1934), *Entre las dos orillas corre el río* (1936) y *La piedra cansada* (1937).

7.7.6. PABLO NERUDA

SÍNTESIS BIOGRÁFICA. Neftalí Reyes es el verdadero nombre que se oculta bajo el famoso seudónimo; se inspira en el poeta checo Jan Neruda, muy admirado por nuestro autor ya en sus primeros años. Nace en Parral (Chile) en 1904. Es hijo de un maquinista y de una maestra, que muere muy pronto. Su infancia trascurre en Temuco, entre los obreros que trabajan con su padre. Allí conoce a Gabriela Mistral, que da clases en el liceo femenino. A los dieciséis años viaja a Santiago a seguir sus estudios de profesor de francés. En ese periodo cuaja su vocación. Es premiado por su poema *La canción de la fiesta* (1921). Publica su primer libro en 1923; inmediatamente después sigue *Veinte poemas de amor y una canción desesperada* (1924), que le da fama en plena juventud.

A partir de 1927, año en que hace su primer viaje a Madrid, desempeña funciones consulares en lejanos lugares: Rangún (Birmania), Colombo, Batavia (Java), Singapur. En 1934, procedente de Buenos Aires, pasa a ejercerlas en Barcelona y al año siguiente en Madrid. Se convierte en el ídolo de los jóvenes autores del 27, que lo consideran su mentor y publican un libro de homenaje. Crea y dirige la revista *Caballo verde para la poesía*. Al estallar la guerra, apoya a la República y es destituido de su cargo. Nombrado cónsul para la emigración española, desde París ayuda a muchos republicanos a embarcar rumbo a Chile. Regresa a su país en 1940; ese mismo año es cónsul general en México.

En 1945 es elegido senador. Se afilia al partido comunista. A raíz de sus actuaciones en defensa de los derechos de los mineros, el presidente González Videla anula su acta de senador y ordena su detención. Sale clandestinamente de Chile y viaja a la Unión Soviética, Polonia y Hungría. Su apoyo al bloque soviético durante la guerra fría lo convierte en una figura controvertida. Reside un año en Italia. En 1953 recibe el premio Stalin de la Paz y en 1971 el Nobel.

Salvador Allende, al que apoya incondicionalmente, lo nombra embajador en París, pero una grave enfermedad le obliga a volver a Chile. Muere el 23 de septiembre de 1973, pocos días después del golpe de estado de Pinochet.

Etapa juvenil. Sus primeros poemas, con metáforas convencionales, tienen aún ecos modernistas y obedecen a un impulso mimético. *Crepusculario* (1923; versión definitiva, 1926) es un epígono de la estética finisecular en el que se advierten algunos avances. Neruda encuentra muy pronto su voz personal en *Veinte poemas de amor y una canción desesperada* (1924). Son versos adolescentes de tono neorromántico. En ellos se enriquece y renueva la imaginería, que se nutre del mundo natural; a veces anticipa la orientación onírica que impondrá la Vanguardia. Se deja sentir el influjo de Tagore, a quien el autor había traducido. Recurre a diversos esquemas métricos, pero se abre paso ya la tendencia a la versificación libre.

Aunque, al parecer, se inspiran en experiencias distintas (con una muchacha de Temuco, a la que tuvo que abandonar para ir a Santiago, y con otra de esta ciudad), los poemas constituyen un corpus unitario, que va de la plenitud amorosa a la separación y el olvido. Están presentes tanto el goce carnal, como el sentimiento y la ternura. El poeta se dirige a una amada ausente; lo vemos desasosegado, presa de la tristeza y la melancolía.

Es un libro plenamente armónico, en el que se aúnan la emotividad y el cuidado atento. En la aparente sencillez reside su artificio. La frase se condensa, sin renunciar a una brillante adjetivación y una variada gama de recursos estilísticos.

A este mismo periodo pertenece *Tentativa del hombre infinito* (1925), si bien es una obra mucho más compleja, que se inicia en la experimentación vanguardista.

El influjo surrealista se hace patente en la novela *El habitante y su esperanza* (1925).

ETAPA SURREALISTA Y DE COMPROMISO POLÍTICO. La plena madurez de nuestro poeta discurre en los dominios del Surrealismo. Se inicia con los dos volúmenes de *Residencia en la tierra* (1933 y 1935), publicados en Madrid. Hace gala de una extraordinaria riqueza lingüística y de imágenes que, debido a su irracionalidad, no resultan fácilmente interpretables. Los periodos son amplios y el ritmo muy marcado, envolvente. Se trata de un poemario caótico, perturbador, de gran tensión emocional, tendente al hermetismo, en el que expresa a gritos su desazón, su desesperanza y su angustia. Con tono apocalíptico, se centra obsesivamente en la idea de destrucción; bucea a fondo en los males de nuestro mundo para dar un diagnóstico inmisericorde. Solo las composiciones más tempranas, en las que aletea todavía el instinto amoroso, se alejan de estos rigores. El empleo predominante del verso libre le permite dar rienda suelta a su pensamiento, plasmado en construcciones sintácticas de extrema libertad.

Vendrá luego una *Tercera residencia* (1947), que arranca de 1935. Su primera parte es prolongación del ciclo anterior. Deriva después hacia una actitud comprometida, que lo lleva a una visión del mundo más esperanzada y solidaria. Viene a ser un diario poético de la guerra civil española, cuyo impacto se refleja sobre todo en *España en el corazón* (1937), que se publicó mucho antes de que rematara el volumen. Neruda reclama por esos años una «poesía impura», lejos de la tentación deshumanizadora.

Hito clave en su trayectoria es el *Canto general* (1950), larguísimo poema de 15000 versos libres, compuesto a partir de 1938, en el que se ocupa del mundo hispanoamericano, desde el compromiso de su militancia comunista. Exalta con acento épico su historia, sus tierras y sus gentes, siempre en favor del oprimido, al que invita a alzar la voz. En la célebre sección titulada *Alturas de Macchu Picchu* se remonta a la civilización precolombina en busca de las raíces. La contemplación de esas ruinas legendarias lo lleva a hermanarse con el hombre y con la naturaleza. Es también un producto estético considerablemente complejo, un alarde de capacidad retórica y rítmica. Su mensaje va más allá de lo estrictamente político, aun cuando esta faceta sea muy importante.

CICLO ELEMENTAL. En el comienzo de una nueva etapa, Neruda publica *Los versos del capitán* (1952), poemario amoroso, y *Las uvas y el viento* (1954), que trata de sus viajes políticos durante la guerra fría.

El núcleo esencial lo constituyen sus célebres *Odas elementales* (1954), seguidas de *Nuevas odas elementales* (1956) y *Tercer libro de las odas* (1957). Abandona el Surrealismo y la complejidad de las obras anteriores para dirigirse a la gente sencilla, sin retórica ni artificios. Canta a las realidades más simples de la vida cotidiana (la cebolla, el pan, el vino, el fuego, el reloj…), símbolo de lo elemental y primitivo. Se interesa por el hombre que trabaja con sus manos, por el goce sensual y el mundo vegetal. La preocupación social salta a primer plano.

Cultiva también esta estética de lo prosaico en *Navegaciones y regresos* (1959), *Las piedras de Chile* (1961), *Arte de pájaros* (1966)…

CICLO AUTOBIOGRÁFICO. ETAPA FINAL. En sus últimos años nuestro autor se orienta hacia la reflexión autobiográfica. Algunos títulos interesantes son *Estravagario* (1958),

Cien sonetos de amor (1959), *Plenos poderes* (1962), *Geografía infructuosa* (1972)...

Además de su autobiografía poética en cinco volúmenes titulada *Memorial de Isla Negra* (1964), que lleva el nombre del lugar donde ha construido su casa, nos deja unas interesantísimas memorias en prosa, *Confieso que he vivido* (1974), publicadas póstumamente.

A esta etapa final pertenece su única pieza dramática, *Fulgor y muerte de Joaquín Murrieta*, que se estrena y publica en 1967. Es un canto a la libertad, encarnada en la figura de un bandido legendario.

7.8. LA LÍRICA Y LOS LÍRICOS CONTEMPORÁNEOS

7.8.1. LA POESÍA ESPAÑOLA (1940-1970)

LA INMEDIATA POSGUERRA. Después de la guerra, el primer grupo poético que florece, protegido por los poderes oficiales, se agrupa en torno a la revista *Garcilaso*, creada en mayo de 1943 por José García Nieto. Integran la Generación del 36. Bajo la advocación del poeta toledano, produce una lírica de perfecta factura clásica y delicado sentimentalismo, pero fría y evasiva, que se sitúa a espaldas de los problemas sociales. A la cabeza de estos poetas, comprometidos con el nuevo régimen, figura JOSÉ GARCÍA NIETO (1914-2001), seguido de LUIS FELIPE VIVANCO (1907-1975), LEOPOLDO PANERO (1909-1962), LUIS ROSALES (1910-1992), DIONISIO RIDRUEJO (1912-1975)... Pronto evolucionarán hacia una poesía de tono cotidiano y temática religiosa, que tendrá su máxima expresión en libros como *Escrito a cada instante* (1949) de Panero, *La casa encendida* (1949) y *Rimas* (1951) de Rosales o *El descampado* (1957) de Vivanco. Sin perder la perfección formal, desembocan en un intimismo trascendente, que busca en las realidades del entorno, bajo la presencia constante de Dios, la razón poética del existir. Es lo que Dámaso Alonso llama «poesía arraigada».

Como réplica a los sonetos garcilasistas, DÁMASO ALONSO (Madrid, 1898-1990) deja oír su protesta cósmica en *Hijos de la ira* (1944), con un lenguaje desgarrado y violento. Catedrático de lengua española, prestigioso crítico literario (especialista en la poesía de Góngora) y director durante muchos años de la Real Academia Española, fue galardonado en 1978 con el Cervantes. Pertenece a la Generación del 27, pero se da la circunstancia de que su obra cumbre, *Hijos de la ira*, que constituye una auténtica revolución y marca la trayectoria de la poesía española moderna, aparece en plena posguerra.

Hasta ese momento había publicado algún libro de interés, como *Poemas puros. Poemillas de la ciudad* (1921), que, pese a su sencillez, presenta una considerable riqueza en el lenguaje y las imágenes.

Pero su verdadera voz poética la encuentra en *Hijos de la ira*, donde expresa de forma descarnada su angustia existencial, su asco, en versículos cuyo ritmo solemne contrasta con el mundo degradado a que se alude. La visión del medio que lo rodea no puede ser más denigrante. Le agobia la injusticia y la tremenda frustración de ser hombre. El arranque del libro resulta muy expresivo: «Madrid es una ciudad de más de un millón de cadáveres…».

Para referirse a esa sórdida realidad cotidiana, utiliza un léxico que suele estar excluido de la lírica: *pestilencia, podridos, purulentos, necrófago, escupo, heces, bilis, sarnoso*… Un dramático sarcasmo late en todo el poemario. En medio de tanto horror, la búsqueda de Dios es la única esperanza para la criatura humana. Estos versos respiran una honda y agónica religiosidad, común a otras obras del autor.

En el mismo año de 1944 Dámaso Alonso publica *Oscura noticia*, donde se advierte la lucha del hombre entre sus bajezas y sus ansias de perfección e inmortalidad. En *Hombre y Dios* (1955) el tema son las relaciones con la divinidad. En *Gozos de la vista* (1981) canta las excelencias del ser humano, su capacidad de percepción del universo, contrastado todo ello con sus limitaciones y su naturaleza perecedera: es una criatura abocada a la muerte.

También en 1944 sale a la palestra en León la revista *Espadaña*, que prolonga su existencia hasta 1951. Frente al neoclasicismo escapista del grupo de *Garcilaso*, los poetas que se aglutinan en torno a ella alzan la bandera de la rehumanización y el compromiso histórico. Figuras representativas son VICTORIANO CRÉMER (1907) y EUGENIO DE NORA (1923), dos de los fundadores.

Se va configurando así lo que Rafael Bosch denomina «la nueva poesía inconformista española», un grito de protesta, nacido de las zozobras existenciales, que apunta hacia la poesía social que estallará en muy pocos años.

Siguiendo otras directrices, hace su aparición por esas fechas el grupo cordobés «Cántico». Cultivan una lírica neobarroca, esteticista y sensorial, con un toque de sentimentalismo romántico y cierta propensión al tono elegíaco. Son promotores y miembros destacados RICARDO MOLINA (1917-1968) y PABLO GARCÍA BAENA (1924).

En la década que nos ocupa discurre también un movimiento de signo muy distinto a los que componen su entorno poético: el Postismo. Los autores que lo integran se consideran herederos de la Vanguardia, en particular del Surrealismo francés. Abiertos a la utopía y con una cosmovisión onírica, proclaman como principios básicos la libertad y la imaginación creadora. Su cabeza visible es CARLOS EDMUNDO DE ORY (1923). Junto a él figuran EDUARDO CHICHARRO (1905-1964), GABINO-ALEJANDRO CARRIEDO (1923-1981), ÁNGEL CRESPO (1926-1995)...

POESÍA EXISTENCIAL Y SOCIAL. Los poetas a que ahora nos referimos pertenecen a la corriente rehumanizadora. Muchos de ellos evolucionan desde la meditación sobre cuestiones metafísicas y religiosas hasta la denuncia de las duras condiciones en que se desarrolla la vida en España, y vuelcan su atención en los conflictos políticos y sociales.

BLAS DE OTERO (Bilbao, 1916-Madrid, 1979) cultiva en un primer momento una poesía existencial y metafísica, cargada de angustia. Se recoge en *Ángel fieramente humano* (1950) y *Redoble de conciencia* (1951), que en 1958 se fundirán, con modificaciones y adiciones, en un volumen titulado *Ancia*. Más tarde, su preocupación pasa de la problemática individual a los conflictos sociales: del «yo» al «nosotros», como lo ha definido Emilio Alarcos. A esta etapa pertenecen *Pido la paz y la palabra* (1955), *En castellano* (1959), *Con la inmensa mayoría* (1960), *Que trata de España* (1964)... Luego abandona el tono combativo y emprende un camino de experimentación, con formas métricas más libres y lenguaje más atrevido: *Mientras* (1970).

JOSÉ HIERRO (Madrid, 1922-Santander, 2002) también intenta dar a su poesía un alcance colectivo y enraizarla en los problemas del hombre. Muestra predilección por el lenguaje cotidiano. Prescinde de la ornamentación, pero no del cuidado del estilo. Sus libros más representativos son *Cuanto sé de mí* (1958), del que en 1974 tomará el título para sus poesías completas, y *Libro de las alucinaciones* (1964).

RAFAEL MORALES (Talavera de la Reina, Toledo, 1919-Madrid, 2005) representa dentro de la poesía social una corriente eticoestética. Se revela con *Poemas del toro* (1943), un magnífico libro neobarroco de sonetos. Luego cultiva un realismo intimista. El tema que más le atrae es el dolor humano, el drama de los desheredados de la fortuna: *Canción sobre el asfalto* (1954).

La poesía existencial cuenta con otros poetas de primer orden como JOSÉ LUIS HIDALGO (1919-1947), VICENTE GAOS (1919-1980), CARLOS BOUSOÑO (1923), JOSÉ MARÍA VALVERDE (1926-1996)... Entre los de tendencia social destacan GABRIEL CELAYA (1911-1991), LEOPOLDO DE LUIS (1918-2005)...

LA GENERACIÓN DE LOS 50. Se trata de un grupo muy heterogéneo. Los une, sin embargo, el rechazo del realismo social al uso, aunque algunos de ellos se aproximan a esta corriente. Se ha producido un cambio de enfoque en el tratamiento de los asuntos y en el lenguaje. Estos poetas no se desentienden

639

de los problemas sociales, pero les interesa más lo subjetivo, la indagación en el alma del individuo, integrado —eso sí— en una colectividad. Muestran una común predilección por Antonio Machado.

Núcleo esencial de esta promoción es la Escuela de Barcelona, que se reúne en torno a la revista *Laye* y recibe el influjo de la obra en lengua catalana de Gabriel Ferrater. A ella pertenece JAIME GIL DE BIEDMA (Barcelona, 1929-1975), cuya visión del mundo responde a una actitud crítica e irónica. El erotismo es una importante veta temática en sus versos. Es autor de *Compañeros de viaje* (1959), *Moralidades* (1966), *Colección particular* (1969), *Las personas del verbo* (1975)...

Paralelamente, en Madrid discurre la trayectoria de otros poetas no menos interesantes. ÁNGEL GONZÁLEZ (Oviedo, 1925-Madrid, 2008) siente su compromiso como una identificación con el hombre. Ofrece ante todo un testimonio existencial, guiado por el pesimismo. Contempla el panorama de la sociedad desde una postura crítica, que no se manifiesta necesariamente con ataques directos, sino que prefiere recurrir a una incisiva ironía. En 1968 reúne toda su producción en el volumen *Palabra sobre palabra*, que será reeditado y aumentado en 1972 y 1977. En una segunda fase de su trayectoria se abre a lo imaginativo y lo lúdico: *Breves acotaciones para una biografía* (1971), *Procedimientos narrativos* (1972)...; pero su intrascendencia a veces es solo aparente. Esta producción ha sido recopilada en *Prosemas o menos* (1984).

JOSÉ ÁNGEL VALENTE (Orense, 1929-Ginebra, 2000) concibe la poesía como vía de conocimiento. Sigue un camino de indagación en el que el objetivo fundamental es la palabra, estrechamente ligada a las cosas; la forma poética es, en sí misma, expresión de la realidad. Partiendo de unos supuestos éticos, su actividad se centra en el entorno y en el ejercicio evocador de la memoria. Es un poeta conceptual, en cuya obra abundan las referencias culturalistas; el lenguaje se carga de símbolos. Es autor de *A modo de esperanza*

(1955), *Poemas a Lázaro* (1960), *La memoria y los signos* (1966), *Siete representaciones* (1967), *Presentación y memorial para un monumento* (1970)... En 1972 recoge su producción en el volumen titulado *Punto cero*. Su obra se cierra con *Fragmentos de un libro futuro*.

FRANCISCO BRINES (Oliva, Valencia, 1932) cultiva una poesía ontológica, metafísica, que gira en torno a la dualidad antagónica luz-vida / sombra-nada. En sus versos se revela palpitante el drama existencial del ser humano, cuyo camino hacia la muerte desemboca en el vacío. Evoca continuamente el paraíso perdido, previo a la permanente batalla contra el paso del tiempo, perdida de antemano. Pero esa certeza no le hace renunciar a la pasión por la vida, en un angustiado hedonismo que se tiñe de estoicismo senequista. Entre sus obras se cuentan *Las brasas* (1960), *El Santo Inocente* (1965), *Palabras a la oscuridad* (1966), *Aún no* (1971), *Insistencias en Luzbel* (1977), *El otoño de las rosas* (1986)...

CLAUDIO RODRÍGUEZ (Zamora, 1934-Madrid, 1999) defiende, como José Ángel Valente, la palabra poética, que identifica con el acto de conocer. Sale a la palestra en 1953 con *Don de la ebriedad*, un largo poema en endecasílabos blancos. Entre el autor y la naturaleza se produce una fusión de resonancias místicas. El aire y la luz, con sus efectos embriagadores, invaden su ser. Siguiendo por el mismo camino, en *Conjuros* (1958) hombre y tierra se identifican. Las experiencias cotidianas se revisten de simbolismo trascendente. Del éxtasis contemplativo pasa a la búsqueda de la verdad en *Alianza y condena* (1965) y *El vuelo de la celebración* (1976). Nuestro autor imprime a sus versos una considerable brillantez expresiva.

También merecen ser recordados JOSÉ MANUEL CABALLERO BONALD (1926), MANUEL MANTERO (1930), CARLOS SAHAGÚN (1938)...

NUEVAS TENDENCIAS. LA REVOLUCIÓN DEL 68. En los años sesenta y setenta se abre un periodo de experimentación en que se buscan horizontes más amplios y se produce una ruptura definitiva con la tendencia social, partiendo del principio de la total autonomía del arte y del valor absoluto de la poesía por sí misma. En lo que a versificación se refiere, se prescinde de los modelos tradicionales. Se introduce una veta irracionalista, que provoca la vuelta a la libertad de las Vanguardias, especialmente al Surrealismo. Los jóvenes poetas retoman las imágenes oníricas y la escritura automática. Huyen del discurso lógico. Gustan del *collage*, que juega con elementos de diversa procedencia: frases publicitarias, canciones, citas de obras ajenas... Aunque cuestionan la sociedad de consumo de la que forman parte, sitúan en primer término la nueva cultura, vinculada a los medios de comunicación (el cine, la radio, la prensa, los cómics...), cuyos mitos incorporan a la poesía. Junto a los temas frívolos, aparecen otros tan graves como la guerra o el racismo.

Todos estos principios estéticos se hallan claramente formulados en la célebre antología que en 1970 publica José María Castellet: *Nueve novísimos poetas españoles*. En ella se señalan las directrices de la «nueva sensibilidad», fruto de los factores socioculturales propios de esos tiempos. Toma como punto de referencia la obra de unos cuantos autores que considera representativos. Los divide en dos grupos, según su fecha de nacimiento. A los *seniors* (MANUEL VÁZQUEZ MONTALBÁN, ANTONIO MARTÍNEZ SARRIÓN y JOSÉ MARÍA ÁLVAREZ), nacidos entre 1939 y 1942, les atribuye la iniciativa de haberse alzado contra las fórmulas caducas. Los de la *coqueluche* —palabra cariñosa que alude a su irritabilidad, comparable a la de una enfermedad infantil— han nacido entre 1944 y 1948 (FÉLIX DE AZÚA, PERE GIMFERRER, VICENTE MOLINA FOIX, GUILLERMO CARNERO, ANA MARÍA MOIX y LEOPOLDO MARÍA PANERO); son más provocativos e insolentes.

La selección realizada por Castellet (que procede, en buena medida, del ámbito catalán) y el prólogo que le antepuso han sido objeto de muchas críticas. Pero no se puede negar que resultó clarificadora al ofrecer una pautas de aproximación a la nueva estética.

7.8.2. LA POESÍA HISPANOAMERICANA

En los años posteriores a 1940 no han surgido individualidades líricas que se proyecten internacionalmente con la fuerza que alcanzaron los grandes poetas modernistas o los que, nacidos hacia 1900, llegaron a la madurez en la época de las Vanguardias, o los novelistas coetáneos. De hecho, las tres décadas que van de 1940 a 1970 están dominadas por las nuevas creaciones de Borges y Neruda y la sombra interminable de César Vallejo, a pesar de la multitud de nombres que recogen las historias y antologías. El único que se ha aupado al canon internacional ha sido Octavio Paz, del que nos ocuparemos en el epígrafe siguiente.

La evolución de la literatura en el conjunto de Hispanoamérica, a pesar de los avatares de cada uno de los países, no sufrió un corte tan violento y radical como el que supuso la guerra civil española, ni discurrió entre una relación tan precisa de sumisión o rechazo del poder político.

No hubo, por ello, un hiato tan marcado entre la época de las Vanguardias y la que siguió a la II Guerra Mundial. Algunos de los movimientos de ruptura (el Surrealismo, por ejemplo) tuvieron la virtud de fecundar las letras hispanoamericanas durante varias décadas y ofrecieron sus mejores frutos unos años después del florecimiento europeo. Su difusión estuvo directamente relacionada con la obra de poetas que residieron en Europa (Neruda, César Moro...) y con alguno de los exiliados españoles; pero echaron raíces en un suelo en el que la realidad y el sueño parecen confundirse, como han sugerido, entre otros, Octavio Paz y Juan Larrea. Lo cierto es que su huella se dilató durante la etapa de la crisis bélica y en fechas posteriores, a veces combinados con estilemas y sentimientos vinculados a la angustia existencial e incluso a las tensiones de la vida social.

Numerosas revistas, casi siempre efímeras —no hay que insistir en ello—, fueron baluarte de las posiciones próximas al Surrealismo. Entre ellas destacan la chilena *Mandrágora* y la argentina *A partir de cero.*

Una parte de esta «tradición de la ruptura», de la que habló Octavio Paz, corre por la senda del Surrealismo tardío, exalta el poder mágico e irracional de la palabra poética y avanza hacia el hermetismo.

El deseo de la penetración en lo misterioso, en el mundo onírico, en los secretos órficos, en los paraísos perdidos... dio pie a una lírica que se ha llamado —no sabemos si con propiedad— neobarroca. Se trata de una poesía iniciática que se repliega sobre el mundo del sueño y del deseo, del sinsentido místico y del éxtasis. Su medio de expresión fue la revista cubana *Orígenes* y su cabeza José Lezama Lima, al que hoy conoce el público como uno de los novelistas capitales de la época, pero cuya raíz es, también en los relatos, esencialmente poética.

Frente a las líneas de buceo íntimo e introspección que hemos enumerado hasta ahora, nace la tendencia significativamente llamada «exteriorismo» por uno de sus mejores cultivadores, el nicaragüense José Coronel Urtecho. No se trata de un movimiento claramente definido, pero sí de un conjunto de manifestaciones en las que es fácil observar el interés por la realidad social, sus problemas políticos, sus injusticias; el uso de la lengua de la calle, cuyo valor poético está precisamente en la ruptura de los clichés literarios imperantes; el recurso a imágenes y símbolos que pertenecen al reino de este mundo y no al alado de la poesía; la vuelta a la anécdota y la narración como elementos del universo poético. Con frecuencia, pero no obligatoriamente, esta vocación exterior se complementa con el sentimiento religioso, la fe que exige y permite la solidaridad y el amor fraterno entre los hombres. Este realismo lírico oscila en muchos casos entre el misticismo y el compromiso revolucionario. Revistas como la mexicana *Taller* (1938-1941) o la nicaragüense *Cuadernos del taller de San Lucas* (1942-1945) representan algunas de las variantes de este reencuentro entre la poesía y la historia, según la feliz definición de Octavio Paz.

El exteriorismo da lugar a la *antipoesía*, marcada por la rebeldía con causa contra regímenes tiránicos y condiciones sociales insoportables, y enlazada con la protesta indigenista y la lucha revolucionaria que se desata, con desigual fortuna, en varios países hispanoamericanos, en particular en las décadas de 1950 y 1960. Sus practicantes dicen rechazar los convencionalismos retóricos; esta afirmación no pasa de expresar una piadosa intención: cada poesía (incluida la *antipoesía*) tiene su retórica. La de estos autores se nutre del neopopularismo, de la introducción de voces y giros conversacionales y de un toque de piadoso expresionismo —valga la paradoja. Nicanor Parra y Ernesto Cardenal, entre otros, cultivarán esta tendencia.

Distinta, aunque próxima en intenciones y formas, está la poesía de neta propaganda política, ligada fundamentalmente a la Revolución Cubana, que tuvo como órgano de difusión la revista habanera *El caimán barbudo*.

La tradición de la ruptura tiene en muchos casos como marca paradójica el retorno a incitaciones clásicas. Los poetas de los siglos XVI y XVII sirven de acicate a nuevas recreaciones, a veces desde la ironía y el sarcasmo, a veces desde la glosa y en otros casos dotándolas de un halo de trascendencia, de interiorización, de misticismo. En esta dimensión no es raro que a las letras hispánicas se sumen influjos orientales, ecos hinduistas y del budismo.

No faltan tampoco ensayos de poesía concreta, de la experimentación que une lo verbal y lo plástico en la recuperación de algunas de las marcas de la Vanguardia.

No parece hoy fácil ordenar con rigor los poetas según su adscripción a las distintas corrientes. Son muchos los que pasan de una a otra. La división que proponemos no tiene más pretensiones que orientar, aunque sea de forma precaria, al lector interesado.

ENTRE LA VANGUARDIA TARDÍA Y LA ANGUSTIA EXISTENCIAL. Destacaremos en primer lugar a tres poetas argentinos, cada uno con su voz personal pero unidos por el empleo de recursos vanguardistas, procedentes del mundo surreal, con ciertas formas de la insatisfacción y la náusea.

ENRIQUE MOLINA (1910-1996) cultiva un personal Surrealismo impregnado de erotismo, desgarrado en la tensión del deseo, tal y como se evidencia en sus poemarios *Las cosas y el delirio* (1941), *Pasiones terrestres* (1946), *Amantes antípodas* (1961), *Las bellas furias* (1966)...

OLGA OROZCO (1920-1999) es poetisa de la pasión y la nostalgia, que vierte en largos versículos salpicados de imágenes surreales, invocaciones telúricas y delirios. *Desde lejos* (1964) tiene como referente el mundo distante de la niñez. En *Las muertes* (1952) reflexiona, a través de epitafios efectivos o proyectados hacia el futuro (por ejemplo, el suyo propio), sobre la condición humana, su intimidad y su agonía vital. Los mismos temas informan *Los juegos peligrosos* (1962) y los poemas elegíacos posteriores.

ROBERTO JUARROZ (1925-1995) cultiva un lirismo que, con una morfología próxima a la poesía pura, se adentra en el sentimiento trágico cargado de trascendencia y tendente al hermetismo. Recoge su obra bajo el título de *Poesía vertical* (primera entrega, 1958; duodécima, 1991), que alude a la caída patética del hombre, agónicamente falto de fe y certidumbre, entre la soledad y la angustia, pero también a su anhelo de ascenso hacia el bien, su deseo de integración y comprensión de la serena fatalidad de los ciclos de la vida.

El chileno GONZALO ROJAS (1917), perteneciente al grupo que se reúne en torno a la revista *Mandrágora*, parte de la adscripción a la corriente surrealista: cree que la poesía tiene su origen en lo inconsciente, en el ámbito de lo oscuro. Su obra se caracteriza por el dominio de los recursos expresivos. Confía plenamente en el poder de la palabra y en su función mágica que ilumina y conforta, lo que no impide que sobre sus versos se ciernan algunas sombras: el permanente desasosiego del discurrir temporal. Recurre a las referencias míticas y cultiva un telurismo trascendente. Su obra se halla en un permanente proceso de construcción: añade, quita, reordena... Se ha dicho que todos sus libros son uno solo, continuamente rehecho, en medio de la pugna por dar forma unitaria a lo que es esencialmente fragmentario. Opera también con mensajes no verbales, relacionados con los aspectos tipográficos y la ubicación espacial de los textos. Entre sus producciones más relevantes se cuentan *Al silencio* (1955), *Contra la muerte* (1964), *Uptown* (1980), *Del relámpago* (1984), *Materia de testamento* (1988), *Río turbio* (1996)...

El peruano MARTÍN ADÁN, seudónimo de Rafael de la Fuente Benavides (1908-1985), utiliza las técnicas vanguardistas y los cauces tradicionales en *La rosa de la espinela* (1939) y en los sonetos de *Travesía de extramares* (1950), donde no faltan las voces peregrinas (arcaísmos, tecnicismos, neologismos varios) que, pura sonoridad y sugerencia, se resisten a la inteligibilidad. En los años sesenta inaugura otra línea, más desolada y transida de desesperanza, en *La mano desasida. Canto a Machu Picchu* (1964), *La piedra absoluta* (1966) y los nuevos textos recogidos en *Obra poética* (1980) y en *Antología* (1989).

El peruano CARLOS GERMÁN BELLI (Lima, 1927), que parte de la órbita surrealista, nos ofrece una originalísima combinación de lo antiguo y lo moderno. Su pesimismo ante las perspectivas que se le ofrecen al ser humano quedan reflejadas en *Oh hada cibernética* (1962). Sin apartarse de la modernidad, se nutre de la tradición clásica española e insufla a sus versos un deliberado arcaísmo y una tendencia barroquizante, que conviven con los registros populares y la jerga tecnológica o periodística. Expresa su desesperación, que es la del hombre de su tiempo, con acentos de inusitada violencia. Recurre a una compleja simbología que, unida a su elaborada retórica, da a sus poemas una apariencia hermética. Otros títulos representativos son *El pie sobre el cuello* (1964; en la ed. de 1967 reúne toda su obra anterior), *Por el monte abajo* (1966), *Sextinas y otros poemas* (1970)...

A estos debe añadirse el nombre de uno de los más notables surrealistas hispanoamericanos: el venezolano PABLO ROJAS GUARDIA (1909-1978), con sus *Poemas sonámbulos* (1931).

EL EXTERIORISMO NICARAGÜENSE. Los poetas de Nicaragua tenían que reaccionar contra la gloriosa y pesada herencia rubendariana si querían ser algo más que meros epígonos. Lo hicieron ocupándose del mundo cotidiano y practicando el prosaísmo expresivo.

José Coronel Urtecho (1906-1994) vuelve la mirada al mundo clásico y a una poesía coloquial, doméstica, neoepicúrea, exaltadora de la dorada medianía, que se reúne en el volumen *Pol-la d'ananta, katanta, paranta* (1970), trasliteración de un verso homérico que resume bien las intenciones del poeta: «Y por muchas subidas y caídas, vueltas y revueltas, dan con las casas».

Pablo Antonio Cuadra (1912) participa de la vocación poética cotidianista, aunque se inició con textos en que fundía la inspiración vanguardista con la exaltación nacional: *Poemas nicaragüenses* y *Canto temporal* (ambos de 1934). La dimensión telúrica de su lírica se convierte simultáneamente en denuncia política y meditación ética. En sus libros más celebrados se vale de las mitologías indígenas (*El jaguar y la luna*, 1959) o del pasado heroico, elevado a la categoría de símbolo de la libertad (*Cantos de Cifar*, 1971).

Joaquín Pasos (1915-1947), popular y telúrico, no reunió en vida su obra. Póstumamente aparecieron *Breve suma* (1947) y *Poemas de un joven* (1962). Fue un cantor de la realidad de cada día. Se ha hecho justamente célebre el poema que compuso a las puertas de la muerte: *Canto a la guerra de las cosas*, directo, dolorido, de una vitalidad agónica y estremecida.

Ernesto Mejía Sánchez (1923-1985) ha continuado, desde Nicaragua y desde el exilio mexicano, la línea de la poesía vuelta hacia el mundo real, transida de religiosidad unas veces y otras irónica y punzante. Entre sus libros se cuentan *Ensalmos y conjuros* (1947), *Contemplaciones europeas* (1957), *Prosemas del Sur y del Levante* (1968)...

Dos antipoetas. El chileno Nicanor Parra (1914) cultiva una poesía inconformista. Su vocación iconoclasta busca la claridad expresiva, la lengua coloquial, para que no se pierda su mensaje, vigoroso y enérgico. Cree que el poeta debe cambiar los nombres de las cosas utilizando el lenguaje cotidiano. En su crítica contra el orden social y moral utiliza un tono de ironía mordaz, con toques de humor negro y absurdo, en los que se ha querido ver la huella surrealista, pero que tienen larga tradición en el realismo satírico y caricaturesco que preludió el Expresionismo.

Un auténtico manifiesto de esta postura, en el que no faltan alusiones culturales pese a su voluntad de ruptura, puede encontrarse en «Advertencia al lector», que encabeza la tercera parte de *Poemas y antipoemas* (1954). Proclama la necesidad de un nuevo vocabulario, unos nuevos temas y un nuevo lenguaje que sustituyan a las formas vigentes: «Como los fenicios, pretendo formarme mi propio alfabeto». Asume las limitaciones de su visión del mundo, siempre incompleta (mi poesía —dice— «puede perfectamente no conducir a ninguna parte»); las pretensiones totalizantes de otros le parecen falsas. Lo esencial de la antipoesía es la comunicación viva y directa con el lector.

Otros títulos representativos son *Cancionero sin nombre* (1927), *La cueca larga* (1958), *Versos de salón* (1962), *Canciones rusas* (1971)... En composiciones posteriores los sucesos de su país han dejado una huella amarga que exacerba el juego irónico: *Sermones y prédicas del Cristo de Elqui* (1977), *Nuevo sermones del Cristo de Elqui* (1979)...

También ha ensayado la poesía espacial en textos fragmentarios, a modo de *graffiti* o pintadas callejeras: *Artefactos* (1972) y *Chistes pa(r)ra desorientar a la (policía) poesía* (1983).

ERNESTO CARDENAL (Granada, Nicaragua, 1925), de vocación religiosa tardía, poeta revolucionario y católico, adalid de una especie de marxismo cristiano, juega un papel importante en el triunfo de la Revolución Sandinista y llega a ser ministro de cultura.

Desde su «visión tercermundista», se alza contra el imperialismo y el materialismo, contra la vida deshumanizada e inauténtica de nuestro tiempo. Tiene un concepto utilitario de la literatura: ha de servir para revelar determinados hechos y a veces para combatirlos. Se interesa por el dolor de los seres humanos y el abandono en que los deja la sociedad. La poesía que él cultiva y prefiere está «creada con las imágenes del mundo exterior», «poesía objetiva: narrativa y anecdótica, hecha con elementos de la vida real y con cosas concretas». Recurre a veces a la técnica del *collage*, al montaje de imágenes.

Hora O (1960) son versos testimoniales. Recrean, entre la lírica y la épica, la muerte de Sandino. En *Epigramas* (1961), una de sus obras más valoradas, sigue la huella de Catulo, Marcial y Propercio (incluye varias traducciones suyas de los dos primeros). Algunas composiciones, de acentos sentimentales, giran en torno al amor, la mujer o el paisaje nicaragüense; en otras deja oír su protesta.

A partir de este momento, se intensifica su compromiso político, siempre unido a su sentido religioso, y se convierte en cronista de la historia de su tiempo. Sus versos se despojan de componentes musicales, se hacen cada vez más secos y austeros; acentúa el prosaísmo en su lenguaje. En los *Salmos* (1964) canta la gloria de Dios y se rebela contra la opresión y la injusticia; son versiones actualizadas de algunas piezas del salterio. Siguen luego *Apocalipsis* (1965) y *El estrecho dudoso* (1966), que se remonta a la historia de la conquista para rematar en la dictadura actual. En este poemario, Cardenal remeda las crónicas de Indias, les da vuelo rítmico para hablar, de forma sencilla, directa, ingenua en su apariencia, sobre el paraíso perdido con la brutal irrupción del hombre blanco y denunciar el expolio y el maltrato a la tierra y sus habitantes que supusieron la conquista y las formas de dominación posteriores.

La misma inquietud, aunque con motivos distintos, aparece en *Homenaje a los indios americanos* (1972), *Canto nacional* (1973), *Quetzalcóatl* (1985)… Los acentos épicos que se dejan oír en estas obras reverdecen en dos de sus últimas publicaciones. *Canto cósmico* (1991), un ambicioso intento, sigue el modelo de *Los cantos* de Ezra Pound y del *Canto general* de Neruda para exaltar en sus versículos la lucha del amor contra la muerte y la comunión de los hombres en la justicia. En *Los ovnis de oro. Poemas indios* (1992) vuelve los ojos al pasado para ocuparse de los mitos y costumbres indígenas.

Guiadas por el mismo pensamiento, ha escrito obras ensayísticas como *Cristianismo y revolución* (1974) o *En la santidad de la revolución* (1976).

OTRAS MANIFESTACIONES DEL COTIDIANISMO Y EL COMPROMISO SOCIAL. El guatemalteco LUIS CARDOZA Y ARAGÓN (1904-1992) empieza como surrealista desde *Maelstron* (1929) hasta *Luna Park* (1943), para derivar hacia una poesía preocupada por el presente y el porvenir del hombre y de los hombres en *Pequeña sinfonía del Nuevo Mundo* (1949) y en la producción posterior reunida en *Poesías completas y algunas prosas* (1977). Al margen de su labor de poeta queda *Guatemala: las líneas de su mano* (1955), ensayo interpretativo de la realidad de su país.

El argentino CÉSAR FERNÁNDEZ MORENO (1919-1985) pertenece también a la estirpe de los poetas sin retórica o con la retórica del habla cotidiana impregnada de ironía, humor y sarcasmo, como se puede ver en sus libros *Veinte años después* (1953), *Argentino hasta la muerte* (1963) y la antología de irónico título *Buenos Aires, me vas a matar* (1971).

El chileno ENRIQUE LIHN (1929-1988) combina cierto desgarro, próximo a la antipoesía, con la ironía (o el dolorido sarcasmo) y un regusto de erudición y clasicismo. Es una poesía de acento social, voluntariamente intrascendente y mordaz, que renuncia a la retórica propagandística que a veces se ha confundido con el compromiso. En sus producciones centrales (*Poesía de paso*, 1966; *La musiquilla de las pobres esferas*, 1969; *Escrito en Cuba*, 1969; *París, situación irregular*, 1977; *A partir de Manhattan*, 1979...) se evidencia el peso del entorno, de la vivencia inmediata, sobre la que proyecta su solidaridad y su ironía.

El argentino JUAN GELMAN (1930) bascula entre ciertos experimentos formales, el acercamiento a la vida cotidiana, el acento coloquial, la ironía y el compromiso político que lo

651

llevó al exilio. Se inició con una poesía solidaria y de proximidad: *El juego en que andamos* (1959), *Velorio del solo* (1961). Más tarde, valiéndose de los heterónimos y los poetas apócrifos, ha consolidado una voz original, atrevida, pero fiel a sus propósitos comunicativos, en *Gotán* (1962), *Los poemas de Sydney West* (1969), *Fábulas* (1970), *Hechos y relaciones* (1980), *Citas y comentarios* (1982)...

El mexicano ALÍ CHUMACERO (1918), perteneciente al grupo de la revista *Tierra nueva*, impulsó otras muchas publicaciones (*Letras de México, México en la cultura*). En sus poemas, de rigurosa perfección formal, expresa una angustia desoladora. Sirvan de ejemplo las colecciones *Páramo de sueños* (1944), *Imágenes desterradas* (1948), *Palabras en reposo* (1956; ed. aumentada, 1965)...

Al grupo de *Taller* pertenecen EFRAÍN HUERTA (1914-1982), autor de *Absoluto amor* (1935), *Línea del alba* (1936), *Poemas de guerra y esperanza* (1943), *Poesía: 1935-1968* (1968)..., que alterna la preocupación social con las inquietudes íntimas; y NEFTALÍ BELTRÁN (1916), que trata fundamentalmente de la soledad y el abandono: *Veintiún poemas* (1936), *Soledad enemiga* (1944)...

El mexicano JOSÉ EMILIO PACHECO (1939) va desde el intimismo clasicista (*Los elementos de la noche*, 1963) a la poesía antirretórica (*No me preguntes cómo pasa el tiempo*, 1969), a ratos de un expresionismo feísta, en que habla de las condiciones de vida en la macrociudad devoradora y monstruosa que es México: *Ciudad de la memoria* (1989).

Parecidas preocupaciones se hallan en el peruano ANTONIO CISNEROS (1942), que antologó su obra con el significativo título de *Poesía, una historia de locos* (1990). En *Comentarios reales* (1964) carga la mano expresionista para recontar la historia de su país. En otros libros posteriores (*Canto ceremonial contra un oso hormiguero*, 1968; *Agua que no has de beber*, 1971; *Las inmensas preguntas celestes*, 1992) deja ver la angustia, la desazón frente al medio (la ciudad inhumana) y frente al cosmos, el mundo inmundo ajeno a la belleza y el equilibrio.

La continuación de la corriente de compromiso social y político tiene una expresión, originalísima y de amplio eco entre los lectores, en la obra lírica del narrador MARIO BENEDETTI.

CUBA: DE LA PUREZA Y EL NEOBARROQUISMO A LA POESÍA REVOLUCIONARIA. La rica tradición cultural cubana y la historia convulsa del periodo que nos ocupa propicia manifestaciones en extremo divergentes.

En torno a la revista *Orígenes*, se reunieron un grupo de poetas admiradores de Juan Ramón Jiménez y su poesía pura, inclinados al intimismo y la religiosidad. Este es el sentido de la obra de ELISEO DIEGO (1920-1994), con *En la calzada de Jesús del Monte* (1949), *Por los extraños pueblos* (1958), *El oscuro esplendor* (1958), *Muestrario del mundo o libro de las maravillas de Boloña* (1968), *Nombrar las cosas* (1973), *Inventario de asombros* (1982), todos reunidos en *Poesía* (1983); de FINA GARCÍA MARRUZ (1923), creadora de una poesía evocativa y trascendente, en *Poemas* (1942), *Transfiguración de Jesús en el monte* (1947), *Las miradas perdidas* (1951), *Visitaciones* (1970)...; y de GASTÓN BAQUERO (1915-1997), que compone una poesía de regusto clásico: *Poemas* (1942), *Poemas escritos en España* (1960), *Memorial de un testigo* (1966)...

CINTIO VITIER, que nació accidentalmente en Florida en 1921, cultiva una poesía trascendentalista, aguzado por su angustia metafísica. Convencido de la imposibilidad de obtener una respuesta, no deja, sin embargo, de interrogarse sobre el ser y el existir. A ello se añade una dimensión política, de compromiso con la lucha por la libertad. Maneja indistintamente el verso libre y las estrofas tradicionales.

Su abundante producción se reúne en pocos libros. *Vísperas* (1953) recoge los poemas escritos desde 1938. La labor de otros tantos años aparece condensada en *Testimonios* (1968), donde se funden la expresión de lo íntimo y de lo colectivo; es fruto de un proceso personal que desemboca en la gran empresa de la Revolución. Asistimos, pues, a una interiorización de la historia. En *La fecha al pie* (1981), que cubre las décadas de los sesenta y setenta, el poeta se hace eco de los difíciles avatares por los que atraviesa el mundo en esos años, en un intento de prestar su voz al infortunio colectivo. En 1988 publica en España *Poemas de mayo y junio*, con treinta sonetos y otras tantas composiciones en verso libre.

Sin duda, el poeta que ha alcanzado mayor éxito internacional es JOSÉ LEZAMA LIMA, del que hablaremos en 7.9.7. Entre los afectos a la misma línea marginal y neobarroca se encuentra SEVERO SARDUY (1937-1993), tanto por su obra narrativa como por la lírica.

A raíz de la Revolución, los poetas se orientaron hacia la propaganda política al servicio del régimen. Ejemplo de ese giro puede ser ROBERTO FERNÁNDEZ RETAMAR (1930). Ligado primero a la revista *Orígenes*, camina simultáneamente en una doble dirección complementaria hacia la poesía íntima y la política: *Vuelta a la antigua esperanza* (1959), *Poesía reunida* (1966).

Los que no se ajustaron a esta trasformación tuvieron que exiliarse, permanecieron en el ostracismo o se vieron acusados y reprimidos sin muchas contemplaciones, como ocurrió en el caso de HEBERTO PADILLA (1932-2000).

OTRAS TENDENCIAS. OTROS NOMBRES. El colombiano ÁLVARO MUTIS (1923), durante largo tiempo exiliado en México, galardonado con el premio Príncipe de Asturias, cultiva una poesía de aliento narrativo, volcada en la aventura, que guarda evidentes puntos de contacto con su ulterior producción novelesca, caracterizada por la intensidad poética. En una y otra domina la figura de Maqroll el Gaviero, un ser misterioso, escéptico, errante, marginado, siempre al filo de la ilegalidad. Este hombre de acción, corroído por la angustia existencial, imprime un sello propio a la obra de Mutis.

Maqroll aparece en muchos de los poemas que publica el autor a partir de 1947. No en vano la recopilación completa de su obra poética, que se irá ampliando, lleva por título *Summa de Maqroll el Gaviero* (1973, 1982, 1990). Otras producciones, en las que anima una visión religiosa y trascendente, bucean en edades pasadas y se nutren de la nostalgia del orden arcaico y el poder absoluto: *Los emisarios* (1984), *Crónica regia y alabanza del reino* (1985), en torno a Felipe II, *Un homenaje y siete nocturnos* (1986).

También protagoniza Maqroll una extensa saga novelesca que discurre en la peculiar geografía de Mutis, formada por mares, ríos y selvas tropicales: *La nieve del almirante* (1986), *Ilona llega con la lluvia* (1987), *Un bel morir* (1989), *Amirbar* (1990), *Empresas y tribulaciones de Maqroll el Gaviero* (1993)...

Rasgos similares tienen otros personajes como el protagonista del relato *La muerte del Estratega* (1985) o el capitán vasco Jon Iturri, que figura al frente de *La última escala del Tramp Steamer* (1990), novela corta.

El mexicano MARCO ANTONIO MONTES DE OCA (1932) reacciona frente a la ola neosurrealista, que siempre puede deslizarse desde el automatismo a la arbitrariedad, ni tan siquiera el capricho. El «poeticismo», como se denominó con poca fortuna a la tendencia, quería volver por el rigor de la construcción poética, su armonía y legibilidad. Montes de Oca ha reunido su poesía, que no se limita a esta pretensión, en *Pedir al fuego* (1986).

Citemos por último a otros varios poetas de distintas tendencias, cuyo desarrollo no cabe en esta *Historia esencial...*, pero sí su relación escueta: XAVIER ABRIL (1905-1989), SARA DE IBÁÑEZ (1909-1971), ÓSCAR CERRUTO (1912-1981), JUAN LISCANO (1915), ALBERTO GIRRI (1919-1991), IDEA VILARIÑO (1920), JAVIER SOLOGUREN (1921), RUBÉN BONIFAZ (1923), ROSARIO CASTELLANOS (1925-1974), JAIME SABINES (1926-1999), FAYAD JAMÍS (1930-1988), ROBERTO SOSA (1930), EDUARDO LIZALDE (1929), GUILLERMO SUCRE (1931), ALEJANDRA PIZARNIK (1936-1972), EUGENIO MONTEJO (1938), ÓSCAR HAHN (1938), GIOCONDA BELLI (1948)...

7.8.3. OCTAVIO PAZ

SÍNTESIS BIOGRÁFICA. Nace en 1914 en la pequeña ciudad de Mixcoac (México). Su madre es española y su padre criollo. En cuanto termina sus estudios, se traslada a la península de Yucatán; crea una escuela para los hijos de los obreros y los campesinos. A partir de 1931, escribe sus primeros poemas y ensayos. En 1937 asiste en España al Congreso de escritores antifascistas. Al año siguiente, ya en México, funda con algunos amigos la revista *Taller*, que se sitúa al lado de la lucha por la justicia y contra el fascismo; luego vendrá *El hijo pródigo* (1943). En ambas colaboran escritores españoles exiliados. Cansado de vivir precariamente del periodismo, solicita la beca Guggenheim y en 1944 se va a Estados Unidos. Seguirán otros muchos viajes hasta su regreso a México en 1953.

Esa será, a partir de entonces, la tónica general de su vida, en medio de una intensísima actividad. En 1968 renuncia a su cargo de embajador en la India, que venía desempeñando desde hacía diez años, en protesta por la política de represión contra el movimiento estudiantil llevada a cabo por el gobierno mexicano. En 1981 obtiene el premio Cervantes y en 1990 el Nobel. Muere en 1998.

TRAYECTORIA ÍNTIMA. Recibe en sus comienzos el influjo de Breton y los surrealistas franceses, que adapta a su estilo propio. Integra asimismo el influjo de la poesía barroca española y de las corrientes orientales. Su lírica, eminentemente intelectual, se compone de un rico entramado de imágenes y percepciones sensoriales y se enriquece con la incorporación de componentes míticos.

Preocupado por el abandono y la soledad en que vive el hombre, incapaz de vislumbrar el sentido del mundo, y por la dolorida constatacion de la nada a que se ve abocado, Octavio Paz se vuelca en los temas metafísicos y existenciales. Hay en su obra una proyección cósmica, un intento —que de antemano sabe baldío— de comunicación con el universo y

656

de desvelar el misterio que nos rodea. Con acentos quevedescos manifiesta su angustia ante el paso destructor del
tiempo y la fusión de la vida y la muerte. Su estancia en la
India le lleva a ver la muerte como ampliación de una dimensión interior («morir es ensancharse»), pero recaerá en
sus zozobras, inquieto siempre por esas «verdades oscuras»
en las que no logra penetrar.

Desde su inicial postura solipsista, nuestro autor va evolucionando hasta concebir la poesía como instrumento de revelación, como experiencia que rompe los límites de la temporalidad. Insiste entonces en que la misión del lenguaje
poético es liberar a las palabras de su funcionalismo, trasmu-
tarlas, devolverles su pureza primigenia y convertirlas en un
factor generador de libertad, que posibilite el diálogo del
hombre con el cosmos.

Se ha subrayado en Octavio Paz su actitud abierta a todas las tendencias, lo que, sin embargo, no ha degenerado en
un eclecticismo sin norte. Desde los primeros momentos, se
ha valorado una voz personal cuya trayectoria parece atrave-
sada por varias corrientes significativas que se entrelazan en
poemarios a veces distantes en el tiempo.

Sus primeras obras son *Luna silvestre* (1933), *Entre la
piedra y la flor* (1941) y *A la orilla del mundo* (1942). En
1937, como fruto de su toma de contacto con la guerra civil
española, publica *Raíz del hombre* y *Bajo tu clara sombra y
otros poemas sobre España*.

Este último libro y los que siguieron se agruparon en 1949
en *Libertad bajo palabra*, reeditado en 1960 con la incorporación de nuevos poemas y poemarios como *Semillas para un
himno* (1954) y *La estación violenta* (1958). En este volumen
se incluyó *Piedra de sol*, que había visto la luz en solitario un
año antes. Es un poema simbólico consagrado al amor desde
una óptica panteísta. Las reflexiones metafísicas se entretejen
con motivos de la mitología y la religión aztecas.

Homenajes y profanaciones (1960) vuelve la mirada al
Quevedo de *Amor constante más allá de la muerte*; compone, mediante la glosa, un poema exaltador de la tensión eró-

657

tica elevada a lo metafísico como abolición del tiempo y encarnación de la eternidad del instante.

Salamandra (1962) emplea el símbolo, tan caro a los petrarquistas, entre ellos Quevedo, del animal que vive en medio del fuego, para recrear, sin ligaduras lógicas, en un discurso que va hacia el hermetismo, los polos contradictorios del existir, entre la vida, el abismo del no ser y la resurrección.

En una fase posterior evoluciona desde el Surrealismo a una poesía más concreta. Llega incluso a preocuparse por la estructuración espacial del texto, en clara conexión con los caligramas de Apollinaire. Estos poemas visuales se encuentran en libros como *Topoemas* (1968) y *Discos visuales* (1968).

La fascinación de la cultura y, sobre todo, la metafísica de Oriente, en la que ve la superación de las escisiones trágicas que atormentan al hombre occidental, da como fruto *Ladera Este* (1969).

En su última etapa retorna a la poesía de inquietudes metafísicas y espirituales: *Vuelta* (1975), *Pasado en claro* (1978), *Árbol adentro* (1988).

EL ENSAYISTA. Íntimamente unida a su obra lírica está su labor ensayística. De especial interés es el libro *El arco y la lira* (1956), en el que se plantea el descubrimiento de la esencia de la poesía. Se apoya en los románticos alemanes y los simbolistas franceses. Proclama su carácter trascendente: «La experiencia poética, como la religiosa, es un salto mortal: cambiar de naturaleza, que es también un regreso a nuestra naturaleza original». La poesía tiene un valor sacro que la eleva por encima de los actos de comunicación cotidianos.

Su labor prosística se completa con otros muchos títulos. Del ser nacional de México se ocupa en *El laberinto de la soledad* (1947), *Posdata* (1970)...; de la naturaleza de la creación poética, en *Puertas al campo* (1960), *Cuadrivio* (1965), *Corriente alterna* (1967), *Las peras del olmo* (1970), *El signo y el garabato* (1973), *Los hijos del limo* (1974)...; sus ensayos sobre el Surrealismo se reúnen en *La búsqueda del comienzo* (1974); entre la interpretación biográfica y literaria y la de la cultura mexicana y aun hispánica oscila *Sor Juana Inés de la Cruz o las trampas de la fe* (1982); a la nueva poesía dedica *La otra voz. Poesía y fin de siglo* (1990); cuestiones de lingüística y comunicación aparecen en *Los signos en rotación* (1971) y *El mono gramático* (1974); aspectos antropológicos, en *El ogro filantrópico* (1979), etc.

Octavio Paz ha estado en el terreno del ensayo, como en el de la lírica, atento a múltiples incitaciones y ha servido de guía y estímulo, también de tótem para el parricidio ritual, a las nuevas generaciones mexicanas e hispánicas.

7.9. LA NARRATIVA Y EL ENSAYO CONTEMPORÁNEOS

7.9.1. LA NARRATIVA ARGENTINA. BIOY CASARES. CORTÁZAR

La generación argentina de las Vanguardias creó una serie de instrumentos imprescindibles para el posterior desarrollo de la narrativa. Además, se proyectó a través de sus dos figuras más importantes (Borges y Marechal) en el panorama de la posguerra. *De facto*, tanto *Adán Buenosayres* (1948) de Marechal como buena parte de los cuentos borgianos se redactaron y difundieron en esta época. Ejercieron, de forma explícita o callada, un papel de modelos que alumbraban la senda de la renovación. Marechal intentando crear un lenguaje y una estructura capaces de acoger el mundo complejo y angustiado de la ciudad moderna. Borges apuntando hacia un universo misterioso que, partiendo de lo cotidiano, abre la puerta a lo que no cabe en la realidad.

A este empeño sirvió la revista *Sur*, de pensamiento y creación, fundada en la época de las Vanguardias por Victoria Ocampo (1890-1979), discípula de Ortega y Gasset. En torno a ella se aglutinaron autores de muy diverso registro. De ese medio surgió la *Antología de la literatura fantástica* (1940), elaborada por Borges, Adolfo Bioy Casares y Silvina Ocampo. Estos y otros incentivos prepararon el ambiente intelectual y creativo propicio. El relato fantástico se ha convertido en marca y signo de los escritores argentinos que han logrado entrar en el más riguroso canon.

ADOLFO BIOY CASARES. Nace en Buenos Aires en 1914. Desarrolla una intensa actividad literaria, que se desparrama en diversos campos, además de la narrativa: ensayos, guiones cinematográficos, traducciones... La consagración le llega en 1940 con su primera novela. Es galardonado con el premio Cervantes en 1990. Muere en 1999.

Estrechamente vinculado a Borges (colaborador en varias obras), aboga como él por «la imaginación razonada». Utiliza a veces procedimientos propios del género policiaco, que en sus manos adquiere mayor hondura y calado intelectual. Dentro del mundo laberíntico en que suele situarnos, el mecanismo narrativo presenta una estructura perfecta, no lineal sino concéntrica.

Sus ficciones nos muestran cómo los personajes, bien por azar o accidente, bien como consecuencia de una búsqueda deliberada, se ven inmersos en ámbitos irreales, que discurren paralelamente a la realidad cotidiana; en ella se abre de repente una fisura que los catapulta a otra dimensión. Partiendo de lo común, transitamos hacia lo insospechado. Fórmula predilecta es el viaje, que desemboca en lo sobrenatural y misterioso. Se trata de un recurso que permite asomarse a otra realidad, a veces sin posibilidades de retorno. Ese recorrido se acompaña a menudo de un cambio de identidad, de la difuminación de la personalidad.

Bioy Casares nos da en sus obras una visión irónica y sarcástica del mundo, a veces desolada, pero sin entregarse a un pesimismo radical. Gusta de situarse en el terreno de la ambigüedad. Conculca las leyes de la lógica para adentrarnos en el juego de la imaginación y hacernos percibir una realidad múltiple.

Entre sus obras más significativas figuran *La invención de Morel* (1940), *Plan de evasión* (1945), *El sueño de los héroes* (1954)... y los relatos de *La trama celeste* (1948), *Historia prodigiosa* (1956), *Guirnalda con amores* (1959)...

A finales de los sesenta, se aprecia una evolución en la narrativa del autor argentino. Su interés ya no radica en hacer que la irrealidad de un hecho prodigioso resulte creíble, sino que acentúa la intencionalidad satírica, dejando la trama fantástica como telón de fondo; tiende más a lo increíble, deslizándose incluso hacia el absurdo o la enajenación mental. Son representativas de esta nueva orientación las novelas *Diario de la guerra del cerdo* (1969) y *Dormir al sol* (1973) o las colecciones de relatos *El héroe de las mujeres* (1978) e *Historias desaforadas* (1986).

Posteriormente vuelve al relato de soporte realista en el que se remueven los principios lógicos y se accede a otra verdad misteriosa. Buena muestra son los cuentos de *Una muñeca rusa* (1991). La misma mezcla de realidad y misterio persiste en una de sus últimas publicaciones: la novela *Un campeón desparejo* (1993).

Julio Cortázar. Nace en Bruselas en 1914, a causa del cargo diplomático de su padre. Cuatro años más tarde, regresan a Buenos Aires. Obligado por circunstancias familiares, realiza estudios de magisterio e imparte clases de enseñanza primaria y secundaria; más tarde será profesor de la universidad de Cuyo. Dirige la Cámara Argentina del Libro. Interviene en la oposición al peronismo. Es un escritor de gestación lenta, que empieza cultivando la poesía y el ensayo. Su primera obra importante es *Bestiario* (1951). Ese mismo año obtiene una beca para estudiar en París, ciudad que siempre le fascinaría. Se instala allí definitivamente. Trabaja como traductor para la UNESCO. Su viaje a Cuba en 1962 lo lleva a una nueva etapa de compromiso político. Apoya a la Revolución y se implica en la lucha por los pueblos oprimidos. A partir de los años setenta, da prioridad a estas actividades sobre las literarias. Aunque nunca renuncia a sus orígenes, en 1981 adquiere la nacionalidad francesa. Muere de leucemia en 1984.

Su obra tiene hondas raíces anglosajonas y francesas. Es un excelente narrador de cuentos que destaca por su brillantez y dominio técnico. Sus relatos son un salto constante que nos trasporta de lo vulgar a lo insólito, de un lado a otro de los límites que separan lo real de lo imaginario. Con frecuencia presenta una situación imprevista, cuyo desarrollo se sigue desde el comienzo al final. El desenlace suele deparar alguna sorpresa, o bien queda en suspenso. El humor y la ironía son componentes capitales. La prosa es fluida y se ajusta al principio de economía expresiva. Nuestro autor prefiere la eficacia a la ornamentación.

Sus principales colecciones son: *Bestiario* (1951), *Final de juego* (1956), *Las armas secretas* (1959), *Todos los fuegos, el fuego* (1966)... A ellas se añaden las burlescas *Historias de cronopios y de famas* (1962), que en ediciones posteriores (a partir de 1970) se integrarán en un libro misceláneo que incluye, entre otras fantasías humorísticas, rigurosas instrucciones para acometer actos tan cotidianos como subir una escalera, dar cuerda al reloj o cantar. Demuestra el autor que la realidad más vulgar puede convertirse en objeto artístico; basta describirla de forma insólita.

Quizá uno de los relatos más célebres sea *El perseguidor* (perteneciente a *Las armas secretas*), protagonizado por el saxofonista Johny Carter, que critica el mundo absurdo y hueco que lo rodea. Él se halla embriagado por su música y por la droga; se eleva por encima de todo desde una situación privilegiada de absoluta libertad. Se trata de un homenaje de Cortázar al mundo del *jazz*, que siempre ejerció sobre él una profunda atracción.

Su primera novela, *Los premios* (1960), reúne a un grupo de argentinos agraciados por la lotería en un viaje en barco; son tipos representativos de la sociedad a la que pertenecen. Una vez en ruta, sobrevienen acontecimientos inesperados que los llevan a situaciones límite. En esas vidas aferradas a la costumbre, que ha conformado el carácter de los individuos, se desata de repente lo inusual e impone sus leyes la mera casualidad. Aunque la obra está aún lejos de la renovación técnica que aportará el autor, pueden atisbarse algunos de los rumbos que seguirá su narrativa.

Su obra cumbre es *Rayuela* (1963), que se ha hecho famosa porque ofrece la posibilidad de una doble lectura. Además del orden normal, se puede seguir un itinerario alternativo que el novelista indica en un tablero de dirección. El proyecto parece muy sugerente, pero la plasmación resulta mucho más simple: hay unos capítulos superfluos que se pueden intercalar entre los otros, de acuerdo con la mencionada guía, o simplemente prescindir de ellos, sin que se resienta el armazón de la novela. Probablemente habría otras opciones ya que la obra se construye con escenas sueltas, a modo de *collage*. Supone la desintegración de las estructuras narrativas convencionales.

Se divide en tres partes. *Del lado de allá* discurre en París; cuenta la vida alegre y disipada de un cuarentón argentino, Horacio Oliveira. En la segunda, *Del lado de acá*, se sitúa la acción en Buenos Aires, donde seguimos las aventuras del protagonista hasta que enloquece. Las distintas escenas no se atienen a un orden cronológico riguroso; el lazo de unión es la presencia del mismo personaje. La tercera parte, *De otros lados*, la constituyen los capítulos prescindibles. En la obra aparecen una serie de figuras interesantes, rodeadas por un aura de misterio, como la Maga, que acompaña a Horacio en su aventura parisina, o Morelli, un escritor apócrifo que elabora una teoría sobre la forma de novelar, semejante a la que Cortázar pone en práctica en *Rayuela:* dar cabida al lector en la creación (más bien en la recreación) de la obra. El humor y la parodia no ocultan una imagen amarga de la vida, hecha de puras convenciones, vacía y sin significado.

Del capítulo 62 de *Rayuela* el autor extrae el material para su novela *62/modelo para armar* (1968), en la que se mezcla el mundo onírico con la realidad. Nos ofrece una serie de fragmentos de su cuaderno de notas que nosotros debemos recomponer.

El libro de Manuel (1973) es una novela en forma de reportaje, en la que se acumulan recortes de prensa que dan fe de toda clase de torturas, violencias, crímenes, maldades y abusos. Este material es recogido por los padres de Manuel para que el niño tome conciencia de la realidad y adopte una actitud coherente ante ella.

Posteriormente publicó las narraciones de *Alguien anda por ahí* (1977), *Un tal Lucas* (1979), libro compuesto de retazos hilvanados, *Queremos tanto a Glenda* (1980), *Los autonautas de la cosmopista*, diario de un viaje en torno a sí mismo... Es autor también del poema dramático *Los reyes* (1949). Se reveló como un original ensayista, con *La vuelta al día en ochenta mundos* (1967) y *Último round* (1969).

MANUEL MUJICA LÁINEZ. Nació en Buenos Aires en 1910; pertenecía a una familia de ilustre linaje. A los veintidós años abandonó los estudios de abogacía para trabajar como cronista en *La nación*. El periodismo fue su escuela; se dedicó sobre todo a la crítica de arte. Ingresó en la Academia Argentina de Letras. Desempeñó la secretaría del Museo Nacional de Arte Decorativo. En los años cincuenta fue director de cultura del Ministerio de Relaciones Exteriores. Murió en 1984.

Tras los ensayos de sus *Glosas castellanas* (1936), dedicadas al comentario del *Quijote*, comenzó su trayectoria narrativa con *Don Galaz de Buenos Aires* (1938), que se remonta al siglo XVII para evocar la etapa colonial de la capital argentina. Después cultivó la biografía: *Miguel Cané (padre). Un romántico porteño* (1942), *Vida de Aniceto el Gallo* (1943), *Vida de Anastasio el Pollo* (1948). En esos años también ensayó la poesía: *Canto a Buenos Aires* (1943) es la historia en verso (pareados alejandrinos) del desarrollo de su ciudad.

A finales de la década se entrega a la narrativa, primero con los cuentos de *Aquí vivieron* (1949) y *Misteriosa Buenos Aires* (1950), que toman su materia del poemario citado, y después con el ciclo de novelas sobre la capital porteña: *Los ídolos* (1952), *La casa* (1954), *Los viajeros* (1955) e *Invitados en «El Paraíso»* (1957).

Aunque estos títulos le hacen merecedor de muchos premios, cambia de línea y se sumerge en los dominios de la fantasía, ya sea combinándola con el mundo real o en estado puro. Su despegue definitivo lo debe a la famosa *Bomarzo* (1962). En esta novela se nos revela el seguidor de Proust que, ante las incertidumbres del presente, intenta recuperar el tiempo pasado. Se sitúa en el marco de la Italia renacentista, protagonizada por el duque Pier Francesco Orsini, personaje monstruoso, con un halo satánico, frustrado perseguidor de la inmortalidad (bebe un veneno cuando cree degustar el elixir mágico), que esculpe su vida en las piedras del Sacro Bosque de Bomarzo. Para narrar sus turbulentas peripecias, jalonadas de muertes y peligrosos lances, se desdobla en un yo narrador que vuelve a la vida en el siglo XX y evoca su existencia anterior.

En medio de la ficción hay mucha historia, empezando por las líneas maestras de la biografía del personaje; los episodios reales se mezclan con la fabulación que desnuda su alma al mostrarnos sus obsesiones, sus sueños... Pese a las afinidades que tiene con la historia novelada o la novela histórica, muchos de sus componentes escapan a esos límites. El ejercicio de la fantasía arranca ya de la identificación de la voz narradora con el duque, cuatro siglos después de su muerte. Es una obra artificiosa, manierista, de lenta andadura, repleta de sugerencias, que obliga al lector a mantenerse atento a los prolijos datos que se le van suministrando y a los intrincados recovecos de la trama.

Su siguiente novela, *El unicornio* (1965), da rienda suelta a la fantasía; también se refugia en el pasado, en este caso la Edad Media. De nuevo el narrador, el hada Melusina, cuenta lo que le ocurrió siglos atrás. Recuerda un episodio de su existencia terrenal, cuando se enamoró del príncipe Aiol, con el que emprendió una larga peregrinación. Reaparece el tema de la inmortalidad, negativamente contrastada con la emocionante vida finita de los humanos, de la que la protagonista no puede participar de forma plena. No hay vestigios de verosimilitud en esta trama, en la que se abre paso, en medio de la meditación trascendente, la exaltación de los goces sensoriales.

Mujica Láinez seguirá evocando tiempos pretéritos en *De milagros y de melancolías* (1968), *El laberinto* (1974), *El escarabajo* (1982), *Un novelista en el museo del Prado* (1982) y en los libros de cuentos *Crónicas reales* (1967) y *El viaje de los siete demonios* (1974).

OTROS RECREADORES DEL RELATO FANTÁSTICO. Junto a los autores de primera magnitud, hay otros que se acercan al género desde diversos presupuestos. JOSÉ BIANCO (1911-1979) parte de la novela psicológica, más o menos convencional, pero introduce elementos sorprendentes, imprevisibles, propios de la alucinación y el desvarío, en novelas cortas como *Las ratas* (1943). Años después, da a la luz otro relato estimable: *La pérdida del reino* (1972).

SILVINA OCAMPO (1906-1993) cultiva la prosa lírica, la pintura de ambientes y atmósferas, en la que introduce hechos insólitos, comportamientos perversos que afectan a la sensibilidad sadomasoquista del lector: *Viaje olvidado* (1937), *Autobiografía de Irene* (1948), *La furia* (1959), *Las invitadas* (1961), *El pecado mortal* (1966), *Los días de la noche* (1970), *Y así sucesivamente* (1987)... Silvina es también poetisa digna de recuerdo y relativamente prolífica. Entre sus versos destacamos los recogidos en los libros *Poemas del amor desesperado* (1949), *Lo amargo por dulce* (1962), *Amarillo celeste* (1972)...

El profesor y crítico ENRIQUE ANDERSON IMBERT (1910-2000) también ensayó el cuento de aires líricos y fantásticos. Reunió sus narraciones breves en *Las pruebas del caos* (1946), *El grimorio* (1961), *El gato de Cheshire* (1965), *La locura juega al ajedrez* (1971), *La botella de Klein* (1975), *El leve Pedro* (1976), *Los primeros cuentos del mundo* (1978) y *El milagro* (1985). Fue también novelista extenso con *Vigilia* (1934), *Fuga* (1953), *Victoria* (1977) y *Evocación de sombras en la ciudad geométrica* (1989).

LA NOVELA EXISTENCIAL. Al lado del relato fantástico, y no enteramente desvinculada de él, los narradores argentinos han cultivado con fortuna la novela existencial. Aquí el precedente en la generación de las Vanguardias puede buscarse tanto en Marechal, con su *Adán Buenosayres*, poema del desamparo urbano y la crisis de identidad, como en la obra más convencional y psicologista de Eduardo Mallea.

ERNESTO SÁBATO. Nace en Rojas (provincia de Buenos Aires) en 1911. Es hijo de inmigrantes italianos. Estudia ciencias físico-matemáticas en la universidad de La Plata. En 1930 inicia su militancia política; al año siguiente se afilia al partido comunista, del que se sale en 1937 en medio de una profunda crisis personal. Obtiene una beca para investigar sobre radiaciones atómicas en el laboratorio Curie de París. Es profesor del Instituto de Física en La Plata. En 1943 abandona sus actividades en el campo científico y se instala en Córdoba. A raíz de la instauración de la democracia argentina, preside la comisión encargada de investigar los crímenes de la dictadura.

Empieza su carrera literaria dentro del género ensayístico (*Uno y el universo*, 1945), que en el futuro alternará con la narrativa. Obras como *Hombres y engranajes: reflexiones sobre el dinero, la razón y el derrumbe de nuestro tiempo* (1951) o *La convulsión política y social de nuestro tiempo* (1969) revelan su preocupación por los conflictos del hombre en la sociedad moderna. Tiene afición a lo esotérico y misterioso. Defiende la religión como punto de contacto del ser humano con un mundo superior, ultraterreno, que escapa a las limitaciones materiales.

En *El escritor y sus fantasmas* (1963) expone sus ideas sobre la novela, que, a su juicio, debe ahondar en los problemas del individuo y sus conexiones con el entorno. Sábato se eleva a la esfera de lo trascendente; le preocupa el ser y el destino del hombre. Ve la literatura como un camino de salvación que permite indagar acerca de las relaciones entre la conciencia y el mundo.

Su opción estética es un nuevo realismo que no se queda en la mera descripción de lo externo, sino que aspira a penetrar en todos los entresijos de la realidad (lo contrario sería falsearla) y a desvelar el sentido de la existencia y las causas que generan nuestra angustia.

Su primera novela es *El túnel* (1948), cuyo título alude al tema central, una de las grandes obsesiones de Sábato: la incomunicación. Afecta en este caso a Juan Pablo Castel, un joven pintor, desde cuya conciencia se construye el relato. Nos encontramos ante un caso flagrante de desequilibrio psíquico. Desde el momento en que se enamora de María Iribarne, es víctima de unos celos enfermizos. Ese complejo proceso está minuciosamente diseccionado. La relación se hace imposible y, a pesar de que María es la única persona que lo comprende y entiende su pintura, acabará matándola, acosado por una angustia obsesiva. El novelista se interna en los íntimos vericuetos de los personajes, en los que anidan las insatisfacciones creadas por su entorno social. Encierra el libro una visión profundamente desoladora de la existencia humana; aunque toma cuerpo en una historia concreta y en un lugar determinado (Buenos Aires), adquiere un alcance universal.

Sobre héroes y tumbas (1961) es una narración compleja en extremo que se sitúa también en la capital argentina. Contrapone una serie de ambientes que pueden polarizarse en torno a dos ejes: el mundo humilde en que vive Martín y el medio refinado al que pertenece Alejandra. Los componentes oníricos se desarrollan en la tercera parte de la novela, titulada *Informe sobre ciegos*, que recoge la confesión que hace antes de morir el padre de la protagonista, el pintor Fernando Vidal. De nuevo nos encontramos ante el drama de la angustia y la incomunicación. Asistimos a la cadena de frustraciones y a la insoportable rutina que constituyen la vida cotidiana de millones de seres humanos. En torno a ellos, todas las lacras sociales imaginables, que contribuyen a consolidar esa situación. Es un mundo que discurre paralelamente a la inmundicia subterránea de las cloacas. El autor se sirve de esta historia ficticia para explorar a fondo la situación de su país y su propia problemática metafísica.

Abaddón el exterminador (1974) se sitúa en el mismo marco urbano e incluso toma algunos personajes de la novela anterior. El mundo esotérico se mezcla con la violencia y los conflictos psicológicos. Las obsesiones del novelista adquieren las dimensiones surreales de la alucinación, que se mezcla con la realidad. Utiliza una técnica narrativa innovadora ya que los diversos acontecimientos se nos ofrecen desde puntos de vida muy distintos. Es un inquietante texto apocalíptico.

En los últimos tiempos ha revelado claves fundamentales de su vida y su pensamiento en *Antes del fin* (1999) y *La resistencia* (2000), con cinco cartas dirigidas a los lectores.

OTROS AUTORES PRÓXIMOS AL RELATO EXISTENCIAL. ANTONIO DI BENEDETTO (1922-1986) tiene en su haber una célebre novela, *Zama* (1956), que, en una atmósfera propia del género picaresco, refleja la decadencia del imperio español, a través de un funcionario cuyas frustraciones personales vienen a representar la ruina colectiva de un mundo colonial que a esas alturas del siglo XVIII está llamado a desaparecer. Otras novelas suyas son *El pentágono* (1955), *El silenciero* (1964), *Los suicidas* (1969), *Sombras nada más* (1985).

Ha publicado también varias colecciones de cuentos: *Mundo animal* (1953), *Grot* (1957), *El cariño de los tontos* (1961), *Caballo en el salitral* (1981)... Es una constante temática de su narrativa la preocupación por la muerte, la lucha entre Eros y Thanatos, que se salda con el triunfo de las fuerzas vitales o de la destrucción. Claro exponente de esas inquietudes es una de sus últimas colecciones: *Absurdos* (1978), en cuyas historias vemos cómo se resquebraja el orden lógico en que parapetamos nuestra existencia. Como siempre, los personajes viven acechados por la amenaza de la muerte, que puede ser angustiosa espera o autoliberación.

HAROLDO CONTI (1925-1976) es un excelente cuentista (*Todos los veranos*, 1964; *Alrededor de la jaula*, 1964; *Con otra gente*, 1967) y novelista de la frustración, el desengaño y la desesperanza en *Sudeste* (1962), *En vida* (1971) y, sobre todo, *Mascaró, el cazador americano* (1975).

RICARDO PIGLIA (1941) se inició como cuentista (*La invasión*, 1967; *Nombre falso*, 1975; *Prisión perpetua*, 1988) y noveló la trágica situación argentina bajo la dictadura militar en *La respiración artificial*, un relato que reflexiona sobre la forma en que la barbarie se adueña de la realidad y arrincona a la cultura. Más tarde vio la luz *La ciudad ausente* (1992).

OSVALDO SERRANO (1943), autor de narraciones policiacas (*Los asesinos las prefieren rubias*, 1973; *La vida entera*, 1981), publicó un relato agónico, existencial, de la desolación y el vacío, ambientado en el marco fantasmal del interior argentino.

De la extensa nómina de novelistas argentinos de la posguerra nos permitimos extraer los siguientes nombres: BEATRIZ GUIDO (1924), MARTA LYNCH (1925-1985), HÉCTOR BIANCIOTTI (1932), EDUARDO GUDIÑO KIEFFER (1935-2002), JUAN JOSÉ SAER (1937-2005), ABEL POSSE (1936)...

MANUEL PUIG (General Villegas, Buenos Aires, 1939-Cuernavaca, México, 1990), que residió durante mucho tiempo fuera de su país (en Río de Janeiro desde 1980), ha alcanzado fama internacional con un conjunto de novelas que utilizan ingredientes propios del folletín, elevándolo de rango, y dan cabida a lo cursi y lo *kitsch*. Reflejan la existencia de individuos vulgares y el ambiente en que se desenvuelven, con fotonovelas, radioteatro, tangos y boleros como música de fondo... Entre los protagonistas abundan los seres solitarios y fracasados, cuyos conflictos íntimos (principalmente amorosos) se nos dan a conocer; intentan evadirse por distintos medios de una realidad que les desagrada.

Estas novelas incluyen noticias periodísticas, referencias a películas y obras literarias... Se trascribe directamente el lenguaje coloquial y vulgar, con el habla propia de cada personaje. El novelista gusta de cederles la palabra, de ahí que los diálogos sean abundantísimos; hay también monólogos, cartas...

Oímos sobre todo voces femeninas. Con el paso del tiempo, la presencia del narrador queda cada vez más reducida.

Boquitas pintadas (1969) gira en torno a la figura de Juan Carlos Etchepare, un donjuán que, al empezar el relato, muere tuberculoso. Nené, una mujer casada que fue su amante, entabla correspondencia con la madre del difunto con el fin de recuperar las cartas que le escribió. Vamos conociendo así, de forma indirecta, detalles de la vida de los principales personajes, cuya historia podemos reconstruir. Se completa esta perspectiva con otros puntos de vista, entre ellos la descripción, por parte de un narrador, del álbum de fotografías de Juan Carlos. El lector tiene que ordenar la información que recibe, relacionar los hechos y sacar consecuencias. Se ha dicho que es la epopeya de lo cursi, de lo cotidiano; pero, mezclada con el humor, la parodia y la ironía, no falta la nota nostálgica y sentimental.

El beso de la mujer araña (1976), a diferencia de lo que sucede en el resto de sus obras, desarrolla la mayor parte de la acción en un espacio cerrado: la celda de una cárcel, en la que asistimos al contacto afectivo entre dos personajes marginados de perspectivas vitales e intereses contrapuestos: Molina, un homosexual detenido por corrupción de menores, y Valentín, un activista político. Tan reducido ámbito se amplía con la continua evocación por parte de Molina de una ficción cinematográfica que le permite olvidar su situación. En consonancia con estas fantasías, asumirá el papel de la «mujer araña» que atrapa a los hombres en su tela, ya que, mientras engatusa a su compañero, le está tendiendo una trampa a cambio de obtener la libertad. No es la única ocasión en que Manuel Puig inserta en la trama de sus novelas ingredientes propios del género policiaco. Él mismo preparó una adaptación teatral de este relato de intensidad dramática. Se estrenó en 1981.

Pubis angelical (1979) es una de las más acabadas expresiones de la mitomanía paródica de nuestro autor. El marco y los estilemas de la novela decadente y erotómana sirven a un argumento irreal y vacío, presidido por la figura obsesiva de «la mujer más hermosa del mundo».

Entre sus títulos se cuentan también *La traición de Rita Hayworth* (1968), *The Buenos Aires affair* (1973), *Maldición eterna a quien lea estas páginas* (1980), *Sangre de amor correspondido* (1988), *Cae la noche tropical* (1988)...

7.9.2. LA OTRA ORILLA DEL PLATA. ONETTI. BENEDETTI

Uruguay, pese a su escasa población, ha mantenido una intensa y valiosa actividad literaria. De allí han salido dos de los narradores que hoy consideramos capitales en el concierto hispánico.

JUAN CARLOS ONETTI. Nació en Montevideo en 1909. Dejó los estudios secundarios para trabajar en diversos oficios. Publicó su primer cuento a los veintitrés años. Fue secretario editor y jefe de redacción del semanario *Marcha* y corresponsal de la agencia de noticias Reuters, primero en Montevideo y luego en Buenos Aires, donde también trabajó en una agencia publicitaria y en el periódico *Acción*. En 1957 se le nombró director de las bibliotecas municipales de la capital uruguaya. En 1975 se trasladó a vivir a Madrid. Murió en 1994.

La narrativa de Onetti revela una aventura existencial, la de unos personajes que viven solitarios, incomunicados, sumergidos en la nebulosa del sueño, a merced de sus obsesiones. Vemos cómo estos antihéroes se van autodestruyendo en medio de la degradación física y moral. Se mueven en un entorno corrupto: la ciudad que los devora (Buenos Aires, Montevideo, Santa María), donde se hallan marginados, sin arraigo. La falta de ideales, el materialismo y el absurdo en que están inmersos generan angustia. En sus obras se acumulan las escenas violentas y las perversiones; hay muertes, crímenes, suicidios...; el autor se deleita en lo sórdido, truculento y nauseabundo. Su pesimismo radical no deja lugar a la esperanza.

Sigue las huellas de Faulkner. Sus novelas son densas, de andadura lenta. No pretende atraer al lector con las peripecias de la trama, sino sumirlo en la atormentada intimidad de los personajes. Aunque su técnica es innovadora, no se plantea la experimentación como objetivo; prevalece sobre cualquier otro el de la indagación psicológica. No menos denso es su lenguaje, que a veces se torna opaco; su hondura corre parejas con los contenidos que quiere trasmitir. En sus frases se acumulan infinitos matices sobre los estados de ánimo de sus criaturas; no concede nada al adorno superfluo, aunque los procesos internos y las circunstancia que los rodean se exhiben con tal facundia, que bien puede hablar Félix Grande de «lujuria verbal» al referirse a nuestro autor.

Todas estas claves las encontramos ya en su primera entrega: la novela corta *El pozo* (1939), cuyo protagonista vive encerrado en un cuartucho mugriento, dispuesto solo a entablar comunicación con la mujer a la que amaba: una prostituta muerta. Ese pozo, común a todos los personajes que vendrán después, no es otro que la soledad.

Avanza por el mismo camino en las obras siguientes. *Tierra de nadie* (1941) nos brinda una imagen caótica y amoral de Buenos Aires, auténtica pesadilla por la que deambulan seres humanos infelices que no llegan a conocerse. Imagen particular de ese sinsentido colectivo son los protagonistas, en los que el novelista acumula toda clase de estigmas degradadores hasta conducirlos al suicidio.

En *La vida breve* (1950) un oscuro empleado, que soporta un aburrido matrimonio, cuando entra en casa de su vecina, una prostituta, se desdobla en otro yo, que al cambiar de nombre adopta un comportamiento antagónico y llega incluso a planear un crimen. Estas fantasías liberadoras lo llevarán a crear un tercer personaje: el doctor Díaz Grey, trasunto del autor, en torno al cual construye la ciudad fantasmal de Santa María, en un rincón perdido del mundo, donde Onetti situará sus ficciones posteriores, entre ellas la que se considera su obra maestra: *El astillero* (1961).

La trama argumental de *El astillero* se vio luego ampliada por delante en *Juntacadáveres* (1964). Su protagonista, que responde al apodo aludido en el título, es Larsen, un hombre solitario que quiere montar un burdel en Santa María para dar vida a su sueño de coleccionar prostitutas. Esta iniciativa divide la ciudad en dos facciones contrarias y da lugar a que salgan a relucir sus lacras morales e hipocresías.

En *El astillero* vemos cómo Larsen regresa a Santa María cinco años después de que se le expulsara por sus actividades prostibularias. Vuelve viejo y derrotado, pero dispuesto a embarcarse en una nueva quimera: levantar de su ruina un astillero en el que entra a trabajar como gerente. Este proyecto fantasmagórico será llevado a los límites del absurdo. Toda la vida del protagonista ha sido una tragedia grotesca. Cuando se sobrepone a su pasado de rufián, solo consigue fracasar; cuando se entrega a un gran amor, es el de una loca. No sobrevivirá al derrumbamiento de su descabellado sueño. La novela resulta a veces algo confusa; la técnica y el estilo alcanzan el más alto grado de complejidad al que llegó el autor.

Encontraremos nuevas muestras de perturbaciones en obras posteriores: *La muerte y la niña* (1973), *Dejemos hablar al viento* (1979), *Cuando entonces* (1987), *Cuando ya no importe* (1993), que cierra el ciclo de Santa María...

MARIO BENEDETTI. Nació en Paso de los Toros (Uruguay) en 1920. Se educó en un colegio alemán. Tuvo que ganarse la vida como taquígrafo, cajero, vendedor, contable, funcionario, traductor... Desde 1945 ejerció el periodismo, sobre todo en el semanario *Marcha* de Montevideo. En 1968-1971 fue director del Centro de Investigaciones Literarias de la Casa de las Américas en La Habana. Por estas fechas empezó su actividad política dentro del movimiento «26 de marzo», integrante del Frente Amplio. Ejerció como profesor en la facultad de Humanidades de Montevideo. A raíz del golpe militar de 1973, tuvo que exiliarse: fue a Argentina, Perú, Cuba y España. En la actualidad su vida discurre entre la capital uruguaya y Madrid.

Ha abordado con extraordinaria facilidad todos los géneros: cuento, novela, teatro, poesía, ensayo, artículo periodístico, guion cinematográfico..., incluso el de la narración en verso (*El cumpleaños de Juan Ángel*).

Es la suya una narrativa realista, que se nutre de la vida inmediata y se hace eco de la riqueza y expresividad del lenguaje coloquial. Sus obras distan mucho de cualquier intento de evasión esteticista, pero son técnica y estilísticamente innovadoras. Se trata de historias fácilmente comprensibles, llenas de calor humano. Los personajes se mueven dentro de unas coordenadas de verosimilitud psicológica. Aunque están ligados a escenarios muy concretos, la forma directa de plantear sus conflictos íntimos y sus complejas relaciones con el entorno los eleva a la categoría de lo universal.

Irrumpe en el mundo de la narrativa con varias colecciones de relatos que se centran en la observación de la vida diaria de la capital uruguaya, de la gente corriente y sus actividades rutinarias. Son «escenas montevideanas», en que nos ofrece una visión aguda e inteligente, adobaba con una veta de humor. El golpe militar de 1973, que sitúa el país bajo un régimen dictatorial, introduce un cambio en estos horizontes literarios: el autor pasa a la denuncia de la represión política, de los abusos y torturas. Se convierte en tema dominante, junto a la experiencia del exilio, que él sufrirá en propia carne. Títulos representativos de su narrativa breve, en los que se puede seguir esa obligada evolución, son *Esta mañana* (1949), *Montevideanos* (1959), *La muerte y otras sorpresas* (1968), *Con y sin nostalgia* (1977)... En 1994 apareció un esperado volumen de *Cuentos completos*.

Una de sus novelas más celebradas es *La tregua* (1960), prototipo de la historia de una vida vulgar, contada con la máxima sencillez. Se estructura en forma de diario, que recoge las impresiones cotidianas del personaje. Es un oficinista viudo a punto de cumplir cincuenta años y de jubilarse, que se siente frustrado en medio de su anodina existencia. De repente se enamora de una joven que entra a trabajar en su empresa y se siente renacer; después de seis meses de dicha, la inesperada muerte de ella lo aboca de nuevo a la nada. En medio de un absoluto abatimiento, echa en cara a Dios su falta de generosidad.

Gracias por el fuego (1965) es también el testimonio de una frustración personal, reflejo de la que sufre en su conjunto una sociedad apática y conformista, contra la que dirige una lúcida y acerada crítica. El fracaso del protagonista toma cuerpo en el proyecto de asesinar a su padre, que será incapaz de llevar a cabo. Benedetti utiliza con eficacia las técnicas de la nueva novela.

En *Primavera con una esquina rota* (1982) el autor, inseparablemente ligado a la situación de su país, se ocupa del tema de la represión política. La obra gira en torno a un hombre que ha sido torturado y permanece en prisión. Sabemos de él por las cartas que escribe a los suyos, en el exilio. Saltando de un personaje a otro (el padre, la hija, la mujer, un amigo), sumamos distintos puntos de vista sobre el asunto, al tiempo que conocemos cómo se desarrolla la vida de esta familia amputada por la dictadura. Al final, se vislumbra una esperanza: el protagonista va a salir de la prisión, pero esa metafórica primavera es imperfecta porque su mujer ha establecido un lazo afectivo con su mejor amigo. Sus vidas se han visto sacudidas y alteradas por una violencia externa; nadie más es culpable. Muy interesante es la caracterización lingüística de cada personaje; son una auténtica delicia los fragmentos puestos en boca de la hija, que desgrana agudas observaciones sobre un mundo que contempla intrigada desde su ingenuidad infantil.

Andamios (1997) refleja la experiencia de la vuelta del exilio, por lo que, como cabe esperar, hay en ella componentes autobiográficos. El protagonista es un escritor uruguayo que regresa a Montevideo e intenta reorganizar su vida y conectar de nuevo con el entorno y con su gente. La novela renuncia de antemano a la unidad. Como explica el autor en los preliminares, cada capítulo viene a ser un andamio o «elemento restaurador», y se nos ofrecen un total de setenta y cinco. Se trata de un *puzzle* de episodios independientes que recogen un variado repertorio de situaciones.

Nuestro autor también viene cultivando regularmente la poesía, en la que mantiene idéntico compromiso con la realidad, siempre volcado en el entorno humano y en los mismos asuntos que encontramos en sus novelas. El punto de partida es *Poemas de la oficina* (1956), donde se ocupa de esas criaturas grises que difícilmente tienen cabida en la esfera de lo poético. Una recolección significativa de estos versos con los que puede identificarse la inmensa mayoría la tenemos en *Inventario* (1970). Benedetti vuelve una y otra vez a sus preocupaciones existenciales y sociales (luego también políticas), aun en el caso de que, como ocurre en *Cotidianas* (1979), se vea obligado a situarse en un escenario ajeno. *Las soledades de Babel* (1991) es un poemario sombrío, aunque no desesperado, en el que, tras el desmoronamiento de la utopía comunista, sigue defendiendo la causa de los perdedores.

OTROS AUTORES. La corriente novelesca de compromiso político tuvo en CARLOS MARTÍNEZ MORENO (1917-1980) un representante ejemplar. Se inició con cuentos y novelas cortas como *La otra mitad* (1944) y *Cordelia* (1956), en los que ahonda en la psicología de unos personajes que buscan conocerse a sí mismos y entablar contacto con la realidad. Sin abandonar esa línea, se adentró en temas conflictivos de actualidad con *El paredón* (1963), en torno a la Revolución Cubana y los juicios contra los colaboradores de Batista. Años después, en *El color que el infierno no escondiera* (1981), volvió a enfrentarse a un asunto tan problemático como la guerrilla de los años setenta, que dio ocasión y sirvió de excusa a la dictadura militar que instauró una violenta represión en Uruguay.

EDUARDO GALEANO (1940) es también un escritor comprometido en su faceta narrativa (*Vagamundo*, 1973; *La canción de nosotros*, 1975; *Días y noches de amor y guerra*, 1978) y ensayística (*Las venas abiertas de América Latina*, 1971), o en un peculiar híbrido en que la historia se expone con pasión de narrador: *Memoria del fuego*, trilogía formada por *Los nacimientos* (1982), *Las caras y las máscaras* (1984) y *El siglo de viento* (1986). Los tres volúmenes son un mosaico de breves episodios escritos en un lenguaje lírico y elíptico. Recorren sucesos, seres y personajes que el autor cree representativos de una América expoliada y martirizada por los colonizadores.

CRISTINA PERI ROSSI (1941), exiliada en España desde 1972 y nacionalizada en 1975, había iniciado su carrera literaria en su país natal, tanto en el terreno del cuento (*Viviendo*, 1963) como en el de la poesía (*Evohé*, 1971). Antes del exilio ya había publicado en España, y ha seguido haciéndolo después, libros de relatos (*Los museos abandonados*, 1968; *Indicios pánicos*, 1970; *La tarde del dinosaurio*, 1976; *La rebelión de los niños*, 1983), prosas líricas (*El museo de los esfuerzos inútiles*, 1983; *Una pasión prohibida*, 1986; *Cosmoagonías*, 1988), novelas (*El libro de los primos*, 1969, publicada en 1990; *La nave de los locos*, 1981; *Solitario de amor*, 1988; *La última noche de Dostoievsky*, 1992) y poemarios (*Diáspora*, 1975; *Descripción de un naufragio*, 1975; *Lingüística general*, 1978; *Europa después de la lluvia*, 1985; *Babel bárbara*, 1991). Las marcas de la escritura de Peri Rossi en todos los géneros son el exacerbado erotismo (al que ha dedicado también notas ensayísticas: *Fantasías eróticas*, 1991), la mordacidad y la agudeza.

7.9.3. PARAGUAY DESDE EL EXILIO. ROA BASTOS

La narrativa paraguaya de mayor proyección internacional se ha escrito desde el destierro (primero Buenos Aires, más tarde Europa) y se debe a dos creadores de fuste.

GABRIEL CASACCIA (1907-1981) es un precedente de la renovación que más tarde acometerá Augusto Roa Bastos. En él conviven el afán de denuncia y las aspiraciones esteticistas, que hunden sus raíces en el Modernismo. Nos brinda una visión desgarrada, caricaturesca, en *Hombres, mujeres y fantoches* (1930). *Mario Pereda* (1939) es un drama existencial, de acento desesperado. Alcanza plena madurez, dentro de una apreciable sobriedad formal, con *La babosa* (1952), que revela el influjo barojiano, crítica implacable y simbólica del pueblo donde nació el autor: Areguá. En la misma línea satírica discurren *La llaga* (1964), *Los exiliados* (1966), *Los herederos* (1975)... y los libros de cuentos *El guahjú* (1938) y *El pozo* (1943).

AUGUSTO ROA BASTOS. Nace en Asunción (Paraguay) en 1917. La familia se traslada a Iturbe, donde el padre trabaja en un ingenio azucarero; allí el futuro escritor entra en contacto con la gente humilde y el mundo de la selva y descubre las riquezas del guaraní. Va a estudiar a la capital. Interviene en la guerra del Chaco con Bolivia; al finalizar esta, recupera su trabajo en la banca, al tiempo que sigue cursos universitarios de derecho y economía. Comienza a colaborar en *El país*, del que llegará a ser secretario de redacción en 1942. Ese año publica su primer libro: *El ruiseñor de la aurora y otros poemas*. En 1945 es enviado a Londres como corresponsal de guerra de su periódico.

Al volver a Paraguay, su oposición a la dictadura de Higinio Moríñigo y luego a Natalicio González le obliga a abandonar el país; se exilia en Buenos Aires, donde desempeña distintos trabajos, entre ellos el de guionista de cine y televisión, y escribe la mejor parte de su obra. A principios de los sesenta viaja a Europa. Llega a España por vez primera en 1962 para asistir al festival de cine de San Sebastián, al que se presenta una película de la que es guionista, *La sed*, basada en un capítulo de su novela *Hijo de hombre*; obtiene el primer premio.

En 1976, temeroso por la situación política argentina, va como profesor a la universidad de Toulouse, donde imparte a lo largo de diez años clases de guaraní y literatura hispanoamericana. En 1982, en una de sus visitas a Paraguay, se le expulsa del país acusándolo de procomunista; no recupera su nacionalidad hasta 1989. Ese mismo año se le concede el premio Cervantes. Muere en 2005.

Es el suyo un mundo narrativo poliédrico, complejo, que combina las diversas técnicas de su tiempo. Gira en torno a un único espacio geográfico: Paraguay, visto de punta a punta. Vuelve una y otra vez sobre su historia contemporánea. El verdadero protagonista es el pueblo, encarnado en todos sus personajes; aspira a plasmar el dolor colectivo de sus gentes. Muestra predilección por la tragedia de los humildes y derrotados.

Aunque está siempre atento a la realidad que le circunda, más que los hechos concretos, le interesan los «mitos reveladores». Lo esencial para él no es la fidelidad del relato al mundo exterior, sino la capacidad de crear su propio universo, una realidad imaginaria que, a través del valor simbólico del lenguaje, revele la intrahistoria. Se trata de lograr «la ficción pura, sin que esto implique la ruptura de los referentes históricos». Los elementos reales se revisten de una irracionalidad poética que le permite acceder al trasfondo mágico que en ellos subyace. Desempeña un papel fundamental la dimensión surrealista, que se manifiesta en sueños, delirios, alucinaciones, pesadillas... Recurre también a la técnica expresionista.

Como ya hemos visto, Roa Bastos se inicia en el campo de la poesía. Sigue la huella de nuestros clásicos del Siglo de Oro, sobre todo de Garcilaso y los Argensola. Luego empieza a tomar conciencia de la realidad nacional. A partir de los cincuenta, opta por la prosa como vehículo expresivo, lo que no le impedirá publicar un nuevo poemario: *El naranjal ardiente. Nocturno paraguayo* (1960).

Su primer libro importante es la colección de relatos *El trueno entre las hojas* (1953). En el marco de la selva, asistimos a las crudas manifestaciones de una violencia irracional en los comportamientos humanos. Algunos se centran en la guerra civil o en la del Chaco, contra Bolivia (1932-1935), suprema expresión de un absurdo frente al que alza su voz el novelista.

La violencia y el dramatismo siguen presentes en sus colecciones posteriores. *El baldío* (1966) tiene como hilo conductor el tema del exilio, visto no desde una perspectiva política sino más bien como experiencia cotidiana. Siguen otros tres volúmenes que incluyen buen número de obras ya publicadas: *Los pies sobre el agua* (1967), *Madera quemada* (1967) y *Moriencia* (1969). Se advierte una singular maestría en la construcción del relato, que avanza sin perderse en inútiles vericuetos hacia un desenlace de impacto.

Su primera novela es *Fulgencio Miranda*, que se dio por publicada en 1941, pero que parece estar inédita.

En *Hijo de hombre* (1960) asistimos a la resistencia paraguaya frente a la dictadura, desde mediados del siglo XIX a la guerra del Chaco. Es una obra de protagonista múltiple, presidida por la figura mítica de Crisanto Jara, héroe de la rebelión popular. La narración de los hechos corre a cargo de Miguel Vera, un intelectual que actúa como cronista para dar testimonio de una realidad cuyo conocimiento espera resulte provechoso para encauzar el futuro.

La sucesión cronológica del relato no se atiene a un orden riguroso. Más que la trabazón del conjunto, al autor le interesa plasmar una atmósfera; como él mismo afirma, se deja arrastrar por el ritmo de «una sinfonía bárbara a través de sus variaciones fundamentales».

El tema central, al margen de la trama, viene a ser «la crucifixión del hombre común en la búsqueda de solidaridad con sus semejantes; es decir, el antiguo drama de la pasión del hombre en lucha por su libertad, librado a sus solas fuerzas en un mundo y en una sociedad inhumanos que son su negación». Se la ha definido como la novela del dolor paraguayo.

Roa Bastos alcanzará su punto culminante con su segunda novela: *Yo el Supremo* (1974), protagonizada por el doctor Gaspar Francia, que ejerció su dictadura en Paraguay durante medio siglo. Para cumplir su propósito desenmascarador, el novelista recurre a una compleja y original composición narrativa, en la que se mezclan elementos heterogéneos y discontinuos. El punto de arranque es un pasquín que, imitando la letra del tirano (el verdadero autor es su secretario), aparece en la puerta de la catedral pocos días después

681

de su muerte (acaecida el 20 de septiembre de 1840), en el que supuestamente él mismo da instrucciones sobre lo que hay que hacer con su cadáver (decapitarlo) y con sus más fieles colaboradores (ahorcarlos).

Viene después un cúmulo de materiales (circulares, fragmentos de diario) escritos o dictados por el protagonista en una incontinente grafomanía alucinada, y recogidos por un compilador, que nos permiten acceder a los entresijos de su personalidad, en un continuo juego de desdoblamientos y ambigüedades. Es un enrevesado ejercicio literario, a través del cual nos llega el análisis de un proceso político demencial, presidido por el terror y por la autosacralización del tirano.

Novelas posteriores (*La vigilia del almirante*, 1992; *El fiscal*, 1993; *Contravida*, 1995; *Madama Sui*, 1996) continúan la reflexión sobre la «pesadilla histórica» de América y en particular de Paraguay.

7.9.4.   La narrativa chilena. José Donoso

La variaciones del realismo. Los años 1940-1970 han sido fértiles para la novela en Chile. Se parte del realismo de raíces decimonónicas y preocupación social, representado por Manuel Rojas (1896-1973). En novelas anteriores a esta época ya había anunciado sus dotes narrativas en *Hombres del sur* (1926) y *Lanchas en la bahía* (1932). A mitad de siglo publica *Hijo de ladrón* (1951), relato de fondo autobiográfico, continuado por *Mejor que el vino* (1958), *Sombras contra el muro* (1964) y *La oscura vida radiante* (1971).

Marta Brunet (1901-1967) cultiva una novela psicológica de acentos dramáticos, tanto en escenarios rurales como urbanos: *María Nadie* (1957), *Amasijo* (1962).

El realismo convencional aparece superado en la obra de Carlos Droguett (Santiago de Chile, 1912-1992). Cultiva una literatura desgarrada, entre el patetismo, el horror y la trascendencia. En un ambiente miserable y con una visión desesperanzada del mundo, asistimos al sufrimiento y el fracaso que acosan a sus personajes. Con razón ha dicho Julio Huasi que su obra es «un viacrucis pasional», recorrido por individuos desesperados que se aferran a la religión. Nos enfrentamos a casos particulares, en el seno de la anormalidad, que dan pie a la profundización psicológica. En el reino de la injusticia, nuestro autor predica incansablemente el principio evangélico del amor al prójimo.

Son obras representativas *Patas de perro* (1965), en torno a la tragedia inverosímil de un muchacho cuyo cuerpo consta de los componentes animales a que alude el título, o *El compadre* (1967), donde vemos a un albañil que en lo alto del andamio tiene un incontenible deseo de beber y teme caerse. Otros títulos son *Sesenta muertos en la escalera* (1953), *Eloy* (1959), *El hombre que había olvidado* (1968), *Todas esas muertes* (1971)...

JOSÉ DONOSO: LA RUPTURA DEL REALISMO. José Donoso nace en Santiago de Chile en 1924, en el seno de una familia burguesa. Abandona este ambiente e interrumpe sus estudios para trabajar como pastor en Magallanes; luego regresa para terminarlos. Es profesor de literatura inglesa en la Universidad Católica de Chile. También ejerce la docencia en Estados Unidos. En los años setenta parte al exilio y reside en España. Muere en su tierra natal en 1996.

Sus obras, concebidas desde una óptica deformante, nos ofrecen una visión del mundo cruda y amarga, presidida por la soledad y la incomunicación. Son una radiografía esperpéntica de la decadencia y la desintegración de la burguesía.

Se da a conocer en el mundo de la novela con *Coronación* (1959), historia de una familia de clase media que acaba cayendo en manos de sus propios criados. Se mantiene dentro de una técnica tradicional y recurre a la estética de lo grotesco.

Este domingo (1966) gira en torno a la figura de una abuela dominante que se desahoga con sus nietos. Se mezcla el elemento erótico de forma perversa. De nuevo el autor nos muestra el ambiente de una casa burguesa, donde se relacionan diversos estratos sociales, representados por los dueños, la servidumbre y el pobre Maya, al que protege la abuela, que acabará enamorándose de él.

El lugar sin límites (1966) se desarrolla en un casino perdido entre viñedos en el centro de Chile. Es una historia de perversidades sexuales, contada con una técnica que deforma a los personajes. El ambiente en que discurre se halla absolutamente degradado y los individuos que en él se mueven caminan hacia la autodestrucción.

El obsceno pájaro de la noche (1970), obra difícil, oscura, simbólica, punto culminante de su narrativa, parte de situaciones similares, tratadas con una compleja técnica narrativa. El punto de vista de la acción cambia continuamente. Es fruto de las más íntimas obsesiones de este escritor atormentado.

Tres novelitas burguesas (1973) nos brinda una visión más superficial, teñida de humor e ironía. El lenguaje se agiliza y la técnica se simplifica. Lo mismo puede decirse de *La misteriosa desaparición de la marquesita de Loria* (1980), la más ligera de sus obras. Se hace eco de la experiencia del exilio en *El jardín de al lado* (1981) y del desconcierto de la vuelta en *La desesperanza* (1986). Su conocimiento de los campus universitarios estadounidenses inspira la demoledora sátira de *Donde van a morir los elefantes* (1995).

Póstumamente ha aparecido *El Mocho* (1997), una ambiciosa saga familiar, repleta de símbolos, que vuelve a la artificiosa oscuridad de *El obsceno pájaro de la noche*.

JORGE EDWARDS (Santiago de Chile, 1931). Premio Cervantes 1999, ha venido compaginando la actividad literaria y la carrera diplomática. En sus cuentos (*El patio*, 1952; *Gente de la ciudad*, 1961; *Las máscaras*, 1967; *Temas y variaciones*, 1969) cultiva una narrativa de corte existencialista, que refleja mordazmente las costumbres, las frustraciones, la educación, la iniciación a la vida sexual... de la alta burguesía chilena. El mismo tema se reitera en su primera novela,

El peso de la noche (1964), que gira en torno a la muerte de una matriarca burguesa y las repercusiones que tiene en la familia.

Bajo el régimen de Pinochet, que lo lleva al exilio, pasa a ocuparse de los conflictos políticos de su país. Critica la dictadura y el dogmatismo de la izquierda, sin olvidar las corrupciones de la burguesía. Racionalista y escéptico, no desmesura el tono de sus sátiras y mantiene el sentido del humor. Entre sus mejores obras se cuentan las novelas *Los convidados de piedra* (1978) y *La mujer imaginaria* (1985) y la colección de relatos *Fantasmas de carne y hueso* (1993). En 1990 reunió sus *Cuentos completos*, que para muchos constituyen lo más apreciable de su producción. Recientemente ha publicado otra excelente novela, *El sueño de la historia* (2000), que mezcla, bajo la sombra del pinochetismo, las vivencias del narrador, contrafigura de Edwards en muchos aspectos, con las de un arquitecto italiano que llegó a Chile a finales de la época colonial para terminar la catedral de Santiago y proyectar el Palacio de la Moneda.

Se hizo famosa y le ocasionó problemas con algunos sectores de la izquierda su autobiografía *Persona non grata* (1973; ed. completa, 1983), en la que habla de los conflictos que tuvo por su actitud crítica con el régimen castrista, hasta ser expulsado del país, en el periodo en que fue a Cuba como representante del gobierno de Salvador Allende.

OTROS AUTORES. También ejercen la denuncia política, dentro de un decidido compromiso, y ponen de manifiesto las carencias sociales, los chilenos VOLODIA TEITELBOIM (1916), con *Hijo del salitre* (1952) y *La semilla en la arena* (1956); GUILLERMO ATÍAS (1917), con *Tiempo banal* (1955), *La sombra de los días* (1966); FERNANDO ALEGRÍA (1918), con *Camaleón* (1950), *El poeta que se volvió gusano* (1956), *Caballo de copas* (1957), *Mañana los guerreros* (1964), *Amérika Amérikka Amérikkka* (1970), *El paso de los gansos* (1980)...

En el mismo empeño de reflejar los problemas de la vida cotidiana siguen escritores más jóvenes como ENRIQUE

LAFOURCADE (1927), con *Para subir al cielo* (1959), *La fiesta del rey Acab* (1959), *Invención a dos voces* (1963), *Palomita blanca* (1971)...; JOSÉ MANUEL VERGARA (1929), con *Daniel y los leones dorados* (1956), *Las cuatro estaciones* (1958)... Al imponerse la dictadura de Pinochet, se agudiza la conflictividad política en las obras de HERNÁN VALDÉS (1934): *Tejas verdes* (1974); ARIEL DORFMAN (1942): *Muerte en la costa* (1973), *Chilex and Co. nueva guía* (1976)...

Dentro de esta promoción ha alcanzado fama internacional ANTONIO SKÁRMETA (1940), que puede representar la nueva narrativa, de vuelta de las audacias y complicaciones, bien inútiles a veces, del *boom*. El interés gozoso por la vida cotidiana y por la intimidad personal se evidencia en sus primeros libros de cuentos: *El entusiasmo* (1967), *Desnudo en el tejado* (1969), *Tiro libre* y *El ciclista de San Cristóbal*, ambos de 1973. El golpe de estado de Pinochet, que le obligó a exiliarse, imprimió un giro en los motivos, pero no en la actitud; sigue atento a las ilusiones y desilusiones de los hombres comunes. Prosa lírica, sentimentalismo, confianza, tierna mirada a los personajes siguen sustentando los nuevos relatos (*Novios y solitarios*, 1975) y las novelas, algunas muy breves (*Soñé que la nieve ardía*, 1975; *No pasó nada*, 1980; *La insurrección*, 1982; *Ardiente impaciencia*, 1985). No puede extrañarnos que estas dos últimas novelitas hayan pasado al cine y que la más reciente (titulada en la pantalla *El cartero y Pablo Neruda*) haya sido un éxito de público. En *Match-ball* (1989) Skármeta ensombrece el risueño o dulcemente triste escenario de sus relatos e introduce elementos de parodia, finalmente no destructivos, de su propia convención literaria.

Además de su quehacer novelesco, hay que tener en cuenta su obra dramática (*La búsqueda*, 1976; *La composición*, 1979) y sus aportaciones al cine (*La victoria*, 1973; *Reina tranquilidad en el país*, 1975; *La huella del desaparecido*, 1980).

7.9.5. LA NARRATIVA PERUANA. VARGAS LLOSA

La novela peruana ha ofrecido interesantes narradores que se han ocupado de dos mundos contrapuestos: el indígena de la sierra y el burgués de Lima, con técnicas que han pasado de la evocación simbólica al realismo psicológico y ambiental, a la «nueva novela», apasionada por los experimentos estructurales, y a la vuelta al mundo próximo, mirado con ironía y humor.

JOSÉ MARÍA ARGUEDAS. Nace en Andahuaylas, al sur de Perú, en 1911. Aunque es hijo de blancos, vive largo tiempo con los indios y habla quechua. Es arrancado de este entorno para ingresar en la facultad de letras de la universidad limeña. La muerte de su padre le obliga a dejar la carrera y a emplearse en la central de correos. Se licencia en 1937. Es cesado en su puesto por participar en las manifestaciones en favor de la República Española; ese mismo año sufre prisión por razones políticas. Lucha por el triunfo del socialismo. Ocupa diversos puestos como profesor y en el Ministerio de Educación. Durante muchos años es secretario del Comité Interamericano de Folclore, materia a la que dedica sus estudios (*Canto quechua*, 1938; *Canciones y cuentos del pueblo quechua*, 1948; *Poesía quechua*, 1965...). Afectado de una dolencia psíquica con raíces en problemas familiares de la infancia, intenta suicidarse por vez primera en 1966. En 1969 se dispara un tiro en la sien en el claustro de la universidad de San Marcos y muere, tras una lenta agonía.

Arguedas sigue la línea indigenista marcada por Ciro Alegría y otros autores, pero con voz propia. Parte de un conocimiento directo y desde dentro de la realidad andina. En sus escritos utiliza expresiones quechuas. Refleja las angustias y tensiones íntimas que le produce el estar dividido entre dos mundos en conflicto.

Su narrativa, de calado poético y simbólico, se construye sobre un sustrato mítico. Recoge la visión mágica del mundo en que se sustentan las comunidades indias, indisolublemente

687

ligadas a la naturaleza. Son páginas de resonancias épicas, repletas de héroes investidos de un halo sagrado, que los eleva desde su posición marginal. El protagonismo se reserva al indio, cuya fuerza vital se nos quiere trasmitir en un utópico mensaje de concordia y pluralidad integradora. Nuestro autor no se queda en la reivindicación frente a la injusticia, en el contenido social, sino que intenta sumergirnos en la cultura indígena, dotada de una fortísima identidad, con su sentido religioso, su arraigo en la tierra y su concepto animista del mundo natural.

Comienza su trayectoria con un libro formado por tres relatos: *Agua* (1935), en el que aparecen ya elementos capitales como la presencia del niño blanco incorporado a la cultura indígena, protagonista y narrador, que se convierte en portavoz de experiencias autobiográficas. Su primera novela corta, *Yawar fiesta* (1941), tiene aún un fuerte componente lírico, que se irá depurando con el paso del tiempo. Sigue luego otra narración breve: *Diamantes y pedernales* (1954), historia de la muerte de un arpista indio a manos de un poderoso, presidida por la magia de la música, que se opone simbólicamente al pecado y las fuerzas del mal.

Los ríos profundos (1958) es la obra más representativa de Arguedas. Escrita en primera persona, es una evocación del paraíso perdido, del mundo indio que conoció en su infancia, a través de un álter ego, Ernesto, escindido como él entre dos culturas. Toda la novela gira en torno a la contraposición, mediante una densa red de símbolos, entre el bien y el mal. El bien se identifica con el idealizado ámbito indígena, rebosante de vitalidad, con sus ríos, sus montes, sus leyendas, sus cantores...; frente a él, la ciudad pecadora de Abancay o el colegio de los jesuitas, que encarna la acción represora de lo hispánico. La tesis subyacente es obvia: la vida del individuo discurre más armónica y plena en el medio natural.

Todas las sangres (1964), novela más extensa y ambiciosa, se ofrece como representación totalizadora de la realidad peruana y supone un cierto cambio de actitud. En el marco de la ciudad de San Pedro confluyen en conflicto los distintos estratos sociales, ampliamente representados. En contraste con las crisis contemporáneas, se alza una vez más el arcádico universo indígena. Se apunta, sin embargo, la idea de una trasformación positiva que, superados toda clase de prejuicios, lleva a un futuro mejor. La visión patriarcal e idílica, a la que tan aferrado está el autor, ha de ceder terreno ante la necesidad de evolucionar.

Al morir deja escrita una última novela, *El zorro de arriba y el zorro de abajo*, que se publica póstumamente en 1971. La estructura narrativa se ha desintegrado en una serie de cuadros que tratan de plasmar los distintos aspectos del mundo actual. Interesa la impronta autobiográfica de un escritor que se encuentra en una situación límite, irremediablemente atraído por la muerte.

JULIO RAMÓN RIBEYRO (1929-1994). Inicia su trayectoria en el terreno de la narrativa breve. Sus relatos, de estilo sobrio e inspiración realista, denuncian los desequilibrios sociales. En ellos se revela asimismo el fracaso y la soledad a que se ven abocados los seres humanos. Huye de las divagaciones metafísicas y de las galas de la fantasía para dar testimonio de la vida, en medio de un panorama sombrío; no carece, sin embargo, de un fino sentido del humor. Algunas de sus colecciones son *Los gallinazos sin pluma* (1955), *Cuentos de circunstancias* (1958), *Las botellas y los hombres* (1964), *La juventud en la otra ribera* (1973) y *Silvio en el rosedal* (1977). El conjunto de esta producción se reunió en *La palabra del mudo* (1977).

También tiene en su haber novelas como *Crónica de San Gabriel* (1960), *Los geniecillos dominicales* (1965) y *Cambio de guardia* (1976). Elige los ambientes urbanos para construir el relato de la frustración individual y colectiva. Registra las desigualdades sociales, refleja los ambientes opresivos, con una técnica próxima al realismo expresionista, que no se caracteriza por el chafarrinón o la hipérbole llamativa sino por un paisaje gris y angustiante.

Ha escrito también piezas dramáticas dentro de la corriente del realismo psicológico (*Vida de Santiago el pajarero*, 1965; *El último diente*, 1966) y ensayos (*Prosas apátridas*, 1975; *La caza sutil*, 1976).

MARIO VARGAS LLOSA. Nace en Arequipa (Perú) en 1936. Pertenece a la alta burguesía limeña. Cursa sus primeros estudios en Cochabamba (Bolivia) y los secundarios en Piura y Lima. Se licencia en la universidad de San Marcos; luego se doctorará en Madrid. Los años de 1952-1957 constituyen una etapa fundamental en su aprendizaje. Se casa muy joven y tiene que compaginar la asistencia a clase con los empleos de subsistencia. Lee con voracidad y escribe a salto de mata. Trabaja en una emisora de radio. Sale a la palestra en 1955, con la entrega de sus artículos semanales al suplemento dominical de *El comercio* y la revista *Cultura peruana*. Publica su primer cuento en 1956. Con los excelentes relatos de *Los jefes* (1959) gana su primer premio en España, el Leopoldo Alas. Después vendrán otros muchos, a cuya enumeración renunciamos.

El verdadero punto de arranque de su carrera se sitúa en 1962, gracias al éxito rotundo de *La ciudad y los perros*. Empieza así una vida dedicada por entero a la literatura y otras actividades conexas, y también a la política. Su trayectoria artística se resume en sus muchas publicaciones y sus viajes. Reside durante unos años en París, y luego en Londres y Barcelona, donde es uno de los protagonistas del *boom* orquestado por Seix Barral. Tras un fallido intento de ganar las elecciones presidenciales en Perú, adquirió la nacionalidad española. Es premio Cervantes de 1994.

RASGOS DE SU NARRATIVA. Es un novelista que se confiesa ligado al realismo (recibe el influjo de Flaubert), entendido en un sentido amplio y distinto al habitual, en el que tienen cabida las más diversas experiencias humanas, incluidos los sueños y los mitos. Sus obras reflejan un entorno concreto, preferentemente el de la sociedad limeña, a cuyas clases altas fustiga sin descanso. Pulula por ellas una extraordinaria diversidad de personajes, que acostumbran a estar caracterizados con hondura, tanto los que tienen un largo papel como los que sirven de mero soporte de la acción.

El camino elegido por el autor es el de la experimentación formal. Sus relatos no se ajustan a una sucesión lineal. En ellos la dificultad viene dada por la mezcla de numerosos episodios en los que se producen continuos saltos en el tiempo y el espacio. Otra de las técnicas más características consiste en dejar oír de forma simultánea multiplicidad de voces. A cada paso se cambia de interlocutor, sin hacer mención expresa, y en los diálogos la voz narradora se funde con las frases de los personajes recogidas en estilo directo. Esta ruptura de los esquemas tradicionales obliga al lector a extremar la atención para identificar voces y situaciones, pero casi nunca se llega a límites extremos que impidan la recepción del texto. El autor hace gala de una extraordinaria agilidad en el uso de estos procedimientos innovadores.

Vargas Llosa no es un fino estilista pero maneja a las mil maravillas y con toda libertad el instrumento lingüístico, al que es capaz de sacar los más diversos registros, entre ellos la fresca veta coloquial, terreno donde muestra particular fortuna.

LA CIUDAD Y LOS PERROS. Publicada en 1962, se viene considerando su obra maestra. La acción se desarrolla en el colegio militar Leoncio Prado, de Lima, donde se sigue un sistema educativo absolutamente despersonalizado, en el que reina la violencia; en realidad, muchos de los cadetes («perros») sufren un proceso inverso de deformación. El conflicto estalla cuando un alumno que ha cometido el peor de los delitos imaginables, el delatar a un compañero, muere misteriosamente durante unas maniobras. El teniente Gamboa, un oficial querido y respetado, se empeña en esclarecer los hechos, contra el criterio de los mandos, que se estremecen al pensar en el desprestigio de la institución. Este afán de justicia le cuesta ser desterrado a la Puna, zona de castigo lejos de Lima, lo que supone un grave obstáculo en su carrera militar.

La trama, casi policiaca, mantiene vivo el interés en todo momento. Otro de los atractivos es la habilísima construcción del relato. Se desarrolla con una técnica contrapuntística en la que alternan las escenas que dan testimonio de las tensiones que se viven en el colegio con aquellas que tienen como escenario distintos ambientes sociales de la capital (de clase alta, media y baja), con los que están en contacto tres de los cadetes durante el fin de semana.

Se reconstruye la peripecia vital de cada uno de ellos recurriendo al *flash-back* y saltando de un plano temporal a otro, de forma que el lector ha de ubicar las escenas en la secuencia cronológica adecuada (pasado próximo, menos próximo y remoto). Estos apuntes biográficos se entrecruzan y se nos exige el esfuerzo suplementario de identificar al protagonista de cada episodio, cosa que no resulta demasiado difícil ya que nos ayudan la ambientación y los personajes que intervienen. Al final, confluyen las tres historias porque descubrimos que Teresa forma parte de todas, sin que hayamos podido sospecharlo: los tres muchachos se han enamorado de ella.

Otro de los rasgos formales que imprimen carácter al relato es la utilización del monólogo interior, con el desorden y la trasgresión sintáctica que le son propios. Se combina con la voz narradora en tercera persona y los recuerdos en primera.

OTRAS NOVELAS DESTACADAS. *La casa verde* (1966), más atrevida y menos perfecta en lo que a la estructura se refiere, gira en torno al prostíbulo a que alude el título. Es un intrincado revoltijo en el que se mezclan, jugando con distintos planos cronológicos, varias historias que se desarrollan simultáneamente a lo largo del tiempo en dos escenarios: la ciudad de Piura, en concreto un suburbio situado al borde del desierto, y una zona de la Amazonia poblada de caucheros y aventureros. Contra lo que es habitual en nuestro novelista, se sobrepasan los límites de complejidad que permiten al lector seguir con deleite el curso de la acción.

A estos años pertenece *Los cachorros* (1967), una magnífica novela corta, en torno a la problemática psicológica de un muchacho castrado por un perro cuando estudiaba en el colegio. El proceso está visto desde fuera del personaje. La acción da pie para entrar en contacto con el ambiente del elegante barrio de Miraflores en Lima.

Conversación en La Catedral (1969) es una novela rica y densa, de grandes dimensiones. Plasma con acerba crítica la vida política limeña, a través del diálogo que mantienen, en un bar situado en las afueras de la ciudad, el periodista Santiago Zavala, excomunista e hijo rebelde de una familia burguesa, y un guardaespaldas negro que fue chófer de su padre. El protagonista, que ahora se siente fracasado, evoca a lo largo de este encuentro fortuito sus recuerdos personales, mezclándolos en la conversación; tienen como marco la dictadura de Odría, en el periodo de 1948-1956. El tema central es la corrupción de políticos y hombres de negocios, minuciosamente descrita.

Pantaleón y las visitadoras (1973) es un divertimento que sembró la confusión entre la crítica. Al capitán Pantaleón Pantoja se le encomienda la delicada misión de organizar un cuerpo de prostitutas para levantar los ánimos de los soldados y evitar que cometan toda clase de desmanes. Movido por su celo profesional, lleva el cumplimiento de las órdenes a unos extremos grotescos: él mismo se encarga de probar a las candidatas y aplica al asunto todas sus dotes de cálculo y disciplina. El tinglado se derrumba cuando rinde honores militares a una visitadora que ha muerto en acto de servicio. De nuevo la Puna es el destino que aguarda al trasgresor. La narración es muy dinámica y el lenguaje vivísimo. Interviene el elemento imaginario. Se intercalan partes oficiales, cartas, noticias periodísticas y emisiones radiofónicas. Algunos expresaron su repulsa hacia esta pirueta burlesca, pero no cabe duda de que está espléndidamente trazada.

La tía Julia y el escribidor (1977) consta de dos componentes bien diferenciados. Por un lado, el recuerdo autobiográfico por parte del novelista de su boda con su tía, mujer divorciada mucho mayor que él, y del ambiente de la emisora de radio donde trabajaba mientras seguía los cursos de derecho. Por otro, se nos cuentan las interesantes historias del boliviano Pedro Camacho, que ha sido contratado para escribir radionovelas; a causa de su excesivo esfuerzo mental, enloquece y mezcla los personajes. En la última se reúnen todos y mueren en un terremoto. Mario está subyugado por la personalidad de este «escribidor» que acaba en el manicomio. La novela presenta la novedad de que abandona la complejidad estructural y el cruce de tiempos y espacios característicos del autor. La parte autobiográfica se desarrolla de forma absolutamente lineal, sin más saltos que las interrupciones que se hacen para intercalar las historias radiofónicas.

La guerra del fin del mundo (1981) recrea hechos reales. En cierto lugar de Brasil, la gente se subleva contra las autoridades impulsada por un presunto mesías que enciende su fanatismo y la arrastra a una actuación irracional. El resultado es el exterminio de los rebeldes. Se trata de una ambiciosa novela con aspiraciones de totalidad.

El humor paródico de *Pantaleón y las visitadoras* reaparece en *Historia de Mayta* (1984), *¿Quién mató a Palomino Molero?* (1986), *El hablador* (1987), *Elogio de la madrastra* (1988).

Tras la novela policiaca *Lituma en los Andes* (1993), una de sus recientes aportaciones es *Los cuadernos de don Rigoberto* (1997), un estallido de erotismo en el que las fantasías sexuales ocupan un primer plano. Novela sobre el juego amoroso, que muestra, con la pericia técnica habitual en el autor, cómo la imaginación ensancha los estrechos límites de la realidad. *La fiesta del Chivo* (2000) vuelve con extraordinaria brillantez al tema de la dictadura, que ya abordó en *Conversaciones...*, personalizada en este caso en Rafael Leónidas Trujillo, que ejerce su poder omnímodo sobre la República Dominicana. Recurre el autor a las fuentes documentales, pero sin cerrar el paso a la imaginación. Como en tantas otras ocasiones, construye una compleja maquinaria en la que se combinan distintas perspectivas y planos temporales. En torno al asesinato del tirano se van tejiendo los hilos del relato, los antecedentes y consecuentes de este hecho crucial, el testimonio de sus crímenes y abusos.

A su obra narrativa deben añadirse sus piezas teatrales (*La señorita de Tacna*, 1981; *Kathie y el hipopótamo*, 1983) y sus ensayos, entre los que cabe destacar *García Márquez, historia de un deicidio* (1971) y *La orgía perpetua (Flaubert y Madame Bovary)* (1975).

MANUEL SCORZA (Lima, 1928-1983). Residente en París desde 1968, se da a conocer primero como poeta. Su narrativa se inscribe en la corriente indigenista. Lejos del paternalismo de algunos ilustres precedentes, profundiza en las razones que llevan a los indígenas a rechazar el sistema de vida y la cultura occidentales y a afianzarse en sus raíces. Con *Redoble por Rancas* (1970) abre una ambiciosa pentalogía que lleva por título *La guerra silenciosa*, en torno a la lucha de los campesinos de los Andes peruanos contra los representantes del poder. Siguen *Historia de Garabombo, el invisible* (1972), *El cantar de Agapito Robles* (1976), *El jinete insomne* (1976) y *La tumba del relámpago* (1978). Se trata de un alucinante ciclo épico, teñido de un feroz humorismo y con la magia del mito, que refleja el expolio, el desamparo de una colectividad explotada que se rebela. Con *La danza inmóvil* (1983) inicia un nuevo ciclo que habría de titularse *El fuego y la ceniza*, que se vio truncado por la muerte del autor en un accidente aéreo. Es una extraña novela que da cabida a las vivencias de un guerrillero guevarista en la selva amazónica y de los intelectuales hispanoamericanos que se reúnen en París en torno al café de la Coupole de Montparnasse.

ALFREDO BRYCE ECHENIQUE (Lima, 1939). Licenciado en derecho y letras, profesor durante cerca de veinte años en diferentes universidades francesas y residente en España desde principios de los ochenta, pertenece a la generación inmediatamente posterior al *boom*. Tanto en sus novelas y relatos como en sus artículos y ensayos, aparece como un espectador de la sociedad de su tiempo. Su obra, que rompe los límites de los

695

géneros, es reflejo de la vida y del desarraigo que esta generación. Nos ofrece un espléndido retablo de personajes, ambientes y emociones, dentro de una estructura compleja y discontinua. Junto a la sátira costumbrista, encontramos en su obra una
extraordinaria capacidad de evocación real y ficticia.

Su primera publicación es un conjunto de relatos, *Huerto
cerrado* (1968), al que seguirán *La felicidad, ja, ja* (1974),
Magdalena peruana y otros cuentos (1986) y *Dos señoras
conversan. Novelas breves* (1990). Serán recopilados en un
único volumen en 1995.

Como novelista ganó la fama con *Un mundo para Julius*
(1970), en torno a la educación sentimental de un niño que
va descubriendo el mundo que le tienen reservado: el privilegiado ambiente de la oligarquía limeña, con sus contradicciones, ambigüedades e hipocresías. El protagonista forja
inicialmente una visión de la realidad en su contacto con la
servidumbre que pronto entra en conflicto con la que le ofrecen e imponen su familia, el colegio y el grupo social al que
pertenece. La inocencia empieza a macularse con preguntas
y perplejidades y surge la lucha entre las adhesiones espon-
táneas y la acomodación a los roles sociales.

Más tarde publicó *Tantas veces Pedro* (1977), irónico relato del conquistador ya maduro que intenta recuperar un
amor juvenil y acaba en la resignación escéptica.

Las siguientes novelas (*La vida exagerada de Martín Ro-
maña*, 1981, y *El hombre que hablaba de Octavia de Cádiz*,
1985) forman un conjunto vagamente autobiográfico, protagonizado por una suerte de álter ego, al que tituló *Cuadernos de
navegación en un sillón Voltaire*. Su asunto, las revueltas estudiantiles del 68 y el galimatías teórico que les servía de guarnición, es abordado con distancia, ironía y humor.

Posteriormente, ha publicado *La última mudanza de Felipe Carrillo* (1988), cuya acción se sitúa a principios de los
ochenta y recorre diversos escenarios. Es una novela de forma
autobiográfica, en la que asistimos a la peripecia erótico-senti-
mental del protagonista. Está repleta de claves generacionales,
empezando por las frases sacadas de las canciones de moda.

696

Juega con la ironía, la caricatura y la parodia. *No me esperen en abril* (1995) es la historia de un fracaso personal, que simboliza el de una minoría que vive de espaldas a la realidad social. El proceso que sigue el protagonista está tomado desde el arranque, en los años en que se educa en un colegio británico, con la vivencia amorosa como hilo conductor. El novelista recurre una vez más al repertorio de referencias (boleros, películas...) que le permiten fijar el escenario de la acción, visto desde una cierta nostalgia. Vuelve al género sentimental, con las habituales tonalidades irónicas, en *La amigdalitis de Tarzán* (1999), que se sirve en buena parte de la técnica epistolar para plasmar los complicados amores, vividos a salto de mata, entre un cantante peruano y una salvadoreña, que no logran superar los condicionamientos externos.

En *Permiso para vivir* (1993) nos ofrece unas extensas memorias o, mejor dicho, unas «antimemorias», como reza en el subtítulo, tratadas con humor y desenvoltura. Junto a los aspectos sentimentales (amores y amistades) y literarios, ocupan un lugar muy importante las cuestiones ideológicas, en especial la decepcionante relación del autor con la Cuba castrista.

7.9.6. GABRIEL GARCÍA MÁRQUEZ
Y LA NARRATIVA COLOMBIANA

GABRIEL GARCÍA MÁRQUEZ. Nace en el pueblecito de Aracataca (Colombia) en 1928. Su primera infancia trascurre, en un ambiente de modesta prosperidad, bajo la tutela de sus abuelos maternos, ya que sus padres tienen que trabajar para abrirse camino. Esa casa grande, donde se reúne mucha gente y las mujeres cuentan historias pobladas de leyendas y supersticiones, dejará un recuerdo perdurable en la memoria del futuro escritor. A los ocho años lo envían a estudiar a Barranquilla con los jesuitas, lejos también de sus padres. Pronto empieza a escribir versos y hace sus primeros pinitos literarios.

En 1940 obtiene una beca como interno en el colegio nacional de Zipaquirá, ciudad situada en el altiplano andino, próxima a la capital. Busca alivio a su soledad en la lectura. A partir de los dieciséis años orienta sus pasos hacia la novela. Concibe ya la idea de contar la historia de Macondo, pero aún tardará mucho tiempo en darle forma.

En 1947 empieza a cursar derecho en la universidad de Bogotá. Publica su primer cuento en las páginas de *El espectador*. Abandona la ciudad a raíz de los terribles acontecimientos que genera el asesinato del líder liberal Jorge Eliecer Gaitán. Se traslada a Cartagena de Indias, donde se ha instalado su familia. Prosigue sus estudios y se inicia en lo que será el oficio de toda su vida: el periodismo. Colabora en *El universal* y continúa enviando cuentos a *El espectador*.

En 1950 llega a Barranquilla para escribir en *El heraldo*; su columna «La jirafa» consigue un éxito inmediato. Firma con el seudónimo de *Septimus*. Al año siguiente termina su primera novela: *La hojarasca*, que aparecerá en 1955. Ese año es enviado a Europa como corresponsal de *El espectador*. Pasa por Ginebra y Roma y se traslada luego a París, donde permanece después de que se clausure el periódico. Viaja por los países del Este y cierra su recorrido en Londres.

A finales de 1957 llega a Caracas como redactor de la revista *Momento*. Tras su viaje a La Habana en 1959, entra de lleno en el periodismo político. Trabaja para Prensa Latina, agencia de la Revolución Cubana, en Bogotá y en Nueva York. Una vez perdido su empleo, el próximo destino será México; llega dispuesto a abrirse paso en el mundo del cine (había cursado estudios en Roma). En 1965 se embarca en la redacción de *Cien años de soledad*, que verá la luz en 1967 y dará un vuelco a su vida.

En octubre de 1967, a raíz del famoso *boom*, se instala en Barcelona, donde permanece hasta 1975. Regresa a México, país en el que se exilia cuando en 1981 está a punto de ser detenido durante una de sus estancias en Bogotá. Involucrado cada vez más en la vida política, su carrera de escritor sigue una trayectoria ascendente que culmina con la concesión del Nobel en 1982.

PRIMERAS NOVELAS. En la producción de García Márquez se funden lo real y lo fantástico. Cultiva el realismo mágico: aunque derrocha fantasía, nos remite constantemente a la realidad americana. Es el creador de una alucinante ciudad mítica, Macondo, que sirve de escenario a sus relatos.

La primera de sus obras es *La hojarasca* (1955), que inicia el ciclo de Macondo, a cuya fundación asistimos. Recurre a la fórmula del monólogo interior y a la presencia de varias voces narrativas, que además dan testimonio de lo que otros les han contado. Así, a base de reunir episodios fragmentarios que no siguen una sucesión lineal, se reconstruye, de forma indirecta y desde una perspectiva múltiple, la vida de un médico forastero, que llegó al pueblo veinticinco años atrás y acaba de suicidarse, tras permanecer encerrado durante mucho tiempo en una recelosa soledad, una vez que ha perdido su clientela; se niega incluso a atender a los heridos cuando estalla la guerra civil. Al hilo de esta historia, se va poniendo en pie la de otros personajes y la del conjunto de la colectividad: los años prósperos, ligados al establecimiento de la compañía bananera, y la posterior ruina. Es una novela que huye de los procedimientos tradicionales, en la que se deja sentir el influjo de Faulkner.

El coronel no tiene quien le escriba (1961) presenta la patética situación de un veterano de la guerra civil a la espera de una pensión que nunca llega; se muere de hambre, mientras la ciudad está en poder de sus enemigos políticos. Sin embargo, contra viento y marea, conserva hasta el último momento la esperanza que le permite salvar su dignidad personal; se sustenta en la frágil base de un gallo de pelea, con cuya victoria aspira a obtener lo que necesita para sobrevivir. El desenlace queda en suspenso. Es una pequeña maravilla, que renuncia a la complejidad estructural y se acoge a moldes tradicionales para mostrarnos, de forma sucinta y con técnica realista, la figura trágica y ejemplar de este infeliz anciano en el que se ceba la adversidad.

La mala hora (1962) es una novela corta que describe las tensiones entre los habitantes de Macondo, el odio y la violencia que reinan en ella. La paz del lugar se ve alterada por unos pasquines o cartelones que aparecen colgados todos los días, en los que se cuentan chismes que han corrido de boca en boca, aunque la mayor parte de las veces el interesado los ignora. De este hecho se derivan terribles disturbios. Al final, Pepe Amador es acusado y paga con la vida, pero quedan en el aire muchos interrogantes. La visión que se nos da de ese microcosmos no puede ser más inquietante.

CIEN AÑOS DE SOLEDAD. Publicada en 1967, es la obra cumbre del colombiano. En ella crea un universo novelesco de una complejidad y exuberancia extraordinarias, cuyos abundantísimos ingredientes es imposible reducir a cuento. No resulta tarea fácil para el lector abrirse paso en el intrincado árbol genealógico de los Buendía. Se narra la historia de esta prolífica familia en la ciudad mítica de Macondo, desde que José Arcadio y su prima Úrsula, que acaban de casarse, la crean de la nada hasta que se sume en el olvido. En su búsqueda incontrolada del placer, los personajes se ven arrastrados por irresistibles pasiones, recreadas con una extrema libertad que no se detiene ni siquiera ante el tabú de las relaciones incestuosas.

Con el paso del tiempo (tiempo no real sino mítico), se nos muestra, de principio a fin, el proceso que sigue ese miscrocosmos patriarcal, a partir del momento en que sus fundadores ponen nombre a las cosas. Primero Macondo es una aldea solitaria, pero luego entra en contacto con el mundo, va creciendo y conoce una etapa de prosperidad. Son hitos fundamentales la guerra civil que se desencadena con la llegada del corregidor Apolinar Moscote, y el establecimiento de una compañía bananera, que da lugar a tensiones y conflictos laborales que desembocan en la matanza de los huelguistas. Cuando la empresa abandona la ciudad, queda otra vez sumida en su aislamiento.

La narración de los hechos y sus implicaciones sociales se mezcla con toda suerte de elementos fantásticos e inverosímiles. Es un auténtico alarde de creatividad, un prodigio de imaginación, con episodios tan apasionantes como los del daguerrotipo de Dios o la epidemia de olvido. Junto a la magia y la alquimia, tienen cabida los inventos que trae el gitano Melquíades (el catalejo, la lupa, el imán...), cuyos secretos persigue obsesivamente José Arcadio. Estamos ante una grandiosa epopeya moderna, que no pierde en ningún momento el contacto con la realidad americana. Presenta una estructura abierta, pero construida a base de componentes cíclicos.

Poco importa que el lector tenga que volver a menudo la vista atrás si quiere seguir puntualmente el hilo de un relato que se desborda con su prodigiosa acumulación de acontecimientos. Cada escena nos prende en sí misma, tanto por la novedad de los sucesos como por su prosa fascinante, cuyo ritmo se adecua perfectamente a los mil recovecos de esta espléndida fabulación.

OTRAS NOVELAS. Tras ocho años de silencio, solo interrumpidos por un libro de relatos, aparece *El otoño del patriarca* (1975), otra obra mítica, centrada en la figura de un dictador que vive muchísimos años y acaba encerrado entre las cuatro paredes de su palacio, entre cuyas ruinas aparece su cadáver, sin más compañía que la de las vacas. Junto a la crítica de la tiranía, se perfila otro tema: la soledad del poder, rodeada de traiciones. Esta vez el escenario no es Macondo sino una isla del Caribe. Partiendo de la noticia de la muerte del protagonista en las primeras líneas, se reconstruye fragmentariamente su pasado, enhebrando múltiples episodios, dando continuos saltos en el tiempo. Asistimos, pues, a un proceso evocativo, a cargo de varias voces narradoras. En él se muestran con toda crudeza las atrocidades que ha cometido el déspota haciendo uso de sus ilimitadas atribuciones, como si de un dios se tratara. La obra encierra una lúcida reflexión sobre el poder, de tintes expresionistas.

Crónica de una muerte anunciada (1981) reconstruye la historia de un crimen, el del joven Santiago Nasar, al que sus asesinos hacen responsable erróneamente de haber deshonrado a su hermana. Se da la extraña circunstancia de que todo el pueblo sabe lo que va a ocurrir, pero nadie acaba de creérselo y, por tanto, no se hace nada para evitarlo. La voz narradora da cabida al testimonio de varios personajes que precisan de-

701

talles sobre lo acontecido, y a los pormenores de la investigación judicial. Es una novela de técnica policiaca trazada con maestría, muy original en sus planteamientos. La intriga no reside en el desenlace, que se conoce de antemano, sino en ver cómo la fatalidad encadena una serie de casualidades para que la víctima cumpla su destino.

El universo narrativo de García Márquez se ha enriquecido en los últimos años con otras aportaciones que siguen la línea marcada por las obras precedentes. Destacan entre ellas *El amor en los tiempos del cólera* (1985), magnífica novela que alcanza la vitalidad de los mejores momentos, mezclando una vez más lo mágico y lo real en una estructura perfectamente trabada. La historia de la pareja protagonista es un canto a la pasión amorosa, que pasa por encima del tiempo, la distancia, las adversidades, la diferencia de edad... sin detenerse ante las mismas puertas de la muerte, con cuyo contacto se adensa. *El general en su laberinto* (1989) muestra las luces y las sombras de un personaje de leyenda. El autor nos acerca a la figura mítica de Simón Bolívar en un momento de plena decadencia cuando, acosado por todos, abandona Bogotá para irse a Europa. Lo acompañamos en su último viaje por el río Magdalena, un «viaje hacia la nada», hacia la muerte.

OTRAS OBRAS. Como la mayoría de los novelistas hispanoamericanos, García Márquez cultiva el cuento con notable acierto. Entre sus recopilaciones más interesantes figuran *Los funerales de la Mamá Grande* (1962) y *La increíble y triste historia de la cándida Eréndida y de su abuela desalmada* (1972). Uno de sus últimos títulos es *Doce cuentos peregrinos* (1992). En todos los relatos el elemento mágico juega un papel esencial, junto a una visión realista en la que se describen tipos y costumbres.

Ha ensayado también el teatro en *Diatriba de amor contra un hombre sentado* (1987), «monólogo» repleto de quejas y reproches que una mujer dirige contra su indiferente marido, al que representa un maniquí que está leyendo el periódico.

OTROS AUTORES. Además de la figura de Gabriel García Márquez, destacaremos algunos narradores eminentes.

EDUARDO CABALLERO CALDERÓN (1910-1993), con un realismo combativo, profundiza en la conflictiva situación colombiana, bajo el dominio de la violencia y la explotación. Su obra más célebre es *El Cristo de espaldas* (1952), protagonizada por un joven sacerdote que se enfrenta a un medio provinciano hostil y retrógrado. En una línea similar discurren las «estampas de provincias», dedicadas al campo de Boyacá: *Tipacoque* (1941) y *Diario de Tipacoque* (1950), y las novelas *El arte de vivir sin soñar* (1943), *Siervo sin tierra* (1954), *La penúltima hora* (1955), *Manuel Pacho* (1962), *El buen salvaje* (1965), *Caín* (1969), *Historia de dos hermanos* (1977)... Es asimismo autor de *El nuevo Príncipe* (1969), un «ensayo sobre las malas pasiones» que analiza la relación del hombre actual con el estado, en el que se reencarna la propuesta política de Maquiavelo.

PLINIO APULEYO MENDOZA (1932), periodista y narrador, se da a conocer en esta última faceta con *El desertor* (1974), relatos en torno a la situación colombiana, y se reafirma con la novela *Años de fuga* (1979). En el volumen *El olor de la guayaba* (1982) ha reunido las entrevistas que hizo a García Márquez.

ALBALUCÍA ÁNGEL (1939), que bucea en el mundo de los instintos y el deseo, es autora de *Los girasoles del invierno* (1970), *Dos veces Alicia* (1972), *Las andariegas* (1984)...

7.9.7. LA NARRATIVA CUBANA. LEZAMA LIMA

Las aportaciones relevantes de la novela cubana al conjunto continental son relativamente tardías. No se producen hasta los años cincuenta y sesenta, cuando la Revolución alienta una literatura militante. Curiosamente, las mejores manifestaciones surgen al margen o en contra de los poderes establecidos y, en buena parte, en el exilio.

JOSÉ LEZAMA LIMA. Nace en La Habana en 1910. Estudia derecho. Trabaja como investigador literario en la Academia de Ciencias de Cuba. Funda la revista *Orígenes* (1944-1956), capital en el desarrollo de la literatura de su país. Tras la Revolución, desempeña (entre 1959 y 1962) la vicepresidencia de la Unión de Artistas y Escritores, aunque su ideario estético está bien alejado del impuesto por el régimen castrista. Padece una salud quebradiza que le obliga y le permite llevar una vida sedentaria, dedicada a la lectura. Siente particular inclinación por los clásicos españoles y en especial por Góngora. Muere en su ciudad natal en 1977.

Lezama inicia su carrera como poeta lírico. Los rasgos esenciales de su poesía se podrían sintetizar en su pasión por el misterio, por lo insondable de la realidad humana, hasta rayar en el esoterismo, y en su inclinación culturalista (citas, recreaciones eruditas). Estas marcas son comunes también al resto de su obra. Su tema predilecto, y prácticamente único, es la búsqueda del paraíso perdido, obsesión a la que responde el título de la revista *Orígenes*. La religiosidad católica, con su concepto de pecado y caída, alienta la nostalgia de la edad de la inocencia. Aspira a recuperarla a través del irracionalismo poético, del mundo del sueño. Para expresar esa experiencia de descenso al ámbito interior, se vale de las complejidades poéticas del Barroco, pero con renuncia al sentido lógico, a la organización racionalista del discurso que vemos en Góngora. La belleza verbal, siempre perseguida, sirve ahora a la expresión de lo subconsciente y camina hacia lo hermético e ininteligible, hacia el reino de la sugerencia visionaria, hacia «una penetración en mi oscuro».

Su primer poemario, *Muerte de Narciso* (1937), pertenece a una vanguardia personal, irracionalista; expresa confusamente ciertos valores del mito, no solo el autoerotismo, sino también el anhelo de trascendencia y la fe en la vida después de la muerte.

Enemigo rumor (1941) gira en torno al combate con la poesía, que se encarna frente al poeta y entabla con él una batalla de amor en la que el lenguaje rompe todas las amarras de la lógica y la sintaxis. Después vendrán *Aventuras sigilosas* (1945), *La fijeza* (1949) y *Dador* (1960), que siguen la misma dirección hermética e inasible. En sus poemas póstumos, *Fragmentos a su imán* (1977), parece alumbrar la voluntad de reintegrarse al diálogo con el lector.

Su obra narrativa no desdice de su poesía, ni en lo temático ni en lo formal, aunque obviamente no puede prescindir de un cañamazo biográfico que vertebra, en amplia libertad, una sucesión de prosas poéticas en las que reaparecen imágenes visionarias pertenecientes al mundo de la fantasía, el delirio y el sueño.

Paradiso (1966) narra —es una forma de hablar— la educación sentimental e intelectual de José Cemí, desde la infancia a la juventud, sin atenerse a secuencia lógica ni a una estructura clara. Asistimos a los sueños febriles del protagonista, a sus diálogos con sus amigos Fronesis y Foción, a las relaciones con su maestro Oppiano Licario, a la fascinación de la música, a la violencia de las cargas policiales, a fantasías sin cuento... Cemí, una suerte de álter ego del autor, es la excusa para adentrarse en las oscuridades del alma y también para ofrecer una trasformación de la realidad que lo rodea en clave mítica y surreal. Elemento esencial de esta ambiciosa obra es el lenguaje entre barroco y surreal, en el que las palabras cambian constantemente de significado, con una exuberancia agobiante y en una perpetua mitificación.

Oppiano Licario (1977) quedó incompleta y se publicó póstumamente. El protagonista, aludido en el título, es el maestro que guía a José Cemí hacia la madurez intelectual. Se trata también de una obra simbólica y esotérica, una aventura intelectual de la que se desprende una clara conclusión: la imposibilidad de acceder al conocimiento.

GUILLERMO CABRERA INFANTE. Nace en Gibara (Cuba) en 1929. Se implica en la lucha política. Lleva siempre una vida azarosa. Tras el triunfo de la Revolución castrista, se ve obligado a exiliarse. Vive en Madrid y Londres, entre otros lugares. Obtiene en 1997 el premio Cervantes. Muere en 2005.

En 1966 publica   un libro de relatos ambientados en tiempos de Batista: *Así en la paz como en la guerra.* Aparece luego una curiosa novela titulada *Tres tristes tigres* (1967), que se sitúa en vísperas de la Revolución, momento en que Cuba tiene una absoluta dependencia de Estados Unidos. La verdadera protagonista es la lengua. El relato es un alarde de dominio y juego con las distintas jergas. Recoge una serie de diálogos y monólogos de diversos personajes de los ambientes nocturnos (un escritor, un actor, un fotógrafo...) que hablan con ironía de la vida cultural bajo la dictadura. Adopta una apariencia intrascendente, pero se deja traslucir una aguda visión crítica de la poco satisfactoria situación de la cultura en un país donde hasta la lengua es víctima del colonialismo, habida cuenta de que uno de sus idiomas es el *spanglish*.

La Habana para un infante difunto (1978), narrada en primera persona, es un recorrido por la vida amorosa de un personaje que bien podría ser trasunto del autor, dada la coincidencia de datos. En relación a *Tres tristes tigres*, se rebaja el contenido social, diluido en un tono humorístico y poético; no faltan ciertas dosis de angustia existencial. El lenguaje sigue siendo componente clave del relato.

En 2000 se publicó en español el libro *Puro humo*, escrito originariamente en inglés (*Holy smoke*, 1985), crónica y anecdotario en torno a la pasión de fumar.

OTROS AUTORES. A pesar de la existencia de muchos narradores alentados por el oficialismo revolucionario, solo han alcanzado proyección internacional los opositores al régimen castrista. Entre ellos se cuentan SEVERO SARDUY (1937-1993), neobarroco y experimental (*Gestos*, 1963; *De dónde son los cantantes*, 1967; *Cobra*, 1971; *Maiteya*, 1978; *Colibrí*, 1983; *Cocuyo*, 1990); REYNALDO ARENAS (1943-1990), que describe el mundo opresivo del régimen castrista en *Cantando en el pozo* (ed. definitiva, 1980), *El mundo alucinante* (1969), *Viaje a La Habana* (1990)...; HEBERTO PADILLA (1932-2000), autor de *En mi jardín pastan los héroes* (1981), novela crítica contra la falta de libertad en la Cuba posrevo-lucionaria; CARLOS ALBERTO MONTANER (1943), que pinta el horror de los campos de concentración en *Perromundo* (1972), etc.

Es evidente que la Revolución no ha logrado persuadir de sus bondades a los novelistas.

7.9.8. LA NARRATIVA MEXICANA. YÁÑEZ. RULFO. FUENTES

Al llegar la década de 1940, pesaban sobre los escritores más creativos de México dos influjos, en parte redundantes y en parte contradictorios: el de la novela de la Revolución y el de la nueva novela, experimental y reivindicativa al mismo tiempo, que ya en ese momento encarnaban figuras como Miguel Ángel Asturias y Alejo Carpentier. Coincidían ambas tendencias en sus esfuerzos interpretativos del hombre y la naturaleza del Nuevo Mundo, en su dolorida protesta ante los abusos y miserias, y diferían radicalmente en las técnicas empleadas: realismo convencional en la novela revolucionaria; experimentación con el tiempo y el espacio, aparición de lo mágico, expresionismo brutal y caricaturesco en los narradores formados en la Vanguardia.

La puesta al día de la narrativa mexicana pasaba por fundir las dos tendencias: pintar un fresco que fuera expresión, análisis e interpretación de la realidad mexicana (desde la perspectiva paradójica de la burguesía triunfante en ella, claro está) y ensanchar el instrumental estilístico al no limitarse a la linealidad y la irrelevancia que pedía la tradición realista.

José Revueltas (1914-1976) inicia la trasformación con sus novelas *Los muros de aguas* (1941), *El luto humano* (1943), *Dios en la tierra* (1944), *Los días terrenales* (1949)... El duro realismo de sus predecesores avanza hacia algo que en la vieja Europa se denominará Tremendismo, es decir, no limitarse a describir las brutalidades externas del proceso revolucionario, sino también analizar la conciencia violentamente sacudida de los protagonistas, su angustia invencible, su sentimiento de fatal incapacidad para dominar la cadena de sucesos de los que se convierten en víctimas, no siempre inocen-

707

tes. La obra de Revueltas se completa, unos años más tarde, con *Dormir en la tierra* (1960), *Los errores* (1964), *El apando* (1969) y *Material de los sueños* (1974).

AGUSTÍN YÁÑEZ. Nace en Guadalajara (México) en 1904. En su juventud forma parte del grupo que toma su nombre de una de las principales revistas de finales de los años veinte: *Bandera de provincias*. Para ampliar sus horizontes vitales se traslada a México D. F. Después de algunos intentos irregulares, encuentra su camino con *Genio y figuras de Guadalajara* (1941). Dedica toda su vida a las tareas literarias. Muere en 1980.

En la forja de la narrativa de Yáñez es fundamental la inspiración que procede de la provincia; se nutre de su paisaje y sus gentes. Bucea en las profundidades de su país, en busca de su auténtico ser. El conjunto de su producción nos ofrece un amplio retablo del México provinciano y también de la capital en un largo lapso de tiempo: antes, durante y después de la Revolución. Se aleja de la estética realista, en busca de la experimentación.

Se ha señalado el barroquismo como constante en su obra. Aunque no se puede hablar de derroche ornamental ni le mueve el gusto por lo suntuario, sí se advierte en su prosa una gran profusión de elementos, que el autor considera indispensables en su expresividad.

Después de algunos títulos como *Flor de juegos antiguos* (1942) y *Archipiélago de mujeres* (1943), viene una gran novela, *Al filo del agua* (1947), que refleja, en una etapa previa a la Revolución, la vida de una pequeña población del estado de Jalisco, cuyas fuerzas vivas, capitaneadas por el padre Dionisio, que ejerce una auténtica dictadura, impiden toda posibilidad de cambio. Esa adormecida calma se quiebra con la llegada de dos forasteros, en los que el pueblo ve la semilla de la destrucción. En las últimas páginas el ejército revolucionario camina hacia la ciudad para liberarla de la opresión. El autor trata de estos sucesos desde la perspectiva de los años cuarenta; *Al filo del agua* recoge la postura ideológica de la burguesía posrevolucionaria.

Se ha subrayado su carácter anticlerical, el rechazo de una religión impuesta por el conquistador. El reflejo de la atmósfera colectiva de tensión previa al estallido del conflicto está perfectamente logrado.

Es un relato coral. Va enfocando reacciones individuales, movidas por el miedo y la irracionalidad, que se suman para formar un todo paralizador y amenazante. El objetivo cinematográfico del realismo ha dejado de seguir la aventura personal del protagonista para desparramarse y ofrecer al lector planos que crean el argumento por acumulación.

Sigue después *La tierra pródiga* (1960), novela épica que trata de la conquista y colonización de la tierra caliente, la zona tórrida del país, como en otros tiempos se llevó a las crónicas la empresa acometida por los españoles. No nos encontramos aquí con la naturaleza feraz e indomeñable que presenta la corriente indigenista, sino con los esfuerzos del hombre para someterla, imponiéndole la fuerza de la técnica. Asistimos, pues, al inicio del proceso de industrialización en estas latitudes. Cien años después, nos encontramos con la tesis del progreso, predilecta del Realismo y la burguesía del siglo XIX europeo.

En *Las tierras flacas* (1962) prosigue el intento del autor de trazar un gran retrato de México. El centro de interés es ahora la vida campesina. Se nos da a conocer el drama de este colectivo permanentemente inseguro, que depende del régimen de lluvias en medio de un suelo erosionado, y se refugia en la superstición y la magia. La pugna entre los métodos primitivos y las nuevas tecnologías, que a la postre resultan triunfantes, está representada por dos familias antagónicas. Asimismo se contraponen dos actitudes en los sectores explotados: el resignado fatalismo y la rebeldía inconformista. Junto a los sucesos externos, hay una dimensión subjetiva, lírica, que muestra las repercusiones que aquellos tienen en la intimidad de los individuos. La narración en tercera persona se ve interrumpida por los monólogos alternantes de cuatro personajes. Se dedica mucho espacio a la reflexión y a evocar el pasado. Se trata de una bien trabada estructura con un rico juego contrapuntístico.

709

Este retablo de la vida de la provincia se completa con otras obras, menos afortunadas, que tienen como escenario a la gran ciudad: *La creación* (1959), *Ojerosa y pintada* (1960). La producción narrativa de Yáñez se cierra con *Las vueltas del tiempo* (1973).

JUAN RULFO. Nace en Sayula, al sur del estado de Jalisco (México), en 1918. Está marcado por una infancia difícil; vive de lleno la Revolución, en la que pierde a su padre y a otros seres queridos. En 1933 llega a la capital, al cuidado de un tío suyo. Se emplea en la oficina de migración y empieza a escribir. En 1954 inicia la redacción de la que será su obra maestra: *Pedro Páramo*. Toda su vida está dedicada a la literatura. Muere en 1985.

Las aciagas experiencias de sus primeros años se vierten en el libro de relatos *El llano en llamas* (1953), lleno de estampas de destrucción, que nos muestra un mundo primitivo, donde reina una violencia incontenible. Los personajes viven atormentados por sus culpas y descargan su conciencia sobre nosotros. Más que mostrarnos una región concreta, el autor nos sitúa ante un universo moral.

Su famosa novela *Pedro Páramo* (1955) se desarrolla en Comala, que ya había servido de escenario a algunos de sus relatos. Está ubicada en la ardiente llanura, seca por completo, silenciosa. Se trata, evidentemente, de un espacio simbólico. A ella acude Juan Preciado en busca de su padre, «un tal Pedro Páramo», que ya ha muerto. Se encuentra con un pueblo vacío, abandonado, por el que transitan las almas en pena de sus antiguos habitantes. El forastero, que en su calidad de testigo entra en diálogo con varios personajes, pierde por completo la noción del tiempo y el espacio; muere asfixiado por el miedo y pasa a formar parte de la vida de ultratumba.

Situados con él en ese plano, conocemos las historias de algunos difuntos y en particular la de Pedro Páramo. Era un cacique despótico y violento, lleno de vitalidad, que abusaba de los más débiles usurpándolo todo; murió a manos de uno de sus hijos ilegítimos. La época en que él vivía contrasta con el presente desolador de Comala. Entonces era una ciudad viva, ahora solo quedan los ecos: ha muerto con él.

Así pues, la novela opera con dos planos cronológicos (presente y pasado) y dos dimensiones existenciales (vida real y de ultratumba). Estamos ante una fantasmagoría en la que se superponen los diálogos de los vivos y de los muertos. Tiene una estructura dispersa, a base de breves fragmentos que pertenecen a secuencias temporales diferentes y en los que se mezclan diversas voces y percepciones distintas de la realidad. Hay que juntar sus piezas como si se tratara de un rompecabezas; hecha esta operación, quedan aún muchas lagunas.

La obra de Rulfo inaugura algunas de las claves que van a caracterizar a la novela hispanoamericana de éxito internacional: la creación de un espacio mítico (para el autoconocimiento y para la autoflagelación) y la ruptura radical con las estructuras del realismo. Un estilo narrativo conciso, ascético, directo, sin concesiones ni distingos, introduce al lector en un mundo alucinante, donde el detalle familiar se enlaza de inmediato con una fantasía delirante. Comala es un reino maldito, el llano en llamas es una tierra inhóspita e invisible. Ambos son símbolos complejos de la frustración que convierte la vida colectiva en un infierno de violencia y la individual en un abismo de pecado.

En 1980 Rulfo añade a sus dos publicaciones anteriores un conjunto de guiones cinematográficos precedidos de un cuento: *El gallo de oro.*

ARREOLA Y GARRO. A la promoción de Rulfo pertenecen, entre otros, dos estimables novelistas que también contribuyen, en otro plano, a la actualización del género. JUAN JOSÉ ARREOLA (1918) es un creador intelectual que aborda la narración desde la perspectiva del juego, la fantasía, la ironía. A estas premisas responden sus cuentos *Varia invención* (1949), *Confabulario* (1952) y *Bestiario* (1958), reunidos en *Confabulario completo* (1962). Su aportación más relevante es la novela *La feria* (1966), de estructura fragmentaria, de

aire evocador, con impregnaciones de un costumbrismo irónico y distante pero encariñado y nostálgico del mundo que
refleja: el de la infancia del autor.

ELENA GARRO (1920-1998) se inclina primero por la narración lírica, introspectiva y, al mismo tiempo, sorprendente por
la insólita manera de contemplar la realidad, en *Los recuerdos
del porvenir* (1963) y en los relatos de *La semana de colores*
(1964). A la misma etapa pertenece *Inés*, que no se publicó
hasta 1995; en esta novela se funden el erotismo sadomasoquista, la magia negra y la acción de los alucinógenos. Obras
posteriores se dirigen hacia el análisis psicológico, en especial
de las actitudes femeninas: *Andamos huyendo de Lola* (1980),
Testimonios sobre Mariana (1981), *Reencuentro de personajes*
(1982), *La casa junto al río* (1983)... *Y Matarazo no llamó*
(1989) desarrolla una trama policiaca de tono realista.

CARLOS FUENTES. Aunque es de nacionalidad mexicana,
nació en Panamá en 1928. Estudió en Washington, Santiago
de Chile, Buenos Aires, en su ciudad natal y en Ginebra. Ha
sido delegado de su país en distintos organismos internacionales, embajador en Francia... Ejerció la docencia como catedrático de literatura en la universidad de Princeton (New
Jersey). Viene colaborando en las principales publicaciones
del mundo. En 1987 fue galardonado con el premio Cervantes y en 1994 con el Príncipe de Asturias.

En sus novelas aborda insistentemente el tema de la Revolución Mexicana, traicionada por los mismos que la prota-
gonizaron, que solo buscaban beneficios personales. Al final
degenera en distintos grupos que siguen a diferentes caudillos enfrentados entre sí.

Esta materia se ensancha con otros motivos (desde las civilizaciones precolombinas y la época de la conquista hasta
el presente), que inciden en el tema obsesivo de su obra: la
identidad mexicana, la necesidad de entender y asumir su
historia. Para alcanzar este objetivo, que así formulado parece propio de la novela de tesis, Fuentes cree obsoleto el instrumental legado por el realismo y propone un tipo de relato

cuyas bases, según síntesis propia, son «mito, lenguaje y estructura». Joyce, la novela norteamericana de entreguerras, la técnica del cine, al que Fuentes se ha acercado en varias ocasiones, le proporcionan los recursos para la construcción de la nueva novela: el monólogo interior, la organización fragmentaria del relato, la alteración de la secuencia temporal, el *collage* de registros lingüísticos...

Sus primeros relatos, *Los días enmascarados* (1954), pasaron inadvertidos, pero no ocurrió lo mismo con *La región más transparente* (1958). Esta compleja novela, situada en la ciudad de México en 1951 (con retrocesos que nos llevan hasta los años que precedieron a la Revolución, y con proyecciones hacia el futuro inmediato), presenta un conjunto de personajes que simbolizan el oportunismo que acompañó al triunfo revolucionario. La reflexión histórica, que es también política y moral, se suma a un experimentalismo de buena ley, pero en el que quizá se le fue un poco la mano al ilustre autor: no quiso dejar en el tintero ninguna de las novedades aprendidas, incluyendo el empleo de tipos de letra diversos, largos fragmentos expositivos que se apartan de la narración, paréntesis de lirismo barroquizante... Con todo, México primero y el resto de los países hispánicos y el mundo occidental después reconocieron en esta novela una penetrante, genuina y compleja visión crítica de la sociedad mexicana, representada por su deslumbrante y terrible capital.

En las fechas que siguen publica un conjunto de interesantes novelas (*Las buenas conciencias*, 1959; *Aura*, 1962; *Zona sagrada*, 1967; *Cumpleaños*, 1969; *La cabeza de la hidra*, 1978), que se han visto eclipsadas por tres títulos sobresalientes

La muerte de Artemio Cruz (1962) vuelve al tema de la Revolución traicionada; es sumamente crítica con todos aquellos que, como el protagonista, no solo no han hecho nada por su país sino que, al contrario, lo han explotado. Bajo el pretexto de luchar por unos ideales que está muy lejos de sentir, Artemio ha mirado por su lucro personal; se ha enriquecido con negocios sucios. Ahora está a punto de morir.

713

La conciencia del agonizante se descompone en dos planos: un yo que, a través del monólogo interior, rememora sus andanzas durante la Revolución y su éxito económico, y un álter ego que se dirige a Artemio en segunda persona y le anuncia el final que le espera, a veces de forma un tanto confusa, como una voz que sale del subconsciente. Además, hay un narrador externo que hace balance de la vida del protagonista y nos da a conocer los acontecimientos más importantes. Se trata de una técnica rica y compleja que posibilita distintos niveles de aproximación a la realidad. Doce capítulos trimembres (excepto el último, en que falta el narrador objetivo, la voz de la memoria) presentan la historia de un fracaso.

A la postre, Artemio ya no es más que un viejo lujurioso que ve cómo su amante coquetea con un muchacho y que ha tenido que pagar un alto precio por su triunfo y no ha sido capaz de ganarse el cariño y el respeto de su familia. Esta imagen derrotada viene a ser un símbolo del mexicano enriquecido por la Revolución, que ha perdido sus ideales juveniles y, con ellos, el sentido moral de la vida.

Se ha hablado de la interpretación mítica que encierra esta novela. Más bien nos encontramos ante un símbolo complejo en el que la desintegración del protagonista, entre el olor sagrado de incienso y el nauseabundo de sudores y excrementos, se corresponde metafóricamente con la del grupo social al que pertenece. Artemio Cruz es la encarnación del triunfo baldío. En su lecho de muerte, la angustia del tiempo que se acaba, las perspectivas macabras del sepulcro no encuentran el consuelo del amor, sino el escarnio de la lujuria ajena.

Cambio de piel (1967) es una novela muy ambiciosa que en ocasiones desemboca en el caos. Presenta una excursión desde México a Cholula de cuatro personajes: un profesor mexicano, su amante, su mujer y un amigo alemán. La acción se construye de forma que el punto de vista va saltando continuamente de uno a otro. Los datos de la realidad se funden con sus percepciones subjetivas. El tiempo avanza y retrocede constantemente, desde la época de Hernán Cortés a la actualidad, pasando por episodios de la Europa nazi. A las voces de los personajes se une la de un narrador externo, al menos en apariencia. El erotismo, siempre presente, siempre actuante en los relatos de Fuentes, se vuelve aquí más directo y explícito. La búsqueda de las raíces de la sociedad mexicana se extiende más allá de la Revolución.

Propósitos similares y técnicas cada vez más complejas (o simplemente más complicadas) alientan en *Terra nostra* (1975). Aquí la ambición narrativa quiere trascender el ámbito mexicano y aspira a plantear al lector las raíces del mundo hispánico y de la civilización occidental. Para este compendio de sus ideas sobre el sentido de la existencia y el devenir de la humanidad, no duda en recurrir a la época del emperador Tiberio, al mundo precolombino, a la España barroca, a la Europa de nuestros días... La concentración y amalgama de tiempos y espacios, la multiplicación de referencias y disquisiciones, los excursos pueden resultar abrumadores para el lector inocente y aun para el avisado.

Algo así debió de pensar el autor y, con la excepción de una nueva intentona experimental (*Cristóbal Nonato*, 1987), recondujo su narrativa hacia objetivos menos ambiciosos y, quizá, de más grata lectura: *Una familia lejana* (1980), *Gringo viejo* (1985), *La campaña* (1990), *Diana o la cazadora solitaria* (1994)... *Los años con Laura Díaz* (1999) es una ambiciosa propuesta que sintetiza, a través de una mirada femenina, el último siglo de la historia de México.

Carlos Fuentes tiene también en su haber libros de relatos: el ya citado *Los días enmascarados* (1954), *Cantar de ciegos* (1964), *Agua quemada* (1981), *Constancia y otras novelas para vírgenes* (1989)...; piezas teatrales: *El tuerto es rey* (1970), *Casa con dos puertas* (1970), *Orquídeas a la luz de la luna* (1982)...; ensayos: *Tiempo mexicano* (1971), *El espejo enterrado* (1992)... Posteriormente ha ofrecido una antología de sus mejores textos mexicanos en *Los cinco soles de México. Memoria de un milenio* (2000).

OTROS AUTORES. La figura de Carlos Fuentes, aunque excepcional en su ambición narradora y en su proyección internacional, está rodeada de otros muchos autores de singular relieve. Destacaremos una breve muestra.

ROSARIO CASTELLANOS (1925-1974) es una de las representantes del «ciclo de Chiapas», un reverdecer de los motivos indigenistas, con sus novelas *Balún Canán* (1957), *Oficio de tinieblas* (1962) y *Los convidados de agosto* (1964) y su colección de cuentos *Ciudad Real* (1960).

JORGE IBARGÜENGOITIA (1928-1983), también estimado como dramaturgo, contribuyó a la trasformación del mito de la Revolución, ofreciendo una visión irónica en su primera novela, *Los relámpagos de agosto* (1965). El humor y la denuncia de las lacras sociales se compaginan en la mayor parte de sus obras narrativas, ya sean cuentos (*Clotilde, el viaje y el pájaro*, 1964; *La ley de Herodes*, 1967) o novelas (*Maten al león*, 1969; *Estas ruinas que ves*, 1975; *El atentado*, 1978; *Dos crímenes*, 1979; *Los pasos de López*, 1981). En *Las muertas* (1977) el humor se mezcla con lo macabro y grotesco, ingredientes que no están enteramente ausentes en el resto de su obra.

FERNANDO DEL PASO (1935) ha mantenido una voluntad de reconstrucción histórica desde su primera novela, *José Trigo* (1966). En *Palinuro de México* (1977) la historia nuclear, la de un estudiante que muere masacrado por la revuelta estudiantil en la plaza de las Tres Culturas, da paso a una amplia y disforme materia novelesca plagada de contrastes, pródiga en episodios eróticos y marcada por un humor esperpéntico y desmitificador. Esta última veta reaparece en *Noticias del imperio* (1975), protagonizada por el emperador Maximiliano, reducido a una grotesca figura acosada por urgencias escatológicas y enfermedades *non sanctæ*.

ELENA PONIATOWSKA (1933) es una fértil escritora que inició precozmente su carrera con *Lilus kikus* (1954), a la que siguió *Hasta no verte, Jesús mío* (1969). Alcanzó la fama con el relato testimonial *La noche de Tlatelolco* (1970), sobre la matanza de octubre de 1968. Vinieron luego novelas innovadoras en la forma y tradicionales en su materia: *Querido Diego, te abraza Quiela* (1978) y *Moletiques y pasiones* (1987).

716

Volvió al documento con *Nada, nadie* (1987), sobre el terremoto de México.

La novela mexicana ha tenido otros notables cultivadores (LUIS SPOTA, SALVADOR ELIZONDO, SERGIO PITOL, RENÉ AVILÉS FABILA, JUAN GARCÍA PONCE...) y ha tentado a dramaturgos (EMILIO CARBALLIDO, VICENTE LEÑERO) y poetas (MARCO ANTONIO MONTES DE OCA), y hoy, fuera ya del marco temporal que nos proponemos estudiar, cuenta con los éxitos internacionales de LAURA ESQUIVEL, ÁNGELES MASTRETTA...

7.9.9. LA NARRATIVA EN OTROS PAÍSES HISPANOAMERICANOS

El esplendor de la narrativa hispanoamericana alcanza a todos los países. Recogeremos algunos de los nombres dignos de atención.

En Bolivia, siguiendo las huellas de Alcides Arguedas, encontramos algunos narradores de tendencia social, entre los que destaca ANTONIO DÍAZ VILLAMIL (1897-1948), autor de *La niña de sus ojos* (1948), *Utama* (1945), *Mina* (1953)... También cultiva un teatro de tendencia popular: *La hoguera, La voz de la guerra, El traje del señor diputado, La Rosita*...

En Ecuador algunos autores se abren a la renovación formal, sin descuidar el compromiso político y social. Ese es el caso de PEDRO JORGE VERA (1915) en los relatos (*La semilla estéril*, 1950), en las novelas (*Los animales puros*, 1946; *Un ataúd abandonado*, 1968; *Tiempo de muñecos*, 1971; *Yo soy el pueblo*, 1976), que dan cabida a la sátira política, y en el teatro de crítica de costumbres (*Luto eterno*, 1954); CARLOS BÉJAR PORTILLA, que aborda problemas existenciales en los relatos de *Simón el Mago* (1970); JORGE ENRIQUE ADOUM (1926), escritor telúrico y comprometido, con *Entre Marx y una mujer desnuda* (1975); IVÁN EGÜEZ, que satiriza con técnica expresionista la corrupción del poder en *Las Linares*

(1975); JORGE DÁVILA VÁZQUEZ, que se alza contra la dictadura en *María Joaquina en la vida y en la muerte* (1976)...

VENEZUELA. La novela venezolana cuenta con la obra de Arturo Uslar Pietri, de la que ya hemos hablado en 7.6.8, y con un excelente plantel de narradores, entre los que espigamos los que parecen más significativos.

MIGUEL OTERO SILVA (1908-1985) rescata aspectos fundamentales de la historia reciente de su país. El ambiente político y social bajo la dictadura de Marcos Pérez Jiménez y la acción guerrillera revolucionaria aparecen reflejados en *Casas muertas* (1954), *Oficina número 1* (1961), *La muerte de Honorio* (1963), *Cuando quiero llorar no lloro* (1970)... Vuelve sus ojos al pasado en *Lope de Aguirre, príncipe de la libertad* (1979), que dignifica la figura del controvertido personaje.

SALVADOR GARMENDIA (Barquisimeto, 1928-2001) es uno de los fundadores del grupo que aglutinó la revista *Sardio*, importante vehículo cultural. En su hábil ejercicio indagatorio, se interesa por las frustraciones de la gente vulgar y corriente, atada a la rutina en una vida que se compone de la sucesión de hechos repetidos. Sus personajes aparecen caracterizados con una minuciosidad que nos permite acceder a sus profundidades; se les somete a un análisis implacable. Son «pequeños seres», antihéroes, que podrían confundirse unos con otros, producto de la gran ciudad que se trasforma día a día. Estas historias de protagonismo colectivo, que son las de todos nosotros, encierran la confesión de un fracaso. Para plasmar esa realidad que le obsesiona, Garmendia recurre a lo que él llama «reservas de la memoria». Se aparta de la tradición y se sirve de un lenguaje y una técnica renovados.

Este ciclo narrativo se compone de *Los pequeños seres* (1959), *Los habitantes* (1961), *Día de ceniza* (1963) y culmina en *La mala vida* (1968).

Junto a *Los pies de barro* (1973), destaca entre las obras posteriores *Memorias de Altagracia* (1974), que se sitúa en un mundo rural primitivo, con sus viejas tradiciones, sus historias familiares... El ejercicio evocador, en el que no faltan brotes de ternura, permite reconstruir fragmentos de vidas que se perdieron en el tiempo.

El único lugar posible (1981) ofrece una original estructura, a base de la acumulación de varias narraciones en las que reaparecen los mismos personajes y que constituyen un todo unitario. Para revelar la realidad, el autor se ayuda de lo fantástico y lo onírico

Su producción se completa con algunas colecciones de relatos: *Doble fondo* (1966), *Diferentes, extraños y volátiles* (1970), *Los escondites* (1972)...

Al grupo de *Sardio* pertenece también ADRIANO GONZÁLEZ LEÓN (Caracas, 1931), que llamó la atención con su primera novela, *País portátil* (1968), ganadora del premio Biblioteca breve de Seix Barral. Es una obra de estructura compleja, en la que se multiplican acciones y personajes, y de lenguaje sencillo. Gira en torno al tema de la guerrilla urbana. Presenta los problemas de violencia y desarraigo que plantea la ciudad, destructora del individuo.

Su género predilecto ha sido el relato. En un primer momento sigue la corriente experimental. Se sirve de un lenguaje metafórico para crear fantasías inquietantes: *Las hogueras más altas* (1959), *Asfalto-Infierno* (1962), que más tarde se amplía en *Asfalto-Infierno y otros relatos demoníacos* (1979), *Hombre que daba sed* (1967). Poco tienen que ver con eso sus últimas colecciones (*Linaje de árboles* y *Damas*), con piezas muy breves de gran intensidad poética. El conjunto se ha recogido en *Todos los cuentos más uno* (1999).

También en fechas recientes ha publicado *Viejo* (1995), novela lírica y fragmentaria en torno a la soledad de un personaje que quiere recuperar sus recuerdos, y *Crónicas del rayo y de la lluvia* (1998), poética aproximación a los mitos, en la que se acepta el misterio como componente del existir.

También merecen ser recordados, entre otros, dos autores de muy distinta índole. GUILLERMO MENESES (1911-1979), valiéndose de variados recursos técnicos, profundiza en los conflictos del hombre contemporáneo, tanto en sus relatos (*La balandra Isabel llegó esta tarde*, 1934; *Tres cuentos venezolanos*, 1938; *La mujer, el as de oros y la luna*, 1948; *Diez cuentos*, 1968) como en las novelas (*Canción de negros*, 1939; *Campeones*, 1939; *El mestizo José Vargas*, 1942; *El falso cuaderno de Narciso Espejo*, 1953; *La misa de Arlequín*, 1962). JOSÉ BALZA (1939) se adscribe a una corriente netamente experimental en una serie de novelas repletas de referencias culturales y artísticas: *Marzo anterior* (1965), *Largo* (1968), *Setecientas palmeras plantadas en el mismo lugar* (1974), *D* (1977), *Percusión* (1982), *La mujer de espalda* (1986), *Medianoche en vídeo: 1/5* (1988).

AUGUSTO MONTERROSO. Guatemalteco, aunque vio la luz en Tegucigalpa en 1921, exiliado en México desde 1944, galardonado con el premio Príncipe de Asturias en el año 2000. Murió en 2003. Es universalmente conocido por haber escrito el cuento más corto en lengua española. Al margen de lo anecdótico, su obra es escasa y sus libros deliberadamente breves. Sus valores más notables son la economía, la concisión, la claridad: el arte de expresarse con las palabras justas.

Renueva la tradición fabulística en esas deliciosas fábulas sin moraleja, escritas, según confesión del propio autor, para «combatir el aburrimiento e irritar a los lectores». Insufla al género clásico procedimientos tales como la paradoja, la parodia, la intertextualidad, la ironía… que sorprenden continuamente al lector. Bajo su aparente ingenuidad, desarrollan una sátira corrosiva que abarca todo el conjunto de lo humano. El mundo animal es un espejo que refleja las deformidades del nuestro. Uno de sus libros más representativos es *La oveja negra y demás fábulas* (1969). Antes había dado a conocer *Obras completas (y otros cuentos)* (1960).

Monterroso gusta de reinventar los géneros. Así ocurre con las memorias en *Lo demás es silencio* (1978), que tiene algo de novela y de miscelánea. Mucho más acusado está ese último rasgo en *Movimiento perpetuo* (1972), que participa del cuento, la novela, la fábula… *La vaca* (1999) es una serie de ensayos literarios próximos al cuento, sazonados con ironía, plenos de revelaciones autobiográficas sobre su quehacer literario.

OTROS AUTORES DE CENTROAMÉRICA Y EL CARIBE. La huella de Miguel Ángel Asturias ha propiciado la existencia de una abundante narrativa centroamericana de carácter reivindicativo y social, aunque más próxima al realismo comprometido que al relato innovador en la forma y estructura. Entre los autores dignos de atención se cuentan los costarricenses JOSÉ MARÍN CAÑAS (1904-1981), CARLOS LUIS FALLAS (1911-1966) y JOAQUÍN GUTIÉRREZ (1918); el salvadoreño SALVADOR SALAZAR ARRUÉ (1899-1975); el guatemalteco MARIO MONTEFORTE TOLEDO (1911-2003) o los nicaragüenses FERNANDO SILVA (1927) y SERGIO RAMÍREZ (1942).

Entre los puertorriqueños destaca el nombre de ENRIQUE A. LAGUERRE (1906).

7.9.10.   LA NARRATIVA EN ESPAÑA.
CELA. TORRENTE BALLESTER

Al acabar la guerra civil en 1939, una parte importante de los escritores e intelectuales se vieron obligados al exilio y continuaron su labor en otros países, especialmente en Hispanoamérica (México, Argentina, Chile…). Son autores de la generación de las Vanguardias, a los que ya nos hemos referido en 7.6.4.

En lo que respecta a los novelistas que se quedan en España, se advierte una diversidad de tendencias y una clara evolución, al compás de los cambios que experimenta la sociedad. Perdura una corriente de realismo tradicional anclada en los viejos moldes decimonónicos, representada por JUAN ANTONIO ZUNZUNEGUI (*La quiebra*, 1947), SEBASTIÁN JUAN ARBÓ (*Tierras del Ebro*, 1940)... Pronto se abren paso nuevas fórmulas y autores, entre los que se cuentan dos de los que han merecido mayor estima internacional por su variada y dilatada obra que cubre los sesenta años que separan el fin de la guerra civil y los albores del nuevo milenio: Cela y Torrente Ballester.

CAMILO JOSÉ CELA. Nace en Padrón (La Coruña), antigua Iria Flavia, en 1916. Empieza varias carreras universitarias que no concluye. Al terminar la guerra, obtiene un puesto de funcionario. Escribe entonces su primera novela. Aquejado de una enfermedad tuberculosa, tiene tiempo para leer y determinar su vocación literaria. En 1956 crea en Palma de Mallorca la prestigiosa revista *Papeles de Son Armadans*. En 1957 ingresa en la Real Academia Española y en 1980 en la Academia Gallega. Ha recibido los más preciados galardones: el premio Príncipe de Asturias (1987), el Nobel (1989) y el Cervantes (1995). Muere en 2002.

RASGOS DE SU NARRATIVA. Aunque se confiesa admirador y discípulo de Baroja, a menudo ofrece una visión del mundo distorsionada y caricaturesca, más proxima a Quevedo y Valle-Inclán. El reflejo del entorno está pasado por el tamiz del pesimismo radical que dimana de su visión del mundo. Se interesa por los aspectos menos felices de la sociedad y por los tipos humanos peor arraigados en ella. Pero bajo esos trazos descarnados se esconde una veta de ternura que impregna sus relatos de poesía. Concibe la novela como algo inserto en la corriente de la vida, un género multiforme, un espejo al borde del camino ajeno a todo límite y cortapisa.

Estamos ante un novelista muy variado, que busca fórmulas nuevas para cada una de sus creaciones. Desde el molde autobiográfico, vagamente inspirado en la picaresca, de *La familia de Pascual Duarte*, a la novela calidoscópica en *La colmena*, el relato lírico, el juego con el monólogo interior y las voces alternantes o la escritura aparentemente automática de *Oficio de tinieblas 5*.

A través de todas estas fórmulas pervive siempre el sentimiento trágico del desamparo, expresado frecuentemente por medio de la violencia sarcástica del esperpento.

Cela es un narrador singular y un genial prosista, cuidadoso en extremo con el estilo. En muchas de sus obras adquiere calidades poéticas sin renunciar a la precisión. Reproduce con fidelidad las inflexiones del habla coloquial y maneja un amplísimo vocabulario en el que están presentes los más diversos registros lingüísticos. Con el paso del tiempo, ha tendido a alargar la frase mediante la acumulación de elementos y a cultivar una técnica reiterativa, hasta caer en un cierto manierismo.

Dos GRANDES NOVELAS. Tuvo la fortuna de empezar su trayectoria con una novela de primer orden: *La familia de Pascual Duarte* (1942), que produjo una auténtica conmoción y se considera punto de partida de la corriente tremendista, caracterizada por su realismo truculento. Recurre en ella a la fórmula de la confesión íntima para ofrecernos las memorias de un condenado a muerte. Pascual es un personaje trágico, víctima de unas condiciones de vida infrahumanas. La presencia opresiva de su madre se convierte para él en una obsesión, hasta que siente la necesidad de matarla. Cela carga las tintas en los aspectos más degradados de la realidad; pero, aunque exhibe impúdicamente la barbarie humana, no faltan destellos de compasión. La novela plantea un conflicto existencial: el aislamiento y la incapacidad de comunicación de un individuo; pero también se vislumbra un enfoque social que no se halla explícitamente desarrollado.

Más interesante aún es *La colmena*, publicada en Buenos Aires en 1951; la primera edición oficialmente española data de 1963. El texto íntegro no aparece hasta 1966. Este magnífico retablo del Madrid hambriento de los años cuarenta es el punto de arranque del realismo social. Los moldes tradicionales son sustituidos por una estructura fragmentaria en la que se alternan, con técnica que recuerda la de *Mannhattan transfer* de Dos Pasos, pequeños retazos de las vidas de distintos individuos que se van entrelazando.

No hay, pues, un protagonista único, sino que se acumulan gran número de personajes (aproximadamente 300). El punto de referencia común a la mayoría de ellos es el café de

723

doña Rosa, verdadero aglutinador de una acción discontinua pero coherente. La psicología de cada uno se perfila por medio de trazos breves pero muy significativos. El autor consigue así dar una aguda visión de conjunto de esa doliente colmena humana. Además de la originalidad organizativa y de la adecuación de la técnica y el estilo a lo que se quiere mostrar, interesa en esta obra su carácter testimonial.

OTRAS NOVELAS. En medio de estas dos grandes creaciones aparecen *Pabellón de reposo* (1943), relato en prosa poética, de estructura fragmentaria, que, impregnado de tristeza y melancolía, recoge las vivencias de varios pacientes de un sanatorio antituberculoso, y *Nuevas andanzas y desventuras de Lazarillo de Tormes* (1944), intento poco afortunado de revitalizar el género picaresco trasladándolo a nuestro tiempo. Después de *La colmena* vienen *Mrs. Caldwell habla con su hijo* (1953), novela poética cuya protagonista entabla un desesperado diálogo (de hecho, un soliloquio) con su hijo muerto, y *La catira* (1955), obra de trama convencional que nos traslada a tierras venezolanas con el empeño de reproducir el habla del lugar, en un grado que se nos antoja desmesurado.

San Camilo, 1936 (1969) abre la narrativa celiana a la vía experimental imperante en esos años: monólogo interior, multiplicidad de voces narrativas, alteración de la linealidad cronológica... Ofrece un crudo panorama de la vida madrileña en los días inmediatamente anteriores al estallido de la guerra civil (san Camilo se celebra el 18 de julio). También aquí interviene un considerable número de personajes, cuyas actitudes violentas, regidas por el puro instinto (el sexo, la crueldad...), se presentan como una explicación intrahistórica del conflicto que se ha desatado. Estamos ante una visión profundamente crítica del corpus social.

La complejidad del experimento se acentúa en *Oficio de tinieblas 5* (1973), mediante una sistemática destrucción de las estructuras narrativas. Con lenguaje absolutamente libre, a través de un enigmático monólogo surrealista que tiene ritmo de letanía, se da rienda suelta a la angustia existencial de un alma atormentada.

724

Mazurca para dos muertos (1983) nos sitúa en una Galicia mítica, de costumbres ancestrales, en la que reinan los impulsos más primitivos. Es una historia de venganzas y muertes en la que el sexo ocupa un lugar destacado. El autor vuelve al protagonismo colectivo y utiliza una técnica reiterativa, dando vueltas siempre al mismo molino, que en lo sucesivo estará presente en todas sus novelas.

Pocas novedades aporta su último ciclo, lo que Luis Iglesias Feijoo llama «novelas de la indeterminación», en las que se multiplican las acciones entrelazadas que hay que ir persiguiendo y retomando a lo largo de la obra: *Cristo versus Arizona* (1988), *La cruz de San Andrés* (1994)... *Madera de boj* (1999) es un texto poemático, una genuina salmodia celiana dedicada a los hombres de la mar en la Costa de la Muerte gallega.

Muy digna de consideración es la narrativa breve de nuestro autor, que ofrece los mismos registros que sus novelas: *Esas nubes que pasan* (1945), *El bonito crimen del carabinero y otros engaños y ofuscaciones* (1947)... Evoluciona de forma rápida hacia los trazos estridentes, que culminan en la creación del «apunte carpetovetónico», que él define como «agridulce bosquejo, entre caricatura y aguafuerte», de un trozo de vida de un determinado ambiente: la España árida. El fruto más granado es *El Gallego y su cuadrilla y otros apuntes carpetovetónicos* (1949).

Aportaciones varias. Cela ha cultivado también otros géneros, entre los que destaca el libro de viajes. En este campo nos ha dejado un auténtica obra maestra: *Viaje a la Alcarria* (1948), consumado ejemplo de una prosa descriptiva y animada que suple incluso la falta de acción. Su mayor encanto reside en su sencillez. Refleja con gracia situaciones y personajes, valiéndose de un estilo coloquial y de un léxico extraordinariamente rico en voces del ámbito rural.

En sus años juveniles cultivó la lírica: *Pisando la dudosa luz del día* (1945), poemario caótico, angustiado y sombrío de 1936, escrito desde el escepticismo, en el que aflora una intimidad dolorida. Con escasa fortuna ha acometido algu-

725

nos intentos dramáticos, en los que pone de manifiesto una decidida voluntad de ruptura: *María Sabina* (1967), *El carro de heno o el inventor de la guillotina* (1969).

Además de sus muchos artículos, ensayos, misceláneas y prosas varias, tiene otras interesantes aportaciones como el *Diccionario secreto* (1968-1971), en el que se recogen, con rigor filológico, las voces malsonantes relativas al sexo, la escatología...

GONZALO TORRENTE BALLESTER. Nace en El Ferrol (La Coruña) en 1910, en el seno de la clase media. Estudia derecho y filosofía y letras. Se afilia al partido galleguista y luego a la Falange. Es catedrático de instituto. Adquiere prestigio como crítico y ensayista, pero su intensa dedicación a la narrativa no se ve recompensada hasta que en 1972 la publicación de *La saga/fuga de J. B.* le permite saborear las mieles del éxito. Lee su discurso de ingreso en la Real Academia en 1977. Como testimonio de un reconocimiento tardío, recibe el premio Príncipe de Asturias en 1982 y el Cervantes en 1985. Muere en 1999 en Salamanca.

VARIACIONES NARRATIVAS: ENTRE EL REALISMO Y LA FANTASÍA. Torrente se inicia en el terreno del realismo, pero pronto se siente atraído por el mundo de la fantasía. Reconoce en sí una tendencia contrapuesta y simultánea a «racionalizar el misterio» y a «misterificar lo racional». En algunas de sus novelas se manifiesta una intencionalidad satírica, pero no suele desarrollarse por vía directa, sino recurriendo al cauce imaginativo.

Su obra es fruto de una elaboración intelectual que se vierte en una prosa con cierto regusto arcaizante y léxico exuberante, cuyas frases tienden a desparramarse en amplios periodos de construcción impecable. La abundancia de referencias culturalistas y disquisiciones filosóficas no implica el olvido de la expresividad coloquial, siempre presente. Impregna sus escritos de humor e ironía. A medida que pasa el tiempo, se inclina hacia lo lúdico, a veces en estado puro; otras, revestido de trascendencia.

El autor gallego evoluciona desde el realismo (*Javier Mariño*, 1943) y la farsa (*El golpe de estado de Guadalupe Limón*, 1946) a la fantasía intelectual, que da sus primeros frutos en *Ifigenia* (1949) y *La princesa durmiente va a la escuela*, escrita a principios de los cincuenta, pero que no se publica hasta 1983.

Después de dedicarse durante unos años al ensayo, vuelve a la novela con una trilogía que se hará tardíamente célebre: *Los gozos y las sombras* (1957-1962), en la que se propone resucitar los valores de la más genuina tradición realista decimonónica, aligerándola de la carga descriptiva. La trama, consistente y bien construida, gira en torno a los múltiples enfrentamientos que se producen en la comunidad gallega de Pueblanueva del Conde, centrados en dos figuras antagónicas: Cayetano, propietario de los astilleros, hombre emprendedor que genera riqueza, pero que somete al pueblo a un régimen autoritario y caciquil, y Carlos, el psiquiatra abúlico, ensimismado y escéptico, que defiende su independencia y libertad y cuenta con el prestigio que le proporciona el saber. En torno a ellos, viejas rencillas familiares, políticas e incluso religiosas.

Tras ese «empacho de realismo», en su *Don Juan* (1963) se lanza al juego imaginativo y a la confusión entre lo real y lo irreal, en una libre recreación del célebre mito, densa, eminentemente intelectual, plagada de divagaciones reflexivas y alusiones literarias, y, a la vez, lúdica.

LA SAGA/FUGA DE J. B. El intento de fundir realidad y fantasía, que no fue valorado en la novela anterior, alcanza su plenitud en *La saga/fuga de J. B.* (1972). Es la historia mítica de Castroforte del Baralla, capital de una quinta provincia gallega de tradición independentista, cuya existencia mantienen en secreto los poderes centrales y que no figura en los mapas. Entre las sorprendentes vivencias de la ciudad se cuentan las levitaciones periódicas que experimenta cuando, dejando de lado las luchas entre celtas y godos (nativos y foráneos), coinciden todos en un mismo pensamiento. Sus señas de identidad se sustentan en la esperanza mesiánica en los J. B. (esas son sus iniciales), llamados a salvarla.

La estructura de esta extensa novela es sumamente compleja. La acción se dispersa, sin seguir un orden cronológico, en diversas secuencias temporales y espaciales. Se parodia todo lo parodiable: explotación turística de las tradiciones populares, centralismo, rivalidades locales, manías y represiones eróticas, machismo... El relato se construye mediante la yuxtaposición de componentes heterogéneos, que se resisten a cualquier análisis basado en la racionalidad y la verosimilitud.

NARRACIONES ÚLTIMAS. La recreación de mundos imaginarios se prolonga en *Fragmentos de Apocalipsis* (1977) y *La isla de los jacintos cortados* (1980), que completan la «trilogía fantástica» iniciada con *La saga/fuga*.

La producción torrentina de los años noventa se define por una mayor ligereza e intrascendencia. Prevalece el tono menor, con pleno dominio del arte de contar. Discurre en el terreno del capricho histórico (*Crónica del rey pasmado*, 1989), el relato antiutópico (*Las Islas Extraordinarias*, 1991), la novela policiaca *sui generis* (*La muerte del decano*, 1992), el juego de la metaficción (*La novela de Pepe Ansúrez*, 1994), el cuento de hadas (*Doménica*, 1999)... No falta tampoco alguna vuelta esporádica a los cauces realistas: *Filomeno, a mi pesar. Memorias de un señorito descolocado* (1988).

OTROS GÉNEROS. Lo primero que escribe Torrente Ballester son piezas de teatro. En torno a los años cuarenta se dedica de lleno a esa actividad: *El viaje del joven Tobías* (1938), fantasía antirrealista; *El casamiento engañoso* (1939), auto sacramental moderno; *Lope de Aguirre* (1941), crónica histórica dramatizada; *República Barataria* (1942), «teomaquia» en la que critica de forma indirecta al régimen franquista; *Atardecer en Longwood* (1950), en torno al mito de Napoleón... No le acompaña el éxito, probablemente porque no se ajusta a las exigencias del género. Parece conceder más importancia al lenguaje, engolado y arcaizante, que al desarrollo dramático de la acción. La musa torrentina se aviene mal con el esfuerzo de síntesis que requiere este arte.

Nuestro autor cultivó ampliamente el ensayo. En esta parcela han sido apreciados en particular los libros *Literatu-*

ra española contemporánea (1898-1936) (1949), que tuvo una nueva edición titulada *Panorama de la literatura española contemporánea* (1956), y *Teatro español contemporáneo* (1957).

LA NOVELA EXISTENCIAL. Es la primera de las nuevas tendencias que se abre camino en la inmediata posguerra. Sus cultivadores se sitúan dentro de la órbita del realismo, pero, huyendo del referente tradicional, intentan enriquecerlo con nuevas técnicas, tomadas en general de la novela norteamericana de la «Generación perdida» y en particular de John Dos Passos: alternancia de diversos puntos de vista, *flashback*... Oscilan entre el subjetivismo lírico y la objetividad.

Junto a *La familia de Pascual Duarte* de CAMILO JOSÉ CELA, que puede considerarse dentro de esta corriente, la obra de mayor éxito es *Nada* (1945) de CARMEN LAFORET. Ya en estas primeras muestras se percibe la relación entre la novela existencial y el Tremendismo, manifestación expresionista y truculenta, cruda en sus contenidos, que tendrá una vida efímera.

La novela existencial contará con cultivadores como ELENA QUIROGA (1921-1995), con *Algo pasa en la calle* (1954), *La enferma* (1955), *La última corrida* (1958), *Presente profundo* (1973)...; JOSÉ LUIS CASTILLO-PUCHE (1919-2004), autor de *Con la muerte al hombro* (1954), *Como ovejas al matadero* (1971)... El mejor representante, con una amplia trayectoria posterior, es Miguel Delibes.

MIGUEL DELIBES. Nace en Valladolid en 1920. Se da a conocer cuando en 1947 obtiene el premio Nadal con *La sombra del ciprés es alargada*, su primera novela. A partir de ese momento, publica otras muchas con regularidad. En 1947 es subdirector y en 1960 director del prestigioso periódico *El Norte de Castilla*. Lee su discurso de ingreso en la Real Academia en 1975. En 1982 se le otorga el premio Príncipe de Asturias, compartido con Gonzalo Torrente Ballester, y en 1993 el Cervantes.

729

RASGOS DE SU NARRATIVA. Para Delibes la esencia de la novela consiste en el arte de contar. Muestra gran habilidad para prender a los lectores con sus certeros apuntes psicológicos y sus excelentes descripciones que, salvo en contadas excepciones, no llegan a pesar en exceso.

A esto se une un lenguaje perfectamente asequible y, no por ello, pobre ni desaliñado, con un léxico rico, preciso y variado. Su estilo evoluciona en las distintas fases de su narrativa. A partir del momento en que emprende la vía experimental, la lengua adquiere un peso mucho mayor.

Toda su obra reposa en un compromiso ético insoslayable. Entona un canto de alabanza a la vida sencilla del campo, a los seres que en él habitan; individuo y paisaje se funden en armónica unidad. Se preocupa sobre todo por su Castilla natal.

Su predilección por la vida rural no le impide acercarse al ámbito de la ciudad provinciana, que es su otra gran fuente de inspiración.

Su literatura está impregnada de pesimismo existencial, si bien es cierto que mantiene vivo un último reducto de esperanza que se nutre de su fe religiosa.

PRIMERA ETAPA: ENTRE EL REALISMO Y EL HUMOR. En sus comienzos sigue las huellas de la tradición realista. Tiende al análisis introspectivo. Inicia su andadura en la corriente de la novela existencial con *La sombra del ciprés es alargada* (1948) y *Aún es de día* (1949).

Con *El camino* (1950), delicioso cuadro humorístico de la vida de un pueblo y sus gentes, deriva hacia un realismo poético estilizado. El protagonista, Daniel el Mochuelo, evoca sus recuerdos más entrañables la noche antes de marcharse a la ciudad para estudiar el bachillerato. Lo más interesante y divertido es la caracterización de los diversos personajes, que a menudo tiene un toque caricaturesco. Otro de los muchos atractivos es la frescura del lenguaje, el sabroso estilo coloquial.

A esta etapa pertenecen otras novelas relevantes: *Mi idolatrado hijo Sisí* (1953), *Diario de un cazador* (1955) y *Diario de un emigrante* (1958).

La hoja roja (1959) describe la vida de un jubilado que es dolorosamente consciente de que se le acaba el tiempo. El patetismo de la situación no excluye algunos rasgos caricaturescos. Hay críticas al comportamiento de los círculos burgueses.

Las ratas (1962) muestra con trazos esperpénticos, en el marco de un pueblo castellano, el grado extremo de miseria en que viven el Ratero, un individuo asocial y primitivo que se dedica a cazar ratas para comérselas o venderlas, y su hijo el Nini, dotado de extraordinaria sensibilidad para la captación de los fenómenos naturales. Es un espeluznante cuadro naturalista que contrasta con la visión amable de la vida rural que ofrecía *El camino*.

SEGUNDA ETAPA: LA NOVELA EXPERIMENTAL. Siguiendo el curso de los tiempos, Delibes se incorpora a las nuevas técnicas experimentales. *Cinco horas con Mario* (1966) recoge el «diálogo» de Carmen Sotillo con el cadáver de su marido. Al rememorar los recuerdos de su vida en común, pasa revista a sus desavenencias conyugales y a los reproches que siempre hizo a Mario por su distinta concepción del mundo. No es difícil ver un álter ego del autor en este catedrático de instituto, prototipo del intelectual idealista, con una honda preocupación social. En cambio, Carmen, aunque es la única que tiene oportunidad de argumentar en favor de sus posturas, se va perfilando como prototipo de la burguesa puritana y reaccionaria, que no ve más allá de sus propios intereses.

La denuncia social, cada vez más incisiva, culmina en *Los santos inocentes* (1981), otra de sus grandes novelas. Se trata de un esperpento simbólico que saca a la luz las duras condiciones de vida de unos campesinos extremeños sometidos a un régimen semifeudal al servicio de los terratenientes. Encierra una dura crítica de las clases privilegiadas que explotan a los humildes. Es, al mismo tiempo, una obra llena de ternura, que canta la desolación de las criaturas humilladas que aceptan pacientemente su destino. Se vale de una técnica narrativa innovadora, con un inhabitual manejo de la puntuación.

731

Junto al experimento onírico de *Parábola del náufrago* (1969), el alegato antibelicista de *Las guerras de nuestros antepasados* (1975) o la decidida defensa del mundo natural de *El disputado voto del señor Cayo* (1978), nos encontramos en esta etapa con dos obras de considerable densidad: *377A, madera de héroe* (1987) —más tarde se titulará simplemente *Madera de héroe*—, una típica novela de aprendizaje en la que por vez primera Delibes aborda el tema de la guerra civil de forma directa, con una trabajada prosa que recurre a frases largas e inacabables párrafos, donde se mezclan los apuntes irónicos y el crudo testimonio de los males de España; y *El hereje* (1998), una ambiciosa narración de ambiente histórico, imaginaria pero rigurosamente documentada, que se ocupa del proceso inquisitorial y el auto de fe de que fueron víctimas en tiempos de Felipe II varios miembros de un círculo protestante vallisoletano.

EL REALISMO SOCIAL. En los años cincuenta se desarrolla una nueva corriente narrativa influida por el neorrealismo cinematográfico italiano y la novela norteamericana (objetivismo). Sus cultivadores se sienten comprometidos en la tarea de mostrar la vida española para que el lector tome conciencia de la realidad social y política.

IGNACIO ALDECOA (Vitoria, 1925-Madrid, 1969) muestra las duras condiciones de vida que soportan sus personajes. Su narrativa tiene un importante componente existencial. Pese a un deliberado propósito de distanciamiento, no renuncia a la manifestación de la subjetividad a través de las efusiones líricas y el humor. Se considera comúnmente que la faceta más apreciada de Aldecoa es la narrativa breve: *Espera de tercera clase* (1955), *Vísperas del silencio* (1955), *El corazón y otros frutos amargos* (1959), *Los pájaros de Baden-Baden* (1965)... Entre sus novelas destacan *El fulgor y la sangre* (1954), *Con el viento solano* (1956), *Gran Sol* (1957)...

JESÚS FERNÁNDEZ SANTOS (Madrid, 1926-1988) es autor de una de las novelas que se consideran punto de partida del realismo social: *Los bravos* (1954), impresionante estampa

732

de la vida de un pueblo abrumado por el caciquismo. La trama, muy simple, se construye yuxtaponiendo escenas sueltas cuyo engarce queda confiado a la mente lectora. Las cualidades de su prosa han sido muy valoradas. Otros títulos dignos de recordar son *El hombre de los santos* (1969) o *Extramuros* (1978). También nos ha dejado magníficos relatos, como los que se integran en *Cabeza rapada* (1958).

A RAFAEL SÁNCHEZ FERLOSIO (Roma, 1927) debemos la novela que se considera máximo exponente del objetivismo: *El Jarama*, ganadora del premio Nadal en 1955. La anécdota no puede ser más sencilla: un domingo de verano un grupo de jóvenes trabajadores madrileños van de excursión al río. Las escenas en las que ellos intervienen alternan con las que protagonizan los parroquianos de una taberna, a los que se suman algunos otros personajes procedentes de la capital.

Tanto los forasteros como los lugareños entablan conversaciones triviales y se enzarzan en absurdas rencillas para matar el tiempo. En esa sensación de tedio reside el conflicto socio-existencial que plantea la novela. De pronto, en medio de la atonía del ambiente dominguero, irrumpe de forma brutal la tragedia con la inesperada muerte de una de las chicas.

Dentro de su sencillez, la obra denota una singular perfección técnica. Sin la intervención del narrador, el diálogo vivo y las actitudes de los personajes permiten trazar con mano maestra su perfil psicológico.

A la hora de plasmar el entorno, dentro de los postulados del realismo social, nos encontramos también con un enfoque más intimista, representado por CARMEN MARTÍN GAITE (Salamanca, 1925-Madrid, 2000), con *Entre visillos* (1958), reflejo de la atmósfera sofocante de una capital provinciana, que va mostrando retazos de vidas, todas ellas insatisfechas, *Ritmo lento* (1962), *Retahílas* (1974), *Fragmentos de interior* (1976), *El cuarto de atrás* (1978), *Nubosidad variable* (1992)…

ANA MARÍA MATUTE (Barcelona, 1926) produce una narrativa de sello muy personal, en la que dominan las tonali-

733

dades trágicas y sombrías. Aunque refleja las cuestiones sociales, le interesa sobre todo penetrar en los entresijos de la intimidad: *Pequeño teatro* (1954), *Los Abel* (1948), *Fiesta al Noroeste* (1953), *Primera memoria* (1960)... Buena parte de su obra pertenece a la modalidad de narrativa breve, que muchos han valorado por encima de las novelas. Sus relatos tienen una impronta poemática. Se interesa particularmente por los niños, hacia los que muestra una ternura y una comprensión sin límites. La mejor de sus colecciones es *Algunos muchachos* (1968).

A diferencia de estos narradores objetivistas, otros conforman una corriente crítica cuya intención es la denuncia de las injusticias y desigualdades sociales. Su interés se centra, claro está, en los colectivos más castigados: obreros, campesinos, mineros, habitantes de los suburbios...

El nombre de JUAN GARCÍA HORTELANO (Madrid, 1928-1992) va siempre ligado a la «novela de la abulia», protagonizada por la burguesía despreocupada e insatisfecha que, atenta solo a sus diversiones, se hunde en el tedio sin ideales ni principios éticos. En sus primeras novelas, *Nuevas amistades* (1959) y *Tormenta de verano* (1962), se sirve de una técnica conductista. Con *El gran momento de Mary Tribune* (1972) abre paso al humor y al subjetivismo y nos ofrece una imagen satírica y caricaturesca de la realidad.

JUAN GOYTISOLO (Barcelona, 1931), después de una primera fase que se ha definido como «realismo poético» (*Juegos de manos*, 1954; *Duelo en el Paraíso*, 1955), en su trilogía *El mañana efímero* (*El circo*, 1957; *Fiestas*, 1958; *La resaca*, 1958) adopta una postura decididamente satírica, recurriendo también a técnicas objetivistas. En *Para vivir aquí* (1960) se lanza a la crítica de las clases acomodadas, actitud que ya preludiaba *La resaca*. En esa misma línea se sitúa *La isla* (1961).

Con *Señas de identidad* (1966), primera entrega de la trilogía protagonizada por su álter ego Álvaro Mendiola, da un giro decisivo a su carrera; se completa con *Reivindicación del conde don Julián* (1970) y *Juan sin tierra* (1975). El tema clave va a ser ahora la desmitificación de España. Dentro de una orientación subjetiva, entra en una fase experimental, cada vez más arriesgada, en que recurre al discurso caótico, la fragmentación del relato, la combinación de diversas voces narrativas, la trasgresión de las normas de puntuación... En un permanente afán de destrucción, su obra deriva hacia un progresivo hermetismo: *Makbara* (1980), *Paisajes después de la batalla* (1982)...

Quedan en el tintero obras no menos valiosas y representativas como *Central eléctrica* (1958) de JESÚS LÓPEZ PACHECO, *La piqueta* (1959) de ANTONIO FERRES, *La mina* (1960) de ARMANDO LÓPEZ SALINAS, *Dos días de setiembre* (1961) de JOSÉ MANUEL CABALLERO BONALD, *La zanja* (1961) de ALFONSO GROSSO, *La noche más caliente* (1965) de DANIEL SUEIRO... También esos autores derivarán hacia la experimentación. Buena muestra de ello son *Corte de corteza* (1969) de Sueiro, *Guarnición de silla* (1970) de Grosso, *Ágata ojo de gato* (1974) de Caballero Bonald...

LA TARDÍA APARICIÓN DE LA NUEVA NOVELA: *TIEMPO DE SILENCIO*. En 1962, LUIS MARTÍN-SANTOS (Larache, Marruecos, 1924-Vitoria, 1964) dio a la luz *Tiempo de silencio*. Con esta novela llegaban a España las modernas técnicas narrativas cuyo modelo es William Faulkner. La revolución que supuso solo puede explicarse por el aislamiento y el atraso en que se encontraba la literatura española durante la etapa franquista.

El argumento folletinesco nos permite acercarnos a la historia de un antihéroe, un médico que ve truncada su carrera y su vida personal porque asiste a una muchacha a la que han practicado un aborto y no puede salvarla; ignora que ya estaba muerta cuando la atendió. Aunque acaba reconociéndose su inocencia, pierde la beca y es expulsado del laboratorio en que desarrolla sus investigaciones sobre el cáncer. Como remate, Cartucho, amante de la difunta, creyendo que el médico es responsable del embarazo, mata a su novia Dorita para vengarse de él. Es un final amargo que subraya el fracaso y la soledad del protagonista.

La acción nos traslada al mundo degradado y esperpéntico de las chabolas madrileñas, en el que vive un individuo como el Muecas, que deja embarazada a su propia hija y luego la obliga a abortar. Tras los sarcasmos, aflora una cruda realidad: un régimen brutal de relaciones de poder, una promiscuidad incestuosa, unas condiciones de vida infrahumanas... También entramos en contacto con otros ambientes: el laboratorio oficial, la pensión en que vive el protagonista, la clase alta, con su banalidad disfrazada de cultura. El panorama se completa con la pintura degradante de la intelectualidad que frecuenta el café Gijón. Encierra en su conjunto una desoladora visión de la vida española.

La trama no discurre de forma continua; hay síncopas, saltos, vueltas atrás... Incorpora un lenguaje nuevo, irónicamente cultista, plagado de reminiscencias literarias y de tecnicismos, en contraste con los giros y expresiones populares que también aparecen. Un tono paródico, burlesco, cínico y dolorido campea por esta obra. Toda ella está impregnada de un humorismo negro, inmisericorde, macabro a ratos, que es expresión de la desesperanza.

A su muerte, Martín-Santos dejó una novela inconclusa (*Tiempo de destrucción*, 1975) y varios cuentos y ensayos (*Apólogos y otras prosas inéditas*, 1970).

JUAN MARSÉ (Barcelona, 1933). Se dedica a retratar a la sociedad barcelonesa de la posguerra, desde una actitud crítica e irónica. Su mundo ficticio, repleto de alusiones autobiográficas, se desarrolla en las calles y plazas en que trascurrió su infancia y adolescencia. Es un extraordinario fabulador, un contador de historias, de «aventis», según su propia terminología. Sus primeras novelas (*Encerrados con un solo juguete*, 1960; *Esta cara de la luna*, 1962), aunque adscritas al realismo crítico, se distancian de esta corriente por su enfoque intimista. Tampoco se acogen al objetivismo. Vienen a coincidir en el tema del enfrentamiento generacional y en el empleo de técnicas tradicionales.

Con *Últimas tardes con Teresa* (1966) Marsé da un paso gigantesco y se sitúa en primera línea de su promoción. Supone un giro hacia la renovación formal, sin renunciar a los planteamientos sociales de su narrativa. Hace acopio de toda su ironía para contar los amores frustrados de Manolo, «el Pijoaparte», un maleante de suburbio, que se dedica a robar motos e intenta acercarse a los ricos para aprovecharse de ellos, y Teresa, una estudiante progre de la alta burguesía catalana. Recurriendo con singular maestría y sin excesos a las técnicas entonces en boga, construye un entramado narrativo del que se desprende un pesimismo radical a la hora de considerar la distancia que separa a las distintas clases sociales.

Llega luego a las más altas cotas de experimentación en *Si te dicen que caí* (1973), basada en la multiplicidad de voces, la mezcla de episodios, el juego con planos cronológicos distintos... Nos sitúa, como en otras muchas ocasiones, en el barrio del Guinardó para mostrar la corrupción de la Barcelona de la posguerra. Los contenidos de siempre se trasmiten con un grado de complicación técnica que se nos antoja excesivo. Sin abandonar el mundo narrativo que le es propio, lejos ya de las filigranas formales, alcanzará otra vez momentos afortunados en *Un día volveré* (1982), *Ronda del Guinardó* (1984), *El embrujo de Shanghai* (1993), *Rabos de lagartija* (2000)...

OTROS NARRADORES EXPERIMENTALES. Siguiendo la ruta marcada por *Tiempo de silencio*, muchos novelistas sociales se incorporan a la corriente experimental. En cambio, la obra de otros discurre siempre por los cauces innovadores.

JUAN BENET (Madrid, 1927-1993) hace del estilo la piedra de toque de su literatura, que se define por el barroquismo y el hermetismo. Sus laberínticas novelas faulknerianas, de interminables párrafos cuajados de prolijos incisos y de complicaciones sintácticas, aunque impecablemente construidos, son una trasgresión permanente a las normas del discurso convencional. Buena parte de su obra se sitúa en el espacio ficticio de Región, símbolo de decrepitud, ruina y decadencia: *Volverás a Región* (1967), *Una meditación* (1970), *Un viaje de invierno* (1972)...

GONZALO SUÁREZ (Oviedo, 1934) se dedica al cuento fantástico, permanentemente regido por la sorpresa: *De cuerpo presente* (1963), *Trece veces trece* (1964)... También cultiva, con menos fortuna, la novela extensa: *Rocabruno bate a Ditirambo* (1966), *Operación «Doble Dos»* (1974)...

FRANCISCO UMBRAL (Madrid, 1935-2007) se sale de los estrechos límites de los géneros literarios. Sus novelas tienen una dimensión meditativa que las aproxima al ensayo. Se basan en el ejercicio de la memoria personal, indisolublemente ligada a la colectiva. Ha sabido crear una sólida construcción lingüística, brillante y artificiosa, animada por su pasión neologística y por una sugerente imaginería que opera con asociaciones surreales. Su prosa se decanta hacia el lirismo, pero da cabida también, dentro de una esencial subjetividad, a la ironía, el sarcasmo, las tonalidades críticas, esperpénticas, degradadoras... Entre sus novelas, que no siempre se distinguen bien de los diarios, memorias o crónicas, cabe destacar *Travesía de Madrid* (1966), *El Giocondo* (1970), *Memorias de un niño de derechas* (1972), *Mortal y rosa* (1975), *Las ninfas* (1976), *Las señoritas de Aviñón* (1995)... Obtiene el premio Cervantes del año 2000.

Quedan por citar otras muchas obras: *Cinco variaciones* (1963) de ANTONIO MARTÍNEZ MENCHÉN, *Moira estuvo aquí* (1971) de JESÚS TORBADO, *El rito* (1973) de JOSÉ ANTONIO GARCÍA BLÁZQUEZ, *Escuela de mandarines* (1974) de MIGUEL ESPINOSA, *Eterna memoria* (1975) de RAMÓN HERNÁNDEZ...

7.9.11. EL ENSAYO

Lo mejor y más vivo del ensayo en lengua española se debe a artistas y creadores a los que hemos aludido al tratar de otros géneros: Borges, Uslar Pietri, Francisco Ayala, Icaza, Octavio Paz, Vargas Llosa, Cortázar, Carlos Fuentes... Existen, sin embargo, numerosos autores especializados en este género discursivo que merecen, al menos, un recuerdo en esta *Historia esencial.*

LOS DISCÍPULOS DE ORTEGA Y GASSET. Pensadores en sentido estricto fueron los muchos discípulos que dejó Ortega a uno y otro lado del Atlántico. No pocos de ellos, nacidos en España, tuvieron que buscar asilo, tras la guerra civil, en tierras americanas. Este es el caso de JOSÉ GAOS (1900-1969), que consagró parte de sus esfuerzos a la historia de la filosofía, en especial a *El pensamiento en lengua española* (1947) y a su maestro: *Sobre Ortega y Gasset y otros trabajos de historia de las ideas en España y la América española* (1957). También en el exilio desarrolló su obra MARÍA ZAMBRANO (1904-1991), de la que destacaremos su *España, sueño y verdad* (1965).

En España quedaron el metafísico XABIER ZUBIRI (1898-1983), autor de *Naturaleza, Historia, Dios* (1944), y los discípulos más jóvenes: JOSÉ LUIS L. ARANGUREN (1909-1996) y JULIÁN MARÍAS (1914-2005).

LA REFLEXIÓN SOBRE AMÉRICA. El tema obsesivo de la identidad y sentido de Hispanoamérica continuó en los años 1940-1970. El crítico literario peruano LUIS ALBERTO SÁNCHEZ (1900-1994) se preguntaba en 1945: *¿Existe América Latina?* La respuesta más auténtica probablemente haya que buscarla en la amplia obra de este ensayista: *Proceso y contenido de la novela hispanoamericana* (1953), *Vida y pasión de la cultura americana* (1935), *Historia comparada de las literaturas americanas* (1973-1976).

También ha profundizado en esta realidad cultural el historiador colombiano GERMÁN ARCINIEGAS (1900) con *América, tierra firme* (1937), *El pensamiento de América* (1945), *Biografía del Caribe* (1946), *El revés de la historia* (1980)...

El mexicano MIGUEL LEÓN-PORTILLA ha estudiado la América precolombina: *La visión de los vencidos* (1959), *La filosofía náhuatl* (1959), *Trece poetas del mundo azteca* (1967)...

739

Los estudios sobre el folclore afroantillano han tenido continuación en la obra de Lydia Cabrera (1900): *Cuentos negros en Cuba* (1940).

El mexicano Leopoldo Zea (1912) se ha interesado por la historia de la filosofía en su país y su continente (*El positivismo en México*, 1943; *Pensamiento latinoamericano*, 1976) y por el viejo problema de la inserción hispanoamericana en la cultura occidental: *América como conciencia* (1953), *América en la historia* (1957), *Latinoamérica en la encrucijada de la historia* (1981)...

El dictamen pesimista sobre estas interrogaciones aflora en obras como *El pecado original de América* (1954) del argentino Héctor A. Murena (1923-1975) o *Lima la horrible* (1964) del peruano Sebastián Salazar Bondy (1924-1965).

7.10. EL TEATRO CONTEMPORÁNEO

7.10.1. La vida teatral

La decadencia del teatro. Tras la crisis de los años treinta, que dura hasta el fin de la II Guerra Mundial en 1945, el teatro pierde definitivamente su estatuto de espectáculo popular que se sostiene del dinero del público. Son muchas las causas que concurren en este fenómeno. La más importante es, sin duda, la entronización del cine como arte para las masas. En los años cuarenta y cincuenta la industria cinematográfica estadounidense vive una auténtica edad de oro. Tras el éxito de su etapa de experimentación y balbuceos en tiempos de las Vanguardias, tras la incorporación de la voz a las cintas, el cine se adueña de la imaginación popular y arrincona al teatro. Poco después aparecerá la televisión, otro «enemigo» con el que la escena no puede competir.

También los cambios en la vida de la clase media ciudadana, que empieza a disponer de un automóvil para las excursiones del fin de semana, dejan al teatro sin público.

Por si estos elementos externos no bastaran para acabar con la más vigorosa de las tradiciones escénicas, se suman otros varios de índole interna: la censura y otras formas de persecución política al mundo de las tablas, la crítica inmisericorde de las convenciones teatrales heredadas (el teatro burgués, el único existente, ha sido vapuleado por una intelectualidad iconoclasta), el incremento de los costes de producción (para emular la brillantez cinematográfica y para refutar las acusaciones de vulgaridad y adocenamiento)...

El resultado ha sido catastrófico (quizá inevitable) para la vida teatral. Cuando las historias nos hablan —y nosotros también vamos a hacerlo— de la creación de grupos vocacionales e institutos públicos que pretenden la renovación escénica, en realidad se trata de ocultar el fin del teatro como espectáculo que interesaba y divertía a amplios sectores de la sociedad y su reducción a la condición de museo o de juego para intelectuales y entendidos.

En treinta años, de 1940 a 1970, a pesar del vertiginoso crecimiento de las ciudades, la infraestructura teatral (salas, empresas, profesionales...) disminuye considerablemente en todo el mundo occidental y de una manera aún más acusada y llamativa en los países de lengua española. Muchos locales son destruidos por la especulación inmobiliaria o se trasforman en salas cinematográficas. Tanto Madrid como Barcelona o Buenos Aires llegan a los años setenta con menos escenarios de los que tenían a principios de siglo. Quizá México, que disponía de una muy débil infraestructura, sea una aparente excepción a esta regla. Decimos «aparente» porque los teatros que sobreviven deberían atender a una población muy superior y, además, están subvencionados.

En las ciudades medias desaparecen por completo las representaciones o quedan reducidas a una muestra simbólica que ya no cuenta con el calor del público.

Claro está que la literatura dramática se trasvasa en parte a los guiones cinematográficos. Pero hay tres graves inconvenientes para incluir en esta *Historia esencial de la literatura...* ese nuevo género: 1) el guion de cine, junto a lo literario, contiene muchas indicaciones puramente técnicas que le restan autonomía e impiden disfrutar de él como mero arte de la palabra; 2) la mayoría nunca llegan a editarse y, en consecuencia, son difícilmente accesibles; 3) no existen monografías solventes que nos guíen en su estudio. A esto podría añadirse que, con las excepciones de rigor, no es el cine hispano el que triunfa en la posguerra, sino el de Estados Unidos, que acapara por completo los públicos y llena todas las salas.

Desde la conciencia clara del estado marginal en que quedó el teatro, no es malo recordar algunas iniciativas vivificadoras.

LA VIDA TEATRAL ESPAÑOLA. En 1940 se crearon los teatros nacionales, ubicados en el Español y en el María Guerrero, ambos en Madrid, encargados de ofrecer al público los grandes textos clásicos y contemporáneos. Cabe destacar la labor ejemplar de José Luis Alonso, que regentó durante muchos años el María Guerrero, y fue uno de los directores con mejor sentido del ritmo y la medida que ha dado España.

Más tarde surgieron el «Teatro nacional de cámara y ensayo», en el teatro Beatriz, y el teatro nacional de Barcelona, que recibió varios nombres en su accidentada vida (Calderón de la Barca, Ángel Guimerá, Moratín).

Paralelamente, José Tamayo fundó en 1942 la compañía Lope de Vega, con fines parecidos a los señalados para los teatros nacionales.

El teatro estudiantil se quiso canalizar a través del TEU («Teatro español universitario»), del que nacieron algunas experiencias de interés como el «Teatro popular universitario», dirigido por Gustavo Pérez Puig, al que se debe el estreno de algunos textos emblemáticos de la moderna dramaturgia nacional.

A finales de los años sesenta el teatro universitario derivó hacia el llamado «teatro independiente», comprometido políticamente contra el franquismo, volcado hacia la experimentación formal, deseoso de romper con la tradición. De él surgieron muchos de los actores, directores y autores que hoy conforman la escena española: Miguel Narros, José Carlos Plaza, Ángel Facio, Salvador Távora, José Luis Alonso de Santos, Fermín Cabal, Lluís Pasqual...

También hubo actores profesionales que, dentro del teatro comercial, alentaron esta renovación: Adolfo Marsillach, Nuria Espert...

LA VIDA TEATRAL EN EL CONO SUR. No difiere en lo sustancial la trayectoria de la vida escénica argentina. Los teatros oficiales, que habían desarrollado un papel renovador entre 1936 y 1943, con directores cono Antonio Cunill Cabanellas, Armando Discépolo, Elías Alippi y otros, se paralizan con la llegada del peronismo. Sin embargo, las compañías nacionales mantienen cierta vitalidad. La española Margarita Xirgu estrena en el Avenida *La casa de Bernarda Alba* de García Lorca y Lola Membrives continúa su actividad contando con el gusto de un público amplio y heterogéneo.

El teatro independiente surge a partir de las experiencias de los años treinta. «La máscara» estrena la pieza más significativa de la época: *El puente* (1949) de Carlos Gorostiza, que pasa rápidamente al teatro profesional.

De «La máscara» se desgaja «Nuevo teatro» (1949-1970), que ofrece textos de Strindberg, Brecht, Gorki, Anouilh... y mantiene una escuela de la que salen actores como Héctor Alterio. Otras iniciativas similares son el «Instituto de arte moderno», dirigido por Marcelo Lavalle, la «Organización latinoamericana de teatro», de Alberto Rodríguez Muñoz, o el «Teatro popular Fray Mocho», de Óscar Ferrigno... De este tipo de grupos surge un excelente plantel de actores y directores que han alcanzado relieve internacional: Víctor García, Jorge Lavelli, Marilina Ross, Cype Lincovsky... Los golpes de estado que se suceden en los años sesenta y que, con paréntesis, llegan hasta 1983, cortan esta actividad, obligan al exilio a muchos profesionales y reducen de forma drástica la vida teatral argentina. A finales del siglo trata de recuperar, con dificultad, el ritmo perdido.

En Uruguay, desde la creación del «Teatro del pueblo», distinto del argentino al que aludíamos en 7.5.1, existió un teatro independiente vigoroso al que se unió la creación de la «Comedia nacional del Uruguay» (1947), que contó con el magisterio de Margarita Xirgu. Esta actriz española estuvo en Chile, donde el también exiliado español José Ricardo Morales, el chileno Pedro de la Barra y otros dieron impulso al teatro universitario con la creación del «Instituto de teatro de la Universidad de Chile». De estas experiencias surgieron otras y todas sufrieron un duro revés con las dictaduras militares que se impusieron a finales de los años sesenta y principios de los setenta.

La vida teatral mexicana y de otros países. En México, la experimentación *amateur* de la etapa anterior se oficializa al fundarse el «Instituto nacional de Bellas Artes» (1946), con Salvador Novo al frente; pero sigue también el teatro independiente con el grupo «Caracol» (1949) y con la creación del «Teatro estudiantil autónomo» (1945), dirigido por Xavier Rojas. Después Carlos Solórzano se incorpora al equipo teatral de la Universidad Nacional Autónoma de México e introduce el teatro del absurdo y el teatro pánico, de la mano de Alejandro Jodorowski. Héctor Azar y Héctor Mendoza continúan con esa labor.

En la actualización del teatro mexicano han influido un grupo de directores y maestros extranjeros, entre los que destacan Seki Sano, Fernando Wagner, André Moreau y Charles Rooner.

Junto al teatro universitario, atento a los grandes clásicos y a la Vanguardia europea y norteamericana, surge otro de raíces indígenas y campesinas que culminará en 1983 en el «Laboratorio de teatro campesino e indígena».

La misma tendencia se observa en los demás países: teatro oficial por un lado y teatro experimental por otro, con puentes que en ocasiones los unen. En Venezuela el Ateneo de Caracas, que impulsa las actividades dramáticas desde 1931, da origen al grupo más conocido de este país: «Rajatabla» (1971), dirigido por Carlos Giménez.

En Puerto Rico nacen grupos como «Areyto», dirigido por Francisco Arriví, o «Teatro del Casino», bajo la dirección de Emilio S. Belaval, junto a la actividad del Ateneo y otras entidades. Este impulso se concreta en la creación del «Festival de teatro puertorriqueño» (a partir de 1958), que será un escaparate de la actividad dramática del país. La estabilidad política y el desarrollo económico han permitido que en la actualidad los cuatro millones de puertorriqueños disfruten de un par de decenas de salas y cinco compañías subvencionadas.

En Cuba, a la aparición del «Teatro cubano de selección» (1938), animado por Paco Alfonso, y la creación de una Academia de Artes Dramáticas (1940) y del Patronato del Teatro (1941), se añade la formación del «Teatro popular», también dirigido por Paco Alfonso, que representa una postura izquierdista, que se integrará en la revolución de 1958. El régimen castrista impulsará y controlará un teatro al servicio de la nueva ideología, entre el realismo socialista y las parábolas brechtianas.

De la misma forma, en Colombia se crean las primeras escuelas dramáticas en los años cincuenta. A la de Bogotá se incorpora Víctor Mallarino y a la de Cali, Enrique Buenaventura. A este último se debe la creación del «Teatro experimental de Cali», el grupo de mayor proyección internacional.

Por no alargar los ejemplos, sinteticemos que el teatro deja de ser un negocio dirigido a un público amplio y se refugia en el ámbito académico; las compañías profesionales se sustituyen por grupos vocacionales; la representación regular, por experimentos para minorías. Con ello se arrinconan cierto adocenamiento y vulgaridad procedentes del siglo XIX; pero un poderoso medio de expresión y comunicación se trasforma en un ejercicio voluntarista que gira en el vacío.

7.10.2. LA LITERATURA DRAMÁTICA EN ESPAÑA

Después de la guerra civil, hay una década de actividad mortecina y rutinaria inducida por la penuria económica y la

745

dureza del control político. Al final de la misma, empieza a percibirse cierta normalización, de la que es símbolo el premio Lope de Vega de 1949, concedido a *Historia de una escalera* de Antonio Buero Vallejo. Tras el amordazamiento posbélico, se puede volver a hablar, tímidamente y de forma indirecta, de los problemas que preocupan a la sociedad. A ello se debe el éxito de *La muralla* (1954) de JOAQUÍN CALVO SOTELO (La Coruña, 1905-Madrid, 1993), que ofrece una certera radiografía de la sociedad burguesa salida de la guerra y enriquecida gracias a ella. Plantea el conflicto de conciencia del protagonista, que se ha apoderado de los bienes de un fusilado y trata de restituirlos a los herederos. Su familia se opone a tanta pureza moral. El entusiasmo que despertó este drama de tesis se debe, entre otras razones, a que en cada pueblo de España existían casos similares que el público identificaba.

ANTONIO BUERO VALLEJO (Guadalajara, 1916-Madrid, 2000). Estudió bellas artes y se dedicó a la pintura, afición que ha dejado honda huella en su obra dramática. Al acabar la guerra fue condenado a muerte y sufrió el internamiento en los campos de concentración y las cárceles franquistas. El éxito de *Historia de una escalera* le permitió dedicarse enteramente al teatro. Es uno de los escasos dramaturgos de calidad literaria que estrenó con regularidad a lo largo de medio siglo. Se le concedió el premio Cervantes en 1986.

Su teatro, de raigambre existencialista, se atiene en lo fundamental a las técnicas del realismo psicológico. Retrata caracteres complejos, problemáticos, con la variedad de matices y contradicciones que vemos en el ser humano. Pero no se limita a bucear en las intimidades: sus piezas suelen tener también alcance social. Es un teatro que mueve a la reflexión.

En su intento de conseguir la identificación de los espectadores con el personaje, ha utilizado una técnica que Ricardo Doménech denominó «efecto de inmersión». Consiste en presentar la realidad tal como aquel la percibe. Así, por ejemplo, en *El sueño de la razón*, como Goya es sordo, hay escenas en que no oímos nada, solo vemos gestos. Es el proceso justamente contrario al distanciamiento brechtiano.

El mundo trágico de Buero está fundado en la esperanza. Siempre deja una puerta abierta para el ser humano, capaz de vencer las adversidades con su esfuerzo. Como tema obsesivo aparece la búsqueda de la verdad profunda, la liberación de las viejas cargas que el hombre lleva sobre su conciencia y lo torturan.

Sus dramas revelan un considerable dominio de los recursos teatrales. Su prosa es precisa y correcta, sin adornos superfluos, densamente poética, aunque sin lirismos impertinentes.

Dentro de la obra de Buero pueden distinguirse varias modalidades. Por un lado, están los dramas contemporáneos. En sus sainetes trágicos ofrece una reproducción realista del Madrid de nuestro siglo. La pintura costumbrista, el lenguaje coloquial y los tipos pintorescos propios del sainete se funden con la visión trágica. El ejemplo más afortunado es *Historia de una escalera*, escrita en 1947 y estrenada en 1949, cuya acción se sitúa en una casa de vecinos. Con maestría técnica admirable el autor dibuja la vida de cuatro familias a lo largo de treinta años. El elemento dramático capital es la frustración colectiva, el fracaso de los intentos de los personajes por salir de esa vida sórdida. En la misma dirección discurre *Hoy es fiesta* (1956).

La mayor parte de los dramas contemporáneos bucean en las raíces del comportamiento humano de forma más exenta, desvinculados de la realidad inmediata. En ellos se dan en estado puro los ingredientes de la tragedia. Buena muestra es *El tragaluz* (1967), una de las piezas más elaboradas y representativas, tejida en torno a la insolidaridad de un personaje y las consecuencias que de ella derivan para su familia, con el recuerdo de la guerra civil al fondo y la actualización del mito cainita en el enfrentamiento de dos hermanos. Otros muchos títulos son dignos de recordarse: *En la ardiente oscuridad* (1950), *Madrugada* (1953), *La doble historia del doctor Valmy* (1967; se estrenó en Chester en 1968 y en España en 1976), *La fundación* (1974)…

Se incluyen también en ese apartado los dramas de la democracia, en los que los planteamientos políticos más o menos abstractos y atemporales se concretan en torno a una coyuntura muy claramente definida; reaparece a veces el fantasma de la lucha antifranquista: *Jueces en la noche* (1979), *Caimán* (1981), *Diálogo secreto* (1984), *Lázaro en el laberinto* (1986), *Música cercana* (1989)...

Aunque todas las obras de Buero son una reflexión crítica sobre la vida contemporánea, a veces recurre al drama histórico para inducirnos a ella. No es un teatro didáctico al modo brechtiano. El fin primordial no reside en decirnos lo que debemos hacer, sino en plantear una situación conflictiva y trágica e invitarnos a adoptar una actitud moral ante ella. *Un soñador para un pueblo* (1958) trata del fracaso de los intentos de reforma del marqués de Esquilache, bajo el reinado de Carlos III. En *Las Meninas* (1960) se presenta a Velázquez como un defensor de la libertad acosado por las intrigas mezquinas que tratan de indisponerlo con el rey. *El concierto de San Ovidio* (1962), en el marco del siglo XVIII francés, está protagonizada por un grupo de ciegos a quienes un comerciante contrata para tocar en una orquestina, haciéndoles objeto de escarnio. Encierra una reivindicación de la dignidad humana, una denuncia de la instrumentalización de los individuos al servicio del interés económico de otros. *El sueño de la razón* (1970) es también un alegato contra los atropellos y el desprecio de los derechos de la persona. Refleja el terror político que se desencadena durante el reinado de Fernando VII, del que es víctima un Goya al que la sordera y el estado senil recluyen en un mundo poblado de temores y alucinaciones. *La detonación* (1977) reconstruye el drama personal de Larra. Pasa revista a los acontecimientos cruciales de su vida, que se despliegan en su mente, momentos antes de suicidarse. También refleja la convulsa realidad española, marcada por el enfrentamiento político.

LA COMEDIA. En los años cincuenta un grupo de autores cultivan un teatro intrascendente, burgués, en el que dominan los problemas de alcoba, que se resuelven por la vía del humor leve que no va más allá de la sonrisa.

EDGAR NEVILLE (Madrid, 1899-1967) se vincula en un primer momento al humor ingenioso de la Vanguardia con su novela *Don Clorato de Potasa* (1925). En la posguerra escribe excelentes cuentos humorísticos: *Frente de Madrid* (1941), *Torito bravo* (1955) y *El día más largo de monsieur Marcelo* (1965). Es director y guionista cinematográfico. El éxito de *El baile* (1952) le impulsa a dedicarse intensamente a la dramaturgia. Se trata de una comedia singular, de mecánica perfecta. Con ella fija lo que será su modelo característico: teatro sentimental, íntimo, ajeno a los problemas políticos, escéptico, irónico, elegante, crítico con los tópicos del lenguaje. También es digna de destacarse *La vida en un hilo* (1959).

En una dirección similar se mueven JOSÉ LÓPEZ RUBIO (1903-1996), autor de *Celos del aire* (1950), y VÍCTOR RUIZ IRIARTE (1912-1982), con *El landó de seis caballos* (1950).

ALFONSO PASO (Madrid, 1926-1978), autor fecundísimo, que durante los años sesenta copará prácticamente todos los teatros madrileños, maneja con soltura la carpintería escénica y no carece de vis cómica. Su indudable talento se ve lastrado por los prejuicios ideológicos y la excesiva sumisión al público que le aplaude. Aun así, entre su amplia y desigual producción hay algunos textos logrados: *Los pobrecitos* (1957), *El canto de la cigarra* (1958), *Usted puede ser un asesino* (1958), *Cuidado con las personas formales* (1960), *Al final de la cuerda* (1962)...

MIGUEL MIHURA: EL HUMOR ABSURDO. Miguel Mihura (Madrid, 1905-1977) estuvo ligado ya en la infancia al mundo del teatro. Desde su juventud colaboró en revistas de humor con cuentos y dibujos. Durante la guerra dirigió *La ametralladora*, una publicación que oscilaba entre la propaganda al servicio de los sublevados y el humor surreal y absurdo. En 1941 fundó *La codorniz*, revista con la que triunfó y popularizó el nuevo humor.

749

Con anterioridad, en 1932, había escrito una pieza teatral, *Tres sombreros de copa*, que no encontró empresario ni compañía dispuestos a representarla. A pesar de que el autor no se proponía romper con los moldes establecidos, la comedia era extremadamente original y novedosa: un fruto involuntario del arte de Vanguardia. El estreno, por un grupo estudiantil, no se produjo hasta 1952, cuando *La codorniz* había preparado al público para entender el humorismo absurdo. La obra, que se atiene a las unidades de lugar y tiempo, presenta a Dionisio, un joven funcionario provinciano, que pasa su última noche de soltero en un hotelucho donde traba amistad con una compañía de artistas. Siente que se derrumban los principios burgueses que han regido su monótona existencia y quiere huir de ella, pero es demasiado tarde. Sorprende la irrupción del absurdo en las situaciones y en el lenguaje. Por debajo de los vistosos juegos de artificio, asoma el fracaso vital de un individuo que por un momento ve la felicidad al alcance de la mano, pero los engranajes de un mecanismo social represivo le obligan a seguir un camino no deseado.

El tema de *Tres sombreros de copa*, el amor a la libertad, el tímido intento de luchar contra las imposiciones sociales, y su humor lírico y descabellado reaparecen en el resto de su producción, aunque atemperados y ajustados a las convenciones que admitía el teatro comercial de los años 50 y 60.

Particularmente lograda resulta *Maribel y la extraña familia* (1959), donde vemos cómo unas divertidas viejecitas convierten a una chica de alterne en la más hogareña de las mujeres. También merecen recordarse *Ni pobre ni rico, sino todo lo contrario* (en colaboración con Antonio Lara, *Tono*), *El señor vestido de violeta, Sublime decisión, Melocotón en almíbar, Carlota, A media luz los tres, El caso de la mujer asesinadita* (en colaboración con Álvaro de Laiglesia), *Ninette y un señor de Murcia, Ninette, modas de París*…

En 1927-1933, años de su brillante colaboración gráfica y literaria en la revista *Gutiérrez*, Mihura escribió buen número de relatos muy breves que, por su extremada originalidad, son un claro precedente de lo que luego se llamaría «humor codornicesco»: *Ocho hijos noruegos, Realmente yo no sé si es usted un niño o es usted una niña, Una nariz desagradecida, Torero con toro propio...*

ALFONSO SASTRE Y LA «GENERACIÓN REALISTA». Aunque no puedan considerarse discípulos de Buero Vallejo (no hay un magisterio claro), un interesante conjunto de dramaturgos comparten con él algunos supuestos y tendencias.

ALFONSO SASTRE (Madrid, 1926) es un hombre de teatro, promotor de empresas como las que llevaron a la formación de «Arte nuevo», «Teatro de agitación social» y «Grupo de teatro realista». Es, además, un teórico del teatro y la literatura que ha defendido siempre el compromiso del arte con la realidad social. Obras capitales en ese campo son *Drama y sociedad* (1956), *Anatomía del realismo* (1965; ed. ampliada, 1974) y *La revolución y la crítica de la cultura* (1970). Ha traducido y adaptado numerosos textos clásicos y modernos.

Su evolución dramática es paralela a la ideológica, que le lleva desde el rechazo inconformista de la sociedad burguesa a la militancia revolucionaria.

La rebeldía contra la injusticia y la tiranía, con mezcla de existencialismo, son el alma de las obras de su primera etapa: *Escuadra hacia la muerte* (1953), *El pan de todos* (1952-1953; estr., 1957), *La mordaza* (1953-1954), *La tierra roja* (1954), *Muerte en el barrio* (1955), *Guillermo Tell tiene los ojos tristes* (1955), *La cornada* (1959), *En la red* (1959)...

A partir de 1962, supera las limitaciones de la tragedia neoaristotélica y evoluciona hacia una concepción brechtiana; es lo que él llama «tragedia compleja», fusión de esperpento y drama épico. La estructura se fragmenta en cuadros independientes, con una conexión más ideológica que argumental. Se abre esta etapa con *M. S. V. (o La sangre y la ceniza),* de 1962-1965, que no se estrenó hasta 1976. Aplica un tratamiento esperpéntico a una materia tradicionalmente trágica, como es el proceso inquisitorial que llevó a la hoguera a Miguel Servet. El fruto más granado de esta nueva concepción es *La taberna fan-*

tástica (1966; estr., 1985). Centra su interés en la figura del quinqui y sus circunstancias, su agresividad y su marginación, en un espectáculo que fusiona lo trágico y lo esperpéntico.

Tres rasgos identifican a los autores de la llamada «Generación realista»: la voluntad de llevar al tablado la sociedad de su tiempo; la crítica de las condiciones en que se desarrolla la vida de los españoles, y la denuncia, a veces virulenta, de la injusticia, la hipocresía y otras lacras sociales. Estos planteamientos buscan su expresión en dramas que se ajustan a los moldes realistas, en los que encontramos personajes trazados con cierta coherencia y complejidad psicológica, acontecimientos perfectamente identificables con los de la vida cotidiana y un lenguaje coloquial que recoge los rasgos del habla familiar española. Más tarde estos autores derivan hacia técnicas expresionistas.

LAURO OLMO (Orense, 1922-Madrid, 1994) tiene un éxito sin precedentes con la obra que puede considerarse clave para la generación: *La camisa* (1962), que plantea un problema de candente actualidad: la doble emigración, de las zonas rurales a las industrializadas (Madrid, en este caso) y de ahí al extranjero (Alemania). Luego cargará las tintas satíricas en personajes esquematizados y acciones irreales y simbólicas: *La pechuga de la sardina* (1963), sobre la represión sexual; *El cuerpo* (1966), sobre el machismo y la tiranía basada en la fuerza; *English spoken* (1968)…

JOSÉ MARTÍN RECUERDA (Granada, 1922-2007) es autor de dramas broncos y desgarrados como *Las salvajes en Puente San Gil* (1963), una denuncia del fariseísmo de la sociedad y un retrato de la represión sexual y las reacciones brutales que genera. Después evoluciona hacia una estructura dramática y una puesta en escena mucho más complejas. Intenta crear un «teatro total», en el que el escenario irrumpe en la sala. Inicia ese camino *Las arrecogías del beaterio de Santa María Egipciaca* (1977), sobre Mariana Pineda, su mayor logro en esta modalidad.

JOSÉ MARÍA RODRÍGUEZ MÉNDEZ (Madrid, 1925) cultiva en un primer momento un teatro apegado a los esquemas del realismo convencional: *Vagones de madera* (1958), *La vendimia de Francia* (1964), *La batalla del Verdún* (1965). Más tarde incorpora componentes grotescos que proceden del esperpento: *Bodas que fueron famosas del Pingajo y la Fandanga* (1965; estr., 1976), *Los quinquis de Madriz* (1967), *Flor de otoño: una historia del barrio chino* (1974; estr., 1981)...

CARLOS MUÑIZ (Madrid, 1927-1994) evoluciona también desde el realismo al expresionismo: de la tragedia psicológica (*El grillo*, 1957) a la farsa desquiciada y grotesca: *El tintero* (1961), *Un solo de saxofón* (1961; estr., 1965), *Las viejas difíciles* (1963; estr., 1966). Con *Tragicomedia del serenísimo príncipe don Carlos* (1974; estr., 1980), sobre el hijo de Felipe II, hace una incursión en el esperpento desmitificador.

Al margen de la «Generación realista», aunque en algún momento se le pudo identificar con ella, está ANTONIO GALA (Brazatortas, Ciudad Real, 1930), que maneja una prosa de intenso lirismo perfectamente ajustada a la acción dramática. Comienza con *Los verdes campos del Edén* (1963), una pieza de tonalidades irreales y humor tierno. Participa luego del realismo propio de su tiempo, envuelto en un halo poético, con *Noviembre y un poco de yerba* (1967), en torno a las consecuencias de la guerra civil: la tragedia de un «topo». En *Los buenos días perdidos* (1972), su primer éxito multitudinario, logra cuajar una acertada fórmula simbólico-existencial, a la que se atendrán la mayoría de sus dramas futuros.

Anillos para una dama (1973) es un ejercicio desmitificador en el que la viuda del Cid y su mundo quedan reducidos a dimensiones burguesas. Siguen *Las cítaras colgadas de los árboles* (1974), *¿Por qué corres, Ulises?* (1975), *Petra Regalada* (1980), *La vieja señorita del Paraíso* (1980), *El cementerio de los pájaros* (1982)... El compromiso se diluye en una estética tendente a la ensoñación, entreverada de humorismo irónico y de cierta moralina seudoprogresista.

En los últimos tiempos se ha convertido en autor de éxito, ya sea en el formato de la novela lírica y sentimental (*El manuscrito carmesí*, 1990; *La pasión turca*, 1993; *Más allá del jardín*, 1995; *La regla de tres*, 1999) o en el de las colecciones de artículos y ensayos (*Charlas con Troylo*, 1981 y 1992; *En propia* mano, 1983; *Cuaderno de la dama de otoño*, 1985, 1987 y 1991; *A quien conmigo va*, 1994; *Carta a los herederos*, 1995...).

TEATRO SUBTERRÁNEO. Junto al drama realista y la comedia, se desarrolla en condiciones de marginalidad un teatro de ruptura, que enlaza con experimentos de Vanguardia.

FRANCISCO NIEVA (Valdepeñas, Ciudad Real, 1927), genial escenógrafo, tiene en su haber una producción dramática de carácter experimental y neobarroco, que se define por su afán trasgresor, mezcla de esperpento y surrealismo. Dentro de lo que el autor llama «teatro furioso» se cuentan: *Pelo de tomenta* (1961; estr., 1997), *El combate de Ópalos y Tasia* (1953), *La carroza de plomo candente* (1971), estrenadas ambas en 1976, *Coronada y el toro* (1973; estr., 1982)...

FERNANDO ARRABAL (Melilla, 1932), dramaturgo prolífico que ha desarrollado simultáneamente su producción en lengua española y francesa, compone un teatro que tiene como cualidades sobresalientes la riqueza imaginativa y simbólica, el predominio de lo lúdico y lo ritual, los componentes oníricos, el barroquismo del lenguaje, la acumulación de objetos dotados de significado metafórico..., todo ello con buenas dosis de humor, que va de lo irónico a lo grotesco. En los años cincuenta escribe una serie de obras en las que predomina la estética del absurdo: *El triciclo* (1952-1953; la primera que se representa en España, en 1958), *Fando y Lis* (1956), *El cementerio de automóviles* (1957)... Luego entra en su fase más original y característica: el «teatro pánico», asentado en los principios del Surrealismo y del teatro de la crueldad; da rienda suelta al subconsciente, prescindiendo de todo soporte lógico, en una mezcla de realidad y pesadilla. De la sencillez constructiva de sus primeras piezas pasa a un teatro de la confusión, de estructuras cada vez más complejas. Su muestra más interesante es *El arquitecto y el emperador de Asiria* (1966; estr., 1977).

A partir de los años sesenta, surge un teatro antirrealista, de personajes deshumanizados, de lenguaje crítico y bufonadas no siempre inteligibles, que aspira a constituir una feroz crítica de la sociedad del momento. Entre los cultivadores de estas alegorías y farsas satíricas merecen ser recordados José María Bellido (1922), autor de *Fútbol* (1963), *Tren a F...* (1964)...; José Ruibal (1925), con *El hombre y la mosca* (1968), *El mono piadoso* (1969), *La máquina de pedir* (1969)...; Antonio Martínez Ballesteros (1929), con *Farsas contemporáneas* (1970), *Retablo en tiempo presente* (1972)...

7.10.3. El teatro hispanoamericano

Frente a la novela y la lírica, en las que la literatura hispanoamericana ha alcanzado un reconocimiento internacional y ha afirmado a algunos autores en el canon occidental de los grandes clásicos, la creación dramática aparece como una sucesión de aportaciones voluntaristas que no han conseguido atraer a los públicos. La misma existencia de multitud de grupos experimentales convierte al teatro en una aventura poco consistente, juzgada solo por amigos y conocidos, de escaso relieve social y, en consecuencia, muy difícil de reducir a los límites de una «historia esencial» como la presente.

La tradición realista y el teatro comprometido. El drama hispanoamericano representado con mayor regularidad es el que se ajusta a los supuestos de cierto realismo y a los principios de la «pieza bien hecha», en la que la carpintería es elemento primordial. Se trata de un teatro comprometido con su realidad social y, a veces, política.

A esta tradición pertenece la obra del argentino Carlos Gorostiza (1920), al que se debe un título emblemático: *El puente* (1949). En este drama aspira a reflejar con exactitud la sociedad de su tiempo, en un contrapunto entre los personajes y escenas de «la calle» y los de «la casa», cada uno con su peculiar ideolecto, que se cruzan en una acción que acaba con la vida de un ingeniero y de un muchacho que trabajaba con él. La tragedia cae sobre los grupos sociales que se habían mantenido distantes y enfrentados a lo largo de la acción.

Por su maestría constructiva, por su sentido y fecha, *El puente* significa en el mundo argentino lo mismo que *Historia de una escalera* en el español. Supone la recuperación del realismo, con una tesis social subyacente, cuyo modelo hay que buscar en los dramas de Ibsen o en las obras coetáneas de Arthur Miller.

Tras *El puente*, estrena *El fabricante de piolín* (1950), *Marta Ferrari* (1955), *El juicio* y dos piezas de especial interés: *El reloj de Baltasar* (1955), en la que el realismo de la forma se alía con la fantasía temática: el cansancio de un personaje inmortal, y *El pan de la locura* (1958), de acento existencialista.

El ejemplo de Carlos Gorostiza alienta en Argentina un teatro preocupado por la realidad nacional y su traslación a la escena, presente en la obra de su estricto contemporáneo JUAN CARLOS GHIANO (1920-1990): *La casa de los Montoya* (1954), *Narcisa Garay, mujer para llorar* (1959), *Corazón de tango* (1963)..., y en la de la «Generación del 60», con SERGIO DE CECCO (1931-1986): *El reñidero, Capocómico...*; CARLOS SOMIGLIANA (1932-1987): *Amarillo, Amor de ciudad grande...*; ROBERTO M. COSSA (1934): *Nuestro fin de semana, Los días de Julián Bisbal, La ñata contra el libro;* RICARDO TALESNIK (1935): *La fiaca, Cien veces no debo...*; RICARDO HALAC (1935): *Soledad para cuatro, Estela de madrugada, Fin de diciembre*; GERMÁN ROZENMACHER (1936-1971): *Réquiem para un viernes a la noche...*

En México existe también una amplia promoción de dramaturgos realistas, unos próximos al costumbrismo, otros influidos por el teatro pirandelliano de «Los contemporáneos» (varios son discípulos directos de Usigli) y muchos en evolución hacia el expresionismo. Entre los más notables se cuentan EMILIO CARBALLIDO (1925): *Rosalba y los llaveros* (1950), *La danza que sueña la tortuga* (1955), *Silencio, pollos pelo-*

nes, ya les van a echar su maíz (1963), *Te juro, Juana, que tengo ganas* (1965)...; LUIS G. BASURTO (1918-1990): *Cada quien su vida* (1954), *El candidato de Dios* (1987); Elena Garro (1920-1998): *Un hogar sólido* (1958); SERGIO MAGAÑA (1924-1990): *Los signos del zodiaco* (1951) y el drama histórico *Moctezuma Segundo*; LUISA JOSEFINA HERNÁNDEZ (1928): *Aguardiente de caña* (1951), *Botica modelo* (1954), *Los frutos caídos* (1959); JORGE IBARGÜENGOITIA (1928-1983): *Cacahuetes japoneses, Susana y los jóvenes* (1954), *Clotilde en su casa* (1955); IGNACIO RETES (1918): *El aire de la locura* (1953), *Una ciudad para vivir* (1954)...

A estos nombres hay que añadir el del guatemalteco CARLOS SOLÓRZANO (1922), cuya vida se desarrolla en México y a cuya escena ofrece *Doña Beatriz, la sin ventura* (1952), *El hechicero* (1954), *Las manos de Dios* (1956)...

En Cuba han profundizado en el realismo costumbrista ABELARDO ESTORINO (1925), autor de *El robo del cochino* (1961) y *La casa vieja* (1964), y HÉCTOR QUINTERO (1942), más inclinado al grotesco expresionista: *Contigo, pan y cebolla* (1964).

En Chile predomina un realismo psicologista, representado por SERGIO VIDÁNOVIC (1926), con *Deja que los perros ladren* (1959), y EGON WOLFF (1926), con *Mansión de lechuzas* (1957)... Wolff derivará enseguida hacia el expresionismo y la farsa: *Los invasores* (1963), *Flores de papel* (1968).

Un cierto realismo preside también la formación del nuevo teatro puertorriqueño. Aunque la obra de EMILIO S. BELAVAL (1903-1972) parece remitirnos al universo de sensaciones y a la evocación histórica del Modernismo: *Cuando las flores de pascua son flores de azahar* (1939), *La hacienda de los cuatro vientos* (1958), MANUEL MÉNDEZ BALLESTER (1909) se inspira en el drama rural para plantear conflictos del Puer-to Rico de su época: *El clamor de los surcos* (1938) y *Tiempo muerto* (1940). Más tarde se despegará de esta corriente con obras como *La feria o el mono con la lata en el rabo* (1963). FERNANDO SIERRA BERDECÍA (1903-1962) alcanza el éxito al plantear un tema de estricta actualidad (la vida de los puertorriqueños en Nueva York) en *Esta noche juega el jóker* (1939).

De esta tradición parte también RENÉ MARQUÉS (1919-1979), en especial en el más célebre de sus dramas: *La carreta* (1952). Enseguida evolucionará hacia un teatro de evocación en el que el recuerdo y el sueño se superponen a la realidad: *Los soles truncos* (1956), *Un niño azul para esa sombra* (1958)...

FRANCISCO ARRIVÍ (1915) se enfrenta a los conflictos raciales puertorriqueños en *Vejigantes* (1958), donde el compromiso social se alía a un fondo mítico y simbólico con danzas y canciones negras.

Discípulos y herederos de Marqués puede considerarse a MYRNA CASAS (1934), que va desde el realismo psicológico (*Cristal roto en el tiempo*, 1960) a la sátira y el sinsentido (*Absurdos en soledad* y *La trampa*, ambas de 1963), y a LUIS RAFAEL SÁNCHEZ (1936), que ofrece una reflexión histórica sobre la tiranía, al modo brechtiano, en *La pasión según Antígona Pérez* (1968).

En Venezuela la figura clave de esta tendencia es CÉSAR RENGIFO (1916-1980), que no se ha limitado a las técnicas del realismo sino que, a través del expresionismo, se acerca a fórmulas brechtianas. Si el realismo comprometido es la esencia de *Buenaventura Chatarra*, la reflexión político-social es el alma de sus obras de mayor relieve, en especial la trilogía integrada por *Un tal Ezequiel Zamora*, *Los hombres de los cantos amargos* y *Lo que dejó la tempestad*, en torno al caudillismo y sus males, y la tetralogía del petróleo: *Las mariposas en la oscuridad*, *El vendaval amarillo*, *El raudal de los muertos cansados* y *Las torres y el viento*.

Teatro de denuncia pero menos apegado al realismo es el del peruano SEBASTIÁN SALAZAR BONDY (1924-1965), creador de farsas humorísticas y satíricas como *Amor, gran laberinto* (1947), *Algo tiene que morir* (1951), *No hay isla feliz* (1954), *El fabricante de deudas* (1963).

En Uruguay CARLOS MAGGI (1922), con *La biblioteca* (1959), *La trastienda* (1958), *El patio de torcazas* (1961), *El apuntador* (1969), encarna la dramaturgia de carácter crítico y preocupación social.

LA EXPERIMENTACIÓN Y LA FARSA. Aunque no se pueden establecer fronteras rígidas con los dramaturgos citados anteriormente, los que aparecerán en este capítulo, dentro de su variedad, se caracterizan por el rechazo del realismo, el empleo de la farsa como forma de desrealización y la incorporación del absurdo, de elementos procedentes del Surrealismo y del teatro de la crueldad. Frente al drama convencional, próximo al neoaristotelismo, proponen la investigación, el experimento, la abolición de los moldes admitidos.

El más viejo de los autores que aquí deben citarse es el cubano VIRGILIO PIÑERA (Cárdenas, 1912-La Habana, 1979). Además de dramaturgo, fue lírico y ofreció su obra poética en dos muestras antológicas (*La vida entera* y *Una broma colosal*), ahora reunidas en *La isla en peso*. Escribió también relatos (*Cuentos fríos*, 1956; *Pequeñas maniobras*, 1963). Su producción para el teatro se abre con *Falsa alarma* (1948), que anuncia rasgos absurdos, y la tragedia, parodiada o traída a la vida vulgar de cada día, *Electra Garrigó* (1941; estr., 1948). Escribe algunas piezas de encargo, en las que ensaya un teatro social (*La sorpresa* y *El filántropo*, ambas de 1960), pero su arte más personal está en *Aire frío* (1958; estr., 1962) y *Dos viejos pánicos* (1968). El absurdo, la angustia existencial, el terror confieren una genuina fisonomía a estas obras.

Su discípulo JOSÉ TRIANA (1933) ha creado también un drama de la crueldad (*El Mayor General hablará de Teogonía*, 1960; *Medea ante el espejo*, 1961; *La noche de los asesinos*, 1966), de carácter ritual y obsesivo.

La angustia, la soledad y su expresión a través del rito y el absurdo conforman asimismo la obra del chileno ALBERTO HEIREMANS (1928-1964). En *El abanderado* (1961) la vida de un bandido se cruza e identifica con el drama de la Pasión a través del rito popular de la cruz de mayo. *Versos de ciegos* (1960), llamada también *Sigue la estrella*, y *El toni chico* (1964) manejan símbolos habituales del absurdo: los persona-

759

jes del circo que vagan sin meta. Los ambientes cerrados e inquietantes, emblemas de la soledad y la muerte, protagonizan *Moscas sobre el mármol* (1958) y *El palomar a oscuras* (1960).

El mismo juego abstracto, angustiado y deshumanizado informa la dramaturgia de su compatriota JORGE DÍAZ (1930-2007): *Réquiem por un girasol* (1961), *El velero en la botella* (1962), *El lugar donde mueren los mamíferos* (1963), *El cepillo de dientes* (1966), *La orgástula* (1970)…

El colombiano ENRIQUE BUENAVENTURA (1925-2003), creador del «Teatro experimental de Cali», cultiva un drama farsesco, esperpéntico, de un expresionismo que sobrepasa los límites de la realidad y se acerca a una ritualización folclórica. Escribe *A la diestra de Dios Padre* (1958), *Un réquiem para el padre Las Casas* (1960), *La tragedia del rey Christophe* (1962), *La orgía*…

El mundo de la farsa tiene en el argentino AGUSTÍN CUZZANI (1924) uno de sus más lúcidos creadores. Sus *farsátiras* son agrias críticas irónicas presentadas desde la abstracción deshumanizada: *Una libra de carne* (1954), *El centroforward murió al amanecer* (1955), *Los indios estaban cabreros* (1958), *Sempronio* (1962), *Para que se cumplan las escrituras* (1965)…

OSVALDO DRAGÚN (1929), también argentino, cultiva una farsa satírica de inspiración brechtiana, que en el momento de su estreno le da fama en los ambientes izquierdistas: *La peste viene de Melos* (1956), *Tupac Amaru* (1957), *Historias para ser contadas* (1957), *Milagro en el mercado viejo* (1963), *Y nos dijeron que éramos inmortales* (1962)…

Citemos, por último, a tres dramaturgs venezolanos, inclinados a la caricatura entre bufa y trágica. ROMÁN CHALBAULD (1930) maneja símbolos en que contrasta el inframundo miserable con la sociedad convencional: *Sagrado y obsceno* (1961), *Los ángeles terribles* (1968), *El pez que fuma*… ISAAC CHOCRÓN (1930), más próximo al realismo aunque ha tanteado los más diversos estilos, ha compuesto sátiras políticas (*Asia y el Lejano Oriente,* 1965; *Tric-trac,* 1967); pero se ha

ocupado también de los conflictos íntimos, de la búsqueda desesperada de la estabilidad personal (*Mesopotamia, Simón
Clipper*...). JOSÉ IGNACIO CABRUJAS (1937-1995) tiende a la
reflexión crítica sobre el hombre venezolano, bien a través de
la recreación histórica (*Juan Francisco León*, 1959; *En nombre del rey*, 1963), bien a través de situaciones contemporáneas
o del pasado próximo: *Profundo* (1972), *Acto cultural* (1976),
El día que me quieras (1979)...

Índice de autores y obras anónimas